教育部人文社会科学百所重点研究基地
内蒙古大学蒙古学研究中心学术著作系列
TOMUS 23

国家社科基金成果文库

SELECTED WORKS OF THE CHINA
NATIONAL FUND FOR SOCIAL SCIENCES

内蒙古通史 第一卷

远古至唐代的内蒙古地区（一）

总 主 编　郝维民　齐木德道尔吉

本卷主编　张久和

人民出版社

策划编辑:陈寒节
编辑统筹:侯俊智
责任编辑:关　宏
装帧设计:肖　辉
责任校对:阎　宓　史　伟

图书在版编目(CIP)数据

内蒙古通史.第一卷/张久和 主编.
　—北京:人民出版社,2011.12
ISBN 978－7－01－009417－5

Ⅰ.①内…　Ⅱ.①张…　Ⅲ.①内蒙古-地方史-远古～唐代　Ⅳ.①K292.6

中国版本图书馆 CIP 数据核字(2010)第 214803 号

内蒙古通史(第一卷)

NEIMENGGU TONGSHI DIYIJUAN

远古至唐代的内蒙古地区

主编　张久和

人民出版社 出版发行

(100706　北京市东城区隆福寺街99号)

北京中科印刷有限公司印刷　新华书店经销

2011 年 12 月第 1 版　2012 年 10 月北京第 2 次印刷
开本:710 毫米×1000 毫米 1/16　插页:11
印张:51　字数:804 千字

ISBN 978－7－01－009417－5　定价:150.00 元(共二册)

邮购地址 100706　北京市东城区隆福寺街 99 号
人民东方图书销售中心　电话 (010)65250042　65289539

《国家社科基金成果文库》
出版说明

国家社科基金研究项目优秀成果代表国家社科研究的最高水平。为集中展示这些优秀成果，全国哲学社会科学规划领导小组决定编辑出版《国家社科基金成果文库》。《文库》将按照"高质量的成果、高水平的编辑、高标准的印刷"和"统一标识、统一版式、统一封面设计"的总体要求陆续出版。

全国哲学社会科学规划领导小组办公室
2005 年 6 月

《内蒙古通史》绪论

郝维民

内蒙古无论从地域角度来说，还是从民族内容而论，或是从建制去谈，在中国通史上都具有特殊的地位和意义。应该说这是不言而喻的问题。但是，在迄今出版的中国通史著作中都没有也不可能作翔实系统的记述。对很多人来说，只知其然，不知其所以然，即使是历史学家也不是人人都详知这里从古至今的历史，至于其他学科的学者，更是了解甚少。在一些断代史或专门史、民族史中，对内蒙古地区历史的评说，姑且不说论点如何，就是史实也是众说纷纭。因此，我们一直认为需要撰写一部时空完整、内容全面、史料翔实、论证精确的内蒙古通史，而且企盼在中国通史中也要把这块历史加进去。这就是我们研究并编撰这部《内蒙古通史》的初衷。但是，是不是达到了这个目标，让读者评说、让历史检验吧。

在绪论中我只想谈两个问题，一是谈一谈研究、编撰《内蒙古通史》的情况，以便读者、学术界同人了解这部通史产生的始末和其中为人少知的故事；二是就内蒙古历史上的若干问题谈点认识，与关注内蒙古历史的学术界朋友和人们交换意见，以深化研究工作。

《内蒙古通史》编撰纪实

《内蒙古通史》的编写，从酝酿、研究到实施、完成，经历了"文革"

前后两个阶段近50年时间。从正式立项研究编写，在吸纳众多学者的研究成果的基础上，又经过近10年时间才得以完成。这是一个值得回顾记述的过程。

从20世纪50年代起，内蒙古的蒙古史、地区史研究工作者一直在酝酿、研究内蒙古通史，发表了许多相关研究成果。黄静涛的《内蒙古发展概述》、余元盦的《内蒙古历史概要》，应当说是建国后内蒙古历史研究的先行之作，但是主要写古代蒙古史和北方民族史，涉及民族史以外的地域史内容较少，更未写近现代史。20世纪50年代，国家民委组织少数民族社会历史调查，编撰民族问题五种丛书，蒙古族历史的调查研究也在其中，并开始组织编写蒙古族以及达斡尔族、鄂温克族、鄂伦春族简史。随之，内蒙古自治区蒙古历史语文研究所、内蒙古大学蒙古史研究室相继建立，内蒙古师范学院历史系也有部分学者结合教学研究蒙古史，在自治区开始形成研究队伍。1957年内蒙古大学成立，将蒙古史、北方民族史、内蒙古地区史列为重点研究的学术领域，从1958年组织编写《内蒙古革命史》开始，形成了研究蒙古史、内蒙古地区史的热烈气氛，发表了一批开创性的学术论文。内蒙古大学学报出版了两期"蒙古史专号"，做了卓有成效的基础研究工作，特别是1965年开始编写《内蒙古史纲》，可以说这是编写《内蒙古通史》的尝试与起步，但是因"文革"而被搁置。

1959年内蒙古大学主持成立了内蒙古历史学会，以推动内蒙古自治区的历史研究工作。1961年，著名历史学家范文澜、翦伯赞、吕振羽、翁独健、韩儒林、刘大年、王冶秋等应邀来内蒙古讲学访古，与史学工作者座谈交流，对内蒙古的蒙古史、民族史研究产生了重要影响。1962年6月，内蒙古历史学会在内蒙古大学举办了"纪念成吉思汗诞辰800周年蒙古史科学讨论会"，内蒙古的蒙汉各族史学工作者以及北京等7个省市的著名蒙古史学家如翁独健、著名民族史学家如马长寿等20多位学者应邀出席。与会者对内蒙古大学周清澍的《成吉思汗生年考》和亦邻真的《成吉思汗与蒙古民族共同体的形成》反响热烈，把学者们的目光开始引向内蒙古的史学界。这是我国举行的首次全国性蒙古史学术讨论会。同年底，内蒙古历史学会又在内蒙古大学举行"《蒙古源流》成书300周年学术讨论会"，内蒙古的蒙古历史、语言、文学研究者及新闻出版、文化艺术界百余人出席，内蒙古大学额尔德尼白音和周清澍合写的《〈蒙古源流〉初探》，受到与会学者的高度评价。

在改革开放的新时期，蒙古史、民族史和内蒙古地区史研究发展迅速。1979 年中国蒙古史学会成立，通过各种学术会议，邀请国内外学者研讨蒙古史、民族史和内蒙古地区史，促进学术交流；编辑出版《中国蒙古史学会论文选集》4 集，出版多种文字混编的会刊《蒙古史研究》9 集，发表了近千万字的研究成果。内蒙古大学接连举办 4 次蒙古学国际学术讨论会；内蒙古师范大学举行 2 次《蒙古秘史》国际学术讨论会；新疆师范大学和内蒙古师范大学联合举办 4 次全国卫拉特蒙古历史文化学术讨论会；中国蒙古史学会与云南大学、西南民族研究中心联合举办蒙古历史文化国际研讨会；内蒙古社会科学院、内蒙古大学、内蒙古师范大学联合举办中国蒙古学国际讨论会等大型学术活动，丰富了蒙古史、民族史的学术内容，拓展了研究领域，研究队伍空前壮大，重要学术论著纷纷问世。国家民委民族问题五种丛书中的《蒙古族简史》、《鄂伦春族简史》、《鄂温克族简史》、《达斡尔族简史》相继出版；内蒙古社会科学院历史研究所编著的《蒙古族通史》（3卷）、义都合西格主编的《蒙古民族通史》（5 卷）相继问世；内蒙古大学学者编著出版的《简明古代蒙古史》、《内蒙古历史地理》、《内蒙古近代简史》、《内蒙古自治区史》、《内蒙古革命史》、《大青山抗日斗争史》、《百年风云内蒙古》和《匈奴通史》、《突厥史》、《东胡史》等若干专史、断代史纷纷面世；国内高等院校和研究单位的学者也出版了一批蒙古史、北方民族史著作，发表相关学术论文数千篇，这是蒙古史研究空前繁荣的标志。同时，蒙古史、地区史古籍与历史档案的搜集、整理、出版，内蒙古自治区以及其他省区蒙古族自治地方的地方志和史志资料的编纂、编辑出版，国外史料的搜集利用，使蒙古史、北方民族史、内蒙古地区史的重要史料不断地涌现。改革开放促进中国学者与蒙古国、日本、德国、俄罗斯、美国、英国等许多国家的学者开展广泛而频繁的学术交流，建立良好的学术联系与合作研究，推进研究工作向纵深发展。

这期间，内蒙古大学蒙古史研究室改称蒙古史研究所，同时成立了内蒙古近现代史研究所，开始培养硕士、博士高层次专门研究人才，有的出国留学深造，使新生力量茁壮成长，研究队伍不断壮大，形成以教授、副教授、博士、硕士为主干，老中青结合的学术群体；研究领域逐步拓展，研究工作全面展开，学科建设迅速发展，研究成果特别是基础研究取得了突破性进展，不少论著属开创性的研究成果。学科兴旺，人心振奋，编写一部《内蒙古通史》的条件已经成熟。

《内蒙古通史》于 1991 年被列为内蒙古自治区社会科学规划项目后，基础研究工作深入进行；2001 年 5 月立为国家社科基金项目，资助经费 6 万元，编写工作正式启动；2003 年列入内蒙古大学"211"工程第二期建设重点项目，资助经费 25 万元；2004 年内蒙古党委和政府资助编写经费 80 万元。随着经费逐步得到保证，编写工作顺利推进。

《内蒙古通史》在国家社科基金立项后，我们根据酝酿多年的思路，经过反复论证，制定了《〈内蒙古通史〉编写通例》，确定了编写指导思想与全书基本内容，规范了编写体例与撰写要求，并在编写实践中根据情况不断进行调整充实。《通例》要点：

一、指导思想

以马列主义、毛泽东思想和邓小平理论为指导，坚持历史唯物主义与辩证唯物主义观点和实事求是的原则，真实、客观、全面地反映内蒙古历史的本来面貌，科学地揭示历史变迁、发展的规律，阐述推进历史发展的经验，总结历史曲折运动中的教训，给人们提供可靠的历史的借鉴，从而发挥历史科学为内蒙古自治区乃至国家社会主义经济社会和建设发展服务的功能。

二、基本历史线索

全书以古代北方民族、蒙古族以及达斡尔、鄂温克、鄂伦春等现存其他少数民族的民族史和内蒙古的地区史（包括汉族北迁、发展的历史）为两条历史主干线索，全面叙述从古至今内蒙古的发展史。

三、全书基本内容

1. 以马克思主义民族学的观点，系统叙述该地区历史上的各个民族产生、发展、消失和当今各个民族产生、发展、繁荣的历史过程，剖析各个历史时期的民族关系和民族问题。

2. 以现在内蒙古自治区的行政地域为基础，叙述各个历史时期这里的行政地域及其发生变迁的过程和原因。

3. 准确叙述和科学分析历史上各个北方民族政权、王朝的始末和他们之间的相互关系以及他们与中原王朝的关系。

4. 全面科学地叙述各个历史时期的政治、经济、军事、科学、文化以及历史人物、历史事件等。

5. 充分应用内蒙古考古研究的成果，充实、印证和订正文字史料，力求全面、准确地反映内蒙古的历史，特别是展现内蒙古的史前史。

6. 叙述各个历史时期的生态环境及其发展、演变的过程，阐明其发展、演变中自然的原因或人类作用的原因以及人与生态环境的关系。

7. 叙述历史上的自然灾害及其对人类生存、发展所产生的影响，以及人类对自然灾害的抗争。

8. 每卷精选形象地印证历史的典型插图 40～50 幅，或随文插配，或集中配置，形成文图并茂之专著。

四、体例结构

全书分 8 卷，第 1 至第 7 卷，是远古至 20 世纪末内蒙古的历史，第 8 卷是内蒙古生态环境演变与生态文明的发展。每卷设 4 编，编下分章、节、目、子目等。第一编史料与研究概况；第二编概述，概括叙述本卷以政治史为主的基本历史内容和历史发展线索以及基本观点；第三编专题，集中论述政治、经济、民族、文化、教育、科学技术、生态环境、自然灾害以及重要学术见解等重大专题，作为对概述的充实，以增加全书内容和研究的厚重度；第四编人物，凡属历史上有影响的人物，根据其实际情况进行评述，以丰富全书的人物内容。在每卷卷首写一篇"题记"，一是介绍各卷的主旨，二是介绍各卷的编著者，让通史成果的创造者随成果载入史册；卷尾列参考文献和索引，便于读者查阅资料和书中的人名、地名、建制、事件等。

五、撰写要求

1. 原则上以历史发展顺序叙述，要有清晰的历史发展脉络。为了说明某一历史事件和阐明某一历史问题，在不打乱大的历史发展顺序的前提下，在某章某节中也可以采取集中叙述和阐述，或列入专题中阐述，以展现新的重大研究成果。

2. "概述"以著者流畅、优美、通俗的文字叙述为主，论证为辅；引文只引必须的原始资料，不引叙述性文字，更不以资料字句组合成文；引用原始资料要加脚注，重要的综合叙述必要时也应加注说明其根据；凡属考证内容，一般不在正文中进行考证，只将考证结果写入正文，特别重要的考证放在脚注中说明。总之，要便于行文流畅，增强可读性。

3. 充分掌握中外研究状况，吸收正确的研究成果，剔除不恰当的结论，扬弃谬误之说，写成史实可靠、立论有据、言之成理、符合实际（至少接近历史实际）、质量上乘的第一部贯通古今的《内蒙古通史》专著。

六、跨学科研究

以历史学为主体，跨民族学、考古学、生态学等多学科交叉研究，文理科交叉研究，突破传统史学著作的模式，探索史学研究的创新之路。

《内蒙古通史》的研究、编写，参加者起初是 32 人，其中教授、研究员 15 名，副教授、副研究员 14 名，此外还有 14 名博士。这是课题研究的骨干队伍。2005 年以后，由于研究范围的拓展，专题研究量增加，又陆续邀请了一批相关专家、学者和博士、硕士研究生参加专题研究，最终形成 102 人的编撰团队，其中具有高级学术职称的 73 位、工程院院士 1 位、博士 36 位。这支队伍以内蒙古大学的教师、研究人员为核心，并有内蒙古师范大学、内蒙古社会科学院、中央民族大学、中国人民大学、赤峰学院以及有关研究部门的专业研究人员参加，形成重大课题攻关的大联合。这是一支以中年为核心，老中青相结合，学术水平高，实力强的课题攻关团队，是完成编撰工作的人力和知识保障。

《内蒙古通史》编撰的第一步，由项目主持人、总主编和各卷主编、副主编及部分编写人员计 20 人，执笔撰写了阶段性成果《内蒙古通史纲要》，计 88 万字，2006 年由人民出版社出版。《纲要》体现了《通史》的基本思路、基本观点、基本框架。《纲要》出版后，受到各方面的关注。2008 年 12 月，获内蒙古自治区人民政府授予的内蒙古自治区哲学社会科学优秀成果政府奖二等奖。

　　《内蒙古通史》于 2007 年年初，按国家社科基金立项的方案完成了研究工作，并申请结项。全国社会科学规划办公室组织评审，8 月 30 日通过验收结项。12 月，全国社会科学规划办公室在年度总结报告中将其确认为基础研究优秀成果。根据全国社科规划办公室的建议和评审专家的意见，经过全面整理、充分吸收课题研究中的成果，调整了部分结构。全书分 8 卷，每卷仍列史料与研究概况、概述、专题、人物等 4 编，前有题记，后列参考文献和索引，全书配图 300 多幅，总计一千余万字，2008 年 6 月最终完稿。全国社会科学规划办公室批准《内蒙古通史》列入《国家社科基金成果文库》，并由人民出版社出版。之后近两年，配合人民出版社的精心审读编辑，对文稿进行了反复修订，最终定稿，付梓出版。

　　现在回顾研究、编写《内蒙古通史》的全过程，我浮想联翩，感慨不已。

　　《内蒙古通史》从研究到立项，从编写到出版，一直是在党和政府以及不少领导人的关怀、支持和指导下实现的。自立为内蒙古自治区社科规划项目和国家社科基金项目，便纳入了自治区和国家的社会科学研究计划，这是研究、编写工作的组织保证。期间，中宣部刘云山部长以及内蒙古党委书记储波、自治区主席杨晶给以关照；时任党委常委、秘书长的任亚平一直热情支持、指导并设法解决编写工作中的困难；自治区乌兰副主席果断决定由政府专拨 80 万元解决编写经费；自治区连辑副主席特地看望总主编和各卷主编，希望我们把好关，出精品；全国社科规划办公室张国祚、佘志远主任特地接见总主编，就重大问题给以指导，并以精品和传世之作的标准相要求。这一切，既使我们得到精神上的支持、鼓舞和鞭策，又得到经费上的保证，促使我们一丝不苟，严谨治学，千方百计实现目标。这是我们圆满完成编写工作的关键条件。

　　《内蒙古通史》的编写集体给我们留下了许多感人的事迹。生态卷主编刘钟龄教授虽然身有残疾、年过七旬，毅然接受了我的邀请，以深厚的学术功底和渊博的生态学学识，特别是对近 50 年内蒙古生态环境的熟悉，成功地把生态学与历史学结合起来，第一次撰写了内蒙古生态环境演变历史与生态文明的发展。这是本通史的最突出的创新。民国卷主编金海教授在 1999 年检查出癌症并动了两次重大手术后，毅然要求参加编写工作。在近 10 年时间里，他尽管接受了 8 次手术、两次放疗，仍然出色地完成了编写任务，还获得了博士学位、晋升为教授，指导硕士、博士研究生。这种令人钦佩的毅力和高度的职业使命感、责任心，成为课题组的精神力量。当代卷副主编庆格勒图副教授，女儿患白血病后在北京租房陪床，将自己的造血干细胞移植给爱女，同时坚持撰写史稿，度过了五个春秋，我们既同情又感动，更庆幸他的女儿得救。以通史总主编之一、第五卷清代时期的内蒙古主编齐木德道尔吉教授为代表的一批中年专家，是研究、编写和攻关的中坚力量，尽管他们的研究、教学和行政工作头绪纷繁，但是为通史的编写倾注了大量心血和精力，确保了通史的质量和编写进度，令我欣喜和钦佩。还有一批后期加盟的专家学者，毫不迟疑地接受了邀请，奉献了他们多年积累的研究成果，使我肃然起敬。有部分青年学者和在读硕士、博士研究生也在他们导师的指导下，参加了科研实践，令我欣慰。有人问我怎么把这么多人拢在一起的，我说这是国家社科基金项目的魅力，是内蒙古文化大区建设和内蒙古大学"211"工程建设项目的品位，使大家走到一起来攻关。

内蒙古大学对本项目给予全面支持和管理。学校领导同志不时询问编写工作，随时解决提出的问题；蒙古学学院、蒙古学研究中心将之作为标志性研究项目协助实施；学校党政办公室、科技处、社科处等部门给予大力支持；党委宣传部经常通报工作进展。这是研究、编写工作顺畅进行的保证。

当完成这项工程的时候，我们没有忘记前辈的研究打下的基础；也记得社会各方面给与我们的支持，特别应当提到内蒙古档案馆、自治区人民政府档案室敞开提供资料，不少图书馆和资料收藏部门也提供了方便；一些企业和政府部门提供了资金支持，表达了他们对文化建设事业的关注。在整个出版过程中，人民出版社严格的审读和精心的编辑，保证了精品目标的实现。

总之，《内蒙古通史》是在上下同心，团队协力，社会支持，单位尽责的协调、和谐的氛围中，完成了研究、撰写、出版工作。其中倾注了许多人的心血，吸纳了许多人的智慧，得到许多人的关心与支持。这项成果是群体力量与智慧的结晶。在实践中，我们深深感受到继承以往的研究成果，是发展学术研究的基础；开拓创新是学术研究永恒的主题；长远整体规划是学科发展的动力与目标；优秀的学术团队是学术攻关的关键；团队精神和团队的凝聚力是完成课题的力量源泉。这是我们从中得到的宝贵启示。

对内蒙古历史上若干问题的认识

内蒙古地区历史悠久，绵延数千年，历史发展曲折多变，历史内容丰富多彩，涉及的问题广而又广。《内蒙古通史》以千余万字的篇幅叙述了这一历史过程，对历史上的诸多问题进行了力所能及的评说。

我借此机会，对于内蒙古历史上有歧异的问题，或人们不甚了解的问题，或需要集中说明的问题，或有助于人们了解内蒙古历史核心内容的问题，简要地谈一些看法，便于学术交流，便于诸家争鸣，更便于推进研究工作向更广更深更高的层次发展。这里所谈的问题不都是新问题，其中不少问题讨论过多年，但众说纷纭，莫衷一是。有的论点以其当时政治背景的强势占据了主导地位，学术争鸣的余地很少；有些问题是人们缺乏从历史的实际出发，而是或多或少以主观臆断得出概念化的结论；有些问题是人们从各种需求出发立论，然后让历史替自己说话；有些问题是人们缺乏历史唯物主义、辩证唯物主义的观点与方法，凭空地、孤立地看待历史事件、历史人物、历史过程，特别是由于轻视历史的科学性，往往随心所欲地对待历史造成的。诸如此类的问题，在史学界有之，在与史学相关的其他学界也有之，在政界和社会上也不少见。我们在研究、编撰《内蒙古通史》的过程中注意到了这类问题，力求客观地叙述历史，科学地阐述历史问题，使这部史书符合历史实际，至少接近历史实际。我想对我们反复思考的一些问题，谈一谈初步形成的见解。

一、内蒙古称谓的来历与演变

在我们讨论内蒙古历史问题之前，首先需要介绍内蒙古之称谓的来历及其演变。内蒙古自治区的一位负责同志，在读了《内蒙古通史纲要》之后，来信建议把内蒙古之称谓的来历，在《内蒙古通史》的适当之处作一说明；以往也曾有人或文化单位、媒体，询问这一问题；在一些媒体或出版物上时有不准确的解释出现。看来对这个称谓给以准确的说明是必要的。

其实，在《内蒙古通史》的有关卷中已分别叙述了内蒙古历史地理的变迁，内蒙古之称谓的来历也随之谈及。现在，再作集中说明。

　　我们经常听到有人把内蒙古历史与蒙古族历史混淆起来谈论问题，由于对这两个不同概念的混淆，问题自然也很难说清楚。其实，人们也都明白，前者是地区历史，后者是民族历史，其时空范围和内容都有很大的差别。就历史时限而言，内蒙古通史要从远古叙述到当今；就历史空间而论，它仅限于内蒙古地域范围之内。而蒙古族通史，其历史时限应该是从蒙古民族的产生叙述到现在，之前的历史是古代北方民族史；其历史空间却很广大，以蒙古民族而得名的蒙古高原为基础，波及到蒙古族所在的地区。内蒙古之称谓与蒙古民族相关，但它只是中国蒙古族最大的聚居区域。

　　蒙古民族以震撼世界的声威登上历史舞台以后，蒙古这个称谓由此而产生，存续至今。蒙古既是蒙古族的简称，也是蒙古族繁衍、生息、活动、发展的地域称谓，通常称之为"蒙古高原"或"蒙古地区"等等。根据蒙古族历史的发展，对蒙古称谓的表述及其内涵也不断变化，而且派生出诸多与"蒙古"有关的名称，既有地域、部落的含义，又注入了国家、政权或行政的属性。

　　在铁木真统一蒙古各部，建立"大蒙古国"，称帝成吉思汗之时，蒙古之称谓已有政权、国家的属性。在元代，元朝形成中国空前统一的多民族国家政权，蒙古地区也同中原一样，实行行省制度，而"蒙古"作为蒙古族的简称及其活动地域的称谓依然存在。

　　在明代，元顺帝惠宗率群臣撤离大都，退据蒙古故土，创建北元，统绪大元，占据中国半壁江山，与明朝形成南北对峙，蒙古各部依然存续。按地域，基本上以大漠为坐标，把蒙古高原分别称为"漠南蒙古"、"漠北蒙古"、"漠西蒙古"，而蒙古之统一的称谓依旧。

　　在清代，"蒙古"之称谓发生了很大变化，出现了众多有关蒙古的称呼。从行政建制来说，有外藩蒙古、内属蒙古和八旗蒙古之分；从地域而论，与漠南蒙古、漠北蒙古、漠西蒙古相对应，有内蒙古、外蒙古、西蒙古之说。

　　所谓外藩蒙古，是札萨克蒙古旗之总称，其中又分外札萨克蒙古、内札萨克蒙古。外札萨克蒙古，是指在漠北喀尔喀蒙古先后设86旗，并分置4个盟；在漠西卫拉特蒙古设34旗、青海蒙古设29旗、西套蒙古设厄鲁特阿拉善和土尔扈特额济纳两旗，以上总计151个旗。内札萨克蒙古，是指在漠南蒙古分置了哲里木、昭乌达、卓索图、锡林郭勒、乌兰察布和伊克昭等 6 个盟，盟下共设 49 个旗，称之为内札萨克蒙古。

所谓内属蒙古，是指清朝在呼伦贝尔、布特哈、察哈尔、归化城土默特等蒙古部编置总管旗或都统旗，实施中央和各地将军直接管辖。这是清代在漠南蒙古设置的有别于内札萨克蒙古的另一种行政建制。

所谓八旗蒙古，是指在早期归附的旧蒙古二旗基础上吸收喀喇沁兵丁组成的蒙古八旗。他们完全被纳入爱新国八旗组织序列，与八旗满洲并列，称八旗蒙古，成为爱新国和清朝直辖的主力军队之一。清军入关后，这支军队随同满洲、汉军一起驻防在京师和全国各地。

内蒙古之称谓，是从内札萨克蒙古和内属蒙古的语意衍生而来。但是，内蒙古并非清朝的行政建制，而是地域概念，即内札萨克蒙古和内属蒙古之地域，基本上包括在内蒙古地域范围之内，或者说内蒙古就是内札萨克蒙古和内属蒙古的地域。内蒙古之称谓没有朝廷命名的根据，也没有行政建制的含义，只是约定俗成的地域称谓。内蒙古之称谓究竟始于何时？目前还没有准确的考证。但是，这并不重要，而内蒙古是由中国蒙古族最大的聚居区域而得名，这是无疑的，也是内蒙古之称谓的实质所在。

在民国时期，先是民国政府在内蒙古地区设置热河、察哈尔、绥远 3 个特别行政区，后是国民政府分别设了热、察、绥 3 个行省，有些蒙旗分别隶属于黑龙江、吉林、辽宁、宁夏、甘肃等省，内札萨克蒙古和内属蒙古地域范围内的内蒙古之称谓已不复存在。这是由于大汉族主义民族政策所致。中国共产党成立以来，蒙古或内蒙古之名称频频出现在其纲领、决议和方针、政策之中。1935 年 12 月 20 日，毛泽东在《对内蒙古人民宣言》中称：原内蒙古 6 盟 24 部 49 旗、察哈尔和土默特二部、宁夏 3 特别旗之全域，"作为内蒙古民族之领土"，一律归还内蒙古人民。显然，这是蒙古民族聚居的地域概念，也是中国共产党对内蒙古行政建制的构想。1949 年 3 月，毛泽东又提出为恢复内蒙古的历史地域创造条件，逐步实现东西蒙统一的民族区域自治。经过七年多时间，撤销了热、察、绥 3 行省，把划归邻省的大部分蒙旗划回内蒙古，实现了内蒙古统一的民族区域自治，即今内蒙古自治区。这里不仅是蒙古高原以大漠为界的南半部蒙古族聚居的地域概念，又是蒙古族实行民族区域自治的行政建制。《内蒙古通史》就是以此地域范围为空间，回溯历史，中华人民共和国成立前统称"内蒙古地区"或"内蒙古"，之后称内蒙古自治区。

二、古代内蒙古地区历史变迁

内蒙古地区在公元前 21 世纪即有一些游牧民族生息繁衍并与中原华夏族发生交往，一直到公元 10 世纪陆续有更多的游牧民族和民族政权、王朝出现，并向中原拓展。这里成为中国古代北方民族的历史舞台，他们是中国北疆历史的开创者。中原政权和王朝以及农耕民族也渐渐向北疆拓展，辖治部分地区，对中国北疆历史的发展发挥了极其重要的作用。由此而形成农耕文化与游牧文化的接触、碰撞、交流、融合，从北方开始了中国统一多民族国家形成的历史进程。

公元前 21 世纪至公元前 3 世纪，内蒙古地区除有林胡、东胡、匈奴等游牧民族栖息繁衍外，中原燕、赵、秦三国对这里的南缘地带实行经略和管辖。公元前 3 世纪至公元 3 世纪，匈奴、乌桓、鲜卑等游牧民族及其政权，与秦汉王朝发生密切的政治、经济、军事和文化关系；秦汉王朝也对这里实行局部统治，设郡置县，开发农业。公元 3 世纪至 6 世纪，匈奴、乌桓迁徙内地，逐渐融合于中原各族；鲜卑各部在这里占据优势，与其他北方各族纷纷建立割据政权，最后归于拓跋魏的统一。同期，起源于内蒙古地域内的契丹、库莫奚、室韦、柔然等民族与中原王朝建立了联系；拓跋魏建立北魏王朝，对内蒙古部分地区实施统治。公元 6 世纪至 10 世纪，突厥汗国、回纥汗国等相继统治北方，契丹、奚、室韦—达怛等在突厥、回纥汗国与隋唐王朝之间依附不定；隋唐王朝在内蒙古部分地区设置州郡。契丹、室韦—达怛在这一时期积聚实力，为辽王朝和蒙古汗国的建立奠定了初步的地域、社会和经济基础。公元 10 世纪以前，北方诸游牧民族的社会、经济、文化及其发展，既有各自的创造，又有相互吸纳；既有共同性，又有独特性，也为中原汉文化注入了新内容。

公元 10 世纪初至 13 世纪前期，在内蒙古地区先后出现由契丹、党项、女真族分别建立或交叠出现的辽、西夏、金等北方民族政权，他们与当时中原地区同时存在的两宋政权共同构成中国古代又一次南北割据的对峙局面。公元 10 世纪初期，契丹人称雄北方草原，很快建立了辽朝政权，形成了以内蒙古地区为基本统治重心，并完全控制了北方草原地区以及今河北省北部、北京市、天津市和山西省北部等大片农耕区域。同时，唐末中原政局混乱，大批中原汉族人口向北方草原地区及其边缘地带迁徙流动。辽朝不仅长期完整地保持自身的民族特点，对进入北方草原地区的广大汉族人口进行了比较妥当的安置，采取了因俗而治的统治形式。辽朝在与五代后唐政权及其后继者对峙过程中占有绝对优势。辽朝与北宋争战 40 余年，最终形成了南北对立、持衡发展的历史格局。与此同时，西北党项族联合契丹人对抗北宋政权，并在公元 11 世纪前期，以甘肃中南部、宁夏地区为核心建立了西夏政权，遂扩张至内蒙古西部鄂尔多斯地区以及阿拉善境内，使西夏历史文化深深地植根于内蒙古西部地区，进而形成了辽、宋、西夏对峙共存的基本格局。12 世纪初期，东北女真族崛起，建立了金朝，仅以 19 年时间即灭亡了辽朝与北宋政权，其政治统治中心逐渐南移，形成了与南宋政权隔秦岭、淮水为治的基本局面；而西夏则利用金与南宋的矛盾，保存自己，形成金、宋、西夏鼎立的局面。金朝在内蒙古地区的政治统治及其政策，基本延续了契丹辽朝的基本体制并略有调整。辽、西夏、金时期内蒙古地区社会、经济、文化的发展，达到了拓荒并续有上升的程度，为以后相继出现的蒙古、元朝时期的中华民族大一统局面的形成奠定了历史基础。

蒙古民族的兴起源于今额尔古纳河流域的"蒙兀室韦"，呼伦贝尔、大兴安岭是蒙古民族的摇篮。室韦人逐渐向蒙古高原迁徙，成吉思汗的先人移居漠北三河源头地带。12 世纪末和 13 世纪初蒙古高原分布着蒙古各部；铁木真统一蒙古各部，建立大蒙古国；通过对金战争、六征西夏、南破金界，占领了内蒙古地区。元朝在内蒙古地区所设行省、路、府、州、县的官府和组织结构，与其他地区无异。内蒙古地区分别划归中书省和辽阳、陕西、甘肃、岭北等行省，下设路、府、州、县。元朝内蒙古地区的畜牧业、农业、手工业稳定发展；大一统促进了蒙古高原与中原的货币统一、驿路畅通、商业发展、城镇兴起；文化教育兴盛，创造了蒙古文字，发展文学、艺术，设立学校，发展教育；开科取士，三年一次；实行兼容、优待的宗教政策。

蒙古民族登上中国北方的历史舞台，把古代北方游牧文明推进到了崭新的历史阶段，促进了游牧文明与农耕文明的进一步交流互补；蒙古民族的统治者创建了中国历史上空前大一统的大元帝国，把中国统一多民族国家的形成进程大大地向前推进了一步，为中国统一多民族国家版图的形成奠定了坚实的基础，做出了特殊贡献；元朝的政治、经济、文化的发展和实行对外交往，都具有创造性、创新性。

1368 年明军攻陷元大都，宣告大元王朝统治中国历史的结束。蒙古贵族失去对全中国的统治以后，元廷北迁蒙古高原，仍然以北元政权固守蒙古民族的故地，与明朝对峙，统治中国的半壁江山，史称北元。北元内部，经过昭宗"中兴"，北元政权稳定一时；昭宗死后，北元政局动乱，纳哈出降明，辽阳行省失陷，捕鱼儿海战役失利，脱古思帖木儿汗权旁落，蒙古内部分裂，形成东西蒙古两大集团分立对抗。达延汗诸子分封以后，蒙古各部"画地而牧"，游牧地界基本固定；北元后期，内蒙古各部分布局面基本形成，内蒙古地区经济文化进一步多样化、进一步发展。

明朝取代元朝统治中国，多次北征蒙古未果，明蒙时战时和，形成南北对峙局面。明朝设置羁縻卫所与封王，设卫屯兵，封王立藩，修筑长城，防御北元南犯，形成明朝与北元的疆界。北元与明朝不管是抗争，还是修好，都说明蒙古高原和蒙古民族与中原在政治、经济、文化乃至地缘关系上密切的内在联系。

1616 年，东北建州女真建立爱新国，在与明朝对抗的同时，与东蒙古各部建立了联盟关系，进而于 1635 年征服蒙古察哈尔部，完成了对东蒙古的征服。1636 年建立了大清王朝，是年 4 月在盛京举行清朝开国大典，分叙外藩蒙古贵族军功，封授爵号，予以札萨克之权，继续管领各自的部落。清廷在漠南蒙古地区全面推行满洲的牛录固山制，建立札萨克旗和内属旗分，确立了对内蒙古地区的统治，最终形成了内札萨克蒙古 6 盟 49 旗、内属蒙古归化城土默特 2 旗、察哈尔 8 旗、布特哈 8 旗、索伦 8 旗、新巴尔虎 8 旗以及套西外札萨克蒙古阿拉善、额济纳 2 旗的格局。清朝治蒙基本政策为封王联姻、因俗而治，扶持喇嘛教，颁布律令，实行封禁等。在内蒙古施行盟旗制度，旗札萨克由原来爱马克或鄂托克首领担任，并世袭罔替。每个旗的所辖地域，也按照山川地理走向固定下来，不允许擅离各自的游牧。若干札萨克旗组成一个盟，定期举行会盟，议决札萨克旗内部事务，统计人口丁壮，整饬军务，由此形成会盟制度。札萨克旗拥有封建领主性"君国子民"之权，对本旗的山林、土地、草场和矿产资源享有传统所有权，并且不承担国家赋税，不由朝廷委派各级职官。内属蒙古，则由各地将军、都统、大臣直接管辖，"官不得世袭，事不得自专"。由于汉族移民的不断增加和农业的发展，在蒙旗领地设立府、厅、州、县，以管理汉族移民。社会结构与经济的多元化，农村的形成与城镇的出现，驿站、道路与交通的发展，使内蒙古地区社会文化发生巨大变化。清中期，内蒙古的社会经济得到进一步发展，形成了较为完整的畜牧业、农业以及城镇经济、财政体制。藏传佛教在内蒙古进一步发展，寺庙林立，喇嘛众多，寺院经济占有重要位置。晚清，内乱外患对内蒙古产生了重大影响，各族人民反侵略反封建斗争风起云涌；清末新政改制下的内蒙古，社会经济面貌发生根本变化，放垦蒙地与蒙古族的反垦斗争进一步加剧；清朝转变治蒙政策，导致札萨克旗陷入财政危机，进而失去土地，管辖范围大大缩小。清末的内蒙古，经济文化发生了巨大的变化，农业发展而畜牧业衰颓，商业与城镇迅速发展，工矿企业与交通邮电和新型文化教育出现。

清朝统治者以满蒙联盟之策征服蒙古，以内蒙古为后方入主中原，统一中国，恢复并最终形成中国统一多民族国家，这是继元朝之后，又一次由北方民族为中国统一多民族国家的形成所做出的伟大贡献；清朝前中期对蒙古实行休养生息，恢复生产，发展经济，振兴文化的政策，根本扭转了明代内蒙古地区因战乱造成的政治动荡、经济凋敝、民族衰落的趋势，使内蒙古进入了崭新的发展时期；晚清对蒙政策的转变，对内蒙古社会产生了重大的负面影响，通过增设州县及其他筹蒙改制措施，削弱和剥夺了蒙旗的传统自主权益，甚至大大缩小了盟旗辖境，使内蒙古的民族结构发生了根本性的变化；废止蒙禁政策，官放蒙地，不仅是对蒙古族的政治压迫与经济掠夺，而且也是官方在内蒙古大规模破坏草原生态的开始。

《内蒙古通史》对古代内蒙古地区的历史变迁及其与中原历史的关系，进行了较为系统的叙述，厘清了内蒙古的地区历史、民族历史发展的基本脉络；对历史上一系列问题，特别是对人们关注的北方民族及民族政权、王朝和民族问题，对内蒙古地区与中原关系的问题，进行了探索性的评述；从内蒙古的历史实际出发，对中国统一多民族国家的形成过程，进行了力求符合历史实际的叙述，阐明了对这一至关重要问题的见解。

三、古代北方民族和民族政权

从远古到近代，中国正北和西北、东北地区先后有过上百个非汉民族，一般统称为北方民族。他们中的大多数在历史的长河中产生、发展、消逝，有的在历史的变迁中与其他民族融合，有的延续发展到今天，也有一些少数民族是后来迁徙到这里的。在内蒙古这块广袤的土地上，遗留着大多数古代北方民族的足迹，很多北方民族就是产生在这里。这里是他们繁衍、生息、发展的家园，更是蒙古民族诞生的摇篮和兴盛的故乡。汉民族在内蒙古地区也有久远的历史。古代中国的北方各民族，是中国游牧文明的创造者，特别是蒙古民族，继承、发展、丰富了北方游牧文明，将游牧文明推向了空前繁荣的阶段。

不管是哪一个民族，也不论属于哪一种情况，北方民族都是中国多民族大家庭的成员，都为中国北方文明历史的创造做出过各自的贡献，是中国北方历史的主人。这是一个基本的历史事实，也是评说北方民族的基本立足点。毛泽东有句名言："总之，民族是自尊的，同时，一切民族都是平等的。"[1] 可以说，这不仅是对待现代民族问题的原则，也是观察历史上民族和民族关系的一个原则。虽然有许多民族已经消逝，但是在叙述历史的时候，他们的自尊仍应受到尊重，他们的平等权利也应受到保护。

对于古代北方民族的历史，史料、史书记载不少，看法自来众说纷纭；对于他们的历史地位、历史作用，有褒有贬，其说不一。尤其旧史料的记载，传统史学论著中的评说，多有歧视之语，也有诬蔑之词，称之为外寇、鞑虏，甚至在族名加犬字偏旁。就连中国伟大的资产阶级民主革命的先行者孙中山先生，早期也不承认少数民族是中华民族之成员，称满族为鞑虏，同盟会的纲领就提出"驱除鞑虏，建立民国"。这自然是认识上的差距。当然，先生后来的民族观发生了本质的变化。而蒋介石却不承认中国有少数民族的存在，他认为少数民族是汉族的大小宗支。这种对古代北方民族的无

---

[1] 毛泽东：《中华苏维埃中央政府对内蒙古人民宣言》，见《六大以来》（上），人民出版社1981年版，第732页。

知、偏见，乃至否认其存在，是传统史学中常见的现象；对于古代北方民族的评说，落后、野蛮、残暴似乎是定式语言。对古代北方民族这种不公正、不科学的观点，渗透到一些史学论著中，甚至影响了民众的观念。这些观点从研究领域中予以清理，从人们观念中消逝，非短期所能，也非少数人可以做到。

当代历史学家、社会学家、民族学家以马克思主义民族观，以历史唯物主义和辩证唯物主义的科学方法，纠正以往的谬误，力求客观公正地评述北方民族的历史，有了很大的进步。中国马克思主义新史学的开拓者之一翦伯赞先生在《对处理若干历史问题的初步意见》一文中，对处理历史上民族关系作了精辟的论述。申友良所著《中国北方民族及其政权研究》①　中，梳理了北方民族（包括东北、西北）的谱系，勾勒了北方民族与中原的联系，简述了游牧文化与农耕文化的关系及北方区域文化，发表了非同以往论著的一些重要见解，而且对内蒙古地区的民族也作了简要叙述。但是，需要进一步研究的问题仍然不少，有些谬误之说仍在流行，在一些艺术作品里，以至政治宣传中，曲解历史之说不乏存在，而且缺乏全面系统的阐述，甚至没有形成相对认同的见解。

中国数千年历史上，特别是古代历史上，北方民族建立过许多民族政权、民族王朝。他们据有大小不同的地域，有数个民族建立的诸多民族政权或王朝，也有一个民族建立的政权或王朝。他们在各自所处的时代和地区，创造了各自的历史，虽然有先进与滞后之分，但是都为创造中国北方历史做了不同的贡献。这也是中国北方历史的基本史实。当然，从总结和借鉴历史经验的角度出发，对于他们所处时代的局限性和滞后面给以符合历史实际的科学分析、评说，也是必需的。但是，对于这些民族政权、王朝不能苛求，更不能采取漠视、排斥或实用主义的态度。

对于北方民族政权或王朝，传统旧史学如同对待古代北方民族一样，按照中原王朝或中央王朝正统观念将之看作另类或异类。20 世纪以后的新史学特别是马克思主义新史学，频繁论及北方民族政权或王朝的历史，有共识也有歧异，总体上向理智的趋势发展。20 世纪 80 年代以后，这方面的研究

---

①　申友良：《中国北方民族及其政权研究》，中央民族大学出版社 1998 年版。

更多，各种见解纷纷发表，学术探讨更为活跃。但是，"对于中国北方民族
及其所建立的政权或王朝的研究，到目前为止，学术界主要只是对其进行分
散的、个别零星的研究，……还没有出现过对整个北方游牧民族及其政权或
王朝进行全面、整体的研究。"① 在诸多中国通史论著中也如此。申友良所
著《中国北方民族及其政权研究》，把北方民族政权或王朝置于中国历史的
平台，简析了与中国历史的关系。同时以秦汉、魏晋南北朝、隋唐、五代十
国、辽宋夏金、元明清等为历史单元，分东北、北方、西北 3 个地区，分别
叙述了各个时期各个地区的民族政权和王朝，讲述了他们的历史概况、政治
制度、社会经济、文化习俗等等，在全面性、整体性、系统性方面进行了有
益的探讨，发表了颇有见地的见解。

　　"中国自古以来就是一个多民族国家，除汉族以外，还有很多民族。
作为一个民族，他们都是各为一个民族，但作为多民族国家的一个成员，
他们都是中国人。"② 因此，凡是在逐步形成的统一多民族中国的范围内，
古代历史上的任何一个王国、任何一个王朝，任何一个政权，任何一个民
族，不论在封建割据的分立时期，还是在形成统一国家的过程中，也不论
他们与当时的中原王朝或中央王朝的关系怎样，不论他们之间的是非曲
直如何，都属于中国历史上的王国、王朝、政权、民族，应当承认其存
在的合理性。只有在这个基点上讨论相关的历史问题，方可得出比较符
合实际的结论。许多古代北方民族政权或王朝，有的与中原王朝或中央
王朝对峙割据北方，有的归附中原王朝或中央王朝，有的拓展为地跨中
原的庞大民族王朝而占据中国半壁江山，有的索性成为中国统一多民族
国家的中央王朝。中国这种王朝变迁的历史能说谁是一贯的正统中央王
朝呢？

　　古代北方民族及其政权与中原汉民族及其中原政权、中央王朝早有交
往，而且越来越频繁密切。在中国数千年历史的进程中，这种交往主要是和
平交往，也存在争战接触。争战也是交往的一种形式，从来没有停止你来我
往，相互交融，慢慢走向一体的进程。这是北方与中原关系的基本状态，也

---

① 申友良：《中国北方民族及其政权研究》，中央民族大学出版社 1998 年版，第 1 页。
② 翦伯赞：《处理若干历史问题的初步意见》，载《北京大学学报》1978 年第 3 期。

是观察、评述古代北方民族及其政权与汉族及其中原王朝、中央王朝关系的一个基本点。

自古以来，内蒙古地区既然有许多北方民族先后或同时生存在这里，或相随在同一个历史过程中，各民族之间虽说和平交往是主流，但是由于存在民族的特点与差异，而民族差异的碰撞，民族利益的冲突，甚至民族之间的纷争，就是必然的。随着中原汉族陆续向北方迁移，这里的少数民族与汉族之间也同样存在友好往来与相互纷争的关系。历史上的这种民族关系是错综复杂的，而且在有阶级压迫的时代，民族之间还存在民族压迫与被压迫的关系。压迫民族与被压迫民族之间的关系是不平等的，甚至产生相互征讨乃至仇杀，这是不足为奇的。对此，该是什么样就什么样，无须回避。由于这种状况，存在民族问题也就毋庸置疑了，也不必回避。这是内蒙古古代历史上的一个重大的社会问题。

对内蒙古地区漫长的历史发展过程中出现的各种各样的民族关系，且不说历代中原王朝的史籍中对北方民族的贬斥甚至侮辱之词，即使后来的史学论著中不公正不科学的评说也不在少数，甚至有些当代史学论著和影视、戏曲作品中亦时隐时现地反映出偏颇之见。一般地说，把民族关系中存在的问题总是归咎于少数民族。至于有些外国的史学论著中更有奇谈怪论夹杂其中。当代很多史学论著力图以马克思主义民族观和现行政策去解读历史上的民族关系，突出民族的友好，甚至用现代意义的"民族团结"词汇表述古代民族关系，力图回避历史上的民族不平等和民族不和，其用意可以理解。不过，有些论点太脱离历史实际了。比如现在把王昭君誉为汉匈关系的和平使者，民族团结的象征，这就太离谱了，无论如何也是不恰当的。甚至以古代中原封建社会与北方民族奴隶社会作为甄别它们相互战争的正义与否的标准，认为前者征服后者是先进的封建社会制度对落后的奴隶社会制度的征服，是正义的；相反，后者侵扰前者是落后对先进的侵扰，是非正义的。且不说这种论点的缺乏科学性，这样的推论本身就是很危险的，这是人人都明白的道理。还有，把我们当今维护祖国统一的观念和理论，比附于古代北方民族或政权、王朝与中原王朝、中央王朝的相互关系。应该说，现代的祖国概念与古代祖国的概念不是一回事。

翦伯赞先生曾针对史学领域出现的种种不科学的认识和观念，指出：

"各民族一律平等，这是我们对待民族问题的原则。离开这个原则，我们就要犯错误，但应用这种原则去处理历史上的民族关系，不是用简单方法把不平等的民族关系从历史上删去，或者从那些不平等的关系中挑选一些类似平等的个别史实来证明这个原则在中国古代就已经实现，更不能把历史上的不平等的民族关系说成是平等的。而是要揭露历史上的不平等关系，用历史唯物主义的观点，批判的态度，指出这些不平等的民族关系的历史根源和实质。"他特别强调："不要类比，历史的类比是很危险的。在不同的历史基础上，不可能出现性质相同的历史事件或人物"；"不要影射，以古射今或以今射古"；"不要推论，一再推论就会用主观观念代替客观的历史"；"不要过多地追溯或展望，应该把历史事件和人物写在他们出现的时期"。① 这才是我们研究历史上民族和民族关系应该把握的原则。说王昭君就说王昭君，不要试图以王昭君嫁给呼韩邪，来说明今天民族团结和民族和谐的重要性。当代的例证太多了，用不着求助于两千多年前的古人。总之，要坚持从历史的实际出发，辩证地研究历史。

　　翦伯赞先生的指点，给了我们启发。我们在研究、撰写《内蒙古通史》时，把内蒙古地区自古以来存在过的各个民族的历史，作为《通史》自始至终的一条历史主线，力求对每一个民族，从产生、发展到现状或消逝，逐一叙述，力图把能够搞清楚的史实从实记录，尽量给以符合历史实际的科学的评论，不受现代适用观念的支配。我们把握一个原则，对没有弄清楚的史事绝不断言评论，以现有史料记述下来即可。研究、评说历史上的民族关系必须坚持民族平等的原则，要历史地辩证地看待，要科学地评述。既要弘扬民族友好往来、相互交融的主流，也要看到民族差异、民族纷争乃至矛盾冲突导致的负面后果。坚持全面的观点和分析的方法，是研究历史上民族和民族关系、民族问题的原则。对于那些违背历史实际的论点和学术上的偏见，要有理、有据、有说服力地予以否定，剔除历来的不切合历史实际的不公正的论点，尽量还历史以本来面貌。这是我们编写《内蒙古通史》应尽的学术责任。当然，我们不是说把所有的问题都能说清楚，就我们的能力而言，这是不可能的，只能在以后的研究中逐步深入。

---

① 翦伯赞：《处理若干历史问题的初步意见》，载《北京大学学报》1978 年第 3 期。

四、中原或中央王朝与北方民族政权或王朝的关系

我们现在所称中国的概念不是中国历史自始就有的，而是在历史发展过程中逐步形成的。中国历代中原或中央王朝所管辖的地域各不相同，大部分王朝是以中原为中心的局部管辖，这就是我们所说的中原王朝，这是多数，时间延续或累计最长；而少数王朝实现了对全中国的大一统管辖，这就可以称之为中国历史上的中央王朝。不要勉强地把中原的局部性王朝也冠以中央王朝，以说明中国自古以来就是统一的多民族国家。就全中国而言，前者是局部管辖，还有割据政权或王朝，割据是中国封建社会的特点，无需苛求，也不必掩饰；后者基本上是全面统一、全面管辖，对全中国行使中央统辖之权，虽然称得上中央王朝的数量不多，但是，走向大统一是历史发展的趋势。因此，不能把中国历代王朝都称之为中央王朝。对于中原王朝和中央王朝治理北部边疆和丰富这里物质文化的贡献，促进中国统一进程的作用，要给以充分的肯定，这是符合历史发展趋势的。同时，对于中原王朝和中央王朝对北方民族的征讨，以及所实行的民族政策和措施，也要进行科学的分析，不能一概称颂肯定，只能肯定其对促进历史发展有积极作用的一面，还要揭示其压迫少数民族以及对北疆造成破坏性的一面。

历数中国几十个北方民族政权或王朝，他们既是建立各该王朝民族的民族王朝，也是当时中国的一个割据王朝。对北方民族政权也应同样如此看待。这些北方民族王朝或政权的产生和存在，是历史赋予他们的权利。因此，对于历史上的北方民族王朝或政权，应当以民族平等的原则给以合乎历史实际的科学评说。尤其是对他们开拓中国北部边疆，创造中华民族灿烂文化，创建中国统一多民族国家的作用，应给以肯定的评价。同时对于北方民族王朝或政权造成的逆历史发展趋势的消极后果，也要实事求是地加以揭示。

对于中原或中央王朝与北方民族政权或王朝之间的关系，应该放在当时的历史环境中，以充分的史实和实事求是的科学方法，进行综合研究，作出符合实际至少接近实际的判断。任何以观察现代社会的意识或预定的概念，简单地评断中原或中央王朝与北方民族政权或王朝之间的是非曲直，难免疏漏偏颇。"历史是具体性的科学，论证历史，不要从概念出发，必须从具体

的史实出发，从具体史实的科学分析中引出结论。不要先提出结论，把结论强加于具体的史实。"①

近年来有一种新奇的观点让我迷惑不解。在论证中原王朝与北方民族政权或王朝之间的战争时，以社会制度的先进与落后断定战争的正义性与非正义性。而且说从匈奴到蒙古的各个北方民族的"社会正处于奴隶制的阶段，而中原则早已是发达的封建社会。"所以，北方民族对中原的战争是"破坏中原地区先进的封建文化，阻碍中国历史向前发展"，② 是非正义的；反之，中原王朝对北方民族政权或王朝的反击或向北方发动拓展的战争，则是正义的。而且列举了中国古代史上国内民族战争的若干实例。且不说对北方民族所处社会制度的断定是否准确，即使准确，如此简单而概念化的推断，尤其是以社会制度的先进与落后，作为评判战争的正义与否的原则，是极不科学的，推论下去也是危险的。

"中国自古以来就是统一的多民族国家"，这似乎成为学术界乃至政界的一种定式的表述或概念。这种观点颇为流行，甚至是评判古代北方民族及其政权或王朝与中原王朝或中央王朝关系的是非标准之一。中国自古以来是一个多民族的国家，这是毫无疑问的；而统一多民族国家则是在历史发展的进程中逐步形成的，历史事实即如此。

在中国古代数千年的历史上，不说春秋战国，更不说三黄五帝，就以秦、汉而论，仅北方地区的民族政权并没有完全统一于秦、汉王朝，之后北方民族的割据政权或王朝更多，怎么能说"中国自古以来就是一个统一的多民族国家"呢？这种表述或概念，除了政治上的需求外，在学术上是以中原王朝正统论观察中国多民族国家的历史。如果把秦、汉说成是统一的中国中央王朝，实际上将割据于秦、汉中原王朝之外的边疆民族政权或王朝，置于中国多民族国家之外，轻视或否定中国北方民族政权、王朝存在的历史合理性及其作用，而且造成对北方民族政权或王朝的国家属性定位的歧异。像唐朝相对统一和元朝、清朝的全面统一，合起来也仅有749年，而分立割据并不统一的状态，从黄帝算起总计约有3 700余年。所以，中国自古以来

---

① 翦伯赞：《处理若干历史问题的初步意见》，《北京大学学报》1978 年第 3 期。
② 林干：《中国古代北方民族史新论》第 60 页，内蒙古人民出版社 2007 年版。

就是一个统一的多民族国家的命题，是不符合历史实际的。在中国历史上有分立割据的时候，也有统一的时期，统一也是由局部统一走向全局的统一。在古代中国这片土地上，集中统一的中央王朝是中国的王朝，分立割据时期的诸多王朝也都是中国的各个王朝。然而，历史已经得出结论：中国历史走向统一是不以人们的意志为转移的历史发展的趋势。在这个发展趋势中，中原王朝与北方民族政权或王朝有着错综复杂的关系；有各自分立割据的关系，也有臣服从属的关系，有和平相处的关系，也有干戈相见的争战关系……不管是哪一种关系；都要在弄清史实的基础上，科学地评述其相互关系的是非。那种不分青红皂白，只要中原王朝征服北方民族，强行设治，就视为天经地义，对北方民族及其政权或王朝因不从而反抗者，或出于扩张掳掠目的而向中原进犯者，都要口诛笔伐，都要以是否有利于统一来确认是非，这是不够全面的，也是不科学的。

我们认为，对于古代北方民族及其政权或王朝的不公正记述，主要出自中原王朝的汉文史籍和旧史学的记述，而北方民族很少或根本没有自身的文字记载，这就增加了公正评判的难度。对于史料证明不符合历史实际的评说，要以科学的态度予以纠正，还历史的本来面貌；对于史实不很清楚，难以判断是非的问题，不忙于下结论，更不能把已经形成的概念强加于不全面的史实。对"文革"错误拨乱反正以后，这个领域的研究有了很大的进步。我们在研究、编撰《内蒙古通史》的实践中，在这方面力图有所长进，也确实有了些长进。

五、近代内蒙古历史的变迁

内蒙古历史的分期，与中国通史相一致，鸦片战争以前是古代史，之后到中华人民共和国成立是近代史，再往后为现代史或当代史。这是以封建社会、半封建半殖民地社会和社会主义社会分为 3 个不同性质的社会分期。我们也以此为据将内蒙古历史分为古代、近代和当代 3 个时期。

中国近代史是从鸦片战争开始的，也就是人们熟悉的从封建社会变迁为半封建半殖民地社会，这是中国近代社会的性质与特征。内蒙古地区的社会变迁也不例外，鸦片战争以后，也是从封建社会逐步向半封建半殖民地社会变迁。但是，它与全国的社会变迁既有相同的一面，也有突出的地区特点和民族特点。这些特点反映出近代内蒙古社会变迁的特殊性。

内蒙古地区的半封建半殖民地化，首先是由于外国资本主义——帝国主义的侵略所致。19世纪后半期，在西方列强从南方海上向中国入侵的同时，沙皇俄国也从陆上打开中国的北方门户，蒙古地区首当其冲。中日甲午战争以后，内蒙古地区成为日本侵华的重要目标。与此同时，西方列强虽然也试图向内蒙古渗透，但比之于俄、日就逊色多了。

19世纪50年代以后，沙俄通过与清朝政府签订的一系列不平等条约，侵占了蒙古地区以及与蒙古地区相关的大片中国领土，形成了对包括内蒙古地区在内的中国北方地区的包围态势。同时，在蒙古地区攫取领事及领事裁判等特权，实行政治上的控制；获得减税、免税和自由贸易、开通邮政电讯、设立银行、修筑铁路等特权，从经济上控制蒙古地区；进而利用民族问题，在蒙古地区策动分裂中国的"自治"、"独立"活动，欲吞噬中国的蒙古地区。沙俄对蒙古地区的侵略活动，一直延续到1917年俄国十月革命胜利。

1895年中日甲午战争以后，日本帝国主义瞄上了蒙古地区为中心的中国北方，初派大批特工人员，以各种伪装，潜入内蒙古东部地区活动。1905年，日俄战争以后，通过日俄"协约"和"密约"划分了日俄在我国东北和蒙古地区的势力范围，东北南部（所谓"南满"）和内蒙古东南部为日本的势力范围，东北北部（所谓"北满"）和外蒙古、内蒙古西部为俄国的势力范围。

英、法、美等西方列强在内蒙古地区的侵略，主要是通过中英、中法《天津条约》和《北京条约》赋予的特权，倾销商品，掠夺原料，进行经济侵略。同时，内蒙古是西方天主教传教的主要地区，先设蒙古教区，后析设东蒙古、中蒙古和西南蒙古三大教区，共建教堂230余座，扩充教会势力，建立教会庄园，组建教会武装，自掌行政，自设公堂，俨然成为"国中之国"。

在清末，清朝统治集团中，满、蒙、汉民族成员的地位、作用逐渐发生了微妙的变化。一方面蒙古部分王公贵族由于外国侵略势力的拉拢，产生了靠近外国势力，疏远清廷的倾向；另一方面由于国内社会动荡的影响，蒙古地区阶级矛盾、民族矛盾的日益激化，蒙古王公贵族既失去了抵御外国侵略的武功，也难以平息内部的反抗斗争，削弱了自身在清朝统治集团中强有力的联盟地位。相反，汉族实力派官僚越来越成为清朝统治集团中的主要力量，开始发挥左右清朝内外政策的作用。满汉官僚的联合，逐渐取代了"满蒙联盟"，从而导致清朝对蒙政策的重大变化。

清朝对蒙古地区由蒙古王公札萨克封建领主式的间接统治，改变为由清朝政府的直接统治；蒙古王公贵族在清朝的显赫地位淡化了，昔日的优厚待遇也受到影响，有的已名存实亡。这种变化影响到蒙古地区社会的方方面面，蒙古族社会各阶层对清朝的态度发生了变化；清朝违反蒙汉民族的意愿和历史发展规律的"蒙禁"政策逐步松弛，进而推行以放垦蒙地为核心内容的对蒙新政，事实上废弃了"蒙禁"政策。废弃"蒙禁"虽然彻底打破了清朝隔离蒙汉民族的壁垒，结束了内蒙古地区的封闭状态，但是，牧场被垦，对蒙古民族是一场空前的灾难；对被招垦种蒙地的内地汉族农民也不是福音，而是沉重的经济搜刮，由此开启了人为破坏内蒙古草原生态的先例。

此外，清政府还实施增加苛捐杂税，向蒙古王公推行捐输等筹饷措施，也提出编练新军、兴办学堂、鼓励工商等新政的通常内容，并有所举动。清政府一面改变调整统治蒙旗的机构，笼络蒙古上层；一面在内蒙古地区成批地设置府厅州县，加强其直接统治，而且在内蒙古改设行省的议论喧嚣一时，设省奏折也纷纷出笼。

在清朝灭亡的前夕，1910 年 9 月，清政府批准发布理藩部关于为筹办蒙务应酌情变通旧例的奏议。所谓"变通旧例"就是废除旧制。其一是废除禁止汉民到蒙地开垦的规定，在已放垦的盟旗，允许汉民租佃蒙地和汉蒙之间典当买卖田宅；在未放垦的盟旗，与蒙旗协商，奏请开放。其二是不仅废除蒙汉通婚的禁令，而且奖励蒙汉通婚。其三是废除蒙古地区使用汉文和聘用汉文教师、书吏及用汉文命名等禁令，提倡教习汉文和使用汉文。清政府的对蒙新政，不仅削弱和剥夺了蒙旗传统的自主权益，有些方面甚至走上了另一个极端。如蒙古语文遭到排斥，蒙人参与宪政或地方咨议必须通汉语才能有选举和被选举权，而且以"仅识满蒙文者仍以不识文为论"相对待。显然，清朝政府对蒙古民族已经在推行大汉族主义政策，而且对以后产生了深远的影响。

外国资本主义经济在内蒙古地区的渗透、侵略，清朝对蒙政策的转变，对内蒙古的经济发展产生了重大影响。在农牧业格局发生变化的同时，城乡商业贸易有较大的发展，除了蒙旗传统的庙会集市及遍布牧区的旅蒙商外，新兴商业贸易集镇大批地出现，促使商品经济发展和自然经济衰退。手工业和采矿业有了新的发展，近代资本主义新型工矿企业和实业也开始出现。新式企业和实业，有的是官僚买办资本家创办的，有的是官商合办的，有的是蒙古王公和区外实业公司集股联合创办的，有的是蒙古王公筹资创办的，有的是蒙古王公联合集资兴办的，有的是蒙古族地方绅士在蒙古人中集股兴办的。这些新型企业不仅采用筹资集股等近代企业的形式，还引进了先进技术和生产工艺、管理办法，已具有近代资本主义经济成分，尤其是有蒙古族参加创办，给仍处于游牧状态的内蒙古社会注入了崭新的经济因素。近代邮电通讯事业的出现，为内蒙古社会的发展与开放增添了活力。

清末新政期间，内蒙古开始创办了近代文化教育事业，各地创办了一批中学堂、高等小学堂和初等小学堂。同时创办了蒙古族小学堂、蒙汉小学堂、蒙汉高等学堂、满蒙文高等学堂、殖边学堂、师范专修学堂、满蒙师范学堂等民族学堂。新式学堂不仅讲授近代新式课程，传授新知识新技术，而且传播了近代新思想、新文化，带来了近代新风。

辛亥革命推翻清朝，建立了中华民国。在民国时期的28年期间，内蒙古先是辖于中华民国政府达16年，后为国民政府之辖区近22年。这是内蒙古地区政治头绪复杂多变，社会动荡不安，民族问题突出，社会矛盾尖锐，人民灾难深重，国家濒临危亡的时代。

在辛亥革命前后，沙皇俄国乘中国政权更替之机策动蒙古"独立"运动，在内蒙古地区制造了极大的混乱。而日本帝国主义也乘机策划"满蒙独立"。当沙俄被俄国十月革命推翻后，日本在内蒙古的侵略活动步步加紧，凭借与袁世凯签订的"二十一条"，进行经济侵略与政治渗透，取代沙俄的势力，制定了吞并内蒙古的所谓"满蒙政策"，进而在1931年发动"九一八"事变，很快侵占了内蒙古东部地区，使其成为伪满洲国的一部分。1937年"七七"事变后，又侵占了内蒙古西部大部分地区，策划成立了伪蒙疆政权。内蒙古地区基本上沦入日本帝国主义的殖民统治之下，东部长达14年，西部也有8年之久。

民国政府继承、发展了晚清对蒙政策，而且对蒙古民族及其他少数民族实行大汉族主义民族政策。虽然颁布了《蒙古待遇条例》，设立了蒙事机构——蒙藏事务处、局直至蒙藏院，但是并没有切实保障蒙古民族的权益；相反，大兴蒙旗垦务，继续开垦蒙旗牧场，掠夺蒙旗的土地，或移民招垦，或驻军屯垦，使蒙古民族再次遭受蒙垦之灾难；设置热河、察哈尔、绥远三特别行政区，实施行省职能，削弱或剥夺蒙旗的自主权。这是大汉族主义民族政策的正式体现。

中国国民党建立国民政府后，背弃了孙中山先生"中国境内各民族一律平等"和"承认中国以内各民族之自决权"的主张，甚至不承认中国少数民族的存在。国民政府设立了蒙藏委员会，推行大汉族主义民族政策，监督蒙旗事务；在内蒙古设置热、察、绥3个行省，肢解了蒙古族聚居的地域；制定一系列蒙垦办法、计划、提案、方案等，通过蒙垦抢夺蒙旗土地，军政双管齐下推行垦务，移民招垦、军队屯垦，遍及东西蒙，而且深入草原腹地。蒙古民族一次又一次蒙受丧失家园的灾难。

在近代，内蒙古地区已经不是清朝政府、民国政府、国民政府独立施政的地区，也非蒙古封建王公、汉族封建地主阶级完全能主宰的家园，而是受制于俄、日等帝国主义势力的左右。内蒙古地区逐渐变为半封建半殖民地社会，其大部分地区一度成为殖民地社会。社会关系错综复杂，社会矛盾、冲突日益尖锐，社会动荡加剧。这是观察近代内蒙古地区社会的基本要素。

从近代内蒙古历史变迁的轨迹可以清晰地看出，外国列强的侵略，使内蒙古地区的社会发生剧烈的变化。内蒙古的权益逐渐受外国侵略者的制约，清朝政府、民国政府、国民政府以及内蒙古的地方政权，政治上受制于侵略者，经济上无法阻挡其渗透与掠夺；蒙古王公贵族的权益被削弱，甚至丧失。这是一段不堪回首的屈辱历史。因此，内蒙古的蒙汉各民族与外国侵略者之间产生了前所未有的矛盾，这对矛盾成为近代内蒙古社会最主要的矛盾，而且贯穿于近代历史的全过程。这是属于对外民族矛盾范畴的社会矛盾。这一对矛盾，有时候发生直接对抗与斗争，有时候以间接形式表现出来，有时候内外矛盾交织在一起形成复杂的阵营相抗争。在中英鸦片战争中，在义和团反洋教运动中，在反抗沙俄侵略中，特别是在抗日斗争中，内蒙古蒙汉各民族以不同的形式，战斗在反侵略的战线上，长达近百年。

在国内，清朝对蒙政策的转变，对内蒙古各族人民的压迫剥削日益加重；北洋军阀和国民党新军阀除了承袭晚清对蒙政策外，进一步加重对蒙汉各族人民的压迫剥削。因此，内蒙古蒙汉各族人民与国内统治阶级的阶级矛盾更加尖锐激烈。这是属于国内阶级矛盾范畴的社会矛盾。这对矛盾，使近代内蒙古社会矛盾更加表面化，矛盾的对抗更直接，矛盾的阵营更明朗，而且贯穿于近代内蒙古历史的各个时期。从内地的太平天国革命时期开始，内蒙古人民的反封建斗争与内地不约而同，遥相呼应，以各种独特的形式，进行不懈的斗争，在反封建的内涵上形成惊人的一致性。特别是20世纪20年代以后，一同汇入中国共产党领导的新民主主义革命的潮流之中，直至中华人民共和国成立。

近代内蒙古的上述社会矛盾，在内蒙古百余年的社会变革运动中贯穿始终。虽然各个历史阶段的侧重不同，形式相异，但是内在的关联极为密切。内蒙古的社会变革运动总体上分为两个方面，一是反对侵略、反对民族压迫的民族解放运动，一是反对封建压迫的社会民主解放运动，归结起来就是反帝反封建的民族民主革命。

六、北洋军阀和中国国民党对蒙政策

中华民国时期，由北洋军阀操纵的民国政府和中国国民党掌控的国民政府统治内蒙古地区的28年中，实行了一脉相承的对蒙政策。对此进行综合分析，有助于了解民国时期内蒙古的社会状况、民族问题以及社会变革运动的内容和性质。

民国政府对蒙政策基本上沿袭了晚清对蒙政策的核心内容，加强了大汉族主义民族政策的力度。民国初年，在沙俄策动外蒙古独立的形势下，民国政府为了安定蒙古地区的动荡秩序，颁布了《蒙古待遇条例》，宣布清朝赋予蒙古王公贵族的特权一律照旧。这则条例，实际上是通过维护蒙古封建制度和统治秩序，笼络蒙古王公贵族，作为其统治蒙古地区的社会基础，所谓优待蒙古与作为蒙古民族主体的蒙古族民众并不相干。民国政府先后成立蒙藏事务处、局和蒙藏院，是其辖治蒙古族和蒙古地区，实施大汉族主义对蒙政策的机构。民国伊始，即筹划在内蒙古设置行省，一方面了结清末清政府未能在内蒙古设省的遗愿，一方面是要对蒙古族实行分割统治。但是由于蒙古王公上层的强烈反对，以改设热河、察哈尔、绥远等3个特别行政区作为

过渡，实际是设省的前奏。民国政府在内蒙古大兴蒙垦，比晚清放垦蒙地有过之而无不及，而且各路军阀争相抢夺蒙地，甚至酿成军阀混战，践踏草原农田，涂炭百姓生灵。当时有诗云："张（作霖）才去，吴（佩孚）又来，街上死人无人埋！张又来，吴又去，前后唱的一台戏！"① 这是对军阀混战本质的真实写照。

中国国民党当政成立国民政府后，背弃了孙中山先生制定的三民主义之民族主义要义，对少数民族实行大汉族主义民族政策。国民政府一经成立，便建立了实施其民族政策的机构蒙藏委员会，在国民党的直接严密的控制下，在内蒙古地区对蒙古族实施其对蒙政策。同时，将民国政府设置的热、察、绥3特别区改设为3个行省，至此，内蒙古地区分别被划入黑龙江、吉林、辽宁、热河、察哈尔、绥远、宁夏等行省，内蒙古之地域名称不复存在。这是国民政府大汉族主义对蒙政策的第一个重大举措，中国蒙古族最大的聚居区内蒙古及其相对统一的行政建制被肢解。如此分割内蒙古和统治蒙古民族，是大汉族主义民族政策的集中体现，有什么能比这更触及蒙古族心灵的呢？

因此，蒙古族各阶层发动了声势空前的反改省运动，迫使国民政府召开蒙古会议，制定了《蒙古盟旗组织法》，但是所设3行省依然存在。1933年，蒙古王公上层又发动了旨在反对设省的内蒙古高度自治运动，要求成立"内蒙古自治政府"。国民党不准，只准成立既无自治权力、又无政府职能的"蒙古地方自治政务委员会"，以搪塞蒙古王公了事。是时，内蒙古东部地区已经沦陷，西部也危在旦夕。国民党又决定成立绥境、察境两个蒙政会，以瓦解由其批准成立的"蒙古地方自治政务委员会"。总之，要尽伎俩，应对蒙古族自治之要求，绝对不给蒙古族自治之权，这是国民党对蒙政策的特征与实质。

"七七"事变后，国民党只据有鄂尔多斯、后套及西套阿拉善、额济纳旗两旗蒙古地方。对蒙古民族仍然实行大汉族主义政策，政治压迫、经济掠夺、军事镇压，无所不用其极，而且实行"反共灭蒙"政策，其意味何等深长啊？于是酿成了1943年震动全国的伊克昭盟"三二六"事变。就在这

---

① 载《蒙古农民》第一期，1925年4月28日，存中央档案馆。

一年，蒋介石在其《中国之命运》中明确地不承认中国少数民族的存在，称少数民族是汉族的大小宗支，道出了国民党对少数民族错误政策的本质。毛泽东指出这是国民党"对于伊克昭盟蒙族人民的屠杀事件"，"是大汉族主义的错误的民族思想和错误的民族政策"。① 蒙古族人民对国民党大汉族主义的这次屠杀行为以迎头痛击，取得了胜利。

在解放战争时期，国民党竭力反对内蒙古自治，以建立热、察、绥防共隔绝地带的战略部署，企图阻止内蒙古民族民主革命的进程。在国民党召开的国民大会会议上，蒙古族代表发出要求内蒙古自治的强烈呼声，但仍被拒绝，直至其最终失败也没有改弦更张。

七、内蒙古民族问题与民族运动

内蒙古民族问题是近代内蒙古的一个特殊而重要的社会问题。它有久远的历史背景和深刻的社会根源、阶级根源。内蒙古古代史上民族差异的存在，民族不平等、民族之间的纠葛与矛盾，在历史变迁中不同程度地延续下来，并反映在近代民族关系之中。这是近代内蒙古民族问题产生的历史背景。近代内蒙古历史变迁的过程，清晰地显现出内蒙古民族问题的内容，一是外国侵略者特别是俄、日帝国主义对内蒙古的侵略，挑拨民族关系，制造民族矛盾，拉拢蒙古民族及其他少数民族，是制造内蒙古民族问题的主要因素；二是晚清政府、特别是北洋军阀、国民党反动派对蒙古民族及其他少数民族实行大汉族主义民族政策，使民族问题尖锐化；三是部分蒙古王公上层试图依靠国内统治者、外国侵略者维护其封建统治，卷入内外民族压迫者的行列，使民族问题复杂化。

同时，清末、民国持续放垦蒙地，内蒙古南部靠近邻省地带出现了汉族移民相对集中的大片农业区；蒙古族牧民逐步往北退入山区或荒漠地带，形成了蒙古族相对集中的牧业区；在这两个地带中间出现了蒙汉杂居的半农半牧区。内蒙古的汉族移民剧增，农业空前发展，农民经济生活有了改善；蒙古族人口发展停滞，畜牧业日渐衰退，农耕技术落后，农牧民经济生活日趋恶化，民族濒临危亡。由此而产生了农牧矛盾，并导致蒙汉民族之间的纠

---

① 《毛泽东选集》第三卷，人民出版社 1966 年横排本，第 1033 页。

纷，甚至矛盾，使民族问题表面化为蒙汉民族之间的关系问题。

由于近代内蒙古民族问题突显于内蒙古社会问题之中，所以民族矛盾自然也成为内蒙古社会矛盾的重要内容。所谓近代内蒙古民族矛盾，除了内蒙古蒙汉各民族与外国侵略者之间的矛盾外，还有内蒙古的少数民族，特别是蒙古民族，与晚清和民国时期大汉族主义民族压迫者之间的矛盾，这是属于国内民族矛盾范畴的社会矛盾。

内蒙古民族问题和民族矛盾的产生、发展，导致被压迫的蒙古族及其他少数民族的抗争，直至发展成为民族运动。民族压迫的存在，必然导致被压迫民族的反抗。这就是产生近代内蒙古民族运动的必然性，内蒙古民族运动主要是蒙古族民族运动。在蒙古民族内部，蒙古族人民与封建王公统治阶级之间也存在民族内部的阶级矛盾。近代以来，蒙古族封建王公统治阶级失去独立支撑蒙古社会的能力与地位。一般来说，他们游离于外国侵略者和国内统治者之间，一方面顺应中央政府的要求，保护自身的地位与权益，另一方面为满足其社会变迁中新的享受，加紧对属民的搜刮，从而导致民族内部封建统治阶级与人民之间的阶级矛盾的激化。但是，蒙古封建王公统治阶级处于十分矛盾的状态，有的与外国侵略者勾结在一起，企图依靠外力维护其统治；有的与国内统治者站在一条阵线上，应对民族内部人民的反对；有的发动针对国内统治者或外国侵略者的民族运动，表现出一定的民族气节；有的加入蒙古民族的解放运动行列，为民族解放事业而奔波。因此，蒙古民族运动呈现出极其复杂的状态。

蒙古民族问题直接关系到民族的生存和前途命运，触及蒙古族各阶级阶层，其在一定的时期，在一些问题上，如维护民族的权益，挽救民族危亡，探寻民族的出路等方面，存在一定程度的一致性。但是阶级利益的不同，或实施行动的差异，出现了各种类型的民族运动，有逆历史潮流，违民族意愿，损害民族利益的反动的民族分裂运动；有顺应历史趋势，受民族欢迎，符合民族利益的进步的民族运动；还有为民族的彻底解放而有组织有纲领的民族解放运动。这三种类型的民族运动交替、交织或同时出现在内蒙古近代历史舞台上，成为内蒙古特殊的历史现象。

鸦片战争以后，内蒙古地区的农民运动、牧民运动，与全国近代历史相随而越来越多，但是确切意义上的民族运动，是从 20 世纪初，内蒙古的蒙古民族反对清政府放垦蒙旗土地的反垦运动开始的。当时形成了遍布内蒙古的蒙古民族维护生存的空前规模的社会运动。这次蒙古民族的反垦运动，似乎与中国资产阶级民主革命和世界民族解放的潮流，形成内在的呼应。所以把它归结为蒙古民族运动，亦无不可，也可以说它是中国资产阶级民主革命的一部分。在中国辛亥革命前后，沙皇俄国乘蒙古民族反对晚清民族压迫的机会，策动了以外蒙古为中心的蒙古独立运动，蒙古民族中有追随者，亦有反对者，蒙古民族运动中形成了两股社会力量。前者因俄国十月革命推翻沙皇统治而告终，后者形成了蒙古民族的解放运动。20 世纪 20 年代初，中国共产党一经成立，便提出了马克思主义民族问题纲领，蒙古民族问题点名列入其中，并开始领导蒙古民族的解放斗争。同时，在俄国十月革命和外蒙古人民革命胜利的影响下，由共产国际指导和中国共产党、中国国民党、蒙古人民革命党支持，成立了内蒙古人民革命党，制定了反帝反封建和反对民族压迫的民族民主革命纲领，蒙古民族的解放运动蓬勃兴起，而且与内蒙古革命乃至全国革命洪流汇聚一起，成为中国共产党领导的中国革命的一部分。在 30 年代前后，蒙古族中的有识之士多方探索民族解放的出路，部分蒙古王公上层领导发动了反对国民党在内蒙古设省的反改省运动和内蒙古高度自治运动，这都反映了蒙古民族反对民族压迫的意志。

在日本帝国主义武装侵占内蒙古的 14 年中，蒙古民族运动出现了错综复杂的局面。一方面国民政府推行大汉族主义民族政策，反对蒙古民族自治的要求，一方面日本侵略者以支持蒙古族"独立"、"自治"为诱饵，拉拢蒙古王公上层。于是一部分蒙古王公上层或被日本侵略者诱惑，或受国民党政府的大汉族主义民族政策排挤，投靠了日本侵略者，成为其推行"满蒙政策"，分裂中国的工具；而多数王公上层在日本殖民统治下屈从附敌，充任伪蒙军政职务；也有坚持民族气节，不为侵略者所诱所迫而奋起抗日的王公上层。而蒙古族人民既不为日本侵略者的淫威所怯，也不为其诱骗所惑，或揭竿而起抗日，或汇入中国人民抗日的洪流之中，为拯救民族，为国家存亡而战。蒙古族共产党人和革命者以及一切志士仁人，成为蒙古民族反侵略民族运动的中坚力量。

在中国民主革命决战的解放战争时期，各种类型的蒙古民族运动纷纷兴起，内蒙古民族问题成为内蒙古革命的中心内容，蒙古民族及其他少数民族在中国共产党的领导下，克服了内蒙古"内外蒙合并"和"内蒙古独立"的错误倾向，选择了民族区域自治的道路，获得民族解放和民主革命的胜利。这就是近代内蒙古民族问题和民族运动的归宿。

八、中国共产党与内蒙古民族区域自治

内蒙古革命是中国革命的一部分。这在中国近代前期的历次革命运动中，有充分的体现。在两次鸦片战争中，为反对英法侵略者，蒙古人为国捐躯，建立了被革命导师马克思赞扬的功勋；在太平天国革命时期，内蒙古也爆发了农牧民的反封建斗争；在义和团运动中，内蒙古是反对外国教会侵略活动的重要战场；在20世纪初，内地资产阶级民主革命兴起的时候，蒙古民族掀起了规模空前的反对清朝放垦蒙地的斗争，在清朝的后院点燃了反清烈火；辛亥革命爆发以后，内蒙古人民积极响应，举行反清起义；民国成立以后，内蒙古反军阀、反王公斗争从未间断。内蒙古革命与全国革命表现出内在的、规律性的令人信服的一致性。

从五四运动开始，特别是中国共产党成立以后，内蒙古革命与全国革命更加紧密地结合在一起，成为中国共产党领导的中国革命的一部分。当五四运动在北京爆发的时候，内蒙古地区当即有敏锐的反应。从中共二大制定的马克思主义民族问题纲领到毛泽东发表《对内蒙古人民宣言》；从中共中央制定《关于抗战中蒙古民族问题提纲》直到解放战争时期中央对内蒙古工作的一系列指示决定，逐步形成了完整的领导内蒙古革命的指导思想和纲领、方针、政策，并在内蒙古革命的实践中付诸实施，逐步完善，取得了成功。

在全国大革命时期，内蒙古成为中国共产党最早开展民族工作的地区。从研究内蒙古民族问题入手，培养了蒙古族的第一代共产主义者、中国共产党的第一批少数民族党员，在内蒙古建立了民族地区首批中共党组织，发展革命统一战线，实行国共合作，支持创建内蒙古人民革命党，发动工人、农民、牧民革命运动，掀起了内蒙古民族民主革命的第一次高潮。

在土地革命时期，在大革命失败后的革命低潮形势下，恢复党的组织，联络革命群众，秘密坚持革命活动，开展军运工作，组建革命武装，组织抗日救亡斗争，党的组织没有中断，革命斗争持续发展。中共中央和工农红军

长征到达陕北以后，内蒙古革命在中央的直接领导下，特别是毛泽东《对内蒙古人民宣言》的发表，使内蒙古革命再次高涨。内蒙古东部沦陷区的蒙汉抗日救国武装斗争，西部百灵庙军事暴动，绥远抗战爆发，各种抗日救亡组织纷纷建立，内蒙古成为全国抗日救亡斗争的前沿。

在抗日战争时期，毛泽东亲自决策创建了大青山抗日游击根据地。八路军大青山支队在蒙古民族聚居的地区，在伪蒙疆统治的心脏地带，在经济落后、百姓困苦、自然环境恶劣的境况下，开展敌后游击战争、牵制敌人、争取民众、开展蒙古民族工作、扩大抗日力量。在鄂尔多斯高原，在后套平原，国共合作，阻击日寇南下西进。在东蒙，抗日联军三进呼伦贝尔打击日本侵略者，冀东八路军武工队秘密潜入卓索图盟，组织敌后抗日活动。在日本殖民统治内蒙古期间，中国共产党一直与内蒙古人民战斗在一起。

在解放战争时期，中国共产党领导内蒙古人民在政治、军事两条战线上开展了艰苦、卓绝、伟大的民族解放、民主革命斗争。在政治战线上，开展了以内蒙古自治运动为中心的民族解放斗争，成立了内蒙古自治政府，开创了以民族区域自治解决内蒙古民族问题的道路，开展独具特色的社会民主改革，解放农村、牧区社会生产力，发展解放区经济，起到了革命与建设的示范作用。在军事战线上，组建内蒙古民族革命武装，与中国人民解放军一道，开展自卫解放战争，与国民党军队和各路土匪武装进行了数百次战斗，保卫和扩大了解放区。在中华人民共和国成立前夕，内蒙古全境获得解放，内蒙古民族民主革命最终胜利。

内蒙古28年宏伟的革命历史画卷，清晰地展示了中国共产党是内蒙古革命唯一正确的领导者。

内蒙古民族问题和民族解放，是中国共产党最早关注的问题。早在建党前夕，毛泽东就提出："帮助蒙古、新疆、西藏、青海自治自决，都是很要紧的。"[①] 中国共产党"二大"指出：蒙古、西藏、新疆等处，是少数民族聚居的区域，既有民族特点，也有地区特点，主张尊重边疆人民的自主，促成蒙古、西藏、回疆三自治邦，再与内地联合成为中华联邦共和国。并在"二大"民主革命纲领中提出："蒙古、西藏、回疆三部实行自治，成为民

---

① 《毛泽东书信选集》，人民出版社1983年版，第3页。

主自治邦";"用自由联邦制,统一中本部、蒙古、西藏、回疆,建立中华联邦共和国"。① 与此同时,李大钊、陈独秀等党的创始人对蒙古民族问题也发表了重要的言论。此后,中国共产党在其纲领、章程和决议中都列入了民族问题的内容,蒙古民族问题总是被列于首位,还专门作出《蒙古问题议决案》等一系列决定、指示。直到 1935 年,毛泽东发表《对内蒙古人民宣言》,专门阐述了内蒙古民族问题和党对内蒙古革命的方针政策。这是中国共产党根据当时国内和内蒙古的形势,系统阐述内蒙古民族问题,指导内蒙古革命的纲领性文件。

从中国共产党论及国内民族问题的一系列文献中可归纳为以下基本点:"从建党到抗日战争爆发,中国共产党对于认识国内民族问题和解决民族问题的道路进行了伟大的探索。可以说在内蒙古经历了这一探索的全过程,从而形成了中国的少数民族问题是中国社会总问题的一部分,少数民族的解放斗争是中国革命的一部分;中国民族问题的实质是中国历来的统治阶级以及帝国主义对少数民族的压迫、剥削和侵略、奴役的问题;承认中国各民族一律平等,主张各民族平等团结;尊重少数民族的语言、文字、风俗习惯和宗教信仰自由;帮助少数民族发展经济、文化和教育事业,使他们摆脱贫困;承认民族自决权,中国的少数民族是实行民族区域自治,是实行联邦制,或成立独立的国家,均由少数民族自己决定等几点基本认识,并初步制定了相应的政策,彻底否定了中国历来的、特别是民国以来的大汉族主义民族压迫政策。这对于发动蒙古等少数民族反对帝国主义侵略和北洋军阀、国民党反动派的大汉族主义民族压迫,进行民族解放斗争,起了巨大的推动作用。"②

1937 年"七七"事变,日本帝国主义发动全面侵华战争,中国人民的全面抗战开始。中国各民族面临空前严重的民族灭亡的危机,内蒙古全面沦陷危在旦夕。1938 年 10 月,毛泽东在中共六届六中全会的报告中提出:"团结中华各民族(汉、满、蒙、回、藏、苗、瑶、夷、番等)为统一的力量,共同抗日图存"的民族工作总方针,同时提出:"允许蒙、回、藏、苗

---

① 《中国共产党第二次全国代表大会宣言》,《中共中央文件选集》(第1册),中共中央党校出版社 1982 年版,第 74、78 页。

② 郝维民主编:《内蒙古革命史》序言,内蒙古大学出版社 1997 年版,第 10 页。

等各民族与汉族有平等权利，在共同对日的原则下，有自己管理自己事务之权，同时与汉族联合建立统一的国家"等 4 项政策。① 这是中国共产党在对国内各民族不可分离的民族关系的历史进一步认识的基础上，根据当时中国革命的总形势总任务以及各民族的共同利益和愿望，提出各民族联合建立统一国家的主张，是中国共产党解决国内民族问题方针的重大转变。这是适合中国历史实际的转变，是适应形势要求的正确选择。

1940 年 7 月，中共中央制定了《关于抗战中蒙古民族问题提纲》，进一步阐述了上述方针，细化了民族政策，指出："蒙古民族是中华民族的一部分，它直接受日寇统治、压迫、侵略，并且它居住于中日战争极关重要之战略地带，是中国抗战必须争取的力量，所以蒙古民族在抗战中处于非常重要的地位。""蒙古民族站在中国抗战方面？还是站在日寇方面？这就是现在蒙古民族问题的中心，同时也就是抗战中的严重问题之一。"② 与此同时还制定了《关于回回民族问题提纲》。这两个提纲的制定标志着中国共产党对国内民族问题在理论上趋于成熟，在政策上逐步完善，而且在一些抗日根据地进行了试验和实践，取得了经验。

1945 年 5 月，毛泽东主席在中共七大《论联合政府》的报告中，重申同意孙中山 1924 年提出的国内民族问题的政策，提出帮助少数民族在政治、经济、文化上的解放和发展，成立少数民族的军队，尊重少数民族的言语、文字、风俗、习惯和宗教信仰，"要求改善国内少数民族的待遇，允许各少数民族有民族自治的权利。"③ 从而形成了以民族区域自治解决民族问题的基本构想。

抗日战争胜利后，中国共产党在内蒙古地区发动了大规模的自治运动，进行了以民族区域自治解决内蒙古民族问题的伟大实践。首先成立内蒙古自治运动联合会，树起了中国共产党领导内蒙古自治运动的旗帜，团结蒙古族各阶层和汉族及其他少数民族开展自治运动，成功地统一了内蒙古自治运动，克服了民族运动中的"内外蒙合并"、"内蒙古独立"的错误倾向，结

---

① 中共中央统战部：《民族问题文献汇编》，中共中央党校出版社 1991 年版，第 595 页。
② 中共中央书记处：《六大以来》（上），人民出版社 1981 年版，第 1118—1125 页。
③ 《毛泽东选集》第三卷，人民出版社 1967 年横排本，第 1013、1033 页。

束了内蒙古蒙古族被北洋军阀、国民党以及日本侵略者离间分裂的局面；联合蒙古族及其他少数民族一切民族解放的力量，组建民族革命武装——内蒙古人民自卫军，开展了自卫解放战争，在中国人民解放军有力的支持和密切配合下，粉碎了国民党大汉族主义的军事进攻；在中共中央的直接领导下，由于中共东北、华北、西北各中央局和中央分局的紧密配合，内蒙古的蒙古族、汉族及其他各民族的共同努力，在全国解放战争由战略防御转向战略进攻的前夕，1947 年 4 月 23 日举行内蒙古人民代表会议，以蒙古族为主体，包括其他各族各界 393 名代表汇聚一堂，共商内蒙古民族区域自治的大业，在民族平等的原则下，在民族团结的基础上，讨论通过了《内蒙古自治政府施政纲领》和《内蒙古自治政府暂行组织大纲》，选举产生了内蒙古自治政府主席、副主席和政府委员以及临时参议会组成人员，5 月 1 日，宣告内蒙古自治政府成立。

内蒙古自治政府的成立，是内蒙古实行民族区域自治的开始，也是内蒙古民族历史新纪元的起点。它否定了历来的民族压迫制度，开辟了内蒙古实行民族区域自治的道路，为中国以民族区域自治解决国内民族问题开了先河。内蒙古自治政府的成立是中国民族区域自治的历史丰碑，无论给以多么高的评价都不过分。

内蒙古自治政府成立后，在内蒙古东部自治政府辖区和西部绥蒙解放区进行了社会民主改革和经济建设，大力推进自治运动，开展自卫解放战争。

1949 年 3 月中共七届二中全会期间，中央领导人研究了发展内蒙古民族区域自治问题，毛泽东提出为恢复内蒙古历史地域积极创造条件，逐步实现东西蒙统一的内蒙古自治区；为便于领导管理全区工作，应将自治区领导机关由乌兰浩特迁到张家口，待绥远解放后移驻归绥市①。这是中国共产党全面实现内蒙古统一的民族区域自治的重大决策，是留给新中国要继续解决的内蒙古民族自治的问题。5 月，即将时属辽北省所辖的哲里木盟和隶于热河省的昭乌达盟划归内蒙古自治政府。

1949 年 9 月 29 日，中国人民政治协商会议第一届全体会议通过的新中国的建国纲领——《共同纲领》规定："中华人民共和国境内各民族一律平

---

① 王铎：《五十春秋——我做民族工作的经历》，内蒙古人民出版社 1992 年版，第 367 页。

等，实行团结互助，反对帝国主义和各民族内部的人民公敌，使中华人民共和国成为各民族友爱合作的大家庭。反对大民族主义和狭隘民族主义，禁止民族间的歧视、压迫和分裂各民族团结的行为。"《共同纲领》规定："各少数民族聚居的地区，应实行民族的区域自治，按照民族聚居的人口多少和区域大小，分别建立各种民族自治机关。凡各民族杂居的地方及民族自治区内，各民族在当地政权机关中均应有相当名额的代表。"这是中华人民共和国第一个代行宪法的大法，也是第一部以民族区域自治解决国内民族问题的法律，是指导民族工作的纲领。内蒙古在建国前为此进行了实践，创造了经验。

九、当代内蒙古自治区历史变迁

从 1949 年 10 月到 2000 年年底的 50 年间，内蒙古自治区和全国一样，经历了恢复国民经济和社会主义改造、社会主义建设曲折发展、"文化大革命"浩劫、社会主义现代化建设新时期等重大历史阶段。

中华人民共和国成立后，内蒙古地区还没有实现全区统一的民族区域自治，当时内蒙古自治政府只辖呼伦贝尔盟、兴安盟、哲里木盟、昭乌达盟、锡林郭勒盟、察哈尔盟等内蒙古中东部地区，热河省、察哈尔省所辖内蒙古的部分旗县、绥远省全境和宁夏省、甘肃省所辖阿拉善旗、额济纳旗，还没有划回内蒙古自治区。内蒙古实现统一的民族区域自治是新中国成立后解决民族问题，推行民族区域自治的中心任务之一。

1949 年 12 月，中央人民政府任命乌兰夫为内蒙古自治区人民政府主席、哈丰阿任副主席，遂遵照毛泽东的决策，将内蒙古自治区人民政府及自治区党政军领导机关从乌兰浩特迁到张家口，为解决内蒙古统一的民族区域自治进行了准备。

在建国初期的头 3 年，当时的内蒙古自治区和绥远省人民政府，以及热、察、宁、甘等省，按照中央的部署，在新解放区进行了民主建政、社会民主改革、剿匪肃特、镇压反革命、"三反""五反"、抗美援朝等一系列社会变革、政治运动和改造教育科学文化事业等工作，并大力恢复国民经济。在短短的三年时间里，使社会基本安定，国民经济基本好转，文化教育开始复苏。与此同时，大力推行民族区域自治，直到 1956 年实现了内蒙古统一的民族区域自治。

从 1953 年开始，内蒙古贯彻执行党和国家过渡时期总路线，实施发展国民经济第一个五年计划。对农业、畜牧业、手工业和资本主义工商业进行了社会主义改造，实现了这场复杂、艰难和深刻的社会变革。从民族特点、地区特点出发，在农业、畜牧业社会主义改造中，创造了独特的经验。同时，及时纠正了工作中出现的偏差，使改造工作总体上平稳实现。

内蒙古在国家的大力扶持下，实施发展国民经济第一个五年计划，依靠自身的资源优势，充分注意民族特点、地区特点，在工业十分薄弱的情况下，开始建设包头钢铁工业基地、大兴安岭森林工业基地，以及农畜产品工业的建设；在农业、畜牧业合作化的进程中，农牧业生产长足发展；文化教育事业欣欣向荣，形成了从小学教育到高等教育的教育体系；各族人民的生活水平普遍提高。这是内蒙古自治区发展的第一个"黄金时期"。

从 1958 年起，按照党和国家制定的"鼓足干劲，力争上游，多快好省地建设社会主义"的总路线，自治区开始全面进行社会主义建设。直到 1966 年"文化大革命"前，自治区的社会经济文化得到很大的发展。这期间，由于"党的工作在指导方针上有过严重失误，经历了曲折的发展过程。"① 内蒙古也在曲折发展中前进。

在社会主义建设总路线的鼓舞下，内蒙古各族人民焕发了建设社会主义的巨大积极性，在各条战线上掀起了社会主义建设热潮。但是，1958 年年底全国性的"大跃进"运动和人民公社化运动发动起来以后，以高指标、瞎指挥、浮夸风、平调风和"共产风"等五风为主要特征的"左"倾错误，在内蒙古也严重地泛滥开来，再加上自然灾害的袭击，造成了国民经济严重困难的局面。1959 年到 1961 年，工农业比例失调、粮食产量逐年下降；工业生产内部比例失调，特别是轻重工业比例由 5：4 变为 5：8；积累与消费失调，极大地影响了人民生活；财政收支不平衡，出现庞大的财政赤字；人民的生活水平下降，市场供应极度困难。

中央和毛泽东为纠正"左"倾错误采取了一系列措施，也经历了由纠

---

① 《中国共产党中央委员会关于建国以来党的若干历史问题的决议》，《三中全会以来重要文献选编》，人民出版社 1982 年版，第 743 页。

"左"到反右的反复，提出对国民经济实行"调整、巩固、充实、提高"的八字方针，直到1962年1月扩大的中央工作会议，在肯定成就的基础上，明确批评了"大跃进"以来工作中的缺点和错误，对"左"倾错误进行了有力度的纠正。

内蒙古自治区按照中央的调整方针，调整农村牧区政策；精简职工，压缩城市人口；改进财政体制，加强财政管理；稳定和调剂市场供应；压缩基本建设战线，提高经济效益；大幅度降低工业发展速度，调整工业结构。中央工作会议以后，进一步加大了调整力度，特别是对农村牧区人民公社管理体制和政策进行了调整，以利于促进农牧业生产；调整工矿企业的数量、生产计划和产品品种，改革经济体制；实行两种劳动制度和两种教育制度等一系列措施，收到了良好的效果，度过了经济困难时期。

值得特别称道的是，在3年经济困难时期，内蒙古城乡人民基本口粮得到保证，而且向国家提供相当数量的粮食，畜牧业则继续增产，牲畜总头数从1957年到1962年增长了41.65%。从1963年到1965年，继续进行了3年的调整，自治区的经济迅速恢复、发展，国内生产总值增长了40.96%，工农业总产值增长了47.55%，牲畜总头数增长到4488.4万头（只），增长了28.33%。教育、科学、文化事业经过调整，稳步恢复发展。①

在民族工作方面，从1957年反对民族右派以来，持续发展的"左"倾错误，对民族、宗教与统战工作产生了比较严重的负面影响。1962年，中央召开全国民族工作会议，全面总结了成绩和缺点、错误以及存在的问题，特别指出存在着忽视民族问题、民族特点和少数民族地区的经济特点，忽视少数民族的平等权利和自治权利，忽视宗教问题的民族性、群众性和长期性，放松了对民族、宗教上层的团结工作，甚至损害少数民族的权利，严重违反民族宗教政策，认为"大汉族主义的思想在一些地方有了滋长"。会议提出了纠正"左"倾错误，调整各方面关系的有效措施。

内蒙古对民族宗教工作方面存在的"左"倾问题，进行了有力度的大检查，从各方面采取措施，落实民族政策，纠正错误，解决问题。1962年

---

① 数据参见内蒙古自治区统计局编：《辉煌的内蒙古》（1947—1999），中国统计出版社1999年版。

年底，召开全区民族工作会议，回顾了自治区成立以来民族工作的历程，肯定成绩，分析缺点错误，进一步提出纠正"左"倾错误的办法，并付诸实施，收到了较好的效果。

1962 年 9 月，毛泽东在中共八届十中全会上提出以阶级斗争为纲和社会主义与资本主义两条道路斗争的问题，并提出要进行社会主义教育。1963 年 5 月从农村开始，逐步发展到城市，直到 1965 年 1 月，确认社会主义教育（简称社教）的性质是解决社会主义与资本主义的矛盾，重点是整党内走资本主义道路的当权派。

内蒙古自治区按照中央的部署，在农村、牧区、城市开展了社会主义教育运动。农村社教到 1966 年 5 月结束，社教面占农村生产大队的 50.3%，整顿了一部分落后社队，对于纠正农村干部中的坏作风和改善集体经济经营管理等方面有一定的积极作用；打击了贪污盗窃、投机倒把和封建迷信等违法活动；始终强调发展生产。但是，在社教中也错误地打击了一批农村基层干部和部分群众，产生了不小的负面影响。由于社教的范围较小，并及时纠正偏差，没有形成全局性影响。牧区社教面只占公社和牧场的 10%，在进行社教宣传中，也受到了"左"倾思想的影响。但是，牧区社教始终坚持以发展生产为中心，强调"稳、宽、长"原则，而且是在极有限的局部范围内进行的，对全区畜牧业生产没有造成实质性影响。城市社教主要是在企事业单位和国家机关进行的，打击了贪污盗窃、投机倒把行为，对于克服官僚主义、铺张浪费、分散主义，对于改进党政机关、企事业单位的工作作风，起了积极作用。但是以阶级斗争为纲，混淆两类不同性质的矛盾，伤害了一部分干部和文化教育界人士。

"文化大革命"是接踵而来的一段不堪回首的历史，但也是不能不谈的历史。"文革"在内蒙古，首先是从反对民族分裂主义开始的，全程几乎是以民族问题为中心做文章的。给乌兰夫所捏造的罪状都归结为民族分裂主义，他是在内蒙古、在全国，第一个被打成党内最大的走资本主义道路的当权派，由此株连派生出许许多多的民族分裂主义分子和各级走资本主义道路的当权派，并被囊括在所谓"乌兰夫反党叛国集团"之中。通过反击所谓二月逆流，又制造了一个"内蒙古二月逆流"错案；通过"挖肃"运动制造了"新内人党"冤案；通过所谓清理阶级队伍，把无数的各族各界干部、群众以及农民、牧民、工人以各种罪名打入反革命阵营。制造这些冤案、假案、错案，证据荒唐，手段残忍，罪名千奇百怪。内蒙古处在恐怖之中。

"文化大革命"全面否定了内蒙古自治区成立以来的成就与经验，而且成为民族分裂、修正主义、反党叛国、走资本主义道路的罪状，颠倒黑白，颠倒历史，到了无以复加的地步。其中全面否定党的民族政策，否定民族区域自治，是全面否定的核心内容。实行民族区域自治是党的民族政策在内蒙古的中心，而民族区域自治的关键是民族干部的培养与使用。从内蒙古自治区一级到最基层，从乌兰夫到人民公社的领导人，层层揪斗，民族干部所剩无几；把内蒙古自治区东三盟划归黑、吉、辽东北三省，把西三旗划归宁、甘西北二省区，中国共产党、毛泽东主席费尽心血完成的内蒙古统一的民族区域自治，再次被分割。这是对民族区域自治的颠覆，也是分割内蒙古地域历史的重演。至于对社会、经济、文化、教育等诸多方面的破坏，是蒙汉各民族的共同灾难。

1976年10月14日，中共中央宣布粉碎"四人帮"的消息时，内蒙古万众欢腾，欢呼"文化大革命"灾难历史的结束。从此，中国进入了社会主义现代化建设的新时期。

新时期开始的首要任务是拨乱反正，清算"四人帮"在内蒙古犯下的一切罪行，清查其帮派体系，平反冤假错案，落实各项政策，尽快把工作重心转移到社会主义现代化建设上来。为"乌兰夫反党叛国集团"、"内蒙古二月逆流"和"新内人党"等三大冤假错案以及一切冤假错案平反；对点名批判论罪的电影、文学作品及文学艺术团体，彻底平反，恢复名誉；对受害的干部、群众平反昭雪；对致伤、致残、致死的人员及其家属、子女，分别进行了适当照顾和安置；对受到刑事、行政、党籍、团籍处分的人一律发给平反文字证明；错误开除公职的一律复职、复工，扣发的工资给予补发；个人档案中的不实材料清理销毁。同时，全面落实被破坏的统战政策、干部政策、知识分子政策、民族政策、宗教政策、侨务政策、对国民党起义及投诚人员的政策、台属和台胞政策、农村牧区政策以及各项经济政策。有的政策在拨乱反正中逐一落实，有的还需结合实际工作逐步解决，加以完善。对农村牧区重划的蒙古族的阶级成分，一律宣布作废；对反右派斗争中错划的右派分子一律改正；为地主、富农和坏分子摘了帽子。如此彻底的拨乱反正，真正调动了人们建设社会主义的热情和积极性，为现代化建设创造了伟大的社会原动力。

在拨乱反正中，进行民族政策教育，检查民族工作，逐步解决存在的问题，收到了良好的效果。恢复内蒙古统一的民族区域自治，使蒙古民族看到了实行自治的希望，使蒙汉各民族再一次回到内蒙古自治区的大家庭中，在民族平等、团结的基础上，互相尊重，互相帮助，互相学习，大力发展民族团结进步事业，共同建设内蒙古的现代化。这是新时期内蒙古社会进步、经济发展、文化繁荣的伟大力量。

在新时期改革开放的大潮中，内蒙古自治区进行了强有力的政治建设和社会治理，逐步恢复、完善各级党政领导机构，加强人民代表大会制度和政治协商制度；恢复、完善民族区域自治制度，不断落实党和国家的民族政策，进行民族法制建设，开展民族团结进步表彰活动，大力进行民族经济建设和文化教育事业；恢复、发展统一战线，进行民主与法制建设，开展社会主义精神文明活动；加强司法建设和社会治理，打击一切危害社会、祸及人民的刑事犯罪和经济犯罪活动；改革、强化纪检监察制度，清查严处贪污、受贿等腐败行为，开展反腐廉政建设，使政治体制改革迈出了坚实的步伐，取得了突出的进展。

在改革开放中，内蒙古自治区经过反复探索，制定了"林牧为主，多种经营"的经济建设方针，通过全面的经济体制改革和两个十年发展战略以及诸多战役，使国民经济翻了两番，经济空前发展；经过改革开放，自治区的教育、科学技术、文化艺术、医疗卫生、新闻出版、体育运动等各项事业蓬勃发展，社会面貌发生了巨大变化。经济社会的发展，最直接的是体现在蒙汉各族人民身上，确切地说，是体现在了绝大多数人们的身上，这是不争的事实。有些人虽然觉得生活不尽如人意，甚至在言语、举止上有些偏激，但是对国家的整体发展是肯定的，对未来是充满信心的。相信人民的感觉是最现实的，人民的评论是最准确的，因为这一切都是属于人民的。

在 20 世纪结束的时候，一个经济繁荣昌盛、社会长足发展、文化欣欣向荣、人民初步富裕的内蒙古自治区屹立在了祖国的北疆。

内蒙古自治区历史变迁中需要专门研究、加深认识的问题很多，目前还缺乏从研究历史的角度进行探讨。因此，对人们常常提及但又不够准确，或被误解，或不甚明了，甚至被扭曲的一些重要历史事件和问题，有必要专门说一说。

十、内蒙古是民族区域自治的良好榜样

中国共产党在内蒙古民族民主革命时期，为解决内蒙古民族问题进行了长达22年的探索与实践，最终选择以民族区域自治解决内蒙古民族问题，实现蒙古民族的解放，以民族平等、民族团结的原则，实现各民族当家作主，共同发展。

内蒙古自治政府的成立，是内蒙古实现统一的民族区域自治的起步。以后，又经过两年多时间，内蒙古自治政府的辖区逐步拓展，民族区域自治的优越性初步显现。1949年3月，在中共七届二中全会期间，毛泽东主席提出恢复内蒙古的历史地域，实现内蒙古东西部统一的民族区域自治。这既是实现内蒙古民族区域自治的伟大决策，也是以内蒙古先行，以民族区域自治解决国内民族问题，实现各民族长治久安的战略决策。对此，当时在党内，甚至在党的领导层中，意见并不完全一致。实现内蒙古统一的民族区域自治，是一个复杂的实施过程，既有认识上的问题，也有细致的准备问题，不能稍有疏忽。

中华人民共和国成立后，内蒙古自治政府主席乌兰夫遵照毛泽东主席的提议，于11月23日呈请中央人民政府批准将内蒙古自治政府从乌兰浩特迁驻张家口。次日，周恩来总理即批准所请。12月2日，中央人民政府委员会第4次会议任命乌兰夫为内蒙古自治区人民政府主席，哈丰阿为副主席，内蒙古自治政府亦改称内蒙古自治区人民政府。同时成立中共中央内蒙古分局，乌兰夫任书记。12月23日，内蒙古自治区党政领导机关开始在张家口办公，1950年6月25日全部完成迁移事宜。之后，从中央到内蒙古自治区以及相关邻省，在周恩来总理的直接领导下，对内蒙古实现统一的民族区域自治，从思想理论、方针政策、地域范围、实施方案等方面，进行了一系列精心的准备，并逐步推进。

撤销绥远省建制，将其辖区划归内蒙古自治区，是实现内蒙古统一的民族区域自治的关键。

绥远省的建立是国民党民族压迫政策的产物，有深远的历史背景，涉及

到极其复杂的诸多问题，而且在人们的记忆中形成了各不相同的认识与观念。消除这些从历史上遗留下来的问题和不合时宜的认识与观念，不是简单地通过行政命令的手段就能够解决得了的。在革命队伍中，甚至在领导层中，对于内蒙古自治区地域范围的划分，行政建制的设置，政治中心的确定，当时的认识不尽一致。因此，首先要解决认识问题，特别是领导层中的认识问题。要在马克思列宁主义、毛泽东思想和中国共产党的民族理论指导下，按照《共同纲领》中的民族政策，结合内蒙古民族问题特别是绥远省的民族问题实际，进行研究认识，并在各族干部和各族各界各阶层群众中进行宣传教育，统一思想、统一认识、排除障碍，创造条件，才能顺利实施。

从1950年开始，中央人民政府出台了一系列有关民族政策的决定、方案、通则等，中央领导人在各种会议的报告中反复阐述党的民族政策。1952年2月，政务院会议通过了《中华人民共和国民族区域自治实施纲要》；9月，在全国范围内进行了民族政策执行情况大检查。1953年6月，中央人民政府民族事务委员会作了《关于推行民族区域自治经验的基本总结》。《人民日报》连续发表《进一步贯彻民族区域自治政策》和《贯彻民族政策，批判大汉族主义思想》的社论，传达了中央在民族工作方面的任务和基本政策，对民族工作做了基本总结，充分肯定了成绩和经验，也分析了存在的问题，指出"大汉族主义思想或大汉族主义残余思想还在一部分汉族干部和人民中存在着。""在全国范围来说，大汉族主义已成为当前民族关系、民族工作中的主要危险。"同时也指出："在少数民族中相当多地存在着狭隘民族主义思想"。要克服这两种民族主义，"首先是克服大汉族主义，才能真正彻底实现民族平等，并有效地帮助少数民族克服各种狭隘民族主义。"①

在内蒙古如何实现统一的民族区域自治问题上，在领导层中存在不同的认识和主张。1952年年初，周总理召集内蒙古、绥远、华北局、新疆分局以及中央政务院有关部门负责人，研究内蒙古自治区未来区划问题时，会上就有人提出意见，认为历史既然形成了内蒙古蒙汉杂居，汉人多于蒙人，而且已建省设县的现状，就不必改变这种状况。还有人提出，如果搞成东西蒙

---

① 《民族政策文件汇编》第一编，人民出版社1958年版，第139、140页。

统一，横跨三北、绵延数千里的内蒙古自治区，会有很多问题：一是地域过大，不便管理；二是热、察、绥3省将大为缩小，有的甚至不复存在。周总理当即指出："推行内蒙古区域自治还有阻力，这就是我们的一些同志还没有真正理解党的民族区域自治政策的实质，还不了解党中央解决内蒙古问题的意图。毛主席对蒙绥合并有明确指示：蒙绥合并问题要开两扇门，一扇门是蒙人要欢迎汉人进去开发白云鄂博铁矿，建设包头钢铁企业；一扇门是汉人要支持把绥远合并于内蒙古自治区，实现内蒙古统一自治。内蒙古划进一些汉族，有利于蒙汉团结，建设边疆。蒙绥合并是中央已经定了的问题，毛主席也说过了，要按中央定的、毛主席说的办。"① 周总理多次耐心地找有关领导同志谈话，做通了思想工作，统一了认识。乌兰夫在当时的内蒙古自治区和绥远省干部、群众中反复宣讲中央的决定，并结合内蒙古的历史实际，阐述内蒙古实行统一的民族区域自治的必然性、重要性，做通了思想工作，理顺了认识，排除了思想障碍。

1952 年夏天，内蒙古自治区领导机关由张家口迁到归绥。8 月，中共中央内蒙古分局与中共绥远省委合并为中共中央蒙绥分局。1953 年 11 月 1 日内蒙古自治区人民政府与绥远省人民政府实行合署办公，一体施政。这是蒙绥合并的又一个重要步骤，也是合并前政府机构、人事安排、协调双方关系的准备。1954 年 1 月 13 日，绥远省第一届第三次各界人民代表会议通过《关于中共中央蒙绥分局建议绥远、内蒙古合并，撤销绥远省建制案》② 的决议，并报请中央人民政府审批。1 月 28 日，政务院同意《关于将绥远省划归内蒙古自治区并撤销绥远省建制的四项决议的报告》，并要求遵照执行。③ 3 月 6 日，内蒙古自治区人民政府、绥远省人民政府联合布告：绥远、内蒙古合并，撤销绥远省建制和绥远省人民政府，从即日起原绥远省辖区统一由内蒙古自治区人民政府领导，并对下属行政建制进行调整；指出蒙绥合并"是中国历史上以民族平等、团结互助的精神解决民族问题的重大措施；也是在国家过渡时期总路线光辉照耀下，进一步解决民族问题，推进国家建

① 王铎：《五十春秋——我做民族工作的经历》，第368—369 页。
② 内蒙古自治区档案馆编：《中国第一个民族自治区诞生档案史料选编》，第171—172 页。
③ 内蒙古自治区档案馆编：《中国第一个民族自治区诞生档案史料选编》，第174 页。

设的正确的、必要的措施。"① 4 月 25 日，归绥改称呼和浩特，恢复了明代建城时的原名，并决定为内蒙古自治区的首府。6 月 19 日，中央人民政府委员会正式批准蒙绥合并、撤销绥远省建制。

《人民日报》为此发表题为《中国历史上解决民族问题的重大措施》的社论，高度赞扬蒙绥合并"是内蒙古自治区，也是全国各族人民政治生活中的一件大事"；"是只有在中国共产党和毛泽东同志领导下的人民民主的中国才可能出现的伟大事件"。社论回顾了蒙古民族遭受民族压迫的历史和在中国共产党领导下实现民族解放，实行民族区域自治的历程，阐明了绥远划归内蒙古自治区的历史根据和现实意义，指出："根本消除了民族压迫制度之后，根据各个少数民族发展的不同历史阶段，长期地、有系统地帮助各少数民族发展他们的政治、经济、文化事业，消灭历史上遗留下来的各民族间事实上的不平等，使他们逐步提高到先进民族的行列，共同过渡到社会主义。"绥远的汉族帮助蒙古民族发展，是应尽的责任，蒙古族应热诚地欢迎这种帮助，共同建设内蒙古自治区，这完全符合蒙汉各民族共同的长远的和根本的利益。②

1952 年 10 月，中央曾决定撤销察哈尔省，将其所辖多伦、宝昌、化德 3 县划归内蒙古自治区。1955 年 7 月，中央决定撤销热河省，将其所辖翁牛特左旗、翁牛特右旗、喀喇沁旗和赤峰县、宁城县、乌丹县等 3 旗 3 县划归内蒙古自治区。

1955 年 11 月和 12 月间，当时隶属于甘肃省的巴彦浩特蒙古族自治州和额济纳蒙古族自治旗先后召开人民代表大会，决定将额济纳旗划归巴彦浩特蒙古族自治州，并同意将自治州划归内蒙古自治区。甘肃省人民委员会同意并报告中央，中央批转内蒙古自治区征求意见。内蒙古自治区党委、政府，于 1956 年 1 月初，邀请巴彦浩特蒙古族自治州州长达理扎雅和额济纳旗旗长塔旺扎布会商，并达成共识。2 月初，内蒙古自治区人民委员会与甘肃省人民委员会协商拟定方案，报请中央审批。4 月 3 日，国务院批准所请，6 月该 2 旗正式划归内蒙古自治区。

---

① 内蒙古自治区档案馆编：《中国第一个民族自治区诞生档案史料选编》，第 180—181 页。
② 《民族政策文件汇编》第二编，人民出版社 1958 年版，第 63 页。

　　国民党所建绥、察、热3行省全部被撤销，内蒙古大部分盟旗划归内蒙古自治区，内蒙古的历史地域基本恢复。这是中国国民党与中国共产党的两种不同的民族政策的鲜明对比，建省是中国国民党的民族压迫政策的产物，撤省是中国共产党的民族平等原则、民族区域自治政策的体现。至此，如实兑现了毛泽东主席1935年的承诺，圆满完成了1949年3月他制定的决策，实现了内蒙古统一的民族区域自治。这是中国统一多民族国家解决民族问题的伟大创举。

　　1952年5月，周恩来总理电贺内蒙古自治区成立5周年时，赞誉并期望内蒙古自治区"永远成为少数民族区域自治的良好榜样"。1957年4月30日，国务院副总理、中央代表团团长李先念，在内蒙古自治区成立10周年庆祝大会的讲话中再次赞誉并期望："内蒙古自治区继续成为我国各民族自治地方建设与发展的良好榜样。"① 当天，《人民日报》也发表了题为《我国少数民族实行区域自治的良好榜样》的社论。内蒙古实现民族区域自治的历史意义、现实意义以及对中国统一多民族国家发展的深远影响，越来越清晰地显现了出来。尽管在社会主义建设曲折发展中民族区域自治受到影响，在"文化大革命"中遭到全面破坏，但是在改革开放和社会主义现代化建设新时期，民族区域自治得到恢复、发展和进一步完善，成为我国的一项基本政治制度。在新世纪，中央赞誉内蒙古自治区"为在我国实施民族区域自治制度树立了光辉典范"。②

　　内蒙古实行民族区域自治的实践证明，在少数民族中或民族地区，无论是革命斗争，还是经济建设，或是发展文化，绝不能无视或轻视民族问题；解决民族问题必须从实际出发，切实把握民族特点、地区特点，必须制定切实可行的民族政策；实施民族政策必须深思熟虑，慎重稳妥，不能轻率，不能操之过急；发生问题，必须认真对待，及时解决，不能熟视无睹，以致贻误时机。可以说，这也是内蒙古实行民族区域自治留给我们的思考与启示。

---

　　① 引自《民族政策文件汇编》第2编，人民出版社1958年版，第114页。

　　② 中共中央、全国人大、全国政协、中央军委：《庆祝内蒙古自治区成立60周年贺电》（2007年8月8日），《内蒙古自治区60周年大庆文献》，内蒙古人民出版社2007年版，第320页。

十一、内蒙古独特的社会民主改革

内蒙古的社会民主改革，主要是农村土地改革、牧区民主改革和半农半牧区民主改革。社会民主改革是分两期进行的，第一期是1947年冬到1948年春，在内蒙古中东部解放区进行的；第二期是1951年冬到1952年春，在内蒙古西部绥远新解放区进行的。

（一）农村土地改革

内蒙古农村土地改革总体上是根据中国共产党制定的土地改革总路线、总政策，结合内蒙古农村的民族特点、地区特点，制定并逐步形成了一套特殊的政策。

第一期土改，规定内蒙古境内的土地为内蒙古各民族所公有；废除封建的土地所有制；实行耕者有其田，封建地主与庙宇所有的土地，一律收归公有，按人口统一分配给所有无地或少地的蒙汉族人民；对蒙古族一般地主、富农的土地不动，坚决保护中农；承认各阶层人民对土改中所分得或保留之土地，有自由经营、买卖与在特定条件下出租的权利；废除地主、王公、高利贷者对贫苦农民的一切债务；取消蒙租。其中规定内蒙古境内的土地为内蒙古各民族所公有，对蒙古族中的土改实行区别对待的政策，是有别于内地或汉族中土改政策的特点。

但是，在实行中发生了"左"的偏差，造成了伤害蒙古族、不利于民族团结及发展生产的负面影响。1948年7月，为纠偏而进一步规定：对蒙古族大中地主的土地、耕畜、农具分给农民，同时必须留给其与农民同等的一份，但蒙奸恶霸本人不给分；对出租户口地之小地主不斗争、不分其财产；蒙古族富农剥削不超过其总收入50%的，财产一般不动，土地只分其多余部分；对中农坚决不动，许进不许出，从而纠正了偏差。

第二期土改，根据绥远省蒙汉民族围绕土地问题而存在的复杂因素，行政建制旗县并存的特殊状况，蒙汉杂居的民族关系，农牧交错的经济关系，在实行《绥远省土地改革土改实施办法》的同时，又制定了《绥远省蒙旗土地改革实施办法》和《绥远省关于蒙民划分阶级成分补充办法》。总的要求是绥远省蒙旗土地改革必须实行慎重稳妥的方针，并采取了一系列特殊的政策措施。

根据蒙古族占有土地和使用土地的特殊性，经营农业的时间短而技术差，且兼营牧业等实际情况，制定了划分蒙民阶级成分的规定：蒙古族阶级成分的划分，必须根据其土地占有、剥削收入与生活程度之不同为主要依据，而不以占有土地数量为据；计算蒙民劳动，以其参加劳动情况为标准；蒙古族地主阶级以其剥削收入之多少为主要标准，凡剥削收入相当于当地汉族一般地主的划为小地主，相当于当地汉族一般大地主的划为中地主，超过当地汉族一般大地主的划为大地主；二地主应按其剥削收入，划分为大、中、小地主。① 蒙古族农民兼营牧业，且经常参加牧业劳动即为有劳动；出租或雇工经营少量土地，生活程度不超过中农水平者以小土地出租者论；出租少量土地，收取少量地租，生活水平不及一般中农者，按贫农对待；蒙古族牧民不划阶级成分。②

对蒙古族地主和农民实行区别对待的政策。蒙古族大地主的土地、耕畜、农具、多余的粮食及其在农村中多余的房屋均依法没收，分配给农民，其他财产不动，并分给与农民同样的一份土地与生产资料；蒙古族中地主的土地依法没收，分配给与当地农民同样的一份土地，其耕畜、农具、多余的粮食及其在农村中多余的房屋予以保留，如当地多数蒙民要求，得酌量征收其一部分；蒙古族小地主的上述五大财产予以保留，如当地多数蒙民要求，得酌量征收其一部分土地。蒙民出租之"永租地"，属于大、中地主者依法没收，属于小地主和一般蒙民者，如需抽出分配，在分配土地与生产资料时给以适当的补偿和照顾；富农出租之小量土地予以保留；半地主式富农出租之土地予以保留，如多数蒙民要求，可酌量征收其一部分；小土地出租者的土地予以保留。家在牧业区而在农业区出租土地之蒙民，如属大、中地主，其土地依法没收，如愿移居农业区耕种土地，得分给与当地农民同样一份土地与生产资料；如属小地主，当地蒙民有要求，得酌量征收其一部分土地；如属一般蒙民，则予保留。对无地少地的蒙古农民应分给一至两份土地和生产资料；蒙民所得之土地及自有土地，应平均相当于当地中等土质，不及者应适当调剂；贫苦牧民愿在农业区经营土地者，分给其与当地蒙古族农民同

①　见《绥远省蒙旗土地改革实施办法》，载《绥远行政周报》1951 年第 79 期。

②　见《绥远省关于蒙民划分阶级成分补充办法》，载《绥远行政周报》1951 年第 79 期。

样的一份土地与生产资料。①

在旗县并存地区，组织旗县联合土地改革委员会和土地改革工作团，农民协会也要联合办公，联合进行土地改革，统一分配土改果实。蒙汉杂居区，要配备蒙古族干部，处理民族问题。

内蒙古在实践中，逐步摸索、完善了基本符合实际、行之有效的农村土地改革政策，特别是形成了在蒙旗或蒙古族中进行土地改革的特殊政策，成功地解决了历史上形成的极其复杂、甚至敏感的诸多问题，既废除了封建土地所有制，解放了农村生产力，又调整了民族关系、农牧关系，为农业生产的发展创造了条件。这是内蒙古在农村社会民主改革中创造的特殊经验，为认识和处理少数民族和民族地区的土地所有制关系、阶级关系、民族关系、经济关系、农牧关系等，提供了宝贵的借鉴，在以后的农村发展中显示了非同一般的作用。

（二）牧区民主改革

内蒙古牧区也是一个阶级社会。蒙古王公、贵族在王公札萨克制度下，是以封建特权、人身依附隶属关系和占有大量的优良牧场实现对牧民的统治与剥削；而牧主占有一定范围的牧场和大量的牲畜，通过雇工和放"苏鲁克"对牧工、牧民进行剥削。蒙古封建王公、贵族和牧主只占牧区人口的10%左右，以封建特权为核心实现其统治与剥削。牧区的劳动牧民占牧区人口的80%—90%，只有少量牧场和牲畜。他们中的大多数人是以与王公、贵族的人身隶属关系生存，或受雇当牧工，或接"苏鲁克"放牧，或放牧自有的少量牲畜，以维持生计。牧区民主改革就是要解决蒙古王公、贵族和牧主与劳动牧民之间非同一般的压迫与被压迫、剥削与被剥削的阶级关系。

内蒙古牧区的民主改革，第一期是1947年冬，在内蒙古东部解放区牧区进行的。首先确认内蒙古的牧场为内蒙古民族所公有，废除封建的牧场所有制，废除封建制度及封建阶级的一切特权，废除奴隶制度，宣告一切奴隶完全解放，享有完全平等的公民权利；实行保护牧民，牧场公有，放牧自由。

牧区民主改革的初期，由于政策界限不够完善，而且受到农村土地改革

---

① 见《绥远省蒙旗土地改革实施办法》，载《绥远行政周报》1951年第79期。

的影响，出现了脱离实际的"左"的偏差。有的牧区甚至按农村土地改革中耕者有其田的原则，提出"牧者有其畜"的口号，发生划阶级、斗牧主、分牲畜的过激行动，造成了一定的社会负面影响，使畜牧业受到了损失。1948年7月，针对出现的问题，提出：废除封建特权，建立民主政权；改善放牧制度，适当提高牧工工资；除罪大恶极的蒙奸恶霸经盟以上政府批准，可以没收其牲畜财产由政府处理外，即使一般大牧主也一律不分不斗，不划阶级，有力地纠正了偏差，促进了社会稳定和畜牧业生产的发展。

在绥远省进行农村土地改革的同时，牧区也进行了民主改革，进一步提出了"依靠劳动牧民，团结一切可以团结的力量，从上而下地进行和平改造和从下而上地放手发动群众，废除封建特权，发展包括牧主经济在内的畜牧生产"的总方针，形成了废除封建特权，牧场公有，放牧自由，不斗不分，不划阶级，牧工牧主两利的完整的牧区民主改革政策，稳妥地完成了牧区的社会民主变革。

牧区民主改革政策是从牧区阶级关系的特点、畜牧业经济的特点出发，在既消灭阶级剥削制度，解放劳动牧民，解放牧区生产力，又保证畜牧业生产的发展和社会稳定，采取稳妥的办法，通过和平的方式，稳稳当当地进行民主改革。通过建立民主政权，废除蒙古王公、贵族、牧主的封建特权，废除封建王公、贵族对属民的隶属关系，使劳动牧民获得人身解放；实行牧场公有、放牧自由，劳动牧民成为草场的主人，得到自主劳动生产的权利。这是牧区民主改革消灭阶级压迫和剥削的阶级政策，是民主改革的核心。

在此基点上，根据牧区牲畜不同于农村土地，它既是生产资料又是生活资料；畜牧业经济有很大的脆弱性，经不起自然灾害和人为的破坏；牧主对牧工是雇佣劳动关系，是带有资本主义性质的雇工剥削；牧主经济也是牧区畜牧业经济的组成部分等社会、经济、生产、生活等诸多特点，从保护畜牧业生产出发，采取"不斗不分、不划阶级"、"牧工牧主两利"的政策变革生产关系，发展包括牧主经济在内的畜牧业生产。这是从实际出发变革生产关系，实现牧区民主改革的典型，是重大创举。

内蒙古牧区民主改革中创造的特殊的政策，为新疆、甘肃、青海等省少数民族和民族地区的牧区社会民主变革提供了宝贵的经验，以资借鉴。1953年，中央人民政府民委在结合总结上述省区牧业区畜牧业生产的时候，充分肯定了内蒙古牧区社会民主改革的方针政策，并进行了进一步阐述，成为我国牧区社会民主变革的基本政策。

（三）半农半牧区民主改革

在近代历史上，内蒙古地区逐步形成了农业区和牧业区之间的一个农牧业并存的半农半牧区。在这里，蒙汉杂居，农牧并存，旗县分治，矛盾复杂，民主改革既不能完全实行农村土改的政策，也不能一概采取牧区民主改革的办法，而是采取既区别于农村、牧区又介乎于两者的社会民主变革政策，即从实际出发，采取适合半农半牧区阶级关系、民族关系、农牧关系以及经济和生产特点的特殊政策。

在内蒙古第一期农村土地改革时，由于对半农半牧区的诸多特点缺乏研究，而且处理半农半牧的政策又不够具体，于是搬套农村土地改革的办法，扩大了打击面，影响了民族关系和农牧关系，发生了"左"的偏差。1948年7月，在农村土改纠正偏差的时候，区分了民族差异、农牧差别，调整了政策；在第二期绥远省土改中，进一步完善了半农半牧区民主改革政策。在农业优势或以农业为主的地方，只将大、中地主的固定的大垄土地、耕畜平分给贫苦农民，牧畜不分；小地主和富农的土地、耕畜不平分。在牧业占优势或以牧为主的地方，只将大牧主经营农业的役畜分配给贫苦农牧民，但牧畜不分。蒙奸恶霸的土地、牲畜和财产，经政府批准可分给农牧民；家住牧业区，但在农业区出租土地的蒙古族大、中地主，依法没收其土地，愿迁居农业区务农，可分得与当地农民等量的一份土地与生产资料；蒙古族牧民愿在农业区务农，也可分得与农民等量的一份土地与生产资料。这样，既稳妥地解决了半农半牧区的阶级矛盾，解放生产力，又调整了民族关系，解决了农牧纠纷，为发展农牧业生产创造了条件。同时，半农半牧区实行"以牧为主，照顾农业，保护牧场，禁止开荒"① 的方针，这既是对半农半牧区民主改革、生产建设的要求，又是对历史上开垦牧场，破坏草原恶果的警示，其意义深远。

在"文化大革命"中，上述政策被视为修正主义、民族分裂主义，被

---

① 都固尔扎布：《内蒙古自治区十年来的畜牧业》（1957），《内蒙古自治区成立十周年纪念文集》，内蒙古人民出版社1957年版。

全面否定。在牧区和农村蒙古族中重划阶级，伤害了一大批蒙古族农牧民，造成了农村牧区的极大混乱，破坏了民族团结。这是值得吸取的教训。幸运的是，在新时期的拨乱反正中，纠正了半农半牧区重划阶级的错误。

十二、内蒙古农牧业社会主义改造的特点

1953 年，国家在过渡时期的总路线中确定，对农业、手工业、资本主义工商业实行社会主义改造。这是中华人民共和国成立以后，规模最大、范围最广泛的社会变革运动。

中央对于少数民族和民族地区的社会主义改造提出了特别的规定，概括起来有五点：一、各民族历史条件不同，不能在同一时间、以同样的方式进入社会主义，何时以何种形式进行社会主义改造，应当容许根据各民族人民及其公众领袖的意愿决定；二、某些少数民族中和民族地区的社会主义改造比汉族地区开始的晚一些，所需时间会长一些，以更和缓的方式逐步地去实现；三、少数民族的经济条件与内地有很大差别，生产和生活习惯都有自己的特点，在农业合作化中，必须完全尊重民族自愿的原则和不同民族的特点；四、在多民族地区，为了照顾各民族的不同情况，各民族应分别建立合作社。在各民族社员无法单独建社或者有其他必要时，可以建立民族联合社；五、在民族联合社中，应发挥各民族的特长和发展各民族习惯经营的各种生产，特别要注意照顾和保护少数民族社员的利益，以保证各民族社员都能够增加收入。①

内蒙古对农业、畜牧业社会主义改造遵循中央的精神，从民族特点、地区特点出发，采取了符合内蒙古实际、行之有效的政策与方式，创造了独特的经验。

（一）农业社会主义改造

在内蒙古，从事农业生产的主要是汉族农民，而且集中在农业区和半农半牧区，占人口的绝大多数；同时，在农业区和半农半牧区，从事农业或兼

---

① 引自中共中央、国务院：《关于加强农业生产合作社的生产领导和组织建设的指示》（1956 年 9月 12 日），见《内蒙古畜牧业文献资料选编》第 1 卷，内蒙古党委政策研究室、内蒙古自治区农业委员会编印，1987 年 3 月，第 51 页。

营农牧业的蒙古族也占蒙古族人口的 50% 左右；另外，回族、满族、朝鲜族、达斡尔族等其他少数民族，也有众多从事农业生产者。因此，绝大部分农业区，特别是半农半牧区是蒙古族、汉族及其他少数民族杂居地区。

蒙古族及其他少数民族与汉族的历史发展不同，从事农业生产的经历也不同，农业生产水平与经营农业的技术存在较大差距；各族农民的经济生活、风俗习惯、生活方式、宗教信仰、社会意识等方面各有特点；历史上遗留下来的经济、文化上事实上的不平等还没有完全消除。因此，保障民族平等，消除民族纠纷，调整民族关系，加强民族团结，解决农牧矛盾，协调农牧业发展，均衡各民族的利益，达到共同富裕，是农业合作化中需要继续正确解决的问题。特别是土地改革以后，蒙古族农民占有的土地数量一般仍然比汉族农民要多一些，所拥有的牲畜也占多数；蒙古族有聚居的村落，也有蒙汉族农民杂居的地区；蒙古族有主要从事农业者，也有以农为主兼营畜牧业者，或以牧为主兼营农业者。其他少数民族也有类似的情况。因此，民族特点、地区特点又以新的形式显现出来。

在初级农业生产合作社阶段，正确处理土地入社的报酬，成为特殊问题；在高级农业生产合作社阶段，实行按劳分配，取消土地报酬，耕畜、大农具作价入社，尤其是西部蒙古族农民的土地报酬、大小牲畜作价入社中的问题，以及对蒙古族农民的劳力安排、收益分配等，均成为突出的问题。

内蒙古农业合作化中，凡是民族杂居地区，必须尊重各民族尤其是少数民族的意愿，是组织单一民族的合作社，还是组织民族联合社，由各民族农民自己决定；凡是民族联合社，在社的领导成员中必须有与各民族社员人数大体相适应的领导干部，实行民族平等，经济民主，账目公开，分配公布；凡必要者，同时使用少数民族文字和汉文行文；根据各民族社员的特长和技能不同，制定生产规划，安排劳动生产，并帮助少数民族社员提高农业生产技术；在合作社中，尊重各民族社员的风俗习惯、语言文字、宗教信仰。由于内蒙古西部地区蒙古族社员占有土地较多，且农业生产技能滞后，蒙汉联合社的蒙古族社员的收入主要从土地报酬和劳动力安排给以照顾，以不降低其实际收入和生活水平。民族社和民族联合社发展生产，要从民族特点、地区特点出发，按照各族社员的经济状况和生产习惯，确定在农、牧、林、猎各业中的主副地位，发挥各民族的特长，并提倡各族社员互相学习，取长补短，共同提高，协力发展。

当时，全区牲畜的一半以上在农业区和半农半牧区，其中牧畜数量占绝大多数，而且经营畜牧业者主要是蒙古族。因此，牧畜入社是一个突出的特殊问题。这既是经济特点，又有民族特点。在土地、耕畜、大农具按农业合作化的一般政策入社后，对牧畜入社采取了特别慎重稳妥的政策与多种办法，牧畜入社原则上给畜主以合理的报酬；牧畜是否入社，畜主完全自愿；采取何种形式，由畜主选择；在不妨碍集体经营的前提下，社员可自养少量牲畜，农业社在饲草、牧场和劳动力安排上给予照顾；少数民族社员可饲养多于汉族社员的乘马、奶牛和食用羊，既保证公有牲畜的发展，又允许社员经营自有的牲畜；社员自养牲畜，均不作价归社，如社员自愿作价归社，合作社如果需要，可按价购买，及时付款，不得分期偿还。

内蒙古从 1953 年开始组织初级农业合作社，在少数民族相对聚居或民族杂居地区，按照各民族农民的意愿，组织了民族社或民族联合社。到 1955 年 8 月，由蒙古族农民组成的合作社有 907 个，蒙、汉农民联合组成的合作社有 923 个，蒙、汉、回、满、朝鲜等民族联合组织的合作社有 37 个。[①] 1956 年冬，在全区 9 622 个高级社中，蒙、汉、回、满、达斡尔等民族组成的民族联合社有 3 800 多个。在民族社或民族联合社中，实行农牧结合，统筹安排，协调农业和牧业生产，促进了各族农民的团结合作和共同发展。

在农业合作化的初期，有些地方将耕畜与牧畜一并作价入社，而且作价又欠公平，致使社员宰杀或出卖牧畜，造成牧畜减少，影响了畜牧业发展。由于发现较早，纠正及时，阻止了失误的发展。但是，1956 年农业合作化掀起高潮以后，特别是 1958 年人民公社化运动中，忽略之前的失误，将农民的牧畜一律作价入社，而且价款一直拖欠，亏了农民，更损害了蒙古族农民的利益。所以，忽视农业与畜牧业的差别，特别是忽视蒙古族及其他少数民族经营畜牧业的特殊性，是值得永远吸取的教训。

（二）畜牧业社会主义改造

按学科分类，畜牧业通常是包括在农业之中的。因此，过渡时期总路线

---

① 乌兰夫：《内蒙古农牧业合作化》（1955 年 10 月 7 日），在中国共产党七届六中全会上的发言，见《乌兰夫文选》上册，第 375 页。

即规定对农业、手工业、资本主义工商业实行社会主义改造，没有单列对畜牧业的社会主义改造，简称"三改"。而内蒙古自治区则对畜牧业单列为社会主义改造的内容，简称"四改"，这是由畜牧业在内蒙古的特殊地位及其自身的特点所决定的。畜牧业社会主义改造的范围不仅是牧区的畜牧业，也包括对农业区、半农半牧区畜牧业的社会主义改造。

牧区民主改革以后，畜牧业与农业同属于落后、分散的个体经济范畴，因此也必须进行社会主义的改造，走集体化发展道路。但是，内蒙古的畜牧业除了畜牧业自身与农业的不同之外，还有突出的民族特点、生产特点，有很多区别于农业的特殊性。于是，内蒙古畜牧业社会主义改造，采取了一系列有别于农业社会主义改造的方针、政策和工作步骤、方法与方式。

在牧区从事个体畜牧业生产的牧民中，贫苦牧民和不富裕牧民占牧区人口的 80%，占有牧区牲畜的 50%—60%；富裕牧民占 20%，占有牲畜30%—40%。这两部分牧民都属于牧区个体劳动牧民，是畜牧业实行合作化的主要对象和主要力量，是牧区社会主义改造的主体。

农业区、半农半牧区的畜牧业是内蒙古畜牧业的重要组成部分，其牲畜头数占全区牲畜总头数将近一半，虽然与农业交错在一起，但仍有畜牧业固有的特性。因此，畜牧业社会主义改造也包括农业区、半农半牧区畜牧业的改造，而且采取不同于农区、牧区社会主义改造的政策与措施。

牧区民主改革虽然废除了封建特权，但是牧主仍然是牧区的剥削阶级，是通过雇用牧工进行畜牧业生产。牧主占牧区人口约 1%，却占有牧区牲畜的 10% 左右。因此，畜牧业社会主义改造自然包括对牧主经济的改造；而牧主经济是带有资本主义性质的个体畜牧业经济，在社会主义改造中采取比对资产阶级还要宽松的和平改造方针和赎买政策。

畜牧业社会主义改造还涉及宗教界，主要是喇嘛教。当时，全区有喇嘛召庙 1 300 多个，有 500 多个召庙还有喇嘛住庙，共有喇嘛 13 000 多人，参加劳动生产的有 11 594 人，其中参加畜牧业生产的 6 400 多人、工矿企业生产的 354人、农业生产的 2 330 人，有医生 1 200 多人，其他从业者 1 300 多人。[1]

---

[1]　王铎：《关于内蒙古畜牧业生产与社会主义改造若干政策问题》（1961 年 7 月 24 日），转引自《内蒙古畜牧业文献资料选编》第 2 卷，第 14 页。

内蒙古畜牧业涉及上述 4 种情况，因此既要实行统一的方针、政策，又要采取区别对待的方式、方法，还要坚持社会主义改造的方向与原则，但不能使用"一刀切"的办法，必须从实际出发，将原则性与灵活性结合起来，分别实施改造。

畜牧业社会主义改造的基本思路：一是以发展社会主义性质的国营经济发挥示范带头作用；二是以发展互助合作事业，对个体牧民和牧区手工业者进行社会主义改造；三是对牧主经济和私人商业经济实行社会主义改造，逐步改造为公私合营、合作社营经济；四是改进畜牧业生产技术与放牧方式，提高牧区畜牧业生产水平，发展牧区经济、文教、卫生事业；五是半农半牧区贯彻"以牧为主，照顾农业，保护牧场，禁止开荒"的方针。

对牧民个体畜牧业经济主要是通过畜牧业生产互助合作，逐步过渡到社会主义集体畜牧业经济。牧区组织互助合作，必须根据牧业生产的具体条件及从牧民的生产需要出发，建立在适合当地牧业生产发展的基础上；畜牧业合作化，在牧民旧有的互助习惯的基础上，采取牧民所易于接受的、习惯的、简单的形式，必须照顾民族特点和群众的觉悟水平；绝对遵守自愿互利的原则；必须采取积极领导、慎重稳进的方针。同时，对牧业合作社的社会主义因素的要求要比农业合作社更低一些，牧业合作化的速度宁可走得慢一点，也要稳一点。

内蒙古的畜牧业生产互助合作，是 50 年代初由牧民自发组织互助组开始的。到 1953 年年底，牧业互助组和农牧互助组达到 3 800 多个。到 1954 年年底，牧业互助组发展到 4 960 多个，比 1953 年年底增长了 30. 52%，还办起了 4 个牧业生产合作社，组织起来的牧户约占牧区牧户数的 35%。[①] 畜牧业互助合作运动稳步发展，达到了预期的效应，显示了它的优越性。1955 年秋天，试办了 8 个牧业生产合作社，牧业互助组发展到 5 000 多个，参加互助合作的牧户占总牧户的 40% 左右[②]。但是，全国农业合作化高潮到来之

---

① 见乌兰夫：《内蒙古自治区人民政府 1954 年工作报告》（1955 年 4 月 25 日），载内蒙古自治区人大常委会办公厅编印：《五十年历程》（1954—2004），第 10 页。

② 乌兰夫：《内蒙古农牧业合作化》（1955 年 10 月 7 日在中国共产党七届六中全会上的发言），见《乌兰夫文选》上册，第 377 页。

后，推动畜牧业合作化运动迅速发展。到年底，全区牧业生产合作社发展到167 个，比是年秋天增长 19.87 倍；牧业互助组发展到 6 300 多个，增长26%；组织起来的牧户占总牧户的 52% 以上，增长 12%。[①] 如此发展速度，已经突破了稳步发展的进程。

半农半牧区在坚持"以牧为主，照顾农业，保护牧场，禁止开荒"的方针下，纠正重农轻牧思想，从政治上、民族关系上、经济上、农牧民的眼前利益与长远利益上着眼，用以牧为主、农牧结合的方式解决问题，发展生产。同时，采取划定半农半牧区范围，划定农田牧场界线，解决农牧矛盾与农牧纠纷，解决存在的民族纠纷。对牧畜也要区分成群牧畜与零星散畜，社员拥有少量、零星的牲畜，在整个社会主义时期都是允许的，必要的，始终不应该作价归社；对成群牧畜必须坚决执行"在稳定发展生产的基础上，逐步实现畜牧业社会主义改造"的方针。牧畜入社与否，必须绝对遵守自愿原则，不得强迫；而且一般不采取作价归社的办法，采取私有社放、比例分红，或社员付给工资，或其他互利办法。

但是，在农业合作化的热潮中，忽视畜牧业经济的特点，没有执行在稳定发展生产的基础上进行改造的方针，违背自愿互利的基本原则，不加区别地把社员牲畜一律作价归社，牲畜作价低，还款时间定得长，互利政策执行不当，挫伤了农民发展畜牧业生产的积极性，引起农民大量宰杀和出卖牲畜，造成畜牧业的损失，发生了严重的偏差。

对牧主经济的社会主义改造，坚持牧区民主改革的政策，允许牧主雇工、放苏鲁克，保护其牲畜和其他财产的所有权，鼓励其发展生产的积极性，适当地限制牧主的剥削。对牧主采取长期团结改造的方针，通过公私合营的形式改造牧主经济，对牧主包下来、给出路、给定息，并安排工作，在公私合营牧场安排适当的职务，其家庭成员如参加劳动，与牧民同工同酬；公方派干部代表政府，实行党委领导下的场长负责制，组织场务管理委员会，吸收牧工、牧主参加；国家投资解决基本建设的需要，暂不提取利润，

---

① 乌兰夫：《关于内蒙古自治区 1955 年几项主要工作情况和 1956 年工作任务的报告》（1956 年 3 月 8 日在内蒙古自治区第一届人民代表大会第三次会议上的报告），载内蒙古自治区人大常委会办公厅编印：《五十年历程》（1954—2004），第 17 页。

鼓励从生产中求发展；坚持保护与发展包括牧主经济在内的畜牧业生产方针。

在社会主义改造中，继续坚持宗教信仰自由政策，对召庙的宗教生活由喇嘛自己主持，政府不干涉；对庙宇、经卷、法器等进行保护；对召庙牲畜和大型生产资料，据情采取参加合营牧场、合作社、放苏鲁克等形式进行社会主义改造；对喇嘛多的召庙在喇嘛自愿的原则下，组建生产队，进行畜牧业、农业、副业生产；有家的可以回家乡参加生产；在手工业者匠人多的召庙，组织手工业生产合作社或手工工厂，鼓励喇嘛投资办厂；组织喇嘛医为群众治病，兴办喇嘛医进修学校、喇嘛医（蒙医）研究所；组织喇嘛学文化、学政治；实施安置活佛大喇嘛，照顾年老喇嘛等措施；既贯彻宗教信仰自由政策，又按照喇嘛的自愿组织其参加力所能及的生产服务工作。

1956 年 9 月 12 日，中央发出对牧业合作化的指示："在牧业地区发展牧业合作社，必须采取更加慎重的方针。牧业地区的各级领导机关应该在有利于发展畜牧业和其他条件许可的原则下，认真地亲自动手，重点试办，取得经验，再逐步推广。任何过早的过急的做法，都要防止。"[①] 但是，在1956 年全国农业社会主义改造基本完成的形势下，内蒙古的牧业合作社再次以跃进的步伐发展到 300 多个，比上年增长 79.64%。这是一个冒进的兆头。

1957 年年初，乌兰夫果断地提出：畜牧业社会主义改造要实行"稳、宽、长"的基本原则，"稳，就是在稳定发展生产的基础上，逐步实现对畜牧业的社会主义改造，这是根据畜牧业经济的特点提出的。因为速度快了就要损失牲畜。牧区要死牲畜，农业区同样也要死牲畜，不仅在牧区脆弱性问题没有解决，同样在农业区也没有得到根本解决。……牲畜既是生活资料，又是生产资料；既不同于工业经济，也不同于农业经济。牧主以牧业生产剥削牧民，但同时也要吃羊，因而不能和地主、资本家相比。进行畜牧业的社会主义改造，其基本目的有一条，就是既要实现社会主义改造，又要发展牲畜。畜牧业的社会主义改造，离开了增畜、保畜就是严重错误的。……因

---

① 引自中共中央、国务院：《关于加强农业生产合作社的生产领导和组织建设的指示》（1956 年 9 月 12 日），见《内蒙古畜牧业文献资料选编》第 1 卷，第 51 页。

此，我们的步骤一定要稳。""宽，就是对个体牧民和牧主政策要宽，要依照自愿原则，愿入社的就入，不愿入社就不入，不能强迫。对牧主也是如此，他不愿意入社或参加合营牧场，我们还是要帮助他们发展生产。""长，就是要想实现稳、宽，就应采取较长的时间。不愿入社的就长期等待。"①

经过 4 年的探索，形成了"依靠劳动牧民，团结一切可以团结的力量，在稳定发展生产的基础上，逐步实现对畜牧业经济的社会主义改造"方针和"步骤稳、政策宽、时间长"的"稳、宽、长"原则。因此，在牧业区社会主义改造中，全面坚持上述政策，注意了畜牧业生产的脆弱性和不稳定性这两个基本特点，抑制了畜牧业合作化迅猛发展的势头，牧业合作社的发展基本上是健康的，促进了牧区的生产，95% 的合作社增加了生产，提高了牧民的生活，86% 的牧民增加了收入。② 截至 1957 年年底，组织畜牧业生产合作社 632 个，入社牧户 20 877 户，占牧户总数的 24.6%；畜牧业互助组发展到 3 144 个，参加互助组的牧户 48 666 户，占牧户总数的 60%，组织起来的牧户占牧户总数的 84.6%。试办公私合营牧场 15 个，参加合营的牧主 34 户，另有 11 户牧主参加了畜牧业生产合作社，参加合营和入社牧主占牧主总数的 5% 左右。③

1958 年 7 月，内蒙古牧区基本上实现了畜牧业初级合作化，全区办起牧业合作社 2 295 个，建立了 122 个公私合营牧场。④ 这比农业社会主义改造的基本完成晚了两年才实现了初级社阶段。

从 1958 年冬到 1959 年 3 月，在全国人民公社化运动中，内蒙古牧区从初级合作社跨入了人民公社，建立了 155 个牧区人民公社、800 多个生产大

---

① 乌兰夫：《关于牧区社会主义改造问题》（1957 年 2 月 27 日在内蒙古自治区旗县长会议闭幕会上的总结报告），载《内蒙古文史资料》第 56 期《"三不两利"与"稳宽长"文献与史料》，第 173—174 页。

② 乌兰夫：《总结经验，积极稳步地发展畜牧业》（1957 年 10 月 8 日），见《乌兰夫文集》上册，第 484 页。

③ 程海洲：《内蒙古自治区第一个五年计划畜牧业生产执行情况和今后工作打算——在全国畜牧业工作会议上的发言》（1957 年 12 月 20 日），载《内蒙古畜牧业文献资料选编》第 2 卷（上册），第 379 页。

④ 王铎：《关于内蒙古畜牧业生产与社会主义改造若干政策问题》（1961 年 12 月 27 日），转引自《内蒙古畜牧业文献资料选编》第 2 卷（下册），第 21 页。

队；公私合营牧场合并为 42 个，① 参加合营牧场的牧主 458 户，牲畜达 60 万头（只），参加人民公社的牧主 482 户，其牲畜也是 60 万头（只）。② 前后用了 8—9 年的时间，基本上完成了对畜牧业的社会主义改造。

内蒙古的畜牧业社会主义改造，在实践中经过探索形成了切合实际的方针、政策和有效的措施与组织形式，达到了预期的目标，取得了良好成效，创造了畜牧业社会主义改造的经验。但是，在农业区、半农半牧区畜牧业社会主义改造中，发生了忽视畜牧业特点，违反畜牧业改造政策的偏差。特别是在人民公社化运动中，发生了贪大求高、取消畜股报酬、取消自留畜，实行粮、肉、奶食供给制，办食堂，集中蒙古包居住，取消牧主定息，撤销牧主在合营牧场中的领导职务等"左"倾错误。这是应该反思的问题。

十三、在曲折发展中创造奇迹

1958 年以后，内蒙古在全面建设社会主义时期，总体上受"左"倾错误的制约，不可避免地造成严重失误，经济形势困难，社会发展受阻，形成曲折发展的局面。但是，在局部上或在某些方面，由于长期以来形成的重视民族特点、地区特点，注意从内蒙古的实际出发施政、办事的理念，在一定程度上减轻了全局"左"倾错误的负面影响。这是值得称道的。

在 1958 年"大跃进"和人民公社化运动以来的全国三年困难时期，内蒙古自治区也处在困难之中。农业生产受到破坏，1959 年到 1961 年的 3 年间，粮食产量逐年下降，农村粮食、油料高征购，农民自留粮食压缩，加剧了农业生产和农民生活的困难；内地灾民大量流入内蒙古，全区同期人口增长 205 万，城市人口净增 142.9 万，城镇居民口粮供应标准降低，肉、油、棉布等供应发生极其严重的困难，人民生活水平明显下降，市场供应极度紧张。工业生产脱离实际，违背工业建设的客观规律，掀起全区全民大办地方工业、大炼钢铁的工业大跃进高潮，投入空前规模的人力、资金、设备、物资，进行没有规则的大规模的工业生产，造成了惊人的浪费，而且波及其他

---

① 王铎：《关于内蒙古畜牧业生产与社会主义改造若干政策问题》（1961 年 12 月 27 日），转引自《内蒙古畜牧业文献资料选编》第 2 卷（下册），第 22 页。

② 王铎：《关于内蒙古畜牧业生产与社会主义改造若干政策问题》（1961 年 7 月 24 日），转引自《内蒙古畜牧业文献资料选编》第 2 卷（下册），第 32 页。

经济领域，造成工农业比例失调、重工业内部比例失调、轻重工业比例失调、国民收入积累与消费比例失调、地方财政收支失衡、人民生活水平下降的严重后果。这几乎是全国三年经济困难的缩影。

但是，在总结"大跃进"时期出现三年经济困难的同时，也应该实事求是地总结曲折中的发展。在多、快、好、省地建设社会主义总路线的鼓舞下，蒙汉各族人民群众和各级干部，为改变自治区经济落后的面貌，以前所未有的干劲，全身心地投入经济建设的大潮之中；内蒙古的党政领导特别是乌兰夫，力所能及、敢作敢为、洞若观火地应对不测的形势变化，采取切合内蒙古实际的对策与措施，缓解了困难的程度，取得了应当肯定的业绩。

由于"左"倾错误和"大跃进"运动，农业生产遭受了巨大损失。但是，农业基本建设却有很大的发展。全区兴建万亩以上灌溉区118处，万亩以下灌溉区发展到7 000多处；打机井1 500多眼，打筒井2万多眼，建成大中小型水库162座，总库容达9亿多立方米；新建了一批小型水力发电站，进行电力排灌。培修加固黄河、辽河等主要河流的防洪大堤，黄河两岸总长787公里的堤防工程于1959年全部竣工；建成三盛公黄河水利枢纽工程，总干渠长达180公里，可控灌溉面积达1 000万亩以上。建成自治区最大的水库——红山水库，使开鲁、通辽、郑家屯等11座城镇，约200万人口和600万亩土地免受洪水威胁，并使上游20万亩、下游225万亩耕地的灌溉有了保证。营造了乌兰布和沙漠防沙林带150公里，堵住了流沙，夺回被流沙吞没的8万多亩农田。在赤峰郊区、哲里木盟库伦旗、伊克昭盟伊金霍洛旗等地营造了大量防风林。① 农业的这些基本建设，为后来的生产发挥了重要作用。

内蒙古畜牧业社会主义改造原计划在1961年完成，但是1958年夏天，即基本实现了牧业初级合作化。8月间，全国农村人民公社化运动兴起后，到9月间，内蒙古党委仍决定牧区在年内不建立人民公社，一方面坚持"稳、宽、长"原则，一方面在观察形势的发展。但是，人民公社化运动来势迅猛，势不可挡，也不敢阻挡。于是在1959年春，将初级牧业社合并组

---

① 参见郝维民主编：《内蒙古自治区史》，第208、209页数据。

建了 155 个牧区人民公社、800 多个生产大队,公私合营牧场也合并为 42
个。① 在"大跃进"和人民公社化运动高潮中,内蒙古牧区还没有完全实现
合作化,更没有来得及巩固合作社,便特别草率地实现了人民公社化。人们
在"大跃进"的狂热中来不及思考什么是对、什么是错,怎么做是对的,
怎么做是错的,可以说热情高涨、糊里糊涂地走进了人民公社。在畜牧业社
会主义改造中行之有效的"稳、宽、长"原则被抛弃了。

　　1959 年 1 月,内蒙古党委应急作出《关于牧区人民公社若干问题的指
示》,特别提醒"要切忌把农业区人民公社的一套办法,原封不动地搬到牧
区","要从牧区的具体情况出发,来解决牧区公社中存在的一系列的问
题"。为此提出:第一,公社社员的牲畜入社可采取 4 种办法,即牲畜作价
或评分入社,进行比例分益;牲畜作价入社,付给固定利息;牲畜作价保本
入社,不付利息,按劳分配,退社时准予抽回原本;牲畜作价入社,分期偿
还。总之,根据有利于发展生产,在牧民自愿的原则下决定牲畜入社的办
法。第二,牧区公社发展生产的方针是以牧为主,农牧林结合,大办工业,
发展多种经济。第三,牧区的公私合营牧场可加入以国营牧场为主建立的人
民公社,或加入附近牧民建立的人民公社;牧主入社可成为正式社员,牧主
牲畜的定息,原则上不予取消;喇嘛必须参加生产劳动,庙仓的牲畜及其他
生产资料应加入人民公社,并给予适当的定息,失去劳动能力的老喇嘛给予
"五保"待遇;社员的乘用、役用和食用牲畜应予保留,在自愿原则下可由
公社统一放牧,畜主出放牧费;蒙古包、挤奶用具、马鞍、车柜等生活资料
不入社;金银首饰、银行存款、衣服等一律不入社,登记也是错误的。第
四,实行按劳分配,应以原有的常年包工,按季包工,以产定工、死分活值
等计酬办法,定期预支,年终结算,对于工资加供给的方法只进行试点。第
五,公社要关心社员的生活,要劳逸结合,保证社员的睡眠和休息时间,保
证妇女的特殊需要;由于牧区居住分散,又没有全部定居,暂不举办公共食
堂、托儿所、幼儿园、敬老院等集体福利事业。第六,公社的组织原则是民
主集中制,实行统一领导、分级管理制,目前实行社队两级管理,生产队是

---

　　①　王铎:《关于内蒙古畜牧业生产与社会主义改造若干政策问题》(1961 年 12 月 27 日),转引自
《内蒙古畜牧业文献资料选编》第 2 卷(下册),第 22 页。

一级核算单位。①

在当时"大跃进"高潮中，内蒙古党委面对来势迅猛的浮夸风、共产风、瞎指挥风，顶风挡潮，勇于坚持从畜牧业的民族特点、经济特点和生产特点的实际出发，在人民公社体制的总体框架内，采取有别于农村人民公社的稳妥政策和有效措施，以保证以牧为主，稳定发展畜牧业生产的首要任务，保证牧民正常的生产、生活，在一定程度上抑制了"大跃进"的恶果，这是难能可贵之举。因此，在三年经济困难时期，内蒙古的畜牧业是唯一继续大幅增产的产业。1958 年至 1960 年，畜牧业基本上得到正常发展，3 年的牲畜总数分别为 2 674 万头（只）、3070.8 万头（只）、3315.5 万头（只），每年递增率分别为 9.64%、14.84%、7.95%。② 这是一份珍贵的历史记录。

在"大跃进"运动中，工业特别是重工业畸形发展，造成工农业比例失调，轻重工业比例失调，国民经济发展比例整体失调，出现了严重的经济困难。但是，就工业本身而言，还是取得了一定的发展。1958 年至 1960 年，工业总产值逐年增长率为 83%、56%、51%；"二五"期间，全区基本建设投资总额为 40.27 亿元，比"一五"时期增长 2.5 倍，1959 年和 1960 年完成投资都在 12 亿元以上，超过"一五"计划甚至前 8 年的投资总额。这个时期兴建和建成一批重点建设项目。如包头钢铁工业基地建设，在"二五"期间基本建设投资为 9.28 亿元，占全区总投资的 23%。1959 年 9 月 26 日，包头钢铁公司第一号高炉提前一年建成投产。10 月 15 日，周恩来总理专程参加包钢一号高炉出铁剪彩典礼，并亲自剪彩；叶剑英、李维汉、包尔汉等中央领导人出席，包钢职工 5 000 多人参加；乌兰夫讲话赞扬"包钢是我国目前建设的三大钢铁联合企业之一，包纲一号高炉又是我国目前最大的自动化大型高炉之一"。1959 年，包头铝厂第一期工程竣工投产；自治区最大的两座大型机械厂——内蒙古第一、二机械厂，于 1958 年建成部分厂房，并试制出产品，1960 年基本建成投产；内蒙古综合电机厂、呼和浩特机床厂、呼和浩特市汽车修理厂等一批中型机械厂都是 1958 年兴建、

---

① 《内蒙古畜牧业文献资料选编》第 2 卷综合（上），第 454 页。
② 根据内蒙古自治区统计局编：《辉煌的内蒙古》（1947—1999），第 326 页相关数据计算。

1959 年年底建成投产的。呼和浩特焦化厂、乌兰浩特钢铁厂、红花沟金矿、岗德尔铅矿、集宁轴承厂、内蒙古无线电厂、兴和机械厂、海拉尔牧业机械厂等一批小型厂矿，都是在 1958 年至 1960 年期间新建或改建投产的。"二五"计划期间，全区煤炭工业新增生产能力达 250 万吨。从 1957 年到 1960 年，除了钢铁产量的大幅度增长外，原煤年产量从 217 万吨增加到 1 188 万吨，增长 4.47 倍；发电量从 0.92 亿千瓦小时增加到 12.10 亿千瓦小时，增长 12.15 倍；木材年产量从 186.67 万立方米增加到 439.18 万立方米，增长 1.35 倍。① 自治区第一座林产化工厂——牙克石栲胶厂、包头第一化工厂、包头第一、二热电厂、包头棉纺织厂、内蒙古第二毛纺织厂、内蒙古兽医生物药品制造厂以及呼和浩特糖厂、橡胶厂、塑料厂、火柴厂、灯泡厂、电池厂、两座水泥厂和西卓子山水泥厂等，都是这一时期兴建投产的。这一时期的工业建设，为奠定自治区工业基础做出了贡献。

在三年经济困难时期，内蒙古有一组历史的奇迹，值得以浓墨重彩载入史册。

其一，在困难时期，内蒙古向国家和灾区提供粮食支援。早在 1957 年不少省区遭受大旱之灾，内蒙古曾向河北、辽宁、吉林、黑龙江、山东、安徽等省支援粮食 3700 多万斤；1959 年到 1962 年自治区虽然粮食逐年减产，但是，不仅能够自给，而且还陆续向国家上交，向河北、辽宁、吉林、黑龙江、山东、山西、安徽等省支援粮食，计 11.86 亿公斤，以扶危济困，度过灾荒。这是内蒙古人的光彩。

其二，在困难时期，内蒙古向国家和灾区提供牲畜和畜产品。从 1958 年到 1962 年，内蒙古向国家提供大小牲畜 1020 万头（只），其中耕畜 73 万头，另外提供生猪 158 万口、绒毛 6.7915 万公斤、各种皮张 3 553 万张、鲜蛋 60 万担，以解国家的困难，支援河北、山东、山西、辽宁、安徽、江西等省农业生产和民用。1963 年，自治区又调出 29 000 多头（匹）耕牛、耕马、耕驴支援兄弟省区恢复农业生产。1965 年上半年自治区调出 4.3 万多头（匹）耕畜，支援河北、山东、甘肃、辽宁、吉林、北京、宁夏等 7

---

① 根据内蒙古自治区统计局编：《辉煌的内蒙古》（1947—1999），第 336 页相关数据计算。

个兄弟省市区的农业生产，其中 3 万头（匹）耕牛、骡、马运往河北省受灾地区。① 这也是内蒙古人的荣耀。

其三，在困难时期，接收抚养上海、江苏、安徽等省孤儿。1958 年秋天，三年经济困难提前出现在安徽省，内蒙古民政厅接收安徽省孤儿 309 名，全部安置在锡林郭勒盟东、西苏尼特旗。1959 年 12 月，上海等地孤儿营养严重不良，挣扎在死亡线上。中国人民保卫儿童全国委员会主席康克清向乌兰夫求援，希望内蒙古支援一些奶粉。乌兰夫当即提到内蒙古党委常委会上研究，自治区副主席吉雅泰提出，支援奶粉只能应急，不如把孤儿接来交给牧民抚养。大家一致同意，并报党中央，受到周总理的高度赞扬。于是从 1960 年 2 月开始到 1963 年，陆续接养上海、浙江、江苏、安徽 4 省市孤儿 3 000 千多名，其中上海 1 800 多名，其他 3 省 1 200 多名，分别安置在 6 盟 2 市 37 个旗县牧民家抚养。这 3 000 千多名孤儿在生命危难之际，幸运地来到内蒙古草原茁壮成长，至今传为佳话，震撼人心。

其四，在困难时期，内蒙古接纳邻省区灾民。三年困难时期开始以后，自治区邻省受灾严重，大批灾民盲目流入内蒙古。他们拖家带口，怀着度灾的企盼来到内蒙古，时称盲流，我称其为无序移民。自治区党政领导明确决定，既来之则接纳之，不管有无户口，一律安顿度荒。来了多少？没有精确的统计为据，只能从当时自治区人口增长率推断。1958 年及前 3 年，内蒙古人口增长率在 5% 左右，1959 年人口从 1958 年的 986.1 万人跃升为 1062.5 万人，增加 76.4 万人，增长 7.75%，多增近 30 万人；1960 年更猛增到 1191.1 万人，增加 128.6 万人，增长 12.10%，多增 75 万多人。两年合计增加 205 万人，比通常多增 100 多万人。② 显然，这是由于无序移民增加的人口，还不包括没有落户口者。在困难时期，内蒙古没有饿死人，如此庞大的无序移民涌入内蒙古安然度灾荒。这是值得称道的奇迹。

对于上世纪 60 年代的三年困难时期，人们的看法不尽相同。但是，全

---

① 参见《内蒙古大事记》相关年度资料，内蒙古人民出版社 1997 年版。
② 根据内蒙古自治区统计局编：《辉煌的内蒙古》（1947—1999）相关年度人口统计数据计算。

面辩证地看待这段历史是必要的。既要看到那段苦涩的历史，也要看到期间的闪光点，更要冷静地思考那段历史留给人们的启迪。那时，党和国家在探索社会主义建设中犯了错误，人民也在探索中有过盲从，只有全面准确地加以总结，从错误中吸取教训，从盲目走向自觉，历史就会辩证地向前发展。人们常说，肯定一切、否定一切，都是片面的。

十四、内蒙古人民革命党及"新内人党"冤案

内蒙古人民革命党以及"文革"中的所谓"新内人党"案，在不少人看来，这是两个神秘而敏感的问题，时常发出这样那样的疑问和议论。其实，这并不神秘也不敏感。前者是真实的历史事实，后者是"文化大革命"中捏造出来的假案、冤案。在本通史的第六卷和第七卷中都有记述。为了拂去其神秘、敏感的色彩，不妨在这里专门说上几句。

在20世纪60年代，有人认为历史上的内蒙古人民革命党是中国共产党领导的统一战线性质的组织；在"文化大革命"中说它是民族主义政党，也有人攻击它是民族分裂主义政党。不管是民族主义政党，还是民族分裂主义政党，都是受冲击的对象，不少当年参加内蒙古人民革命党的人，被以此为罪名遭到诬陷。究竟如何认识这个政党？它的历史真相如何？应该怎样评价？这是人们关心、甚至非常关心的问题。

为此，我们进行了力所能及的调查研究，访问了一批当事人，在国内外搜集了一批历史档案资料，把它放在当时的历史条件下，进行了辨析研究，有了一个比较客观、基本符合实际的认识。

历史上的内蒙古人民革命党，有确切史料可考是出现在20世纪20年代中期和40年代中期的政党，两者有联系也有差别。

在20世纪20年代中国大革命高潮中，内蒙古人民革命党诞生在内蒙古草原上。它是蒙古民族解放运动兴起的产物，是蒙古民族的有识之士倡导，在共产国际指导下，在中国共产党、中国国民党、蒙古人民革命党以及倾向革命的冯玉祥国民军共同支持下成立起来的。按毛泽东当时对世界形势的判断："现在世界上的局面，是革命和反革命两大势力作最后斗争的局面。这两大势力竖起了两面大旗：一面红色的革命的大旗，第三国际高举着，号召全世界一切被压迫阶级集合于其旗帜之下，一面是白色的反革命的大旗，国

际联盟高举着，号召全世界一切反革命分子集合于其旗帜之下。"① 内蒙古人民革命党就是集合在当时的红色革命大旗之下的革命政党，是中国的蒙古民族组建的第一个民族民主革命政党。内蒙古人民革命党成立的经过及其革命纲领，成立后的革命活动，证明了这一事实。

内蒙古人民革命党，是 1925 年 10 月在张家口召开第一次代表大会宣告成立的。参加大会的代表和选入中央领导机构的人员，有蒙古族社会知名人士，有蒙古族知识分子，有蒙古族牧民运动的领袖，还有蒙古族中共党员，称之为人民革命党是无疑的。共产国际驻内蒙古代表、蒙古人民革命党中央总书记、中国共产党、中国国民党的代表以及当时倾向革命的冯玉祥国民军的代表出席大会。而且中国共产党在此次大会前夕作出的《蒙古问题议决案》中明确提出："我们的党应当使蒙古人民的民族解放运动与全中国的解放运动结合起来"，"应当组织内蒙古国民革命党（即内蒙古人民革命党），这是蒙古人民的民族上、政治上的职任"。仅此即可判断该党的人民性、革命性的实质。

在这次代表大会上通过的《告全体民众宣言书》，开宗明义地称这次大会的召开"是内蒙古大地放出的振兴民族的曙光，是为了争取民族的自由与解放。"《宣言书》分析了该党对时局的认识，阐述了党的政治主张，宣布了党的基本纲领和政策。

一、辛亥革命推翻清朝，而民权被中国军阀窃夺，国家被军阀分割，军阀的专制压迫代替了民族的自由与解放；外国帝国主义是军阀混战的教唆者、挑动者和得利者，而中国人民则是受害者和蒙难者；苏联和革命的外蒙古，才是被压迫弱小国家的朋友。

二、汉族人民在军阀专制统治下，饱尝苦难，尤其是军阀混战造成的灾难更加深重。虽然国内外反动派随时想扑灭汉族人民的革命，但是我们坚信汉族人民必然能发动真正的革命，消灭一切反动派，实现自由与解放。只有全中国的被压迫人民彻底完成革命，中国的五族才能实现平等，才能亲同一家人。

三、由于汉族军阀的专制独裁和分割统治，蒙古人民的灾难比汉族人民

---

① 《毛泽东选集》第 1 卷，人民出版社 1967 年版，第 4 页。

更为深重，蒙古地区的分裂状态比汉族地区更为严重。因为军阀和汉族官僚时刻在想着消灭蒙古的盟旗，将蒙古人置于省县管辖之下，剥夺蒙古人的种种权利；汉族奸商吮吸蒙古人的血液，使蒙古人陷入债务的深渊；而蒙古王公贵族则与汉族军阀、官僚和奸商勾结在一起，走一条道路，为了维护他们的权利，不惜出卖蒙古人民的一切权益。

四、蒙汉族人民遭受共同的灾难和面临共同的命运。蒙古王公贵族出卖蒙古的土地给汉族军阀、官僚等专制独裁者，而后者又将土地高价转卖给内地无以安身立命的汉族农民，从中盘剥渔利。获利者是汉族官僚豪绅和蒙古王公贵族，蒙古族人民丧失土地而背井离乡向北方迁徙，汉族人民又落入汉族官僚土豪的圈套而更加贫穷。至于奸商的高利盘剥和王公贵族、官僚豪绅的无休止的掠夺搜刮，使蒙汉族被压迫人民处在灾难、穷困、疲惫、怨恨之中，苦不堪言。

五、蒙古族人民在汉族专制独裁者和蒙古王公压迫下产生的痛苦和怨恨，已经凝聚成反抗压迫的无穷力量。蒙古族人民的革命政党的成立就是标志。它将成为振兴民族，脱离专制，发扬民权的领导者；在蒙古地区的汉族人民不仅遭受汉族军阀、官僚、土豪和盗贼的压迫与掠夺，同样受蒙古专制独裁者的压迫。因此，在中国军阀没有完全被消灭之前，蒙古人民的自由与解放是难以实现的；而且只有蒙汉被压迫人民联合起来，同心协力，才能消灭共同的敌人：帝国主义、军阀和一切压迫者。这对中国的大革命和内蒙古的革命事业具有重大意义，我们的人民革命党就要致力于建立蒙汉被压迫人民之间的联合，完成共同的革命事业。内蒙古人民是本党存在的基石，汉族被压迫农民、工人和知识分子及一切倡导革命的志士，是我们人民革命党事业发展的后盾。

我们从宣言的上述五个方面的内容看出，内蒙古人民革命党对当时内蒙古乃至中国的政治形势有较清晰的认识，确认军阀、帝国主义和蒙古王公制度是蒙古民族受民族压迫、封建压迫的根源，阐明反帝反封建反对民族压迫，完成民族民主革命是内蒙古人民革命党的宗旨，或者说是纲领。对汉族人民被压迫的状况，对蒙古族人民苦难的境遇，都有准确、深刻的分析，而且指出蒙汉族人民面临共同的命运，必须联合起来，共同斗争，才能共同解放。对内蒙古革命与全国革命的关系，也进行了正确的分析，指出内蒙古革命必须与全国革命联合起来，才能完成共同的革命事业。

宣言公布了内蒙古人民革命党的政治主张：1. 中国境内的各民族人民，争取自主决定和管理自己事务之权；2. 中国人民消灭帝国主义和国内贪婪残暴者，建立真正的民权政府之时，我内蒙古的蒙古人也要建立民权革命政府；3. 广大民众不分男女，均有平等参政之权。

据此提出了近期的政治目标和经济、文化教育、宗教等方面的政策措施。政治上：废除蒙古专制暴虐之旗札萨克的全部权力；旗政之权力移交人民，建立民选制度；建立人民代表会议机构。经济上：将蒙古专制暴虐者所有之土地，移交民选之旗政府所有；汉蒙杂居地区之土地，以协商互利办法解决；蒙古地方之土地事务，由民选机关管理，千方百计消除有害于蒙古地方的事情；禁止由民众偿付汉商和外国商人的债务，由欠债者偿债；成立人民互助合作社，注意改善人民生活、文化教育与宗教信仰；创立国立蒙古语高、中、初等人民学校，使贫民子弟免费受教育；保障人民健康，发展医疗卫生，创办各种慈善事业；由国家创立兽医机构，扑灭牛瘟等牲畜疫病；宗教信仰自由，禁止以宗教名义向人民摊派官差。

内蒙古人民革命党以反帝反封建的基本纲领，旗帜鲜明地提出在民族平等、自主的原则下，建立内蒙古民权革命政府，实现人民平等参政。提出政治、经济、文化、教育、医疗、卫生、宗教等方面的具体政策，特别是对蒙汉民族之间在土地关系上的问题，提出"以协商互利办法解决"的原则。一是特别注意民族问题，二是充分体现人民的权利。

综上所述，可以认为内蒙古人民革命党是在共产国际指导下，实行反帝反封建纲领，代表内蒙古蒙古族人民利益的民族民主革命政党。

内蒙古人民革命党成立以后，广泛开展了革命活动。在蒙古族人民中发展党员，1928 年达 1.2 万多人；在部分盟旗建立党的组织，实施党的纲领、政策；建立内蒙古人民革命军，开展武装斗争；创办内蒙古军官学校，培养军事人员；在伊克昭盟乌审旗建立革命政权，实施革命政策，被人们赞誉为"鄂尔多斯风暴"；在阿拉善旗推翻了蒙古王公统治，建立了革命政权，史家称其为"瀚海怒潮"；在乌拉特前旗、呼伦贝尔草原，先后举行了军事暴动。但是，1927 年在全国大革命失败以后，内蒙古人民革命党中央的右派集团叛变革命，而新中央驻蒙古人民共和国乌兰巴托，鞭长莫及，难以指挥内蒙古革命。新中央领导人多数回国分散活动，中央领导机关实际不复存在。在 30 年代中期消失。有人说是共产国际决定将之解散，但至今没有确实的档案资料佐证。

在日本殖民统治东蒙时期，内蒙古人民革命党的部分党员仍以该党的名义，秘密从事革命活动。1945 年 8 月 18 日，内蒙古人民革命党党员、东蒙社会上层知名人士及青年革命者，在兴安盟王爷庙举行会议，发表内蒙古人民革命党东蒙本部执行委员会《内蒙古人民解放宣言》，略述内蒙古人民革命党的历史，揭露日本帝国主义对内蒙古的殖民统治，说明党的活动及策应苏联红军打击日寇。会议通过决议，其基本内容是：

一、在苏联和蒙古人民共和国指导之下，内蒙古加入蒙古人民共和国，成为其一部分，以期完成解放。在此之前，临时组织内蒙古人民解放委员会，迅速恢复地方秩序，一切都按照蒙古人民共和国的既有规则，推行合作的基础工作。

二、内蒙古解放军继续协助苏联红军，积极参加驱逐日寇的解放战争，全面援助红军的一切行动。

三、铲除一切封建余孽，保障劳动人民的自由和权利，使将来的社会经济向非资本主义道路发展。

四、内蒙古领土内之民众，不分种族畛域，一律平等待遇。蒙汉关系，向来非常密切，将来对于汉民之解放运动必加以积极援助。深信蒙古人民得到解放后，汉民族始能得到解放。因此和中国的革命政党紧密提携，以期公平彻底地解决蒙汉民族问题。

会后，以内蒙古人民革命党东蒙党部名义发动"内外蒙合并"签名运动，派代表团赴蒙古人民共和国，商谈内外蒙合并问题；应邀派代表参加东北解放区人民代表会议，陈述上述宣言的主张。蒙古方面说明内外蒙不能合并，内蒙古的解放要在中国共产党领导下实现；中共中央东北局领导人说明了中共的民族政策，指出内外蒙合并的主张是错误的，要他们与乌兰夫联系，共商内蒙古自治。上述两个代表团回到东蒙后，研究了内蒙古的解放问题，放弃了"内外蒙合并"的主张，决定发起东蒙自治运动，先建立东蒙古人民自治政府。同时，一方面派代表向国民党政府提出内蒙古自治的问题，一方面派代表赴张家口，与乌兰夫协商内蒙古自治的问题。1946 年 1

月，召开东蒙古人民代表大会，成立了东蒙古人民自治政府。3 月，在内蒙古人民革命党纲领中，重申反帝反封建和内蒙古独立，建立新民主主义国家，"建立与蒙古人民共和国人民革命党、中国共产党和苏联共产党的亲密无间的牢不可破的关系"的政治主张。显然，从"内外蒙合并"转向实行"内蒙古独立"。

乌兰夫当即派内蒙古自治运动联合会东蒙工作团，一方面开展东蒙自治工作，一方面与东蒙方面探讨统一内蒙古自治运动问题。这一议题得到东蒙领导人的赞同。3 月底，双方在承德召开内蒙古自治运动统一会议，经过细致充分的交换意见，认真严肃的讨论，于 4 月 3 日通过了《内蒙古自治运动统一会议主要决议》，决定内蒙古实行平等自治，即区域自治，自治运动在中国共产党领导下，统一于内蒙古自治运动联合会；解散东蒙古人民自治政府，成立内蒙古自治运动联合会东蒙古总分会，商定解散内蒙古人民革命党。这就是对于统一东西蒙自治运动具有重要历史意义的"四三"会议，是抗战胜利后重新恢复活动的内蒙古人民革命党的最终归宿。

对于这一阶段的内蒙古人民革命党及其活动，人们的认识不同，评说各异。有说它是代表封建上层道路的民族主义政党，"文化大革命"中更被诬陷为民族分裂主义政党。在不了解历史真实状况的情况下，有这样那样的看法是难免的。

历史已经过去半个多世纪了，根据历史事实，应该作出符合历史实际、辩证的科学的判断。首先要把它们放在当时的历史环境与条件下考察，其次是从它们的纲领、活动及其性质上判断。对这一时期的内蒙古人民革命党，人们对其"内外蒙合并"和"内蒙古独立"的政治主张，有不同的看法，甚至由此判定它是民族分裂主义政党。该党从恢复组织到最终决定解散，总共只存在了七个半月。在日本投降后的短暂时间，苏联红军占领东蒙，东蒙处于国共两党还未及进入的国内政治"真空"状态，蒙古族各阶层都在思考民族的出路，已经实现民族解放和革命胜利的蒙古人民共和国和苏联，自然具有很大的吸引力。这是要求"内外蒙合并"的主要来由。当合并不成后，便谋求独立。国民党大汉族主义对蒙政策，是蒙古民族产生离心倾向的主要原因，而蒙古人对中国共产党的民族政策还不甚了解。无论是"内外蒙合并"，还是"内蒙古独立"，都是日本投降后的短暂时间里，蒙古民族为寻求民族出路而进行的探索而已。当中国共产党的政治主张和民族政策被他们接受之后，他们很快放弃"合并"或"独立"的主张，归入中国共产党领导的内蒙古自治运动之中，绝大多数人特别是青年，成为内蒙古民族民主革命的生力军，不少人很快加入中国共产党，成为内蒙古革命和建设的领导骨干。更何况他们的政治主张一直是反帝反封建，要求民族解放和人民的民主自由；他们所羡慕和向往的蒙古人民共和国和苏联，是中国共产党的亲密盟友、内蒙古革命乃至中国革命的后方。那么，当时所谓的"内外蒙合并"、"内蒙古独立"，充其量是探索民族解放道路中不合时宜的错误主张，不能以民族分裂主义论。

关于"文化大革命"中的"新内人党"案，与历史上的内蒙古人民革命党毫无关系，是"文革"错误的产物，是内蒙古"文革"中制造的一个特大假案、冤案。1968年10月，在内蒙古发动了一场所谓挖"新内人党"（时为新内蒙古人民革命党的简称）的运动，把历史上参加过内蒙古人民革命党的人以骨干之名网罗进去，蒙古族干部、知识分子、牧民、农民、工人成为被挖的主要对象，也有大批汉族干部、群众被裹了进去。到1969年4月，从城市到农村、牧区、林区，到处都有"内人党"及其变种组织，有34.6万多名干部、群众遭到诬陷、迫害，有16 222人被迫害致死。[①]中共中央批准，彻底推倒"新内人党"假案、冤案，为受害者彻底平反昭雪，恢复名誉；这也是人民法院判决"四人帮"的罪行之一。此案已大白于天下。

十五、当代内蒙古两个"黄金时期"的启示

20世纪后半期，内蒙古自治区的发展有两个最好的时期，一是建国初期和第一个五年计划时期，二是改革开放的新时期。我们称之为两个"黄金时期"。这两个时期的共同点是，政治安定、民族团结、社会进步、经济发展、文化繁荣、人民幸福。就其内容各有特色，就其内涵有规律性的共同点。对于这些，如果能够准确地揭示和总结，会得出宝贵的启示。

第一个"黄金时期"，在中国共产党和中央人民政府的领导下，实现了

---

① 见《中华人民共和国最高人民检察院特别检察厅起诉书》（1980年11月2日）。

以蒙古族为主体，包括汉族及各少数民族的内蒙古统一的民族区域自治，开始形成蒙汉各民族平等、团结、互助、友爱新的民族关系，树立了民族区域自治的"良好榜样"，奠定了蒙汉各民族同心建设社会主义内蒙古，共同发展繁荣的政治基础。

在三年恢复国民经济时期，通过一系列震撼人心的社会运动，建立了人民政权，实现人民当家作主，促成了政治安定局面，被旧社会摧残的社会经济迅速恢复，文化教育事业随之复苏，社会面貌日新月异，解放给人们带来了美好的企望。

从1953年开始，党和国家实行过渡时期的总路线。内蒙古自治区沿着这条总路线，进行社会主义工业化建设；对农业、畜牧业、手工业、资本主义工商业实行社会主义改造；按照国家"一五"计划的目标，严格从民族特点、地区特点出发，实施自治区发展国民经济的第一个五年计划，出现了内蒙古自治区空前繁荣的景象。

内蒙古的工业化，从几乎没有像样的现代工业的基础上开始，创建全国3大钢铁基地之一的包头钢铁基地，创建全国最大的大兴安岭森林工业基地，以及建设其他大型工业项目。工业总产值从1952年1.63亿元增长到1957年的6.33亿元，增长2.88倍，年均增长57.66%。

内蒙古的社会主义改造，既有与全国的共同性，又有鲜明的民族特点、地区特点，比较稳妥地完成了对农业、畜牧业以及手工业、资本主义工商业的社会主义改造，促进了社会生产力的发展，创造了从实际出发进行生产资料所有制社会主义改造的丰富经验，从而使农牧业空前发展。尽管1957年遭受特大旱灾，但农业总产值依然从1952年9.79亿元增长到1957年的11.11亿元，增长率达13.48%，年均增长2.7%，其中牧业产值从1.88亿元增长到2.70亿元，增长43.62%，年均增长8.72%。这是百废待兴基础上的发展，是农牧民看得见摸得着的发展，是历史上从未有过的发展。

内蒙古开始建成了从幼儿教育到高等教育的教育体系。1952年到1957年，自治区的小学校增长了4.02%，在校学生增长了27.60%；普通中等学校从24所增加到105所，增长3.38倍，在校学生从12 999名增加到70 929名，增长4.46倍；创建了4所高等学校，结束了没有高等教育的历史。医疗卫生机构从538个增加到2 152个，增长3倍；医疗卫生技术人员从

12 233 人增加到 21 848 人，增长 78.59%；文化机构从 220 个增加到 524个，增长 1.38 倍。

在经济迅速发展中，人民生活水平普遍提高。社会消费品额逐年增长，从 1952 年到 1957 年，社会消费品零售总额从 3.3470 亿元增长到 8.0378 亿元，增长 1.4 倍，其中食品类增长 1.32 倍，衣着类增长 1.45 倍，日用品增长 2.2 倍，文化娱乐用品类增长 1.67 倍，书报杂志类增长 2.31 倍，药和医疗用品类增长 2.51 倍，燃料类增长 2.05 倍。①

这几组沉甸甸的数据，像黄金一样闪烁着历史前进的光辉。它激发出人们再创辉煌的热情，鼓舞人们探索前进的方向。人们以无比高涨的热情、然而却又盲从地投入"大跃进"运动，或许是这种激情使然。

人们走了一段"大跃进"曲折的路程，蒙受了"文化大革命"的劫难之后，在新时期通过拨乱反正清醒了过来，振作精神，以冷静科学的态度再创第二个"黄金时期"。

在社会主义现代化建设新时期，内蒙古进行了全面彻底的拨乱反正，把被"文化大革命"颠倒的历史纠正过来。从理论到实际，系统地揭露批判"文革"造成的损失，彻底平反一切冤、假、错案，纠正在各个领域造成的错误，落实"文革"前行之有效的各项政策；进行了强有力的政治建设，恢复、重建与发展各级党政机构和各项制度；进行民主和法制建设，开展社会主义精神文明建设；持续进行社会治理，保障社会安定；全面恢复党的民族政策，完善与发展民族区域自治制度，振兴蒙古族及其他少数民族，开展民族团结进步表彰活动，蒙汉各民族平等、团结、互助、友爱的社会主义民族关系进一步弘扬光大。从而为自治区的经济发展、社会进步和文化繁荣创造了坚实的政治基础。

在改革开放的大潮中，内蒙古在总结历史经验、教训的基础上，通过反复实践、认识，制定了切合内蒙古实际的"林牧为主，多种经营"的经济建设方针，在逐步进行了农村、牧区、国营农牧场、城市以及林业、乡镇企业等系统的经济体制改革，并通过实施一个又一个阶段性经济社会发展战

---

① 第一个"黄金时期"的社会、经济、文化等发展，是参照内蒙古自治区统计局编：《辉煌的内蒙古》（1947—1999）相关年度统计数据综合计算而得。

略，使内蒙古经济社会在中国特色社会主义的轨道上顺利健康地发展，圆满完成了从 1981 年到 2000 年"六五"到"九五"4 个五年计划，实现了分两个阶段实现国民经济翻两番的战略目标。

第一个阶段，经过恢复调整和"六五"和"七五"两个五年计划，自治区的经济从 1978 年到 1990 年，国民生产总值和国内生产总值均由 58.04 亿元增加到 319.19 亿元，增长 4.49 倍；工农业总产出由 81.30 亿元增加到 420.30 亿元，增长 4.16 倍；财政收入总额由 6.9 亿元增加到 32.97 亿元，增长 3.77 倍，各项税收总额由 6.07 亿元增加到 34.22 亿元，增长 4.63 倍，超额实现了国民经济翻一番的战略目标。①

第二个阶段，经过"八五"和"九五"两个五年计划，自治区的经济从 1990 年到 2000 年，国民生产总值由 319.19 亿元增加到 1 400.81 亿元，增长 3.38 倍；国内生产总值由 319.31 亿元增加到 1 401.01 亿元，增长 3.38 倍；工农业总产出由 420.30 亿元增加到 1 809.27 亿元，增长 3.3 倍；财政收入由 32.98 亿元增加到 155.59 亿元，增长 3.71 倍；各项税收由 34.22 亿元增加到 122.66 亿元，增长 2.58 倍，实现了国民经济再翻一番的战略目标。②

在改革开放的 20 年里，农业、畜牧业、林业通过多种形式的经济体制改革，极大地解放了社会生产力，全面促进了生产大发展。从 1980 年到 2000 年，农业总产值从 30.6844 亿元增加到 308.3645 亿元，增长 9.05 倍，粮食产量从 396.5 万吨增加到 1241.9 万吨，增长 2.13 倍，各种经济作物大幅度增长；牲畜总头数从 4656.8 万头（只）发展到 7436.16 万头（只），增长 59.68%，畜牧业总产值从 9.52 亿元增加到 107.60 亿元，增长 10.3 倍；林业累计造林约 1268.58 万公顷，人工种草达 861.5 万公顷，飞播造林 150.21 万亩，封山（沙）育林 135 万亩。农、牧、林各业呈现前所未有的兴旺景象。

---

① 根据内蒙古自治区统计局编：《辉煌的内蒙古》（1947—1999）相关年度经济统计数据综合计算而得。

② 根据内蒙古自治区统计局编：《辉煌的内蒙古》、《内蒙古统计年鉴》（2001）相关年度经济统计数据综合计算而得。

在改革开放的 20 年里，工业以资源优势成为自治区经济快速发展的物质基础，大力建设国家重要的能源、原材料、冶金、重化工和毛纺工业基地。经过"六五"到"九五"4 个五年计划，工业总产值从 59.39 亿元增加到 1 266.11 亿元，增长了 20.32 倍，其中轻工业增长了 18.88 倍，重工业增长了 21.33 倍；国有及国有控股企业增长了 13.5 倍，集体企业增长了 4.26 倍，个体企业增长了 12 909 倍，其他经济类型企业增长了 26 838 倍。工业已经成为自治区经济发展的龙头。

在改革开放的 20 年里，交通运输、邮电通信、财政、金融、保险、商贸、乡镇与私营等经济领域迅猛发展。公路通车里程增长了 92.33%；铁路通车里程增长了 50.44%；航空客运量增长了 26.5 倍；财政收入增长了 36.68 倍；金融机构各项存款余额增长了 46.24 倍；商业社会消费品零售总额增长了 9.92 倍；对外贸易进出口总额增长了 256.48 倍，同 150 多个国家和地区建立了贸易往来和合作关系；邮电业务总量，1980 年到 1998 年增长了 37.27 倍。

在改革开放的 20 年里，教育科技事业蓬勃发展，启动了科教兴区的战略。高等学校从 14 所增加到 18 所，在校学生增长 3.11 倍；在调整教育结构中，普通中学数量和在校学生因分流而有所减少，但中等专业学校、职业中学大幅度增长；成人教育从无到有，成人高等学校、成人中专发展迅速。自然科学研究机构发展到 1 100 多个，其中有高等院校科研机构、大中型企业科研机构、民营科技企业、高新技术企业等多种形式，各类专业技术人员达到 47.6 万人，完成科技成果 6 005 项，科技进步对工农业总产值的贡献份额达 33%。社会科学以蒙古学为重点，建成了历史学、语言学、文学、哲学、经济学、法学、政治学、民族学、宗教学、民俗学等多学科专门研究机构，仅全区性研究机构就有 30 多所，其专职研究人员 300 余名。特别是全国性、国际性蒙古学学术讨论会频频举行，内蒙古成为国内外公认的蒙古学研究中心。

在改革开放的 20 年里，文化艺术事业欣欣向荣，包括文学、艺术、广播、电影电视和新闻出版等文化事业，具有雄厚的历史积淀和鲜明的民族特点、地区特色。截至 2000 年，全区文化事业机构有 2 008 个，从业人数达 13 844 人；艺术事业机构有 146 个，从业人数 5 976 人；艺术表演团体 116

个，从业人数 5 330 人；广播电视播出机构有 125 个，广播电台蒙汉语节目有 88 套，电视台蒙汉语节目 41 套，电视覆盖率达 81.42%，广播电视节目波及全国和世界 50 多个国家和地区。文物、博物、图书、出版事业迅速发展，特别是蒙文出版物种类之多、数量之大居全国之首位，是世界上蒙古文出版物最有权威的精品产地。

在改革开放的 20 年里，医疗卫生和体育事业长足发展，发挥了保障人民健康，服务经济建设的专业功能。医疗卫生机构遍布全区城乡牧区，配套改造建设了 1 370 所苏木、乡、镇卫生院，立项建设了 71 所县级卫生防疫站和 66 所妇幼保健所。农村、牧区的村、嘎查卫生室覆盖率达到 93%。全区有中蒙医药机构 112 所，中医院 17 所，蒙医院 29 所，专业医务人员约 15 000 人；中蒙医研究所 6 个，挖掘整理出版了 90 多部蒙医学医典论著；高等医学院校 3 所，中等卫生学校 16 所；农村牧区卫生改水受益人口达 1 124.50 万人，占农村牧区总人口的 72.96%。体育运动有传统民族体育、群众体育、竞技体育等 3 大门类，以发展民族传统体育和地方体育优势项目为重点，逐渐形成了以摔跤、射箭、柔道、马术、曲棍球、中长跑、马拉松等为重点的传统优势项目。到 20 世纪末，有 7 人 6 次打破 5 项世界纪录，260 人多次打破全国纪录；参加 8 届全国运动会，共获金牌 90 枚、银牌 192 枚、铜牌 75 枚；在历届全运会上获金牌总数均位居全国第 15 名左右。举办了 4 次全区少数民族传统体育运动会，参加了 6 次全国少数民族传统体育运动会，获得了优异成绩，使民族传统体育得到挖掘、保护、发展。

在改革开放的 20 年里，人民物质文化生活的改善，成为体现经济发展、社会进步的主要标志。农牧民家庭人均收入从 131 元增加到 2 038 元，增长了 14.56 倍。其中农民家庭人均收入从 126 元增加到 1 869 元，增长了 13.83 倍；牧民家庭人均收入从 188 元增加到 3 354 元，增长了 16.84 倍。城镇居民人均生活费收入从 273.65 元增加到 4 601.74 元，增长了 15.82 倍；城镇居民人均可支配收入增长了 16.03 倍。居民消费水平增长了 3.67 倍，其中农村牧区居民增长了 2.91 倍；城镇居民增长了 4.16 倍。居民储蓄增长了 29.21 倍，平均每人存款余额增长了 25.91 倍。居民住房面积增长了 25.63%，城镇平均每人住房面积增长了 78.65%。城乡居民电视机、彩色电视机从无到有，以数倍的速度在增长。① 人民生活的巨变，是第二个"黄金时期"的特殊亮点。

新中国成立以后的50年间，内蒙古自治区在中国共产党领导下，以马克思列宁主义、毛泽东思想和邓小平理论为指导，坚持社会主义及中国特色社会主义道路，在统一的多民族国家中，与全国一起，走过了不平凡的历程。回眸历史，虽然有过"大跃进"的曲折和失误，有过"文化大革命"的灾难，然而两个"黄金时期"显示了历史发展的主流和方向，让人回味无穷，不能忘怀，留下了特殊而宝贵的经验。

第一，服从全局，顾全大局。坚持以马克思主义及发展中的马克思主义为指导；坚持中国共产党的领导；坚持社会主义道路、特别是中国特色社会主义道路；坚持维护国家的统一和民族团结，坚定地与全国人民一道实现共同的目标。不管在什么情况下，这是方向、是宗旨、是前提。内蒙古自治区半个多世纪的历史证明，这是一条历史发展的规律，顺应则成，违背则败，不以人的意志为转移。

第二，正确认识民族问题，正确对待民族问题。内蒙古的民族民主革命，推翻了民族压迫制度和阶级压迫制度，解决了民族解放、人民翻身的问题。在社会主义时期民族问题依然存在，但与历史上的民族问题不同，其核心是民族的发展。这是需要长期解决的问题，因为民族问题的内容不是一成不变的，随着历史的发展会不断产生新的问题，只要民族存在，只要民族的差别存在，民族问题就会存在。解决民族问题如同解决其他社会问题一样，不可能一蹴而就。在内蒙古两个"黄金时期"始终重视民族问题，以切合实际的各种方式解决民族问题，创造了极其丰富的经验。所以，第一个"黄金时期"成为中国实行民族区域自治的"良好榜样"，第二个"黄金时期"成为实行民族区域自治的"光辉典范"。

在多民族国家，在民族地区，任何时候对民族问题都不能掉以轻心、不

---

① 第二个"黄金时期"社会、经济、文化等发展，主要参照内蒙古自治区人大常委会办公厅编印：《五十年历程》（上）；内蒙古自治区统计局编：《辉煌的内蒙古》（1947—1999）、《内蒙古统计年鉴》（2001）；内蒙古自治区地方志办公室年鉴编辑部编：《内蒙古年鉴》（1999/2000）等相关年度的政府工作报告、总结及各类数据综合整理计算而得。

能忽视、更不能无视。在曲折发展时期，曾刮起"民族融合"风，其实质是否认民族特点，忽视民族问题，在执行民族政策，进行民族工作中发生了偏差，影响了大局；在"文化大革命"中否认民族问题或扭曲民族问题，给自治区的发展造成了严重的后果。这些教训，不能忘记。

第三，坚持、完善、发展民族区域自治制度。民族区域自治是根据马克思主义民族理论，结合中国民族问题的实际，创造性地解决国内民族问题的政策与制度。内蒙古是先行实践者，是成功实施者，是榜样、是典范。这是中央的赞誉。在两个"黄金时期"，被国民党政府最后肢解了的内蒙古历史地域，通过实行内蒙古统一的民族区域自治，基本上得到恢复；民族区域自治制度的各项政策得到创造性的实施；蒙古族及其他少数民族的事业得到长足发展；自治区的各项事业欣欣向荣。这是坚持、完善、发展民族区域自治制度的结果。胡锦涛总书记科学地论断："民族区域自治，作为党解决我国民族问题的一条基本经验不容置疑，作为我国的一项基本政治制度不容动摇，作为我国社会主义的一大政治优势不容削弱。"[①] 这是认识、对待民族区域自治的总则。

在曲折发展时期，民族区域自治一度被削弱，相应的问题随之产生；"文化大革命"全面否定民族区域自治，否定了之前自治区的一切成就，而且再次分解了内蒙古自治区的行政区划。值得庆幸的是，第二个"黄金时期"再次恢复了内蒙古自治区的行政区域，恢复、发展了民族区域自治制度。民族区域自治问题上正反两方面的经验教训，是值得记取的。

第四，重视民族特点和地区特点。这是自治区社会、经济、文化发展的立足点。这两个特点包含着民族因素和地区因素，也就是内蒙古的实际。特点也不是一成不变的，在历史发展中有的特点消失，有些固有的特点依然存在，甚至会长期存在，同时会产生新的特点，永无止境。内蒙古两个"黄金时期"的民族特点和地区特点，既有本质的相同点，又有时代的差异。以民族特点、地区特点为制定、实施方针、政策的出发点，并采取切合实际的措施，问题会少，发展也好。这几乎是不容违背的历史发展的规律。在我党卓越的民族工作领导人乌兰夫的著述中，讲民族特点、地区特点的频率最

---

① 引自胡锦涛：《在中央民族工作会议上的讲话》（2005年5月27日）。

高，涉及的问题最广，阐述得最透彻。

如果忽视特点，脱离实际，出现失误甚至危害，是必然的。在曲折发展时期这类事例不少；"文化大革命"根本否认民族特点、地区特点，几乎全面否定了之前内蒙古行之有效的具有民族特点、地区特点的方针、政策。这是一个最容易被忽略的问题，尤其是头脑发热的时候，更容易置之脑后而不顾。

第五，坚持民族平等、团结、互助的原则。"民族是自尊的，同时，一切民族都是平等的。"① 这是毛泽东在 70 年前的一则名言，用自尊和平等点透了马克思主义民族平等原则的深刻内涵，是看待民族和民族问题的真理。任何民族只有在自尊、平等的原则下才能与其他民族实现团结；各民族只有团结才能有互助，只有互助才能共同发展。50 年前，毛泽东又有一则名言："国家的统一，人民的团结，国内各民族的团结，这是我们的事业必定要胜利的基本保证。"② 内蒙古的两个"黄金时期"的发展见证了这是一条真理。当然，民族平等、团结、互助所包含的内容也不是一成不变的，随着历史的发展而不断更新充实。所以，坚持这个原则是永久的、切实的，不是一时的、实用主义的。

在曲折发展时期，有时忽视这个原则，影响了民族关系，也影响了整个事业；"文化大革命"中抛弃了这个原则，破坏了民族关系，酿成了灾难。这些教训是深刻的。

第六，发展经济是永恒的主题。从内蒙古自治区半个多世纪的历史可以看出，所谓两个"黄金时期"的量化标志，主要是这两个时期经济发展的大量数据和事实，这也是体现"黄金时期"的基础。有了这个基础，历史上遗留下来的各民族之间事实上的不平等才能逐步消除，民族才能团结，社会才能进步，文化才能繁荣，人民才能富裕。对蒙古族及其他少数民族来说，以特殊的政策和措施，确保其经济的发展，才真正显现了"黄金时期"的光辉。

---

① 毛泽东：《中华苏维埃中央政府对内蒙古人民宣言》（1935 年 12 月 20 日），见《六大以来》（上），人民出版社 1981 年版，第 732 页。

② 引自《毛泽东文集》第 7 卷，人民出版社 1999 年版，第 204 页。

在曲折发展时期，曾经出现过三年经济困难，人们度过了一段艰苦的日子；"文化大革命"使已经从困难中复苏的经济又遭到破坏，酿成了灾难。改革开放起步的时候，乌兰夫即撰文反映少数民族的意愿："他们要求在国家统一的经济制度和财政制度下，妥善保护和合理开发本地方的自然资源，维护本民族、本地方的经济权益，合理解决农牧矛盾、场社矛盾以及上级企业和民族自治地方的矛盾。……适当划分中央和上级国家机关同自治机关管理、开发当地资源的权限，确定具体的管理制度办法。"[①] 这都是少数民族围绕经济发展问题发出的呼声与要求，是历史的呼唤。

第七，严格区分民族感情、民族意识、民族情绪、民族主义以及民族分裂的界限与性质。任何一个民族共同体的成员具有民族感情和民族意识，是天经地义的事情，而且是民族生存、发展的灵魂。爱民族爱家乡是爱国的基础。任何多民族国家，只要能切实坚持民族平等，实行有利于各民族的政策，民族感情、民族意识不仅不可怕，相反会加强民族自强振兴精神，会促进各民族的团结和巩固国家的统一。民族情绪和民族主义，当弱小或弱势民族认为自己的民族尊严、民族权利受到触犯的时候，或者持民族狭隘主义的时候，有可能引发民族情绪，甚至发展为地方民族主义；强势大民族如果恃强歧视或触犯弱小民族的利益，也会发展为大民族主义。不论是大民族主义（在中国主要是大汉族主义）还是地方民族主义，都是不利于民族团结和应当克服的一种人民内部矛盾，而且关键是克服大汉族主义思想。这也是毛泽东的论断。民族主义（包括大民族主义、地方民族主义或民族虚无主义）有可能促使或发展为民族分裂主义，民族分裂主义不是少数民族独有的。民族分裂主义，它既有破坏民族团结的一面，也有分裂国家的一面。任何民族的成员从事破坏民族团结，分裂国家的违法犯罪活动，都属于民族分裂的性质。一般的说，民族分裂主义是敌我矛盾，但在我国尚属少数。

内蒙古在中华人民共和国成立初期，按照中央的部署，检查民族政策执行情况，进行民族政策教育，着重批判历史上形成并遗留下来的大汉族主义思想，增强了民族团结，顺利地实现了内蒙古统一的民族区域自治。但是，从1957年的反右派运动开始，在蒙古族及其他少数民族中发动了反对地方

[①] 《乌兰夫文选》下册，中央文献出版社1999年版，第375页。

民族主义的斗争，错误地打击了一批民族干部和知识分子；在"左"倾错误指导的曲折发展时期，在蒙古族及其他少数民族中，批判、反对地方民族主义、民族分裂主义成为主要任务，严重混淆了民族感情、民族意识、民族情绪、民族主义以及民族分裂主义的界限；直至"文化大革命"，反对民族分裂主义成为主攻方向；在 90 年代前后，也曾有民族分裂主义是内蒙古的主要倾向的说法。凡此种种，都产生过一些负面影响。总之，这是一个很敏感、很严肃的问题，任何掉以轻心、随意、没有事实根据的判断，都有可能引发不利于民族平等、团结、互助、和谐关系的后果，进而影响民族区域自治制度。

我们所说的"黄金时期"只是"最佳时期"的同义语，是与 20 世纪后半期各个历史阶段相比较而言。从历史发展的全程而论，这半个世纪是整个内蒙古历史中的"黄金时期"。当历史跨入 21 世纪以后，内蒙古以腾飞的步伐创造着更加辉煌的历史。2007 年内蒙古自治区成立 60 周年大庆，以令人兴奋的事实展现了"黄金时期"延伸发展的振奋人心的业绩，中央特别赞誉内蒙古自治区是民族区域自治的"光辉典范"。这就是历史的结论。

十六、内蒙古的历史变迁与生态文明

《内蒙古通史》专设生态卷，是想对内蒙古生态环境的演变与生态文明的发展，进行系统的研究叙述，将人文历史放在生态历史的环境中观察人与生态的关系，透视人文历史的发展对生态环境的影响。由此对人类发展史与生态演变史的关系，探索带有规律性的认识。这对于现实或未来社会、经济、文化的发展，以及人们对生态文明的认识，应该有借鉴意义。

内蒙古数千年人文历史的变迁，我们分别在上述各个题目中概略地作了介绍。我们得出的基本认识是，人们的社会活动和生产活动，与自然环境或者说生态环境密不可分，人对自然或生态的依赖是其生存的最基本的条件，没有适合人类生存的自然环境或生态环境，就没有人类的产生与发展。这是一个最起码的、最基本的道理。然而，认识这样一个最简单的道理却不那么容易。向自然索取，是人类生存与发展的第一要素，尤其是早期人类，完全是靠对自然的索取而生存的。在人类发展的进程中，人们慢慢地认识到不仅要向自然索取，还必须是有节制地索取，甚至要给自然一些回报，要呵护自

然，从而形成了最初朴素的生态文明理念。

内蒙古地区是中国古代北方民族，以及蒙古族和其他现存少数民族诞生的摇篮，是他们生存、发展的家园。这里由自然大草原为主构成的山川、平原、丘陵、森林、沙漠等生态环境，哺育了一代又一代的游牧民族，创造了独特的蒙古草原游牧文化。草原游牧文化的核心是人类在依托草原生存的同时，必须呵护草原生态，从而使草原生态系统的绿色植被构成了完整的大地覆盖，草原土壤成为巨大的碳库，维护着蒙古高原和黄河流域以至东亚地区的生态安全。

生态学家的论证表明，草原生态的本质，即草原生态系统结构与功能的特征，是在晚第三纪以来的季风气候条件下演化形成的，对大陆性半干旱与干旱气候具有高度适应性。由多年生草本植物组成的植被是第一性生产者，既是草食动物的生物能源，又是良好的土地覆被。草原土壤的发育，构成了区域生物地球化学物质的动态储备库。总之，草原的基本功能就是维持生态系统的能量转化和物质循环的动态平衡，保持生物更新再生的机制，实现生态系统和谐有序的健康状况。只有认识和遵循草原生态规律，才能持久地赢得草原对人类的各项服务价值和美好的生态环境。这是草原地区经济社会可持续发展的根基。

中国古代北方民族，尤其是占领蒙古高原的蒙古民族，在长期的历史发展中积累了利用自然、保护资源的丰富经验，形成了朴素而完美的草原生态意识。他们在利用野生植物、捕猎野生动物、放牧家畜、利用牧场和水源的生产生活过程中，产生了保护自然资源，维护生态环境的观念，这对民族的生存、发展起到了重要作用。

对于草原游牧民族，特别是蒙古民族创造生态文明的实践与理念，刘钟龄等生态学家在本通史第八卷中作了全面的阐述、论证。他们认为，"在历史上，生活在草原区的北方民族创造了与环境和资源相适应的游牧生产方式，并且形成了完整的游牧文化。当时的人口和家畜的数量尚未对草原构成强大而持续的压力。草原作为畜牧业的经济资源仍有一定冗余，为逐水草而居的游牧方式提供了可再生的饲草、水源和充足的地域空间。这种循回利用草原的制度，可以保证草原植物的更新和草原生态系统的物质平衡与能量传输，可以有效地发挥草原的生态防护功能，成为北方的生态安全地带。可见，游牧文明的精髓就是要遵循自然规律，坚持人与自然和谐共存的理念。继承和发扬游牧文明的精髓，是有现实意义的。"

中国北方游牧文明的创造、发展，成为草原生态安全的保障。虽然秦、汉以来内蒙古南部边沿地带有农耕业出现，但直到元、明时期，畜牧业仍然是内蒙古草原的主业；清康熙、雍正朝虽因赈灾济民之需要，而有节制地实行农垦，但在乾隆朝又行禁垦令和汉人回籍令，所以农耕业仍不占主导地位，草原仍然养育着畜牧业生产，蒙古民族呵护生态环境的传统依旧。从清末开始，蒙禁政策日趋松弛，私垦蒙地也成公开，特别是 20 世纪初，清朝以政令放垦蒙地，废弃蒙禁，成为官垦蒙古草原之始。之后，民国时期的北洋政府、国民党之国民政府更以军阀强势开垦蒙地，内蒙古草原南部之水草丰美地带开垦殆尽，就连荒漠地带也难以幸免。这是官方破坏内蒙古草原生态最严重的时期。随着蒙垦之盛行，无序移民猛增，农业逐渐取代了畜牧业的主导地位，造成畜牧业萎缩衰退，以蒙古族为主的游牧民族的境遇每况愈下，与此相关的一系列社会问题和矛盾日益尖锐，蒙古民族为维护生存的根基——生态环境而进行了长期的抗争。但收效甚微，北方生态安全受到严重危害。这是近代中国留给内蒙古的生态"遗产"。

在历史上，对于内蒙古的生态环境我国自己很少进行科学调查研究。从 17 世纪到 20 世纪上半期，主要是俄国以及其他欧美国家乃至日本的旅行家、商人、学者等，从不同角度对内蒙古高原的历史、地理以及自然资源、生态环境等进行了频繁、持续的考察。尽管他们中有些是出于侵略目的，但他们搜集、整理了大量的资料，编撰了不少论著，编辑了许多资料集成，应当说这是留给人类的宝贵资料，对于认识内蒙古的生态环境和自然资源是有重要价值的。这些外国人考察的收获全部被他们占有，没有给内蒙古留下像样的考察资料。

1947 年 5 月，内蒙古自治政府成立以后，还来不及思考和解决维护生态的问题。中华人民共和国的成立，特别是内蒙古实现统一的民族区域自治以后，保护草原生态环境的问题提到了自治区建设大政的日程。首先提出"禁止开荒，保护牧场"的方针，这是对历史上破坏内蒙古生态环境的紧急应对、回应。这简单而明确的八个字，不全针对牧区而言，在农业区以农为主，也要兼营畜牧业，在半农半牧区是农牧兼营，这都要禁止开荒，保护牧场。总之，以保护牧场为核心的草原生态理念是清晰的，而且体现在生产建设的相关环节之中，从政府到民众都是明确的。

从 50 年代开始，国家逐步组织生态科学研究。1952 年夏季，由国家和内蒙古有关部门组织牧区考察团，对锡林郭勒草原进行了资源调查。1955 年，国家农业部和内蒙古农牧厅组织内蒙古伊克昭盟草原调查队，对伊克昭盟的地理条件、草地类型、草地植被演替、草地评价和草地畜牧业及饲料生产等方面，进行了实地调查，撰写了《内蒙古伊克昭盟草原调查报告》。

北京大学于 1953 年创建了植物生态学科组，在李继侗教授主持下，选定内蒙古草原作为发展生态学的主攻目标，确立了在我国开创草原生态学的方向。1956 年，李继侗教授亲自带领青年教师和学生，到内蒙古呼伦贝尔草原做生态学考察研究，主持撰写出草原植被生态学研究报告。1957 年，国务院任命李继侗教授为内蒙古大学副校长，主持内蒙古大学的重点学科生态学建设。李继侗先生是我国生态科学的开创者，是内蒙古草原生态学的奠基人。

这期间，对内蒙古大兴安岭森林资源也及时进行了调研。1954—1955 年，国家林业部邀请苏联专家与中国学者组成综合调查队，对大兴安岭林区的生态地理环境、森林类型、林木生长量、木材蓄积量、森林更新、林木病虫害等进行了全面调查，编著出版了 8 卷集《大兴安岭森林资源调查报告》。中国科学院黄河中游水土保持综合考察队，于 1957—1958 年设立固沙分队，先后到内蒙古鄂尔多斯地区的毛乌素沙地与阿拉善地区的腾格里沙漠进行生态地理考察。

内蒙古自治区人民政府有关部门也在 50 年代后期开展了对草原、森林、土地、生物资源等多方面的考察研究工作，测绘编制了全区的土壤图和植被图，发表了相关论文和专著。1959—1963 年，中国科学院治沙队按照国家科学发展规划的要求，对中国西北和内蒙古的沙漠与沙地进行综合考察，并在内蒙古乌兰布和沙漠设置了治沙综合实验站，对沙区动态进行观察与测试。从 1961 年起，中国科学院内蒙古—宁夏综合考察队正式开始工作，对锡林郭勒草原区、昭乌达盟和哲里木盟西辽河流域区、呼伦贝尔盟、伊克昭盟、乌兰察布盟、巴彦淖尔盟分别进行了长达 5 年的考察，撰写了各项专题报告 150 多篇，并向内蒙古自治区政府报告研究成果，提出经济发展和建设事业的建议。后因"文化大革命"一度停止工作，到 1972 年又重新开始进行成果总结和专题性与补充性的考察。最终在 1976—1985 年完成了内蒙古的地貌、气候、水资源、土壤、植被、草场、畜牧、林业等 8 部专著。

从国家到自治区，对内蒙古的生态环境与自然环境如此关注，科学家们持续不断地调查研究，提供内蒙古生态环境的实际数据，提出生态建设的科学论证与建议，对制定经济建设方针政策，发挥了不可替代的作用。而且面对 60 年代开始出现草原生态系统结构与功能受损和生产力衰退的趋势，除对草原类型、生物组成、资源价值与生产力测评等开展调研以外，也在草原管理和利用中进行草原动态监测和草地经营制度的生态学实验研究，首次计算出当时全区草地对家畜的承载力已经达到饱和状态的警示数据，并提出必须坚持草原生产力和家畜数量平衡发展的建议。

但是，随着在经济建设中过分追求跃进速度，"文化大革命"中"左"倾错误的发展，生态观念的削弱，生态文明的传统理念丢失，生态科学不被重视，特别是对内蒙古生态环境退化的实际不予理睬，破坏生态的行为步步升级，尤其是实行以粮为纲，大办农业的方针，导致无节制地垦荒，把草原视为荒地而垦种。这不仅是理论上的失误，而且实际上亦是违反自然规律的盲动。乌兰夫虽然顶住了在呼伦贝尔、西辽河流域开荒的举动，但是在内蒙古草原以开荒索粮的逆流始终涌动。对于清末、民国在内蒙古大肆官垦牧场的血泪教训，缺乏研究、总结和汲取；对于 20 世纪 60 年代前后开垦牧场造成的恶果，也没有科学地总结、认识与反思。在"文化大革命"年代，索性提出"牧民不吃亏心粮"的荒谬口号，让牧民垦种自己赖以生存的草场；内蒙古生产建设兵团在牧区开垦草原，甚至在额济纳旗黑河上游截流灌溉河西走廊农田，造成举世闻名的居延海干涸，胡杨林防风林带消失，使那里成为沙尘暴的源头，等等。在内蒙古垦荒，是破坏草原生态最直接的举动和原因。

在改革开放和社会主义现代化建设新时期，内蒙古自治区在总结历史经验和教训的基础上，实行"林牧为主，多种经营"的经济建设方针，确立"念草木经，兴畜牧业"的主攻方向，在保护生态环境，建设草原生态方面，又迈出了新的步伐。特别是生态科学研究长足发展，学习国外先进科学技术，开始在生态学、环境与资源科学领域采用卫星遥感技术和地理信息系统方法进行考察研究，取得了一系列新的研究成果，为遏制生态恶化，逐步恢复草原生态，提供了科学技术支撑。改革开放的进程中，人们增强了对生态环境的认识，恢复了生态理念，进行生态建设的积极性逐渐提高，出现了关注生态的良好势头。退耕还牧，退耕还林，逐步成为许多人的共识。在鄂尔多斯高原，在大兴安岭林区，在荒漠草原地带，在科尔沁、浑善达克、毛乌素、腾格里沙地，植树种草渐成风尚。草原植被有所恢复，沙化势头有所缓解，生态文明之花重新绽放。

但是，内蒙古经济建设的迅猛发展，主要是资源开发，而资源开发又与生态环境密切相连。内蒙古生态状况日益恶化，这是不争的事实，除了气候变化的自然原因之外，人为漠视生态的因素占相当大的比重。仅就开垦草原而言，可以肯定地说，近60年期间内蒙古垦荒面积不少于之前历史上垦荒面积的总和。所以，在总结历史上官垦破坏内蒙古生态环境的教训的同时，不能不反思我们自身的失误。不要把垦荒破坏生态和过牧造成生态恶化的责任一味推为旧中国所为。这样才能冷静面对，找出自身原因，实事求是地采取切实的措施，恢复生态，建设生态。

内蒙古的地下宝藏丰富，但并非取之不尽，用之不竭。无节制地开采，煤总有被挖完的时候，石油总有被抽干的时候，天然气总有被吸尽的时候……如果有一个良好的生态环境，我们的子孙后代才能有生存条件的保障。内蒙古草原自古以来哺育了一代又一代北方游牧民族，接纳养育了一批又一批中原农耕民族；在20世纪60年代的三年困难时期，接养了内地3 000名孤儿和接纳了邻省上百万灾民度过灾荒，这就是历史的见证。

掘取地下宝藏要爱护生态，兴农要爱护生态，兴工要爱护生态，从商也要爱护生态……用几十年、上百年、数百年，把内蒙古的生态环境恢复、建设起来，人们的生存、幸福才有希望。中共十七大把生态文明建设与物质文明建设、精神文明建设、政治文明建设同列为四大文明建设，足见其有非同一般的重要性。

这就是我们对内蒙古历史与生态文明关系的粗浅认识。

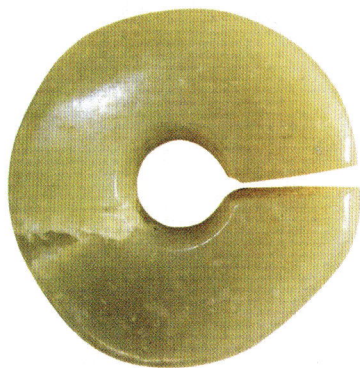

玉玦（赤峰市王八脖子山出土，兴隆洼文化，选自刘冰主编:《赤峰博物馆文物典藏》，远方出版社，2006 年）

匕形玉佩饰（敖汉旗下洼子镇西粉房村出土，兴隆洼文化，选自刘冰主编:《赤峰博物馆文物典藏》，远方出版社，2006 年）

灰陶筒形罐（翁牛特旗解放营子出土，兴隆洼文化，选自刘冰主编：《赤峰博物馆文物典藏》，远方出版社，2006年）

人面形石佩饰（林西县白音长汗遗址出土，兴隆洼文化，选自上海博物馆编：《草原瑰宝——内蒙古文物考古精品》，上海书画出版社，2000年）

石雕人像（林西县白音长汗遗址出土，兴隆洼文化，选自上海博物馆编：《草原瑰宝——内蒙古文物考古精品》，上海书画出版社，2000年）

玉猪龙（巴林右旗羊场乡额尔根勿苏村征集，红山文化，选自上海博物馆编：《草原瑰宝——内蒙古文物考古精品》，上海书画出版社，2000年）

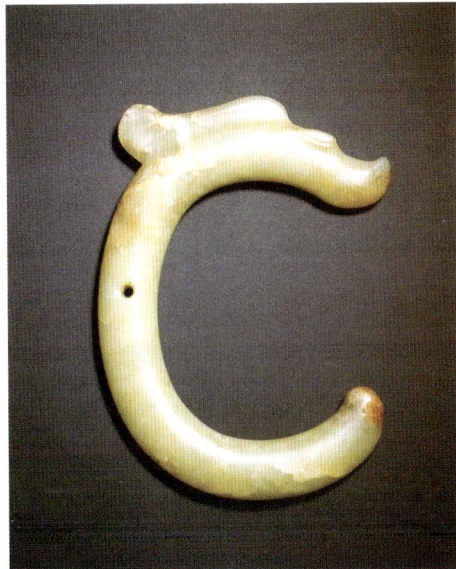

黄玉龙（翁牛特旗广德公乡黄谷屯征集，红山文化，选自上海博物馆编：《草原瑰宝——内蒙古文物考古精品》，上海书画出版社，2000年）

玉鸮（巴林右旗巴彦汉苏木那日斯台遗址出土，红山文化，选自上海博物馆编：《草原瑰宝——内蒙古文物考古精品》，上海书画出版社，2000年）

彩陶钵（敖汉旗木头厂子遗址出土，红山文化，选自邵国田主编:《敖汉文物精华》，内蒙古文化出版社，2004 年）

彩陶瓮（敖汉旗上喇嘛沟遗址出土，红山文化，选自邵国田主编:《敖汉文物精华》，内蒙古文化出版社，2004 年）

人形蚌饰（2004 年翁牛特旗解放营子出土，小河沿文化，选自刘冰主编：《赤峰博物馆文物典藏》，远方出版社，2006 年）

嵌贝彩绘陶鬲（敖汉旗大甸子墓地出土，夏家店下层文化，选自刘冰主编：《赤峰博物馆文物典藏》，远方出版社，2006 年）

筒形彩绘陶罐（敖汉旗大甸子墓地出土，夏家店下层文化，选自刘冰主编：《赤峰博物馆文物典藏》，远方出版社，2006年）

勾云纹彩绘陶罐（敖汉旗大甸子墓地出土，夏家店下层文化，选自刘冰主编：《赤峰博物馆文物典藏》，远方出版社，2006年）

彩绘平底陶罐（敖汉旗大甸子墓地出土，夏家店下层文化，选自刘冰主编：《赤峰博物馆文物典藏》，远方出版社，2006年）

青铜甗（赤峰市松山区西牛波罗乡出土，商时期，选自刘冰主编：《赤峰博物馆文物典藏》，远方出版社，2006 年）

磨光红陶壶（赤峰市松山区水地乡出土，夏家店上层文化，选自刘冰主编：《赤峰博物馆文物典藏》，远方出版社，2006 年）

鹿形铜饰（克什克腾旗龙头山遗址出土，夏家店上层文化，选自上海博物馆编：《草原瑰宝——内蒙古文物考古精品》，上海书画出版社，2000 年）

青铜匜（宁城县小黑石沟墓地出土，夏家店上层文化，选自刘冰主编：《赤峰博物馆文物典藏》，远方出版社，2006 年）

青铜簋（宁城县小黑石沟墓地出土，夏家店上层文化，选自刘冰主编：《赤峰博物馆文物典藏》，远方出版社，2006 年）

青铜铺（宁城县小黑石沟墓地出土，夏家店上层文化，选自刘冰主编：《赤峰博物馆文物典藏》，远方出版社，2006 年）

青铜豆（宁城县小黑石沟墓地出土，夏家店上层文化，选自刘冰主编：《赤峰博物馆文物典藏》，远方出版社，2006年）

青铜盖罐（宁城县小黑石沟墓地出土，夏家店上层文化，选自刘冰主编：《赤峰博物馆文物典藏》，远方出版社，2006年）

青铜壶（宁城县小黑石沟墓地出土，夏家店上层文化，选自刘冰主编：《赤峰博物馆文物典藏》，远方出版社，2006年）

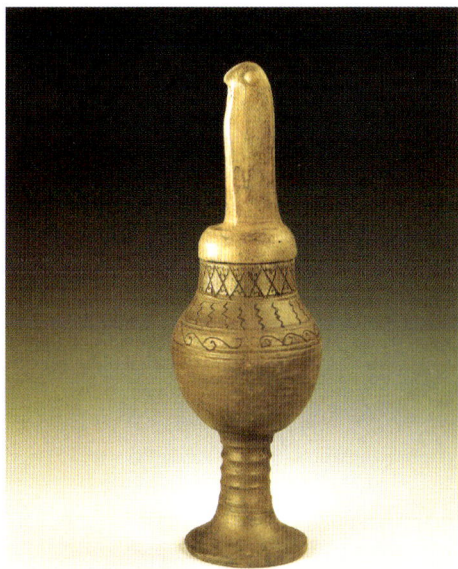

陶豆（宁城县小黑石沟墓地出土，夏家店上层文化，选自上海博物馆编：《草原瑰宝——内蒙古文物考古精品》，上海书画出版社，2000年）

陶壶（宁城县小黑石沟墓地出土，夏家店上层文化，选自上海博物馆编：《草原瑰宝——内蒙古文物考古精品》，上海书画出版社，2000年）

马首勺（鄂尔多斯征集，商代晚期，选自中国内蒙古文物考古研究所、韩国高句丽研究财团合编：《内蒙古中南部的鄂尔多斯青铜器和文化》，首尔，2006年）

鹿形饰牌（鄂尔多斯征集，东周时期，选自中国内蒙古文物考古研究所、韩国高句丽研究财团合编：《内蒙古中南部的鄂尔多斯青铜器和文化》，首尔，2006 年）

牛头形饰牌（鄂尔多斯征集，战国时期，选自中国内蒙古文物考古研究所、韩国高句丽研究财团合编：《内蒙古中南部的鄂尔多斯青铜器和文化》，首尔，2006 年）

虎形饰牌（凉城县毛庆沟 M5 出土，战国时期，选自中国内蒙古文物考古研究所、韩国高句丽研究财团合编：《内蒙古中南部的鄂尔多斯青铜器和文化》，首尔，2006 年）

虎咬羊纹饰牌（鄂尔多斯征集，战国时期，选自中国内蒙古文物考古研究所、韩国高句丽研究财团合编：《内蒙古中南部的鄂尔多斯青铜器和文化》，首尔，2006 年）

蹲踞鹿（鄂尔多斯征集，战国晚期，选自中国内蒙古文物考古研究所、韩国高句丽研究财团合编：《内蒙古中南部的鄂尔多斯青铜器和文化》，首尔，2006年）

马形金饰牌（宁城县小城子出土，春秋时期，选自上海博物馆编：《草原瑰宝——内蒙古文物考古精品》，上海书画出版社，2000年）

穿带青铜背壶（准格尔旗秦汉广衍故城出土，秦—西汉，选自上海博物馆编：《草原瑰宝——内蒙古文物考古精品》，上海书画出版社，2000年）

匈奴王鹰形金冠饰（杭锦旗阿鲁柴登出土，战国晚期，选自上海博物馆编：《草原瑰宝——内蒙古文物考古精品》，上海书画出版社，2000年）

双耳圈足青铜鍑（鄂尔多斯征集，西汉，选自上海博物馆编：《草原瑰宝——内蒙古文物考古精品》，上海书画出版社，2000年）

日晷（托克托县出土，汉代，选自石俊
贵主编：《托克托文物志》，中华书局，2006
年）

"千秋万岁" 瓦当（托克托县古城村古城
附近汉墓出土，汉代，选自石俊贵主编：《托
克托文物志》，中华书局，2006 年）

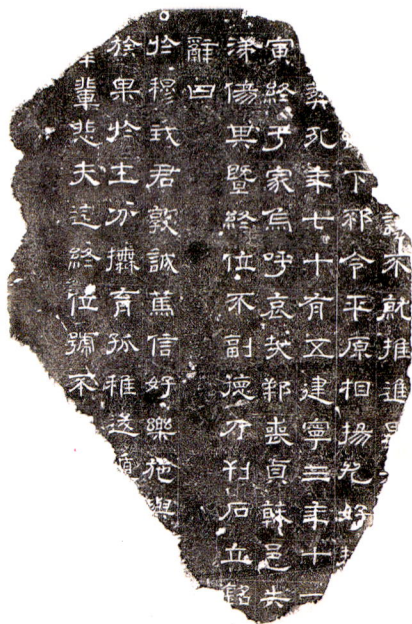

东汉建宁三年墓碑（包头市召湾汉墓
出土，东汉建宁三年，选自上海博物馆编：
《草原瑰宝——内蒙古文物考古精品》，上
海书画出版社，2000 年）

莲花化生童子瓦当（托克托县古城村古城出土，北魏，选自石俊贵主编：《托克托文物志》，中华书局，2006 年）

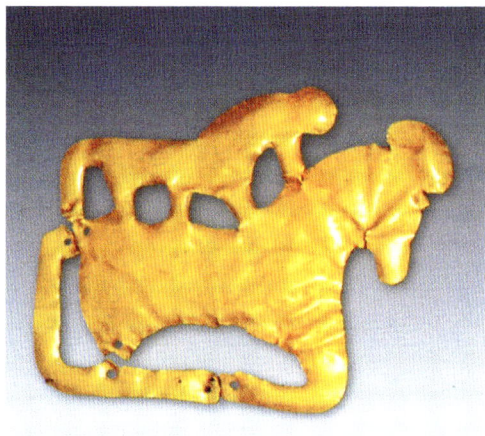

金双马纹饰牌（察右后旗三道湾墓地出土，鲜卑，选自魏坚主编：《内蒙古地区鲜卑墓葬的发现与研究》，科学出版社，2004 年）

金驼形饰牌（察右后旗三道湾墓地出土，鲜卑，选自魏坚主编：《内蒙古地区鲜卑墓葬的发现与研究》，科学出版社，2004 年）

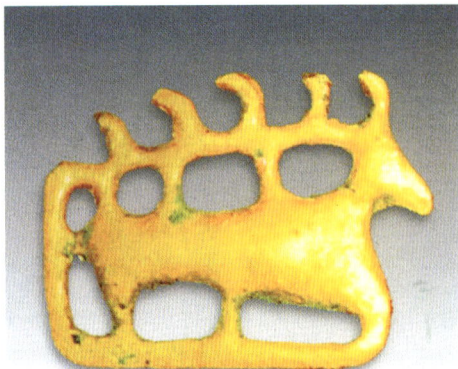

金单鹿纹饰牌（察右后旗三道湾墓地出土，鲜卑，选自魏坚主编：《内蒙古地区鲜卑墓葬的发现与研究》，科学出版社，2004 年）

铜三鹿纹饰牌（正蓝旗和日木图出土，鲜卑，选自魏坚主编：《内蒙古地区鲜卑墓葬的发现与研究》，科学出版社，2004 年）

人面形金饰牌（科左中旗北哈拉吐出土，鲜卑，选自上海博物馆编：《草原瑰宝——内蒙古文物考古精品》，上海书画出版社，2000 年）

人面双狮纹金饰牌（科左中旗北哈拉吐出土，鲜卑，选自上海博物馆编：《草原瑰宝——内蒙古文物考古精品》，上海书画出版社，2000 年）

牛首金步摇冠饰（达茂旗前河窖藏出土、鲜卑，选自上海博物馆编：《草原瑰宝——内蒙古文物考古精品》，上海书画出版社，2000年）

金龙项饰（达茂旗前河窖藏出土、鲜卑，选自上海博物馆编：《草原瑰宝——内蒙古文物考古精品》，上海书画出版社，2000年）

马首金步摇冠饰（达茂旗前河窖藏出土、鲜卑，选自上海博物馆编：《草原瑰宝——内蒙古文物考古精品》，上海书画出版社，2000年）

夹砂壶（商都县东大井墓地出土，鲜卑，选自魏坚主编：《内蒙古地区鲜卑墓葬的发现与研究》，科学出版社，2004 年）

夹砂侈口罐（商都县东大井墓地出土，鲜卑，选自魏坚主编：《内蒙古地区鲜卑墓葬的发现与研究》，科学出版社，2004 年）

夹砂壶（商都县东大井墓地出土，鲜卑，选自魏坚主编：《内蒙古地区鲜卑墓葬的发现与研究》，科学出版社，2004 年）

陶壶（察右中旗七朗山墓地出土，鲜卑，
选自魏坚主编：《内蒙古地区鲜卑墓葬的发现
与研究》，科学出版社，2004年）

夹砂侈口罐（商都县东大井墓地出土，
鲜卑，选自魏坚主编：《内蒙古地区鲜卑墓葬
的发现与研究》，科学出版社，2004年）

陶壶（察右中旗七朗山墓地出土，鲜卑，
选自魏坚主编：《内蒙古地区鲜卑墓葬的发现
与研究》，科学出版社，2004年）

银执壶（敖汉旗李家营子出土，突厥，选自邵国田主编：《敖汉文物精华》，内蒙古文化出版社，2004 年）

椭圆银盘（敖汉旗李家营子出土，突厥，选自邵国田主编：《敖汉文物精华》，内蒙古文化出版社，2004 年）

舞乐陶俑（呼和浩特市大学路北魏墓出土，北魏，选自上海博物馆编：《草原瑰宝——内蒙古文物考古精品》，上海书画出版社，2000 年）

镇墓陶俑（呼和浩特市大学路北魏墓出土，北魏，选自上海博物馆编：《草原瑰宝——内蒙古文物考古精品》，上海书画出版社，2000 年）

镏金银盘（敖汉旗李家营子出土，突厥，选自邵国田主编：《敖汉文物精华》，内蒙古文化出版社，2004 年）

摩羯纹金花银盘（喀喇沁旗锦山窖藏出土，唐代，选自刘冰主编：《赤峰博物馆文物典藏》，远方出版社，2006年）

小银壶（敖汉旗李家营子出土，突厥，选自邵国田主编：《敖汉文物精华》，内蒙古文化出版社，2004年）

双鱼形镏金银壶（喀喇沁旗锦山窖藏出土，唐代，选自上海博物馆编：《草原瑰宝——内蒙古文物考古精品》，上海书画出版社，2000年）

题 记

一、本卷主旨

考古发现证实，自旧石器时代早期开始，内蒙古地区即已有古人类活动。新石器时代、青铜时代的物质文化遗存更是丰富多彩。文献记载表明，截至唐代以前历史时期的大多数时段内，内蒙古地区处于北方游牧民族与中原农耕民族相互交往、影响、碰撞、融合的地带。这一特点决定了十世纪以前的内蒙古地区是一个不同生产生活方式人群汇聚，不同物质精神文化相互影响交融的富有活力的地区。本卷叙述的即为远古至唐代内蒙古地区的历史。

史前时期的内蒙古地区，存在大量的考古学物质文化类型。梳理和研究这些文化遗存的内容、特点以及与周边文化的关系，对于认识史前时期内蒙古地区多种文化的起源、影响和传承以及游牧文明的缘起和形成等，都是富有学术意义的探索。

十世纪以前文献记载的内蒙古地区，以北方游牧民族为代表的游牧文化和以中原农耕民族为代表的农耕文化在这里交相辉映，彼此吸收互融。先秦和秦汉时期（公元前21世纪至公元3世纪初），林胡、楼烦、匈奴、东胡和乌桓、鲜卑等北方游牧民族与华夏—汉族大体以中原诸侯国和秦汉王朝修筑的长城为界，游牧民族在长城以北"畜牧营产"，中原政权在长城以南实施统治，双方各自从事不同的生产和生活方式，并在政治、经济、军事、文化等方面发生了密切的交往。东汉末年、魏晋南北朝时期（3世纪初至6世纪末），匈奴、乌桓、鲜卑等游牧民族大批涌入中原，内蒙古阴山以南地区也成为游牧人纵马驰骋的广阔天地。他们建立的政权胡汉合制，曾管辖内蒙古部分地区，最后统一于北魏。同时，在内蒙古阴山以北地区，又新出现柔然、敕勒、契丹、库莫奚和室韦等部族，他们或建立游牧政权，或积蓄势力，并同中原政权发生了广泛联系。这些新形成的部族同此前进入中原地区的匈奴、乌桓、鲜卑等均有或密或疏的关系。隋唐时期（6 世纪末至 10 世纪初），中原政权重新占据内蒙古部分地区，设置州郡，迁徙人口，实行有效统治。同期，北方草原地带游牧政权数次更迭，突厥先灭柔然而成为大漠南北霸主，回纥后取突厥而代之。契丹则不断发展壮大，为契丹—辽的建立奠定了基础。室韦—达怛活动地域逐步扩大，与周邻民族接触更趋频繁，也为日后蒙古民族的形成和鼎盛做着铺垫。

基于远古至唐代内蒙古地区历史的基本内容和特点，本卷将主体部分设为第二编概述和第三编专题。概述部分主要有两条线索，一为北方游牧民族的历史兴衰，一为中原农耕政权对内蒙古部分地区的经略和管辖；专题部分则主要是对在概述一编不便展开、涉及或难以深入的内容尝试进行较为系统、深入的研究。

远古至唐代内蒙古地区史的研究，还是一个十分薄弱的领域。通过这一探索，冀望得到推进。

二、本卷编著者介绍

张久和　1963 年 3 月生，内蒙古满洲里市扎赉诺尔人。内蒙古大学历史与旅游文化学院研究员，历史学博士、博士生导师。1985 年 7 月内蒙古大学历史系毕业，1988 年 7 月获内蒙古大学历史学硕士学位，并留校任教。1997 年 7 月获历史学博士学位。历任内蒙古大学蒙古学学院蒙古史研究所所长、人文学院旅游学系主任、人文学院院长、历史与旅游文化学院院长，兼中国蒙古史学会理事、中华全国青年联合会社会科学工作者联谊会第一届理事会常务理事。主要从事古代中国北方民族史、十世纪以前内蒙古地区史和中国北方民族历史文献研究与教学。

出版专著 7 部（合著 4 部）。博士论文《原蒙古人的历史——室韦—达恒研究》入选教育部《高校文科博士文库》，合著《内蒙古历史地理》、《辽夏金元史徵·辽朝卷》、《内蒙古通史纲要》等。发表学术论文 30 余篇。主持完成教育部人文社科重点研究基地重大项目《蒙古史文献的整理与比较研究》、国家社科基金项目《战国秦汉时期中原政权对内蒙古地区的经略和管辖》，参加国家社科基金项目《蒙古学百科全书·古代史》，任副主编。获内蒙古自治区社会科学优秀成果一等奖、教育部高校优秀学术著作奖、内蒙古自治区"五个一"工程奖、优秀图书奖各 1 项，内蒙古自治区哲学社会科学优秀成果政府奖二等奖 1 项。

本卷主编；撰写：

第二编　概述　第三章　史前的内蒙古地区　第四章　公元前 21 世纪至公元 3 世纪初的内蒙古地区　第五章　3 世纪初至 6 世纪末的内蒙古地区第六章　6 世纪末至 10 世纪初的内蒙古地区

第三编　专题　第九章　东胡系各族族名研究及其存在的问题　第十七章　中国古代北方游牧民族的文化习俗　第二节　发式

王　雄　内蒙古大学蒙古学学院教授。1968 年内蒙古师范学院中文系毕业，1981 获华东师大古籍研究所文学硕士学位。在内蒙古大学蒙古史研究所从事蒙古史和历史文献学的教学与科研工作。主持国家高校古籍整理委员会项目《全边略记》、《五边典则》校点。出版《明代蒙古汉籍史料汇编》三辑（前二辑与薄音湖合作）、《辽夏金元史徵·西夏卷》、《古代蒙古及北方民族史史料概述》等，发表学术论文 20 余篇。

本卷撰写：第一编　史料与研究概况　第一章　史料概况　第一节　唐代以前内蒙古地区史史料概述　第二节　先秦秦汉时期内蒙古地区史史料第三节　魏晋南北朝隋唐时期内蒙古地区史史料　第四节　有关唐以前内蒙古地区历史的其他文献

何天明　内蒙古社会科学院历史研究所副所长、研究员。主要从事契丹史、古代北方民族史研究。出版专著《辽代政权机构史稿》、译著《大契丹国—辽代社会史研究》等，发表学术论文 70 余篇。

本卷撰写：第三编　专题　第十章　中国古代北方游牧民族政权及其政

治制度 第一节 匈奴政权及其政治制度 第二节 鲜卑的政权组织 第三节 乌桓的"大人制" 第十一章 中原政权针对古代北方民族事务设置的军政建制

张文平 内蒙古文物考古研究所副研究员，历史学博士。研究方向中国古代北方民族考古、北方地区古代城市考古和长城考古。参编《内蒙古东南部航空摄影考古报告》、《蒙古国古代游牧民族文化遗存考古调查报告（2005—2006 年）》等考古学专刊和《草原考古学文化研究》、《草原文化史论》等论著，发表学术论文 10 余篇。

本卷撰写：第三编 专题 第七章 石器至青铜器时代内蒙古与周边地区的交流 第八章 10 世纪以前内蒙古地区考古学主要成果 第十四章 内蒙古地区古代草原城市的兴建 第十五章 10 世纪以前内蒙古地区的长城 第十七章 中国古代北方游牧民族的文化习俗 第四节 葬俗 第六节 原始宗教与信仰

王庆宪 内蒙古大学历史与旅游文化学院教授、历史学博士。从事中国北方民族史、蒙古史教学，主要研究匈奴史及北方民族史，发表学术论文 60 余篇。

本卷撰写：第三编 专题 第十七章 中国古代北方游牧民族的文化习俗 第一节 饮食 第三节 婚俗 第五节 语言文字

付 宁 内蒙古博物院研究馆员、副院长、历史学博士。从事中国北方地区文物研究及展览工作，发表论文数 10 篇。

本卷撰写：第三编 专题 第十二章 鲜卑考古所反映的西方文化因素

陈永志 蒙古族。内蒙古自治区文物考古研究所所长、研究员、历史学博士。主持内蒙古大型遗址的考古勘探及发掘工作。编撰《内蒙古出土瓦当》、《内蒙古文物考古文集》（第 3 辑）等著作，发表学术论文 30 余篇。

本卷撰写：第三编 专题 第十三章 契丹的族源地

包文胜　蒙古族。内蒙古大学蒙古学学院蒙古史研究所助理研究员、历史学博士。参加国家社科基金项目《草原文化史论》第五章部分撰写工作。

本卷撰写：第一编　史料与研究概况　第二章　研究概况　第二节　民族类著作　第三节　考古类著作　第二编　概述　第五章　3世纪初至6世纪末的内蒙古地区　第一节　3世纪初至6世纪末内蒙古地区各民族及其政权之第四目　中国北方地区割据政权产生的背景及其特点　第三编　专题　第十章　中国古代北方游牧民族政权及其政治制度　第四节　柔然政权及其政治制度　第五节　突厥政权及其政治制度　第六节　回纥政权及其政治制度

胡玉春　女。内蒙古社会科学院历史研究所副研究员，历史学博士。参加国家社科基金项目《草原文化史论》第六章部分撰写工作。

本卷撰写：第一编　史料与研究概况　第二章　研究概况　第一节　通论类著作　第四节　其他类著作　第三编　专题　第十六章　北方游牧民族的经济生活　第一节　畜牧业及狩猎业　第二节　手工业生产方式及其诸形态

王　洁　女，蒙古族。内蒙古师范大学历史文化学院讲师，历史学博士。参加国家社科基金项目《草原文化史论》第六章部分内容的撰写工作。

本卷撰写：第三编　专题　第十六章　北方游牧民族的经济生活　第三节　农业　第四节　商品交换与交通运输

第四编　人物稿撰稿人：

班　珏　（内蒙古大学中国古代史专业硕士研究生）撰写32篇

芦书香　（内蒙古大学中国古代史专业硕士研究生）撰写19篇

胡辉芳　（内蒙古大学专门史专业硕士研究生）撰写75篇

赵海波　（内蒙古大学专门史专业硕士研究生）撰写37篇

孙永刚　（赤峰学院讲师，内蒙古大学考古学与博物馆学专业硕士研究生）撰写 30 篇。

本卷参加编著者 14 人，其中有高级职称的 8 位，博士 8 位，硕士研究生 5 位。

郝维民

2009 年 12 月

目　　录

一　册

二　册

第三编　专　题

第四编　人　物

A General History of Inner Mongolia

Volume I
The Inner Mongolian Region From
Remote Antiquity to the Tang Dynasty

CONTENTS

PART I

Division II Historical Overview

PART Ⅱ

Division Ⅲ   Subject Studies

Division IV　Historical Figures

Chapter XXII   Uighur Historical Figures ·························· (665)

(English Translation by Tergel, Nasan Bayar and Baohua, Revision by Irene
   Bain)

第一编

史料与研究概况

第 一 章

史 料 概 况

任何事物都有史，自然界有史，人类社会有史。在人类社会中，国家有史，民族有史，地区有史，各种制度规范有史，乃至作为人类社会最基本的成分——家族、个人都有史。这些对象的产生发展过程及其交互影响，构成了一个庞大的历史系统，给今人留下了丰富的物质财富与精神财富。研究历史，就是要努力探索这个庞大的历史系统的方方面面，发掘其中的物质财富与精神财富，为人类社会的进一步发展提供营养、借鉴。

中国自古以来就是一个多民族的国家，众多的民族（包括历史上已消失的民族）共同创造了中华民族的历史。中国自汉朝以来，汉民族一直是国民的主体，延续至今。但汉族以外的诸多民族的历史，在中国历史上亦具有重要地位，是中国历史的有机组成部分，也是史学工作者的重要研究领域。内蒙古地区地处祖国北疆，自古以来，有众多的民族活动在以内蒙古地区为中心的蒙古高原一带，创造了灿烂的物质文明与精神文明，蒙古高原的草原文化已成为与传统的黄河文化、长江文化、珠江文化、巴蜀文化等并驾齐驱的文化系统。研究内蒙古地区历史，发掘草原文明，是史学工作者长期而艰巨的任务。

史料是研究历史的依据，研究历史需先从史料入手。因此，史料的发掘研究是历史研究的最基础、最重要的工作，也是研究古代内蒙古地区历史的最基础、最重要的工作。

就唐代以前内蒙古地区史史料而言，有一个天然的缺憾，就是这一时期活动在这一区域的民族多为游牧民族，活动地域广大，迁徙不定，兴衰起伏，有的民族没有自己的文字或文字使用较晚，保存下来的原始文献很少。与其相邻的较为稳定的中原汉族政权或其他族国，或由于民族隔阂，对他们内部的情况不很了解，或由于民族偏见，对该民族的记述既不全面，也不够准确，而且这些材料多散见于浩如烟海的其他文献之中，爬梳汇集不易。中原政权在不同历史时期对内蒙古地区实行过统治和管理，这里往往是北部边疆，除了对于一些行政军事建置的记载外，资料也很少且不系统。这就成为深入研究古代内蒙古地区史的一个难点。前辈学者虽已作了大量的工作，取得了不少成绩，但尚缺乏全面的归纳与明晰的梳理。

第一节　唐代以前内蒙古地区史史料概述

唐代以前，在内蒙古地区活动的北方游牧民族相继主要有狄、东胡、匈奴、乌桓、鲜卑、柔然、突厥、回纥、契丹、室韦等；不同历史时期，中原地区的农耕民族也进入内蒙古地区，共同创造了古代内蒙古灿烂的历史与文化。历史上留下的种种有关他们的历史文字记载和活动情况的遗迹，成为我们今天研究内蒙古历史的宝贵材料。

内蒙古地区史史料，从总体上说，还是比较丰富的。其基本特点是，无论是北方各游牧民族之间，还是其与中原汉族之间，总是在交流互动，所留下的历史材料也是交织在一起的。因此其所涉及的范围是非常广的。

中国的史籍汗牛充栋，诸体皆备，有以年代为纲的编年体史书、以人物为纲的纪传体史书、以事件为纲的纪事本末体史书、以典章制度为纲的典制体史书，以地理为纲的地理志与边防图志等等。诸类史籍为中原王朝所修，所述自然是以中原汉族的历史为主，但对与之共同生息的相邻地域的古代北方民族的历史活动从来没有忽略过。中国的史籍中蕴涵了丰富的北方民族的史料。中国的编年体史著首推《左传》，而《左传》正是记述先秦时期中国北方民族——戎狄的活动内容最丰富的一种。司马光的《资治通鉴》通记中国西周至五代一千三百余年史事，其中把与中原各个朝代并兴并存的北方民族的历史及其与中原王朝的往来放在十分重要的地位加以记述。袁枢将《资治通鉴》拆编为纪事本末体史书，将《通鉴》所记史事概括为239篇，另附 66 个事目，其中有关古代北方民族的专题有数十个。中国的纪传体史书的代表为"二十四史"，而"二十四史"中，在纪、表、志、传中都间有活动在内蒙古地区的北方民族史事的记载，在体例上都设有周边民族传的类目，专门记述汉族王朝之外的其他民族的历史，历代北方民族的传记资料都有迹可寻。不仅如此，二十四史中的《魏书》、《北史》、《旧五代史》、《新五代史》和《辽史》等，本身即为记述以今内蒙古地区为活动中心的北方民族所建立的王朝的史书，涉及该民族与内蒙古地区的史料，无论在数量上还是在质量上，在广度上还是在深度上都是无与伦比的。纪事本末类史书概括一代或一个时期众多史事，都有关于相关民族史事的专题。典制体史书分门别类记载一个历史时期的典章制度，其所设门类中，多有"边防"、"四夷"之类的门目，记载其时周边诸民族的情况及与中原王朝的关系。如杜佑的《通典》，在边防门中就设有北狄一目，记载唐及唐以前古代北方民族的事迹，包括：匈奴上、匈奴下、南匈奴、乌桓、鲜卑、轲比能、宇文莫槐、徒河段、慕容氏、拓跋氏、蠕蠕、高车、突厥上、突厥中、突厥下、铁勒、薛延陀、仆骨、同罗、都波、拔野古、多滥葛、斛薛、阿跌、契苾羽、鞠国、大漠、白霤、库莫奚、契丹、室韦、地豆于、乌洛侯、驱度寐、霫、拔悉弥、流鬼、回纥、骨利干、结骨、驳马、鬼国、盐漠念等。地理志和边防图志是记述中原王朝一代疆域、行政区划的范围、山川形胜、人民物产、文化古迹等的文献。这类史籍对曾在该地区活动过的北方民族的史事亦有相应的记载。如宋《太平寰宇记》记载了各地自前代至宋初的州县沿革、山川形势、人情风俗、交通、人物姓氏、土特产等。其中还记载有各少数民族聚居区的户口，有的还区分汉人与蕃人，甚至主户、客户数等。这几类史书数量非常大，是古代内蒙古地区史最基本的史料。不过这些史书中往往充斥着封建的夷夏观念和大民族主义的思想，记事中对北方民族多有歧视，甚至诬蔑。必须用科学的思想、审慎的态度进行客观的分析、甄别，剔除其糟粕，再现其客观真实的价值。此外，有关内蒙古地区史的专题文献亦留存不少，如《十六国春秋》、《契丹国志》等便是有关北方民族政权的专题史著，多是涉及当时北方民族史事的第一手资料。其他如历代各阶层人士的一些笔记、文集，各种杂著中也有不少涉及内蒙古地区史的重要资料。

出土文物也是内蒙古地区史史料的重要组成部分。如甲骨文、古铜器铭文、竹木简和帛书，所记内容亦有涉及内蒙古地区史者。古代汉文碑铭、突厥文、回纥文碑铭、契丹文碑铭等，都是研究古代内蒙古及北方民族史的重要资料。

域外文献中也有与古代内蒙古相关史事的记载。如对于匈奴、柔然、突厥、回纥、契丹等民族的记载，也是研究内蒙古历史不可或缺的史料。

对于如此之丰富的古代内蒙古史料，首先需要的是挖掘，即从文献古籍的渊海中，进行仔细的寻觅和爬梳。对于挖掘出来的史料，要进行科学的分类与鉴别，分清什么是基本史料，什么是参考资料，哪些是第一手资料，哪些是再传史料。要特别重视基本史料的掌握与运用。基本史料是指内容较为集中，有一定的体系，能基本反映某一历史问题的概貌，且有定评的史料。历史研究应以基本史料为骨架，去粗取精，去伪存真，以此构拟历史的基本面貌。而参考资料或为血肉，或为针砭，用以丰富基本史料之内容，辨证基本史料的缺失。通过二者的结合、印证，达到求真、求实的目标。忽视基本史料，或否定基本史料总体价值，轻则走弯路，重则会趋于猎奇，影响历史研究的科学性。

第二节　先秦秦汉时期内蒙古地区史史料

这一时期内蒙古地区主要活动着戎狄、匈奴、东胡、乌桓、鲜卑等游牧民族，战国秦、赵、燕诸国和秦汉王朝相继进入内蒙古地区南缘地带，筑长城，置郡县，进行统治。反映这一时期历史的多种汉文史籍对上述各族及其建立的政权均有所记述。

一、北狄史料

关于狄人的史料，主要见于先秦的文献记载。基本史料为《左传》和《国语》。

1. 《左传》

《左传》是记载中国春秋时期历史的重要史学著作，相传为春秋末鲁国人左丘明所撰，因是绎解孔子《春秋》而成，故称《左氏春秋》、《春秋左氏传》、《春秋内传》等。也有人认为该书实际上成书于战国中期，是魏国的孔门后学以《春秋》为纲，依据瞽史的讲史记录《国语》和当时尚能见到的其他典籍《夏训》、《商书》、《周志》、《郑书》等，编成了《左传》。

今天所见《左传》是编年体，以《春秋》记事为纲目，叙春秋各国具体史事。记事始于鲁隐公元年（前722年），讫于鲁哀公二十六年（前469年），不仅记载了春秋时期列国的许多重要史事，还保存了许多古史传说。

《左传》中记载狄人的史事很多，且远较《春秋》详细。《春秋》中第一次出现狄是庄公三十二年（前662年）："狄伐邢。"而《左传》在文公十一年的记事中，追述了宋武公时期（前766—前748年）狄伐宋和鲁桓公十一年（前696年）狄伐齐的事件。从庄公三十二年（前662年）至僖公三十二年（前628年），与狄发生战争的国家有邢（庄公三十二年）、卫（闵公二年、僖公十八年、二十一年和三十一年）、温（僖公十年）、郑（僖公十四年、二十四年）、晋（僖公八年、十六年）和齐（僖公三十年、文公四年和九年）。在这一阶段，齐国曾组织宋、曹共同救邢国，狄也不敢轻易与齐为敌，在宋、曹、卫、邾共同攻打齐国时，狄还救过齐。到这一阶段后期，狄开始伐齐。

《春秋》文公十一年载"狄侵齐。冬十月甲午，叔孙得臣败狄于咸"。《左传》的记述是"鄋瞒侵齐，遂伐我。公卜使叔孙得臣追之，吉。侯叔夏御应叔，绵房甥为右，富父终甥驷乘。冬十月甲午，败狄于咸，获长狄侨如"。可以看出，侵齐之狄是狄之一支，名鄋瞒，叫侨如。《左传》接着又追述了宋武公和齐襄公时鄋瞒伐宋、伐齐的事情，以及后来卫人如何获简如使鄋瞒亡的经过，还插入后来发生的晋灭潞氏的事件，"晋之灭潞氏，获侨如之弟焚如"。

宋武公时期（前766—前748年）鄋瞒伐宋。宋败长狄于长丘，获长侨缘斯。

桓公十一年（齐襄公二年，前696年）鄋瞒伐齐。齐王子成父获其弟荣如。

鲁文公十一年（前616年）鄋瞒侵齐。鲁叔孙得臣败狄于卤，获长狄侨如。卫人获其季弟简如，鄋瞒亡。

宣公十五年（前594年）晋灭潞氏，获侨如之弟焚如。

有关白狄的记载最早见于《左传》僖公三十三年（前627年），"狄伐晋，及箕。八月戊子，晋侯败狄于箕，缺获白狄子"。宣公八年（前601年），又出现了晋与白狄联合伐秦的记载。《春秋》载："晋师、白狄伐秦"。《左传》言："白狄及晋平。夏，会晋伐秦。晋人获秦谍，杀诸绛市，六日而苏。"宣公十一年，又有晋联合众狄进攻赤狄的事。《春秋》载："晋侯会狄于欑。"《左传》言："晋成子求成于众狄。众狄疾赤狄之役，遂服于晋。秋，会于欑。众狄服也。是行也，诸大夫欲召狄，成子曰：吾闻也，非德莫如勤，非勤何以求人，能勤有继，其从之也。"更为详细。

《左传》成公十三年（前578年）"晋侯使吕相绝秦"一段，记述了白狄在晋、秦矛盾中的处境，说："白狄及君同州。君之仇雠，而我之婚姻，君来赐命曰：'吾与汝伐狄。'寡君不敢顾婚姻，畏君之威，而受命于吏。君有二心于狄，曰'晋将伐汝。'狄应且憎，是用告我。"可以看出，晋与白狄有姻亲关系，秦国常从中挑拨，所以在晋秦矛盾中，白狄的处境很尴尬，时而向晋，时而向秦。其后晋国实力强盛，襄公二十八年白狄朝晋（见《左传》昭公元年追述"服齐狄"，杜预注为"齐侯、白狄朝晋"）。昭公元年（前541年），晋与狄发生战争。《春秋》载："败狄于大卤"，《左传》言："败无终及群狄于大原"。

关于鲜虞，《春秋》和《左传》中，都是在昭公十二年（前530年）出现了鲜虞的名字。《春秋》昭公十二年载："晋伐鲜虞。"《左传》的记述是："晋荀吴伪会齐师者，假道于鲜虞，遂入昔阳。秋八月壬午，灭肥，以肥子绵皋归。"《左传》昭公十三年又言："晋荀吴自著雍以上军侵鲜虞，及中人，驱冲竞，大获而归。"《春秋》昭公十五年载："晋荀吴帅师伐鲜虞。"《左传》记作："晋荀吴帅师伐鲜虞。围鼓。……克鼓而返。"这些记载反映了晋灭肥和鼓的经过，也为研究"鲜虞"、"肥"和"鼓"的关系提供了线索。

《左传》中有中山国的记载。中山之名是在晋伐鲜虞之后出现的。《春秋》定公四年（前506年）载："晋士鞅、卫孔圉帅师伐鲜虞。"《左传》言："范献子曰：中山不服。"《春秋》哀公三年（前492年）载："春，齐国夏、卫石曼姑帅师围戚。"《左传》言，"春，齐、卫围戚，求援于中山。"记述了中山即鲜虞以及当时齐、卫、狄之间的关系。

在《春秋》与《左传》中，除了狄之外，还有"戎狄"的称谓。《左传》闵公元年（前661年）载："狄人伐邢。管敬仲言于齐侯曰：'戎狄豺狼，不可厌也，诸夏亲昵，不可弃也……'齐人救邢。"《左传》襄公四年（前569年）言，"无终子嘉父使孟乐如晋，因魏庄子纳虎豹之皮，以请和诸戎。晋侯曰：戎狄无亲而贪，不如伐之"。魏绛举和戎五利时说："戎狄荐居，贵货易土……戎狄事晋，四邻振动，诸侯威怀。"《左传》昭公十五年（前527年），晋籍谈对周王说："晋居深山，戎狄之与邻，而远于王室。"王曰："……唐叔受之，以处参虚，匡有戎狄。"所言戎狄，非专名，只是中原人对游牧民族的泛称而已。

《左传》中载有狄人的经济文化与生活的资料。《左传》襄公四年（前569年）载："戎狄荐居，重货轻土。"《左传》襄公十四年（前559年），范宣子对戎子驹支说："我先君有不腆之田，与汝剖分而食之"，驹支对曰："赐我南鄙之田，狐狸所居，豺狼所嗥。我诸戎除剪其荆棘，驱其狐狸豺狼，以为先君不侵不叛之臣。"从中可以看出，戎狄并不是游牧民族。《左传》僖公二十二年（前638年）载："初，平王之东迁也，辛有适伊川，见被发而祭于野者，曰：不及百年，此其戎乎，其礼先亡矣。"《左传》襄公十四年，戎子驹支对范宣子说："我诸戎饮食衣服，不与华同，贽币不通，言语不达，何恶之能为？"记述了戎狄的服饰穿戴、礼仪和祭祀与中原不同。《左传》宣公十五年（前594年）载，伯宗说"狄有五罪：不祀一也，嗜酒二也；弃仲章而夺黎民地三也，虐我伯姬四也，伤其君目五也"。记述其宗教信仰和祭祀活动和中原各国有很大的不同，并且得不到中原各国的认同。

《左传》中有关狄的记载对于研究狄人的族群、群内的种别、活动地域、文化习俗以及与中原各国的关系都是重要的材料。

2.《国语》

《国语》是杂记西周、春秋时周、鲁、齐、晋、郑、楚、吴、越八国人物、事迹、言论的国别史，亦称《春秋外传》，也是左丘明所作。与《左传》一样，是解说《春秋》的作品。也有人认为左丘明是春秋时期的瞽史，专门记诵、讲述古今历史。其所讲史事被后人笔录成书，称为《语》，按国别区分整理，成为《周语》、《鲁语》等，总称为《国语》。今本《国语》大概就是这些残存记录的总集。今本《国语》有二十一卷，包括《周语》

三卷、《鲁语》二卷、《齐语》一卷、《晋语》九卷、《郑语》一卷、《楚语》二卷、《吴语》一卷、《越语》二卷。记事内容不限于《春秋》，还记载了不少西周时的重要史事，是价值很高的原始资料。司马迁著《史记》，多取材于此。三国时吴人韦昭作《国语》解，总结了汉代学者的注释成果。清人董增龄作《国语正义》，近人徐元浩作《国语集解》，汇集历代有关解说，颇有助于参考。

《国语》中有不少关于狄人的记载，可与《左传》互相印证，互为补充。如鲜虞，《国语·郑语》载，郑桓公为司徒，向太史伯问计，"史伯对曰：王室将卑，戎狄必昌，不可偪也。当成周者，南有荆、蛮、申、吕、应、邓、陈、蔡、随、唐；北有卫、燕、狄、鲜虞、潞、洛、泉、徐、蒲；西有虞、虢、晋、隗、霍、杨、魏、芮；东有齐、鲁、曹、宋、滕、薛、邹、莒；是非王之支子母弟甥舅也，则皆蛮、荆、戎、狄之人也……"，将鲜虞与狄并列为郑之北邻。《周语上》载祭公谋父谏穆王征伐犬戎事，说："昔我先王世后稷，以服事虞、夏。及夏之衰也，弃稷不务，我先王不窋用失其官，而自窜于戎、狄之间，不敢怠业。"透露出狄人族源之久远及其与华夏先民的关系。《周语中》襄王十三年（前639年），襄王欲借狄人的力量伐郑，富辰进谏，说："弃亲即狄，不祥。"襄王不听，十七年，以狄师伐郑。事后，"王德狄人，将以其女为后"，富辰又谏，说："狄，豺狼之德也，郑未失周典，王而蔑之，是不明贤也。""狄，隗姓也，郑出自宣王，王而虐之，是不爱亲也。""王不忍小忿而弃郑，又登叔隗以阶狄。狄，封豕豺狼也，不可厌也。"王不听。"十八年，王黜狄后"，又招来狄人的侵凌。记载了其时周王室与狄人的复杂关系。《国语·晋语》中有关狄人的记载较多，这当与狄人的居住地域有关。如《晋语一》载骊姬进言晋公，挑起了晋与狄的战争，记事委曲详尽。《晋语二》记晋公子重耳奔狄之事，可与《左传》相互印证。《晋语四》记述了晋文公在狄十二年，转而赴齐之事，又载魏绛建言晋文公和戎之事。魏绛曰："劳师于戎，而失诸华，虽有功，犹得兽而失人也，安用之？且夫戎狄荐处，贵货而易土。予之货而获其土，其利一也；边鄙耕农不儆，其利二也；戎狄事晋，四邻莫不震动，其利三也。君其图之！"公悦，故使魏绛抚诸戎，于是乎遂霸。十二年，晋文公还送给魏绛女乐一八、歌钟一肆，奖励他"教寡人和诸戎狄而正诸华"的功劳。《晋语九》记述了晋将中行穆子帅师伐狄，打败鼓人之事。又记鼓子之臣夙沙厘拒不事晋的行为，说：鼓子之臣夙沙厘以其孥行，军吏执之，辞曰："我君是事，非事土也。名曰君臣，岂曰土臣？今君实迁，臣何赖于鼓？"穆子诏之，曰："鼓有君矣，尔心事君，吾定而禄爵。"对曰："臣委质于狄之鼓，未委质于晋之鼓也。臣闻之，委质为臣，无有二心，委质而策死，古之法也。君有烈名，臣无叛质。敢即私利以烦司寇而乱旧法，其若不虞何！"从夙沙厘的言谈中可以看出，他的伦理思想已与中原人无异，这当是狄人长期与晋人杂处的结果。

《国语》中有关于狄人记载虽然不少，但总体上来说比较零散，而唯其零散稀见，更显珍贵，需要研究者认真发掘利用。

3.《竹书纪年》和其他

《竹书纪年》是战国时期魏国的史书，西晋时出土于汲县（今河南汲县西南）。该书原无名题，后世因其所用体裁为编年体，文字载体为竹简，故称《纪年》，也称《竹书》，一般称为《竹书纪年》。

《竹书纪年》有13篇，叙述夏、商、西周和春秋、战国的历史，按年编次。周平王东迁后用晋国纪年，三家分晋后用魏国纪年，至"今王"二十年为止。此"今王"，一说为魏襄王，一说为魏安僖王。

《竹书纪年》为战国时魏国史书，魏之前身为晋，晋是春秋时期与北狄诸族接触最多的国家，故《竹书纪年》中多有关于其时北狄的记载。

此外，春秋战国时期的一些子部书，如《战国策》、《韩非子》等，也间有关于戎狄的史料。《战国策》记有田单攻狄之事，著名的赵武灵王胡服骑射的故事也出自《战国策》，一些策士们的说辞中也间有提及当时北方戎狄的名称、居地和一些国家的关系，可资考证。

后代的史著中，有关狄人的史事，司马迁的《史记》有较多的记载，如《五帝本纪》、《夏本纪》、《殷本纪》、《周本纪》、《秦本纪》、《晋世家》等，都有记述狄人的有关情况之处，资料多取自《左传》、《国语》等书，叙述间有不同，可以互相参证。

二、匈奴史料

匈奴是战国秦汉时期活跃在内蒙古高原上的主要北方游牧民族之一，统一了大漠南北，建立了游牧政权。中国的许多史籍都有匈奴历史活动的记载。

1.《史记》

《史记》，汉司马迁撰，是一部纪传体通史。初名《太史公书》，亦称《太史公记》、《太史记》。记事始于传说中的黄帝，讫于汉武帝，历史跨度三千余年，而详于战国、秦、汉。全书130篇，计本纪12篇、表10篇、书8篇、世家30篇、列传70篇，共52.65万字。

《史记》是诸种史籍中蕴涵匈奴史料最丰富的一种。《史记》虽为一部通史，但其内容是详今略古，于秦汉时期的历史记述尤详。而匈奴的全盛时期正在秦、汉，故欲寻检匈奴史料，首先要从《史记》入手。

《史记》卷一一〇《匈奴列传》记事上溯匈奴族源，止于汉武帝天汉四年（前79年）贰师将军李广利兵败降匈奴。于匈奴的起源、风俗习惯、生产方式、国家制度、单于更替、活动范围与秦汉王朝及其他相邻族国的关系等，无不记及，是集中记述匈奴史事的最早的专题著述。《史记》的各本纪，记五帝至汉武帝史事，按相关的年代顺序，都有涉及匈奴的记载。其诸世家、列传，记述战国秦汉时期重要历史人物的事迹，其中许多人物都曾与匈奴打过交道，他们的传记中所记的一些事迹更为生动具体，如《刘敬列传》、《李广列传》、《卫青列传》、《霍去病列传》等等。表书中亦不乏有关匈奴的记载。

《史记》是研究匈奴史的基本史料。

2.《汉书》

《汉书》，东汉班固撰。纪传体西汉史，100篇，计纪12篇、表8篇、志10篇、传70篇，后人析为120卷。记事始汉高祖刘邦起事，至王莽篡汉。

班固父班彪，沉重好古，曾撰写《史记后传》数十篇，续西汉武帝以后史事。班彪去世后，班固整理《后传》，参以《史记》，撰写《汉书》。和帝永元四年（92年）班固卒，尚有八表和《天文志》没有完成，后由其妹班昭及班昭的弟子马续编纂而成。

班固曾任兰台令史，负责掌管皇家图籍，典校秘书，有条件看到大量的图书资料，又以《史记》、《史记后传》为主要依据，因此，作为一代汉史的《汉书》，历史资料更为丰富。汉武帝中期以前的西汉历史，《汉书》虽然基本上移用了《史记》，但也增补了不少新的内容，如《贾谊传》增加了"治安策"，《晁错传》补入了"教太子疏"、"言兵事疏"、"募民徙塞下疏"、"贤良策"等。此外，还新立了一些篇目，纪传部分增加了《惠帝纪》和王陵、吴芮、蒯通、伍被、贾山、李陵、苏武等传。关于汉武帝中期以后的西汉历史，班固在后传的基础上，博采其他书籍，斟酌去取，缀集成篇。就保存的西汉历史资料来说，现存的史籍以《汉书》最为完备。

《汉书》专述西汉一代历史，记事止于西汉末，就汉代史事而言，远较《史记》为丰。《汉书·匈奴传》在篇幅上约相当于《史记·匈奴列传》的三倍，不仅在时段上续记了汉武帝中至汉末更始二年（24 年）的匈奴史事，而且对《史记》所记武帝中期以前的匈奴史事也有所增补。如，记匈奴王称号、官号，《史记·匈奴列传》载"置左右贤王，左右谷蠡王"，《汉书·匈奴传》则增入"单于姓挛鞮氏，其国称之曰撑犁孤涂单于。匈奴谓天为撑犁，谓子为孤涂，单于者，广大之貌也，言其象天单于然也"一段。《史记·匈奴列传》载"高祖崩，孝惠、吕太后时，汉初定，故匈奴以骄。冒顿乃为书遗高后，妄言。高后欲击之……"《汉书·匈奴传》则补入了冒顿妄言的具体内容："孤偾之君，生于沮泽之中，长于平野牛马之域，数至边境，愿游中国。陛下独立，孤偾独居。两主不乐，无以自虞，愿以所有，易其所无。"同时对高后的决策过程又增加了一些细节："高后大怒，召丞相平及樊哙、季布等，议斩其使者，发兵而击之。樊哙曰：'臣愿得十万众，横行匈奴中。'问季布，布曰：'哙可斩也！前陈豨反于代，汉兵三十二万，哙为上将军，时匈奴围高帝于平城，哙不能解围。天下歌之曰：平城之下亦诚苦，七日不食，不能彀弩。今歌吟之声未绝，伤痍者甫起，而哙欲摇动天下，妄言以十万众横行，是面谩也。且夷狄譬如禽兽，得其善言不足喜，恶言不足怒也。'高后曰：'善。'令大谒者张泽报书曰：'单于不忘敝邑，赐之以书，敝邑恐惧。退而自图，年老气衰，发齿堕落，行步失度，单于过听，不足以自污。敝邑无罪，宜在见赦。窃有御车二乘，马二驷，以奉常驾。'冒顿得书，复使使来谢曰：'未尝闻中国礼义，陛下幸而赦之。'因献马，遂和亲。"《史记·匈奴列传》载，孝文帝三年五月，"匈奴右贤王入居河南地，侵盗上郡葆塞蛮夷，杀略人民。于是孝文帝诏丞相灌婴发车骑八万五千，诣高奴，击右贤王"。《汉书·匈奴传》则补入了孝文帝的诏文："汉与匈奴约为昆弟，无侵害边境，所以输遗匈奴甚厚。今右贤王离其国，将众居河南地，非常故。往来入塞，捕杀吏卒，驱侵上郡保塞蛮夷，令不得居其故。陵轹边吏，入盗，甚骜无道，非约也。其发边吏车骑八万诣高奴，遣丞相灌婴将击右贤王。"

对于《史记·匈奴列传》的记载，《汉书·匈奴传》亦有节略与改动处。如，《史记·匈奴列传》载，孝文皇帝前六年（前174年），汉遗匈奴书曰："皇帝敬问匈奴大单于无恙。使郎中系雩浅遗朕书曰：'右贤王不请，听后义卢侯难氏等计，绝二主之约，离兄弟之亲，汉以故不和，邻国不附。今以小吏败约，故罚右贤王使西击月氏，尽定之。愿意寝兵休士卒养马，除前事，复故约，以安边民，使少者得成其长，老者安其处，世世平乐。'朕甚嘉之，此古圣主之意也。汉与匈奴约为兄弟，所以遗单于甚厚。倍约离兄弟之亲者，常在匈奴。然右贤王事已在赦前，单于勿深诛。单于若称书意，明告诸吏，使无负约，有信，敬如单于书。使者言单于自将伐国有功，甚苦兵事。服绣袷绮衣、绣袷长襦、锦袷袍各一，比余一，黄金饰具带一，黄金胥纰一，绣十匹，锦三十匹，赤绨、绿缯各四十匹，使中大夫意、谒者令肩遗单于。"《汉书·匈奴传》记作："……皇帝敬问匈奴大单于无恙。使系虖浅遗朕书，云'愿寝兵休士，除前事，复故约，以安边民，世世平乐'，朕甚嘉之。此古圣王之志也。汉与匈奴约为兄弟，所以遗单于甚厚。背约离兄弟之亲者，常在匈奴。然右贤王事已在赦前，勿深诛。单于若称书意，明告诸吏，使无负约，有信，敬如单于书。使者言单于自将并国有功，甚苦兵事。服绣袷绮衣、长襦、锦袍各一，比疏一，黄金饰具带一，黄金毗一，绣十匹，锦二十匹，赤绨、绿缯各四十匹，使中大夫意、谒者令肩遗单于。"节略了一些内容，一些词语也有不同，如"绣袷长襦"改为"长襦"，"锦袷袍"改为"锦袍"，"比余"改为"比疏"，"胥纰"改为"毗"，"锦三十匹"改为"锦二十匹"等。又，《史记·匈奴列传》载，"军臣单于立四岁，匈奴复绝和亲，大入上郡、云中各三万骑，所杀略甚众而去"。《汉书·匈奴传》则作"军臣单于立岁余"。

与《史记》一样，《汉书》的纪、志、表及其他人物传、民族传中，涉及匈奴史事的记载亦有很多。从高帝到哀帝诸纪，有关匈奴往来的大事全部摘要系入。《地理志》记载了匈奴故地河西四郡和北地郡的情况。与匈奴有直接关系的一些重要人物的传记如《韩王信传》、《卢绾传》、《陈平传》、《周勃传》、《灌婴传》、《贾谊传》、《晁错传》、《韩安国传》、《李广传》、《李陵传》、《苏武传》、《卫青传》、《霍去病传》、《张骞传》、《李广利传》、《霍光传》、《金日䃅传》、《赵充国传》、《傅介子传》、《常惠传》、《郑吉传》、《陈汤传》、《萧望之传》、《冯奉世传》、《王莽传》等；与匈奴有诸种关系的族国传，如《鄯善国传》、《罽宾传》、《大月氏传》、《康居国传》、《大宛国传》、《乌孙国传》、《渠犁传》、《卑陆后国传》、《郁立师国传》、《车师后国传》等等，都有关于匈奴史事详实而具体的记述，与《匈奴传》相辅相成。可以说，《汉书》是研究匈奴史的资料宝库。

西汉史书与《汉书》并行的有《汉纪》。《汉纪》30 卷，东汉荀悦撰。汉献帝认为班固的《汉书》文繁难读，建安三年（198 年），命荀悦撰写编年体的西汉史，建安五年成书，名《汉纪》。该书主要是剪裁删润《汉书》而成，内容基本不出《汉书》范围，但也间有增补，记事也偶有不同。可与《汉书》相互参检。

3.《后汉书》

《后汉书》，纪传体东汉史，120 卷，计纪 10 卷、传 80 卷、志 30 卷。纪、传为南朝宋范晔撰，志为晋司马彪撰，称《续汉志》。

《后汉书》之前，已经出现了多种后汉史著作。东汉明帝至灵帝年间，班固、刘珍、伏无忌、边韶、马日䃅、蔡邕等几代人相继撰述，写成了《东观汉记》，记事止于灵帝。此后，吴谢承和晋薛莹、司马彪、刘义庆、华峤、谢沈、张莹、袁山松、袁宏、张璠等都有关于东汉史的著述。范晔在各家著述的基础上斟酌去取，成一家之言，其中对《东观汉记》采摘尤多。计划中也如《汉书》撰写 10 志，因被杀而未及完成。范书记事简明扼要，疏而不漏，后来居上。因此，范书问世后，除袁宏《后汉纪》外，其他各家后汉史相继失传。

《后汉书》有《南匈奴传》，是记述匈奴史事的专题篇章。记事起于汉建武初期匈奴醢落尸逐鞮单于比，止于汉献帝建安二十一年（216 年）匈奴去卑归监其国；记述南匈奴附汉、北匈奴西迁等历史变迁，内容十分丰富，是记述东汉时期匈奴历史的最基本、最集中的史料。

同《汉书》一样，《后汉书》的纪、人物传、民族传中，多有关于匈奴史事的记载。从光武帝刘秀到汉献帝刘协诸纪，将有关与匈奴往来的大事全部摘要记入。与匈奴有直接关系的一些重要人物的传记，如《彭宠传》、《卢芳传》、《冯异传》、《臧宫传》、《吴汉传》、《耿弇传》、《王霸传》、《祭肜传》、《杜茂传》、《马武传》、《窦融传》、《窦固传》、《窦宪传》、《马援传》、《鲁恭传》、《郭丹传》、《郭伋传》、《张堪传》、《廉范传》、《苏章传》、《郑众传》、《班固传》、《乐恢传》、《何敞传》、《袁安传》、《班超传》、《班勇传》、《梁懂传》、《李恂传》、《庞参传》、《陈禅传》、《桥玄传》、《崔骃传》、《种暠传》、《皇甫规传》、《袁谭传》、《袁术传》、《董祀妻传》等；与匈奴有诸种关系的族国传，如《西域传》、《乌桓传》、《鲜卑传》等等，关于匈奴史事的记述更为详实具体，与《南匈奴传》相辅相成，共同勾勒出整体化的匈奴史。

《后汉书》之前著名的东汉史是《东观汉记》。《东观汉记》是东汉人经过数代的经营编撰而成。因设馆修史在东观而得名。记事始光武帝，讫灵帝。参加编撰的先后有汉明帝时的班固、陈宗、尹敏、孟异，安帝时的刘珍、李尤、刘騊駼、伏无忌、黄景，桓帝时的边韶、崔寔、朱穆、曹寿，灵帝时的马日磾、蔡邕、杨彪、卢植、韩说等，多是当时著名的官员和学者，且有丰富的文书档案为依据，质量很高，曾与《史记》、《汉书》并称"三史"。范晔撰《后汉书》，《东观汉记》是其主要依托。因此利用《后汉书》时当与《东观汉记》互检互参。

4.《三国志》与裴松之注

《三国志》，记述魏、蜀、吴三国历史的纪传体史书。晋陈寿撰，65卷，计魏书30卷，蜀书15卷，吴书20卷。《三国志》成书前，有关魏、吴两国的史事已有一些史书，如王沈《魏书》、鱼豢《魏略》、韦昭《吴书》等，此三书当是《三国志》所依据的基本材料。当时蜀国尚无史书，资料当由作者自己采录。

《三国志》以曹魏为正统，魏志列在全书之首。吴、蜀君主即位，都记以魏国的年号，以明正朔所在。

《三国志》对三国时期的政治、经济、军事上有影响的人物，以及在学术思想、文学、艺术、科学技术上有贡献的人，都有记载，此外也记载了少数民族以及相邻族国的历史，如《乌丸传》、《鲜卑传》等。但总体来说，失于简略。

《三国志》的缺失赖裴松之的注得到了弥补。裴松之字世期，河东闻喜（今属山西）人，祖父时已迁居江南。南朝宋初官中书侍郎，奉命作《三国志注》，元嘉六年（429 年）成书。裴注搜罗广博，引书首尾完整，不加剪裁割裂。所引用的书达 140 余种，其中 90% 以上是今天已经亡佚的，篇幅也超过了原书。于三国时期的史料，裴注的重要性不下于《三国志》本书。

《三国志》没有匈奴的专题传记。但在诸纪传中，特别是魏国的纪传中多附有匈奴史事。如，《武帝纪》载有建安三年（198 年）曹操击匈奴於扶罗于内黄事，二十一年匈奴南单于呼厨泉率其各王来朝及汉使右贤王去卑监其国事。《文帝纪》载有黄初元年（220 年）十一月更授匈奴南单于呼厨泉魏玺绥，并赐青盖车、乘舆、宝剑、玉玦事。《明帝纪》载有太和五年（231 年）复置护匈奴中郎将事及青龙元年安定保塞匈奴大人胡薄居姿职等叛魏事。他如《张杨传》、《钟繇传》、《张既传》、《陈泰传》、《孙礼传》、《田豫传》、《乌丸传》、《鲜卑传》等都载有与匈奴有关的事迹。

5.《晋书》及其他

《晋书》是记述西晋、东晋历史的纪传体史书。唐初史馆所修，130 卷，计本纪 10 卷，志 20 卷，列传 70 卷，载记 30 卷。叙事自司马懿始，止于刘裕取代东晋。对同时期各地的割据政权十六国史事亦予以记述。

自西晋末年，历东晋、南朝，不断有人编著晋史，多达数十种。唐修晋书时，有关晋朝的史书尚存者有 18 家，其中有的只叙述西晋一段，有的虽记述到东晋而未完，有的只记述东晋几朝。只有南齐臧荣绪的《晋书》涵盖了西晋、东晋，分纪、录、志、传 4 部分，共 110 卷，最为完备。南朝宋谢灵运、梁沈约也都著有《晋书》。唐修《晋书》完成后，这些旧的晋史著作逐渐亡佚，十多家《晋书》中现在只有少数有清人辑本。

贞观二十年（646 年），唐太宗李世民下诏撰修《晋书》，到二十二年成书。主持《晋书》编纂工作的是房玄龄、褚遂良和许敬宗。分头执笔的有中书舍人李义府、起居郎上官仪等。最后由令狐德棻、敬播等审阅订正。全书体制多取决于令狐德棻。《晋书》题作唐太宗文皇帝御撰，这是因为《晋书》中有《宣帝（司马懿）纪》、《武帝（司马炎）纪》、《陆机传》、

《王羲之传》的四篇论赞是出于唐太宗之手。

唐修《晋书》，主要以臧荣绪的《晋书》为依据，又采择诸家旧史和晋代文集中的材料，以及《十六国春秋》、《世说新语》、《搜神记》等书。唐代以前的纪传体史书中，对于在今天中国境内建立过政权的少数民族的历史，大都将之归入列传，排在末尾。南北朝时所修史书中，南北政权更是互相贬低，南朝称北方为索虏，北朝称南方为岛夷。东晋时，北方各族（主要是匈奴、鲜卑、氐、羌）在北方、东北、西北、西南纷纷建立政权，有五凉（前凉、后凉、南凉、西凉、北凉），四燕（前燕、后燕、南燕、北燕），三秦（前秦、后秦、西秦），两赵（前赵、后赵），夏，成汉等十六国。除前凉、西凉外，《晋书》把它们的历史作为纪传以外的独立部分，称为载记。载记之名始于班固撰述后汉史事，书已不传。在二十四史中，载记是《晋书》所特有的体裁。

《晋书》是记载匈奴内迁后的历史内容最丰富的一部官修正史。《晋书》中《四夷传·匈奴传》是中国纪传体正史中最后一种关于匈奴族的传记，记述魏晋时期匈奴入居内地与汉族杂处，以及中原政权对他们的政策措施等情况，对入居中原后的匈奴种落、匈奴贵姓、各级王号、官号都有明确的记载。同时，对出身于匈奴族的一些著名人物，如刘元海、刘聪、刘曜、沮渠蒙逊、赫连勃勃等都撰有载记，记述他们的出身、事迹及所建立政权的情况。此外，在其他民族首领如石勒、慕容廆、慕容儁、皇甫真、苻坚、姚泓、吕光记、乞伏乾归、秃发傉檀等的载记中，也记有他们与匈奴的族缘、相互关系，以及在同一个历史时期相关的一些重大历史活动等。

到十六国时期末，匈奴作为一个历史上曾经强大的北方民族已经衰微了。但它的历史影响是深远的，故而南北朝时期的史书，如《魏书》有匈奴人刘聪祖孙父子的传记，匈奴宇文莫槐传、羯胡石勒传记、卢水胡沮渠蒙逊传记，有关西域的悦般传、粟特传、小月氏传、康国传，北方的蠕蠕传、高车传均有涉及匈奴的记载。《周书》、《宋书》、《南齐书》、《梁书》、《南史》、《北史》以至《隋书》等史书中，也可看到与匈奴有关的记载。

有关匈奴历史的史籍非常多，除上述基本史籍外，可数者尚有荀悦《汉纪》，刘珍《东观汉记》、袁宏《后汉纪》、佚名《晋纪》，魏晋以前的子书、文集，以及汉简、金石碑录等。这里有必要将汉简的情况作一点说明。

6. 汉简

汉简是指两汉时代遗留下来的简牍。北周时就有人在居延地区发现过汉代"竹简书"。近代以来发现更多。1901 年，斯文赫定在新疆罗布泊北部的一个古遗址里发现了一批魏晋木简和字纸，斯坦因在新疆民丰北部发现了魏晋简。1906 年，斯坦因又在新疆民丰县北部的尼雅遗址发现了少量汉简。次年，他又在甘肃敦煌县一带的汉代边塞遗址里发现了 700 多枚汉简。此后陆续有汉简出土，70 多年来共发现 4 万余枚。已发现的汉简根据出土情况可分为两大类，一类是在汉代西北边塞地区遗址里发现的，可简称为边塞汉简，一类是在汉墓里发现的，可简称为墓葬汉简。

边塞汉简主要有敦煌汉简、居延汉简和罗布泊汉简。自 1907 年斯坦因在敦煌附近发现汉简后，1914 年又在甘肃的敦煌、安西、酒泉、鼎新（毛目）等地的汉代边塞遗址里发现了 170 余枚；1944 年夏鼐等人对敦煌小方盘城以东的汉代边塞遗址进行考察，掘获汉简 43 枚；1979 年，考古工作者在敦煌小方盘城以西的马圈湾汉代烽燧遗址里发现汉简 1 200 余枚；1977 年和 1981 年，考古工作者还分别在酒泉西北的玉门辖地花海农场和敦煌酥油土两地的汉代烽燧遗址里采集了一些汉简。这些汉简是在敦煌周围地区发现的，习惯上统称为敦煌汉简。1930—1931 年，中国、瑞典学者合组的西北科学考察团在甘肃、内蒙古境内的额济纳河两岸和内蒙古额济纳旗黑城东南的汉代边塞遗址里发现汉简 1 万枚左右；1973—1974 年，甘肃居延考古队在破城子（居延都尉所属甲渠候官治所遗址）和肩水金关遗址等地进行试掘，获汉简近 2 万枚；1976 年，甘肃省博物馆文物队等单位组织调查组，沿额济纳河下游，在居延地区进行了广泛调查，获汉简 164 枚；1999 年至 2002 年间，内蒙古自治区文物考古研究所在额济纳旗汉代烽燧遗址采获 500 余枚。这些汉简的发现地因在汉代居延地区，习惯上统称为居延汉简。1930 年，考察团还在甘肃鼎新以西的北大河沿岸汉边塞遗址里发现了少量汉简，这段边塞汉属酒泉郡，这少量的汉简也可归入居延汉简。1930—1934 年，黄文弼在新疆罗布泊北岸的汉代防戍遗址里掘获西汉宣、元、成诸帝时木简 71 枚，称罗布泊汉简，因其出土地点接近楼兰遗址，也有人称之为楼兰汉简。边塞汉简通常发现于边塞地区的官署（如都尉、候官治所等）和烽燧的遗址里，有的是当时的边吏有意保存起来的，有的是作为垃圾抛弃的。内容主要是公家的各种文书和簿籍，还有与吏卒生活有关的私人书信、衣囊封检、历谱、医方、占书、九九表、字书以及其他书籍等等。简的年代起自西汉中期（武帝后期），迄于东汉后期，中间包括王莽新朝和更始时期。已发表的汉简上的明确纪年，最早的是武帝天汉二年（前99年），最晚的是顺帝永和二年（137年）。

墓葬汉简是从20世纪50年代起开始陆续被发现的，比较重要的有以下几批：1959年7月，甘肃省武威县磨咀子6号汉墓出土竹木简500枚左右；1972年，湖南省长沙马王堆1号汉墓（下葬年代约当文帝晚年）出土竹简312枚；1972年4月，山东省临沂银雀山1号汉墓（约当武帝初期）出土竹简6 000枚左右；1972年，甘肃省武威旱滩坡汉墓（约当东汉前期）出土医方简牍一批；1973年，河北省定县40号汉墓（为西汉晚期的中山王墓）出土一批已经炭化的残碎竹简；1973年和1975年，考古工作者在湖北省江陵县凤凰山的西汉前期墓地发现了竹简和木牍；1973年发掘长沙马王堆3号汉墓（文帝十二年下葬）得竹木简600余枚（包括少量木牍）；1977年，安徽省阜阳县双古堆1号汉墓（约当文帝时）出土竹简一批；1978年7月，青海省大通县上孙家寨115号汉墓（约当西汉晚期）出土残木简400枚；1983年12月至1984年1月，江陵张家山247号、249号、258号三座西汉前期墓出土大量竹简。

汉墓出土的汉简，多为古书，对文献研究、历史研究有很高的价值。而作为内蒙古地区史史料来说，边塞汉简更具价值。特别是居延和敦煌地区，汉代是防御匈奴的要塞。城塞烽燧中出土的简牍，多是该处的档案遗存，对考查汉代防御匈奴的边防设施、军人生活、生产及军事活动很有用途，其中亦有涉及匈奴史事的资料，如1999—2002年在额济纳发现的汉简中，有王莽登基诏书、分封单于诏书。已整理出版的边塞汉简有《居延汉简甲乙编》（中国社会科学院考古所编）、《额济纳汉简》（魏坚主编，2005年4月，广西师范大学出版社）。目前，汉简资料用于汉代北方民族史和内蒙古地区史的研究还很不够，有待于进一步整理利用。

林幹先生积数十年之所获，编成《匈奴史料汇编》上下二册，由中华书局于1988年出版，颇便于利用。

三、乌桓、鲜卑史料

乌桓、鲜卑是与匈奴同时期活跃在内蒙古高原上的北方游牧民族，汉文文献简略记载了他们的历史。

（一）乌桓史料

东胡被匈奴击破以后，分化出乌桓和鲜卑。东胡史料十分零散，《逸周书·王会篇》、《史记·匈奴列传》、《汉书·匈奴传》等分别记载了东胡的地望及其与匈奴的关系等，从而使我们可以大体知道它的活动地域和历史简况。

乌桓的历史比较长，自汉代至魏晋南北朝的正史如《史记》、《汉书》、《后汉书》、《三国志》、《晋书》、《宋书》、《魏书》、《周书》、《南史》、《北史》，以至更后一点的《隋书》、《旧唐书》、《新唐书》等均有关于乌桓史事的记载。其中以《后汉书》的记载最为丰富。

《后汉书》首次为乌桓立传，其《乌桓鲜卑传》记乌桓事，起于匈奴冒顿单于灭东胡，乌桓退踞乌桓山，止于东汉献帝建安十二年（207 年）曹操征乌桓，大破蹋顿于柳城，余众万余落悉徙居中原。《后汉书》诸帝纪中都记有乌桓史事。人物传中，如《邓训传》、《吴汉传》、《耿弇传》、《耿国传》、《耿夔传》、《耿恭传》、《王霸传》、《祭肜传》、《马武传》、《窦固传》、《窦宪传》、《马援传》、《郑众传》、《度尚传》、《梁慬传》、《陈龟传》、《种暠传》、《卢植传》、《张奂传》、《刘虞传》、《袁绍传》、《袁谭传》等，都记有这些人与乌桓作战、管理、建策等方面的事迹。民族传如《西羌传》、《南匈奴传》则记有乌桓与这些民族的往来关系。《百官志》中记有汉护乌桓校尉的设置、职掌等。

《三国志·魏书》亦有《乌丸（桓）鲜卑传》，但记事较为简略。值得重视的是裴松之注引的王沈《魏书》等对乌桓史事的记载，有比《后汉书·乌桓传》更丰富的内容。关于乌桓的大量史事还具体地记载在相关帝纪和人物传中，主要是魏国的纪传。如《武帝纪》、《明帝纪》、《公孙瓒传》、《公孙度传》、《田畴传》、《郭嘉传》、《杜恕传》、《任城王曹彰传》、《裴潜传》、《田豫传》、《牵招传》、《毌丘俭传》等。

《晋书》也是一部有关乌桓史料的基本史籍。《晋书》没有乌桓的专传，但在帝纪中都载有关于乌桓的史事。特别是在一些人物传记中，如《卫瓘传》、《张华传》、《王浚传》、《唐彬传》、《成都王司马颖传》、《刘琨传》、《刘弘传》等都较具体地记述了他们经理乌桓事务的事迹。此外，出身于北方民族并建立过政权的民族首领的载记，如《刘元海载记》、《石勒载记》、《慕容皝载记》、《苻坚载记》、《姚襄载记》、《慕容盛载记》、《慕容德载记》等，都记载有他们在各个时期与乌桓的种种关系。

《魏书》、《周书》、《南史》、《北史》、《隋书》、两《唐书》亦有记及乌桓者，多数是讲出身于乌桓的人物的事迹。

（二）鲜卑史料

鲜卑与乌桓同出于东胡，但它的历史更长，尤其是因为它的部系较多，诸部还曾建立过自己的政权，如北魏、北齐、北周、燕、吐谷浑等，所以有关鲜卑的史料是比较丰富的，涉及史书的面也是很宽的。

同乌桓史料一样，自汉代至魏晋南北朝的正史如《史记》、《汉书》、《后汉书》、《三国志》、《晋书》、《宋书》、《南齐书》、《梁书》、《陈书》、《魏书》、《北齐书》、《周书》、《南史》、《北史》，以至于稍后一点的《隋书》、《旧唐书》、《新唐书》等均有关于鲜卑史事的记载。其中《后汉书》、《三国志》、《宋书》、《南齐书》等有鲜卑专传，《晋书》等有鲜卑人物载记，《魏书》、《周书》则是记述鲜卑政权的正史，自然当以其所建立的王朝的正史的记载最为全面系统。

1. 《魏书》

《魏书》是记述北魏及东魏历史的纪传体史书，魏收撰。124 卷，计本纪 12 卷，列传 92 卷，志 20 卷。自北魏末经东魏到北齐，魏收参与修史达二十余年。前后协助其修史的有房延祐、辛元植、刁柔、裴昂之、高孝干、綦毋怀文、睦仲让等。

北魏作为一个北方民族拓跋鲜卑建立的王朝，继承了汉族王朝的修史传统，十分重视修史工作。自魏道武帝拓跋珪以来，修国史和起居注的工作始终没有间断。从开国到孝明帝末年部分，《魏书》编撰皆有所凭借，沿用旧史。北魏末和东魏共约 20 年间的事迹，是魏收重新搜集资料编写的。为编写东晋和十六国各传，他利用了崔鸿《十六国春秋》、孙盛《晋阳秋》、檀道鸾《续晋阳秋》等史著。沈约的《宋书》和萧子显的《南齐书》，魏收修史时也可能见到过。

《魏书》根据鲜卑族前无正史的实际，本纪中先作《序纪》，述道武帝之前该民族发展的历史。又根据魏晋以后，佛教逐渐兴盛，其影响深入中国的社会、思想、文化之中，道教也在政治、社会方面起相当作用，设《释老志》，是该史有卓识的创举。北魏时鲜卑部族繁衍，太和以后又有改鲜卑姓为汉姓之举。魏收师法汉人氏族谱牒之意，结合北方民族部落族姓的风俗习惯，设《官氏志》，于百官之外兼志氏族，是适应时代特征的处理方法，为后人研究北魏历史提供了极大方便。《魏书·地形志》记当时所设的行政建置，对在内蒙古区域内设置的州郡及军镇均有记述。

《魏书》成于北齐，北齐继承东魏，故魏收不得不以东魏为正统，因而有不少挂漏，对高欢多有溢美自不必说，即如地形志，不以北魏最盛的宣武帝延昌年间版图为依据，反而采用偏安的东魏武定之世为标准，给后代研究北魏历史造成很大困难。传说魏收恃才傲物，利用修史凌侮别人，"迁怒所至，毁及高曾"，因而不少人诉其不公平，称其书为"秽史"。实际上，作为封建史家，在政治上的荦荦大端，魏收的观点和当时统治阶级公认的看法是相一致的。例如有人说他因受金而为尔朱荣作佳传。但《魏书·尔朱荣传》中对其专横残暴以及给魏朝统治带来的祸害，都有充分的描述和足够的谴责。"秽史"之说，只是一些门阀士族斤斤计较于自己祖先在书中的反映，并不完全符合事实。

《魏书》原分为131卷，北宋时，例目一卷和纪传志中的29卷已亡佚。今本卷三《太宗纪》和《天象志》的三、四两卷是宋人分别用隋魏澹《魏书》和唐张太素《魏书》所补。其余各卷乃用《北史》、高峻《小史》（亦称《高氏小史》）、《修文殿御览》所补。另有29卷中也还有缺文。今通行本为中华书局标点本。

作为鲜卑族所建王朝的正史，《魏书》无疑是研究鲜卑史的最基本的史料，必须仔细研读。

2. 《北齐书》

《北齐书》是记述北朝高齐一代历史的纪传体史书，唐李百药撰。50卷，计本纪8卷，列传42卷。李百药父李德林，北齐时参预国史修纂，完成纪、传27卷。隋开皇初，奉诏续撰，增为38卷。唐贞观元年（627年），李百药为中书舍人，又受诏撰齐书。他根据李德林的旧稿，杂采他书，扩充改写为50卷，贞观十年成书。

《北齐书》原名《齐书》，自宋代始，加北字以与《南齐书》相区别。北宋时该书已残缺不全，今本第四、十三、十六至二十五、四十一至四十五，共17卷是李氏原书，其余是后人用《北史》、高峻《小史》所补。大体上，纪传中有史臣论和赞，并称高祖、世宗、显祖、肃宗、世祖等庙号者，是李书原文，称谥号如神武、文襄、文宣、孝昭、武成的部分，则出于《北史》。50卷之中，1卷有赞无论，5卷有论无赞，19卷论赞全缺。今通行本为中华书局标点本。

北齐的建立者高欢是一个鲜卑化了的汉人，他建立的北齐是一个鲜卑与汉族贵族联合统治的王朝，《北齐书》也是研究鲜卑史的基本史料。

3.《周书》

《周书》是记述北朝宇文周一代历史的纪传体史书，唐令狐德棻等撰。共50卷，计本纪8卷、列传42卷。唐初，令狐德棻建议修梁、陈、齐、周、隋五朝之史。唐高祖采纳了他的意见，并于各史都委派了主持人，开始工作。但时过数年，修史事业未能成功。贞观三年（629年），唐太宗李世民又下令修撰梁、陈、齐、周、隋五代史，周史由令狐德棻和秘书郎岑文本负责，令狐德棻又推荐殿中侍御史崔仁师协助。贞观十年成书。

《周书》到北宋时已残缺不全，今本每卷纪传都有史臣论，而第十八、二十四、二十六、三十一、三十二共五卷缺史臣论，大约不是令狐德棻的原本。其中三十一、三十二两卷全用《北史》的相关记载。二十四、二十六两卷大约是用高峻《小史》所补，而第二十四卷脱漏尤多。今通行本为中华书局标点本。

《周书》是鲜卑族宇文部所建王朝的正史，无疑也是研究鲜卑史的基本史料。

4.《宋书》、《南齐书》、《梁书》和《陈书》

《宋书》是记述南朝宋一代历史的纪传体史书，梁朝沈约撰。100卷，计本纪10卷、志30卷、列传60卷。

《南齐书》是记述南朝萧齐一代历史的纪传体史书，梁朝萧子显撰。全书60卷，现存59卷，计本纪8卷、志11卷、列传40卷，所佚的1卷大约是含有作书义例和目录的序录，某些传中也有缺文。

《梁书》是记述南朝萧梁一代历史的纪传体史书，唐姚思廉撰。56 卷，计本纪 6 卷、列传 50 卷。

《陈书》是记述南朝陈朝历史的纪传体史书，唐姚思廉撰。36 卷，计本纪 6 卷、列传 30 卷，是二十四史中卷帙最少的一部。

南朝的宋、齐、梁、陈是与北朝的魏（包括东魏、西魏）、北齐、北周等鲜卑族为主体的王朝同时代顺次更迭的四个汉族王朝。四朝的史书对其与北方诸王朝的政治、经济、军事往来记载颇多，故而也是研究鲜卑史的基本史料。《宋书》有《索虏传》，《南齐书》有《魏虏传》，是记述鲜卑史事的专篇；虽以丑名相呼，记载也不无传闻失实之处，但其中也有北人所撰北朝史书中所没有的材料。有《吐谷浑传》，是记载鲜卑慕容部一支史事的专篇。此外诸书的帝纪中都记有与北朝、北族交往的史事，人物传中有许多人是直接或间接地与北朝、北族打过交道的人，传记中记有不少与北朝、北族有关事迹的具体情节。其于北族鲜卑，或称"索虏"，或称"魏虏"，或直书其族名、姓氏、国号，如鲜卑、吐谷浑、拓跋、慕容、燕等。仔细检索、融会，会有深入的发现与理解。

5. 《北史》

《北史》是记述北朝（北魏、东魏、西魏、北齐、北周、隋）历史的纪传体史书，唐李延寿撰。100 卷，计魏本纪 5 卷、齐本纪 3 卷、周本纪 2 卷、隋本纪 2 卷、列传 88 卷。记述从北魏登国元年（386 年）到隋义宁二年（618 年）的历史。该书为汇合并删节记载北朝历史的《魏书》、《北齐书》、《周书》而成。《魏书》等史书中所含鲜卑及其他北方民族史料、南北朝时期内蒙古区域史史料均在其中有所反映。《北史》的撰著始于李延寿父李大师。李氏世居北方，见闻较近，所以《北史》中不见于其他正史的材料较《南史》稍多。如据魏澹《魏书》新增西魏三帝纪及后妃等传。所增北齐史事中有很多有意义的轶事，且多口语。在编纂体制方面，以西魏为正统，与魏收所撰《魏书》不同。今通行本为中华书局标点本。

6. 《南史》

《南史》是汇合并删节记载南朝历史的《宋书》、《南齐书》、《梁书》和《陈书》而成的纪传体史书，唐李延寿撰。计《宋本纪》3 卷、《齐本纪》2卷、《梁本纪》3卷、《陈本纪》2卷、列传70卷，共80卷。李延寿父李大师，熟悉前代旧事，认为南北朝互相隔绝，各朝史书详于本国而略于他国，有褒贬不当和失实之处，因而有意按编年体记述南北朝史事，未成书而死。李延寿继承父志，记述从宋永初元年（420年）到陈祯明三年（589年）的史事，称为《南史》，书成于显庆四年（659年），与所纂《北史》并行于世。

《南史》没有采取编年体，而是把南朝各史的纪传汇合起来，删繁就简，以便阅读。南朝各史所载鲜卑、吐谷浑等史事同样见于《南史》。今通行本为中华书局标点本。

《南史》、《北史》是与南朝四史和北朝三史相辅互参的两部史书，就鲜卑史史料而言，与南朝四史和北朝三史具有同样的价值。

7.《十六国春秋》

《十六国春秋》是记述魏晋南北朝时期割据政权十六国历史的纪传体史书，北魏崔鸿撰。西晋灭亡后，晋室南渡，中原地区遂有匈奴族刘渊、羯族石勒、鲜卑族慕容廆、氐族苻坚等先后建立的割据政权，史称十六国。其中大多统治过内蒙古地区。这些政权虽各有本国史书，但体例不同，详略互异，不相统一。于是崔鸿根据旧有记载，增损褒贬，撰成《十六国春秋》。宣武帝景明（500—503年）初年开始撰写，到正始三年（506年），除成汉以外，完成了95卷。成书后共100卷，另有序例1卷、年表1卷。魏收撰《魏书》，唐修《晋书》，都曾参考过该书。到北宋时，该书已残缺不全，只剩20余卷。司马光撰《资治通鉴》时，所见已非全书。现在传世的《十六国春秋》有三种：一为明代屠乔孙、项琳之等人所编的百卷本，托名崔鸿，其实是以《晋书·载记》、《资治通鉴》以及《艺文类聚》、《太平御览》等涉及十六国史事的资料补缀而成，被人们称为"屠本"；二为何镗等所刊《汉魏丛书》中保存的16卷本，十六国各为一录，是明人依据《晋书·载记》编排而成，被人们称为"何本"；三为清代汤球所辑的《十六国春秋辑补》，他以"何本"为底本，又补以各种类书中所引佚文，所辑大多注明出处，是研究十六国史的重要参考书。

《十六国春秋》是一部国别史，其中所述的代国是鲜卑族拓跋什翼犍所建立的政权，前燕是鲜卑慕容皝所建立的政权，后燕是鲜卑慕容垂所建立的政权，西燕是鲜卑慕容泓所建立的政权，南燕是鲜卑慕容德所建立的政权，西秦是鲜卑乞伏国仁所建立的政权，南凉是鲜卑秃发乌孤所建立的政权。这些政权的历史都是鲜卑史的专题史料。原本散佚，至为遗憾，今存后人辑本，亦可资参考。

第三节　魏晋南北朝隋唐时期内蒙古地区史史料

这一时期史书记载的内蒙古地区的游牧民族主要有柔然、高车（敕勒）、铁勒、突厥、回纥、契丹、奚、室韦等族；北朝、隋唐等分别对内蒙古地区实施了管辖。正史中的记载有详有略，通过这些史料可以大体知道这一历史时期内蒙古地区的发展脉络。

一、柔然史料

柔然是南北朝时期强大的北方民族，其所建立的汗国存在了近两个世纪，因此，南北朝以至隋唐时期的各朝史籍中都有关于柔然史事的记载。《魏书》、《南史》、《北史》有《蠕蠕传》，《南齐书》、《梁书》有《芮芮传》，为柔然史的专篇。《魏书·蠕蠕传》在叙述了柔然的起源后，记事始于其首领车鹿会，讫于北魏末阿那瑰献爱女于齐献武王，记载了柔然诸汗的更替、社会组织、风俗习惯，以及与北魏的和战、政治经济方面的交往等史事。其他纪、传、志当中也多有柔然史料。《魏书》是研究柔然史的最基本史料。《南史·蠕蠕传》内容较简略，只略述了柔然的风俗及其与南朝宋、齐、梁的几次来往。《北史·蠕蠕传》记事始于传说中的木骨闾，讫于西魏恭帝二年，内容丰富，可与《魏书·蠕蠕传》相互参稽。《南齐书·芮芮传》亦很简略，称柔然为"塞外杂胡"，与北魏为仇敌。记载有柔然向南齐"频遣使贡献貂皮杂物"，并"求医工等物"，以及其在北魏与丁零的夹攻下灭亡等情节。《梁书·芮芮传》亦很简略，称柔然为"匈奴别种"。记及其为丁零所破后，"更为小国而南移其居。天监（503—519 年）中，始破丁零，复其旧土。始筑城郭，名曰木末城"的情况，及到大同七年（541 年）与南朝梁尚有往来等情节。

二、高车（敕勒）、铁勒史料

《魏书》有《高车传》，高车为敕勒之别名。该传所记高车之族姓、史迹与他书多异，值得研究。

隋唐时期，高车（敕勒）又被记称为铁勒。《隋书》、《北史》、《旧唐书》有《铁勒传》，是铁勒史的专篇。《隋书·铁勒传》记述了铁勒的族源、居地、种姓及分布、风俗等，并说其时"并无君长，分属东、西两突厥。居无恒所，随水草流移"。"自突厥有国，东西征讨，皆资其用，以制北荒"。以下便简略地叙述了其在北方诸族的颉颃斗争中的兴衰分合等情况。《北史·铁勒传》内容简略，言其为"匈奴之苗裔"，并记其种姓人口居地分布，初为突厥汗国所用，隋开皇（581—600 年）末，破步迦可汗，部落分散，以及其后反抗突厥处罗可汗等情况。《旧唐书·铁勒传》记载了隋大业（605—617 年）中至唐高宗永徽（650—655 年）年间铁勒诸部的变迁及与唐朝的往来。《新唐书》没有为铁勒作专传，铁勒的事迹分别记在《突厥传》、《回纥传》及其他纪、表、志、传中。

其他史籍中又有以蝚蠕、茹茹之名出现者。北朝四史（《魏书》、《北齐书》、《周书》、《北史》）和南朝五史（《宋书》、《南齐书》、《梁书》、《陈书》、《南史》）的纪、志、传中遍布有关柔然和高车（敕勒）、铁勒史事的记载。尤其是北方如突厥，西方如高昌的传记，所记更有价值。

两《唐书》有《仆固怀恩传》。仆固怀恩是出身于铁勒仆骨部的一位唐代重要人物。其祖父为铁勒九姓仆骨部大首领歌滥拔延，贞观中附唐，被授为右武卫大将军、金微都督。仆固怀恩曾随郭子仪平定"安史之乱"，立功迁尚书左仆射兼中书令、河北副元帅、朔方节度使，加太子少师，进拜太保，赐铁券，画象凌烟阁。后因同僚谗毁，起异心，被削夺兵权。史言其"恶不能改"，诱吐蕃军入塞，病死于灵武。该人的行事，也是铁勒史上有价值的一笔。

三、突厥回纥史料

突厥与回纥先后兴起于南北朝时期，至隋唐时期最为活跃，因而有关突厥、回纥的基本史料，最基本的就是晋南北朝和隋唐时的史书。晋和南北朝时期的正史，已如前述，《隋书》、两《唐书》有《突厥传》、《回纥传》，兹将《隋书》、《唐书》介绍一下。

1. 《隋书》

《隋书》是记述隋朝历史的纪传体史书，唐初史馆所修。85 卷，计帝纪 5 卷，志 30 卷，列传 50 卷。记事始于隋文帝开皇元年（581 年），讫于恭帝义宁二年（618 年），共 38 年的历史。唐太宗贞观三年（629 年），颜师古、孔颖达、许敬宗等人奉敕编撰《隋书》，纪传由魏徵监修，贞观十年完成，"隋史序论，皆徵所作"。志 10 篇，由于志宁、李淳风、李延寿、颜师古等人分修，令狐德棻监修，唐高宗永徽三年（652 年）改由长孙无忌监修，到显庆元年（656 年）修成。《天文》、《律历》、《五行》3 篇志由李淳风执笔，《地理志》由颜师古撰写。

唐人修《隋书》，吸收了隋王劭《隋书》、王胄等《大业起居注》等成果，记述文帝、炀帝、恭帝史事颇详，记有不少重要史料。《隋书·突厥传》是记载突厥史的专篇，续《周书·突厥传》，就其起源、风俗、发展有所记述，讫于隋末。《长孙晟传》叙隋与突厥交涉往来，反映两个政权的实力消长。《西域传》第一次记载昭武九姓诸国，为研究西域历史提供了新的资料。唐初编撰的《梁书》、《陈书》、《周书》、《北齐书》和《隋书》都只有纪传，而无志，为了填补这一缺漏，后来编写了《五代史志》，单独成书，与五史配合。后编纂《隋书》时又将其编入《隋书》，故《隋书》的志内容十分丰富。《地理志》以隋炀帝大业五年（609 年）的地理状况为准，记载全国郡县户口、山川形势、建置沿革，以及各地区的风俗、物产，并提供了当时国内外交通状况的重要资料，其中有隋朝在内蒙古设置州郡进行统治的史料。

《隋书》最早有北宋天圣二年（1024 年）刻本，已失传。另有南宋嘉定间刻本，残存 65 卷。元朝大德年间饶州路刻本较好，百衲本《隋书》即据此影印。清乾隆年间武英殿刊本较为流行。1973 年中华书局校点本就是依据以上数种版本校勘整理而成，是目前最好的通行本。

2. 《旧唐书》

《旧唐书》是记述唐朝历史的纪传体史书，五代后晋时刘昫、张昭远等撰。200 卷，计帝纪 20 卷，志 30 卷，列传 150 卷。记事始于唐高祖武德元年（618 年），讫于哀帝天佑四年（907 年），共 290 年史事。《旧唐书·地理志》对唐朝在内蒙古及周边地区设置的行政建置有具体记述，是研究唐朝统治管理古代内蒙古的基本资料。

唐朝建立了新帝为先帝修实录的制度，自唐初以来便在实录基础上撰写国史。吴兢撰成《唐书》65 卷（一说 98 卷），韦述又补遗续缺，撰成国史 112 卷。其后，柳芳等人又有续作。因《武宗实录》不全，以后历朝实录也没有修成，造成史事缺略。后梁、后唐两代都曾注意征集唐史资料，后晋贾纬以所搜集的遗文和故旧传说等编成《唐年补录》65 卷。后晋高祖石敬瑭天福六年（941 年）二月下令编修唐史，以宰相赵莹为监修。赵莹挑选文士，拟订了完整而庞大的搜集资料和编写计划，在唐国史的基础上，利用当时所收集的晚唐史料加以缀补，撰成了《唐书》，即《旧唐书》。《旧唐书》的编撰比较粗疏，对实录、国史的原文未作必要的修改，对史官们采访所得的武宗以后的资料，事无巨细，全数收录。但也因此保存了大量原始的历史资料。司马光编写《资治通鉴·唐纪》时，充分采用了《旧唐书》。

今通行本为中华书局 1975 年校点本。

3.《新唐书》

《新唐书》也是记述唐朝历史的纪传体史书，北宋宋祁、欧阳修等撰。225 卷，计帝纪 10 卷，志 50 卷，表 15 卷，列传 150 卷。

《新唐书》的编纂前后费时 17 年，于宋仁宗嘉祐五年（1060 年）成书，由曾公亮进呈。

曾公亮《进唐书表》称，与《旧唐书》比较，"其事则增于前，其文则省于旧。……立传纪实，或增或损"。据统计，《旧唐书》帝纪三十万字，《新唐书》帝纪简化为 9 万字，内容还有所增添。《新唐书》所载列传人物删去《旧唐书》中的 61 人，增入了 331 人，志增 3 篇，表增 4 篇。所载史事比《旧唐书》多，特别是将晚唐时的史事大为充实。因其追求事增文省，故有不少删节失实之处。

《新唐书·地理志》由 4 卷增至 8 卷，内容也有不少革新，记载全国各地修筑河渠陂堰的史实，诸道、州、县上贡土特产的情形，各地军府、军、镇、守捉的设置，集中叙述羁縻州，扼要记述了唐朝与境外交通的道路等，其中对唐朝在内蒙古的军政建置也有具体记载。清乾隆年间武英殿刊本流行较广。1975 年中华书局校点本是以百衲本为底本，并参考其他刊本整理而成，是目前最好的版本。

新、旧《唐书》在保存历史资料方面，各有所长。《旧唐书》保存了唐实录和国史的大量原始素材，《新唐书》则广泛利用宋人所能见到的各种历史资料，丰富和补充《旧唐书》的缺漏。因此，两《唐书》的史料价值互有短长。

正史中突厥之名始见于《魏书》。《魏书·吐谷浑传》言，"父兄死，妻后母及嫂等，与突厥俗同"；《龟兹传》言，"北去突厥牙帐六百余里"；《疏勒传》言，"东北至突厥牙帐千余里"；《𠮩哒传》言，"风俗与突厥略同"；《康国传》言，"其妻突厥达度可汗女也"，都提到了突厥。但《魏书》却未列有关突厥的传记。《周书》始有《突厥传》，记事始于关于突厥起源的两个传说，止于他钵可汗，记述了突厥与北魏、柔然、北齐的往来事件，于其社会结构、风俗叙述颇详。《隋书·突厥传》，记事始于传说，讫于始毕可汗，并另有《西突厥传》，记事始于木杆可汗之子大逻便与沙钵略可汗分裂，讫于曷萨那可汗被东突厥所害，内容丰富，于其与隋朝的往来史事记述尤详。《北史》有《突厥传》，记事与《隋书·突厥传》略同。《旧唐书·突厥传》有上下两篇，上篇记东突厥史事，上接《隋书·突厥传》，下讫唐天宝间；下篇记西突厥史事，讫于武周垂拱以后十姓部落频被后突厥默啜攻灭，并记述了西突厥别部如突骑施、苏禄等的情况。《新唐书·突厥传》亦为上下两篇，记事时段与《旧唐书·突厥传》大体相当，内容略异，二传可互相稽考。《新五代史·四夷附录·突厥》有关于突厥的记载，言其至唐之末，"为诸夷所侵，部族微散。五代之际，尝来朝贡。同光三年，浑解楼来。天成二年，首领张慕晋来。长兴二年，首领杜阿熟来。天福六年，遣使者薛同海等来。凡四至，其后不复来"。为突厥活动之余声。

《旧唐书》有《回纥传》，记载了回纥的源流，言"其先匈奴之裔也"，后魏时为铁勒部落，服属突厥汗国。隋大业（605—617 年）中，叛离突厥，有仆骨、同罗、回纥、拔野古、覆罗步数部，后称回纥。并记载了可汗菩萨继位到唐宣宗大中（847—859 年）年间回纥的历史活动和部落变迁，于回纥与唐朝、突厥、薛延陀、吐蕃、黠戛斯的往来事迹记载尤详。《新唐书》中有关回纥的传记是《回鹘传》，取其后期换字改名之称。有上下两篇，在叙述了其基本情况之后，也是从可汗菩萨记起，止于唐宣宗大中年间。两传相比，新传内容较旧传丰富，叙事亦较有条理。《新五代史·四夷附录》附有关于回纥的记载，言其时回鹘已附属吐蕃，散处河西、陇右。

有关突厥、回纥史事更丰富、更具体的记载蕴涵在诸史的纪、传、志中。

4. 突厥回纥文碑铭

突厥、回纥有自己的文字，留存下来的主要是一些碑铭。知名的有《阙特勤碑》、《毗伽可汗碑》、《暾欲谷碑》、《翁金碑》、《阙利啜碑》、《塔拉斯碑》、《雀林碑》、《磨延啜碑》、《铁尔痕碑》、《铁兹碑》、《苏吉碑》、《九姓回鹘可汗碑》、《塞福列碑》等。这些都是研究突厥、回纥语言文字、历史的重要资料。

《阙特勤碑》是 732 年（唐开元二十年）突厥毗伽可汗为纪念其亡弟阙特勤的功勋而建立的。《毗伽可汗碑》立于 735 年。两碑发现于鄂尔浑河右岸，相距仅 1 公里。碑为大理石制，碑文有突厥文和汉文两部分。突厥文为毗伽可汗外甥也里特勤书，《阙特勤碑》汉文为唐玄宗撰，《毗伽可汗碑》汉文为唐史官李融撰。内容主要记述后突厥颉跌利施可汗长子毗伽可汗和次子阙特勤的生平事迹和武功，其中记有不见于汉文史料的史实。两碑是目前保存较好，字数最多的突厥碑铭。

《暾欲谷碑》发现于 1897 年，地点在距今蒙古国乌兰巴托 60 公里的巴音朝克图。碑文约作于 716 年（唐开元四年），为死者生前所作，碑约立于 720 年。内容为毗伽可汗重臣暾欲谷所自述的生平事迹。

《翁金碑》发现于 1891 年，地点在蒙古国和硕柴达木南 180 公里的翁金河支流附近。约建于 739 年（唐开元二十七年），内容是记述伊利跌迷失叶护在登利可汗（735—741 年在位）时期的事迹。

《阙利啜碑》发现于 1912 年，地点在今蒙古国乌兰巴托南面伊赫和硕，亦称《伊赫和硕碑》。碑建于 8 世纪初，内容是记述阙利啜一生的武功。

《雀林碑》发现于 1971 年，地点在今蒙古国乌兰巴托东南 180 公里的雀林驿站。有人认为是暾欲谷协助颉跌利施可汗在于都斤山建国后不久制成的，约在 686—687 年。

《塔拉斯碑》发现于中亚塔拉斯河流域，有十多块，多为墓志铭，字数不多。

《磨延啜碑》发现于 1909 年，地点在今蒙古国色楞格河及希乃乌苏湖附近。约建于 759 年。

《铁尔痕碑》亦称《塔里亚特碑》、《磨延啜第二碑》，发现于 1957 年，地点在今蒙古国杭爱山脉西北铁尔痕河谷地铁尔痕查干淖尔附近。碑为回纥汗国早期之物，是可汗磨延啜的记功碑。碑文是磨延啜之子即后来的移地健牟羽可汗所撰。

《铁兹碑》又称《牟羽可汗碑》，发现于 1976 年，地点在今蒙古国寇乌斯哥勒省铁兹河上游左岸诺贡托勒盖小山上。是牟羽可汗的纪念碑。

《苏吉碑》发现于 1900 年，地点在今蒙古国苏吉大坡附近，似为回鹘汗国灭亡（840 年）不久时所立。

《九姓回鹘可汗碑》发现于 1889 年，地点在回鹘故城哈喇巴勒嘎逊附近。碑文有三部分，一部分为古突厥文，一部分为粟特文，一部分为汉文。是回鹘汗国第八代可汗——保义可汗（808—821 年在位）的记功碑。碑文汉文部分叙述了回鹘建国到保义可汗时历代可汗的事迹，特别详记了摩尼教传入回鹘的情况。

《塞福列碑》发现于 20 世纪 40 年代，地点在今蒙古国南部戈壁省塞福列苏木东南 6 公里数处。碑文残损严重。

在中国新疆、俄罗斯南西伯利亚、中亚等地还发现了许多属于突厥的石人墓、石圈墓，这也是研究古代突厥人的文化历史的重要实物资料。

四、契丹与奚史料

契丹与奚是内蒙古地区史上重要的民族，也是在中国历史上出现较早的民族，自北魏出现，到元代，经历了南北朝、隋、唐、五代、宋、辽、金、元众多的朝代。历朝的文献史籍中均有关于契丹、奚史事的记载。就正史而言，就有《晋书》、《魏书》、《北齐书》、《周书》、《宋书》、《南齐书》、《梁书》、《陈书》、《南史》、《北史》、《隋书》、《旧唐书》、《新唐书》、《旧五代史》、《新五代史》、《宋史》、《辽史》、《金史》、《元史》等，特别是在宋、辽、金三代的史籍中，可发掘者甚多。

《晋书·慕容熙载记》提到慕容熙曾多次出击契丹。《魏书》首次为契丹立传，记其族源、居地、部类，言其在库莫奚东，异种同类，有悉万丹部、何大何部、伏弗郁部、羽陵部、日连部、匹洁部、黎部、吐六于等部，并述其与北魏的往来关系。记事止于北齐。《魏书》又有《库莫奚传》，言其为东部宇文之别支，主要记述其被北魏征服的经过及其与北魏的关系。记事止于东魏武定（543—550 年）年间。《魏书》帝纪，自太武帝太延三年（437 年）起，记载了契丹朝贡的史实。《周书》有《库莫奚传》，极简略，言其为鲜卑之别种，居松漠间，分五部：一曰辱纥主，二曰莫贺弗，三曰契个，四曰木昆，五曰室得。每部置俟斤一人。阿会氏曾为豪帅，节度五部，隶属于突厥，且经常与契丹相攻等。《北史》的《奚传》为综合《魏书》、《周书》的《库莫奚传》而成。而《契丹传》是在《周书·库莫奚传》的基础上补充了北齐至隋大业（605—617 年）年间的史事。

《旧唐书》、《新唐书》都有《契丹传》、《奚传》。《旧唐书·契丹传》在记述了契丹在唐朝时期的居地、生产生活方式、君长、部族、人口、风俗之后，主要记载了从唐初到唐武宗会昌二年（842 年）九月颁"奉国契丹之印"期间的历史活动，特别是对契丹与唐朝的往来关系及其接受唐朝羁縻情况记述较详。《奚传》言奚族是"匈奴之别种"，"居于鲜卑故地"，在叙述了其四邻、人口、部族、风俗、生产生活方式，并"好与契丹战争"等基本情况后，主要记述奚族从唐初到唐宪宗元和（806—819 年）年间的历史活动，而于奚与唐朝的关系、与契丹的关系记载较详。

《新唐书·契丹传》言契丹"本东胡种"，记事始于唐初，讫于唐末耶律阿保机自号为王、建契丹国。《奚传》言奚"亦东胡种"，记事始于唐初，讫于奚举部隶属于契丹，不堪苛政，退保妫州北山，分为东、西奚。两传重点记述了契丹、奚与唐朝、突厥的往来关系，以及契丹、奚之间的相争。记事时段较《旧唐书》两传为长，史事有所增，记载略异，文亦较有条理。是正史契丹、奚传中内容较为丰富的一种。

《旧五代史》、《新五代史》亦有《契丹传》和《奚传》。

1.《旧五代史》

《旧五代史》是记述五代历史的纪传体史书，150 卷。宋薛居正监修，太祖开宝六年（973 年）开馆，参加者有卢多逊、扈蒙、张澹、李穆、李汗等。记述后梁、后唐、后晋、后汉、后周共 54 年（907—960 年）的历史。原名《梁唐晋汉周书》，后来为与欧阳修的《五代史记》相区别，称《旧五代史》，分本纪、列传和志。该书取材于五代各朝实录及范质的《五代通录》等书，文献完备，且修史时五代结束未久，故史料较丰富。自金章宗泰和七年（1207 年）明令将欧阳修的《五代史记》立于学官后，该书渐废。自明中叶至清乾隆约 200 年间，传本不行于世。

今本《旧五代史》是清修《四库全书》时，馆臣邵晋涵等自《永乐大典》中辑出，用《册府元龟》、《太平御览》、《通鉴考异》、《五代会要》、《契丹国志》等书补充，并参考新、旧《唐书》、《东都事略》、《续资治通鉴长编》、《五代春秋》、《九国志》、《十国春秋》及宋人说部、文集、五代碑碣等数十种典籍，作为考异附注，大体按原书篇目编排而成，实际上是一个关于《旧五代史》的辑本。虽非原书，但仍保留了大量史料，与欧史可互相补充。辑本中对触犯清朝避忌，及遇胡、虏、夷、狄等字时，多有窜改，近人陈垣著《旧五代史辑本发覆》，叙述甚详。清刻本有三种：乾隆四十九年（1784 年）武英殿刊本，1921 年丰城熊氏影印南昌彭氏藏本，即《四库全书》初写本，1925 年吴兴刘氏嘉业堂刻甬东卢氏抄藏四库原辑本。百衲本即用刘氏本影印。1976 年中华书局点校本是以熊本为底本，并参校其他版本和有关书籍整理而成。

2.《新五代史》

《新五代史》亦为述五代历史的纪传体史书，北宋欧阳修撰。74 卷，计纪 12 卷、传 45 卷、考 3 卷、世家及年谱 11 卷、四夷附录 3 卷，记述后梁、后唐、后晋、后汉、后周五代 54 年（907—960 年）的历史。原名《五代史记》，为与薛居正等人所修的《五代史》区别，称《新五代史》。在体例上与薛史有明显不同。薛史是五代分叙，欧史则将五代融而为一。材料多本薛居正等人所修的《五代史》加以删削，并兼采小说、笔记资料，补充薛史之缺，可与薛史互相参考。

宋有吴缜所撰《五代史纂误》，清有彭元瑞、刘凤浩所撰《五代史记注》，引书二百余种，是对此书所作的补充和订正。今通行本为中华书局校点本。

《旧五代史·契丹传》言契丹为"古匈奴之种"，记事始于唐咸通（860—873 年）末契丹王习尔之入唐朝贡，讫于辽太宗耶律德光卒（947年）。传中记述了耶律阿保机与耶律德光两代对契丹的经营，对其向汉地扩张及与五代王朝的关系记载较详。《新五代史·四夷附录》有《契丹传》、《奚传》。《奚传》言奚"本匈奴之别种"，《契丹传》言契丹与奚"同类而异种"，又以为"鲜卑之遗种"。《契丹传》载当时契丹八部，"其一曰佀皆利部，二曰乙室活部，三曰实活部，四曰纳尾部，五曰频没部，六曰内会鸡部，七曰集解部，八曰奚嗢部"。《奚传》记事简略，载当时奚五部，"一曰阿荟部，二曰啜米部，三曰粤质部，四曰奴皆部，五曰黑讫支部"。《契丹传》记事始于耶律阿保机代立，讫于辽穆宗耶律璟去世（968 年）。与《旧五代史·契丹传》相比，涵盖时段长，记契丹内部情况较详。所收录胡峤的《陷虏记》，是有关当时契丹地区山川地理、人文风土的珍贵资料。

唐和五代时期是契丹民族发展和社会转型的重要历史时期，因此，两《唐书》和两《五代史》中记载的契丹和奚的史料十分丰富。专传之外，本纪、志、表以及其他人物传、民族传中均有契丹和奚族史迹的记载，而且是非常有价值的。

契丹是在中国建立过辽王朝的民族，在辽朝，奚亦为贵族，因此，研究辽王朝时期契丹和奚族的历史，其基本的史料当首推《辽史》。

3.《辽史》

《辽史》是记述辽朝史事的纪传体史书，元脱脱等奉敕修撰。116 卷，计纪30 卷、志31 卷、表8 卷、列传45 卷。记辽代（907—1125 年）和契丹建国以前及西辽的历史。末卷为《国语解》，凡官制、宫卫、部族等以契丹语为称号者，多参考史文，略加注释，也解释了部分非契丹语的名物制度。

辽朝沿承中原文化传统，曾编修《起居注》、《日历》、《实录》和《国史》，最后由宰相耶律俨（燕京李氏，赐姓耶律氏）辑成一代《实录》。金朝两次纂修《辽史》，都以这部《实录》做底本。第一次由耶律固、萧永祺编修，金皇统八年（1148 年）完成，未刊行，元修《辽史》时，此稿已佚。第二次稿是由耶律履、党怀英等编修，泰和七年（1207 年）由陈大任完成，后人称之为陈大任《辽史》，也没有颁行。元代，在中统二年（1261 年）、世祖至元元年（1264 年）先后拟议修辽、金两史；灭南宋后，又议修辽、金、宋三史，均因义例、正统等问题争论不定，未见成效。直到元末顺帝至正三年（1343 年），始由脱脱任纂修三史都总裁，决定辽、金、宋"各与正统，各系其年号"。《辽史》由廉惠山海牙、王沂、徐昺、陈绎曾 4 人撰写，以耶律俨《实录》、陈大任《辽史》为基础，兼采《资治通鉴》、《契丹国志》及前朝各史《契丹传》等，参订编排而成。辽朝在中国历代王朝中历年甚长，共296年，但《辽史》记录简略，篇幅较少，与客观史实很不相称，往往同一事实分见于纪、志、表、传，且因史料来源相同，重复甚多。此外，《辽史》中的错讹、疏略及各纪、志、传相互抵牾之处也不少，史笔不够规范，不少人有名无姓，或有称号无姓名。但由于关于辽代史事的记载流传不多，因此，作为流传至今的辽代的唯一史书，《辽史》非常珍贵。

《辽史》有《营卫志》，这是二十四史中独有的篇目，在一定程度上反映了农牧社会的差别。契丹宫帐四时移动，冬夏捺钵（会议处理政务），春水（捕鹅、钓鱼），秋山（哨鹿），属于草原游牧生活传统，与中原农耕社会不同。《百官志》分列北面官（契丹草原旧有的官职）、南面官（中原传统的官职），也属于纪实的做法。辽朝版图包括内蒙古大部分地区，《辽史·地理志》记载了辽朝在古代内蒙古地区设置的各级各类军政建制。

元修《辽史》，一年（至正三年四月至四年三月）之内便完成了，时间仓促。发凡起例由欧阳玄实际负责。修史过程中多草率从事，苏天爵所提的一些建设性意见也未能受到正视与采纳，甚至对同时修成的宋、辽、金三史，也没有进行参考补充。如王偁《东都事略》记载，辽太宗耶律德光建国号大辽，辽圣宗耶律隆绪即位，改大辽为大契丹国，道宗咸雍二年（1066年）复改国号大辽。出土碑志的相关记载与《东都事略》相合。而对于更改国号这样的大事，《辽史》却没有记载。可见修辽史的人对史局里已有的资料也未曾充分利用，造成不应有的疏漏、混乱和错误。

《辽史》修成后，于至正五年与《金史》同时在江浙、江西二行省刻版印行。百衲本《辽史》是据元刊本影印，但恐非初刻，其中讹错亦多。1976年中华书局标点校刊本，以百衲本为底本，并吸取殿本等其他版本和前人成果，进行校注，是目前比较好的版本。

清厉鹗《辽史拾遗》24卷，以《辽史》原文为纲，参考他书，凡有异同，则分析考订，缀以按语，引书至300余种，可备参考。杨复吉又以厉鹗未曾见到的《旧五代史》和《契丹国志》等征引未臻周备的资料作《辽史拾遗补》5卷，也是研究辽史的重要参考资料。

作为契丹族王朝史的《辽史》，无疑是研究契丹族源、发展变迁及其全盛时期的政治、经济、文化、军事、民族等问题的最全面的史料，也是研究这一时期内蒙古地区史最全面的史料。

五、室韦史料

历史上室韦人的活动区域一度主要在今内蒙古高原上。室韦其名最早由《魏书》著录，言东魏武定二年（544年）夏四月，"室韦国遣使朝贡"。正史中最早为室韦立传的是《魏书》，作《失韦传》，记载了室韦的地理方位、生产方式和生活习俗等，其后又有《北史》、《隋书》、《旧唐书》和《新唐书》，相继为室韦立有传记。《隋书·室韦传》言"室韦，契丹之类也。其南者为契丹，在北者号室韦"，并记述了其诸部名称、居地、生产生活方式、风俗习惯。《北史·室韦传》记事与《隋书》同，文字间有差异。《旧唐书·室韦传》在概述了《隋书》、《北史》两传的内容之后，记载了唐朝时期的室韦部落状况、居地分布及其与唐朝往来关系。记事止于唐武宗会昌（841—846年）时。《新唐书·室韦传》言室韦为契丹别种，"盖丁零苗裔也"。又概述其早期历史及风俗、语言。所载其唐朝时部落情况与《旧唐书·室韦传》间有差异。记事止于咸通（860—873年）时。

《北齐书》、《隋书》、《北史》、《旧唐书》、《新唐书》、《旧五代史》、《新五代史》、《宋史》、《辽史》、《金史》，也都有关于室韦的记载。《北齐书》所载主要是室韦向北齐朝贡的记录。《隋书》、《北史》在专传之外，帝纪中亦有室韦朝贡的记载。《隋书·长孙晟传》记有大业三年（607年），炀帝欲北巡塞外，突厥染干召所部诸国迎接，奚、霫、室韦等种落数十酋长都曾会合等事。《北史·王峻传》载有营州刺史陆士茂曾"诈杀室韦八百余人"，室韦因此绝贡。王峻任营州刺史，大破室韦，"虏其酋帅，厚加恩礼，放遣之。室韦遂献诚款，朝贡不绝"等事。两《唐书·室韦传》之外，在纪、志和其他人物传、民族传中亦有关于室韦史事的记载。两《五代史》的情况大抵与两《唐书》相仿。

在诸史中，以《辽史》中关于室韦史事的资料最为丰富。《辽史》记事中，主名为室韦的资料，无疑是室韦史料。此外还有以阻卜、达怛为主名的记述，亦为与室韦有关的记载。《辽史·营卫志》部族门、《兵志》部族军条、属国军条，《百官志》北面部族官条、北面边防官条、北面属国官条，《部族表》、《属国表》、《国语解》中也都有关于室韦部落情况的记载。其他纪、志、表、传中亦记载有室韦的种种历史活动。

到了金代，室韦部落的活动已接近尾声，《金史》也有关于室韦的记载，但已很稀少了。

总体上来说，有关室韦的史料，尽管许多史籍中都有记载，但还是比较薄弱而且零散的。

第四节 唐以前内蒙古地区历史的其他文献

唐代以前在内蒙古高原及周边地区活动的北方民族与中原历代政权对古代内蒙古的经略和管辖的史料，多见于各代的断代史史书和为数不多的专题著作，已如上述。此外还有一些贯通数代的文史著作也有必要提一下。主要有：

一、典制体史书

1. 《通典》

《通典》200卷，唐杜佑撰。《通典》是分类纂辑唐天宝以前历代经济、政治、礼法、兵刑等典章制度以及地志、民族的典制体史书。该书分9门，门下有类，计子目1 500余条。

唐开元末，刘秩仿《周礼》六官所职，根据经史百家文献资料撰成《政典》35卷。杜佑以该书为基础，增益资料，扩充规模，撰成《通典》，贞元十七年（801年）成书。《通典》规制宏大，资料取自《史记》八书、《汉书》十志，以及晋、宋、齐、魏、隋书诸志，并参稽了《隋官序录》、《隋朝仪礼》、《大唐仪礼》、《开元礼》、《太宗政要》、《唐六典》等典制政书的内容与体例，确立了中国典制体史书的新体制。在《通典》影响下，后代有《通志》、《文献通考》等书相继问世，确立了记述中国历代典章制度的史书体例的地位。

《通典》的一级门类有9门，为食货典、选举典、职官典、礼典、乐典、兵典、刑典、州郡典和边防典。诸门类中大量引述古代文献资料，其中唐代的内容约占四分之一以上，多取自当时的官方文书、籍账、大事记以及私人著述，如诏诰文书、臣僚奏议、行政法规、天宝计账等，均属第一手材料。其中许多文献今已亡佚，赖有《通典》得以部分保存下来。

《通典》在宋、元、明、清各代有多种刻本，以清乾隆武英殿刻"九通本"最为流行。新整理校点本有中华书局 1988 年王文锦校点本。

《通典·边防典》辑录了唐以前及唐时关于周边民族的资料。《边防典》北狄标目下列的古代北方民族有：匈奴（分上下篇）、南匈奴、乌桓、鲜卑、轲比能、宇文莫槐、徒河段、慕容氏、拓跋氏、蠕蠕、高车、稽胡、突厥（分上中下三篇）、铁勒、薛延陀、仆骨、同罗、都波、拔野古、多滥葛、斛薛、阿跌、契苾羽、鞠国、大漠、白霫、库莫奚、契丹、室韦、地豆于、乌洛侯、驱度寐、霫、拔悉弥、流鬼、回纥、骨利干、结骨、驳马、鬼国、盐漠念等。目下所述资料可与前述诸正史相关记载互参。《通典·州郡典》辑录了唐以前历代中原政权在内蒙古地区实施统治的史料，亦可与前述诸正史相关记载参照使用。

2.《通志》与《通志略》

《通志》200 卷，宋郑樵撰。《通志》是纪传体通史。计帝纪 18 卷、皇后列传 2 卷、年谱 4 卷、略 51 卷、列传 125 卷。与传统的纪传体史书相比，他把年表改称年谱，把志改称略，保存了《晋书》的载记部分。总序和 20 略是全书的精华。20 略内容为考述历代典章制度，其目为：礼略、职官略、选举略、刑法略、食货略、氏族略、六书略、七音略、天文略、地理略、都邑略、谥略、器服略、乐略、艺文略、校雠略、图谱略、金石略、灾祥略、昆虫草木略。其《氏族略》考中国姓氏之由来，分 32 类，其中有"以族为氏"、"夷狄大姓"、"以族系为氏"、"代北复姓"、"关西复姓"、"诸方复姓"、"代北三字姓"、"代北四字姓"、"夏商以前国"、"夷狄之国"诸条，所述内容多与古代北方民族有关。

3.《文献通考》

《文献通考》348 卷，宋元间马端临撰。《文献通考》是《通典》之后的又一部典章制度通史，记上古到宋宁宗时的典章制度。《文献通考》共 28 考，其中《四裔考》25 卷，记宋以前周边民族史事。其北方民族类下，有匈奴、刘渊、石勒、沮渠、赫连、乌桓、鲜卑、轲比能、乞伏、宇文莫槐、徒河段、慕容氏、拓跋氏、蠕蠕、高车、稽胡、突厥、斛薛、阿跋、契苾羽、鞠国、大漠、库莫奚、契丹、室韦、地豆于、乌洛侯、驱度寐、拔悉弥、流鬼、回纥、沙陀、骨利干、黠戛斯、仆骨、葛逻禄、驳马、鬼国、盐漠念等，勾稽宋以前文献，记述其史事，较为集中地汇集了宋以前我国北方民族的史料。

与"三通"体例相类的还有历代会要，其中均有涉及内蒙古地区史的史料。会要之体始于《唐会要》。《唐会要》是记载唐代典章制度的专书，100 卷。唐德宗时，苏冕撰成《会要》40 卷，记唐初至代宗时典故。宣宗时，崔铉等人撰《续会要》40 卷，记德宗至武宗时故事。宋王溥又采择唐宣宗以后故事加以续补，撰成《唐会要》，于宋太祖建隆二年（961 年）正月进呈。王溥又编撰《五代会要》，记后梁、后唐、后晋、后汉、后周五代典章制度沿革损益。宋朝对编纂会要也十分重视，设有会要所，成历朝会要总计在 2 000 卷以上，今已散佚。清徐松从《永乐大典》中辑出《宋会要》五六百卷，经后人整理，厘为 460 卷，名《宋会要辑稿》，今有中华书局 1957 年影印本。

会要体出现后，后代学者稽考文献，编纂前代会要，成《春秋会要》（清姚立渠编著）、《七国考》（明董说编著）、《秦会要》（清孙楷编著）、《西汉会要》（宋徐天麟编著）、《东汉会要》（宋徐天麟编著）、《三国会要》（清杨晨编著）等。会要体裁和"三通"的主要区别在于，一是"三通"通记历代典章制度沿革变迁，会要则只记一朝；"三通"在著撰上是综合叙述，会要则是有关典章制度原始资料的摘录。

《唐会要》记述周边族国的内容有 7 卷，其中关于北方民族的条目有：北突厥、西突厥、吐谷浑、契丹、奚、室韦、靺鞨、渤海、铁勒、薛延陀、回纥、拔野古国、雷国、骨利干国、都播国、结骨国、葛逻禄国、驳马国等。《宋会要辑稿》有《蕃裔典》，辑录宋代与周边民族有关的资料。

二、通史著作

涉及唐以前内蒙古地区史的通史著作首推《史记》，而记事时代最长的是《资治通鉴》。

《资治通鉴》294 卷，《目录》30 卷，《考异》30 卷，北宋司马光撰。

元丰七年（1084 年）书成，历时 19 年。参加编纂的有刘恕、刘攽、范祖禹，都是当时著名的学者。《资治通鉴》是编年体通史，记载了周威烈王二十三年（前 403 年）到后周世宗显德六年（959 年）共 1362 年间的历史。

《通鉴》征引史料极为丰富，除 17 史外，所引杂史诸书达数百种。于唐五代史事甄采书籍最多，史传文集之外，还有实录、谱牒、家传、行状、小说等各种史料。书中叙事，往往一事用数种材料写成。遇年月、事迹有歧异处，均加考订，并注明斟酌取舍的原因著为《考异》。《通鉴》具有相当高的史料价值，尤以《隋纪》、《唐纪》、《五代纪》史料价值最高。

《通鉴》记事止于五代，于古代北方民族史事及唐以前各朝经营内蒙古地区史事的记述比较全面。资料虽依托旧史，但有考证，所引史料，除正史之外，今多已不存。因此，就研究五代以前的内蒙古地区史而言，《通鉴》还是一种不可或缺的史书。

《通鉴》初刻于宋元祐七年（1092 年），该本今已不可见。又有南宋绍兴二年（1132 年）余姚重刻本，亦多残缺。今通行本为中华书局校点本，是据清胡克家翻刻的元刊本标点校勘的，是最好的版本。

三、文章总集

1. 《全上古三代秦汉三国六朝文》

《全上古三代秦汉三国六朝文》，清严可均辑。《全上古三代秦汉三国六朝文》共 15 集：《全上古三代文》、《全秦文》、《全汉文》、《全后汉文》、《全三国文》、《全晋文》、《全宋文》、《全齐文》、《全梁文》、《全陈文》、《全后魏文》、《全北齐文》、《全后周文》、《全隋文》、《先唐文》。共收录唐以前 3497（或作 3520）人的作品，皆附小传，是收录唐以前文章最全的一部总集，也是中国古代文献中涵盖时间最长的一部文学总集，对唐以前历史、文学、宗教、语言等研究，具有极其重要的学术价值。

2. 《全唐文》

《全唐文》1 000 卷，清董诰等纂修。嘉庆十三年（1808 年）董诰领衔编纂《全唐文》，十九年（1814 年）成书。收文 2 万余篇，作者 3 000 余人。文章考证校勘较为精密，辨伪严谨，作者小传内容翔实。同治年间陆心源又纂《唐文拾遗》72 卷、《唐文续拾》16 卷，收文约 2 500 余篇，涉及作者 300 余人，并注明出处，光绪年间付梓。有清嘉庆十九年（1814 年）扬州全唐文局刻本、光绪广州重刻本。1990 年上海古籍出版社据原刊本剪贴缩印，后附陆心源《唐文拾遗》、《唐文续拾》，劳格《读全唐文札记》、岑仲勉《读全唐文札记》等。

四、类书

中国古代的类书非常多，其中多辑有与古代内蒙古地区历史有关的资料。如唐代的《艺文类聚》、《北堂书钞》、《初学记》，宋代的《太平御览》、《册府元龟》、《文苑英华》、《太平广记》，明代的《永乐大典》等，清代编的《古今图书集成》，其中有"边裔"典，专辑古文献中有关边疆少数民族的资料，于古代内蒙古与北方民族的史料辑录也很丰富，且注明出处。利用该书，可以给查找原始资料提供极大的方便。

五、史料笔记

史料笔记均为私人著述，作者身份各异，见闻涉及方面很多，其中也不乏有关北方民族史事的记载，不仅有不见于正史的资料，而且同一史事所记有时也与正史不同，可资考证。因此，在研究内蒙古地区史、北方民族史时，检索一下相关的笔记史料也是很有必要的。中华书局出版历代史料笔记丛刊，唐宋史料笔记现已出版 34 种，使用很方便。

第 二 章

研 究 概 况

第一节 通论类

《中国民族史》

林惠祥著，商务印书馆 1939 年出版。对中国各民族种族起源、名称沿革、支派区别、势力涨落、文化变迁及各族相互混合接触等问题有所叙述。涉及隋唐以前内蒙古地区的民族有东胡系、匈奴系、突厥系三大族系。

《内蒙古历史概要》

余元盦著，上海人民出版社 1958 年出版。第一章叙述了蒙古帝国形成以前内蒙古的历史，从远古时期经匈奴、鲜卑、突厥再到回纥、契丹的历史。现在看来虽然过于简约，但在当时，该书为内蒙古地区历史研究构建了一个基本的框架，引领了更多学者投入到内蒙古地区史的研究中来。

《从远古到唐代的我国蒙古地区》

亦邻真编，蒙古史专题讲座稿，1976 年印发，内部参考本，后收入《亦邻真蒙古学文集》。本稿分远古时代、商周秦汉三国时期、两晋南北朝时期、隋唐时期等几个阶段介绍了我国蒙古地区。虽然这只是一个讲座稿，但对了解从远古到唐代的内蒙古地区历史很有帮助，对研究这一时期内蒙古地区史具有指导意义。

《中国古代北方各族简史》

内蒙古大学蒙古语言文学历史研究所编，内蒙古人民出版社 1977 年出版。本书叙述了蒙古族以前活动于大漠南北的北方民族如匈奴、东胡、突厥等的历史，是一本不错的历史普及读物。

《中国北方民族关系史》

本书编写组编写，中国社会科学出版社 1987 年出版。该书论证了北方各民族从远古时期开始的与各民族之间的和战往来关系等内容，是中国民族关系的重要组成部分。

《中国古代民族史研究》

黄烈著，人民出版社 1987 年出版。该书的研究范围主要集中在唐以前，以活跃在魏晋南北朝时期政治舞台上的民族作为基础，对在内蒙古地区的匈奴、拓跋、鲜卑、乌桓等民族进行了研究，侧重点主要是在前人研究较少、比较薄弱以至空白的方面以及与前人存在分歧的方面进行纵向研究。例如在匈奴方面着重于前人研究较少的南匈奴，从其依附汉朝到五部匈奴解体的发展变革和融合过程，对南匈奴的研究者具有重要的参考价值。

《毡乡春秋》

蒙古族学者陶克涛分别于 1987 年、1997 年出版的系列论著，分为《毡乡春秋·匈奴篇》、《毡乡春秋·拓跋篇》以及《毡乡春秋·柔然篇》，三部次第而出，依归正史又不循规蹈矩。论著中，作者否认了毡乡无通史之说，初步探究了北方游牧民族真实的历史，对曾经活动于内蒙古地区的匈奴、柔然、拓跋三个民族的历史，斟酌是非，重铸新说，揭示了这些民族兴盛、败亡的历史规律。

《内蒙古历史地理》

周清澍主编，内蒙古大学出版社 1993 年出版。这是第一部全面研究内蒙古地区历史地理的学术著作。全书以时代为序，分述了不同时期内蒙古地区的民族分布、中原政权在内蒙古地区的行政建置和古代民族之间的关系等内容，对了解内蒙古地区历史地理具有重要的参考价值。

《中国民族史》

吕思勉著，东方出版社 1996 年出版。本书是吕思勉先生所著专史之一，颇受好评，不断再版。书中一些史实叙述和部分观点，虽有时代的局限性，但对历史上的诸多问题进行了细致考证，很多结论在现在仍被学者认同、继承。对鬼方、长狄、丁零等族的考证，至今仍有很大影响。

《中国历代民族史丛书》

中国社会科学院民族研究所主编，四川民族出版社出版。这套丛书以断代史的形式撰写中国民族史，在一个完整的体系下，独立成书，对我国历史不同时期各民族的政治、经济、军事、文化诸方面以及民族关系，分别加以综合分析，同时对各民族的起源、形成、发展的历史做深入探索。其中田继周《先秦民族史》、《秦汉民族史》，白翠琴《魏晋南北朝民族史》，卢勋、萧之兴、祝启源著《隋唐民族史》中对隋唐以前的内蒙古地区的匈奴、鲜卑、柔然、突厥、回纥等民族做了详细的分析论述。

《内蒙古历史文化丛书》

林幹主编，内蒙古人民出版社 1993 年出版。这套书是为了弘扬祖国历史文化和内蒙古地区历史文化而作。内容通俗易懂，先后出版 10 种，从文物考古、民族史、民族关系史、历史人物、历史名城等各个方面介绍了内蒙古地区的历史文化。如马大正、华立主编《古代中国的北部边疆》，以时代为序，对北部边疆的历史和形势，特别是古代统一王朝对北部边疆的政策、开拓和治理作了概括性介绍，有助于我们进一步认识当前中国的边疆政策和民族区域自治制度的正确性和优越性。另外涉及隋唐以前内蒙古历史的还有：林幹《中国古代北方民族史新论》，叶新民《中国古代北方少数民族历史人物》，丁学芸《内蒙古历史文化遗迹》，李逸友《内蒙古历史名城》等书。

《中国古代北方民族通论》

林幹主编，内蒙古人民出版社 1998 年出版。该书从"横"的方面探索了北方民族三大族系共同的发展规律，以史论题材综合论述了匈奴、突厥、东胡三大族系各自的特性和在此基础上形成的共性。

《草原文化》

易华、邢莉合著，辽宁教育出版社 1998 年出版。本书作者将着眼点定位在草原区域文化上，是对蒙古高原文化的再现，否认了那些认为"这个区域'没有产生文明也没有移植文明'"的荒谬观点。其中主要对草原牧业文化的起源，草原牧业文化的特征，"行国"与"居国"在历史中的贡献，草原游牧人向南推进以及文化发展缓慢的原因等问题做了探讨。指出草原文化是游牧民族适应自然、改造自然、追求文明、追求进步的表征。

《中国北方民族及其政权研究》

申友良著,中央民族大学出版社 1998 年出版。该书从中国北方游牧民族及其所建政权的具体历史事实出发,运用系统论的原理,通过对"北方民族王朝"整体的认识,来把握其历史特点和发展规律。提出了中国北方民族在中国北方地区相继建立的一系列政权与中原王朝之间存在着相对应的序列,其中就包含了与内蒙古地区密切相关的秦汉时期的匈奴政权、魏晋南北朝时期的鲜卑诸政权、隋唐时期的突厥诸政权等。

《中国边疆经略史》

马大正主编,中州古籍出版社 2000 年出版。边疆经略是历代王朝对边疆地区的经营与谋划。该书从多民族统一国家的视角出发,重点研究历代统一王朝的边疆经略和边疆政策,并着重从巩固、开发边疆的角度加以评述,反映了自秦汉时期粗具规模的边疆政策的不断充实和完善。作为我国北部边疆的内蒙古地区是边疆经略研究中的重要内容。

《中国西北少数民族史》

杨建新著,民族出版社 2003 年出版。书中对以蒙古高原为主要活动区域的匈奴、鲜卑、柔然、突厥等族的族源、与中原关系、政治经济等历史逐个分析叙述,指出这些民族活动区域广泛,地跨西北,对于北方及西北地区的历史有重要影响。

《草原文化研究》

牛森主编,内蒙古教育出版社 2005 年出版。该书以资料选编的形式对草原文化的内涵、特征、在中华文化发展史上的地位和作用进行了深入研究。全书分成文化理论部分、史前史研究、考古专论、红山·辽西文化、北方草原与草原文明、华夏源流、文化大系研究等多个环节,从多方位、多角度对草原文化进行了深入探讨。

《内蒙古通史》

曹永年主编,内蒙古大学出版社 2007 年出版。该书第一卷叙述了从远古到唐代的内蒙古地区历史,具体内容包括远古到战国的内蒙古、秦汉时期的内蒙古、魏晋南北朝时期的内蒙古、隋唐时期的内蒙古等几个部分。

《北方游牧民族历史文化研究》

陶玉坤主编，内蒙古教育出版社 2007 年出版。论著对于曾经生活在内蒙古地区的北方游牧民族包括匈奴、鲜卑、突厥、回纥等族的政权更迭、物质生产、社会生活等内容做了详细介绍。作者认为：完整的中国历史应包括农业王朝创造的农耕历史，也应包括北方民族创造的游牧历史；迥然有别的游牧文化表现出巨大的兼容性，与农耕文化互补、互动、交融，最终形成了多元汇聚的中华文化。

《草原文化史论》

晓克主编，内蒙古教育出版社 2007 年出版。该书将"草原文化学"作为一个独立的学科，从考古学、历史学、民族学、区域文化学、经济学、政治学、语言学、宗教学等多重角度出发，从草原原始文化开始着手，深入地研究了北方草原文化众多领域。其中不仅包含了北方草原民族自身的兴衰演替，各个领域的不断创新，而且兼论草原文化与中原文化的交融，由此"中华文化影响的范围逐步得以扩展，中华文化的形式不断走向多元，中华文化的内涵日益得到丰富"。内蒙古地区是中华文化之草原文化起源、传承的主要区域之一，因此该书对深入了解内蒙古地区的历史有尤为重要的意义。

第二节　民族类

《北狄与匈奴》

马长寿著，广西师范大学出版社 2006 年再版。该书主要研究了春秋战国秦汉时期活动于我国西北和北部地区的北狄和匈奴民族。关于北狄部落和部落联盟的内容包括：北狄的分布及其种类，诸狄部落联盟及其与华夏诸国的关系，北狄文化和社会结构等。对于匈奴的研究较为细致：包括匈奴汗国与汉朝的关系，匈奴的人种、语言、文化和社会经济，匈奴人入塞作为国内少数部族以后的前期活动，匈奴后期活动和稽胡等。

《北狄与中山国》

段连勤著，广西师范大学出版社 2007 年再版。该书试图根据先秦典籍中远非完备的材料和考古出土材料，对春秋战国时期的北狄和白狄鲜虞氏所建中山国的历史进行初步的探讨。该书在充分吸收前人研究成果基础上，对北狄及中山国的历史进行一次全面、系统的再研究，对北狄及中山国的历史面貌描绘出一个尽可能清楚的轮廓。

《匈奴史》

林幹著，内蒙古人民出版社 1977 年出版。该书试图运用历史唯物主义的科学观点和方法，对在中国历史舞台上活跃了约五百年的匈奴族的经济生活、社会结构、文化习俗、政治组织、部族盛衰、政治演变、与其他部族的关系等，作了比较全面系统的叙述。

《匈奴通史》

林幹著，人民出版社 1986 年出版。该书主要研究了匈奴族的来源及其形成、匈奴奴隶制政权的建立、单于庭及诸王驻牧地、匈奴盛衰及其与中原的关系、匈奴经济和文化等问题。此外，该书还探讨了匈奴分裂成南北两部之后，南匈奴的内迁及其所建政权（汉—前赵、北凉、大夏）的基本概况。这是一部对匈奴历史较为系统、全面论述的著作。

《匈奴史稿》

陈序经著，中国人民大学出版社 2007 年出版。该书可以说是对匈奴历史梳理集大成的著作，对于匈奴的发迹、强盛以及衰亡，皆能放在世界历史与西域历史背景下，高屋建瓴，引用各类文献典籍加以考据。同时指正了一些学者的错误，一一加以驳证，对匈奴文化的起源、与异族文化的融合以及匈奴的历史迁移都做了尽可能详备的阐述，可以说是匈奴历史研究的扛鼎之作。该书内容分三部分，即匈奴史通论、匈奴与中国、匈奴西迁入欧始末等，其中前两部分与今天的内蒙古地区有着直接的关系。

《北亚史研究·匈奴篇》（日文）

内田吟风著，同朋舍昭和五十年（1975 年）出版。该书以专题讨论的形式研究了匈奴和南匈奴的历史。尤其是南匈奴的历史直接关系到今天的内蒙古地区，其中包括南匈奴的内迁、魏晋时代的五部匈奴、北魏时代的匈奴、北朝时期鲜卑匈奴诸北方民族贵族的地位等内容。

《匈奴史论文选集》（1919—1979 年）

林幹编，中华书局 1983 年出版。该论文集收集了 1919 年至 1979 年间发表的有关匈奴的重要论文 36 篇，另有 50 篇未全文收录的论文写成内容提要，介绍了主要论点和论据。这些论文大体上包括匈奴的族源、驻牧地、社会性质、与中原王朝的关系、考古发掘等方面，为民族史研究者提供了不少方便。论文集还附录了匈奴单于世系表和有关匈奴发展的示意图。

《汉赵国史》

周伟洲著，广西师范大学出版社 2006 年再版。汉赵国，是我国历史上第一个由内迁少数民族匈奴在内地建立的政权，也是十六国较早建立的政权之一。它的存在虽然只有短短的 26 年，但在中国历史上仍然留下了一定的影响。汉赵国也曾统治过内蒙古的部分地区。该书根据现存史籍和文物考古资料，首先论述了东汉末年以来内迁匈奴的活动及其社会地位的变化，然后叙述了汉赵国兴衰的历史，最后对其政治制度、社会形态作了探讨。

《东胡史》

林幹著，内蒙古人民出版社 1989 年出版。东胡是我国古代北方民族之一，与匈奴同时兴起于战国末期（公元前 3 世纪左右），至汉初（公元前 206 年）被匈奴冒顿单于击破，部众逃散。其中主要的两支分别逃至乌桓山和鲜卑山，从此便以乌桓族和鲜卑族出现于史册，而东胡之名遂湮没无闻。该书主要叙述了东胡和东胡后裔的历史，即乌桓、鲜卑、柔然、吐谷浑、契丹、库莫奚、蒙古等部族的历史。

《东胡乌桓鲜卑研究与附论》

林幹、再思著，内蒙古大学出版社 1995 年出版。该书正文分为四个部分：甲篇，东胡乌桓鲜卑研究论文（包括 5 篇论文）；乙篇，近 70 余年来（1919—1993 年）东胡乌桓鲜卑历史论文目录；丙篇，古籍中的乌桓鲜卑专传及人物传记篇目；丁篇，《东胡史》的面世及其在社会上的反响。该书附论中还评介了《内蒙古历史文化丛书》和《中国古代北方民族史新论》等。

《乌桓与鲜卑》

马长寿著，广西师范大学出版社 2006 年再版。该书内容分四个部分，即总叙、乌桓、东部鲜卑（前期东部鲜卑、后期东部鲜卑）、拓跋鲜卑等。该书对乌桓、鲜卑史料搜集得较全，对其历史研究得较为深入。是研究乌桓、鲜卑历史的里程碑式的专著。

《鲜卑史论》

刘学铫著，中国台湾南天书局有限公司 1994 年出版。该书主要研究了鲜卑族源、早期历史及鲜卑分支拓跋、宇文、段部、慕容、吐谷浑等诸部的兴衰历史，其中也包括了契丹族的历史。

《北亚史研究·鲜卑柔然突厥篇》

内田吟风著，同朋舍昭和五十年（1975 年）出版。该书按专题形式讨论了鲜卑、柔然和突厥历史。其所叙鲜卑和柔然历史与今天的内蒙古地区有关系，而突厥部分主要叙述了西突厥和葛逻禄历史。

《敕勒与柔然》

周伟洲著，广西师范大学出版社 2006 年再版。公元 4—6 世纪，活动于大漠南北和西北广大地区的民族，继匈奴、鲜卑之后，主要就是敕勒和柔然。这两个古代民族，不仅对我国北方和中亚发生过较大的影响，而且也是历史上形成的中华民族的组成部分。该书内容包括敕勒篇和柔然篇：敕勒篇包括敕勒的称谓和起源及其向黄河流域的发展，南北朝时期的敕勒及其所建的"高车国"，北朝统治下的敕勒等内容；柔然篇包括柔然的兴起及其内部的氏族、部落组成，柔然的兴衰及其与中原等地的关系，柔然的政治制度、社会经济和意识形态，北朝统治下的柔然等内容。

《拓跋史探》

田余庆著，生活·读书·新知三联书店 2003 年出版。拓跋鲜卑迁入今天的内蒙古阴山南部地区之后，结束了十六国纷乱的局面，统一了黄河以北地区。从一个弱小的部落能发展成统一中国半壁江山的强大民族，其发展历程如何？作者以敏锐的史学眼光，论证了拓跋与代北乌桓共生的百余年的发育成长历史。该书还探讨了北魏建立之后贺兰部和独孤部的离散问题。该书是以专题的形式探讨拓跋鲜卑的成长历史，了解十六国时期内蒙古地区历史的必不可少的著作。

《丁零、高车与铁勒》

段连勤著，广西师范大学出版社 2006 年再版。丁零、高车、铁勒等民族是从战国时期到唐代活动于我国北部地区的突厥语族部落。该书是一部全面系统深入研究居于我国古代北部地区的突厥语族部落的专著。该书根据史籍、考古材料并参照前人研究成果，证明了鬼方是丁零的族源。内容包括丁零篇、高车篇和铁勒篇：丁零篇内容主要包括夏商时期的鬼方，匈奴统治时期的丁零族，蒙古草原大融合时期的丁零族，魏晋南北时期内迁丁零等内容；高车篇主要包括4—6世纪初高车部落的分布、社会经济制度和风俗习惯，十六国和北朝时期的高车族，高车和柔然之间的战争，拓跋鲜卑征服高车诸部及其反抗等内容；铁勒篇主要包括前突厥汗国时期的铁勒族，薛延陀汗国始末，唐朝统治下的漠北铁勒，后突厥汗国统治下的铁勒等内容。

《隋唐时期的薛延陀》

段连勤著，三秦出版社1988年出版。薛延陀是铁勒诸部之一，主要活动于隋唐时期的蒙古高原。薛延陀在前突厥汗国灭亡到后突厥汗国复兴之间曾建立过独霸蒙古高原的汗国。虽然薛延陀汗国在历史上存在的时间较短（仅18年），但对周围邻近部族或政权的影响较深。该书是在深入研究的基础上，全面论述了活动在我国北部和西北地区的薛延陀及其建立汗国的历史。全书史料翔实，史论结合，对一些问题有独到的见解，具有较高的学术价值和可读性。

《原蒙古人的历史——室韦—达怛研究》

张久和著，高等教育出版社1998年出版。室韦是北朝至辽金时期见诸汉文文献记载的北方民族；达怛一名最早见于突厥文碑铭，是突厥语族部落对室韦人的称呼，唐朝后期为中原人沿用。该书在前人研究的基础上，通过对文献资料的辨析，对中外学者的研究结论采取批判继承的态度，吸收参考已有的学术成果，就室韦—达怛的历史作了初步考察。该书内容包括室韦篇和达怛篇两部：室韦篇包括室韦的基本史料辨析、室韦的来源和对不同看法的评述、文献记载的室韦的部落构成和演变、南北朝至隋唐时期的室韦地域、室韦的经济及社会和文化习俗、室韦的语言和相关问题等；达怛篇包括达怛的史料概述、达怛的名称及族属诸问题、诸达怛部落历史（三十姓达怛、九姓达怛、黑车子达怛、阴山达怛、河西达怛）等。

《突厥集史》（上、下）

岑仲勉著，中华书局2004年再版。这部专著把隋唐时期突厥语族部落历史研究推上了一个新的台阶。该书上册搜集了史料所载有关突厥和相关部族的散见史料，并按年代排序，作了详细的考订；下册收集了汉文史籍所载突厥专传和相关部族的专传，对其校注，辨别是非、去伪存真，对突厥史料作了全面系统的梳理。该书下册还收集了作者研究突厥史的相关成果，对研究突厥语族部落历史者来说是部必读之书。

《突厥人和突厥汗国》

马长寿著，广西师范大学出版社 2006 年再版。该书在学界有较大影响，是研究突厥史的学者必须参考的著作。该书内容以突厥人的起源和突厥"锻工"部落的起义、突厥汗国的形成和分裂、东西突厥的分立和衰亡、薛延陀汗国的始末和突厥人的南迁、突厥汗国的复兴、突厥人和突厥汗国的社会制度等六个部分组成。

《突厥史》

林幹著，内蒙古人民出版社 1988 年出版。该书主要叙述了突厥的族源、兴起及其社会制度、盛衰及其与中原王朝的关系、文化和习俗等问题。突厥后来分裂成东西两部，该书对这两部突厥的历史也有所涉及，而且继突厥而起的回纥部历史也有所叙述。该书在附录中又涉及了突厥汗国的可汗世系表、突厥文碑铭译文（暾欲谷碑、阙特勤碑、毗伽可汗碑、翁金碑、阙利啜碑、磨延啜碑）和近 60 余年来（1919—1984 年）国内突厥史研究述评等内容。

《突厥史》

薛宗正著，中国社会科学院出版社 1992 年出版。该书全面、系统地考察了突厥族的形成、兴起以至消亡的整个发展过程。参照中外各种有关史料，澄清、订正了大量重大历史事实，并以政治史为纲，兼及社会、经济、文化等各个方面，勾勒出了突厥史的基本面貌。书中介绍了突厥史有关史料和研究成果，并配置了一些重要历史地图和文物照片，还附有突厥世系表以及突厥史大事记等重要参考资料。

《突厥研究》

林恩显著，中国台湾商务印书馆股份有限公司 1986 年出版。该书按专题的形式探讨了突厥的族源、名称、分裂、政治社会制度、文化、突厥文献等问题。其中也讨论了突厥汗国的对外关系，尤其是从唐朝和突厥汗国的对外政策入手深入分析了两国之间的关系。该书在附录中还罗列了中外学者研究突厥的主要论著目录，给研究者提供了方便。

《突厥汗国史》

刘锡淦著，新疆大学出版社 1996 年出版。该书由正文和附录两部分组成：正文主要叙述了突厥的勃兴、建立汗国、汗国内政与外交、汗国的分裂、分裂后的东西突厥汗国、北突厥汗国的建立、突厥经济和文化等内容；附录中探讨了 6 个专题，即唐朝政府在大漠南北设置之都督府、试解突厥泥利之谜、论突厥汗国的分裂、论突厥汗国的社会性质、关于西突厥"十姓部落"演变之我见、突厥族与泛突厥主义等。

《古代突厥民族史研究》（日文）

护雅夫著，山川出版社昭和四十二年（1967 年）出版。该书由三个部分组成，即突厥国家和社会、第一突厥汗国时期的官号研究、突厥碑文札记等。在这些内容当中包括了关于突厥汗国统治时期的内蒙古地区历史。

《回纥史》

杨圣敏著，广西师范大学出版社 2008 年再版。该书内容主要包括回纥人的先世、回纥部的团聚与成长、回纥汗国的结构与疆域、汗国的经济与军事、汗国与四邻的关系、文化风习与宗教演变、汗国的崩溃与回纥人的迁徙等。书后还附录了回纥史大事年表和酋长可汗世系表。

《回纥史》

林幹、高自厚著，内蒙古人民出版社 1994 年出版。这部著作的时间跨度较大，从 7 世纪回纥部兴起一直叙述到清朝为止。该书的第一编叙述了漠北回纥部的历史，与今天的内蒙古地区有着直接的关系。其内容包括回纥部族的形成、回纥汗国的建立、回纥与唐朝的关系、回纥的社会面貌、回纥的文化和习俗等。附录中有回纥可汗世系表和回纥突厥文碑铭译文（磨延啜碑、铁尔痕碑、铁兹碑、苏吉碑、九姓回鹘可汗碑、塞福列碑）等内容。

《突厥与回纥历史论文选集》（上、下）

林幹编，中华书局 1987 年出版。该论文集选录了 1919—1981 年国内汉文期刊登载的及编者自撰的突厥与回纥历史论文。选入本集的论文，全文收录；而未选入的则写成内容提要，介绍各篇的主要论点和论据。

第三节　考古类

《内蒙古出土文物选集》

内蒙古自治区文物工作队编，文物出版社 1963 年出版。该书汇集了从远古到元代的在内蒙古地区出土的文物，并对这些文物的所属年代、发掘地等作了介绍。

《内蒙古文物资料选辑》

内蒙古文物工作队编，内蒙古人民出版社 1964 年出版。该选辑将 1961年年底前编写整理的报告、简报或简讯等，进一步归纳整理，选其重要者，汇编成集。分旧石器、新石器、战国、汉代、北魏、唐代、辽代、西夏、金代、元、明、清等几个时期，较全面汇总了 20 世纪 60 年代以前内蒙古地区的文物资料。

《内蒙古历史名城》

李逸友著，内蒙古人民出版社 1993 年出版。该书着重介绍了从远古到清代在内蒙古地区建立的城镇。虽然该书仅作一般性的介绍，不作专门研究和考订，但对于了解古代内蒙古地区的城镇状况是很有帮助的。

《内蒙古历史文化遗迹》

丁学芸著，内蒙古人民出版社 1994 年出版。该书叙述了从远古到清代的部分重要的内蒙古历史文化遗迹和遗物，作者结合十余年的文物考古教学工作和内蒙古文物考古工作的主要成就，阐发了很多新的观点。

《内蒙古文物考古论文集》

第一辑、第二辑由李逸友、魏坚主编，中国大百科全书出版社 1994 年出版；第三辑由陈永志主编，科学出版社 2004 年出版。该论文集收集了内蒙古自治区文物考古研究所近几年配合国家基本建设所进行的考古调查、发掘报告及其他相关研究文章。内容涵盖新石器时代至辽金元明清时期的各个阶段，涉及内蒙古地区的一些主要古文化遗存及重大的学术课题，是内蒙古自治区文物考古研究所最新研究成果的集中展现。

《朱开沟——青铜时代早期遗址发掘报告》

内蒙古自治区文物考古研究所编，文物出版社 2000 年出版。朱开沟遗址位于内蒙古鄂尔多斯市伊金霍洛旗纳林塔乡朱开沟村，是一处重要的青铜时代早期遗址，为探讨游牧文化及其族群的转变、形成提供了许多信息。该书是 20 余年朱开沟考古发掘的成果，对研究青铜时代的历史有着重要价值。

《岱海考古——老虎山文化遗址发掘报告集》（一）

内蒙古文物考古研究所编，科学出版社 2000 年出版。该书为内蒙古凉城县岱海地区龙山时代老虎山文化遗址群的发掘与勘察报告，包括老虎山、园子沟、西白玉、西坡和大庙坡 5 个遗址。其中在老虎山、西白玉和大庙坡发现史前古城墙，在园子沟等遗址有保存良好的白灰面窑洞式房屋。该书系统、全面地报道了这批重要资料，发表了所有标本，并画出陶器制作痕迹，石器上的使用及加工痕迹，为研究该地区文化谱系、聚落形态，以及进一步研究陶、石器制作工艺打下良好基础。

《岱海考古——中日岱海地区考察研究报告集》（二）

内蒙古文物考古研究所、日本京都中国考古学研究会编，科学出版社2001 年出版。1995—1997 年，内蒙古文物考古研究所与日本京都中国考古学研究会合作，在岱海地区联合开展"岱海地区文明起源和发展"及"游牧民族文化的形成与发展过程"的考古学研究。该书详细报道了中日合作的研究成果，有石虎山（Ⅰ、Ⅱ）、王墓山坡上、板城史前遗址及饮牛沟战国墓地发掘报告 4 篇，另有在发掘资料的基础上，中日学者撰写的研究文章。

《内蒙古东南部航空摄影考古报告》

中国历史博物馆遥感与航空摄影考古中心、内蒙古自治区文物考古研究所编，科学出版社 2002 年出版。1997—1998 年间，作者对内蒙古东南部地区古代大型遗址进行了航空摄影考古勘查和地面全球卫星定位系统（GPS）测量定位。此项工作是在我国开展遥感与航空摄影考古学研究的成功尝试。其后采用先进的地理信息系统（GIS）等方法，结合该地区既往的考古工作，对所获资料进行了多学科全面的分析研究，编著了该书。书中包括了全部原始资料中最有代表性和最重要的照片资料，为更深入研究这批遗址提供了重要的、直观的图像资料，是我国第一部采用遥感与航空摄影考古学研究方法对古代大型遗址进行勘查研究的报告。

《半支箭河中游先秦时期遗址》

赤峰考古队编著，科学出版社 2002 年出版。该书是关于内蒙古自治区赤峰市西南部半支箭河中游先秦时期古代遗址的考古调查报告。书中刊布的220 处遗址分布在 221 平方公里的地域内，年代范围从新石器至战国时代前后，其中大部分是属于夏、商时期的遗址。书中详细介绍了每处遗址的地理位置、自然环境、保存现状、分布范围、年代属性和所暴露的遗迹、遗物等情况，对了解赤峰地区古遗址分布特点、文化发展和人类活动，特别是研究该地区夏、商时期的历史提供了第一手资料，对解决古代遗址的保护问题亦有重要的参考价值。

《内蒙古东部（赤峰）区域考古调查阶段性报告（a methodological exploration）》

赤峰中美联合考古研究项目组编著，科学出版社 2003 年出版。该书是中美合作对内蒙古赤峰市阴河、半支箭河及锡伯河下游古代遗址调查的阶段性总结报告。调查面积 700 多平方公里，发现古代遗址 1 000 多处。此次调查采用了 GPS 定位、全站仪测量、地理信息系统制图等多项新的科技手段，还采用了美国考古学调查遗址、聚落的方法。

《中国北方地区新石器时代文化研究》

韩建业著，文物出版社 2003 年出版。该书从文化分期、文化谱系、聚落形态、人地关系等诸方面，分兴隆洼文化时期、仰韶前期、仰韶后期、龙山时代四大阶段，首次对中国北方地区（内蒙古中南部、晋中北、陕北、冀西北）新石器时代文化做了综合性的深入研究，明确了北方地区在早期中国文明形成和发展过程中的重要历史地位。

《内蒙古出土瓦当》

陈永志主编，文物出版社 2003 年出版。该书的宗旨在于改善在内蒙古地区出土瓦当的研究与全国其他地区相比尚处于滞后的现状。为此该书全面地搜集一些内蒙古地区新发掘出土的瓦当，以一批时代特征明显、具有地方特色的瓦当为主，同时将以往出土的瓦当资料汇总并进行了初步研究。

《北方考古论文集》

田广金、郭素新著，科学出版社 2004 年出版。该书汇集了作者多年来在内蒙古中南部史前考古和北方民族考古方面的研究成果。内容分三部分：（1）石器时代——青铜时代考古学研究，着重介绍了内蒙古中南部史前考古学文化的分期、编年和谱系；（2）北方畜牧——游牧民族的考古学研究，着重阐述其形成和发展过程；（3）在区域性聚落考古及环境考古学研究方面进行了深入的探讨，并在此基础上论述人地关系的演变规律。

《内蒙古地区鲜卑墓葬的发现与研究》

魏坚主编，科学出版社 2004 年出版。该书分为上、下编：上编是考古发掘报告，详细报道了察右后旗三道湾墓地、察右中旗七郎山墓地、商都县东大井墓地、包头市鲜卑墓葬等 100 多座鲜卑墓葬材料；下编为研究文章，包括内蒙古地区鲜卑墓葬研究、东大井和七郎山鲜卑墓葬人骨研究及出土金属分析等 6 篇文章。

《红山文化》

郭大顺著，文物出版社 2005 年出版。红山文化是在辽宁西部和内蒙古东南部发现的一种考古学文化。20 世纪 80 年代初，由于在辽宁牛河梁一带发现了属于红山文化时期的大规模的祭坛、女神庙和积石冢以及相继出土的玉器、雕塑，而被学者们认为是中华五千年文明的象征。此书作者是红山文化多项考古发掘的亲历者，通过翔实的文字资料和形象生动的图片，对 20 世纪红山文化的发现与研究状况作了全景式的概述。

《红山文化研究》

张星德著，中国社会科学出版社 2005 年出版。该书全面介绍了红山文化的发现和研究历程，为把握红山文化的发现成果和研究动态提供了全面的资料。书中对红山文化的研究，均从分析红山文化重要遗址的遗迹遗物入手，对有争议的遗址遗迹、遗物内容进行认定，在此基础上对红山文化分期、红山文化原始宗教信仰、红山文化玉器、红山文化墓葬、红山文化的聚落、红山文化渊源以及红山文化消亡后的辽河流域古文化进行了深入、细致的探讨，进而分析了红山文化在文明进程中的地位与文明起源的关系。

《原匈奴、匈奴历史与文化的考古学探索》

马利清著，内蒙古大学出版社 2005 年出版。本书结合文献与考古资料，尝试从考古学的视角，在前人研究的基础上对匈奴历史与文化做了一次全面系统的梳理。科学把握匈奴文化的总体特征以及发展脉络，探寻匈奴主体民族人种及其渊源，阐述匈奴各时期的文化特点。全书共分七章，即绪论、匈奴历史考古学文化的一般特征、匈奴主体文化的甄别及其起源的探索、从原匈奴文化到匈奴文化的过渡、鄂尔多斯青铜文化在匈奴文化中的地位、南北匈奴文化的分野、基于考古资料的匈奴社会问题研究等。

《中国北方草原古代金银器》

张景明著，文物出版社 2005 年出版。1993 年，国家文物局组织专家组到内蒙古鉴定一级历史文物，其中就谈到了金银器问题。经专家们认定，内蒙古地区所发现的金银器年代在全国属于最早，是中国历史上金银器出现的源地之一。从此该书作者开始致力于搜集和研究北方草原地区的金银器，并把这十余年的新研究成果出版成书。

《海拉尔谢尔塔拉墓地》

中国社会科学院考古研究所、呼伦贝尔民族博物馆、海拉尔区文物管理所编，科学出版社 2006 年出版。谢尔塔拉文化代表了 7—10 世纪活动在呼伦贝尔草原的室韦人遗存。体质人类学的研究结果表明，谢尔塔拉人群在颅面类型上与现代蒙古人最接近，基本上属于蒙古人种北亚类型。谢尔塔拉文化的发现，为研究室韦的历史以及探索蒙古族的起源提供了科学的考古实证资料。该书分为上、下两编：上编为考古发掘报告，系统介绍了谢尔塔拉墓地 10 座墓葬的发掘资料；下编为相关问题研究，共收录 10 篇论文，从考古学、历史学、民族学和人类学角度对谢尔塔拉文化的内涵、室韦史料、蒙古族源等重要课题进行了论述。

《红山文化研究》

赤峰学院红山文化国际研究中心编，文物出版社 2006 年出版。为纪念中国著名考古学家尹达先生命名红山文化 50 周年，2004 年 7 月，红山文化国际学术研讨会在赤峰学院召开。来自海内外的 80 余位专家学者围绕红山文化的发现与研究历程、社会性质与文明化程度、玉文化内涵与特征、经济形态、埋葬习俗、原始宗教信仰、东北亚史前文化交流等诸多问题进行了深入讨论。该书收录的 55 篇论文是此次学术研讨会成果的集中体现，展示了当今国内外学术界对红山文化研究的整体实力和最新成果。

《鲜卑考古学文化研究》

孙危著，科学出版社 2007 年出版。该书是一部关于鲜卑考古学文化的系统研究著作。本书结合史料记载和目前的考古学资料，对鲜卑的文化面貌、文化内涵及族属等进行了分析研究和界定。并通过考古学资料，对鲜卑文化与中原文化、鲜卑文化与匈奴文化、鲜卑文化与高句丽文化以及与西域各国的文化交流、文化互动与影响进行了深入系统的介绍。

《草原考古学文化研究》

塔拉主编，内蒙古教育出版社 2007 年出版。商周时期的北狄、猃狁，两汉时期的匈奴、鲜卑，隋唐时期的突厥、回纥，辽金元时期的契丹、女真、蒙古等都曾驻牧于内蒙古地区，并留下了丰厚的历史印记，形成了兼容并蓄、博大精深的草原考古学文化。草原考古学文化是草原文化的一个重要组成部分。该书对以往所获考古学成果进行系统的梳理，并结合最新发掘的草原考古学内容，对进一步探讨草原文化与中华民族文化关系的研究起到了重要意义。

《边疆考古研究》

这是由教育部人文社会科学重点研究基地吉林大学边疆考古研究中心编辑的系列学术丛书，由科学出版社出版。该书主要内容涉及中国边疆地区的古代人类、古代环境与文化，也涉及考古学的理论与方法的探讨。其中也包括了一些有关内蒙古的从远古到唐代的考古发掘和相关研究成果。

第四节　其他类

《中国古代民族志》

文史知识编辑部编写，中华书局 1993 年出版。这是一本意在传承中华各民族传统历史的论著，对各个民族的介绍，内容短而精。其中涉及内蒙古地区先秦到隋唐时期的众多民族，对普及这些民族历史有很好的传播作用。

《内蒙古岩画的文化解读》

盖山林、盖志浩著，北京图书馆出版社 2002 年出版。内蒙古地区是我国岩画艺术遗存的主要区域之一。该书全面地反映了内蒙古地区的岩画情况，就其地理分布、古生态环境、题材内容、风格演变、作画的思维方式等多方面进行了解析，为研究者提供了丰富的第一手岩画资料，从资料到研究都有较高的价值。

《先秦至隋唐时期西北少数民族迁徙研究》

民族出版社 2003 年出版。历史上中国少数民族的迁徙，是古代少数民族发展的普遍现象，是造成中国各民族关系十分密切的重要原因。作者李吉和对古代北方民族的迁徙作了具体的研究和分析，包括迁徙走向、迁徙路线等内容，利用丰富的资料揭示了自秦汉以来，内蒙古地区的匈奴、鲜卑、柔然、突厥、铁勒、回纥等民族从东向西，举族迁徙的规律。随着民族之间的这种普遍的迁徙，内蒙古地区各族的文化、经济得到了广泛密切的交流，对多民族格局的形成和发展起到了重大作用。

《四—六世纪内迁胡人家族制度研究》

柏喜贵著，民族出版社 2003 年出版。该书将历史学、人类学、民族学、社会学方法相结合，从文化视野切入，以家族制度为观察点，论证 4—6 世纪北方民族关系与民族融合互进的主题。指出这个过程虽然"充满着复杂的矛盾和剧烈的冲突，但从内迁胡人家族内部关系与外部关系以及胡汉文化心态上看，胡汉家族制度最终无疑趋于认同与一体"。

第二编

概　　述

第　三　章

史前的内蒙古地区

　　根据考古发现和考古工作者的研究，旧石器时代直至新石器时代，内蒙古地区已有古人类活动。旧石器时代早期、晚期直到新石器时代各个时期的文化遗址，在内蒙古东、中、西部许多地方都有发现。青铜时代的内蒙古地区，也产生了颇有地方特点的文化，在中国考古史上占有重要地位。

第一节　旧石器时代

　　内蒙古地区旧石器时代的物质文化遗存，在阴山南麓、鄂尔多斯高原、锡林郭勒草原、呼伦贝尔高原、赤峰丘陵以及科尔沁草原等地区均有发现，迄今约有 30 处（点），其中以大窑文化、萨拉乌苏文化和扎赉诺尔人最为有名并具代表性。考古资料可以证明，旧石器时代早期和晚期，古人类均曾在内蒙古地区活动，创造了内蒙古的史前文明。

一、大窑文化

　　截至目前的考古发现证实，内蒙古境内最早有古人类活动遗迹的地区在大青山南麓。遗址一处在内蒙古自治区首府呼和浩特市东北郊 33 公里保合少乡大窑村南山，另外一处在呼和浩特市东 30 公里榆林镇前乃莫板村脑包梁，分别是旧石器时代早期和晚期的石器工具制作场①。

大窑文化早期石器制作场在大窑村南的四道沟，晚期制作场在村南的二道沟。前乃莫板村脑包梁石器制作场，同二道沟的一样，属于旧石器时代晚期。20世纪70年代，大窑遗址始由内蒙古自治区博物馆和文物工作队发掘。根据石器的类型和加工方法所具有的特征，考古界有学者把这两处石器制作场称作"大窑文化"。现在是全国和内蒙古自治区重点文物保护单位。

大窑旧石器时代早期制作场的遗物出土于中更新世红土层的底部，有许多大型的燧石块，有的长达1.5米，宽、厚各达1米左右。燧石块周围密布人工打制的石片和石渣、石块之类。其中从两块大燧石上剥落石片的痕迹十分明显。在两块大燧石周围5平方米的范围内，分布着多达560件长2厘米、宽1厘米以上的石片、石块和石屑。另有3件大石片散落在另一块燧石的周围，可以同燧石块复合到一起，显然是从大燧石上捶打下来的。由此可以想象当时人们开采石料、制作石器的情形。大窑早期石器制作场的时代可追溯至70万年以前。

属于晚期制作场的遗物如很厚的石片和石器、石渣层等，位于晚更新世的黄土和黑垆土底部。遗物特点是典型的石片和石核数量很多，石器较少，制作石器所遗留的半成品和废品则占绝大多数。大部分石核是盘状和多面体状的，数量最多的是中小型长石片，还有手斧和石球。石器类型比较简单，有砍砸器、尖状器和刮削器等几种。晚期石器制作场的时代大约距今3万—1万年间。

大窑遗址西南方为土默特平原，面向开阔的平川，东和东南是大青山山前丘陵，大、小黑河从这一带流过。据研究，远古时代，这一地区的气候由炎热湿润逐渐变为温暖，到旧石器时代晚期，变为干燥寒凉。地面既有深山、小片森林和林间的灌木地带，又有野草茂盛的大片坡地和平川，这种自然环境是适于当时人类生活的②。

---

① 内蒙古博物馆、内蒙古文物工作队：《呼和浩特市东郊旧石器时代石器制造场发掘报告》，《文物》1977年第5期；汪宇平：《内蒙古阴山地带的石器制造场》，《内蒙古文物考古》1981年创刊号。
② 内蒙古博物馆、内蒙古文物工作队：《呼和浩特市东郊旧石器时代石器制造场发掘报告》，《文物》1977年第5期。

考古发现的诸多石器类型，以刮削器数量最多，砍斫器占第二位。用途大概是砍伐树木，加工成狩猎用的木棒等工具。刮削器和砍斫器均是适宜在草甸灌木环境下进行生产的工具，其中龟背形刮削器的形式和制法比较固定，是典型器物，可用于剥兽皮、刮兽肉和加工皮革等。石球也有发现，是捕捉野兽比较重要的工具。大型尖状器和手斧等工具出土不多，又不典型，而它们是采集食物所必须使用的工具，说明当时古人类不是以采集生活为主要方式。从全部文化遗物分析，大窑文化的创造者过着以狩猎为主、采集为辅的原始生活。

大窑文化遗址是从旧石器时代早期就已由远古人类开始开采的石器制造场，历经旧石器时代中、晚期，前后约达几十万年之久。大窑石器制作场的发现，揭示出人们从原生岩层中开采石料，就地制作工具的情形，是较重要的考古发现。尤其旧石器时代早期的石器制作场，迄今为止在中国是唯一的发现。大窑村南山和前乃莫板村脑包梁两处石器制造场相距10公里，遗迹分布面积很大。文化层的深厚和连续性，表明当时人数可观，并且长期在这一带从事生产活动，生息繁衍。它把内蒙古地区古人类活动的历史，推到旧石器时代早期，证明远古人类曾在这里开采石料、制作石器工具，过着以狩猎为主、采集为辅的生活。说明中华文明是多源的，不但黄河流域、长江流域是中华古老文化的发祥地，而且内蒙古阴山南麓一带也是远古人类劳动和生息的地方，内蒙古地区也是我国远古文明的摇篮之一。

二、萨拉乌苏文化

内蒙古境内另一个重要的旧石器时代文化遗址位于内蒙古鄂尔多斯市乌审旗萨拉乌苏（蒙古语"黄水"）河流域，是旧石器时代晚期遗址，出土有晚期智人化石和以细小石器为特征的文化遗物。地质时代为晚更新世，据放射性碳素和铀系法断代，年代为距今约5万至3.7万年[①]。

20世纪，中外学者对萨拉乌苏文化遗址进行了多次考古发掘。1922—1923年，法国地质古生物学家桑志华和德日进等人发现并发掘了这个遗址，采集到了人类化石、脊椎动物化石、石器和用火遗迹等。其中的一颗八九岁

---

① 汪宇平：《内蒙伊盟南部旧石器时代文化的新收获》，《考古》1961年第10期。

幼童的左上外侧门齿，石化程度很深，后经加拿大籍解剖学家步达生研究，定名为"Ordos Tooth"（鄂尔多斯牙齿）。20 世纪 40 年代，中国考古学家裴文中将其译作"河套人"，并称这一旧石器时代文化为"河套文化"。20 世纪 50—80 年代，我国考古学者继续对这一地区进行考察，相继又有许多新的发现，尤其是首次从原生地层中发现了 6 件人类化石，并发掘出内容丰富的文化遗物。考古界最后将这一文化遗址定名为"萨拉乌苏文化"。

经过数次调查发掘，迄今为止，共发现"河套人"化石 23 件，其中出自原生地层的有额骨 2 件、枕骨、下颌骨、肩胛骨、胫骨各 1 件。经过研究，河套人头骨骨壁较厚，骨缝较简单，下颌体较粗壮，颏孔位置偏低，股骨骨壁很厚，髓腔很小，仍保留着一些原始性状，属于晚期智人。"河套人"门齿内面呈铲形，枕鳞上方有顶间骨，这些特征接近现代蒙古人种。旧石器时代晚期，鄂尔多斯高原已经有与现代蒙古人种体质特征接近的古人类活动。

萨拉乌苏文化还包括发现的石制品、人工打碎的动物骨头、炭屑以及动物骨骼化石。石制品共 500 多件，原料多为石英岩和燧石。器型有刮削器、钻具、尖状器和雕刻器等，以刮削器数量最多、种类最复杂。人工打碎的骨头多为大型食草动物和啮齿类、鸟类的，它们与石器、炭屑在一起，是河套人食用后的遗迹。从出土的动物化石可辨认出有诺氏古菱齿象、诺氏驼、披毛犀、原始牛、王氏水牛、野驴、野马、河套大角鹿、普氏羚羊等，被命名为"萨拉乌苏动物群"。

对"河套人"生活环境和动物群种类的分析，表明古代鄂尔多斯高原地理环境与今日有很大差异。当时萨拉乌苏河沿岸及其周围地区，应该是河流交织，湖泊棋布。湖畔附近和河流两岸有疏散的森林，气候温暖而湿润，年平均温度在 4℃—7℃之间，年降水量在 300—500 毫米，呈现出以草原为主，兼有森林、灌木丛、沼泽，附近可能还有荒漠的自然景观。适宜的气候，良好的森林草地，充足的水资源，众多的野生动物，为河套人提供了得天独厚的生存环境。

"河套人"及其创造的物质文化，在中国北方地区旧石器时代晚期文化中占有重要地位。

此外，旧石器时代晚期遗存在内蒙古东西部也均有发现。在满洲里市扎赉诺尔蘑菇山周围，到目前为止已发现旧石器地点 4 个，出土和采集各种打制石器一百余件。蘑菇山遗址大约属于更新世晚期遗址①。在扎赉诺尔灵泉煤矿西南约 3 公里的孤山子东南坡上，也发现一处旧石器地点，采集打制石片等 14 件。专家认为，这里可能是一处石器制造场，属于旧石器时代晚期。在赤峰翁牛特旗上窑村北的老虎山洞穴遗址、锡林郭勒盟东乌珠穆沁旗金斯太洞穴遗址和巴彦淖尔市乌拉特后旗、阿拉善左旗巴彦浩特镇东北 30 和 35 公里处也都发现了旧石器时代晚期的遗址②。满洲里扎赉诺尔还发现 15 个个体的人骨化石（"扎赉诺尔人"），出土有石镞、刮削器、石叶、石核等细石器以及刀梗、锥、镖等骨器，年代距今 1 万年左右，有学者认为属中石器时代。

第二节　新石器时代

新石器时代，内蒙古境内主要的山川、河流、湖泊附近，大都有人类居住。据不完全统计，迄今已调查或发掘的新石器时代遗址有 100 多处。广泛分布的新石器时代遗址，说明在海拉尔河流域和呼伦湖周围、科尔沁草原、西拉木伦河和老哈河流域、锡林郭勒草原西部、乌兰察布丘陵南部和阴山山脉南麓、鄂尔多斯高原、阿拉善高原等地区都已有古人类生息繁衍。由于地理环境、气候以及自身发展的程度不同等因素的影响和制约，内蒙古地区新石器时代诸文化既各具特色，反映了不同地域居民不同的文化类型，又具有相互影响，一脉相承的文化因素。其中呼伦贝尔高原的新石器时代遗址遗物，多为狩猎畜牧生产工具及生活用具，表明当时古人类的主要生产活动是狩猎、采集，兼营畜牧。赤峰丘陵地带新石器时代居民的文化面貌呈现出两

---

① 汪宇平：《扎赉诺尔蘑菇山旧石器时代晚期遗址》，《内蒙古文物考古文集》第 1 辑，中国大百科全书出版社 1994 年版，第 63 页。

② 景爱：《沙漠考古通论》，紫禁城出版社 2000 年版，第 84 页；魏坚、王晓琨：《东乌旗金斯太旧石器时代及商时期洞穴遗址》，《中国考古学年鉴》（2002 年），文物出版社 2003 年版；戴尔俭、盖培、黄慰文：《阿拉善沙漠中的打制石器》，《古脊椎动物与古人类》1964 年第 4 期；李壮伟：《内蒙古阿拉善左旗发现原始文化遗存》，《考古》1992 年第 5 期；李壮伟、王爽：《贺兰山西麓的旧石器》，《考古与文物》1994 年第 2 期。

种类型：一类是以畜牧狩猎为主而兼营部分农业；一类是以农业为主而兼有畜牧和狩猎。土默特平原新石器时代居民的生产生活是农牧结合，兼营狩猎。鄂尔多斯高原和乌兰察布高原古人类则是一部分以农业生产为主，一部分农牧结合兼有狩猎。

内蒙古境内新石器时代的文化遗迹分布广泛，类型较多，下文择要叙述已确立的考古学文化。其中东部地区于公元前 6 千纪后半段便出现了原始农业经济，先后有小河西文化、兴隆洼文化、赵宝沟文化、富河文化、红山文化和小河沿文化等。这些文化均属于筒形罐谱系的文化，有以"血亲"为主体的发展关系。而内蒙古中南部早期农业文化的结构、格局与东部区有明显差别，这里的农业开发主要是由中原移民垦荒来完成的，亦即内蒙古中南部的新石器时代文化主要由中原迁徙而来的人群创造。代表性的新石器时代文化有石虎山后冈一期文化、仰韶文化王墓山类型、海生不浪文化、老虎山文化等。

一、小河西文化

小河西文化以赤峰市敖汉旗木头营子乡小河西遗址命名，年代距今8200 年以前，已发现的四十余处遗址，主要分布于内蒙古教来河、孟克河下游地区，西拉木伦河、老哈河流域也有发现①。

小河西文化居住房址或为长方形或为方形半地穴式建筑，大体成排分布，聚落规模偏小。陶器火候很低，以素面夹砂红褐陶为主，器类单一，主要是筒型罐。石器以打制为主，磨制较少。以大型厚体亚腰型砍砸器和石球为主，细石器较发达。反映出当时最高制作工艺水平的器物是琮型石器和有銎骨锤。小河西文化人群过着采集和渔猎为主的原始生活。

小河西文化是兴隆洼文化的直接源头，也是中国东北地区目前所知年代最早的新石器时代考古学文化。

二、兴隆洼文化

兴隆洼文化因赤峰市敖汉旗兴隆洼遗址最有代表性而得名，是目前所知

---

① 索秀芬：《小河西文化初论》，《考古与文物》2005 年第 1 期。

中国东北地区较早的新石器时代文化，年代跨度约距今 8 000— 7 000 年左右。该文化分布广阔，东至医巫闾山，西至洨河，南达燕山南麓，北抵乌尔吉木伦河，中心地域是西拉木伦河流域①。

兴隆洼文化的典型特征是在临河的高地上选择聚落居址，四周环绕壕沟。房址为方形或长方形半地穴式，成排成行分布，形成聚族而居的聚落。最大的房址居于聚落的中心位置。陶器以夹砂粗褐陶为主，还有器表呈灰色或黑色的细砂陶。主要器类是一种深腹筒形罐，还有钵、碗、杯、盅等。陶器主体纹饰大体分压印条纹和近似圆形或椭圆形的戳点纹。从陶器制作方法有别于同期其他文化上判断，兴隆洼文化应是当地的土著文化。这一文化最有代表性的石器是打制的有肩石锄和磨制的长方形石铲。从考古发现的生产工具、动物遗骸和植物遗迹看，兴隆洼文化的创造者处于农业开发的初始阶段，渔猎和采集可能是其主要谋生手段。玉器制作达到很高水平，已掌握了琢磨成形、抛光、钻孔等技术。出土的玉器已有几十件，除个别的斧、锛等作为工具外，多数是礼仪活动中的"祭器"。有非常罕见的人面佩饰和石雕的裸体女像，在查海遗址还发现了一条长 19.7 米，宽 1.8—2 米的石块堆塑的龙的形象，这都对后来文化产生非常强烈的影响。

三、赵宝沟文化

赵宝沟文化以赤峰市敖汉旗赵宝沟遗址和小山遗址为主要代表，绝对年代经测定约当公元前 5200—公元前 4470 年之间。分布范围与兴隆洼文化基本相同②。有的学者认为，赵宝沟文化是在兴隆洼文化基础上发展起来的；有的认为它生成于渤海北岸，逐步推进到西拉木伦河沿岸。

赵宝沟文化先民的聚落居址也是半地穴式的成排排列，井然有序。陶器以夹砂陶为主，泥质陶很少。陶器纹饰有压印的几何纹、"之"字纹、动物纹和锁印纹。其中几何纹最多，且多变化。筒形罐、红顶钵、圈足钵、尊形

---

① 中国社会科学院考古研究所内蒙古工作队：《内蒙古敖汉旗兴隆洼遗址发掘简报》，《考古》1985 年第 10 期；中国社会科学院考古研究所内蒙古工作队：《内蒙古敖汉旗兴隆洼聚落遗址 1992 年发掘简报》，《考古》1997 年第 1 期。

② 中国社会科学院考古研究所编：《敖汉赵宝沟——新石器时代聚落》，中国大百科全书出版社 1997 年版；刘国祥：《关于赵宝沟文化的几个问题》，《北方文物》2000 年第 2 期。

器和器盖都是有特色的器物，装饰着发达的几何形纹饰。有大型石斧、石耜出现，特征鲜明，数量众多，说明当时可能已脱离了只将谷种撒在地表上播种的农业阶段。有出于某种信仰崇拜的鹿首、猪首和鸟首"神灵"图像，出现了以"二维空间"的艺术手法所表现的画面，如猪、鹿、鸟追逐图和达到神化境界的陶器刻画麟（麒麟）与龙在云端遨游的图案。人面纹石斧可能用于祭祀，表明当时礼仪制度的发展。

四、富河文化

富河文化因赤峰市巴林左旗富河沟门遗址而得名，年代为公元前 3350 年左右。遗址主要集中在西拉木伦河以北的乌尔吉木伦河沿岸①。

富河文化多为长方形半地穴式房址。房址内有柱洞、灶坑和篝火痕迹。大型石器多为打制，磨制石器极少，细石器很多。器形有柳叶形镞、锥、钻、圆刮器等。骨器包括镞、锥、针、鱼镖、鱼钩、卜骨等。卜骨反映了原始信仰，并且是中国迄今发现年代最早的实物。陶器手制，都是夹砂陶，器类有筒形罐、钵和圈足器，压印的篦点式竖排之字纹别具特色。遗址中有大量兽骨，处于狩猎、采集为主的社会阶段。富河文化是北方草原渔猎文化与兴隆洼农业文化融合后发展起来的具有区域特色的史前遗存。

五、红山文化

红山文化是内蒙古地区延续时间最长的新石器时代文化，年代跨度约为公元前 4710—公元前 2920 年之间。1935 年发掘赤峰市红山后遗址，缘此得名。主要分布于今内蒙古东南部和辽宁、河北等地②。

红山文化居住遗址为方形半地穴式，聚落周边有围沟，是一种新兴的聚

---

①　中国科学院考古研究所内蒙古工作队：《内蒙古巴林左旗富河沟门遗址发掘简报》，《考古》1964 年第 1 期。

②　中国社会科学院考古研究所内蒙古工作队：《赤峰蜘蛛山遗址的发掘》，《考古学报》1979 年第 2 期；中国社会科学院考古研究所内蒙古工作队：《赤峰西水泉红山文化遗址》，《考古学报》1982 年第 2 期；郭大顺、张克举：《辽宁省喀左县东山嘴红山文化建筑群址发掘简报》，《文物》1984 年第 11 期；辽宁省文物考古研究所：《辽宁牛河梁红山文化"女神庙"与积石冢群发掘简报》，《文物》1986 年第 8 期。

落形态，代表着史前聚落从圆形向青铜时代初期的方形城堡演变的过渡形式。石器以磨制为主，还有打制石器和细石器。用于深翻土地的大型石耜和收割作物的穿孔石刀的大量发现，说明农业有很大发展。手制陶器，早期以夹砂陶为主，泥质陶也占一定比重。筒形罐最常见。有红、黑色彩陶。图案有平行竖线纹、平行线组成的三角形纹、鳞纹等。中期泥质陶明显增多，折腹钵大量存在。彩陶流行黑彩，以菱形纹、涡纹、平行斜线与弧边三角等图案为主。晚期多见专门用于祭祀的筒形器，新出现豆和三足或四足小陶器。彩陶纹样以错叠三角纹、方块纹和宽带纹为主。有的陶器出现内彩。规模宏大的坛、庙、冢建筑，是红山晚期文化最高的建筑成就。红山文化的玉器器形新颖、加工精致，以神化的玉龙形象最具代表性。如在赤峰市巴林右旗那斯台遗址征集的一批玉器和翁牛特旗三星他拉发现的大型碧玉龙等，都是红山文化的玉器精品。从兴隆洼文化石块堆塑的龙、赵宝沟文化的龙游云端图案，到红山文化后期龙纹的抽象化或图案化，"龙"形象的发展、演变一脉相承。具有"龙"这一代表性特征的红山文化，与"一枝花"为代表的中原仰韶文化相互影响、碰撞、融合、演变，迸发出了东亚文明的火花。红山文化无疑是中华古文化主根系中重要的一支。

六、小河沿文化

小河沿文化以赤峰市敖汉旗石羊石虎山、小河沿白斯朗营子、翁牛特旗石棚山诸遗址为代表，这类遗存主要分布于赤峰地区。

小河沿文化早期房址均为半地穴式，有磨制石器和细石器。晚期有方形半地穴式房址。打制石器有锄、盘状器，磨制石器有铲、刀、锛。陶器手制，以夹砂褐陶、灰陶为多，少量陶器经慢轮修整。从小河沿文化墓葬发掘情况看，男性墓多随葬生产工具，女性墓则是纺轮和骨针等手工工具，表明男女分工明确，男性主要从事农业生产，农业又有进步的状况。小河沿文化中出现的夫妻合葬墓，也说明一夫一妻制的个体家庭也出现了。

小河沿文化的渊源比较复杂，一些典型器物如敛口钵、深折腹钵、直领双耳壶和筒形罐等，在红山文化晚期可找到原型；红山文化晚期出现的新器类、新纹饰如黑陶豆、镂孔和朱绘等则在小河沿文化中得到了发展。陶器上的拍印线纹则是黄河流域新石器时代文化传统的制陶工艺。说明小河沿文化是在红山文化基础上发展起来的，并受到黄河流域同期文化影响，由多种文化因素组成的一种比较发达的文化。

七、石虎山后冈一期文化

约公元前 5 千纪末，太行山东侧以鼎和小口双耳鼓腹罐为代表的后冈一期文化人群经张家口地区西进，在内蒙古岱海地区形成聚落，其物质文化称为石虎山后冈一期文化[①]。

石虎山后冈一期文化遗存早期的村落很小，二十几户人家，百口人左右。房址不够规整，略显成排排列。晚期环壕聚落建筑规整，面积比早期大 4 倍，表明人口数量激增。晚期出土较多长方形石铲、石刀、蚌刀和石斧等生产工具，显示原始农业已有发展。出土的大量动物骨骼中，有较多大型动物如野牛、马鹿、狍等，也有鱼、蚌和鸟类，渔猎经济仍占相当大的比重。其中猪、狗骨骼的发现，说明当时已有了家畜饲养业。

石虎山后冈一期文化早期的文化内涵单一，晚期则显示后冈一期文化与半坡类型文化融合的特征。

八、仰韶文化王墓山类型

公元前 4 千纪末期，起源于华山脚下的半坡——庙底沟类型文化的人群来到内蒙古中南部，代表性器物是重唇口小口尖底瓶和变形鱼纹盆。经大面积发掘的岱海王墓山坡下遗址，代表了该文化类型的社会发展水平，故称之为仰韶文化"王墓山类型"[②]。

王墓山坡下遗址位于山脚，靠近坡上中间有一座大房址，房前有一片开阔的广场，广场下部按等高线分布有一排排小房址。大房址居高临下，是氏族部落首领居住或议事的场所。在多数小房址中，出土了成组的生活器皿和生产工具，显示每座房子既是一个生活单位，也是一个生产单位，说明原始

---

① 内蒙古文物考古研究所、日本京都中国考古学研究会岱海地区考察队：《石虎山遗址发掘报告》，《岱海考古（二）——中日岱海地区考察研究报告集》，科学出版社 2001 年版，第 127—140 页。
② 内蒙古文物考古研究所、北京大学中国考古学研究中心"聚落演变与早期文明"课题组编：《岱海考古（三）——仰韶文化遗址发掘报告集》，科学出版社 2003 年版，第 11—149 页。

氏族制度的平等原则开始被破坏了。

九、海生不浪文化

公元前 3 千纪前半叶，太行山东侧的大司空文化和红山文化的人群来到内蒙古中南部，与当地仰韶文化人群角逐、融合，逐渐形成了具有明显地方特征的文化。因呼和浩特市托克托县海生不浪遗存较有代表性，因此称为海生不浪文化。代表性器物组合为仰韶文化的尖底瓶系、大司空文化的小口双耳罐系、红山文化的筒形罐系（包括龙鳞纹彩陶），表明多种文化人群在内蒙古中南部实现了第二次组合。

海生不浪文化的聚落外均有壕沟环绕，房址布局多为一排排分布。出土有造型精致的石斧、石刀和骨柄石刃刀，显示出很高的制作技术。出现了加工谷物的工具臼、杵，一改长期使用磨盘、磨棒的传统，表明农业产量的提高和生产水平的进步。

由于地理环境的不同、所受外来文化影响的差异和物质内涵的区别，海生不浪文化在岱海和黄旗海地区、鄂尔多斯东部和黄河两岸地区、包头地区，又划分出"庙子沟类型"、"白泥窑子类型"和"阿善类型"。到仰韶文化晚期，海生不浪文化的社会发展、生产经济已达到相当高的水平[1]。

十、老虎山文化

大约在公元前 2 千纪前叶，早已掌握了石砌围墙技术的红山文化的居民西进，与仰韶文化系末期的小口尖底瓶人群融合，创造了新的人类文明。因凉城县老虎山遗址面积最大、石围墙保存较好且具代表性，因此得名"老虎山文化"[2]。这一文化的标志是石城聚落群和三空袋足器的出现。

在内蒙古中南部，目前共发现三群老虎山文化的石城聚落群：岱海石城聚落群、包头大青山南麓石城聚落群和准格尔旗与清水河县之间的南下黄河两岸石城聚落群。这类遗址均选在山前向阳避风处，依山势石筑不规则形围

---

[1]　崔璇：《"海生不浪文化"述论》，《内蒙古社会科学》1990 年第 5 期。

[2]　内蒙古文物考古研究所编：《岱海考古（一）——老虎山文化遗址发掘报告集》，科学出版社 2000 年版，第 199—392 页。

墙。一般在缓坡部位筑墙，有的在险要处筑两道墙，以增强防御作用；有的在山坡陡峭处墙外加石垛，以防倒塌。建筑布局以老虎山遗址为例：围墙之内，房屋依山坡阶地有规律成排建筑，均等高分布于层层台地上，每隔一段距离有2—3间为一组。这种2—3间房址为一组的生活单位，可能属于一夫一妻制的小家庭。西南墙外靠近水源处有烧制陶器的窑址区，可能制陶业已有了专业分工，陶器已具备了商品性质。老虎山文化最富特征的陶器有斝和斝式鬲、素面夹砂罐、高领罐、直壁缸和敛口瓮，且演变序列清楚。考古学者认为，斝、鬲类器物是仰韶文化特征器小口尖底瓶的嫡系后裔，殷墟甲骨文中的"酉"字极像小口尖底瓶，"丙"字有的像尖底腹斝、有的像鬲，从而把文明社会的殷商和仰韶文化末尾直接加以联系。以后，鬲文化成为中华文明的象征之一。

老虎山文化的石城聚落群和斝式鬲诞生以后，向南沿汾河谷地南下占有晋中盆地以北地区，再向南直接影响了"陶寺古国"文明的出现；向东经张家口地区，影响到了夏家店下层文化的发展。

第三节　青铜时代

内蒙古地区较重要的青铜文化有夏家店下层文化、大口二期文化、朱开沟文化、夏家店上层文化等。内蒙古青铜时代文化各具内涵，显示出北方地域文化自身发展的脉络，又表明与中原青铜文化的密切关系和交互影响。

一、夏家店下层文化

夏家店下层文化属于中国北方青铜时代的早期文化，因发现于赤峰夏家店遗址下层而得名。分布范围较广，西拉木伦河以南、老哈河和大、小凌河流域分布较为密集。年代在公元前1900—公元前1400年，跨度相当于夏至早商。从石城的选址、石墙建筑结构、城内房址布局，到与城址有关的祭祀遗存等，都可以看出该文化是老虎山文化石城聚落群的进一步发展。

夏家店下层文化遗迹，以石城最富特征，是一种有大石块垒砌围墙等防御设施的居址。石城依山势营建，有方形、圆形和三角形等，成群分布，规模大小不一，显示了层次分明的社会结构。房址多位于沿河两岸的高地，层层成排分布，较大的聚落周围常有围墙或壕沟作为防御设施。有半地穴式和地面式两种。在建筑技术上，垒石砌墙早晚并见，土坯墙只在晚期发现。晚期房址还发现了"白灰面"建筑。大型房址均选择在城中地势开阔位置较高的地方，反映居住者的显要地位。实用陶器多为青灰色，手制，泥条盘筑为主，部分陶器使用轮制。烧制火候较高，造型整齐，胎质较硬。代表性器物有鬲、盂（或称折腹盆）、盆、钵、罐、鼎、盘、簋、豆、爵等，鬲为多见，筒式鬲最有代表性。绳纹和绳纹加划纹为陶器上常见的两种纹饰，还有篮纹和附加堆纹等。在陶器整个器物画面的分割、布置与主、辅纹饰的配合等方面，都显示着夏家店下层文化与商周青铜器的图案有密切的联系。夏家店下层文化人群以定居的农业生活为主，生产工具最多见的是磨制的扁平石铲、柳叶形石刀和打制的石锄。饲养牛、羊、猪、狗等家畜，也进行狩猎。有穿孔石斧、石钺、圆锥形或三棱锥形骨镞等武器。掌握了一定的金属铸造技术。有精致的玉石工艺品。墓葬都发现在聚落近旁，墓地规模大小不一。同一时期的墓，死者头向一致，多为侧身直肢。随葬品有陶器，女性还以纺轮随葬，男性则随葬斧、钺、箭等。还有随葬猪、狗头或动物整体的葬俗。

夏家店下层文化是西辽河地区独立发展和延续下来的早期青铜文化，与商文化关系密切，对中原青铜文化影响很大，是古代北方草原文明的重要标志。

二、大口二期文化

大口遗址于 1962 年在鄂尔多斯市准格尔旗马栅乡大口村发现，1973 年至 1983 年进行过五次小规模发掘，经认定是一个龙山至夏商时代的遗址。其中大口一期文化相当于中原龙山文化，大口二期文化相当于中原夏或早商文化①。

大口二期文化的居住遗址在同时代遗址中较为进步。房子已脱离半地穴形式，建筑在略高于地面的地基上，圆角方形，有大有小，屋门南向。地面及残存的墙壁上涂抹有一层约 5 厘米的白灰面。陶器以泥质灰陶为主，还有夹砂灰陶、褐陶和少量黑陶。陶器手制，造型多较匀称，有的器物口部有用

---

① 吉发习、马耀圻：《内蒙古准格尔旗大口遗址的调查与试掘》，《考古》1979 年第 4 期。

慢轮修整的痕迹。典型器有袋足瓮、甗、折肩罐、大口尊等，多为瓮棺葬具。生产工具有石器和骨器。石器主要作为砍伐、耕作和收割的农具，磨制得较为精致，此外还有打制石器和细石器。骨器很多，有生产工具、武器、装饰品和生活用具等。在内蒙古西部地区出土这么多骨器的古代遗址还是少见的。大口二期文化盛行瓮棺葬，多用日常生活器皿来埋葬孩子，这种葬俗可能是地域文化特点所致。

大口二期文化的发现，证实了内蒙古中南部也存在早期青铜文化。

三、朱开沟文化

1974 年在鄂尔多斯市伊金霍洛旗朱开沟村发现遗址，1977 年至 1984 年断续进行了四次发掘，分为龙山文化晚期、夏代和早商三个时期。出土可复原陶器 500 余件，石器、骨器和铜器 800 余件，资料丰富，更能反映内蒙古中南部夏商文化的特征[①]。

陶器以灰陶为主，还有一定数量的灰褐陶和黑陶。主要纹饰是篮纹、绳纹和附加堆纹，此外还有方格纹、划纹、楔形纹等。主要器物组合有：鬲、斝、甗、三足瓮、三足杯、四足方杯、高领罐、大口尊、单耳杯、单耳罐、双耳罐、单把鬲、盉、豆、壶、带纽圆腹罐、花边口沿罐、矮领罐和盆等，其中三袋足器非常发达，约占出土陶器的半数以上，特别是花边鬲、蛇纹鬲和三足瓮等，是具有地方特征的器物。青铜器在朱开沟遗址夏代较早时期的地层中就有出土，有耳环、臂钏、指环、针、锥等物。在早商时期的墓葬中，出土了许多青铜器，有兵器、生产工具、生活用具等，如戈、短剑、刀、镞、銎、圆牌饰和鼎、爵等。鼎、爵、戈等与商代中原地区的相似，青铜短剑和铜刀则有明显差别，而与内蒙古东部以及中国北方地区的青铜短剑、刀相似，具有明显的地域特点。出现了棺椁制度和妻妾殉葬习俗，特别是女性和小孩为男性陪葬，说明朱开沟文化已具备了阶级社会所具有的特征。

朱开沟文化出土的青铜器时代早，地域特点明显，证明内蒙古地区的早

---

① 内蒙古自治区文物考古研究所、鄂尔多斯博物馆编：《朱开沟——青铜时代早期遗址发掘报告》，文物出版社 2000 年版，第 4 页。

期青铜文化并不晚于黄河流域早期青铜文化。与朱开沟文化同类的文化遗存分布广泛，大体集中在内蒙古中南部，陕北、晋北也有同时期相似遗存发现。

根据研究，朱开沟文化从早期到晚期的生态环境，开始由森林草原逐渐向草原环境演变。生态环境的改变，促使朱开沟文化人群的经济生产生活方式发生转变。从青铜短剑、铜刀和铜鍪等一些象征畜牧业文化标识物的出现与适应农业发展的传统器物的逐渐被淘汰可知，大约在朱开沟文化晚期（公元前1500年前后），朱开沟文化人群已向半农半牧的经济形态发展；并且由于干冷气候的持续发展，鄂尔多斯地区已普遍不适于农耕。为了寻找适宜的发展空间，半农半牧的文化中心开始南移、东移，开始了由传统农业向半农半牧及畜牧业转化的一场革命，从此开始有了中原华夏诸族与北方民族的分野。这些从事半农半牧经济活动的人群，应该就是殷墟卜辞中出现的𢀛方、土方、鬼方等北方民族。朱开沟遗址为研究历史上农牧业演变以及从事畜牧业经济人群的形成等问题，提供了重要线索。

四、夏家店上层文化

夏家店上层文化属于中国北方青铜时代的晚期文化，是一种多文化层次结构的北方系青铜文化，因发现于赤峰夏家店遗址上层而得名。主要分布于内蒙古的赤峰、通辽地区及辽宁省朝阳、河北省承德等地。年代相当于公元前1000—公元前300年，即中原西周至春秋、战国时期。

夏家店上层文化的铜器群表现出多元结构的特点：一是起源于辽东的曲刃剑系；二是起源于西部的以柄身联铸的柳叶形短剑为代表的鄂尔多斯式青铜器；三是柄身联铸的銎柄直刃剑系。青铜器种类繁多，常见工具和武器有刀、锥、斧、凿、镞、矛、短剑等，炊器与容器有鼎、鬲、豆、罐、方鼎、匜、簠、簋、瓿、匙、壶、瓠等。青铜容器也表现了夏家店上层文化多元化的特点，既有自身特点的仿陶器青铜器，又有典型的周式青铜器，还吸收了鄂尔多斯式的动物纹饰，也出现了少量的鄂尔多斯式铜鍪。多次发现石质铸范，铸铜技术已广泛应用。在林西县大井村还发现一处包括露天开采、选矿、冶炼、铸造等全套工序规模庞大的夏家店上层文化的古铜矿遗址。由于青铜文化较为发达，夏家店上层文化的陶器则明显落后，均为夹砂陶，陶质粗疏，皆为手制，以泥条盘筑成肩、腹、空足等各部分，再捏合成器。烧制火候较低，呈暗红色或褐色。种类有鼎、鬲、豆、罐、钵等，较为单一。夏家店上层文化居址有地上的，也有半地穴式的，表明夏家店上层文化人群还过着定居生活。从埋葬习俗和随葬品看，在同一族属中的人分化形成了社会的多种等级差别。生产工具以石器为主，特征显著的是锤、斧和磨制的穿孔半月形石刀。骨器工具有锥、针、梭、刀等。畜牧业已经得到充分的发展，牲畜有牛、羊、猪、狗和马。出现了驯马工具，标志着骑马术的开始。宁城南山根出土的锚头状有倒刺的马衔，显示出驯马初期对马衔的刻意加工。骑马术的出现，是夏家店上层文化人群从畜牧经济向半游牧—游牧经济转化的界标。这一转化过程，大约是在西周晚期至春秋早期完成的。骑马术无疑是当时战争中最先进的技术，北方民族开始强大起来，并由此进入了中原华夏诸族的视野。

夏家店上层文化特征鲜明，是具有浓郁北方民族特点的青铜文化，同时又与中原地区的文化关系密切。依分布地域和存在年代看，过去一般认为夏家店上层文化的创造者是文献记载的东胡。近年有学者研究认为，将在内蒙古赤峰林西县发现的有别于夏家店上层文化的一种新型遗存（暂称为"井沟子类型"）的族属视为东胡较为贴切[1]，而夏家店上层文化族属山戎则更为妥当[2]。

五、鄂尔多斯式青铜器

鄂尔多斯式青铜器是指以各种动物纹为装饰的各类青铜或金银制品，多出土于内蒙古中南部地区，晋北、陕北、冀北及俄罗斯西伯利亚米努辛斯克等地也有发现。因在鄂尔多斯地区发现最早、出土最多并且具有典型性，而被称为"鄂尔多斯式青铜器"，是富有草原游牧民族特征的青铜文化，多属于春秋至战国时期（约公元前 7 世纪—公元前 3 世纪）[3]。

---

[1]　王立新：《探寻东胡遗存的一个新线索》，《边疆考古研究》第 3 辑，科学出版社 2004 年版，第 93 页。

[2]　韩嘉谷：《从军都山东周墓谈山戎、胡、东胡的考古学文化归属》，《内蒙古文物考古文集》第 1 辑，中国大百科全书出版社 1994 年版，第 342—343 页。

[3]　田广金、郭素新：《鄂尔多斯式青铜器的渊源》，《考古学报》1988 年第 3 期。

20 世纪 70 年代，在鄂尔多斯市杭锦旗、准格尔旗等地相继发现了属于春秋至战国时期的青铜器墓葬。墓多为小型土坑竖穴，南北向。葬俗流行以牲畜殉葬，以马、牛、羊为主。随葬品以死者生前随身佩戴的兵器（如短剑，铜刀等）、工具（如鹤嘴斧）和装饰品（如金冠饰，三马纹铜饰牌，带扣，铜环，耳坠，项圈，虎牛争斗纹、虎豕争斗纹、虎狼咬斗纹、镶宝石的狼鸟纹金饰牌，虎、羊、双龙纹金饰片，鸟形饰，兽头饰，鸟纹金扣，管状饰等）为主，另外还有车马器具（如马衔，马镳，马面饰，盘角羊头形辕饰，伫立状羚羊、鹤头形、鹿形、立式兽和马等竿头饰件等）和少量粗制的褐陶器。随葬器物多为马、牛、羊、鹿、虎和狼等各种动物纹的装饰品，表现出浓厚的草原畜牧业经济文化特征。

除此而外，在鄂尔多斯地区还征集到一批与在上述墓葬中发现的器物相类似的青铜金银制品。在乌兰察布市凉城县等地也发现了属于春秋至战国时期的墓葬，其形制、随葬品、殉牲习俗和方式，与鄂尔多斯地区墓葬基本相同，但又有差别。如墓为东西向，随葬品有短剑、铜镞、鹤嘴斧、铜管状饰、铜扣饰、各种料珠串成的项饰，各种动物纹饰牌与带扣、铜环组成的腰带饰最为突出，车马具极少，陶器较多，以制作技术较高的泥质灰陶罐为多数，也有不少粗制褐陶罐。至战国晚期则多以铁制品取代铜制品，包括大型的虎纹饰牌和双鸟纹饰牌已全为铁制品。殉牲相对较少，除马、牛、羊外，另有猪、狗。

除上述两个地区以外，在包头西园和土默特右旗、呼和浩特市和林格尔县、巴彦淖尔市乌拉特后旗等地，也发现过春秋至战国早期的青铜器墓，其葬俗和出土物与鄂尔多斯地区基本相同。内蒙古中南部发现的几批鄂尔多斯式青铜器墓葬，因葬俗和文化内涵的差别，可划分为"西园类型"、"毛庆沟类型"和"桃红巴拉类型"等[①]。据判断，"西园类型"应属羌系西戎人，"毛庆沟类型"是赤狄—楼烦的物质遗存，"桃红巴拉类型"则是白

---

① 　内蒙古文物考古研究所、包头市文物管理处：《包头西园春秋墓地》，《内蒙古文物考古》1991年第 1 期；内蒙古博物馆、内蒙古文物工作队：《内蒙古准格尔旗玉隆太的匈奴墓》，《考古》1977 年第 2 期；伊克昭盟文物工作站、内蒙古文物工作队：《西沟畔匈奴墓》，《文物》1980 年第 7 期；田广金：《桃红巴拉的匈奴墓》，《考古学报》1976 年第 1 期；田广金、郭素新：《内蒙古阿鲁柴登发现的匈奴遗物》，《考古》1980 年第 4 期。

狄—匈奴人创造的物质文化。

　　内蒙古地区的青铜时代，以朱开沟文化为肇兴，开始向半游牧—游牧经济形态转化，鄂尔多斯式青铜器为代表的草原青铜文化兴起后，又逐渐向东、向北扩散，在蒙古高原上形成了数个北方游牧民族集团。北方民族的强大，使他们得以参与与中原诸侯国的竞争，从而在历史文献中留下跃马驰骋的矫健身影。

　　考古资料证明，内蒙古地区自古以来就有人类活动。史前的内蒙古同中原地区一样，也经历了旧石器、新石器和青铜时代。在内蒙古高原中南部、东部及西部许多地方，均发现了旧石器、新石器以及青铜时代的遗址遗物，证明内蒙古地区也是早期人类活动的地区之一。内蒙古地区的史前物质文化，有的具有鲜明的地域特点和独特内涵，有的与中原史前同期文化具有相同或相近的内容。

第　四　章

公元前 21 世纪至公元 3 世纪初的
内蒙古地区

　　公元前 21 世纪到公元 3 世纪初，相当于中原的夏商周春秋战国和秦汉时期。根据文献记载，这一时期的内蒙古高原上主要分布有"土方"、"鬼方"、"荤粥"、"猃狁"、"戎"、"狄"、"林胡"、"楼烦"、"东胡"、"匈奴"、"乌桓"、"鲜卑"等中国古代北方游牧民族以及主要从事农业经济的古代中原华夏族（汉族）。各游牧民族在蒙古高原这一特殊的地理环境中畜牧狩猎，创造了自己独特的文化，并与周边主要是中原地区的华夏族发生了十分密切的交往；华夏族（汉族）主要对内蒙古南缘地带进行经略和管辖，实施了设置郡县，修筑长城道路，迁徙人口，进行农业开发等措施。不同生产方式和生活方式的人们，在内蒙古地区这一广阔历史舞台上，互相影响，共同谱写了中国历史独具华彩的篇章。

第一节　公元前 21 世纪至公元前 3 世纪
内蒙古地区的游牧民族

　　从有文字记载以来，内蒙古高原就是我国北方各族从事畜牧、狩猎以及农业生产的场所。公元前 21 世纪至公元前 3 世纪，内蒙古地区分布着的一些游牧民族与中原华夏族建立的政权发生了密切关系。商周至春秋战国时期，甲骨文中有"土方"、"鬼方"的记载，史书中则记载有"荤粥"、"猃狄"、"戎"、"狄"等族称。这些称谓有的是泛指当时我国北方地区的游牧民族，有的是特指其中的某一部分。

公元前 16 世纪至公元前 11 世纪，以今天河北、河南、山东、山西等省部分地区为直接辖区的商王朝，与土方、鬼方等北方游牧民族发生多次战争。约公元前 11 世纪至公元前 771 年，以陕西地区为统治中心的西周王朝同北方的猃狁、犬戎等族有密切交往。猃狁大致分布在鄂尔多斯高原，对周朝的威胁很大，甚至一度侵及周的都城。周王在击退猃狁以后，曾命大将南仲筑城朔方，以防猃狁南下。公元前 770—公元前 221（春秋战国时期），文献记载的北方民族有了新的具体称谓，活动在今内蒙古境内的北方各族主要有林胡、楼烦、东胡和匈奴。

一、林胡和楼烦

狄是中原华夏族对北方游牧民族的统称，包括赤狄、白狄等。赤狄分布于晋北和内蒙古中南部。有学者认为楼烦族属赤狄，凉城县崞县窑子墓葬可能属于春秋晚期楼烦人的遗存①，毛庆沟墓地的一部分墓主人可能也与楼烦有关②，时代相当于春秋中晚期至战国中期。林胡、楼烦和春秋时期中原地区的晋、燕等国相邻，主要在今山西北部和内蒙古中南部地区活动。

战国时期，林胡和楼烦活跃在内蒙古高原上。战国中期，中原诸侯国不断向北蚕食北方各族土地，林胡与楼烦的地域也随之向北移动。燕文侯在位时期（前 361—前 332 年），林胡、楼烦在燕国的西北，活动地区包括今呼和浩特平原和乌兰察布南部丘陵地带。赵武灵王时期（前 325—前 298 年在位），赵国强盛起来，向北击破林胡、楼烦，迫使其从呼和浩特平原向西边的鄂尔多斯高原迁徙，林胡在鄂尔多斯高原北部区活动。公元前 297 年（赵惠文王二年），已经传位于子的武灵王趁巡查新占土地之机，在西河（汉代西河郡地，主要指今内蒙古黄河西岸的鄂尔多斯地区）降服了楼烦王。赵孝成王时（前 265—前 244 年在位），赵国破降林胡，鄂尔多斯高原上的林

---

① 内蒙古文物考古研究所：《凉城县崞县窑子墓地》，《考古学报》1989 年第 1 期。
② 内蒙古文物工作队：《毛庆沟墓地》，《鄂尔多斯式青铜器》，文物出版社 1986 年版，第 227—315 页。

胡和楼烦归属了赵国。匈奴强大起来以后，林胡和楼烦又归属了匈奴①。

二、东胡

"东胡"一名最早见于《逸周书·王会篇》。史称匈奴人自称为"胡"，"在匈奴东，故曰东胡"，是战国时期中原华夏族对活动在匈奴（胡）东面的（今内蒙古东部及东北西部地区）许多族属、语言和习俗等相同或相近各部落的统称。为族他称，各氏族、部落应有各自称谓，只因文献缺载，已难确知。有研究者认为："东"为蒙古语"tüng"音讹，含义为森林；"胡"为蒙古语"khun"的汉字音写，含义为人。早期外国撰述者则认为东胡是通古斯一名的音译。因都没有明确可靠的文献证据，仅凭发音相近就遽下结论，是不能令人信服的。根据文献记载，"东"为汉语方位词，具体指匈奴以东；"胡"应是匈奴语词的汉语译音用字，究属何意，目前尚难知晓。

关于东胡祖先，有屠何、山戎、土方诸说。从历史时期北方民族势力的强弱、物质文化遗存的时代和地域分布以及民族称谓的演变看，东胡起初可能被中原史家称作山戎，由于匈奴的崛起，中原人又因它居于匈奴（胡）以东而称东胡。

春秋战国时代，东胡人的活动地域大致在今呼伦湖以东、嫩江以西的大兴安岭山脉北段和西拉木伦河、老哈河流域。《山海经·海内西经》载："东胡在大泽东"。"大泽"，有俄罗斯贝加尔湖、中国内蒙古呼伦贝尔市呼伦湖、赤峰市达里诺尔等说法。

文献记载和考古发现证实，东胡人以畜牧业为主，兼营渔猎业，手工业有铸铜、陶器制作、毛纺织、皮革制作、木器制作等行业和粗放农业②。

文献记载及考古资料表明，一部分东胡人活动在呼伦湖以东的呼伦贝尔高原。据《魏书·序纪》记载，东胡系部族鲜卑拓跋部的祖先，从远古时代就在大鲜卑山一带以畜牧、射猎为业。20 世纪 80 年代，在呼伦贝尔市鄂伦春自治旗阿里河镇西北 10 公里发现了拓跋鲜卑先祖石室——嘎仙洞。经初步发掘，出土了陶片、骨镞和打制石器，证明一部分东胡人很早就活动在

---

① 林胡、楼烦与赵国关系，主要参考《战国策·赵策》、《史记·赵世家》等。
② 林幹：《东胡史》，内蒙古人民出版社 1989 年版，第 4—9 页。

大兴安岭北部地带。这一地区，森林繁茂，禽兽众多，绿草如毡，水系如网，是古代居民以渔猎、采集和畜牧为生的理想场所。这部分东胡人曾经拥有 36 个部落，99 个氏族，威震北方，控地广阔。考古工作者通过比较研究，认为嘎仙洞出土的器物与昂昂溪及其以北沿嫩江中游流域（主要是西岸）发现的器物（主要是石器）的形制和加工技术基本一致，二者之间的关系应较为密切。联系嘎仙洞地区的东胡人曾经征服四邻部落的史实，嫩江以西的呼伦贝尔高原曾是东胡人的控制范围。

　　文献及考古资料证明，另有一部分东胡人活动在内蒙古东南部的西拉木伦河、老哈河流域及其以南地区。考古学者多认为夏家店上层文化有可能是这部分东胡人的物质文化遗存。近年有人提出"井沟子类型"族属东胡更为贴切。从该文化分布地域看，东胡人地域的南界最初大致达到河北滦河及辽宁大凌河流域。史书记载，战国时代的东胡人居住在燕国的北部，与燕有和战关系。燕昭王在位时（前 311—前 279 年），东胡强大起来，给燕国造成很大压力，迫使燕国送将军秦开作为人质，换取和平。后来东胡为燕所败，主要在今西拉木伦河和老哈河流域活动。东胡与其西南部的赵国也发生过战争。公元前 273 年（赵惠文王二十六年），东胡被赵攻破，失去一部分土地。公元前 244 年，东胡再次被赵将李牧攻破。东胡与燕、赵诸国的和平与战争，是游牧和农业两种文明间的交融和碰撞，在不同文明的交往和冲突中，双方开始互相加深了了解和认识。

三、匈奴

　　匈奴人又自称为"胡"，中原人沿用作对北方和西方各族的泛称。《汉书·匈奴传》载，孤鹿姑单于致汉武帝书曰："南有大汉，北有强胡。胡者，天之骄子也。"战国时代，华夏族称游牧于匈奴以东的部落集团为"东胡"，称活动于榆中（今内蒙古鄂尔多斯市东北一带）的游牧民族为"林胡"。汉张骞通西域以后，称西域各族为西胡。魏晋以后，汉文献中"胡"这一泛称的应用更加广泛，活动于中原的各古代游牧民族大多被称为"胡"。如有"平凉胡"、"休屠胡"、"羯胡"、"支胡"、"山胡"、"杂胡"等。

　　关于匈奴族源，史学界大多附和王国维《鬼方昆夷猃狁考》的观点，认为匈奴来自商周间的鬼方、混夷、獯鬻，宗周时的猃狁，春秋时的戎、狄，战国时的胡①，即匈奴名称出现以前活动于大漠南北的各族，经过长期分合聚散，因"匈奴"于其中居于主导地位，形成了以匈奴为称号的游牧民族集团。所谓鬼方、混夷、猃狁与匈奴乃一音之转，是这一观点的主要依据，但其审音勘同方法的使用并不严密。从文献史料和考古资料中，也很难就匈奴族源得出这样明确的结论。有限的史料并不能确证上述一些北方族具有一脉相传的关系。如果说"匈奴"这一名号下包含了先前出现的北方各族的成分，则是可以为人所接受的，不过这又归结到了匈奴的民族构成而不是族源上面了。从泛称"狄"的涵盖范围讲，匈奴应该属于狄集团的一支。从汉文献的记载和考古资料看，可能是以春秋时期的白狄为主发展起来的。春秋时期，白狄主要活动于陕北、内蒙古鄂尔多斯和河套地区，鄂尔多斯式青铜器"桃红巴拉类型"据考古学者判断即族属白狄。除了大漠南北的诸狄部外，散布于黄河流域的北狄部落大都逐步被中原各诸侯国兼并。经过长时期的历史发展，白狄中的一支匈奴吸收了诸戎、狄成分而强大起来，战国时被汉文献称为匈奴。

考古发现显示，今蒙古国境内有匈奴早期物质文化遗存②，是否说明匈奴初源漠北后向南迁，根据尚不充分，难以确证。初见于汉文字史籍记载的匈奴，主要活动在今天内蒙古境内的阴山及河套一带。这里依山傍水，草木茂盛，禽兽很多，是理想的畜牧狩猎之地。公元前 310 年左右，匈奴地域已与战国的燕、赵、秦三国相邻。战国末年，匈奴东界已达燕长城以北的内蒙古锡林郭勒草原东部一带，燕国曾计划向北联合匈奴以对抗秦国。由于农牧业经济结构的差异，匈奴与秦、赵两国多有边境冲突。匈奴需要农副产品作为游牧经济产品单一的补充，经常采取军事掠夺的方式。匈奴在今内蒙古中、西部地区的活动，对秦、赵两国构成很大威胁，两国都修筑长城加以防御。但是，赵国的长城没有挡住匈奴的骑兵，在赵长城竣工不久，匈奴就越长城，渡黄河，进入"河南地"（指今内蒙古乌加河以南的鄂尔多斯高原）。赵国只好在代（今河北省蔚县东北）、雁门（今山西右玉县南）两地屯驻重

---

① 王国维：《观堂集林》卷 13《史林五》，中华书局 1984 年版。
② 林幹：《匈奴墓葬简介》，《匈奴史论文选集》，中华书局 1983 年版，第 403 页。

兵进行防御。南下的匈奴与秦国以秦昭襄王时筑成的长城为界。秦长城以北的鄂尔多斯高原、阴山南北尽为匈奴所有。

战国中后期，匈奴广泛分布于今天内蒙古中、西部地区。东邻内蒙古东部的东胡，西毗河西走廊一带的月氏，南隔长城而望燕、赵、秦诸国。在今天鄂尔多斯市杭锦旗桃红巴拉、阿鲁柴登、伊金霍洛旗公苏壕、准格尔旗西沟畔、玉隆太，呼和浩特市和林格尔县范家窑子、包头市土默特右旗水涧沟门、巴彦淖尔盟乌拉特中旗呼鲁斯太等地都发现了属于战国时期的匈奴墓葬和遗物。[①] 这些墓葬分布的地点，大都是"肥饶之地"。可见，匈奴人在鄂尔多斯高原、河套地区和呼和浩特平原曾经长期驻牧，生息繁衍，生居死葬。

第二节　战国燕、赵、秦三国对内蒙古地区的经略和管辖

战国时代，中原诸侯国经过长期相互兼并，最后剩下七个强大的国家。北边由东到西分布的是燕、赵、秦三国。古代内蒙古的南缘地带是亦农亦牧之区，又是中原各国与北方各族接壤之地。这三国的华夏族与东胡、林胡、楼烦、匈奴等北方诸族时有冲突，相互争夺土地和人口。最终，三国各将其领土扩展到内蒙古高原的南缘地带，筑长城，置郡，开始了中原政权对古代内蒙古地区的统治。

一、燕国对内蒙古东部南缘地带的经略

燕是周在北方的一个诸侯国，又称北燕，都城建在蓟（今北京市）。强盛时占有今河北、辽宁大部和内蒙古赤峰、通辽南部的部分地区。

燕昭王即位前，燕国人少地蹙，国势衰弱。当时，战国七雄中燕、赵、

---

① 田广金：《桃红巴拉的匈奴墓》，《考古学报》1976 年第 1 期；内蒙古博物馆等：《内蒙古准格尔玉隆太的匈奴墓》，《考古》1977 年第 2 期；田广金、郭素新：《内蒙古阿鲁柴登发现的匈奴遗物》，《考古》1980 年第 4 期；塔拉、梁京明：《呼鲁斯太匈奴墓》，《文物》1980 年第 7 期；伊克昭盟文物工作站等：《西沟畔匈奴墓》，《文物》1980 年第 7 期。

秦三国与中国古代北方游牧民族相邻，燕国北邻东胡。时东胡强，燕国弱，燕不得已要送有身份的人"为质于胡"。为防备燕国的军事攻击，东胡往往要燕国杰出的将军到东胡做人质。公元前 315 年，燕国贵族因相互争夺君位而招致国乱，南邻齐国乘机攻略，50 日全取燕地，杀燕王诸人。齐人据燕期间，残暴肆虐，燕人群起反抗，迫使齐国撤兵，燕人共立燕昭王。昭王即位后，以诚心重金招纳贤才，北方士族争相投奔燕国。"燕王吊死问孤，与百姓同甘苦"[1]，国力逐渐发展起来，成为北方强国。公元前 300 年后，曾经在东胡做人质的燕国贤将秦开回燕，因深受胡人信任并了解东胡内情，燕王用秦开率兵北袭东胡，大胜，北进千余里。为防御东胡和巩固新占土地，燕国从造阳（今河北独石口附近）至襄平（今辽宁辽阳）修筑长城，并在燕北长城以南地区相继设立辽东、辽西、右北平、渔阳和上谷五郡[2]，统治燕国原有版图和新纳入的东胡土地。

燕北长城在今赤峰市境内有两道，是防御东胡南下的军事工事，也是燕与东胡的分界线。据考古工作者实地勘察，北线自河北省围场县进入赤峰市松山区境内，经大夫营子乡曹家营子，大体沿英金河北岸的丘陵及山脊东行，经衣家营子、王家店、山水坡等地，最后于安庆沟跨越老哈河冲积地带，在四道弯子镇白斯郎营子一带进入敖汉旗境；又东经敖汉旗萨力巴乡步登皋、新惠镇北、高家窝铺乡古城子等地，于敖音勿苏乡荷也村进入通辽市奈曼旗境；又自奈曼旗土城子乡西岗岗村东行，经高和村北至沙日浩来苏木伊马钦村牤牛河西岸台地中断；再在其北约 10 公里的白音昌乡蟒石沟村南山冈出现，自牤牛河东岸丘陵地带向东延伸，经薄等沟进入库伦旗境；又由库伦旗平安乡西下沟村东行，经水泉乡、白音花苏木，至先进乡折向东南伸入辽宁省阜新市八家子村境内[3]。在赤峰市境内，燕北长城走向大致在北纬 42°20′ 至 30′ 之间；在通辽市奈曼旗境内，西岗岗至伊马钦一段位于北纬 42°20′ 至 30′ 之间，蟒石沟至薄等沟及库伦旗境内一段位于北纬 42°30′ 至 40′ 之

---

① 《史记》卷 34《燕昭公世家》。

② 《史记》卷 110《匈奴列传》。

③ 关于燕长城，参阅李逸友：《中国北方长城考述》，《内蒙古文物考古》2000 年第 1 期；项春松：《昭乌达盟燕秦长城遗址调查报告》，《中国长城遗迹调查报告集》，文物出版社 1981 年版；李庆发、张克举：《辽西地区燕秦长城调查报告》，《北方文物》1987 年第 2 期等。

间。战国后期，燕北长城作为燕国的北边疆界，使燕的疆域向北拓展了许多，已经囊括了今天内蒙古东部地区的南缘地带，由右北平、辽西等郡管辖。

右北平郡，西汉时期郡治平刚。据考证，平刚城即今赤峰市宁城县甸子乡黑城村古城①。古城由"花城"、"外罗城"和"黑城"三座城址组成。"花城"内的遗物主要属于战国时期，应是燕国城镇遗址②。大体上，战国时代燕北长城所经赤峰南部地区包括喀喇沁旗、宁城县、松山区南部、敖汉旗部分等应属燕右北平郡管辖。

燕辽西郡西与右北平郡相邻。据考古调查，通辽奈曼旗土城子城址和沙巴营子城址都是由燕国开始修筑而沿用到秦汉时期的古城。燕北长城从敖汉旗的中部和奈曼旗、库伦旗的南部经过，这三个旗燕北长城遗迹以南的部分地方曾属燕辽西郡管辖。

据原昭乌达盟文物考古人员 1965 年和 1975 年的两次考古调查③，在燕北长城沿线地区分布着众多的台址、鄣址和城址等防御建筑设施。台址一般是圆形土台，多筑于长城线上或南侧，所处地形较高。鄣址多为方形土城，多建在长城线南侧，规模稍大于台址。城址多为规模较大的土城或居住址，多在长城内侧，城内一般都有建筑遗迹，是驻防之所。在今赤峰市、通辽市境内燕北长城沿线共发现有关战国时期的设施及遗址 100 余处，距长城线内外 10 公里以上的一些城址、遗址尚未包括在内。其中对北线 4 处遗址、6 处城址、2 处鄣址、2 处台址的资料有较具体发布，发现有战国时期的绳纹灰陶器（有敞口罐、大瓮、"鱼骨盆"、灰陶豆、穿孔板瓦等）、战国铁锅残片、明刀等。其中 8 号城址最晚一层为战国文化层，发现有居住房址、土炕、篝火遗迹及陶、石、大铁锅等遗物。9 号城址是燕北长城线上保存最完整的城址，地面散布着很多战国至秦代的遗物，以灰陶片居多，器形有罐、盆、豆、瓮、"鱼骨盆"、板瓦等。10 号城址规模较大，保存较好，地表散

---

① 李文信：《西汉右北平郡治平刚考》，《社会科学战线》1983 年第 1 期。
② 冯永谦、姜念思：《宁城县黑城古城址调查》，《考古》1982 年第 2 期。
③ 项春松：《昭乌达盟燕秦长城遗址调查报告》，《中国长城遗迹调查报告集》，文物出版社 1981 年版，第 6—20 页。

布较多的战国陶片。13 号城址正中有一建筑台基遗迹，在城址附近发现过战国兵器及铸造铜器的石范。在燕北长城南线沿线，也有许多城郭遗址，其中今通辽奈曼旗土城子乡土城子城址是迄今为止发现的规模最大、保存基本完整的一处城址。城内地表散布陶片极多，以战国绳纹陶为主。这些遗址遗物证明，战国时代，燕北长城以南的赤峰丘陵和科尔沁沙地是燕国的领土，燕国设置右北平、辽西等郡实行有效的管辖。

燕所设右北平郡等是历史上内蒙古东部地区最早的行政建置，郡城也是内蒙古高原东部最早的城镇，在内蒙古地区史上有重要意义。燕国在内蒙古地区创设的郡、修筑的长城、城镇等多为秦汉所沿袭，在历史上也有深远影响。

燕国自秦开向北击走东胡，修长城，置郡，移民屯兵戍边，在北方边疆的防务上是比较成功的。但在同中原诸国的争霸过程中，燕国处于下风。尤其是秦国的强大，使燕国最终难以摆脱亡国的命运。公元前 227 年，秦相继攻灭韩、赵，然后兵锋指向燕国，燕太子丹招募壮士荆轲以献地图为名入刺秦王，结果失败。秦大举出兵攻燕。公元前 222 年，燕亡于秦，国境全入于秦。

二、赵国对内蒙古中南部的统治

战国时代的赵国，强盛时大约占有今山西北部、中部和河北中部、西南部以及内蒙古的部分地区，都城设在邯郸（今河北邯郸市）。

内蒙古中南部部分地区纳入赵国版图，是在赵武灵王（前 325—前 295 年）时期。公元前 307 年，赵武灵王针对东有燕、东胡，西有楼烦、林胡、秦、韩而无骑射之备的局势，下令"变服骑射，以备燕、三胡、秦、韩之边"。[①] 当时林胡驻牧于今鄂尔多斯高原东部，楼烦游牧于今呼和浩特平原及乌兰察布丘陵南端。赵国计划向西北征服林胡、楼烦，拓展领土，发展势力，再从秦国的北部鄂尔多斯高原向秦国发动攻击。据《史记·赵世家》载，公元前 306 年（赵武灵王二十年），武灵王西入林胡地，至榆中（约当今鄂尔多斯东北部），林胡王献马示弱，赵军遂还。武灵王以代相赵固主持

---

① 《史记》卷 43《赵世家》。

"胡"地事务，招募林胡、楼烦兵马①。赵国势力进入了鄂尔多斯地区。从记载看，赵虽还军而未驻防占据鄂尔多斯高原，但在鄂尔多斯活动的林胡一度附属了赵国。

赵武灵王的"胡服骑射"措施包括在原阳设立骑兵训练基地②。即赵武灵王攻取云中地区后，在原阳把步兵改为骑兵，呼和浩特平原在赵国的军事变革中起了重要作用。"胡服骑射"措施增强了军队战斗力，赵国接着在军事上采取了一系列行动。公元前302年，赵国迁大批奴隶于九原（今乌拉特前旗黑柳子乡三顶帐房古城，一说为今包头麻池古城北城），命将军、大夫、适子、戍吏等皆胡服备边，防御匈奴。越二年，赵武灵王又北破林胡、楼烦，"西至云中、九原"，今呼和浩特平原及阴山南黄河北的包头一带均进入了赵国的势力控制范围。公元前299年，赵武灵王为集中精力进一步向西拓展疆土，南下攻击秦国，决定退位而立子何为惠文王，自称主父，率军驻代。公元前297年（赵惠文王二年），主父自代出巡新占的云中、九原、榆中等地，于西河（今内蒙古、陕西与山西间自北向南流黄河段西岸地区）遇楼烦王，再次招募胡兵。经过多次军事行动，赵国在内蒙古中南部地带初步站稳了脚跟。

赵武灵王为加强防御兴起的匈奴，依傍阴山山脉修筑长城及辅助防御设施亭障烽燧，东起代（代郡延陵县之北，今内蒙古兴和县二十七号村），西至高阙（今乌拉特前旗大坝沟口，另说为今乌拉特中旗石兰计山口），又置云中、雁门和代三郡③，开始对内蒙古中部阴山以南地区实行军事控制和政治统治。

据实地勘查④，赵长城遗迹从内蒙古兴和县北部开始，傍阴山山脉的灰腾梁山、大青山和乌拉山等迤逦西行，至乌拉特前旗大坝沟口（另说临河

---

① 据《史记》卷43《赵世家》记载，公元前305年，赵国攻中山，军队中有"胡"兵随征。

② 张清常、王延栋：《战国策笺注·赵策二·王破原阳以为骑邑》，南开大学出版社1993年版。另据郦道元：《水经注》卷3，芒干水（今大黑河）南流经原阳县故城西，即原阳在呼和浩特南大黑河的左岸，城址据考即今呼和浩特市南郊八拜村古城。

③ 《史记》卷110《匈奴列传》。

④ 盖山林、陆思贤：《阴山南麓的赵长城》，《中国长城遗迹调查报告集》，文物出版社1981年版；李逸友：《中国北方长城考述》，《内蒙古文物考古》2000年第1期；李逸友：《高阙考辨》，《内蒙古文物考古》1996年第5期。

西北石兰计山口）止。具体来说，赵长城自内蒙古兴和县北部二十七号村北西行，在兴和县境全长约 25 公里，于官子店村西入察右前旗黄茂营村；在察右前旗境内，赵长城走向大致向西，全长约 38 公里，于西五洲村南伸入卓资县东边墙村境；在卓资县境内，赵长城长约 75 公里，现存遗迹 45 公里，于旗下营镇向西进入呼和浩特市郊区；然后沿大青山南坡蜿蜒西行至乌素图沟口，再西经土默特左旗，在土默特右旗水涧沟门村一带进入大青山，西行包头北部、乌拉特前旗的白彦花，一直到大坝沟口，往西不再见有赵长城遗迹。这道军事防御线也是实际边界，在赵国征服了林胡和楼烦以后，主要作用是防御新崛起的匈奴，标志着战国时代赵长城以南的呼和浩特平原及周边地区成了赵国的疆土，由云中、雁门、代等郡管辖。

云中郡城址即今呼和浩特市托克托县古城村古城，是古代内蒙古地区建立最早、规模较大的城镇之一。赵云中郡辖境包括呼和浩特平原及以南丘陵地带，大体上今赵长城遗迹以南的呼和浩特市区、土默特左旗、托克托县、和林格尔县和清水河县等都在云中郡的统辖之内。经过调查，沿着赵长城及以南十数里范围内，分布有大大小小的烽台和一些城障遗址。在呼和浩特乌素图沟口遗址中，散布着战国时期的盆、罐等陶器残片，和林格尔土城子古城和包头窝尔吐壕遗址等处均发现了赵国的遗迹遗物，证明赵国在长城沿线曾屯兵驻守，防备匈奴。

雁门郡辖境除今山西北部地外，还有内蒙古乌兰察布市黄旗海、岱海周边地区，包括丰镇、凉城、卓资、集宁、察右前旗等一些地方。在凉城县双古城一带就发现了赵国的遗址遗物。

代郡辖境，从赵长城东起兴和县北部及东与燕上谷郡相邻看，应包括兴和县大部和丰镇、察右前旗的东部。

九原城址即今乌拉特前旗三顶帐房古城（一说为包头麻池古城北城），也是内蒙古地区建立最早的城镇之一（一说赵武灵王时已设九原郡），处于连接漠北和关中交通的重要位置。

赵国进入内蒙古中南部及其实施的筑长城、建城镇等一系列统治管理措施，使从事农耕经济的华夏人进入内蒙古中南部，并与从事游牧经济的匈奴人等进一步交往，不同文化交互影响、碰撞，也使草原地区的文化开始向多元、复合的类型演化。赵国的一些统治措施和经验，也对后来中原政权在内蒙古中南部的统治产生了很大影响。

武灵王死后，赵国西拓疆土，南攻强秦的计划告终。此后，各诸侯国继续根据各自利益，或联合抗秦，或相与争锋。在秦国逐渐兼并统一各国的大局势下，赵国国势日渐削弱，控地日益萎缩，逐步放弃了对内蒙古中南部的经略。公元前260年（赵孝成王六年），赵、秦长平之战，赵大败，40余万人被坑杀，军力骤减。此时，匈奴崛起，南据"河南地"（今乌加河以南至鄂尔多斯高原），收服林胡、楼烦，赵国势力被迫南撤。据《史记·李牧传》记载，时赵北边良将李牧率兵常驻雁门、代郡，防备匈奴。李牧采取"习骑射，谨烽火，多间谍，厚遇战士"的防守策略，下令匈奴每入赵边，赵兵则入城障自保，匈奴不攻城，赵也不与之正面交锋。如此数年，虽匈奴屡攻，但赵无大损失。李牧符合实际的防御策略，却被视为懦弱而引发赵国上下不满，赵王使别将代牧。随后，赵军每出战不利，损失较大。赵王复请李牧带兵守边。李牧仍取不直接交锋，养精蓄锐之策。数年间，匈奴无所得。李牧养兵十数年，士气高涨，皆愿一战。于是备战车千余乘，精骑万三千匹，破敌擒将之勇士五万人，善射者十万人，大加操练。随后设计诱敌，使民众四出，牲畜遍野。匈奴小股骑兵入边，赵兵佯败，遗留数千人任匈奴杀略。匈奴单于闻知，放掉戒心，率大军进入赵国境内。李牧多设奇阵，左右夹击，大破匈奴，杀十余万骑，单于率众逃奔。此后十余年，匈奴不敢接近赵国边城。赵又乘胜北灭襜褴，东破东胡，西降林胡，赵国北部边境一度危急的局势得到控制。

秦国的强盛，是赵国最大的威胁。战国末年，秦已由鄂尔多斯高原东北部向东、向北发展，蚕食赵国的云中、九原之地。到公元前229年，秦将王翦率大军攻赵，李牧领兵御敌。秦惧李牧善用兵，用重金贿赂赵王宠臣郭开行反间计，李牧被冤杀。次年，赵亡于秦，公子嘉奔代，称代王。公元前222年，秦灭代，赵全境归入秦。

三、秦国对内蒙古部分地区的管辖

秦是"战国七雄"中的强国，占有今陕西、甘肃和宁夏等地，东与魏、南与楚相邻，都城咸阳（今陕西咸阳市）。

战国时代，秦国北方与今内蒙古鄂尔多斯相连。对于中原秦、赵诸国及北方诸游牧民族，鄂尔多斯的地理位置均十分重要。鄂尔多斯高原处于黄河几字形流域之内，西、北、东三面皆为黄河，河北是阴山山脉。秦、赵诸国得此地，可凭借黄河、阴山等天然屏障或在此一线构筑军事防御工事来延缓或阻遏北方游牧民族的南下；北方游牧民族占据这里，可以作为跳板，长驱直入中原腹地。所以，这一带成为历史上强大的游牧民族和中原农业民族的必争之地。赵武灵王之所以多次进入鄂尔多斯地区，目的即在于攘胡扩地，清除这一地区游牧民族势力的威胁，也可以从这里直接攻击秦国。对于秦国，鄂尔多斯高原的战略地位更为重要，一旦对这一地区失去控制，秦国北方门户洞开，京畿之地直接面临来自北方的冲击，因此，秦国统治者十分重视鄂尔多斯地区防务。据《史记·秦世家》记载，公元前 320 年，秦惠文王巡察至北河。北河主要指今内蒙古巴彦淖尔市乌加河至呼和浩特托克托县附近东流黄河段。秦惠文王能远至"北河"巡视，绝不是游山玩水，应该同秦国对赵国及北方游牧民族的军事防务有关。秦昭襄王初年，秦置上郡，并筑长城防御匈奴。公元前 287 年（昭襄王二十年），秦王出巡至上郡、北河，察看上郡和长城沿边的防务。

据实地调查，战国秦长城遗迹从今陕西神木县北境的馒头塔村进入内蒙古境内，经鄂尔多斯伊金霍洛旗新庙乡古城壕村南，沿窟野河上犄牛川西梁向北延伸，再沿束会川西梁蜿蜒西北行，经纳林陶亥乡淖尔壕西进入准格尔旗准格尔召乡，然后曲折东北上，经暖水镇西北的巴龙梁、榆树壕向北，至达拉特旗敖包梁乡连家渠转为西北，经东胜潮脑梁乡辛家梁、店圪卜等村南，直到省城梁村附近亚麻图沟东岸中断。在此北望，最南部为峻岭，北为库布齐沙漠，长城遗迹已淹埋无迹可寻，只在达拉特旗树林召镇西南方，东起新民堡村东，西至王二窑子村东，由西北向东南有长约 30 公里的一段遗迹，专家推断可能是战国秦长城的一部分。这段长城应继续向东，最后止于准格尔旗十二连城古城①。

战国秦长城在内蒙古境内的位置区间，大致在东经 110° 至 110°30′ 之间，这一区间以东直至黄河沿岸的鄂尔多斯地方，战国秦昭襄王时纳入了秦国的

---

① 史念海：《鄂尔多斯高原东部战国时期秦长城遗迹探索记》，《中国长城遗迹调查报告集》，文物出版社 1981 年版，第 68—75 页。

版图，归属秦上郡管辖。秦上郡是秦国征伐义渠以后，与陇西、北地郡一起设置的，取魏国上郡之名而治所辖境均不与魏相同①。公元前328年，秦、魏多次交战，时已魏弱秦强，"魏尽入上郡于秦"②，上郡转而成为秦国行政建置。昭襄王初年，秦新置上郡，治所在肤施（今陕西榆林市东南）。从战国秦长城的具体走向上看，秦上郡应管辖了鄂尔多斯东部，包括秦长城内线的今鄂尔多斯市伊金霍洛旗、东胜区的一小部分，达拉特旗的东部和准格尔旗的大部分地方。

战国秦长城以东以南的鄂尔多斯部分地区，战国秦昭襄王时纳入了秦国的版图，归属秦上郡管辖。秦上郡是秦国征伐义渠以后，与陇西、北地郡一起设置的，取魏国上郡之名而治所辖境均不与魏相同。从战国秦长城的具体走向看，秦上郡应管辖了鄂尔多斯东部，包括秦长城内线的鄂尔多斯伊金霍洛旗、东胜区的一小部分、达拉特旗的东部和准格尔旗的大部分地方。

从燕、赵、秦诸国采取的筑长城、置郡县等防御性的战略措施上看，中原诸侯国对待北方草原民族的态度是不主动出击，而是被动防守，反映了一种被动的文化观念，而反衬出北方民族积极进取的文化意识。两种不同的文化意识，根源应该在于各自从事的主业有所不同。农业文明以定居为主，自给自足；游牧文明以迁徙为主，急需交换。经济形态和结构的差异，导致各自形成了不同的文化观念意识。

战国末年，秦国针对赵国武灵王死后国势渐不如前的局势，多次进攻赵国，出兵云中、九原。据记载，张仪说服燕昭王说："今大王不事秦，秦下甲云中、九原，驱赵而攻燕，则易水、长城非大王之有也。"③大概秦在赵武灵王以后攻夺了赵国云中、九原地，驱除了赵国在这一地区的势力，云中、九原转而成为秦的控制范围。战国秦长城东端止于今准格尔旗十二连

①　据《史记》卷5《秦本纪》载，魏惠王九年（公元前361年），"魏筑长城，自郑滨洛以北，有上郡"。《史记·正义》注说："魏西界与秦相接，南自华州郑县，西北过渭水，滨洛水东岸，向北有上郡鄜州之地，皆筑长城以界秦境。"这道魏长城走向，史念海先生有专文（《黄河中游战国及秦时诸长城遗迹的探索》，见前引《中国长城遗迹调查报告集》）探讨，并指出魏国上郡就是黄河以西与魏长城圈定范围，与秦上郡不是一回事。

②　《史记》卷5《秦本纪》、卷44《魏世家》。

③　《史记》卷70《张仪列传》。

城，占据这个黄河渡口，就控制了从鄂尔多斯高原进入呼和浩特平原的要津。赵国李牧退守代、雁门防御匈奴，秦将李信从云中出兵攻赵①，均可说明秦在战国末期进入了九原、云中地区，并以此为基地，继续向东扩张地盘。土默川平原在秦王扫六合的统一战争中，应具有重要战略地位。

随着力量的此消彼长，战国末年的赵、燕诸国已难与秦国抗衡，渐次亡于秦。公元前 228 年，秦将王翦击破赵军，进入邯郸，俘赵王迁，灭亡赵国。公元前 226 年，王翦破燕，入燕都蓟，燕王迁都辽东。公元前 222 年，秦克辽东，虏燕王喜，灭燕。次年，秦灭齐，最终扫灭六国，统一中国。同年，秦王嬴政称"始皇帝"，建立了统一的封建王朝，北与强大的匈奴对峙。

第三节　公元前 3 世纪初至公元 3 世纪初内蒙古地区的诸游牧民族

公元前 3 世纪至公元 3 世纪，跃马扬鞭称雄于内蒙古高原上的北方游牧民族主要相继是匈奴和鲜卑，乌桓也在内蒙古地区留下了闪光的历史足迹。由于这些游牧人创造的物质财富和精神财富所具有的独特内涵和魅力，以及他们与中原秦汉王朝千丝万缕的历史联系，因此，汉语文献较为详实地记载下了他们的历史。

一、匈奴及其建立的政权

匈奴是公元前 3 世纪兴起于蒙古高原上的一个游牧民族，于公元 1 世纪衰落。匈奴贵族建立了以畜牧业为基础的游牧军事政权，实行左右翼及十进位的行政军事制度。匈奴的社会性质，研究者的意见还不一致，主要有奴隶制、半家长制半封建制和匈奴兴起的历史是由氏族制度解体绕过奴隶制向封建制度飞跃发展的过程等诸说，以主张奴隶制的占多数。匈奴的种族，属突厥或蒙古，这两个主要说法，仍相持不下。

战国时代，匈奴借群雄逐鹿中原之机，在内蒙古阴山河套地区逐步发展

---

① 《战国策·燕策三》，燕太子丹质于秦条。

势力。公元前221年，秦朝建立后，匈奴南隔战国秦长城与强秦抗衡。在对鄂尔多斯的争夺过程中，匈奴难以抗秦，渐处于劣势。公元前215年，第一个见于汉文献记载的匈奴单于头曼遭秦朝将军蒙恬所率30万（一说10万）大军的攻击，战败后北退700余里，丢掉了水草丰美、适宜畜牧并且军事地位重要的河南地（今内蒙古乌加河以南鄂尔多斯地区）。随后，在秦军的进逼下，匈奴又先后失去了高阙（今内蒙古临河市西北石兰计山口，另说为今乌拉特前旗大坝沟口）、阳山（今临河市西北狼山）和北假（约当今乌加河与阴山夹山带河地带）等战略要地，转牧阴山及以北地区①。

在南面受困于强秦的同时，匈奴左邻东胡强而右邻月氏（活动在今河西走廊一带的游牧民族，史称与匈奴同俗）盛，处于三面受敌的局势。数年后，始皇死，中原大乱，戍卒逃散，边塞废弛，匈奴又渡过黄河，重新占据"河南地"部分地方，南部的危局得到一定缓解。公元前209年，匈奴贵族内部火并，冒顿杀父头曼，自立为单于。

史载，冒顿初为单于继承人，后来头曼又想改立所爱阏氏（单于妻、妾）之子，就把冒顿送到月氏做人质，然后突然袭击月氏，企图以背约之举达到借刀杀人的目的。冒顿盗骑月氏良马逃归匈奴，头曼以冒顿勇壮，让冒顿做了万骑长。冒顿不满头曼所作所为，暗中积聚力量，严格训练属下。经过几次残酷清洗，集合了一支绝对服从命令的亲信骑兵队伍。一次利用随其父头曼单于狩猎的机会，冒顿用鸣镝射向头曼，左右应声而射，杀死了头曼，又除掉后母、诸异母弟及不听命的贵族大臣，于公元前209年自立为单于。

公元前3世纪初年，秦朝对内蒙古高原一些地方的统治可谓昙花一现，强大的势力主要是匈奴和东胡。东胡王听说冒顿自立为单于后，派出使者先向冒顿索要千里马。冒顿问计属下，都认为千里马是匈奴宝马，不应该轻易予人。冒顿不从众言，满足了东胡王的要求。东胡王以为冒顿畏惧，又遣使来索要单于阏氏。冒顿再问左右，均说东胡无道，请求出兵攻击。冒顿排除众议，将阏氏送给东胡王。东胡王愈益骄蛮，派兵向西侵迫匈奴，并要求占有双方间千余里的缓冲地带。冒顿再次征求诸贵族意见，有人说："此弃

---

① 有关匈奴史实，主要依据《史记》、《汉书》的《匈奴传》和《后汉书·南匈奴传》，不赘注。

地，予之亦可，勿予亦可。"冒顿闻言勃然大怒，说："地者，国之本也，奈何予之！"杀掉主张让地的贵族，下令"有后者斩"，率领骑兵出击东胡。东胡王轻视匈奴，没有防备，大败而逃，一部分部众及牲畜财产被掳，余众溃散为乌桓、鲜卑两支。随后，冒顿乘胜向西击败素称强大的月氏，占据河西走廊及以北广大地区，向南吞并楼烦、白羊河南王，全部收复为秦所夺河南地，与西汉以战国秦昭襄王长城为界，势力达到朝那（今甘肃平凉市）、肤施（今陕西榆林市东南）。又北服浑庚、屈射、丁零、鬲昆、薪犁各族，统一了蒙古高原各游牧民族。冒顿杰出的军事领导才能，使贵族大臣深为折服，匈奴上层统治阶级的意志得到了统一。冒顿自立之初，正当秦末战乱及楚汉相争，中原疲于兵革，无暇北顾，匈奴东征西讨，南掠北攻，实力空前强盛，控弦之士达 30 万，统治版图囊括了内蒙古高原大部，成为统治大漠南北强大的政治军事势力，在蒙古高原上第一次建立了以游牧经济为主的国家。

匈奴既是族名，也是一个古代多民族国家的名称。在匈奴名下，可能囊括有部分乌桓、鲜卑、楼烦、丁零、鬲昆等北方古代民族或部落。在这样一个多民族的古代国家里，具有文化上共性和个性的各民族互相影响、交流、借鉴，对这一时期草原文化的形成发展各自发挥了作用。作为政权的主体，匈奴文化是其中的主体和强势文化。

匈奴经历了从氏族部落和部落联盟发展到阶级社会的过程。匈奴国实行左右翼及十进位的行政军事制度。单于以下设左、右贤王，左、右谷蠡王，左、右大将，左、右大都尉，左、右大当户，左、右骨都侯等官职。统治机构分左中右三部分：单于是匈奴的最高行政军事首领，匈奴语全称为"撑犁孤涂单于"，相当于汉语"天子"。单于总揽军政及对外一切大权，由左右骨都侯辅政，骨都侯由氏族贵族呼衍氏、兰氏和须卜氏担任。呼衍氏居左位，兰氏、须卜氏居右位，主断狱讼。裁决了的案件，用口头报告单于。单于庭居匈奴辖地中部，南边对着汉地的代郡（今河北蔚县东北）和云中郡（今内蒙古托克托县古城村古城），主要指阴山以北的乌兰察布高原。匈奴败退漠北以前，单于庭当一直在内蒙古高原上。左贤王是匈奴左地（东方）的最高长官。匈奴人尚左，常以单于长子为左贤王，权力和地位高于右贤王，并且常常是单于的"储副"。诸左方王将驻牧于匈奴辖地东部，南边对着汉地的上谷郡（今河北省怀来县），东面毗邻秽貉，地域大体包括今内蒙古锡林郭勒草原、西拉木伦河、老哈河流域、科尔沁草原和呼伦贝尔草原大部。左贤王庭在上谷郡正北。右贤王是匈奴右地（西方）的最高长官。诸右方王将驻牧于匈奴辖地西部，南边对着汉地的上郡（今陕西省榆林市东南）及迤西，西面连接月氏和氏、羌，大致包括今内蒙古鄂尔多斯高原、黄河以北的巴彦淖尔高原和阿拉善高原。右贤王庭在上郡正北。在左中右三部地域内，匈奴政权封王置官，贵族们在各自的辖区内率部众从事畜牧生产，守护地盘。遇有战事，随于出征。每年参加三次大型集会。正月，在单于庭集会，商讨一年的政治、经济和军事事宜。五月，大会茏城，祭祀天地、鬼神和祖先。九月，大会蹛林，清点核实人口及牲畜数目。匈奴退出漠南地区以前，对内蒙古高原大部实行了有效的政治统辖和畜牧经营。

匈奴实行军政一体化，氏族贵族既是行政长官，同时又是军事首长。左、右贤王以下至左、右大当户，多者统领万骑，少者统领数千骑，共有24个万骑长。各万骑长又自置千长、百长、什长、裨小王、相、都尉、当户、且渠等属官。高官要职由显贵氏族或家族世袭。所有及龄壮丁均为战士，编为骑兵。匈奴游牧军事政权，除被征服的北方各族外，还由许多同族部落构成，各部包括众多氏族，贵姓有挛鞮氏（又作虚连题氏）、呼衍氏（又作呼延氏）、兰氏、须卜氏、丘林氏、韩氏、郎氏等。单于均出于挛鞮氏，或父死子继，或兄终弟及。

匈奴的左右翼和十进位的军事行政制度，对后来的游牧民族产生了很大影响，鲜卑、柔然、突厥、回纥、蒙古等都程度不同地有所继承和发展。

匈奴建国之初，利用汉朝国力较弱的机会，多次南下。公元前201年（汉高祖六年），冒顿亲率大军围汉将韩王信于代郡马邑（今山西朔县），信投降，引匈奴南逾句注（山名，在今山西代县西），攻至晋阳（汉太原郡治所，今太原西南）。次年，冒顿用诱兵之计，把亲率32万汉军前来抵御的汉高祖刘邦围困在平城白登山（今山西大同市东北）。匈奴骑兵40万，阵容严整，以致围外汉兵束手无策，难以相救。七日后，冒顿以约定合兵的汉降将失期而疑有诈，于是接受受汉厚赂的阏氏之言，解围退兵。当时，汉将多往降匈奴，引匈奴屡扰汉边，汉不得已与匈奴和亲，双方约为"兄弟之国"。匈奴单于得汉朝公主为阏氏，每年还获得一定数额的絮、缯、酒、米、食物。以后经历高后至文、景 60 余年间，匈奴贵族屡背约扰汉边郡；汉朝国弱，与民休息，仍奉和亲之策。公元前 176 年，冒顿单于致书汉文帝，对右贤王毁和亲之约的行为进行解释。又称匈奴新破降月氏，征服楼兰、乌孙、呼揭等西域 26 国，"诸引弓之民，并为一家"。北方已定，愿意与汉重修和亲，"使少者得成其长，老者安其处，世世平乐"。前 174 年，汉文帝回冒顿单于书，同意与匈奴复故约。于是匈奴东到辽河，西至葱岭，北抵贝加尔湖，南达长城，第一次统一了北方草原。

匈奴利用强大的军事实力迫使西汉统治者作出妥协。这种军事实力的强弱似乎不能反映各自文化的强弱，而恰恰相反，正是在文化上占据强势的西汉政权，却在政治、经济和军事等方面处于暂时的弱势地位。从文献记载的双方最高统治者的有限的几次书信交往中起码可以看出，匈奴政权与西汉政权是基本对等的古代国与国的关系，双方均愿意维护"兄弟之国"与"和亲"关系，均希望通过两方的努力及和好关系的维持能够促使各自国内社会的安定和经济的发展，由此能使人民安居乐业。

汉文献更多记载的是匈奴与汉的和战关系。公元前 174 年，冒顿单于死，子稽粥继立，号老上单于。公元前 166 年，匈奴绝和亲，14 万骑入朝那（今甘肃平凉市）萧关，杀掠不可胜数。此后，单于岁入汉边抄掠，给西汉造成很大政治军事压力和经济损失。公元前 162 年，汉文帝致书匈奴单于，重申："先帝制：长城以北引弓之国，受命单于；长城以南冠带之室，朕亦制之。"双方复约和亲，强调以长城作为两个不同经济和文化形态国家的分界线。从文献记载看，秦末汉初匈汉在鄂尔多斯高原以秦昭襄王时所修长城为界，在内蒙古高原中东部则以秦始皇连接修缮的赵、燕长城为界，可以说内蒙古高原绝大部分地区都在匈奴的统治之下。公元前 161 年，老上单于死，子军臣单于继立。公元前 158 年，匈奴复绝和亲，入上郡（今陕西榆林市东南）、云中郡（今内蒙古托克托县古城村古城）大肆掠夺，西汉只能被动防御。西汉景帝在位时，匈汉修复故约，互通关市。虽匈奴偶尔小入汉边抢掠，但无大规模军事行动，双方总的关系是和平的。至汉武帝初年，西汉已国富民强，匈汉进一步明确和亲章程，通关市，匈奴较前更多得到汉地物品。至此约 60 余年的和亲，匈奴自单于以下皆喜汉地物品，往来长城沿边，互市贸易。双方大体以长城为界所进行的经济、文化交流，对不同文化间的相互了解、认识甚至理解，客观上起到了促进作用。

西汉武帝时，国力强盛，试图解决北部边区安全问题，发动了对匈奴的一系列战争，大大削弱了匈奴的实力。公元前 133 年，匈奴识破汉军 30 余万设伏马邑之谋，始绝和亲。但双方不闭关市，仍进行易货贸易。公元前127 年，匈奴楼烦、白羊王在汉发动的河南之战中失败，失掉"河南地"，势力北缩到赵武灵王时修筑的长城西段以北。公元前 126 年，军臣单于死，匈奴贵族围绕单于权位展开争夺，军臣弟左谷蠡王伊稚斜自立为单于，攻破太子於丹，於丹被迫降汉，受封涉安侯，数月而死。伊稚斜单于在位期间（前 126—前 114 年），匈奴遭受西汉多次重大军事打击，损兵失地，国力骤衰。伊稚斜自立之初就大举攻汉，率众入代郡（今河北蔚县东北）、雁门（治山西右玉县南）、定襄（今内蒙古和林格尔土城子古城）、上郡等，杀掠吏民。右贤王也攻入河南地，侵扰朔方（今内蒙古磴口县陶升井麻弥图古城）。后右贤王出塞六七百里，被出高阙塞的汉将卫青所率 10 余万人夜围，失众 1.5 万人，裨小王 10 余人。公元前 121 年，匈奴右地又受到汉将霍去病攻击，浑邪王、休屠王二部损失惨重。伊稚斜单于大为不满，准备兴师问罪。浑邪王、休屠王恐，共谋附汉。后浑邪王杀反悔的休屠王，兼并休屠王部众共 4 万余人附汉，汉封浑邪王为漯阴侯。匈奴降众被安置于陇西、北地、上郡、朔方、云中五郡塞外，因匈奴故俗治理，为五属国。继匈奴丢失"河南地"后，又退出河西走廊地区。公元前 119 年，伊稚斜单于闻说汉大将军卫青出定襄、骠骑将军霍去病出代郡，北渡沙漠来击，于是远移辎重，以精兵待于漠北。伊稚斜与卫青接战，匈奴骑兵被汉兵纵左右翼围困，单于见汉兵强马壮，自度战不能胜，领壮骑数百突围而走，失 1.9 万余人。左贤王与霍去病对战，亦败北，失 7 万余人。而汉兵战死亦数万，军马死 10 余万。此后，匈奴远遁，基本退出内蒙古高原，主要在漠北地区活动，史称"漠南无王庭"。

大规模战争，使匈、汉两败俱伤。此后，终武帝之世（前 140—前 86年在位），双方没有大规模交战。匈奴屯兵受降城（今乌拉特中旗东部阴山北）以北，守护南界；汉兵沿汉长城严密设防。

公元前 114 年，伊稚斜单于死，子乌维立。乌维单于时，休养兵马，练习射猎，不扰汉边，并频繁遣使向汉请和。公元前 105 年，乌维单于死，至前 96 年狐鹿姑单于立，匈奴单于四易其人，国力进一步削弱，益向西北发展，左方兵南对汉朝云中，右方兵南对酒泉、敦煌。匈奴势力退出内蒙古高原东部，为鲜卑、乌桓的发展提供了历史契机。在匈汉关系上，汉已强盛起来，不愿再接受不平等的"故约"，反而欲借匈奴衰弱加以臣服；匈奴虽然积弱而一时难以复兴，但仍保持政权自主并主张重结"兄弟"旧约。双方使者虽多有往还，终没有达成"和亲"。狐鹿姑单于曾致书汉武帝说："南有大汉，北有强胡，胡者，天之骄子也；不为小礼以自烦。今欲与汉闿大关，取汉女为妻，岁给遗我蘗酒万担，稷米五千斛，杂缯万匹，它如故约，则边不相盗矣。"虽然其中不乏狂妄、蛮横，但我们也可读到匈奴人自主的意识，与汉对等的观念甚至民族优越感。在古代北方游牧民族的意识中，往往对中原政权是有优越感的。由于我们是利用汉文史料来研究中国古代北方民族的历史，因此往往不自觉地从中原汉文化的角度，沿用封建史臣的观念或观点来看待北方民族。实际上，北方各民族自有其观念和视角，在他们的文化观念中，他们是天之骄子，是不拘小礼之人，亦即认识到游牧社会与农耕社会是有区别的，游牧文化有其优势和独特性，从来不是中原政权或文化的附庸。中原人或其建立的政权只是从其中心地位和正统角度出发，把北方民族看做是处于边远蛮荒之地的夷狄，是落后的野蛮人。

在接下来的数次匈汉间的战争中，匈奴均遭败绩，损失惨重，力量进一步受到削弱。属部乌桓、丁零等也乘机脱离控制，并纷纷攻击匈奴。在天灾人祸面前，匈奴统治集团发生分裂和内讧。公元前 68 年，壶衍鞮单于死，弟左贤王立为虚闾权渠单于。虚闾权渠既立，以右大将之女为大阏氏，废黜壶衍鞮宠幸的颛渠阏氏。公元前 60 年，虚闾权渠单于死，其子稽侯珊当立。但颛渠阏氏与其弟左大且渠都隆奇谋立与她私通的右贤王屠耆堂为握衍朐鞮单于。握衍朐鞮任用都隆奇等亲信，排斥虚闾权渠子弟近亲，稽侯珊被迫逃亡投靠其妻父。公元前 58 年，因握衍朐鞮滥杀无辜，失去人心，匈奴左地贵族共立稽侯珊为呼韩邪单于（前 58—前 31 年在位），随后发兵四五万人攻击，握衍朐鞮兵败自杀，部众尽归呼韩邪，都隆奇投附了右贤王。呼韩邪归单于庭数月后，都隆奇与右贤王共立日逐王薄胥堂为屠耆单于，发兵数万东袭呼韩邪，呼韩邪兵败出走。公元前 56 年，呼韩邪与屠耆再次交战，屠耆兵败自杀。呼韩邪又收服先前自立的车犁单于，杀掉李陵的儿子拥立的乌籍单于，重新占据单于庭。不久，屠耆从弟休旬王又在右地自立为闰振单于，呼韩邪兄左贤王呼屠吾斯在左地自立为郅支骨都侯单于。公元前54年，郅支破杀闰振，败走呼韩邪，都单于庭。次年，呼韩邪接受左伊秩訾王"事汉则安存，不事则危亡"的劝议，率众近汉边塞，遣子右贤王入侍。公元前51年正月，呼韩邪于甘泉宫朝见汉宣帝，受到特殊礼遇和大量赠品，留汉地月余而归。呼韩邪表示愿意驻牧汉光禄塞（今内蒙古巴彦淖尔市乌拉特前旗小召门梁古城）下，为汉保边。汉派董忠、韩昌二将军率1.6万骑及边郡兵马数千，送呼韩邪出朔方鸡鹿塞（今哈隆格乃山口）。汉宣帝又诏董忠等随护呼韩邪，助诛不服，并拨边郡粮食3.4万斛，接济匈奴。呼韩邪在汉光禄塞下留居八年，匈奴部众多分布于内蒙古中西部地区，从事畜牧生产。此后，呼韩邪与郅支均不断遣使至汉，汉厚待呼韩邪使者而有意疏远郅支使者。呼韩邪有汉资助，不时向北征讨郅支；郅支自知不能统一匈奴，于是放弃漠北，留居右地，并更向西迁至今伊犁河流域。呼韩邪单于在得到汉朝允许后，与汉臣定盟约，而后北归单于庭，重新控制了漠北地区，匈奴始定。

公元前33年，呼韩邪单于再次到长安朝见汉元帝，自言愿做汉家婿。元帝以后宫女王昭君嫁与为妻，号"宁胡阏氏"，匈汉和好关系得到加强。至王莽擅政以前，60余年和平发展，匈、汉人民得以安定，出现了民众富庶，牛马布野的局面，内蒙古高原的牧业和农业经济得到一定的恢复和发展。呼韩邪部众在这一历史过程中，更多地接触和感受到了汉文化，草原文化当中游牧和农耕文化得到进一步交流。匈奴与西汉的政治、经济和文化的关系的建立，并为东汉南匈奴附汉，并且逐步进入中原，为融入汉文化做了一定程度的准备。

公元1世纪初年，匈奴单于不满王莽采取的侮辱歧视政策，断绝和亲，并大举侵扰。东汉初年，匈奴大力扶持占据中原沿边诸郡的割据势力，并重新进入塞内，占据了今内蒙古西部部分地区。公元46年前后，匈奴国内连续发生严重自然灾害，人畜饥疫，死亡大半。48年，匈奴贵族因争权夺利发生分化，驻牧于匈奴之南、管领南边八部之众的右薁鞬日逐王比（呼韩邪单于稽侯珊之孙）南下归附汉朝，自立为呼韩邪单于，于是匈奴分裂为南、北两部。49年，南单于遣使至汉，"奉藩称臣，献国珍宝，求使者监护，遣侍子，修旧约（西汉时呼韩邪单于附汉之约）"。此后，南匈奴每年末遣侍子入汉，单于等贵族接受汉大批财物，成为东汉政治、军事上的附庸，文化上受中原传统的汉文化影响也越来越深。汉于南匈奴置使匈奴中郎将，允许南匈奴设单于庭（南庭）于五原西部塞，随后又让他入居西河郡美稷县（今内蒙古准格尔旗纳林镇古城）。南匈奴部众分布于朔方、五原、云中、定襄、北地、上郡、雁门、代郡、上谷等郡地，史称"匈奴五千余落，入居朔方诸郡，与汉人杂处"。由此看来，南匈奴的氏族部落体制可能开始瓦解。

南单于附汉以后，为汉守御边境，协助汉兵攻击北匈奴。自呼韩邪单于至 63 年湖邪尸逐侯鞮单于即位，单于四易其人。由于有汉的扶持和赈济，南匈奴生活稳定，而北匈奴国内动荡，部众纷纷南下投奔南匈奴，以致"降者岁数千人"。北匈奴则常攻扰南单于，屡掠汉边郡，侵迫西域诸国，阻塞中西交通。89 年，东汉发动了一次规模巨大的军事攻击。在汉将和南单于联军合击下，连年大破北匈奴于大漠南北及今新疆东部，北单于受创遁逃，于 91 年（永元三年）率领一部分部众西迁今伊犁河上游一带，后转徙中亚地区，曾经统治大漠南北的匈奴政权全部瓦解。残留在漠北的一部分匈奴余众，有十余万落加入鲜卑，另有一部分始终留在漠北的西北角，直至 5 世纪初才被柔然吞并。残留在今新疆的匈奴余众则在那里继续活动了 60 多年。一部分匈奴人继续西迁，进入欧洲，被称为 huns。

主要分布于内蒙古高原上的南匈奴部众，不断得到东汉的经济援助。安定的社会环境，也使南匈奴的社会生产得到迅速恢复和发展，人口不断增加。到 90 年（汉和帝永元二年）前后，南匈奴人口已达 237 300，是初迁塞内时 4、5 万人口的 4 至 5 倍多。此后近半个世纪，南匈奴安心附汉。140 年（顺帝永和五年），南匈奴发生内乱，左部句龙王吾斯及右贤王合兵围攻西河美稷（南单于庭所在），后又东引乌桓，西收羌、胡，侵掠并、凉、幽、冀 4 州。东汉为避扰掠，将西河、上郡、朔方等郡治南移，因此原来分布在西河、上郡、朔方等地的匈奴人更为南下，大多数深入集中到并州中部的汾水流域一带。由于社会安定，生产发展及受汉文化的影响，南匈奴的社会、经济发生了很大变化，逐步与汉人融合。

匈奴人以畜牧业为主，过着逐水草迁徙的游牧生活。牲畜以马、牛、羊最多，又有橐驼、驴羸、駃騠、騊駼、驒騱等奇畜。畜群既是生产资料，也是生活资料。匈奴人自单于以下皆食畜肉、饮湩酪、衣皮革、披毡裘、住穹庐。狩猎业是重要的辅助行业。史载匈奴人自儿时就开始练习骑射，部众平时随畜群游牧，同时以射猎禽兽为生。狩猎活动还是演练骑射的手段。手工业中最重要的是冶铁业、铸铜业、金银铸造业，还有陶器、木器、毛皮等制作行业。游牧经济的开放性和单一性，使匈奴人迫切需要与其他民族进行商业交换。匈奴与汉朝间有官方允许的"关市"，还有民间的商业往来。此外，与乌桓、羌、西域各族等均有商业上的交换。受汉人影响，匈奴也经营粗放农业。

匈奴语属阿尔泰语系，主张突厥语族说者居多，也有持蒙古语族说的。匈奴人没有自己的文字，"以言语为约束"。汉文文献记录了一首匈奴民间流行的歌曲："失我祁连山，使我六畜不蕃息；失我燕支山，使我嫁妇无颜色。"是匈奴人对公元前121年被汉军击败后，失去优良牧场的感慨。匈奴有自己的音乐，广泛流行的乐器有胡笳、鞞鼓。在陶器、铜器和金银器上的造型艺术十分精湛。匈奴人每年正月、五月、九月三次集会，祭祀祖先、日月、天地、鬼神。战争中也形成了一些相关习俗：出兵前先观察星月，月满则进攻，月亏则退兵。战斗中斩敌首级的，赐一卮酒；掳获的财物归个人所有，俘虏作奴婢；为战死者收尸归来，可尽得死者家财。为此，匈奴战士趋之若鹜，征战勇敢。常年的战争，还在匈奴社会中形成了"贵壮健，贱老弱"，"壮者食肥美，老者食其余"的风气。匈奴社会对偷盗、伤人等行为用习惯法处置："拔刃尺者死"，偷盗者没收家口财产，小罪碾压骨节，大罪处死。婚俗保留有氏族社会的遗风，实行收继婚。父死，娶后母；兄弟死，娶其妻，具有稳定血缘关系和保留劳动力含义。贵族之间互相联姻，呼衍、兰、须卜、丘林四氏，世与挛鞮氏通婚。考古发现证实，匈奴人实行土葬，有棺椁及金银铜铁器皿、马具、武器、牲畜、陶器、玉器、衣饰等随葬品，贵族死后有臣妾殉葬。有入殓、出殡、入葬等礼俗。

匈奴在大漠南北活跃了300余年，最终退出蒙古高原这一游牧民族的历史舞台，乌桓一度成为中国古代北方地区一支十分活跃的势力，鲜卑也逐步兴起，替代匈奴成为蒙古草原上的新霸主，由此揭开了东胡系古代民族在北方草原纵横驰骋的新篇章。

二、乌桓

乌桓是东胡后裔，早期地域与鲜卑分南北而居于今内蒙古东部地区。文献也记作"乌丸"、"古丸"。"桓"、"丸"古代同音，《广韵》俱作"胡官切"。乌桓族名含义，学界有蒙古语"ula´an"（红）（丁谦）、"ukhagan ~ ukhan"（聪明）（白鸟库吉）、"宇文"对音原意为"草"（冯家升）、"归降者"（内田吟风）、古突厥语"uran"（尊贵者）及"uruq"（母系或妻系亲属）等诸说，多仅从发音相近得出结论，没有明确文献记载作为根据。

汉初以前，乌桓与鲜卑俱在泛称东胡名下。匈奴冒顿单于击破东胡以后，部分余众据守乌桓山，因山名族。学界多从清人张穆之说，认为乌桓山在今内蒙古赤峰市阿鲁科尔沁旗西北 140 里处。乌桓部众初游牧于饶乐水（今内蒙古赤峰西拉木伦河）一带，受匈奴役使，每年需送马、牛、羊等畜产，逾时不贡，则妻、子均要被匈奴罚没为奴隶。汉武帝元狩四年（前 119 年），汉骠骑将军霍去病击破匈奴左地，作为匈奴属部的乌桓被征服。由于乌桓屡随匈奴骚扰汉边，为削弱匈奴势力并不再使乌桓为匈奴所用，汉迁乌桓部众于上谷（今河北怀来东南）、渔阳（今北京密云西南）、右北平（今内蒙古赤峰市宁城县黑城古城）、辽西（今辽宁义县西）、辽东（今辽宁辽阳）五郡塞外。乌桓为汉侦察匈奴动静，协助汉军防御北方游牧民族。乌桓大人每年入汉朝见一次。为便于监督管理乌桓，西汉朝廷专门设"护乌桓校尉"一职，开府幽州（今北京市附近），拥节代表皇帝行使权力和传达皇帝意旨①。但乌桓在汉与匈奴之间依附不定，或助汉攻匈奴，或从匈奴掠扰汉边，并仍向匈奴交纳"皮布税"。汉昭帝时（前87—前74 年），乌桓逐渐强大起来，为了报复匈奴攻破祖先东胡之耻，乌桓骑兵进入匈奴地域，大掘单于墓而归。匈奴壶衍鞮单于闻听后大怒，发兵二万余骑东击乌桓。西汉闻讯后，派遣度辽将军范明友也率二万骑兵出辽东郡邀击匈奴，到时匈奴已退。范明友于是乘乌桓刚被匈奴攻破而衰蔽之机，发动攻击，乌桓惨败。此后，乌桓更不与西汉和好，数度侵犯汉朝边郡，掳掠人口财物，也屡为汉军

---

① 林幹：《两汉时期"护乌桓校尉"略考》，《内蒙古社会科学》1987 年第 1 期。王莽时，护乌桓校尉曾改称"护乌桓使者"，后因乌桓离汉而罢，职掌入"使匈奴中郎将"。

击破。汉宣帝时（前73—前49年），汉匈关系较为和睦，乌桓又转而在一定程度上附于汉，为汉防卫边塞。王莽执政时，试图割裂匈奴与乌桓的联系，改变乌桓为匈奴属部的局面，因此向匈奴颁布四项条款，其中有不得接受乌桓投降之人、不许向乌桓征税等内容。匈奴无视王莽限定，依惯例派出使者向乌桓索税，乌桓以"奉天子诏条，不当予匈奴税"为由而拒绝交纳，匈奴使者就拘缚乌桓酋豪逼税，招致酋豪兄弟怒起而杀匈奴使者及其随从官属，并收服掠夺了同来乌桓贸易的匈奴民众。匈奴单于知道后，派左贤王出兵攻击，乌桓部众败散，或逃入山中避祸，或依附于汉边郡县。王莽篡汉建立"新"政权后，为攻击匈奴，强征乌桓等族骑兵，乌桓、丁零兵随东域将严尤屯于代郡，妻、子被拘于郡县做人质。由于乌桓骑兵不服水土，又怕久屯不休，以致多有逃叛；而诸郡尽杀人质，乌桓遂与新莽结怨。匈奴乘机诱引，乌桓转附匈奴。

东汉光武帝初年，乌桓与匈奴频频联兵侵扰东汉边郡，致使郡县损坏，百姓流亡。当时驻牧于上谷郡塞外的白山乌桓，最为强富，成为乌桓诸部魁首。至汉光武帝建武二十二年（46年），匈奴因"五单于"争权夺势而导致国内动乱，又逢连年旱灾蝗灾，人祸天灾，纷至沓来，致使匈奴整体实力锐减。乌桓等属部借匈奴衰弱联合出击，迫使匈奴撤出漠南地区，北迁数千里，史称"漠南地空"①。自乌桓由东胡分出以后，多依附于强大的匈奴，汉强后则视局势变化而依违于匈奴与汉之间。匈奴的衰弱，使乌桓缺失了一个可以依靠、联合、具有相同或相近生产生活方式的军事伙伴，从而使自己单枪匹马掳夺汉地财物成为不可能。乌桓势必要同东汉政权建立较前更密切的政治、经济和军事关系。东汉也适时利用匈奴对乌桓控制力、影响力的减弱，用币帛等物招诱乌桓，乌桓酋长一时争相归附东汉。建武二十四年（48年），乌桓派遣使者到洛阳"朝贡"，并称愿意作为东汉的藩属。次年，乌桓辽西大人郝旦等922人诣阙朝贡，献奴婢、牛、马、弓、虎、豹、貂皮等物。最终，各部乌桓附汉，表示愿为汉戍守边境，首领80余人得到侯、王、君长等封赏，部众也随即迁居东汉北部边塞以内，分布于辽东属国、辽

① 乌桓主要史实依据《后汉书》卷90《乌桓鲜卑传》和《三国志》卷30《乌桓鲜卑传》，裴松之注引王沈：《魏书》。

西、右北平、渔阳、广阳、上谷、代、雁门、太原、朔方等缘边十郡北界，帮助东汉防御匈奴、鲜卑，随汉军出征。乌桓凭借匈奴撤出漠南地区的良机，进入了内蒙古高原中西部地区。

东汉光武帝建武二十五年（49 年），光武帝采纳班彪建议，重新恢复护乌桓校尉这一军政建置，在上谷宁城（今河北宣化西北万全县）立屯营、开府署，管理乌桓的赏赐、质子、岁时互市等事务。东汉末年以后，为加重护乌桓校尉的权力和提高其地位，开始以"使持节"等名称作为护乌桓校尉官号。魏晋时期，例加"使持节"或"持节"衔，护乌桓校尉已成为驻扎幽州的军事长官的一个兼职，通常与"度辽将军"或"都督幽州诸军事"的官衔联系在一起。此时的护乌桓校尉，除了监督和管理沿边诸郡的乌桓等民族事务外，还担负着经略东北地区的军事任务。

护乌桓校尉的职责：（1）监督和管理乌桓内附部众，处理有关乌桓的民族事务。（2）西汉时，随时注意内附乌桓人的动向，防止他们与匈奴来往。（3）东汉时，掌管对乌桓、鲜卑的赏赐、质子和每年的互市事宜。（4）每年按期巡行乌桓、鲜卑各部，"理其怨结"、"问其疾苦"，安抚、调解各部之间或部落内部矛盾，灾年给予接济。（5）经常派遣译使互通情报，使各部做州郡耳目，协助边防。西汉护乌桓校尉月俸二千石（120 斛），东汉比二千石（100 斛）。属官有长史一人、司马二人，皆六百石，为高级辅佐官吏。根据内蒙古和林格尔县东汉时期"使持节护乌桓校尉"壁画墓，还有"功曹"（掌功过赏罚）、"贼曹"（掌辑捕盗贼）、"金曹"（掌货币）、"仓曹"（掌粮食谷仓）、"阁曹"（掌簿录）、"尉曹"（掌卒徒转运）、"塞曹"（掌塞卒）、"营曹"（掌军营）等中下级属官。据东汉"宁城护乌桓校尉幕府图"，校尉掌握军队，屯驻宁城，幕府规模宏大，分堂院、营舍和庖舍三部分。

东汉又设度辽将军一职加强对北方各族的统治。西汉昭帝年间，范明友渡辽水击乌桓，"度辽将军"因此得名。东汉明帝永平八年（65 年），设度辽营于五原曼柏（今内蒙古准格尔旗西北境）。职官设度辽将军、行度辽将军、左校尉、右校尉、长史、司马等。度辽将军秩二千石，青绶银印，辖有可调动部队约二万，特殊情况下可以"假黄钺"颁行军令。其主要职责是配合"使匈奴中郎将"对西河美稷（今内蒙古准格尔旗境）等多民族地区进行军事防护；配合北方各郡县和有关机构，加强对北方地区的行政统治和军事控制；执行边疆地区的紧急军务。主管官多从具有长期在北方多民族活动地区任职的军、政官员中铨叙。

此后半个多世纪（东汉明帝、章帝、和帝时期），乌桓各部为东汉戍守北部边地，政治上附属东汉政权，经济上接受汉地物资赈济，军事上服从东汉将军调遣，文化上受到中原影响。

1世纪末2世纪初时，鲜卑逐步取代匈奴掌控蒙古高原大部地区局势，与鲜卑族源相同的乌桓不甘心受东汉控制，开始多次与鲜卑等联合抗汉。东汉安帝时期（107—125年），渔阳、右北平、雁门乌桓等与鲜卑、匈奴联合，掳掠代、上谷、涿、五原诸郡，被击败后仍旧归附于汉。顺帝、桓帝时期（126—168年），檀石槐在乌兰察布高原建立了以鲜卑人为核心包括蒙古高原一些游牧部落的军事行政联盟，进一步影响了乌桓与东汉的关系，致乌桓屡次反汉。延熹九年（166年），乌桓与鲜卑、南匈奴攻扰缘边，九郡乌桓互为响应，一起脱离东汉，北出边塞以外。乌桓诸部一度摆脱了为东汉附属的政治地位。汉灵帝时（168—189年），东汉诸郡塞外乌桓大人割据一方，各自称王。史载辽西乌桓大人丘力居有部众五千余落（户），上谷乌桓大人难楼有部众九千余落，辽东属国乌桓大人苏仆延（自称峭王）有部众千余落，右北平乌桓大人乌延（自称汗鲁王）有部众八百余落。各部乌桓首领沿东汉北方边郡拥众自守，不时掠夺汉地人口财物充实本部实力，并接受东汉叛逃官民，东汉末年更是介入东汉北方军事集团的争斗。如灵帝中平四年（187年），东汉中山太守叛投丘力居，自号弥天安定王，为诸郡乌桓元帅，寇掠青、徐、幽、冀四州。次年，幽州牧刘虞招募胡人斩张纯，才使局势稍得安定。献帝初平（190—193年）中，丘力居死，子楼班年少，从子蹋顿代立，统摄三郡乌桓，开始卷入中原地区的军阀混战。建安（196—219年）初，蹋顿遣使向袁绍求和亲。袁绍时为冀州牧，与公孙瓒连战不决，难以取胜。蹋顿派兵助击，大破公孙瓒。袁绍见乌桓兵可为所用，矫诏赐蹋顿、难楼、苏仆延、乌延等乌桓诸酋长单于称号，加以笼络。后难楼、苏仆延率部众奉楼班为单于，蹋顿为王，而蹋顿实掌计策。建安十年（205年），蹋顿接纳战败来投的袁尚、袁熙，尚、熙企图借助乌桓及为避战乱进入乌桓的10余万幽、冀二州吏民之力，东山再起。207年，乌桓与亲率大军来征的曹操激战，蹋顿阵亡，死者蔽野。苏仆延、楼班、乌延等逃至辽东，也被杀死，余众皆降。近塞乌桓万余落，全部被曹操迁入中原，青壮年被编为骑兵队，随曹军四处征战，"由是三郡乌桓为天下名骑"。

乌桓社会由部、邑落、落（户）组成，数百千落组成一部。部落首领称大人，邑落各有小帅。大人、小帅均由推举产生，死则另选，不世袭。勇健而能公平合理解决纷争聚讼的人，常常被推举为部落大人或邑落小帅。大人掌握了很大权力，具有很高威信。大人有事通知部众，则刻木为信，在邑落传行，部众不敢违犯。违背大人的话，罪可至死。姓氏无常，多以大人勇健者名字为姓。大人以下各自畜牧营产，不相徭役。大人平时管理氏族部落的公共事务，处理氏族部落成员间的纠纷；遇有战事，则率部众参战。

乌桓人居无常处，随水草游牧，以畜牧业为主；擅长骑射，弋猎禽兽为事，狩猎业占有重要地位。手工业产品多附属于畜牧业和狩猎业，史载乌桓男子能制作弓矢鞍勒，锻造铜、铁兵器，妇女能纺毛织物。有原始农业，农作物有穄子等，除食用还能酿酒。穿畜兽毛皮，住穹庐，饮乳，食畜兽肉。

乌桓语言属东胡后裔诸语言的一支，应属阿尔泰语系蒙古语族。乌桓没有文字，刻木记事。首领有事，则刻木为信，传行各邑落，部众遵照执行而不敢违抗。俗以东方为贵，穹庐东开向日。敬鬼神，用牛羊祭祀天地、日月、星辰、山川及祖先，祀毕焚烧。流行习惯法：违背大人的话，罪可至死；偷盗不止，处死；部落间仇杀，实行血亲复仇，仍未解决，找大人调解，获罪的人，可用马牛羊赎罪；杀伤自己父兄，无罪；叛逃者捕归，邑落不得接纳，放逐沙漠之中。有母系遗风，除争斗之事，计谋皆从妇女。贵少贱老，怒则杀父兄，因母有族类可相复仇而终不害母。有简单的治病知识，用艾蒿针灸，或用烧石自熨、烧地伏卧、用刀决脉出血的方法止痛。有抢婚、服役婚、收继婚习俗。男女皆先私通，然后男掠女去，或半年或百日后，派媒人送马、牛、羊作为聘娶之礼；婿随妻还，服役一二年，妻家置办丰厚财物送归夫家。父死，妻后母，兄死，报寡嫂。寡嫂之小叔死，小叔之子可以伯母为妻；小叔若无子，再轮及其他伯叔。乌桓男女皆髡头，女子出嫁时开始蓄发，作髻，佩戴饰物。丧葬，俗以战死为贵，有棺木，行土葬，始死哀哭，葬时歌舞相送。至葬日，夜聚亲友环坐，牵肥犬、马至死者灵位，有歌哭者掷肉喂食，二人口诵咒文，祈祷死者灵魂能在犬、马保护引导下顺利到达赤山。然后杀犬、马，并取死者衣物用具一起焚烧。

作为两汉时期较强大的一支游牧势力，乌桓从内蒙古高原东部逐步南迁，东汉末年一些部落已分布到河北、山西北部及内蒙古中南部。魏晋时期，又与匈奴、拓跋鲜卑等发生密切关系。

三、鲜卑

鲜卑也是东胡后裔。"鲜卑"一词，早在《楚辞·大招篇》等春秋战国时代的史籍中出现过。王逸注说："鲜卑，衮带头也"。《史记·索隐》引张晏语谓："鲜卑郭落带，瑞兽名也，东胡好服之。"颜师古注《汉书·匈奴传》曰："犀毗，胡带之钩也。亦曰鲜卑，亦曰师比，总一物也，语有轻重耳。"可见，鲜卑原指东胡人喜欢佩戴的一种兽状带钩。作为族名，最早见于《后汉书》。伯希和（P. Pelliot）认为是根据 * serbi、* sirbi 或 * sirvi 汉译的，这一看法很有学术价值。关于鲜卑含义，有"祥瑞"、"森林"（蒙古语 siɣui 对音）诸说。对于"鲜卑"究竟是何含义，文献史料没有明确可靠的解释，论者的证据尚嫌薄弱。

汉初以前，鲜卑与乌桓同被中原人称作东胡，遭匈奴攻破后，一支迁至辽东塞外鲜卑山，以山名族[1]。因地处蒙古高原东部，为与其他鲜卑相区别，一般习称为东部鲜卑。汉武帝元狩四年（前 119 年），匈奴左地（东部）被汉军击破，役属匈奴的乌桓一度附属汉朝，被迁到上谷、渔阳、右北平、辽西、辽东五郡塞外，鲜卑则移牧于饶乐水（今西拉木伦河）流域，附属匈奴。因为南隔乌桓，势力相对弱小，没有派出使者与汉建立联系，所以，一直不为中原史家所知，直至东汉初年才为汉籍所载[2]。

汉代，另一部分鲜卑即拓跋鲜卑在"大泽"（今内蒙古呼伦湖）周围地区活动，他们是在首领第一推寅的带领下从大鲜卑山（今呼伦贝尔市鄂伦春自治旗大兴安岭北段）一带迁移来的。呼伦贝尔市陈巴尔虎旗完工、满洲里市扎赉诺尔、额尔古纳市、鄂温克旗伊敏和孟根楚鲁等地的墓葬群是这

---

① 学界多从张穆之说，认为鲜卑山在今内蒙古通辽市科尔沁左翼中旗西 30 里处。

② 鲜卑史实，主要参考《后汉书》卷 90《乌桓鲜卑传》和《三国志·魏书》卷 30《乌桓鲜卑传》，裴松之注引王沈：《魏书》。

部分鲜卑人的遗迹①。通过对比研究，嘎仙洞的遗物和扎赉诺尔等地的随葬品在文化面貌上既有很大一致性，又存在一定差异，这正是这部分鲜卑人在不同历史时期不同地域环境下文化发展的反映。

东汉光武帝初年，鲜卑随匈奴屡犯汉边，"杀略吏人，无有宁岁"。光武帝建武二十一年（45 年）秋，鲜卑万余骑侵寇辽东，被汉辽东太守祭肜击破，损失惨重。48 年，匈奴右薁鞬日逐王比自立为呼韩邪单于，依附东汉，匈奴分裂为南北二部，势力削弱。鲜卑迫于大漠南北游牧民族势力暂时处于劣势的局面，于 49 年始派遣使者出使东汉，与中原政权建立了联系。东汉初年，北方边郡官员对匈奴采取军事打击和财物拉拢相结合的手段。49 年，鲜卑大人偏何受祭肜财物诱引，到辽东归附，此后连年为汉出击北匈奴，大获赏赐。54 年，鲜卑大人於仇贲、满头等率部众至洛阳朝贡，分别被封为王、侯。明帝永平元年（58 年），偏何又接受祭肜重金贿赂，为东汉出兵攻击并斩杀了数次寇掠上谷郡地的赤山乌桓歆志贲。在偏何等鲜卑大人的示范影响下，各部鲜卑大人纷纷归附东汉，到辽东接受赏赐，史载青、徐二州每年供给鲜卑的赏钱达 2 亿 7 千万。丰厚的经济补偿，使鲜卑各部一时乐于为东汉政权讨伐所谓叛逆或来扰边掠夺的游牧部落。史载东汉明帝（58—75 年）、章帝（76—88 年）时，鲜卑保塞无事。

经过 30 余年的自身发展和东汉的经济援助，加上匈奴等各部的衰弱，鲜卑具备了与匈奴等族一比高低的能力。章帝元和二年（85 年），鲜卑联合南匈奴、丁零及西域各国围攻北匈奴，北单于在漠北难以立足，"远引而去"。87 年，鲜卑又攻入北匈奴左地，斩北匈奴优留单于。和帝永元元年至三年（89—91 年），东汉连续大破北匈奴，北单于率部分部众西迁，漠北诸游牧部族失去统治力量，鲜卑因此迁徙占据匈奴故地。漠北匈奴余众 10 万余落（户）皆为鲜卑兼并，这部分匈奴人并自号鲜卑，鲜卑由此开始更为

---

① 内蒙古自治区文物工作队：《内蒙古陈巴尔虎旗完工古墓清理简报》，《考古》1965 年第 6 期；内蒙古自治区文物工作队：《内蒙古扎赉诺尔墓群发掘简报》，《考古》1961 年第 12 期；内蒙古文物考古研究所：《扎赉诺尔古墓群 1986 年清理发掘报告》，《内蒙古文物考古文集》第 1 辑，第 369—383 页；内蒙古文物考古研究所等：《额尔古纳右旗拉布达林鲜卑墓群发掘简报》，《内蒙古文物考古文集》第 1 辑，第 384—396 页；呼伦贝尔盟文物管理站等：《额尔古纳右旗七卡鲜卑墓清理简报》，《内蒙古文物考古文集》第 2 辑，中国大百科全书出版社 1997 年版，第 457—460 页。

强盛。97 年后，鲜卑开始侵扰汉边。安帝永初（107—113 年）中，鲜卑大人燕荔阳至东汉归附，汉赐其鲜卑王印绶，安排居住于护乌桓校尉治所宁城附近，开互市，设南北两部质馆。在燕荔阳带动下，鲜卑各邑落 120 部，纷纷遣送人质到东汉质馆，表示接受东汉政权的控制和监督。此后，鲜卑与东汉或和或战，与南匈奴、乌桓亦相互攻击。及至 2 世纪中叶，鲜卑人檀石槐因勇健有智谋而被推举为大人。于是在高柳（今山西阳高县西南）北 300 余里的弹汗山啜仇水边建立庭帐，兵马极盛，控御东西部大人。史称檀石槐率部"南抄缘边，北拒丁零，东却夫余，西击乌孙，尽据匈奴故地，东西万四千余里，南北七千余里，网罗山川水泽盐池"，内蒙古草原大部纳入鲜卑的控制之下，建立了地分东中西三部的游牧部落军事大联盟。檀石槐分划辖地为三部：东部在东汉辽东郡至右北平郡塞外，东邻夫余、秽貊，由弥加、阙机、素利和槐头等大人统领二十余邑，活动地域大致包括今内蒙古西拉木伦河、老哈河流域、科尔沁草原和呼伦贝尔草原；中部在右北平郡以西至上谷郡塞外，由柯最、厥居和慕容等大人统领十余邑，主要在今锡林郭勒草原活动；西部在上谷郡以西至敦煌郡塞外，西接乌孙，由置鞬、日律和推寅等大人统领二十余邑，主要在今阴山以北的乌兰察布高原、巴彦淖尔高原和阿拉善高原等驻牧。三部大人均听命于檀石槐指挥。檀石槐"施法禁，平曲直，无敢犯者"，树立了自己的权威；任用汉人谋士，输入汉地铁器，促进了鲜卑社会的发展。

鲜卑社会与乌桓社会组织相同，由部、邑落、落组成。部、邑落各有大人、小帅统领，早期实行推举制。鲜卑部落军事大联盟建立后，各部大人均服属于檀石槐。檀石槐死后，其子和连继立，鲜卑大人由推举制转变成世袭制。

鲜卑语言亦属东胡后裔诸语言的一支，文献中有一些用汉字音写下来的鲜卑语词，可以看出与古代蒙古语有相近的词汇和文法。鲜卑没有文字，大人用言语约束部众。有一些习惯法。文献笼统地说，鲜卑文化习俗与乌桓大致相同。稍有差别的是鲜卑人婚嫁前髡头，而乌桓女子似乎正相反，出嫁时始蓄发。每年春季在饶乐水（今西拉木伦河）畔集会，饮宴歌舞，举行婚礼。

鲜卑部落联盟西部大人推寅就是拓跋鲜卑的先祖献帝邻，这时已率部从呼伦贝尔草原迁徙到了阴山北部地区。结合文献记载和考古资料，学者推断的鲜卑拓跋部迁徙路线大致如下：呼伦贝尔市鄂伦春旗嘎仙洞附近——陈巴尔虎旗完工——满洲里市扎赉诺尔——赤峰市巴林左旗南杨家营子——乌兰察布市察右后旗二兰虎沟——包头市达茂旗东北。① 这一推测还有可商榷之处。从大的地理范围来说，鲜卑一支拓跋部先从大兴安岭北段（大鲜卑山）西迁呼伦湖周围（大泽），居数世后，又经过"九难八阻"辗转迁至阴山北部，参加了鲜卑部落联盟。

鲜卑部落结成联盟以后，南向与东汉对峙。东汉桓帝（147—167 年）、灵帝（168—189 年）时，檀石槐频繁南攻东汉边郡，杀人掠货不可胜数。檀石槐拒绝接受东汉所封王号，不应东汉和亲要求，势力达到极盛，以致东汉积患而不能制。东汉灵帝熹平六年（177 年），檀石槐命三部大人各率部众迎战东汉三路大军，大胜，东汉政权在北部边疆受到鲜卑势力的很大威胁。至灵帝光和（178—184 年）中，檀石槐死，子和连代立。和连"才力不及父"，"断法不平，众叛者半"，鲜卑联盟遂告瓦解。自檀石槐以后，鲜卑各部大人废除推举，实行世袭制。漠南自云中（郡治内蒙古托克托县古城村古城）以东分划成三个地域集团：檀石槐后裔步度根拥众万余落，占有云中、雁门、太原等郡地，包括今呼和浩特平原和乌兰察布丘陵南部；"小种鲜卑"轲比能率众十余万骑，占据高柳以东的代郡、上谷郡边塞内外地，大致在今锡林郭勒草原驻牧；东部大人素利、弥加、厥机等占有辽西、右北平、渔阳诸郡塞外，主要在西拉木伦河、老哈河流域和科尔沁草原游牧。西部鲜卑部落则在云中郡以西包括今天的鄂尔多斯高原、巴彦淖尔高原和阴山南北地区活动。各部鲜卑"割地统御，各有分界"，在各自的领地内从事游牧生产。后来，步度根兄扶罗韩从中分出，另拥众数万为大人，后被轲比能所杀，其子泄归泥及部众悉属轲比能，步度根部受到削弱。进入魏晋，东部鲜卑大人多附属中原政权，后以宇文、慕容和段氏鲜卑的历史活动颇为引人瞩目；西部鲜卑拓跋部则在晋北及内蒙古中南部地区的历史发展进程中风云际会，一统中国北方，建立北魏王朝。

---

① 宿白：《东北、内蒙古地区的鲜卑遗迹——鲜卑遗迹辑录之一》，《文物》1977 年第 5 期。

四、丁零

亦作丁令、丁灵、钉灵。根据研究，丁零的族源，在商周为甲骨文中记载的鬼方，春秋战国时属于赤狄集团。秦汉时期，丁零人游牧于北海（今贝加尔湖一带），南邻匈奴，西南毗乌孙。冒顿单于统治大漠南北时期，服属于匈奴。公元前3世纪末至公元后1世纪间，丁零不断试图摆脱匈奴控制，多次与乌孙、乌桓等联合攻击匈奴，致使匈奴实力逐渐削弱。东汉光武帝刘秀在位时，一部分丁零部众迁徙到今甘肃河西走廊、宁夏一带游牧。匈奴分裂为南北两部后，丁零和南匈奴、鲜卑、西域各族又多次打败北匈奴，迫使其退出蒙古高原，西迁伊犁河流域。鲜卑占据匈奴故地后，丁零转而役属于鲜卑。东汉末年，鲜卑部落联盟瓦解后，丁零部落大体分成三部分，仍在今贝加尔湖以南游牧的称北丁零，一部分迁徙到今新疆阿尔泰山和塔城一带的称西丁零，一部分南迁活动在黄河河套经阴山直到代郡之北的长城以北广大地区。魏晋南北朝时期，汉文献又称其为敕勒—高车。

第四节　秦汉王朝对内蒙古地区的统治

公元前221年，秦灭齐国后，结束战国七雄割据局面，秦王嬴政称始皇帝，建立秦朝。公元前206年，刘邦灭秦，被项羽封为汉王。公元前202年，在楚汉争雄中获胜的刘邦称皇帝，建立汉朝，史称西汉。公元8年，王莽篡汉建"新"。23年，汉宗室刘玄被拥立为帝，恢复汉朝。25年，刘秀即帝位，东汉始此，至220年为曹魏所代。秦、汉王朝势力曾经程度不同地进入并占据了古代内蒙古部分地区，采取了一系列统治措施，并且在政治、经济、军事和文化诸方面与北方游牧民族发生了广泛的联系，使这一时期的内蒙古历史呈现出丰富多彩的局面。

一、秦朝对内蒙古部分地区的统辖和农业开发

秦朝建立后，派军队向北击败匈奴，把内蒙古阴山以南地区纳入版图，在北部地区筑长城，置郡县，修筑道路，迁徙人口，发展农业，对古代内蒙古实施了统治和开发。

占据"河南地"和修缮长城　战国末年，匈奴南界驻牧于今鄂尔多斯高原，与秦隔昭襄王时所修长城相望。秦始皇吞灭六国，建立统一王朝以后，认为与京畿之地相连的鄂尔多斯高原上的匈奴人对秦朝是潜在威胁，始努力解除自战国时期即已存在的北方游牧民族从秦北方形成的压力。秦始皇三十二年（前 215 年），秦始皇从上郡（今陕西榆林市东南）出巡北部边地，视察边防。适值受命入海，求仙人不死之药而毫无结果的燕人卢生归秦。为免遭罪罚，揣测到始皇戒备匈奴（胡）心理或观察出当时局势的卢生上奏谶纬书，称"亡秦者胡也"，以迎合秦始皇打击匈奴、解决北边防务的意图。这一谶言在某种程度上坚定了始皇伐胡的决心。稍后，派将军蒙恬率 30 万[1]大军北击匈奴，"悉收河南地"[2]。期间，秦兵越过北河，相继又攻占了高阙（今内蒙古乌拉特前旗大坝沟口，或认为是乌拉特中旗石兰计山口）、阳山（今内蒙古临河市西北狼山）和北假（约当今乌加河与阴山夹山带河地带）等战略要地。秦朝北方疆域扩展到了黄河北岸、阴山南麓一带，占领了今天内蒙古乌加河以南包括鄂尔多斯高原在内的广大地区。

秦代，"河南地"的生态环境远比现在要好，其地理位置对于秦和匈奴都十分重要，是在军事力量允许的情况下双方必争之地。从历史上"河南地"的得与失，也可反映出中原政权与北方游牧民族政权实力的此消彼长。秦得"河南地"，标志着在与匈奴的争锋对峙中，占得优势。次年（前 214年），秦沿黄河天险设置障塞，巩固和加强对这一地区的防卫。为了阻止匈奴南下，秦朝征发劳工，西起临洮（今甘肃岷县），东至辽东（今辽宁东部），利用地形地势新筑长城，并连接修缮了赵、燕长城，绵延万余里。截至目前的实地勘察[3]，在今内蒙古境内的秦长城遗迹走向基本查清。乌海市卓子山山岭西侧有一段长城遗迹，可能是秦始皇时期修筑的。由乌海市过黄

---

①　《史记》卷 6《秦始皇本纪》、卷 88《蒙恬传》、卷 112《主父偃传》等均作 30 万，《史记》卷110《匈奴列传》作 10 万。

②　《史记》卷 110《匈奴列传》。《史记·秦始皇本纪》作"略取河南地"。这里的"河"即"北河"，秦汉魏晋时指今巴彦淖尔市乌加河至呼和浩特市托克托县东流段黄河，当时是黄河主河道。"河南地"主要指乌加河以南地区。

③　内蒙古境内秦始皇长城遗迹的调查研究，文物考古专家多年来做了大量工作，取得不少成果。秦长城遗迹走向，主要参考李逸友：《中国北方长城考述》，《内蒙古文物考古》2001 年第 1 期。

河向北，浩瀚的乌兰布和沙漠中难觅长城遗迹，而始见于乌拉特中旗石兰计山口北面，向东蜿蜒在狼山、查石太山上，于郜北乡南境进入乌拉特前旗小余太乡北境，继续沿查石太山顶北侧向东延伸，经苏计沟、灰腾沟、板申图沟后，复入乌拉特中旗郜北乡梁五沟林场，再东行约 2 公里东南折入固阳县西斗铺镇。秦长城在乌拉特中旗段全长约 190 公里，乌拉特前旗段约 25 公里。秦长城遗迹大体经固阳县中部向东延伸，全长约 90 公里，经大庙乡陈家村南坡向东伸入武川县哈拉门独乡，大体东行经哈拉合少乡、纳令沟乡、蘑菇窑乡，在大青山乡什尔登村折向东南行，翻越大青山顶伸向南麓，经大兴有村、白彦山村、魏家窑村、崞县窑子村，至冯家窑村南进入呼和浩特市郊区毫沁营乡境内。武川县段秦长城遗迹全长约 95 公里。在呼和浩特北郊，秦长城沿大青山南坡向东南方延伸，至坡根底村与赵长城相交，继续东行，证明秦修缮沿用了部分赵长城。后经东干丈村进入卓子县旗下营，沿大黑河北面山地向东蜿蜒，至三道营乡蒙古营村后的大黑山顶，沿南坡山脊下行，穿越大黑河河谷，大致经保安乡等，自羊圈乡大苏计一带进入丰镇市境内。秦长城遗迹自丰镇麻迷图乡伸入察右前旗老圈沟乡察汗贲贲村西，东行呼和乌素乡黑沟村南，直至口子村中断。据查，秦长城在兴和县高庙子乡南境有一段遗迹。自呼和浩特北郊至兴和县境，仅可见到局部秦长城遗迹，主要因为这一地段多为东西横亘的大山区，可以作为天然屏障，与《史记》秦筑长城，"因地形，用制险塞"，"因边山险，堑溪谷，可缮者治之"，即利用一些陡险的山势，只在坡缓地带修筑墙体的记载相符。秦长城自兴和县高庙子乡进入河北省境内，经尚义、张北、丰宁等县地，至围场县三义永乡东部伸入赤峰市松山区东山乡二龙库村。秦长城沿用了战国燕北长城北线，经松山区、敖汉旗、奈曼旗、库伦旗等地，进入辽宁阜新市八家子村境内。

秦朝循今内蒙古黄河沿岸、阴山山脉、赤峰丘陵一线构筑了一道绵长的军事防御体系，实际上也成为秦朝与古代北方各族的疆域分界线。秦长城以北的内蒙古及北方广大地区，是匈奴、东胡等游牧民族，秦长城以南的内蒙古主要居住着郡县之民。自战国有明确文献记载以来，这种大体以长城作为中国古代农业和牧业分界线的格局逐步形成，到秦汉—匈奴时期更为明确。《史记·匈奴列传》载汉文帝致匈奴单于书所云："先帝制：长城以北，引弓之国，受命单于；长城以内，冠带之室，朕亦制之"，明确表述了长城作为两个不同生产、生活方式界线的事实。只是中原各代所筑长城走向、长度各有不同，亦即中国古代农业和牧业的地理边界也不是固定不变的。历史上中原政权以长城作为防御线的现象，多发生在早期古代民族融合不活跃时期。不同生产生活方式的民族在各自适宜的地域内生息繁衍，没有大的地域变动，经济生活、社会结构处于较为稳定的状态。多为古代华夏族或汉族建立的中原政权为示与北方游牧民族的区别，并进行军事上的防御，往往修筑长城。东汉魏晋南北朝时期，北方民族大规模南迁或南进到中原地区，活动地域生存环境已然发生重大变化，社会结构、经济生活和风俗习惯等也有程度不同的改变，古代长城的标示功能及防御功能已经减弱或不存在了。

秦朝在北方边疆长城沿线投入大量人力物力，凸显出统治者对北边防御的重视。深得始皇信任的大将蒙恬驻守上郡，领兵 30 万，公子扶苏代表朝廷随军监督。从秦长城遗迹走向看，今内蒙古地区秦长城以南的巴彦淖尔高原、鄂尔多斯高原、呼和浩特平原、乌兰察布丘陵、赤峰丘陵和科尔沁沙地等部分地区，一度属于秦朝版图，统治者设置郡县，进行管辖。

管辖古代内蒙古地区的郡县 秦朝建立以后，进一步完善春秋战国以来实行的郡县制度，分全国为 36 郡，普遍推行郡县制。秦郡有守、尉、监等官职。据《史记·集解》引《汉书·百官表》：秦郡守掌一郡行政军事，有丞辅助；尉掌兵权，佐助郡守处理军务；监代表朝廷，监察一郡事务。秦在各郡下设若干县[①]。秦始皇三十三年（前 214 年），秦占据河南地后，于阴山以南黄河沿岸筑设 34（一说 44）座县城，迁入人口，从事生产，同时防边。

秦朝 36 郡中的北地郡、上郡、九原郡、云中郡、雁门郡、代郡、右北平郡和辽西郡等管辖过古代内蒙古部分地区。

北地郡，战国秦征服相邻的西戎义渠以后设置，秦朝保留建置，辖地因蒙恬开拓疆土至阴山而有所北扩，鄂尔多斯高原西南部包括今天内蒙古鄂尔多斯市鄂托克前旗、鄂托克旗、乌海市等地大致在北地郡统辖范围内。考古

---

① 《史记·正义》引《风俗通》："周制天子方千里，分为百县，县有四郡，故《左传》云上大夫受县，下大夫受郡。秦始皇初置三十六郡以监也。"按此，周代以县统郡，秦朝始以郡管县，实行郡县制。

专家推断，今乌海市黄河东面一道长约 30 公里的长城遗迹是秦长城，乌海市区北约 15 公里的新地古城可能始筑于秦代，是临黄河所筑 34 座县城之一①。

上郡，初为战国时期魏国设置。秦惠文王时，秦魏交战，魏国战败，割纳上郡 15 县于秦，秦沿用上郡建置。秦昭襄王时筑长城，北段经由鄂尔多斯伊金霍洛旗、东胜区、达拉特旗、准格尔旗等地②，秦上郡辖地北延至战国秦长城南侧。秦朝上郡，治肤施（今陕西榆林市东南）。因鄂尔多斯全境尽为秦有，上郡西境已不以秦昭襄王长城为界，而是向西扩展许多，今内蒙古鄂尔多斯东部乌审旗、伊金霍洛旗、东胜区及准格尔旗等地在秦代为上郡辖地，西与北地郡为邻。秦上郡所属广衍县城址即今准格尔旗瓦尔吐沟古城。在古城附近发掘的Ⅰ—Ⅲ期的 14 座墓葬的葬式和随葬品，有与关中及其他地区秦墓基本类同的秦文化特征。古城内地表散布的瓦当，也是具有秦文化特征的遗物。在广衍故城南面约 20 公里的伊金霍洛旗新庙子，有一时代相当的古城；它的北面约 35 公里暖水乡榆树壕，也有一座时代迄于东汉的古城③。

九原郡，战国时期赵国建九原城④，秦国打败赵国，占据九原，秦朝置郡，治所在今包头市麻池古城北城（一说为今内蒙古巴彦淖尔市乌拉特前旗三顶帐房古城）。在黄河北岸，秦长城遗迹始见于临河市西北石兰计山口北面，沿狼山北坡东行，经乌拉特中旗南缘地带、固阳县中部进入武川县。秦九原郡北部止于长城，南界至于黄河以南，与北地郡、上郡相接，大致今鄂尔多斯高原北部、黄河河套及其附近地区即内蒙古黄河沿岸的磴口县、杭锦后旗、临河市、五原县、乌拉特前旗、包头市区、固阳县南部及黄河以南的杭锦旗、达拉特旗等地是秦朝九原郡的辖区。九原郡是北上漠北，南下关中的交通枢纽，地理位置十分重要。

---

① 李逸友：《中国北方长城考述》，《内蒙古文物考古》2001 年第 1 期。
② 史念海：《鄂尔多斯高原东部战国时期秦长城遗迹调查记》，《中国长城遗迹调查报告集》，文物出版社 1981 年版。
③ 崔璇：《秦汉广衍故城及其附近的墓葬》，《文物》1977 年第 5 期。
④ 史念海先生认为赵国已设九原郡，与云中郡齐名。参阅史念海：《论秦九原郡始置的年代》，《中国历史地理论丛》1993 年第 2 辑。

云中郡，战国时期赵国占据林胡、楼烦地后置郡。秦灭赵，承赵国建置，治所在今内蒙古呼和浩特市托克托县古城村古城。西邻九原郡、上郡。在托克托县城关镇西北的哈拉板申西古城内发现了秦代建筑遗址和遗物，证明该城系秦代所筑，应是云中郡的属县，也是秦代临河所筑 34 座县城的一处城址①。秦长城遗迹经武川县西南进入呼和浩特市区北郊，东南方延伸进入卓资县旗下营，今秦长城遗迹南部的呼和浩特平原及以南的山区丘陵地带属云中郡。大体上今呼和浩特市区、土默特左旗、托克托县、清水河县、和林格尔县及武川县西南部等在秦朝云中郡的管辖之下。自云中郡北可越阴山进入漠北，南可渡黄河接近中原心腹之地，自古为中原政权和北方民族政权必争之地。

雁门郡，秦朝沿袭战国赵建置，治所在善无（今山西右玉县南）。秦长城遗迹经卓资县中部、丰镇市西北、察右前旗南部，雁门郡辖境除有山西省北部外，还大体囊括内蒙古乌兰察布市南部的凉城、丰镇、卓资、察右前旗等旗县。雁门郡西毗云中郡，是北入漠北的交通孔道之一。

代郡，秦朝沿袭战国时期赵国的建置，西接雁门郡地，治所在代县（今河北蔚县东北）。今内蒙古乌兰察布市兴和县高庙子乡南境有一段秦长城遗迹，表明兴和县南部曾是秦朝疆域，可能归属代郡。

右北平郡，战国时期燕国开始设置，秦朝沿袭，治所平刚（今内蒙古赤峰市宁城县甸子乡黑城村古城）。秦灭燕国后，在燕右北平郡所属城镇基础上继续扩建，把这里作为统治燕北地区的重镇。右北平郡处在战国燕所设辽东、辽西、右北平、渔阳、上谷五郡当中，自战国至秦汉一直是中原政权通向漠北东部即今锡林郭勒草原和呼伦贝尔草原的重要道路。秦始皇长城东段大体修缮沿用燕长城，沿线南侧发现大量属于战国至秦代的遗址、遗物和确定为秦代的文物。今内蒙古赤峰市南部地区包括喀喇沁旗、宁城县、松山区、敖汉旗部分地方都应由秦朝右北平郡统治。

辽西郡，战国时期燕国设置，秦朝沿袭，治阳乐（今辽宁义县西），北境应包括燕—秦长城遗迹以南的今内蒙古通辽市南部等地。

---

① 参见李逸友：《托克托城附近的秦汉代遗迹》，《北方考古研究》（一），中州古籍出版社 1994 年版。

秦代，内蒙古部分地区第一次纳入统一的秦王朝郡县统治之下，这是内蒙古地区史上的一件大事，使得古代的内蒙古密切了同内地的经济文化交往，进一步成为多种经济生产方式和多种文化汇聚交融的地区。在战国燕、赵、秦等国郡城基础上，秦朝在古代内蒙古地区又兴建了许多城镇。这些城镇既有平民百姓居住，从事各种生产活动，又驻军防边，带有军镇性质，是秦朝北方防御链条上的一个个环节。为了便于上传边情，下发旨令，秦朝又从秦都咸阳北至九原修筑了"直道"，把秦朝中心地带同北方边区直接连在了一起。

自九原边塞到关中的直道　秦朝确立对内蒙古中南部地区的统治以后，秦始皇为巡视和强化北边防务，加强集权统治，秦始皇三十五年（前212年），命令蒙恬负责修筑从秦朝都城咸阳通向九原郡的"直道"。《史记·蒙恬传》载："始皇欲游天下，……乃使蒙恬通道，自九原抵甘泉，堑山堙谷，千八百里。"直道由云阳（今陕西淳化县北梁武帝村）向北，通抵九原郡，全长1 800里（秦里），成为连接关中平原与鄂尔多斯高原的交通要道，也是当时由秦朝统治中心咸阳地区到达边塞九原郡一带最为捷近的道路，加强了秦代内蒙古中南部地区同秦朝中心地区的政治、经济、文化联系。

直道的具体走向，"由陕西淳化县北梁武帝村秦林光宫遗址北行，至子午岭上，循主脉北行，直到定边县南，再由此东北行，进入鄂尔多斯草原，过乌审旗北，经东胜县西南，在昭君坟附近渡过黄河，到达包头市西南秦九原郡治所"[1]。即直道于今陕西定边县东北行进入内蒙古鄂尔多斯高原，纵贯乌审旗、伊金霍洛旗，经东胜区西南的漫赖乡进入达拉特旗，在黄河南岸昭君坟附近过黄河，到达秦九原郡治所今包头麻池乡一带。由此再往北，即可越过阴山，通向漠北。

由于鄂尔多斯高原沙化严重，直道遗迹已多被掩埋，其中较为清晰可辨的是东胜市西南45公里漫赖乡二顷半村南的一段百米左右的遗迹。经发掘调查，这一段直道路基残宽约22米，断面暴露明显，现高1米—1.5米，为当地红沙岩土所筑，可以略见当时直道规模之大。

根据文献记载，直道修筑之初，就得到多次使用。秦始皇三十七年

---

[1]　史念海：《秦始皇直道遗迹的探索》，《文物》1975年第10期。

（前210年），秦始皇率左丞相李斯、少子胡亥及百官巡视天下，游历江浙、山东半岛等地，后来于平原津（今山东德州境内）病倒，死于沙丘平台（今河北广宗县西北）。李斯等商议后，为防止天下变乱，决定秘不发丧，篡改始皇赐太子扶苏书，改立少子胡亥为太子。然后从井陉（今河北井陉县北）抵达九原，沿直道返回咸阳①。另据《史记·蒙恬传》载，秦始皇时，"道未就"，表明直道尚未完全竣工。《史记·李斯传》亦载秦二世"治直道"，也可以证明直道仍在续修。但从始皇百官大队车马自直道北端起点九原，经由鄂尔多斯高原回到咸阳看，直道的通行已不成问题。据调查，在伊金霍洛旗红庆河附近、东胜区漫赖乡及达拉特旗昭君坟附近一线，南北长约200公里的直道遗迹旁，目前发现四座秦汉古城遗址、一些墓葬和残陶片、瓦等遗物，说明秦汉时代的直道两侧，曾有一定规模的城镇、居民以及过往官员和守卫官兵的驻所。

直道为后来汉王朝继续开发鄂尔多斯高原及周边地区起了不小的作用，成为汉朝通向边塞及塞外的重要孔道。史载司马迁游历黄河流域，即从直道返回长安。汉宣帝甘露二年（前52年），匈奴呼韩邪单于至五原塞，次年正月至汉甘泉宫会见汉宣帝②，匈奴单于一行也应该从汉五原郡（秦九原郡）治所南渡黄河，循直道至汉都长安。

直道是秦朝修筑的一条重要道路，便利了秦朝及以后历代中原政权与边疆地区的联系，促进了古代内蒙古中西部地区的农业开发和社会发展。

迁徙人口发展农业　秦朝疆域向北扩展，使北方边境的军事防御成为非常重要的问题。除了修缮长城及其沿线的亭障烽燧等军事防御设施、设置郡县、修筑道路以外，移民实边、发展农业也是秦朝统治者强化对古代内蒙古地区统治的措施。

秦始皇三十三年（前214年），秦朝沿黄河设34县，同年，"徙谪，实之初县"，即把一批被判罪的人强行迁入沿黄河傍阴山一线新设的县城，充实户籍。公元前211年，又把中原地区3万户人家迁到北河（今乌加河）和

---

① 《史记》卷6《秦始皇本纪》。李斯等人之所以不顾始皇尸腐车中，由直道返回咸阳，清人顾炎武"恐人疑揣"之说不无道理。参阅顾炎武：《日知录·史记注》。

② 《汉书》卷94《匈奴传下》。

榆中（今鄂尔多斯东北部）等地。对这部分移民以及自愿迁入边地的人，秦朝官府安排他们居住下来，"拜爵一级"，划给土地百亩，宅地九亩，鼓励从事农业生产和土地开发。农业人口的北徙和不断增加，造成了秦代内蒙古河套地区农业经济的初步发展。今天内蒙古河套以北、阴山以南夹山带河地带，在秦代称为"北假"。根据古人注释，北假一名是由于北方田官主以田假以贫人而得，就是秦朝北方农业官吏将土地分配或租借给无田者耕种，使这一地区的土地得到开发。今鄂尔多斯高原，秦代称作"新秦中"，因与秦朝故地关中平原相连得名，说明秦朝统治者对这一地区的开发和统治非常重视。

从黄河沿岸设置的诸多郡县和迁徙人口的举措看，秦朝在内蒙古河套地区农业开发的规模不会很小。当时边郡所产粮食，除郡县居民自给外，部分应充军粮。蒙恬拥军30万，驻防上郡十余年，其军粮需求量当十分巨大，相当部分粮食应由边郡提供。除此之外，在和平环境下，兵士不可能日日养尊处优，秦朝在沿边郡县布置军队，一面防边，一面军屯，解决士兵食粮问题。史载蒙恬"威振匈奴"，"胡人不敢南下而牧马，士不敢弯弓而报怨"[1]。秦朝移民实边，进行农业开发的举措，使秦朝的北部边郡在一定时期内得到安定。

考古资料也证实，秦朝在北部边郡实行了有效的农业生产。在秦长城沿线内侧，分布着许多秦朝修筑或沿用战国时期燕、赵等国修筑的城址。在一些古城遗址及其附近，发现属于秦代的文物和墓葬。如托克托县古城村古城的墙土中包含有战国至西汉之际的陶片等遗物，结合文献记载，证明该城是战国时期赵国所构筑的云中城，后为秦朝沿用做云中郡的治所。托克托县哈拉板申西古城、乌海市新地古城、准格尔旗瓦尔吐沟古城等都是秦代沿黄河修筑的县城。在瓦尔吐沟古城遗址采集到的18件不同纹饰的瓦当，有12件属于秦代。古城四周还分布有许多墓葬，出土有秦半两钱、陶罐以及公元前235年制作的上郡铜戈。在铜戈及同时出土的矛和铜壶上，还刻画有"广衍"二字，证明该城是史书记载的秦汉时代的广衍县城。在通辽市奈曼旗沙巴营子古城中，发掘出5件秦代陶量，有的刻有秦始皇二十六年（前221年）统一度量衡诏文。在赤峰蜘蛛山遗址的秦汉地层中，也发现4件秦陶

---

[1] 《史记》卷88《蒙恬传》。

量。在赤峰三眼井古城中出土的秦代铁权，铸有秦始皇二十六年统一度量衡诏书铭文。在敖汉旗四家子秦代遗址中出土了秦朝铁权、铁农具（锄、铲）等，说明秦代秦长城南侧，从西到东的内蒙古地区，居住有以农业生产为主的华夏族居民；继战国燕、赵、秦等国以后，中原统一政权开始对古代内蒙古部分地区进行一定规模的农业开发；秦朝统一的度量衡制度，在内蒙古部分地区得以实行。

总之，秦朝统治者徙民实边、发展农业生产的政策和措施，促进了古代内蒙古地区农业人口的增加和土地的开发。秦朝国祚虽短，但在开发古代内蒙古方面做了不少事情，西汉在此基础上，进一步开发古代内蒙古，大力发展农业，建设城镇，使内蒙古一些地方成为西汉粮食生产的基地和城镇林立的地区。同时，秦朝的农业开发，也为日后在此基础上的过度开发而导致的内蒙古中西部生态环境的恶化埋下了伏笔。

二、西汉对内蒙古地区的统治和开发

秦朝末年，秦王朝对内蒙古部分地区的统治趋于瓦解，匈奴重新占据和控制了内蒙古大部分地区。汉初，因国力较弱，采取"和亲"政策，与匈奴约为"兄弟"。到汉武帝即位，几十年的休养生息已使国力大为增强，开始对匈奴发动一系列战争，取得了对内蒙古部分地区的统治权。为了加强对匈奴的防御和边郡管理，西汉修筑了两道长城，铺筑稒阳道，增设郡县，迁徙人口，发展农业。

增建长城和稒阳道的开拓　西汉初建，刚从战火硝烟中走出的新政权尚不稳定，经济残破，人民贫弱，在与匈奴的军事对峙和冲突中，处于劣势。尤其经过白登之围，汉高祖意识到用武力是难以解决北方边地的安全问题的，所以才迫于形势，向匈奴妥协，双方和亲，大致以战国时期秦昭襄王所建长城为界。经过数十年休养生息，发展经济，到汉武帝（前 140—前 87 年在位）时期，西汉国力达到空前强盛，于是对匈奴发动数次大的军事战役。元朔二年（前 127 年），汉军发起河南之战，击败匈奴属部楼烦、白羊王部，占领了"河南地"（指今乌加河以南鄂尔多斯地区）。为对新占地域进行有效控制，防止得而复失，西汉在"河南地"设置新的行政建置——朔方郡。又征发徭役，对秦朝蒙恬在黄河沿岸修筑的障塞和以北的秦长城进行修缮加固，继续利用作为防御匈奴的军事工事。匈奴势力退到了黄河以北①。随后，西汉在对匈奴取得多次战役胜利后，兵锋已直指漠北匈奴单于庭，所控地域北界已经达到蒙古高原中部。太初三年（前 102 年），汉武帝为有效防御匈奴的南下侵扰，派徐自为在阴山北部修筑新的长城及其城障列亭，史称"外城"②。汉长城从五原塞以北数百里之地修起，曲折向西，与强弩都尉路博德在居延泽一带修筑的长城相连。汉长城筑成以后，汉武帝又委派一些将军率兵沿线屯兵防守③。

根据调查，在今内蒙古包头市北部阴山之中，有两条近似平行的汉长城遗迹，蜿蜒向西北延伸。南面一条起自包头市固阳县境内，西越巴彦淖尔市乌拉特中旗、乌拉特后旗，向西北进入今蒙古国境内。北面一条东起今包头市达茂旗，西经巴彦淖尔市乌拉特中旗、乌拉特后旗，伸入今蒙古国境内，继续向西，又在今阿拉善盟境内进入内蒙古，与居延泽（今内蒙古阿拉善盟额济纳旗境内）的汉长城相接。从汉长城的地理走向可知，汉武帝以后，西汉王朝北部疆域已扩展到阴山北部今内蒙古包头达茂旗，巴彦淖尔市乌拉特中旗、乌拉特后旗及阿拉善盟额济纳旗一线。汉武帝以后，内蒙古高原的部分地区被纳入了西汉王朝的统治之下。

徐自为在修筑长城的同时，还铺筑了沟通阴山南北的稒阳道。据考证，稒阳道由稒阳城（今包头古城湾古城）西北出，经石门障（今包头市北）至光禄城（今乌拉特前旗小召门梁古城），继续向西北抵支就城（汉外长城附近），又西北进入阴山，过头曼城，沿阴山北麓至宿虏城（今乌拉特中旗北）。此后，稒阳道成为阴山南北的重要通道。

在内蒙古高原设置的郡县　西汉在占据的内蒙古部分地区也实行郡县制，进行统治。作为封建统一王朝，西汉的郡县制在秦朝的基础上有所发展

---

① 《史记》卷 110《匈奴列传》："于是遂取河南地，筑朔方，复缮故秦时蒙恬所为塞，因河为固。"

② 《汉书》卷 89《匈奴传》："至孝武世，出师征伐，斥夺此地，攘之于幕北，建塞徼，起亭燧，筑外城，设屯戍以守之，然后边境得用少安。幕北地平，少草木，多大沙，匈奴来寇，少所蔽隐。从塞以南，径深山谷，往来差难。边长老言匈奴失阴山之后，过之未尝不哭也。"

③ 《史记》卷 110《匈奴列传》："汉使光禄徐自为出五原塞数百里，远者千余里，筑城障列亭，至庐朐。而使游击将军韩说、长平侯卫伉屯其傍。使强弩都尉路博德筑居延泽上。"

和创新。元封五年（前 106 年），汉武帝将全国划分为 13 个监察区，每区由朝廷派遣长官一人，专门负责巡察该区吏政。因长官名称刺史，所以称十三刺史部，又称十三州。在凉、朔方、并、幽等刺史部的管辖下，从西到东，西汉置有张掖、朔方、五原、云中、定襄、上郡、西河、雁门、代郡、上谷、右北平和辽西等郡①，这些郡的辖地包括了今天内蒙古的部分地区。

张掖郡，原属匈奴浑邪王辖地。河西之战后，匈奴浑邪王降附西汉，匈奴退出今河西走廊地区，武帝元鼎六年（前 111 年）以降地置郡。辖境除今甘肃省部分地区外，包括内蒙古阿盟额济纳河流域。所领居延县城址在今额济纳旗达来呼布镇东南 25 公里处。居延县北可抵漠北，西能控西域，成为河西地区与漠北、西域地区往来的交通要道，战略地位重要，是汉、匈统治者力争之地。西汉占据这里以后，于太初三年（前 102 年）修筑了城、障、亭、燧等一系列的军事防御设施。考古发现的大量居延汉简，记载了汉兵在这里守护汉朝边塞的许多不为正史所载的情况。为了解决兵士军粮，西汉在居延地区大搞农业开发，有民屯和军屯，至今在额济纳河流域还保存着大量遗迹。居延县境内有居延水，古代又称弱水，即今额济纳河。其下流注入的内陆湖泊，古称居延海。居延海附近的沼泽地带，古称居延泽。秦汉时期，这里的生态环境远比现在要好得多。西汉对居延地区的大规模开发，对这里的生态开始造成破坏。

朔方郡，元朔二年（前 127 年），西汉发动河南之战，匈奴势力北撤阴山以北，汉武帝以所夺匈奴"河南地"而置朔方郡。治所三封，元狩三年（前 120 年）筑，遗址即今内蒙古巴彦淖尔市磴口县陶升井麻弥图古城。辖境相当今内蒙古河套西北部及后套地区。户数 34 338，人口 136 628。领三封、朔方、窳浑、临戎、沃野等 10 县。朔方县城址在今杭锦旗东北部什拉召一带。境内南部有金连盐池和青盐池，即今杭锦旗哈日芒乃淖尔等湖泊。窳浑县城址即今杭锦后旗太阳庙保尔浩特古城，是朔方郡最西部的三个县城之一。有西北通往鸡鹿塞（汉代著名要塞，遗址在今乌兰布和沙漠以北的哈隆格乃山口）的道路，是汉代贯通阴山南北的交通要冲。沃野县城，元狩三年筑，遗址即今磴口县河拐子古城，汉代这里设有管理盐业的官吏。临

---

① 西汉北方郡县设置情况，主要依据《汉书》卷 28《地理志》，下不赘注。

戎县城，元朔五年筑，遗址即今磴口县布隆淖古城。朔方郡濒临黄河，得水利灌溉之利，当时黄河冲积地带土壤肥沃，西汉在此大搞农业开发，这里曾经是汉朝的粮食基地。考古发现证实，在如今已是满目黄沙的乌兰布和沙漠及其周边，发现了大量的汉墓，出土了许多铁农具，这些墓主人就是当年开发或守卫边郡的农民或士兵。

五原郡，秦九原郡，元朔二年更名。治所在九原，遗址即今包头市麻池古城北城（一说今巴彦淖尔市乌拉特前旗三顶帐房古城）。辖境相当今内蒙古后套以东、阴山以南、土默特平原以西地区。户数 39 322，人口 231 328。领九原、五原、临沃、河阴、曼柏、稒阳、西安阳等 16 县。根据文献和考古资料，这些县地大体在今天包头、乌拉特前旗、达拉特旗等境内。五原县城址即今乌拉特前旗哈德门沟古城。临沃县城址一说为今包头麻池古城南城。河阴县城址即今达拉特旗土城子古城。曼柏县在今达拉特旗东南。稒阳县城址即今包头古城湾古城。西安阳城址即今乌拉特前旗烂店圪卜古城。西汉五原郡辖地濒临黄河两岸，自古为膏腴之地，是西汉边塞大郡之一。自战国赵武灵王时开发九原，秦始皇设九原郡，修筑自九原直通关中的直道，到西汉武帝时已近两百年，这一地区可谓物富民丰，一片繁荣景象。

云中郡，战国时期赵国始置，秦、汉沿袭。治所在云中，遗址即今托克托县古城村古城。因汉高祖新设定襄郡占有原云中郡部分地域，西汉云中郡辖境较秦代缩小，主要包括今内蒙古黄河以东的呼和浩特平原部分地区。户数 38 303，人口 173 270。领云中、沙陵、桢陵、原阳、北舆、武泉等 11 县。沙陵县城址即今托克托县哈拉板申东古城。桢陵县城址即今清水河县西拐子上古城。原阳县城址即今呼和浩特南郊八拜古城。北舆县城址大概在今呼和浩特旧城一带。武泉县城址即今呼和浩特塔布陀罗亥古城。云中郡自战国创设以来，是中原政权在北方地区设置的最重要的边郡之一。

定襄郡，汉高祖分云中郡土地、人口所设置的新郡。治所在成乐，即今和林格尔县土城子古城。辖境包括今呼和浩特平原部分地区。户数 38 559，人口 163 144。领成乐、桐过、武皋、骆、安陶、武城、定襄等 12 县。桐过县城址即今清水河县上城湾古城（一说今清水河县城嘴古城）。武皋县城址即今和林格尔县塔布秃古城。骆县城址即今清水河县古城坡古城。安陶县城址可能为今呼和浩特美岱二十家子古城。武城县城址即今和林格尔县新店子古城。定襄县城址即今呼和浩特黄合少古城。定襄郡地位重要，北可经阴山山口通往草原地带，南向可直接进入晋北地区。

西河郡，元朔四年（前 125 年）汉武帝分云中、太原等郡地置。治所在平定，即今鄂尔多斯市杭锦旗霍洛柴登古城。辖境除山西省西部、陕西省北部外，包括内蒙古鄂尔多斯高原东部地区。户数 136 390，人口 698 836。领富昌、美稷、广衍等 36 县，是西汉地广人多的大郡之一。富昌县城址即今准格尔旗黄甫川北古城，境内设有盐官。美稷县城址即今准格尔旗纳林镇北古城。广衍县城址即今准格尔旗瓦尔吐沟古城。

上郡，战国魏置，后并入秦国，秦朝上郡已与战国魏、秦上郡辖境有很大不同，更向北扩。西汉新设西河郡等，分划出原上郡部分辖地，西汉上郡较秦朝略小，辖境相当今陕北及内蒙古乌审旗、鄂托克前旗和伊金霍洛旗等地。

雁门郡，战国赵置，秦汉沿袭。辖境除山西省北部外，包括今内蒙古黄旗海、岱海周边地区。所属沃阳县，故址即今凉城县双古城西古城。境内东北一带有盐池，设盐官管理。

代郡，战国赵置，秦汉沿袭。治所在代县（今河北蔚县东北），辖地包括今内蒙古兴和县一带。

上谷郡，战国燕置，秦汉沿袭。辖境除河北省北部外，包括今内蒙古锡林郭勒盟南缘地带。

右北平郡，战国燕置，秦汉沿袭。治所在平刚，即今内蒙古宁城县甸子乡黑城村古城。辖境包括今内蒙古赤峰英金河以南地区。所属廷陵县，故址即今赤峰南郊三眼井古城。

辽西郡，战国燕置，秦汉沿袭。辖境包括今内蒙古敖汉旗、奈曼旗南部地带。从奈曼旗南湾子、沙巴营子古城的形制、规模等看，很可能是西汉辽西郡属县的遗址。

西汉就是通过这些设置在内蒙古高原南部的郡县，行使了对古代内蒙古部分地区的管辖权。

管理匈奴部众的五属国　除了以郡县管辖从事农业生产的汉人以外，西汉政府还于元狩二年（前 121 年）在陇西（今甘肃临洮县）、北地（今甘肃庆阳县）、上郡、朔方和云中五郡设置五个属国，以安置附汉的匈奴人。五属国游牧区均在黄河河套以南地区，其中朔方属国都尉，治所在西河郡美稷县；云中属国都尉，治所在五原郡蒲泽县。汉武帝还设置了护乌桓校尉，监领被迁徙到上谷、渔阳、右北平、辽西和辽东五郡塞外的乌桓。

在属国管辖地域内，匈奴人保留本族官号和部落组织，在指定的地域内从事游牧生产。行政上，归西汉政府任命的属国都尉管理。都尉一职，多由汉人担任，有时也吸收匈奴上层人物充当。匈奴上层人物有时也担任属国机构中各级官职。一般匈奴牧民往往被编入军队，成为"属国骑"，随汉军四处征战。

属国制是西汉政府根据附汉的匈奴部众的实际情况，而创设的具有特色的行政建置。

对内蒙古西部的农业开发 西汉王朝在今内蒙古部分地区设置郡县以后，由于朔方郡等地所需粮食要从太行山以东地区转运而来，浪费大量人力物力，所以，西汉迁徙大量中原地区农业人口到内蒙古西南部地区，开垦土地，种植粮食。武帝元朔二年（前127年），西汉迁移农民10万口到朔方郡。元狩二年（前121年），西汉征发数万人在朔方修建水利工程。次年，又迁贫民70余万口充实函谷关以西及朔方以南的新秦中。四年，匈奴远遁漠北以后，汉渡过黄河，自朔方以西至令居（今甘肃永登县西北），凿水渠，置田官。元鼎六年（前111年），汉在上郡、朔方、西河、河西（今河西走廊及湟水流域）等郡地开官田，安置60万人进行耕作。西汉在北假还设置了常平仓，谷贱时增价买进，谷贵时减价卖出，以稳定粮食价格，促进农业生产的稳步发展。从呼和浩特平原到额济纳河流域，不少地方还推行了当时最先进的耕作方法——代田法。牛耕已相当普遍，犁、镢、锄、镐等铁质农具也被使用。内蒙古西部成为汉代重要的农垦区，农业生产达到一定水平，本地区居民粮食自给有余，并开始援助其他地区。甘露三年（前51年）和初元元年（前48年），汉朝从云中、五原北边诸郡拨出大批粮食，接济依附汉朝的匈奴呼韩邪单于。

考古发现也证明，内蒙古西部地区是汉代重要的粮食生产区。在朔方郡所属的三封、窳浑和临戎三座古城附近，散布着数以万计的汉墓，表明这一带曾有大批劳动者居住，从事农业生产。在今鄂尔多斯杭锦旗境内，曾出土一方"西河农令"官印，证明西汉确曾在内蒙古部分地区设置了管理农业的机构和官吏。在富昌古城遗址周围还分布着大片墓群，其中发现过汉代的糜子、糜秆痕迹。在古墓中以及附近的干涸的河床、草滩、沙地上还发现了一些铁农具，说明汉代鄂尔多斯高原北部也是农耕区。在张掖郡所属居延县及右北平郡所属廷陵县境内，也发现了属于汉代的铁质农具。汉代的居延县境内不但有湖泊群，还有由祁连山积雪融化而成的弱水，沿河两岸形成了水草丰美、宜农宜牧的绿色走廊。

西汉对内蒙古东、西部地区土地进一步的开发，使这里的农业生产较秦代更为进步。尤其在内蒙古境内的黄河沿岸，由河水冲积而成的黄土平原，土质肥沃，灌溉便利，形成了汉代重要的农业基地。但西汉的农业开发也对后来的生态环境有不利影响。根据考古调查，三封等三座古城和墓群分布的广大地区，已被现在的乌兰布和沙漠吞没；但从流沙里暴露出许多淤积的黄色土壤，平整而肥沃，说明汉代这一地区的地理环境并不是今天这种流沙遍地的状况。秦、汉以来长时期大规模的垦殖，使内蒙古西部一些地方的土地严重沙化。

三、东汉管辖内蒙古部分地区的郡县

公元 8 年，王莽篡汉以后，对匈奴实行分化、歧视政策，并准备武力征服，引发匈奴不满。匈奴连年入塞侵扰，云中、朔方、雁门等边郡人民及其财产被杀被掠不可胜数。王莽为了北击匈奴，在边郡地带驻军数十万。边民不仅要供应大批军粮和其他物资，负担沉重劳役，而且屡受骚扰，生产生活没有保障，往往弃城郭流亡，转入旁郡，或铤而走险，聚众反抗。数年之间，阴山以南地区，人民流散，郡县瓦解。新莽政权覆亡以后，北方地区割据势力兴起，占据边郡，纷纷依附匈奴，结为外援。25 年，刘秀建立东汉，改元建武。东汉初年，五原、朔方、云中、定襄和雁门五郡都被依附匈奴的地方割据势力卢芳控制。建武十六年（40 年），卢芳降汉，五郡之地重归东汉。东汉为充实沿边郡县，命五原、朔方、云中、定襄等边郡人民各还本土，政府发给粮食和路费。王莽以来废弃的沿边郡县逐渐得到恢复。

东汉承继西汉郡县制，仍分全国为十三刺史部，但刺史的地位、职能和权力已不同于西汉①。西汉十三州长官既无固定治所，辖境又不分明，并不

---

① 东汉时期北方地区部分行政建置，主要参考《后汉书》卷 19、卷 20《地理志》。

是行政区。东汉十三州长官则有了固定治所，可以长期驻守地方，掌握了升降地方官吏的大权，逐步成为地方行政长官。后来，刺史（亦称州牧）已直接掌握一州的军事、行政和民政大权，位在郡守之上。十三州成为郡以上的一级行政区划，即由郡县二级制变成州、郡、县三级制。

东汉的并州、凉州和幽州等所辖郡县，管辖今内蒙古中、西部。

张掖居延属国，属凉州，治所在居延。居延，王莽时改作居成。领居延一县。辖境相当今阿拉善盟额济纳河流域。永和五年（140年）有户1 560，人口4 733。东汉献帝建安（196—220年）末年，立为西海郡，治所、辖境不变。

五原郡，王莽时改称获降，东汉属并州，治所在九原，沿袭西汉旧址。领九原、五原、临沃、曼柏和西安阳等10县，王莽时分别改称成平、填河亭、振武、延柏和鄣安。辖境相当今内蒙古乌梁素海以东地区、包头市及鄂尔多斯东北部地段。户4 667，人口22 957。东汉初年，被卢芳割据。建武二十二年（46年），省入朔方郡，二十七年，复置。

朔方郡，王莽时改称沟搜，东汉属并州，治所移至临戎，沿袭西汉旧址。领临戎、三封、朔方、沃野等6县。辖境相当今内蒙古鄂尔多斯高原西北部及后套地区。户1 987，人口7 843。东汉末废。

云中郡，王莽时改称受降，东汉属并州，治所在云中，沿袭西汉旧址。领云中、沙陵、武泉、定襄和成乐等11县。定襄和成乐原属西汉定襄郡，东汉并入云中，沿袭西汉旧址。辖境相当今呼和浩特平原。户5 351，人口26 430。东汉末年，云中郡因战乱而废。

定襄郡，王莽时改称得降，东汉属并州，治所移至善无（今山西右玉县南）。领5县，其中桐过县城址即今清水河县上城湾古城，武成县城址即今和林格尔县新店子古城。辖境缩小，包括今清水河县、和林格尔县东部地段。东汉初年，被割据势力占据。建武十年（34年），并入云中郡。二十七年，复置。东汉末废。

西河郡，王莽时改称归新，东汉属并州。顺帝永和五年（140年），西河郡屡受南匈奴骚扰，治所从富昌移至离石（今山西离石县）。所领美稷、广衍等县在今内蒙古境内，沿袭西汉旧址。东汉末年，北境地入羌胡，辖境仅限于山西北部。

上郡，属并州，治所在肤施（今陕西榆林市东南）。辖境包括今内蒙古乌审旗和鄂托克前旗东段等地。东汉末废。

雁门郡，王莽时改称填狄，东汉属并州，治所在阴馆（今山西代县西北）。辖境包括今内蒙古凉城县大部。

代郡，王莽时改称厌狄，东汉属幽州，治所由秦、西汉时的代县（今河北蔚县东北）移至高柳（今山西阳高县西南）。辖境包括今内蒙古兴和县大部。

东汉时期，在内蒙古中、西部设置的郡县，大体上沿袭了西汉的名称、治所和辖区。直至灵帝（168—189 年在位）年间，云中、五原、朔方、定襄等郡才因战乱不休而废弃省罢，郡县所辖民众也流徙逃亡，一些边郡实际上名存实亡。所以，东汉政府于献帝建安十八年（213 年）省免并州，合入冀州。建安二十年，曹操罢省云中、定襄、朔方、五原等郡，以荒地置新兴郡，领一县以统旧民。从此，东汉政府失去了对今内蒙古中、西部地区的控制和管辖。在今内蒙古东部，西汉时期的上谷、右北平和辽西等郡的辖境到东汉时也发生了变化。右北平郡治所已由平刚迁至土垠（今河北丰润县境）。上谷郡、辽西郡的北界南缩，也不再辖有今内蒙古东部地区的南缘了。

东汉末年至魏晋南北朝时期，内蒙古高原尽为北方游牧民族占据，其中有的建立了政权，行使对古代内蒙古部分地区的管辖权。

先秦——秦汉时期的内蒙古地区，先后有以畜牧经济为基础的游牧民族和以农业经济为基础的农耕民族在这里活动。游牧民族与农耕民族的和平交往和战争，成为这一历史时期内蒙古地区历史的主线。游牧文明和农业文明的交互影响、相互碰撞，成为内蒙古地区早期历史独具特色的内容，也是中国历史的有机组成部分。

第　五　章

3世纪初至6世纪末的内蒙古地区

公元3世纪初至6世纪末，相当于中原的魏晋南北朝时期。这一时期的内蒙古地区，游牧民族势力占据主要地位，农业民族退居次席；游牧经济获得长足发展，农业经济相对萎缩。这时的蒙古高原，是各游牧民族纵马驰骋，相互拼杀，互相兼并、融合和彼此交流的场所。各游牧民族不断南进或南迁，继续程度不同地受到中原文化影响，深浅不一地经历了汉化的历史过程；同样，游牧文明也给中原文明注入了新鲜内容。中原汉族则势力南缩，与进入中原及北方地区的游牧民族发生或和或战的关系，吸收了大量的游牧文化，融入了新鲜血液，形成一幅多姿多彩的历史画卷。

第一节　3世纪初至6世纪末内蒙古
地区各民族及其政权

3世纪初至6世纪末，原来活跃在内蒙古地区的北方游牧民族（如匈奴、乌桓等），多已迁入内地，鲜卑则分化出许多部落，并且各部日益活跃，成为内蒙古高原较为强盛的势力。羯、氐、羌各族也纷纷进入古代内蒙古，与此前的游牧民族发生了或深或浅的关系。"五胡"先后建立了地方性的割据政权，在时间上长短不同，地域上大小不一地统治过内蒙古高原。各政权相互兼并，最后拓跋魏统一中国北方，与南朝形成对峙局面。

一、迁入内地的匈奴和乌桓

3 世纪初至 6 世纪末，内迁的匈奴有了很大的变化，除南匈奴外，这时分出名为"屠各"的一支活跃起来。南匈奴和屠各散居在今甘肃、陕西、内蒙古和山西一带，其中以聚居在山西的为最多最强。这两部分匈奴人，在 304—329 年联合起来，先后在山西和陕西建立了"汉—前赵"政权。从匈奴分出来的另一支——临松卢水胡，居于今甘肃河西走廊与青海之间，于 397—460 年在河西走廊一带建立了"北凉"政权。由匈奴与乌桓、鲜卑等族融合而产生的新的一支铁弗匈奴，原先居于今内蒙古河套一带，在 407—431 年，在今陕北及鄂尔多斯南部一带建立了"夏"政权。随着上述各政权的先后被消灭，匈奴的名字在南北朝后期也逐渐消失。

魏晋以后，"乌桓"名下的民族构成与两汉已有很大变化，《魏书·官氏志》中将"诸方杂人来附者，总谓之'乌丸'"，乌桓一名已代指塞外"杂胡"。迁入中原的乌桓人与汉、匈奴等逐渐融合。雁门郡乌桓与匈奴混血成为铁弗刘氏和独孤氏，后来更发展为赫连勃勃的夏国。隋唐时代，文献已少见内地乌桓的记载，《旧唐书·室韦传》记录"那河（今嫩江）之北有古乌丸之遗人"，唐时仍自称"乌丸国"。辽初，耶律阿保机曾派兵北讨乌丸。此后，乌桓不再见于历史记载。

总之，迁入内地的匈奴人和乌桓人的血缘关系、民族构成等有了较大变化，汉文化的影响也日益加深，有的还借鉴模仿中原汉地政治、经济和军事制度的内容及形式建立了地方政权，原先游牧社会的许多制度、文化逐渐削弱、变异甚至消失，虽然程度不同地对农耕文化产生过影响，但是从根本上最终还是融合于汉文化的汪洋大海。

二、鲜卑各部

魏晋时期，鲜卑各部在内蒙古高原东西部占据很大优势。其中以东部鲜卑与魏晋的关系较为密切①。

---

① 东汉魏晋南北朝时期匈奴、乌桓、鲜卑等部史实，主要依据《后汉书》之《匈奴传》、《乌桓鲜卑传》、《三国志·魏书》，裴松之注引王沈：《魏书·乌桓鲜卑传》及《魏书》、《晋书》相关传记。

曹魏初年，鲜卑檀石槐后裔步度根遣使向曹魏献马，曹丕封他为王。后来步度根与轲比能相互攻击，实力被削弱，将部众万余落保太原、雁门。步度根又使人招诱侄子泄归泥，先前归属轲比能的部众又逃归步度根。曹魏黄初五年（224 年），步度根诣阙朝贡，得到丰厚赏赐，于是一心为曹氏守边，不为边害。到青龙元年（233 年），步度根因故于并州叛乱，被击破，将泄归泥及其部众交轲比能统御。后泄归泥率众降附曹魏，被封为归义王，这支鲜卑人在并州居住下来。

东部鲜卑大人于建安（196—219 年）中，各遣使贡献，与汉互市，曹操皆封以王号。厥机死后，其子沙末汗继位为亲汉王。曹丕代汉建魏后，又封素利、弥加为归义王。魏太和二年（228 年），素利死，其子年少，以弟成律归为王，代摄其众。

东汉末年，轲比能部以地处近塞，接纳大批逃亡汉人，从中学习制作和使用中原兵器、文字及统御部众的建置和方法。轲比能与曹魏建立了较为密切的关系。汉献帝延康元年（220 年），轲比能遣使献马，受曹丕封为附义王。221 年，把因战乱而投附鲜卑的汉人 500 余家归还于魏。次年，率三千余骑兵驱赶牛马与魏互市，并归还汉人千余家居于上谷，以结好于魏。后与东部鲜卑大人素利及步度根部相互争斗，势力逐步发展壮大，其他鲜卑大人皆敬畏三分。先后兼并了鲜卑"东部大人"和步度根集团，重新统一了漠南地区，从五原、云中二郡，东抵辽河流域一带地域，包括今天内蒙古后套以东、呼和浩特平原、乌兰察布丘陵、锡林郭勒草原和西拉木伦河、老哈河流域，皆为其所有。233 年，轲比能诱使步度根在并州叛乱，自己亲自统领万余骑兵，于泾北接应步度根，在与魏军交战中，杀死了将军苏尚、董弼。轲比能在曹魏北部地区的发展，对曹魏政权统治的稳定十分不利，青龙三年（235 年），曹魏统治者派人刺杀了轲比能，继檀石槐以后复兴的鲜卑势力再次受到削弱，鲜卑的短暂统一也宣告瓦解。

其后，东部鲜卑兴起了宇文、慕容、段三部。宇文部祖先原是驻牧于阴山南部的匈奴人，东汉时迁居今内蒙古东部，控制了一部分鲜卑部众，逐渐鲜卑化。魏晋时期，宇文部西以濡源（今河北丰宁县）与鲜卑拓跋部为界，占据了西拉木伦河和老哈河流域。东汉末年，慕容部首领曾是檀石槐部落联盟的大人。曹魏初年，慕容部从今锡林郭勒草原迁徙到今辽宁锦州与义县之间。段部属东部鲜卑，世居辽西，居地中心在令支（今河北迁安县）。

　　西部鲜卑兴起了拓跋部、秃发部、乞伏部等。魏晋时期，由呼伦贝尔草原辗转迁到阴山一带的鲜卑拓跋部逐渐强大起来。曹魏甘露三年（258 年），拓跋部从五原东移盛乐（今内蒙古和林格尔县土城子古城），借云中、定襄等郡县前已撤销的良机，纠合了一大批鲜卑人、乌桓人、匈奴人及汉人，把这一地区作为扩张基地，迅速发展起来。拓跋部一方面与魏、晋政权互通贸易，每年得到大量财物；另一方面，不断蚕食边郡土地，征服四邻部族。到首领禄官时期（295—308 年），疆域大为拓展，仿照匈奴旧制，将拓跋分为东、中、西三部：上谷（今河北怀来东南）以北，东至濡源（今河北丰宁县）以西地区为东部，由禄官率部驻牧，东与宇文部相邻，包括今锡林郭勒盟南部一带。代郡参合陂（今内蒙古凉城县岱海）以北地区为中部，由猗㐌率众驻牧，包括今乌兰察布盟南部一带。凉城县小坝子滩出土的“晋鲜卑归义侯”金银印章及刻有“猗㐌金”三字的四兽形金饰牌，是猗㐌曾在凉城县等地活动的实物证据。定襄盛乐一带为西部，主要指今和林格尔县西至黄河一带，由猗卢拥众而居。西晋初年，云中地区已有拓跋部众数万家，控弦之士 40 余万。猗卢趁西晋内乱，把并州北部“杂胡”掠到云中、五原、朔方界内。又西渡黄河，攻击居住在鄂尔多斯高原东部的匈奴和乌桓诸部。猗㐌则北渡沙漠，西掠诸国，降附者 20 余国。随着拓跋部势力扩大，西晋统治下的汉人也纷纷进入拓跋部控制的地区。拓跋部成为西晋时期北方地区较为强大的势力。

三、3 至 6 世纪北方诸族建立的地方性割据政权

　　晋建兴四年（316 年），匈奴贵族刘渊率兵攻克长安，灭亡西晋。从此，我国北方进入旧史习称的“五胡十六国”割据时期。这一时期，匈奴、鲜卑、羯、氐、羌等族，都曾与汉人及其他民族中的统治阶级结成雄踞一方的政治势力，参与了相互间的争斗。其间，匈奴建立汉、前赵、北凉，拓跋鲜卑建立代国，慕容鲜卑建立前燕，乞伏鲜卑建立西秦，秃发鲜卑（与拓跋同源，乃同音异译）建立南凉，羯人石勒建立后赵，氐族建立前秦等割据政权，统治地域或曾兼有古代内蒙古部分地区。南北朝时期，游牧民族在中国北方地区的政治军事实力仍属强大，其中控地包括内蒙古部分地区的割据

政权主要有大夏、后燕、后秦、后凉、西凉和北燕等。

汉　内迁南匈奴单于后裔刘渊所建①。汉初高祖以宗女为公主妻匈奴单于冒顿，双方约为兄弟，所以冒顿子孙冒姓刘氏。曹魏时把内迁南匈奴分为五部，刘渊父刘豹任左部帅，势力最强。刘渊代父为左部帅后，又任北部都尉。不久，晋杨骏辅政，以刘渊为五部大都督，获得直接统率五部匈奴军事权。晋八王之乱时，统治阶级内部互相残杀，各地反晋农民起义爆发。左贤王刘宣等匈奴贵族积极筹备复国运动，于304年上刘渊"大单于"号，都离石。同年十月，刘渊从离石迁于左国城。刘渊复国不仅"兴我邦族，复呼韩邪之业"，而且要像汉高祖一样统一中国。他说："吾又汉氏之甥，约为兄弟，兄亡弟绍，不亦可乎？且可称汉，追尊后主，以怀人望"，遂以汉为国号。刘渊以汉为国号的主要目的，是想得到中原汉人的支持以便推翻晋政权。308年十月，在刘宣等64人劝进下，刘渊于蒲子即皇帝位，改元永凤。309年正月，刘渊迁都平阳（今山西临汾市西南）。刘渊死后，子刘和继位。不久，刘渊四子刘聪杀刘和，即汉皇位。刘聪为了扩张势力，大举进攻洛阳，于311年六月攻陷。至此，在黄河以北能与汉政权对抗的势力，只剩下并州刺史刘琨和幽州刺史王浚。刘琨和王浚虽为同朝臣子，但各怀鬼胎，均想吞并对方，之后称王称帝，雄踞一方。双方彼此间不和睦，汉政权有了可乘之机。314年三月，刘聪属下石勒诱杀王浚，轻而易举地占据幽州。316年，刘聪率军攻克长安，灭西晋。317年，刘聪又把刘琨赶出并州地区。这样，黄河中下游地区均被汉政权所控制。刘聪死，子刘粲继位。刘粲以妻靳氏为皇后，以靳准为大将军、录尚书事，以靳准弟靳明和靳康分别为车骑将军和卫将军。刘粲"荒耽酒色，游燕后庭"，不理国家大事。所以汉政权的大权尽被靳氏所掌握。318年，靳准发动政变，刘氏男女老幼皆被斩。靳准自称大将军、汉大王，置百官，刘氏汉政权遂亡。

前赵　前赵建立者刘曜是刘渊族子，因少孤被刘渊收养②。靳准政变后，一些大臣逃出平阳，拥立坐镇长安的刘曜为帝。靳明因恐刘曜报复，杀

---

① 阅崔鸿：《十六国春秋·前赵录》，《晋书》卷101《刘元海载记》、卷102《刘聪载记》。
② 阅崔鸿：《十六国春秋·前赵录》，《晋书》卷103《刘曜载记》。

兄靳准，率平阳士女万五千归附于刘曜。刘曜下令诛靳明，靳氏男女皆被杀害。之后，刘曜迁都长安，改国号为赵，史称前赵。刘曜建前赵后，首先对内镇压了关陇巴、氐、羌等族的反抗，在政治、经济方面进行改革，使政权逐渐巩固。322年初，前赵政权初步巩固后，开始向外扩张。时前赵的东面是日益强盛的后赵石勒，向东发展暂时不可能。所以刘曜把扩张目标首先锁定为西部，即河西张氏政权和仇池（今甘肃成县）氐族杨氏以及秦州陈安的割据势力。322年二月，刘曜亲率军西进，攻仇池杨难敌，难敌遣使称藩。323年七月，刘曜攻破秦州陈安。刘曜继续进攻河西张氏政权，张茂被迫遣使称藩。前赵通过一系列战争基本稳定了西部地区，开始把注意力转向东边，与石勒围绕争夺河南洛阳一带展开激战。刘曜在同石勒争夺地盘的战争中屡战屡败，于329年被石勒所擒，前赵灭亡。

北凉　五胡十六国之一，匈奴（或作卢水胡）人沮渠蒙逊所建[1]。都城张掖（今甘肃省张掖市），实行郡县制，崇信佛教。盛时有今甘肃西部及青海、宁夏、新疆、内蒙古各一部。历沮渠蒙逊、沮渠茂虔2主，共39年。

沮渠蒙逊祖先为匈奴左沮渠，后代遂以官号为氏。公元397年，沮渠蒙逊伯父罗仇兄弟跟从后凉主吕光因攻击西秦战败，被吕光杀死。蒙逊乘宗亲诸部会葬之机，聚兵万余反，与从兄男成推后凉建康（今甘肃高台西北）太守段业为凉州牧，建康公。段业以蒙逊为张掖太守、临池侯；男成为辅国将军，处理军政事务。399年，段业入据张掖，自称凉王，以蒙逊为尚书左丞。401年，蒙逊设计使段业杀男成，激起众怒，因举兵杀死段业，称大都督、大将军、凉州牧、张掖公，改元永安，史称北凉。北凉建国初，蒙逊与后秦通使和好，姚兴遣使拜蒙逊为镇西大将军、沙州刺史、西海侯。后蒙逊率步骑三万攻南凉秃发傉檀，进围姑臧，得各族降人万数千户。秃发傉檀请和，许之而还。410年，秃发傉檀放弃姑臧，南退乐都（今属青海）。蒙逊围乐都，取秃发氏质子而还。又击败据姑臧自立的焦朗，于412年十月迁都姑臧，称河西王，改元玄始。置百官，修缮宫殿，立子政德为世子。随后通使北魏，与西秦、西凉则多有攻战。420年，占西凉七郡之地，辖地包括今

---

① 崔鸿：《十六国春秋》卷94—97《北凉录》，《晋书》卷129《沮渠蒙逊载记》，《魏书》卷99《沮渠蒙逊传》。

额济纳流域和阿拉善左、右旗部分地区。421 年，蒙逊败李歆，灭西凉，取得酒泉（今甘肃酒泉市）、敦煌（今甘肃敦煌市），据有河西走廊。北魏世祖拓跋焘旋拜蒙逊为凉州牧、凉王。433 年四月，蒙逊死，第三子茂虔（亦作牧犍）继位，自称河西王，受北魏领护西戎校尉、凉州刺史、河西王等封号，娶北魏世祖妹武威公主。439 年，北魏以北凉虽称藩致贡，而内多乖悖为由，大举围攻姑臧。茂虔据城自守，又求救于柔然。后终不抵强敌，出降，北凉亡。茂虔及凉州民三万余家被迁于北魏都城平城（今山西大同东北），北魏改授茂虔征西大将军、河西王号如故。后因人告串通谋反，茂虔被赐死。茂虔弟安周南投吐谷浑，北魏世祖派兵征讨。茂虔弟无讳于真君年间一度攻陷酒泉，又围张掖，不能克而还。北魏世祖曾遣使拜无讳为征西大将军、凉州牧、酒泉王。复又派兵征伐，攻克酒泉。无讳遂率残部西走，西击鄯善，占有其地。无讳留安周据守鄯善，自率部经焉耆东北至高昌，攻占高昌城。444 年，无讳死，弟安周立。460 年为柔然所灭。

大夏　铁弗匈奴是南匈奴与其他族融合产生的部落集团，原居于新兴郡虑虒县（今山西五台县东北）以北。310 年，铁弗部被晋并州刺史刘琨和鲜卑拓跋部的联兵击破，西渡黄河，进入朔方（今内蒙古河套一带）境内。铁弗匈奴首领刘卫辰初与拓跋鲜卑什翼犍联姻，后投附前秦苻坚，屯驻代来城（今内蒙古鄂尔多斯市杭锦旗东）。晋太元十六年（391 年），刘卫辰进攻拓跋魏，大败，单骑遁走，被部下所杀，其子勃勃投奔鲜卑薛干部。薛干部酋长太悉伏欲送勃勃于魏，其侄阿利阻止未成，于路途上劫获勃勃，送至后秦姚兴处，受到信任，拜为骁骑将军，加奉车都尉，经常参议军国大事。又以勃勃为安远将军，封阳川侯，使率部众 3 万，作为征伐北魏侦候。姚兴弟屡说不可委勃勃以大任，方以勃勃为安北将军、五原公，配五部鲜卑及杂虏 2 万余落，镇守朔方（今陕西延安市）。北魏天赐四年（407 年），勃勃袭杀后秦高平公破多罗没奕于，兼并其众，众至数万。六月，自称大夏天王、大单于，建元龙升，自以匈奴为夏后氏苗裔，国称大夏①。奄有河套之地，南境抵三城（今陕西延安）和高平（今宁夏固原）。置百官，有丞相、御史大夫、司隶校尉、尚书令、尚书左仆射、尚书右仆射等官职。取"徽赫与

---

① 崔鸿：《十六国春秋》卷 66—69《夏录》。

天连"之意，改"铁弗"为"赫连"氏；又取"宗族刚锐如铁，皆堪伐人"之意，称宗族为"铁伐"氏。

建国之初，夏与后秦、南凉秃发傉檀等频繁攻战，屡屡获胜，俘获大量人口财物，势力不断壮大。413年，改元凤翔。以薛干阿利领将作大匠，征发各族民工十万，于朔方水北、黑水之南营筑都城，取"统一天下，君临万邦"意，定名统万。清人拟定故址为今内蒙古鄂尔多斯市乌审旗以南白城子。阿利残忍无度，蒸土筑城，锥入一寸，即杀匠人。又造兵器，射甲不入即斩造弓者，如入则杀制甲者，杀工匠凡数千人，以故器物精良。随后，夏不断蚕食后秦疆域，岭北之地尽为其有。又以长安（今陕西西安市）为南都。置幽州、朔州、并州、凉州等，盛时占有今陕西北部、内蒙古中南部和甘肃部分地区。辖地北达黄河，置幽州于大城（今鄂尔多斯杭锦旗东南），占有今鄂尔多斯高原及乌加河地带。

417年，东晋大将刘裕入长安灭后秦，遣使与勃勃通好，约为兄弟。次年，勃勃趁刘裕东归，率大军攻克长安，得关中之地，遂于灞上筑坛，即皇帝位，改元昌武。勃勃还师统万，以子赫连璝为雍州牧，管领关中一带事务。及统万城宫殿竣工，大赦境内，改元真兴。命名城南门为朝宋门，东门招魏门，西门服凉门，北门平朔门，亦可见勃勃兼并天下之抱负。勃勃性残忍好杀戮，臣民惶惶不可终日。425年八月，勃勃死，在位约19年，子赫连昌继位，改元承光。426年，统万城被北魏围攻，旋即长安失陷。次年，夏试图夺回长安，派大兵进攻，北魏兵乘虚攻击统万，赫连昌出战大败，逃奔上邽（今甘肃天水），攻长安夏军闻讯亦退。428年四月，夏与北魏战于安定，赫连昌被俘。昌弟赫连定率余众数万至平凉（今甘肃平凉西南）称帝，大败前来追击的魏兵，并一度复取长安。430年，北魏太武帝亲率军攻夏，围破平凉，赫连定奔上邽，长安等城内大夏守将或逃或降，关中悉为魏有。431年赫连定击灭西秦，掳其民十余万口避魏西迁，途中遭吐谷浑袭击，被俘，夏亡。

魏晋南北朝时期，东部鲜卑兴起了宇文、慕容、段三部，西部鲜卑兴起了拓跋部、秃发部、乞伏部等，它们纷纷仿效中原制度，建立了割据一方的统治政权。

前燕　东部鲜卑慕容氏建立①。晋武帝时，慕容廆率部迁居辽西，遣使与晋通好，晋命他为鲜卑都督。以后，慕容廆经常活动于徒河（今辽宁义县）和棘城（今辽宁锦州）一带。慕容廆死后，第三子慕容皝袭辽东公位，并于337年自称燕王，置百官，立王后太子，建立燕国，史称前燕。计34年，历慕容皝、慕容儁、慕容暐三主。地域东邻高句丽，南以淮水与东晋为界，西接前秦，北毗契丹、库莫奚等。盛时占有今河北、山东和山西、河南、安徽、江苏、辽宁的一部分。户数2 450 000余，人口9 980 000余。

初建的前燕为了巩固政权，与后赵合击段部鲜卑，于338年占领段部都城令支（今河北迁安县）。341年，前燕把都城迁至柳城（今辽宁省朝阳县），改称龙城。344年，前燕以二万骑伐宇文鲜卑，宇文部兵败逃往漠北。燕兵乘胜追击，占领宇文部都城紫蒙川，从而控制了今西拉木伦河和老哈河流域。至此，燕国东灭高句丽，北并宇文部，西平段部，开地三千里，成为东北地区的唯一强国。前燕统治者在辖区内设置郡县，其中冀阳郡、昌黎郡的辖地应包括今英金河以南的赤峰地区及敖汉旗南半部。慕容儁于349年继父慕容皝为燕王后，把扩张势力的矛头开始指向黄河以南地区。349年，进攻后赵，夺占幽州，随即迁都于蓟（今北京市西南）。当时，冉闵灭后赵，建立魏政权，都邺城。352年，慕容儁遣军攻冉闵，攻克邺城（今河北省磁县三台村），并斩冉闵于龙城。前燕占领了冉魏所统治的领土，势力延伸至黄河中下游地区。357年，迁都邺城。这时，在关中地区氐人所建的前秦，也虎视眈眈地注视着黄河中下游地区，双方遂在黄河流域发生了激烈的冲突。360年，慕容儁第三子慕容暐继燕王位。365年，燕将慕容恪率军攻陷洛阳，并向西掠地，时刻威胁前秦。370年，苻坚为了扭转这种颓势，兵分两路大举进攻前燕，一路由王猛率领渡黄河攻下壶关（今山西壶关县）和晋阳（今山西太原西南），另一路由苻坚亲自率领出关东征，攻下安阳和邺城。前燕未能抵挡住前秦的强大攻势，是年亡于前秦。

后燕　建立者是前燕慕容皝第五子慕容垂②。十六国之一。前燕慕容暐

---

①　参阅崔鸿：《十六国春秋》卷23—32《前燕录》，《晋书》卷108《慕容廆载记》、卷109《慕容皝载记》、卷110《慕容儁载记》、卷111《慕容暐载记》等。

②　参阅崔鸿：《十六国春秋》卷43—52《后燕录》，《晋书》卷123《慕容垂载记》、《慕容宝载记》等。

时，慕容垂与慕容评不和，投奔秦王苻坚，为苻坚将领。当苻坚南征东晋时，垂率军攻郧城（今湖北沔阳县南），没有参加淝水之战，所以他率领的三万人部队完好无损。垂闻苻坚败，立即退兵至洛阳。前燕旧臣不满苻坚残忍统治，听说垂率兵退至淮北，纷纷投奔垂并共奉为盟主。384年，丁零人翟斌于河南起兵反秦，镇守邺城的苻丕（苻坚庶长子）命垂及宗室苻飞龙前往镇压。途中垂袭杀飞龙，与前秦决裂，在荥阳自称大将军、大都督、燕王，建元燕元，建立政权，史称后燕。有众20余万，进围邺城。385年，苻丕自邺城撤往晋阳（今山西太原西南），河北之地尽属后燕。386年，垂自立为帝，慕容垂迁都中山（今河北定县）。392年，后燕消灭割据河南的丁零族翟魏政权，占领其地。394年，灭西燕，基本上恢复了前燕版图。盛时有今河北、山东及辽宁、山西、河南大部，包括今内蒙古赤峰市南部地区。

后燕建国初期，与拓跋魏友好，两国贵族世为婚姻，曾联兵攻打过匈奴独孤部刘显。但当两国势力日益强盛时，矛盾冲突也随之而来。后燕曾因缺少战马，屡次求援于拓跋魏，而拓跋魏不予理睬，慕容垂故生怨隙。395年，慕容垂以此为由，命太子慕容宝率军八万进攻北魏，在参合陂（今内蒙古凉城县岱海）大败。396年，垂亲率大军进攻拓跋魏，一度占据平城（今山西大同东北）。但同年四月，慕容垂病死于沮阳（今河北怀来县南），子慕容宝继位，后燕士气跌落。北魏步骑40万乘机来攻，夺取晋阳，进围中山，后燕节节败退。397年，慕容宝突围而出，北奔龙城（今辽宁朝阳市）。同年十月，北魏攻下中山，河北郡县尽为拓跋魏所有，后燕被分截为两部分。此后，后燕鲜卑贵族互相杀伐不止，实力迅速削弱。398年，慕容宝被杀，宝子盛自立。401年，盛为臣下所杀，垂少子熙立。407年，慕容宝养子慕容云（高句丽人，本姓高氏）与汉人冯跋等结盟杀燕主慕容熙，高云自称燕王，冯跋为其谋主。高云立不久，为臣下所杀，冯跋遂于409年即燕王位，史称北燕，至此后燕亡。

后燕大体承袭前燕制度，除州郡县治理的编户之外，还有不隶郡县而属军营的人口。后燕慕容氏以坞堡主为守宰，与汉族豪强大族合作，共同统治。慕容宝时核定士族旧籍，分辨清浊，尊重士族特权，大族势力得以发展。他又下令校阅户口，罢除军营封荫之户，分属郡县，招致怨恨和反对。

后燕原不采用胡、汉分治政策，但慕容垂时已由太子宝领大单于，置留台于龙城。慕容盛时曾立燕台于龙城，以统诸部杂夷。慕容熙即位，将北燕台改为大单于台，置左、右辅。后来在龙城实行了胡、汉分治。

后燕曾是十六国后期中原地区最强盛的一个王国。

南燕 南燕建国者为慕容德，慕容皝之少子①。后燕慕容宝时，其叔父慕容德为邺城镇将。397 年，拓跋魏围攻并夺得中山，慕容德以拓跋兵势甚盛，邺城也难以据守，于是在 398 年，率领 4 万户南徙滑台（今河南滑县东），自称燕王，史称南燕。南燕由慕容鲜卑贵族所建，与汉族士大夫合作进行统治。399 年，德出兵西征，部下以滑台降北魏。德被迫进兵攻下广固（今山东益都县），以为都城，于 400 年称帝。盛时南燕的疆土，北至黄河，南至泗水，东至于海，西至巨野。405 年，德病死，兄子慕容超嗣位。超喜好游猎，不问政事，赋役繁重，民心不稳。409 年，东晋刘裕率大军北伐南燕，次年二月攻下都城广固，慕容超连同鲜卑王公以下三千余人，悉被俘斩，南燕亡。

西燕 鲜卑贵族慕容儁子慕容泓所建政权。都城长子（今山西长治市）。盛时占有今山西、河南各一部分。共历 7 主，11 年。

前秦苻坚灭亡前燕后，为解除后患，把慕容鲜卑等 4 万多户迁至长安城内或近畿各地。当苻坚在淝水之战中失利后，引起了国内被征服的各族首领的复国运动。384 年，慕容泓自称大将军、雍州牧、济北王，以复兴燕国为号召，建元燕兴，集众 10 余万，进逼长安。不久，因慕容泓"持法苛峻"，遭鲜卑贵族杀害，其弟慕容冲得立为主。及苻坚父子出奔，冲入据长安。385 年，在阿房城（今陕西西安西）自称燕王，改号为更始元年，后迁都于长子。西燕初期，国内局势较为混乱，无常主，随立随杀，至慕容永时局势有所改观。386 年，慕容永自称皇帝。西燕在慕容永时最为强盛，辖地包括今山西及河南的部分地区。但这种好景没有维持多久，393 年，早有吞并西燕野心的慕容垂决定出兵征伐西燕。垂分两路进兵，一路以中山步骑 7 万攻西燕之晋阳，另一路以驻邺大军攻西燕之沙亭（今河南陕县东南）。次年，垂又增司、翼、青、兖四州兵直攻西燕都城长子。慕容永情急之下遣子弘求

---

① 崔鸿：《十六国春秋》卷 63—65《南燕录》，《晋书》卷 127《慕容德载记》。

救于东晋，又告急于拓跋魏。但东晋和拓跋魏军未到之前，西燕国内发生变乱，永之部下开城迎垂兵，垂斩永及公卿大将30余人，得西燕所统8郡7万多户，西燕遂亡。

代　拓跋鲜卑所建①。拓跋鲜卑发祥于大兴安岭北段的嘎仙洞（今内蒙古呼伦贝尔市鄂伦春自治旗阿里河西北10公里）一带，之后经过几次迁徙，至首领诘汾时"始居匈奴故地"，即阴山北麓一带。诘汾子力微又率领部落迁居盛乐（今内蒙古和林格尔县土城子古城）。力微子禄官时拓跋鲜卑分为三部，禄官统领一部居东，力微孙即沙漠汗长子猗㐌统领一部居中，猗㐌弟猗卢统领一部居西。4世纪初，禄官和猗㐌相继死去，猗卢总摄三部。时匈奴人刘聪及羯族人石勒在西晋北方地区形成强大势力，并州刺史刘琨为了利用拓跋势力对抗刘聪、石勒，于310年请求晋朝封猗卢为代公。同年，猗卢以助击骚扰西晋郡县的白部鲜卑和铁弗匈奴有功，被封为代公，并得到西晋划给的陉岭以北五县之地。315年，猗卢以盛乐为北都，平城（今山西大同市东北）为南都，自称代王，建立政权，今内蒙古中部包括呼和浩特平原、乌兰察布高原和锡林郭勒高原部分地区及山西北部和河北西北部都在其势力范围之内。次年，猗卢被其子六修所杀，六修又被猗㐌子普根所杀，统治集团发生内讧，势力一度衰弱，辖地缩小。自316—338年期间，先后出现了6位君主。直至338年，什翼犍即代王位，设置百官，分掌众职，制定法律，内乱才告终止，正式建立代国。340年，什翼犍定都盛乐，在故址南8里筑新城，以此为政治中心，并开始从事定居的农业生产。什翼犍经过一段休养生息后，也萌生了进入中原的想法②。然而，在中原地区，两大割据势力前燕和前秦正你争我夺，激烈火拼，什翼犍进入中原意图未能实现。前秦于370年灭前燕，376年灭前凉，占领了除代国以外的北方地区。376年，前秦苻坚进攻代国，什翼犍被击败，部落离散，什翼犍为其子所杀。代国灭于前秦，土地被分割。

---

① 《魏书》卷1《序纪》。
② 据《魏书》卷1《序纪》，什翼犍曾表示"石胡衰灭，冉闵肆祸，中州纷梗，莫有匡救，吾将亲率六军，廓定四海"的想法。

　　西秦　陇西鲜卑乞伏国仁所建①。最初，乞伏鲜卑从漠北迁至大阴山一带，至国仁五世祖祐邻时部众稍盛，约达五万，迁居高平川（今宁夏清水河流域）。国仁父司繁时，乞伏鲜卑降于前秦苻坚，苻坚拜司繁为南单于，留之长安。385 年，国仁趁苻坚在淝水战败之机，自称大都督、大将军、大单于、领秦河二州牧，建元建义，建立西秦，筑勇士城而居。388 年，国仁死，其弟乾归继位，迁都金城（今甘肃兰州西）。乾归时西秦政权日益巩固，四周的一些鲜卑、羌、休官等部不断归附，甚至南边的吐谷浑政权也向西秦称臣纳贡。乾归又战胜陇西地区的氐王杨定，从而尽有“陇西、巴西之地”。400 年五月，后秦几乎用了全国势力，从南安峡（今甘肃张家川西）向西攻西秦。乾归虽然因屡战屡胜而有些骄色，但也知道此役乃决定西秦存亡的关键一战。所以他说：“存亡之机，在斯一举，卿等戮力勉之。若枭剪姚兴，关中之地尽吾有也。”在此役中西秦失利，都城被后秦占领，乾归投奔秃发利禄孤。利禄孤待以上宾之礼，处之于晋兴城。同年十一月，乾归叛南凉，投奔后秦。姚兴为了借乞伏氏影响统治陇右，把乾归署为镇远将军、河州刺史、归义侯，遣还镇苑川，尽以部众配之。409 年，乾归返回陇西后，重新称秦王，改元更始，置百官，复建西秦政权。412 年六月，西秦国内发生内乱，乾归及诸子十余人被国仁子公府所杀，公府逃至大夏。乾归长子炽磐继位，改元永康。炽磐继位后，西秦进入极盛阶段，西攻南凉、北凉，南征吐谷浑，东击后秦，不断扩张势力。但是，西秦的连年征战，使国内矛盾急剧尖锐起来，加之北凉、吐谷浑、大夏等外敌的不断进攻，西秦很快又衰弱了。431 年，西秦被大夏国所灭。

　　南凉　河西鲜卑秃发乌孤所建，秃发鲜卑与拓跋鲜卑同源②。乌孤八世祖匹孤时，秃发鲜卑从塞北迁至河西地区，至乌孤父思复鞬时部众稍盛。但这时河西鲜卑诸部仍未统一，各自统率所部，而且被后凉吕光所控制。乌孤继父位后统一了河西鲜卑，以廉川堡（今青海乐都东北）为基地。397 年，乌孤自称大都督、大将军、大单于、西平王，年号太初，建立南凉。之后，

---

　　①　崔鸿：《十六国春秋》卷 85—87《西秦录》，《晋书》卷 125《乞伏国仁载记》、《乞伏乾归载记》。

　　②　崔鸿：《十六国春秋》卷 88—90《南凉录》，《晋书》卷 126《秃发乌孤载记》、《秃发傉檀载记》。

乌孤趁后凉衰弱之机，取得了姑臧洪池岭南五郡之地（广武、西平、乐都、浇河、湟河），乌孤并改称"武威王"，迁都于乐都，目的是要夺取姑臧，取后凉而代之。不过，乌孤未能如愿，在位三年即于 399 年死，其弟利禄孤继位，迁都西平。利禄孤为了夺取姑臧，对内、外都进行改革，又为了借助后秦力量臣属于姚兴。稍后，利禄孤改武威王为"辽西王"，表明兼并整个河西之志。但利禄孤与乌孤一样，在位三年又死，其弟傉檀继位。403 年，姚兴发兵灭后凉，占领姑臧。这对于早已窥伺姑臧的南凉而言，无疑是一个打击。404 年，傉檀为实现密图姑臧之志，讨好后秦姚兴，乃去其年号，罢尚书丞相官，遣参军关尚聘于姚兴。406 年，傉檀利用后秦因连年征战、势力衰弱、无力顾及姑臧之机，夺取姑臧，并迁至此。这样，南凉一时成为河西霸主。然而，让傉檀始料未及的是，占据姑臧恰好成了他由盛而衰的转折点。因为在河西地区的北凉、西凉和西秦的割据势力，惧怕南凉的势力继续扩张，故南凉成为诸势力所攻击的共同目标。首先，北凉沮渠蒙逊从北边进攻，占领姑臧，南凉退至乐都。这时，日益强盛的西秦乞伏炽磐逐渐占据了陇西地区，也开始向南凉进攻。此时南凉处在"连年不收，上下饥弊，南逼炽磐，北迫蒙逊，百姓骚动，下不安业"的处境。使南凉更雪上加霜的是，414 年四月，聚居在青海湖一带的乙弗、契汗等部叛南凉，傉檀遂击乙弗、契汗等部。炽磐乘南凉都城乐都空虚之机，占领乐都。傉檀无奈之下投降了西秦，之后被炽磐毒死，南凉遂亡。

　　后赵　后赵建立者羯族人石勒，先居上党郡武乡，其祖耶奕于，父周曷朱，均为部落小帅[1]。晋太安中，并州遭饥荒。并州刺史司马腾为了克服饥荒，捕捉诸胡人卖到山东（太行山之东）充军粮，石勒也被捕卖到山东。后来石勒因能相马，被魏郡汲桑所赏识信用。晋八王之乱时，汲桑自称大将军，以诛东海王越、东嬴王腾为名起兵，以石勒为前驱。汲桑、石勒与晋军战大小三十余回合，被晋军打败，汲桑死，石勒投奔刘渊。石勒奔刘渊后，战功显赫，先是斩冀州刺史王斌，之后诱杀幽州刺史王浚，又于 318 年，消灭西晋在北方的残余势力并州刺史刘琨。这样，冀、幽、并等州县地尽被石勒所占有。同年，刘聪死，大臣靳准发动政变，尽诛刘聪子孙，石勒率军为

---

[1]　崔鸿：《十六国春秋》卷 11—22《后赵录》，《魏书》卷 95《石勒传》。

刘氏汉政权讨靳准。不久，靳准被部下所杀，部下共推靳明为盟主，而靳明遣人把传国玉玺送于刘曜，刘曜和靳明联手。石勒大怒，反而率军攻刘曜。次年，石勒自称赵王，建立后赵，都襄国。329 年，刘曜围洛阳，石勒反击得逞，并擒刘曜杀之，灭前赵，占领其地。330 年，石勒自称皇帝，与东晋以淮水为界，成为关中地区唯一强国。后赵在今内蒙古河套地区设置朔州朔方郡，领临戎、三封、朔方、沃野等五县，辖地包括了今内蒙古河套及其以南地区。333 年，石勒死，子石弘继位。石勒侄子石季龙早有继承王位的野心，于 335 年杀石弘继位，迁都于邺。350 年，石季龙死，子石世继位。石世母是刘曜之女。当初石季龙与诸大臣议立太子之事，太尉张举说石斌、石遵二子文武出众，应选其一为太子。而张豺说太子应该是"母贵子孝"者，劝立石世为太子。石勒听从张豺之谏，立石世为太子。对此，石遵不满，当他听到石季龙死讯，以杀张豺为名发兵，攻杀石世，自己继位。石遵攻石世时，说好事成之后要重赏冉闵。但石遵继位后不履行诺言，激起了冉闵的愤怒，冉闵攻石遵，尽杀石氏子孙。冉闵是石季龙的养孙，故又叫石闵。351 年，冉闵灭后赵，改元永兴，国号大魏，史称冉魏。次年，前燕慕容儁击冉魏，俘冉闵斩于龙城，灭其政权。

前秦　氐族苻健所建①。333 年，后赵石虎为利于统治，把关中豪杰及氐、羌等族迁徙到关东地区，任命氐族酋长苻洪为流民都督，使其率氐、汉各族百姓徙居枋头（今河南汲县东北）。后苻洪派遣使者出使东晋，接受东晋官爵，表示归降东晋。经过十余年发展，苻洪拥众十余万，实力增强，于是自称大都督、大将军、大单于、三秦王，试图重返关中，成就大业。不料祸起内部，未及成行，被人下药毒死。苻健接替其父统领部众，称晋征西大将军，继续向西发展，由枋头西入潼关，声势浩大，关中氐人纷起响应，于是攻占长安，据有关陇地区。351 年，苻健自称大秦天王、大单于，国号大秦，史称前秦。352 年，改称皇帝，定都长安（今陕西西安）。疆域大致东至于海，西抵葱岭，北连大漠，东南以淮、汉与东晋为界。

354 年，东晋针对新建的前秦政权的威胁，决定遣将军桓温率军攻秦。

---

① 崔鸿：《十六国春秋》卷 33—42《前秦录》，《晋书》卷 112《苻洪载记》、卷 113—114《苻坚载记》，《魏书》卷 95《苻健传》。

面对来攻的晋军，苻健实行坚壁清野之策，晋军攻入潼关后，因粮食短缺而退兵。次年，苻健死，子苻生继位。357年，苻生被堂兄苻坚杀死，苻坚自立为帝。苻坚继位后的十几年内，重用汉人王猛等谋士，实行抑制氐族贵族豪强、扩大皇权的政策。在政治、经济等方面采取了一系列巩固统治的措施。统治集团内部较为稳定，国内社会相对安定，经济得到发展，国力得到很大加强。苻坚开始对外进行征伐，相继攻灭一些割据政权。370年，灭前燕，371年，灭仇池（今甘肃成县）氐族杨氏，373年，攻取东晋梁、益二州，376年，灭前凉和拓跋代，382年，秦军进驻西域。至此，前秦统一整个中国古代北方地区，与东晋形成南北对峙局面。

前秦采纳吸收中原典章制度，在统治区域内实行郡县制。在今内蒙古西部置有五原郡、朔方郡和西海郡。五原郡，属并州，领九原县，故址可能沿用西汉旧址。朔方郡，属并州，领临戎、沃野、朔方等五县，郡治可能沿用西汉旧址。西海郡，属凉州，领居延县，沿袭汉代旧址。在内蒙古东部，前秦继承了前燕昌黎郡等对今赤峰市南部的统治。前秦政权盛时一度控制和统治了今内蒙古大部分地区。

前秦统一北方地区以后，苻坚自恃强盛，试图进一步扩大统治版图，不断南向攻击东晋。数次战役，前秦有胜有负。379年，攻占东晋战略重镇襄阳，而攻江陵的秦军败退。382年十月，苻坚召集群臣商议，决定重新部署兵力，全力发动对东晋的进攻。383年八月，苻坚任命苻融为前锋都督，率领步骑25万做先头部队。九月苻坚亲率步兵60余万、骑兵27万，共计百万余众，浩浩荡荡，攻向东晋。十月，两军于淝水交战，秦军大败，军力损失十之七八，回到洛阳时仅剩10余万人。淝水战后，前秦四分五裂，属部鲜卑、丁零、羌等纷起反秦。385年，慕容冲率军进围长安，苻坚率数百骑出奔五将山（今陕西岐山东北），后为姚苌擒杀，长安被慕容冲攻占。至此，前秦已名存实亡。到394年七月，前秦苻登率领的最后一股势力被姚兴击败，前秦灭亡，所辖地区又为后燕、后秦、后凉等所割据，北部中国再度陷于分裂。

后凉 氐族人吕光所建十六国政权之一①。前秦统一中国北方后，继续

---

① 崔鸿：《十六国春秋》卷81—84《后凉录》，《魏书》卷95《吕光传》。

向西扩充势力。382 年，苻坚遣将军吕光率兵 7 万、铁骑 5 千，进军西域，攻取焉耆、龟兹等重镇后，西域 30 余国陆续归附，确立了前秦对西域地区的统治。淝水战后，所属诸族贵族纷纷起来反秦，前秦国势日下，趋于瓦解。385 年，吕光回师中原，在酒泉遭遇前秦凉州刺史梁熙 5 万兵的抵拒。吕光率军击破梁熙，入据姑臧（今甘肃武威），自称凉州刺史。次年，吕光自称大将军、凉州牧、酒泉公，建都姑臧，史称后凉。389 年，改称三河王，396 年，自称天王，国号大凉。

后凉初建时，国势颇盛。统治范围包括今甘肃西部和宁夏、青海、新疆一部分。所置西海郡，领居延县，辖地几乎囊括今内蒙古阿拉善盟全境。在国内，后凉以氐族贵族军事力量为基础，与境内其他族贵族集团关系不睦，势力孤弱。加之实施严刑峻法，致使社会局势动荡。立国不久，后凉境内各族贵族便纷纷割据，建立政权。吕光死后，诸子争立，互相杀夺，国势益衰。对外，后凉与四周各族政权交战频繁，连年战争，致使经济凋敝，谷价昂贵，民不聊生，人相食。403 年七月，前凉主吕隆因后秦、南凉、北凉交相侵迫，内外交困，难以为继，于是请降于后秦主姚兴，后凉遂亡。

后秦　羌人姚苌所建十六国之一[①]。西晋永嘉年间，羌人豪酋姚弋仲率领一部分部众从赤亭（今甘肃陇西西）迁徙到鄃糜（今陕西千阳东）一带居住。后赵石虎迁徙关中豪杰及氐、羌于关东时，以姚弋仲为西羌大都督，率羌众数万迁于清河之滠头（今河北枣强东北）。石虎死后，弋仲遣使降晋，受东晋官爵。352 年，弋仲病死，子姚襄继领部众，与东晋关系破裂。姚襄欲率众还关中，357 年，与前秦军战于三原，兵败被杀。襄弟姚苌率众降于前秦，为苻坚将领，累建战功。淝水之战以后，鲜卑贵族慕容泓起兵反秦，姚苌参与讨泓战败，逃奔渭北，得到羌人及西州豪族尹详等的支持，也起兵抗秦。384 年，姚苌自称大将军、大单于、万年秦王，史称后秦。随后，姚苌率军进屯北地（今陕西耀县），渭北羌胡十万余户归附，势力发展很快。385 年，姚苌擒杀苻坚，实际灭亡了前秦。及至慕容永率鲜卑三十余万离关中东归，姚苌于 386 年入据长安（今陕西西安）称帝，国号大秦。393 年，姚苌病死，太子姚兴继立。姚兴是十六国后期帝王中较有作为者。

---

①　崔鸿：《十六国春秋》卷 53—62《后秦录》，《魏书》卷 95《姚苌传》。

为巩固统治，初期注意选才纳谏，又相继采取一些有利于社会经济、文化发展的措施，致使国势强盛。在位期间，统治范围有所扩大。394年，打败前秦的残余势力苻登，灭亡前秦，据有关陇。又乘西燕败亡，取得河东。随后相继攻占东晋的洛阳，收服西秦。后秦强盛时控地范围包括今陕西、甘肃、宁夏及山西、河南的一部分。辖地包括今鄂尔多斯高原及乌加河以南的后套地区。403年，灭后凉，又控制了阿拉善高原。416年，姚兴病死，太子姚泓继位，东晋刘裕北伐，进攻后秦，收复洛阳。面对强敌，后秦宗室却骨肉相残，自相削弱。417年，刘裕进取潼关，攻占长安，八月姚泓兵败出降，后秦亡。

除中国古代北方游牧民族建立的割据政权以外，汉族势力还建立了前凉、西凉、北燕政权。

前凉　汉人张寔所建十六国政权之一①。晋惠帝永康二年（301年），凉州大姓张轨受西晋凉州刺史官号，延用当地有才干之士治理凉州，保境安民，多有建树。张轨及其继任者奉晋年号，以晋朝忠臣自居。因此，原属晋朝统治的中原和关中地区民众，流入凉州的很多，致使凉州地界人口增长很快。314年，张轨病死，长子张寔继任，晋愍帝司马邺任命寔为都督凉州诸军事，凉州刺史，西平公。西晋亡后，自317年起，张氏世守凉州，长期使用晋愍帝建兴年号，虽名晋臣，实为割据政权，史称前凉，都姑臧（今甘肃武威市）。

324年，张骏自称假凉王。张骏父子统治时期，前凉达于极盛，境内分置凉、沙、河三州，疆域"南逾河、湟，东至秦、陇，西包葱岭，北暨居延"，大致有今甘肃、新疆及内蒙古、青海各一部分，曾占有今内蒙古阿拉善盟部分地区，在额济纳旗境内置西海郡，领居延县。354年，张祚自称凉王。此后，前凉张氏宗室间争斗不止，所依靠的凉州大姓对张氏宗室所作所为不满，也起兵反抗。十年内乱，国势大衰。376年，前秦苻坚以步骑13万大举进攻，前凉军战败，张天锡被迫投降前秦，前凉亡。

西凉　汉人李暠所建十六国政权之一②。李暠世为凉州大姓。400年，

---

① 崔鸿：《十六国春秋》卷70—75《前凉录》。
② 崔鸿：《十六国春秋》卷91—93《西凉录》。

李暠据敦煌（今甘肃敦煌）自称大都督、大将军、凉公，置官立号，建立政权，史称西凉。盛时有今甘肃西部酒泉、敦煌一带，西抵新疆葱岭。置西海郡，领居延县，辖地包括今额济纳河流域。405 年，迁都酒泉（今甘肃酒泉）。与北凉有和战关系。在沮渠蒙逊攻击下，被迫与之结盟。暠子李歆继位后，对北凉作战。420 年，李歆侦知沮渠蒙逊南伐西秦，于是率军三万往攻北凉都城张掖，途中为蒙逊所败，李歆被杀，失掉酒泉。同年九月，歆弟李恂据敦煌称冠军将军、凉州刺史。421 年三月，敦煌被北凉攻破，李恂自杀，西凉灭亡。

北燕　汉人冯跋所建十六国政权之一[1]。394 年，西燕亡，冯跋任后燕禁卫军将领。后燕主慕容熙荒淫无道，国势不振，民怨沸腾。407 年四月，冯跋等杀慕容熙，拥立慕容云（高云）为主。冯跋以拥立有功，任使持节、都督中外诸军事、录尚书事，实掌军政大权。409 年十月，后燕内乱，慕容云被宠臣离班等杀，冯跋又杀离班诸人，自称燕天王，仍以燕为国号，都龙城（今辽宁朝阳），史称北燕。北燕盛时有今辽宁西南部、河北东北部及内蒙古东南部。实行郡县制，有冀阳郡，领平刚、柳城二县，属平州。辖地当包括今内蒙古赤峰市南段。430 年九月，跋病死，弟冯弘杀跋诸子自立。冯弘之世，遭北魏连年进攻，民户财产颇有损失，国已难立。435 年，弘遣使高句丽，请求出兵援助。436 年四月，北燕又被北魏大军攻击，龙城岌岌可危。五月，高句丽军来迎，冯弘率龙城百姓随其东渡辽水，奔附高句丽。北燕亡，地入北魏。

南北朝时期的割据国，最后逐步被拓跋鲜卑建立的北魏政权消灭，实现了中国北方地区的统一。

四、3 世纪初至 6 世纪末中国北方地区割据政权产生的背景及其特点

3 世纪初至 6 世纪末的中国北方地区，匈奴、鲜卑、羯、氐、羌、丁零、汉等族建立的割据政权林立，并且各种势力之间你征我伐，相互攻击，相互兼并，在大混战中逐步走向统一。其中，一些割据政权的建立，自有其深厚的历史背景和特点。

---

[1]　崔鸿：《十六国春秋》卷 98—100《北燕录》。

南匈奴 匈奴大量内迁是从西汉时期开始的。公元前 121 年，驻牧于甘肃河西地区的匈奴浑邪王杀休屠王降汉，汉朝处置于塞外五郡。公元前 60 年后，匈奴统治阶级内部长期陷入争权夺利的斗争之中，先是五单于争位，后又演变为郅支单于和呼韩邪单于的争夺。公元前 51 年，呼韩邪单于降汉，居光禄塞下。公元 48 年，匈奴分为南、北二部。原呼韩邪单于孙比因不得立为单于，率所统南边八部人降汉，八部大人共推比为单于，比沿用祖父名号呼韩邪，史称为南匈奴。而留在漠北的蒲奴单于，史称为北匈奴。东汉朝廷先把南单于庭设在五原西八十里处，后徙至西河郡美稷（今内蒙古准格尔旗纳林镇古城）。其部众大致处置在："使韩氏骨都侯屯北地（治富平，今宁夏青铜峡南），右贤王屯朔方（治临戎，今内蒙古磴口北），当于骨都侯屯五原（治九原，今内蒙古包头），呼衍骨都侯屯云中（治云中，今内蒙古托克托北），郎氏骨都侯屯定襄（治善无，今山西左云西），左南将军屯雁门（治阴馆，今山西代县西北），粟籍骨都侯屯代郡（治高柳，今山西阳高）。"[1] 东汉政府基本上把南匈奴安置在沿边八郡地区，其目的是以南匈奴作为屏障，防御北匈奴的南下骚扰。大约在 2 世纪中叶，东汉政府又把南单于庭徙至离石北的左国城，从而南匈奴部众由沿边八郡逐渐深入并州诸郡，即山西汾水流域。

东汉末年，黄巾起义爆发，东汉失去了对南匈奴的控制，而南匈奴也与农民起义或地方割据势力联合转战各地，逐渐深入中原地区。至东汉末曹魏初，南匈奴散居于并州五郡（太原、上党、西河、雁门、新兴）及司隶的河东、凉州的安定等郡，形成为一支较为强大的势力。曹操为了牢固控制南匈奴，采取了一系列措施。首先，把南匈奴单于呼厨泉留于邺（今河北磁县南），令右贤王去卑去平阳监其国。之后，又把南匈奴"分其众为五部，各立其贵人为帅，选汉人为司马以监督之"。其五部是：左部居于太原故兹氏县（今山西汾阳南）；右部居于祁县（今山西祁县）；南部居于蒲子县（今山西隰县）；北部居于新兴县（今山西忻县）；中部居于大陵县（今山西文水县东北）。至晋太康时（280—289 年），晋朝统治者又改五部帅为"都尉"。刘渊父刘豹任左部帅，五部中其势力最强。

---

① 《后汉书》卷 89《南匈奴传》。

南匈奴初降汉朝时，与汉朝保持"奉藩称臣"的关系，东汉设护匈奴中郎将于单于王庭，匈奴单于也以藩臣的形式向东汉纳贡。在一定程度上，保存着匈奴原有的社会组织和行政体制。但是，南匈奴的逐渐深入中原地区，不断接触汉族人民，汉族的农业经济、政治和文化的影响日益加深，加之曹魏和晋朝采取的一些措施，使南匈奴内部的社会经济、阶级关系发生变化。从而南匈奴失去了原有的社会组织和行政体制，成为了中原王朝直接统治的"编民"。南匈奴基本上采用了内地封建统治体系，以此来组织或统治部民。在这种历史背景下，南匈奴贵族刘渊举"复呼韩邪之业"的旗帜起兵反晋。对此，刘渊从祖刘宣说的话最能说明这一情况，"自汉亡以来，魏晋代兴，我单于虽有虚号，无复尺土之业，自诸王侯，降同编户"。①

铁弗匈奴　铁弗匈奴是南匈奴与他族融合产生的部落集团，"北人谓胡父鲜卑母为'铁弗'，因以为号"。可见，铁弗是由匈奴与鲜卑族错居杂处而产生的。据史书记载，铁弗匈奴是南匈奴去卑的后裔。216年，曹操把南匈奴单于呼厨泉留于邺（今河北磁县南），令右贤王去卑监国。251年，景王司马师以"去卑功显前朝"，加封其子显号，使居雁门郡（魏治广武，今山西代县西）。铁弗刘虎从父刘猛时任南匈奴北部帅，居于新兴郡虑虒县（今山西五台县东北）以北。由此可知，铁弗匈奴原居于魏、晋时期并州北部地区，即今山西北部内蒙古南部地区。

西晋末年，铁弗匈奴与白部鲜卑勾结，不断骚扰并州北部。310年，晋并州刺史刘琨和鲜卑拓跋部的联兵击破铁弗部，铁弗西渡黄河，进入朔方（今内蒙古河套一带）境内。到359年，刘卫辰为首领时，铁弗部已有户千余，控地东西千余里，成为朔方塞内外较强的一支力量，威胁和制约了拓跋代的发展。367年，拓跋部击败铁弗部，"众军利涉，出其不意，卫辰与宗族西走，收起部落而还，俘获生口及马牛羊数十万头"②；刘卫辰败后依附前秦，把主要精力放在发展经济上。河套地区适合游牧业经济，铁弗匈奴大力发展畜牧业，势力逐步得到恢复。同时，也注意发展农业，从苻坚请田于

---

① 《晋书》卷101《刘元海载记》。
② 《魏书》卷1《序纪》。

内地，春来秋去，进行耕种①。铁弗匈奴这种以游牧业为主，农业为辅的经济特点，与其迁徙及居住环境有密切关系。铁弗部原先是游牧民族，当自汉末迁至内地后，受汉文化影响开始农耕。但被逐出中原徙居河套地区后，适合河套的地理环境特点，重新从事原有的游牧业，社会组织仍是部落组织。

在刘卫辰的这种策略下，铁弗部势力迅速发展，限制了拓跋代的发展，双方发生争斗。374年，什翼犍攻刘卫辰，卫辰向苻坚求救，合击什翼犍，大败代兵。什翼犍率部逃往阴山以北，因受漠北高车部落的侵扰，不久返回云中，被其子实君所杀。秦兵占据朔方、云中后，把这一带划分为两部分：黄河以东云中、雁门一带，包括今呼和浩特平原、乌兰察布丘陵地区，由独孤部首领刘库仁（什翼犍的外甥）驻牧；黄河以西朔方一带，包括今鄂尔多斯高原、乌加河河套一带，由铁弗匈奴刘卫辰驻牧。苻秦在上述地区设置郡县，派官统辖。晋太元十六年（391年），铁弗匈奴进攻拓跋魏失利，"卫辰单骑遁走，为其部下所杀，传首行宫，获马牛羊四百余万头"②。赫连勃勃投奔鲜卑薛干部，后附后秦姚兴。勃勃依附后秦时，北方局势有了变动。柔然社仑于402年建立汗国，统一了蒙古高原；北魏灭后燕占据了太行山以东地区，并把都城迁至大同；而后秦仍居关中地区，以长安为都。这三国成为鼎立之势，有时互相联盟，有时互相残杀，无暇顾及河套地区。407年，勃勃趁机叛后秦，聚集旧部，建立了大夏国。

慕容鲜卑　慕容鲜卑属于东部鲜卑，系东胡后裔。祖先也是从鲜卑山分衍出来的，后分布于饶乐水，即今西拉木伦河流域。东汉桓帝时（147—167年）鲜卑首领檀石槐建立部落军事大联盟，其中部大人有三，即柯最、阙居和慕容。对于中部大人的慕容，《资治通鉴》胡三省注认为就是后来的慕容鲜卑③，近来大多数学者也认同这一看法。

大约3世纪30年代左右，慕容廆的曾祖莫护跋率领部落进入辽西郡。238年，随司马懿击辽东公孙渊，始居于大棘城之北（今辽宁阜新市附近）。莫护跋二传至涉归时，又迁居于辽东郡（今辽宁辽阳市）之北。284年，慕

---

① 《晋书》卷113《苻坚载记》。
② 《魏书》卷95《铁弗刘虎传》。
③ 《资治通鉴》卷81胡注云、王沈：《魏书》记檀石槐中部大人有慕容，"是则慕容部之始也"。

容廆继位后降晋，并以辽东僻远为由迁居于徒河之青山（今辽宁义县境内）。294 年，慕容廆又南下徙居于棘城（今辽宁锦州市附近）。慕容廆以此为基地，努力整顿吏治，网罗人才，对人民"教以农桑法制"。经过几十年的整顿休养，慕容鲜卑势力日益强盛。这对于坐镇辽东的平州刺史崔毖而言，是个极大的威胁。所以，他唆使段部、宇文和高句丽联合攻慕容廆，结果大败，崔毖弃辽东奔高句丽。慕容廆从此尽有辽东之地，做了平州刺史，并于 338 年自称燕王。

最初，慕容鲜卑在东部三部鲜卑中势力最弱，不如宇文和段部鲜卑。但后来逐渐强大，先后击败了宇文和段部。其原因在于：首先，慕容廆进居棘城后，整顿内政，安辑流亡。时值长安、洛阳被刘渊击破，幽、翼州被石勒攻陷，中原汉族为了逃避战乱被迫离乡流亡。当时慕容廆恰好广招人才，安抚亡散，因此数十万家流亡者扶老携幼，聚集辽东地区。辽东地区原本土广人稀，农业也不像中原那么发达，这些流亡者的到来不仅给辽东地区带来了新的生产技术，而且补充了足够的劳动力。其次，掌握了辽东地区宜于农耕的特点，大力提倡农业发展。慕容廆时"辽川无桑，及廆通于晋，求种江南，平州桑悉由吴来"。慕容皝时"苑囿悉可罢之，以给百姓无田业者"；"贫者全无资产，不能自存，各赐牧牛一头"；"若私有余力，乐取官牛垦官田者，其依魏晋旧法"；"百工商贾数，四佐与列将速定大员，余者还农"等①。由此可见，慕容鲜卑基本上由畜牧业经济转变成了农耕经济。

拓跋鲜卑　关于拓跋鲜卑的族源，据《魏书·序纪》记载："昔黄帝有子二十五人，或内列诸华，或外分荒服，昌意少子，受封北土，国有大鲜卑山，因以为号。"认为拓跋鲜卑的远祖系汉族祖先黄帝后裔，这显然是拓跋鲜卑进入中原后，受汉文化影响并为证明其正统性而有意杜撰的。拓跋鲜卑亦系东胡后裔。《魏书·序纪》记载，拓跋鲜卑发祥于大鲜卑山。据考古发现，大鲜卑山即今内蒙古呼伦贝尔鄂伦春自治旗阿里河西北十公里嘎仙洞②附近。首领推寅时，"南迁大泽，方千余里"，即从大兴安岭迁徙到了呼伦湖地区。到了首领洁汾时，再次南迁，"始居匈奴之故地"，即阴山北部一

---

① 《晋书》卷 109《慕容皝载记》。
② 米文平：《鲜卑石室的发现与初步研究》，《文物》1981 年第 2 期。

带。至此，拓跋鲜卑完成了由大兴安岭北部西南迁至呼伦湖地区，再辗转南迁阴山北部一带的世纪大迁徙。时间大概从西汉末年到东汉末年。

220年，拓跋鲜卑首领力微被其他部落所侵，国民离散，依附于没鹿回部大人窦宾。248年，窦宾死，力微杀其二子，尽并其众，拥有"控弦上马二十余万"。258年，力微入居定襄之盛乐（今内蒙古和林格尔县土城子古城），送长子沙漠汗质于晋朝，与晋"聘问交市，往来不绝"。晋帝也厚礼护送沙漠汗回国，双方和睦相处。力微经过几十年的生息繁衍，势力日益强大，对晋朝构成威胁，于是晋朝开始采取一些相应的对策。并州刺史卫瓘先贿赂诸部大人，让他们谗言于力微，杀死沙漠汗；然后再贿赂乌桓王库贤，让他赶走诸部大人。力微果然中计，于278年杀死沙漠汗，诸部大人也怕乌桓王的杀害，各个散走。是年，力微死。力微之后继任的悉鹿、绰和弗时期，内部局势不稳，继位斗争时有发生。到了首领禄官时部落分为三部，力微子禄官统领一部居东，在上谷、濡源（今河北丰宁县）西，东接宇文部；沙漠汗长子猗㐌统领一部居中，在代郡之参合陂（今内蒙古凉城县岱海）北；猗㐌弟猗卢统领一部居西，在盛乐故城。4世纪初，禄官和猗㐌相继死去，猗卢总摄三部，拓跋部开始强盛。此时，西晋已是强弩之末，司马氏骨肉相残，匈奴刘渊在离石称汉王，晋朝统治开始动摇。猗卢借此机会，助晋讨白部鲜卑、铁弗匈奴、刘渊等，不断向南扩展势力，于315年建立代国。

代国自从建国到灭亡，一直停留在今内蒙古中西部和山西、河北北部地区。这一地理环境决定了它的游牧、农耕兼营的经济特点。拓跋鲜卑入居并、幽州北部地区后，才开始学会了农耕，拥有了一定的农业。除了这些少量的农业以外，在整个经济中游牧业仍占据主导地位。拓跋部是十六国时期最晚进入中原的北方民族，同汉族的经济、政治和文化等仍有一定的差别。

秃发鲜卑　清代学者钱大昕认为："秃发之先与元魏同出，'秃发'即'拓跋'之转，无二义也。古读轻唇音如重唇，故赫连'佛佛'则为'勃勃'。'髪'从'发'得声，与'跋'音正相近。魏伯起书尊魏而抑凉，故别而二之。晋史亦承其说。"[1] 即秃发鲜卑与拓跋鲜卑同源，亦属东胡后裔。准确地说，秃发源自拓跋。

---

[1]　钱大昕：《廿二史考异》卷22。

　　《晋书·秃发乌孤载记》记载："八世祖匹孤率其部自塞北迁于河西。"
可知，秃发鲜卑是在八世祖匹孤时，由塞北迁往河西地区的。唐林宝撰
《元和姓纂》卷十云："圣武帝诘汾长子疋孤，神元时率部众徙河西。"疋孤
即匹孤，是拓跋鲜卑首领诘汾的长子，证明秃发鲜卑源自拓跋鲜卑。神元是
指诘汾另一子神元皇帝力微，那么，迁徙时间是在力微在位期间（220—278
年）。据此可知，拓跋鲜卑先从大兴安岭北部迁至塞北，即阴山北部地区，
之后匹孤率所属部众入居河西地区，其主要游牧地大致在甘肃平凉西北的牟
屯山、靖远北的麦田城，西至今青海湖东，南到今青海贵德，北接今腾格里
沙漠、巴丹吉林沙漠①。

　　270 年，以秃发匹孤曾孙树机能为首的西北民族，掀起了反晋斗争。
279 年十二月，晋朝派遣马隆率军讨树机能，结束了这场长达十年的反晋斗
争。之后，秃发部开始衰弱。385 年，吕光建立后凉后，征服了秃发部。
386 年，秃发部首领思复鞬死，子乌孤继位，"部众稍盛"。乌孤继位后不急
于进攻凉州，而是听从了纷陁的建议，"宜先务农讲武，礼俊贤，修政刑"，
内部整顿，秣马厉兵等待时机。经过十余年的发展，秃发部在后凉东南的广
武一带逐渐强盛起来。乌孤先向西进军战胜乙弗和折掘二部鲜卑，筑廉川堡
（今青海乐都东北）以都之。随后，控制了河西诸部鲜卑，于 397 年叛后
凉，建立南凉。

　　秃发鲜卑是从塞北拓跋鲜卑分出来的一支，当其迁至河西地区后主要仍
从事着游牧经济。但是迁入雍、凉二州之后，与汉、羌等民族杂居，开始经
营农业。《晋书·秃发乌孤载记》说，乌孤继位后"务农桑，修邻好"。这
六字过于简约，但道出了非常重要的信息，说明秃发鲜卑控制范围内也有农
业经济，而且占据着非常重要的地位。

　　乞伏鲜卑　乞伏部源自鲜卑，与高车诸部也有密切关系。据《晋书·
乞伏国仁载记》载："在昔有如弗（与）斯（引）、出连、叱卢三部，自漠
北南出大阴山，……时又有乞伏部有老父无子者，请养为子，众咸许之。"
乞伏部与斯引、出连、叱卢等三部一起，从漠北迁至大阴山。叱卢氏应该是

---

　　①　周伟洲：《南凉与西秦》，广西师范大学出版社 2006 年版，第 9—10 页。

高车吐卢氏①，并且乞伏部中也有很多屋引氏、翟氏、乙旃氏等高车部人。可见，乞伏鲜卑与高车部有着密切关系。高车部当时活动在贝加尔湖一带，这与乞伏鲜卑从漠北迁出恰好吻合。依此推测，乞伏部初在漠北地区，靠近高车部或与高车诸部一起游牧，然后迁至大阴山地区。乞伏部的迁徙与拓跋鲜卑有很多相似之处。拓跋鲜卑迁居呼伦湖地区，生息繁衍，"至献帝时，七分国人"，之后组成"宗族十姓"。其中，纥骨和乙旃二姓是高车姓②，说明拓跋部也与高车部接触过。

乞伏鲜卑迁至大阴山后，进入河套地区，又沿着贺兰山、宁夏清水河南迁，入居甘肃苑川一带，即史书所称陇右地区。符坚建立前秦后，击灭前凉张氏，尽有陇右之地，乞伏鲜卑也被符坚征服。376年，乞伏国仁继承父业，仍为前秦镇西将军，借前秦之强盛，逐渐发展自己的势力。淝水之战前夕，国仁叔父步颓反于陇西，符坚遣国仁镇压步颓。国仁不但没有镇压步颓，反而与步颓一起预谋反前秦。时值符坚淝水战败，两年后被姚苌杀于新平。国仁遂自称秦王，建立西秦。

陇右地区自东汉末年盛行坞堡经济，不仅有许多占有庄园、领有部曲的汉族豪强地主，而且还有一些早已汉化的其他民族豪强地主。这些必然对乞伏鲜卑产生影响，他们逐渐由游牧转向定居，开始从事农业。但有些鲜卑部落受自然条件的限制，仍以游牧为生，如青海湖一带的鲜卑诸部。

羯族　《晋书·石勒载记》记载，石勒"其先匈奴别部羌渠之胄"，又载"石勒出自羌渠"。《晋书·北狄传》中记载了北狄19种内迁，其中就有羌渠种。可见，石勒的族源是北狄19种之一的羌渠无疑。羌渠即康居，应该是同名异译③。《魏书·羯胡石勒传》记载，石勒"其先匈奴别部，分散居于上党武乡羯室，因号羯胡"。据考证，"羯室"是突厥语"Tash"（义为"石"）之对音，《隋书·西域传》译其为石国。石国是指今中亚的Tash-kend（石城），当时石国统摄于康居④。这种解释又可以把石勒的"石"姓与他的原居地联系在一起。由此可见，石勒原籍康居，然后迁徙至上党郡之

---

①　《魏书》第24校勘记，中华书局点校本1974年版，第2318页。

②　姚薇元：《北朝胡姓考》，科学出版社1958年版，第9、21页。

③　姚薇元：《北朝胡姓考》，科学出版社1958年版，第355—358页。

④　马长寿：《北狄与匈奴》，广西师范大学出版社2006年版，第95页。

武乡。

羯胡迁至上党武乡之前，在蒙古高原上停留了一段时间。《晋书·石勒载记》记载，石勒"使其将张斯率骑诣并州山北诸郡县，说诸胡羯，晓以安危"①。又《魏书·序纪》载："会石勒擒王浚，国有匈奴杂胡万余家，多勒种类，闻勒破幽州，乃谋为乱，欲以应勒，发觉，伏诛。"②《晋书》说并州山北诸郡县中有胡羯，《魏书》也说代国中有石勒种类，说明当时在蒙古高原上有很多羯胡居住。至此，我们大致可以判断羯胡迁徙的路线，先从康居迁至蒙古高原，然后又从蒙古高原迁入了上党武乡。羯胡迁入上党武乡之后建立后赵之前的历史，史书未详细记载，故不得而知。迁至内地的羯族的经济生活，与迁入并州地区的南匈奴差不多，适合当地地理环境和自然条件，由原来的游牧逐渐转变为定居。

各政权特点　魏晋南北朝时期，无论中原内地还是北方草原地区，都没有一个长期统一的政权，处在比较混乱的历史阶段。北方游牧民族由于部众繁盛、内部分裂或遭受自然灾害等原因，纷纷迁出原居地；而中原汉族或其他民族统治贵族为了借助北方游牧民族势力保守一方，或者出于防止后患、离散部落等原因纷纷内迁北方游牧民族。在这种大的历史环境下，北方诸游牧族大批进入中原地区，与汉人及其他民族中的统治阶级结成雄踞一方的政治势力，趁中原战乱纷纷建立地方政权。

魏晋南北朝时期北方游牧民族建立的诸割据政权，受中原政治文化影响，大都仿照汉族封建国家设立了自己的国号和年号。北魏崔鸿修《十六国春秋》时为了区别各政权，在各国号前加了前、后、南、北、东、西等定语，后人大多沿袭其说，所以形成了现在的十六国之称。从中国古代北方诸游牧民族建立政权所采用的年号看，也与中原统一王朝相仿，多取吉祥之意。如汉有元熙、永凤、河瑞、光兴、嘉平、建元、麟嘉、汉昌；前赵有光初；后赵有太和、建平、延熙、建武、太宁、青龙、永宁（后赵自319年至327年未建年号）；夏有龙升、凤翔、昌武、真兴、承光、胜光；前燕有燕元、原玺、光寿、建熙（前燕自337年至348年未建年号）；后燕有燕元、

---

① 《晋书》卷104《石勒载记》。
② 《魏书》卷1《序纪》。

建兴、永康、建平、长乐、光始；南燕有燕元、建平、太上；西燕有燕兴、更始、昌平、建明、建平、建武、中兴；代有建国（代自315年至337年未建年号）；南凉有太初、建和、弘昌、嘉平（南凉自404年二月至407年十一月因降于后秦，故无年号）；西秦有建义、太初、更始、永康、建弘、永弘（西秦自400年七月至409年九月降于后秦，故无年号）等年号。

十六国时期，种族繁多，政权林立，各政权主要是继承了汉、魏、晋以来内地政权的制度，各个职官的名称、职能等也没有太大的变更。在中央主要承袭了魏晋以来设置的尚书、中书、门下三省及御史台的机构，也有的采取了汉朝时期的丞相、御史大夫、太尉及六卿等中枢之官；在军事上设有魏晋以来所谓"四大将军"（上将军、骠骑、车骑、卫大将军）、"四征"、"四镇"、"四安"、"四平"将军，还有很多杂号将军名号；在地方行政制度上主要使用了州、郡、县三级制，但具体设置上诸政权也有所差别，如有的采取州郡二级制，有的采取郡县二级制，但也有的采取了州郡县三级制。这些政权大多兼有游牧文化和农耕文化人群，整个社会多处于多种经济形态和社会制度混杂阶段，有些则处在从游牧社会向农耕社会的转变过渡阶段。总体来讲，这些由游牧民族建立的政权，受中原政治、军事、经济、文化的影响日益加深。

关于继承王位制度。各族贵族建立政权时，大多先自称"大单于"，之后才称王称帝。刘渊在左国城自称"大单于"；赫连勃勃建国大夏，自称为"天王、大单于"；慕容廆在辽东起兵，自称"鲜卑大单于"；西秦乞伏国仁、南凉秃发乌孤也自称"大单于"。"单于"之称源自匈奴，是指匈奴的最高统治者，十六国时期其他民族沿袭了此号。这时期"单于"之称不仅指本民族的最高统治者，还指管辖某个部族或多个部族的总首领，如"鲜卑大单于"、"丁零大单于"、"都督六夷"或"镇抚百蛮"的单于等。而后称王称帝，也可以看出中原文化的影响。

各贵族建国称皇帝后受汉族封建典章制度的影响，立"皇太子"。与此同时，也要立一个"大单于"（单于台的最高行政长官）统率汉族以外其他民族部落，并掌握着国家的兵权。"皇太子"和"大单于"谁继承王位不明确，按制度应该"皇太子"继位，但实际上"大单于"往往利用掌握兵权夺取王位，而且认为继任大王位是天经地义的。如刘渊称帝，立子刘和为皇太子，立子刘聪为大单于。刘渊死后，刘和继位，但不到一年被刘聪所杀，刘聪称帝。前赵刘曜称帝，立子刘熙为皇太子，立另一子刘胤为大单于，刘熙、刘胤未能继任之前前赵就灭亡了。后赵石勒称帝，立子石弘为皇太子，立另一子石宏为大单于。当石勒死后，石勒养子石季龙以"大单于之望，实在于我"为由，杀死石弘、石宏称帝，立子石宣为皇太子，兼任大单于。后燕慕容垂称帝，立子慕容宝为皇太子，兼任大单于。刘聪、石季龙、慕容垂等人把皇太子和大单于二职让一人兼任的目的，可能是吸取经验教训，避免争夺王位的事情再次发生。此外，有些政权中仍保留着游牧政权时期的兄终弟继或长者继承制。如西秦乞伏国仁死后，弟乾归继任；南凉秃发乌孤死后，弟利禄孤继位，利禄孤死后，弟傉檀继位。由此可见，在继承王位问题上，诸政权虽然受中原汉族封建制度的影响，制定了皇太子继位制度，但实际运行当中仍残留着游牧政权的特点。

关于"胡汉分治制"。十六国时期很多政权有专门处理汉族以外其他民族事务的机构，就是单于台。单于台始设于汉、赵国时期，以后所建政权不同程度地沿袭了这一制度。《晋书·刘元海载记》记载："聪为大司马、大单于，并录尚书事，置单于台于平阳西"①；又同书《刘聪载记》记载："单于左右辅，各主六夷十万落，万落置一都尉。"② 单于台一般设置在都城附近。单于台的最高行政长官是大单于，在大单于之下，又置单于左、右辅，前赵时期改为左、右贤王。左、右辅各统"六夷"十万落，各万落上设有"都尉"。此"都尉"一职，可能借自汉魏时期把南匈奴分为五部后设置的"都尉"一官。可见，单于台是以游牧民族固有的"万落"为行政单位。单于台统治的是"六夷"、"百蛮"，即汉族以外的其他民族。后赵、西秦、南凉、大夏、诸燕政权，虽然史籍未见他们设置单于台的记载，但从设立"大单于"一职来看，上述政权都用不同的形式继承了这一制度。其中，后燕慕容宝设置"燕台"来"统诸部杂夷"，这个"燕台"实际上就是单于台，慕容熙继位后即把"燕台"改为了大单于台。这一制度较好地解决了十六国时期特定的历史环境之下复杂的民族关系。

---

① 《晋书》卷101《刘元海载记》。
② 《晋书》卷102《刘聪载记》。

魏晋南北朝时期的许多割据政权实行"胡汉分治"的统治政策。特点之一是胡人当兵、汉人种田①。在十六国时期，各政权的军队均以本民族和其他部族部落兵为基干，宗族为将领。大单于不仅统领"六夷"、"百蛮"，而且掌握国家的兵权。从四处掠夺过来的人主要服劳役、兵役或耕种田地，专门供应军国需求。《晋书·秃发利禄孤载记》的一段记载最能说明这一问题。"昔我先君肇自幽朔，被发左衽，无冠冕之仪，迁徙不常，无城邑之制，用能中分天下，威振殊境。今建大号，诚顺天心。然宁居乐土，非贻厥之规；仓府粟帛，生敌人之志。且首兵始号，事必无成，陈胜、项籍，前鉴不远。宜置晋人于诸城，劝课农桑，以供军国之用，我则习战法以诛未宾。若东西有变，长算以縻之；如其敌强于我，徙而以避其锋，不亦善乎！"②让晋人"劝课农桑，以供军国之用"，而南凉统治者则"习战法以诛未宾"。十六国时期史书经常有"徙民"记载，说明迁徙人口几乎不同程度地存在于十六国当中。十六国时期各政权经常发动对邻近国家或部落的战争，俘获大批人口，将其迁徙到国内中心或其他地方，其主要目的之一，就是让他们供应军国所用。

关于设立左、右司隶制度。《晋书·刘聪载记》记载，嘉平四年，刘聪"置左右司隶，各领户二十余万，万户置一内史，凡内史四十三"③。这一制度糅合了匈奴原有的以万户为单位的行政制度和汉族汉魏以来的地方行政制度。所置左、右司隶各领20余万户，以万户为单位，置1内史，共43内史，即43万户。这四十三万户应该是汉国不断从四周掠迁而来的，其中主要是"晋人"。如312年，刘曜"驱掠（长安）士女八万余口退还平阳"；随后攻怀城，城陷，徙"二万余户于平阳县"等④。汉政权以后建立的政权有没有设置左、右司隶，因史料未载，不得而知，但用不同的形式沿袭此制度是有可能的。

3至6世纪（魏晋南北朝时期），从蒙古高原南进或南迁中原内地的北

---

① 东魏大臣高欢语。《资治通鉴》卷157，第4882页。
② 《晋书》卷126《秃发利禄孤载记》。
③ 《晋书》卷102《刘聪载记》。
④ 《晋书》卷102《刘聪载记》。

方游牧民族，包括在内蒙古地区南缘地带活动的各个游牧民族及其建立的政权的大体特点是，政治上更多接受了中原典章制度的影响，筑城实行郡县制，采用汉地官职名称，使用汉字年号；经济上由于统治方式的改变和地理环境的变化，有的在保留畜牧业的同时，也兼营农业，有的更整体由游牧业向农业转化。由于阴山以南至黄河流域地域空间的相对狭小、活动范围的不断变更以及地域文化的多样性特点，各游牧部落之间、游牧民族与农耕民族之间战争或和平交往的机会远远多于地域相对广袤、文化相对单一的草原时代，因此，各游牧民族间尤其是游牧民族与农耕民族间的相互融合、相互影响也远远多于以前。经过这一历史时期的民族大融合，进入中原的北方各游牧民族更多地接受了汉文化的熏陶和浸染，原生游牧文化的许多内容和特性由于脱离了地域和人文环境而逐步消泯。继匈奴、鲜卑等北方各游牧民族以内蒙古高原为跳板进入中原以后，汉文献当中又记载了新出现的一些北方各族。

第二节　3世纪初至6世纪末内蒙古地区新出现的各民族

公元3世纪初至6世纪末，随着匈奴、乌桓和鲜卑等族的大批南迁入塞，在从东到西的内蒙古土地上又出现了契丹、库莫奚、乌洛侯、室韦、柔然、敕勒和突厥等族。

一、契丹和库莫奚

"契丹"一名，北魏道武帝拓跋珪登国三年（388年）始见于史籍①，含义有"镔铁"、"钢铁"、"刀剑"、"大中"等诸说。

契丹是东胡系鲜卑人后裔。库莫奚大概是鲜卑化匈奴人的后裔。契丹和库莫奚都是起源于内蒙古高原东部的游牧民族。魏晋时期，契丹与库莫奚同在鲜卑宇文部名下。十六国时期，东部鲜卑人中的宇文部、段部和慕容部经常发生战争。344年，宇文部被慕容部击破以后，一部分部众窜居松漠之

---

① 关于3至6世纪契丹和库莫奚史实，参阅《魏书》、《北史》之《契丹传》和《库莫奚传》。

间，以契丹和库莫奚的名号出现。又据史书记载，契丹祖先驻牧于松漠一带，潢河（今内蒙古西拉木伦河）、土河（今内蒙古老哈河）之间。库莫奚东邻契丹，驻牧地在西拉木伦河上游南部地区。

北朝初期，契丹始祖奇首可汗所生八子组成悉万丹、何大部、具伏部、郁羽部、日部、匹洁、黎、吐六于诸部，称古八部。北魏太武帝太平真君（440—451 年）以来，朝贡于魏，以名马、文皮在和龙（辽宁朝阳）、密云等地与中原进行贸易交换。5 世纪末期，万余口契丹人因惧怕柔然人和高丽人的侵扰，南徙白狼水（今大凌河）以东地区。没有迁徙的契丹余部居留松漠一带。6 世纪 50 年代，北齐出兵击破契丹，把掳获的 10 余万契丹人分别安置在营州（治所在今辽宁朝阳）和安州（治所在今河北隆化）。未被强迁的契丹人，迫于突厥的侵逼，又以万余家寄居高丽。留在西拉木伦河、老哈河一带的契丹人则降附了突厥。

北朝初期，库莫奚的驻牧地在西拉木伦河上游以南地区。5 世纪 80 年代，库莫奚人稍向南迁，与北魏安州、营州的边民毗邻而居。二州边地与今内蒙古的赤峰及通辽南部旗县相接，则库莫奚人大致在老哈河上游以西至滦河上游之间，与北魏的郡县之民交错而居。至 498 年，库莫奚脱离北魏控制，向北迁还故地。6 世纪初，库莫奚又南徙北魏州郡塞外，活动地区包括今赤峰市南部。东魏武定（543—549 年）年间，库莫奚驻牧地南接幽、安、定三州之北，已经进入河北北部地区。北齐年间，部分库莫奚人已迁徙到代郡以北地区。552 年，北齐击破这部分库莫奚人，把俘获的人口安置在太行山以东地区。除迁入内地的库莫奚人以外，赤峰南部一带仍留居着部分库莫奚人，隋唐时见诸史籍。

二、乌洛侯与室韦

乌洛侯见于《魏书》记载①，是较早同北魏建立联系的室韦部落。研究者将乌洛侯一名的含义与蒙古语词联系在一起，有的认为是蒙古语"红"的意思，有的解释成是蒙古语"山里人"之意。南北朝时期"乌洛侯"的音值可构拟作 * O-lak-γu，不可能和《蒙古秘史》时代的蒙古语词 hulaḫan

---

① 关于 3 至 6 世纪乌洛侯和室韦史实，参阅《魏书》、《北史》之《乌洛侯传》和《室韦传》。

（红）及 ahula（山）、kühün 或 kümün 等对音，结论是靠不住的。

北魏太平真君四年（443 年），乌洛侯派使者与北魏王朝建立联系。入贡北魏的乌洛侯使者说在乌洛侯居地的西北有鲜卑拓跋部先祖石室。于是，太武帝拓跋焘派中书侍郎李敞前往祭祀，并在石室壁上刊刻了祝文。近年的考古发现证实，位于今呼伦贝尔市鄂伦春旗阿里河镇西北 10 公里的嘎仙洞，就是乌洛侯人所说的拓跋鲜卑祖先"旧墟石室"。依据这个可靠的地理坐标可以确定，乌洛侯人的居地当在今嘎仙洞东南的甘河流域两岸。另据《魏书·乌洛侯传》记载，乌洛侯居地"西北有完水，东北流合于难水，其地小水皆入于难，东入于海。又西北二十日行有于巳尼大水，所谓北海是也"。完水，即今额尔古纳河及黑龙江，难水，即今嫩江及第一松花江；于巳尼大水，可能指今贝加尔湖。从乌洛侯居地多河流，并且均注入今嫩江来看，乌洛侯居地南界应到诸敏河流域，西界大兴安岭山中。

乌洛侯与北魏有了交往之后，到东魏武定二年（544 年），北朝可能一直称嫩江流域及以西大兴安岭山中的室韦部落为乌洛侯。武定二年，室韦朝贡东魏，室韦一名始见于史，并与东魏建立了通贡关系。此后，室韦成为大兴安岭地区东胡后裔诸部落的泛称。

"室韦"又作"失韦"，见于 6 世纪中叶，隋代以后史书统作"室韦"。失、室同音，《广韵》俱作式质切。"室韦"一词的含义，论者多认为是蒙古语 Siɣui（森林）的对音。我们认为，伯希和的说法较为可靠，即室韦和鲜卑的译名根据相同，都是＊Sirbi、＊Serbi 或＊sirvi。室韦名称的原初含义，文献失载，已难稽考。关于室韦的起源，大致有肃慎，丁零，豕韦，自成一系，来自东胡、匈奴和鞑靼，东胡、勿吉—鞑靼、突厥语族民族综合体等诸说。从主体来看，室韦应是南北朝时期居住在今大兴安岭地区的东胡鲜卑后裔。

据《魏书》记载，东魏武定二年（544 年），室韦始同中原政权建立联系。北朝时，室韦居地在契丹以北。境内有从北向南流，宽四里有余的捺水，即今嫩江。当时，乌洛侯南界达诸敏河流域，室韦的东邻豆莫娄人活动在嫩江中下游东岸的松嫩平原上，则室韦人主要在嫩江中下游以西地区居住。

室韦人经常入贡北朝，大体沿今大兴安岭山脉东麓而行，从嫩江中游西岸一带南下，经刃水、屈利水、犊了山、盖水、啜水等山川河流，进入契丹地界，然后入塞。刃水等河流，研究者意见不一致，虽不能确指系今哪一条河，但均流经内蒙古东北部地区是可以肯定的。其中，啜水是一条较重要的河流。从《魏书》自如洛瑰水（今西拉木伦河）到太鲁水（今洮儿河）需行15日，至啜水需行10日的记载可知，洮儿河以南的霍林河是啜水的可能性较大。

南北朝时期的室韦人初见于史，文献的记载还十分简略。到隋唐时期，史书中的室韦部落有了很大的发展。

三、地豆于

首见于《魏书》记载①，《北史》作地豆干。地理位置在室韦西千余里，大约在今锡林郭勒草原东部。以游牧为主，多牛羊，产名马。用畜兽皮做衣服，无五谷，食肉饮酪。北魏延兴二年（472年）通使北魏，与中原王朝建立联系，直到太和六年（482年）贡使不断。太和十四年（490年）始，频繁侵犯北魏边塞，被征西大将军元颐击溃。此后时常朝贡，直至东魏武定末年，贡使不绝。北齐替代东魏后，亦曾朝贡。流向尚不清楚，一说即唐代突厥文《阙特勤碑》和《毗伽可汗碑》中的tataby，一说为隋唐时见载史籍的霤。

四、柔然与柔然汗国

柔然，北魏拓跋焘改用音近而有贬义的"蠕蠕"，《晋书》记作"蝚蠕"，《宋书》、《南齐书》、《梁书》记为"芮芮"，《北齐书》、《周书》、《隋书》记作"茹茹"。这些不同汉字译写形式，当源自不同历史时期不同地域汉语方言。从北朝鲜卑人与柔然同族、地缘相近、语言相通看，应以北朝史书所记接近柔然名号原音。柔然一名含义，中外学者有蒙古语"贤明"（白鸟库吉）、"法则"（藤田丰八）、阿尔泰语的"异国人"或"艾草"（内田吟风）、北域、山脉诸说，因仅凭对音，无可靠文献证据，尚难定论。其族源族属，《魏书》称属"东胡之苗裔"，与鲜卑同源；《宋书》、《梁书》

---

① 《魏书》卷100《地豆于传》。

说是"匈奴别种"；《南齐书》指为"塞外杂胡"。研究者在谈到柔然时多将它列属东胡系部族，可以理解为其统治核心是与鲜卑接近或鲜卑化的"胡"人，而实际上同"匈奴"等一样，在"柔然"名下囊括的民族成分颇为复杂多样。

柔然兴起于内蒙古乌兰察布高原，5世纪初在漠北立国。① 据史书记载，3世纪末（拓跋力微时），柔然始祖木骨闾为拓跋鲜卑人奴隶，成人后免除奴隶身份而为骑卒。4世纪初（拓跋猗卢时，304—316年），木骨闾延误军期，按照法律应当处斩，于是畏罪逃匿于沙漠山谷间，纠集逃亡者百余人，依附游牧于女水（今武川县枪盘河）一带的纥突邻部。至木骨闾子车鹿会时，开始拥有部众，自号"柔然"。后向北迁徙，在意辛山（今内蒙古达茂旗西拉木伦河流域一带）驻牧，隶属于拓跋鲜卑，每年向拓跋魏统治者进贡畜猎品。柔然人以逐水草而居的游牧经济生活为主，驻牧地域随季节不同而有所变化，"冬则徙度漠南，夏则还居漠北"。车鹿会下传四世，柔然有了一定发展，所控地域分东、西两部分，首领匹候跋率部居于东边，缊纥提统众居于西部。376年，拓跋鲜卑什翼犍死，西部柔然投附铁弗匈奴刘卫辰而脱离拓跋部控制。391年，东、西柔然遭拓跋魏攻击，重又降附。394年，西部柔然缊纥提子曷多汗与兄社仑率部弃父西走，被北魏兵杀死，部众死伤大半。社仑转奔东部柔然匹候跋，被安置于驻牧地南边。不久，社仑杀匹候跋，兼并东部柔然余众，大掠五原以西诸部，北渡大漠。402年，社仑远遁至漠北，进入高车（敕勒）腹地，兼并诸部，势力大振，北徙弱洛水（今蒙古国土拉河），立军法。稍后，于颇根河（今鄂尔浑河）大破来攻的匈奴余部，尽并其众。又四出征服所邻部落，达到强盛。于是，社仑在弱洛水畔立庭帐，自号丘豆伐可汗，建立了以郁久闾氏为核心包括北方诸游牧部族的柔然汗国。柔然汗国盛时疆域："其西则焉耆之地，东则朝鲜之地，北则渡沙漠，穷瀚海，南则临大碛；其常所会庭，则敦煌、张掖之北。"大体北到贝加尔湖，南抵阴山北麓，东达大兴安岭，西迄准噶尔盆地和伊犁河流域，并曾进入塔里木盆地。内蒙古高原上的北方各族如契丹、库莫奚、室韦等及西域诸城邦国如焉耆、鄯善、龟兹、姑墨以及东道诸国，都曾隶属于柔然。

---

① 柔然史实，参阅《魏书》、《宋书》、《南齐书》、《梁书》等相关传记。

5世纪开始，柔然与北魏兵燹连年，相互攻战；与羌人姚氏所建后秦（都长安）和汉人冯氏所建北燕（都和龙）及南朝宋、齐、梁诸政权则通好和亲，意在牵制北魏。

北魏永兴二年（410年），社仑扰边，死于败退途中，部众立社仑弟斛律为蔼苦盖可汗。斛律北并贺术也骨国，东破譬历辰部。不久，柔然贵族内讧，统领别部镇守西界的大檀得立为牟汗纥升盖可汗。大檀继位后，频繁侵扰北魏边地，双方征扰不断。北魏始光元年（424年），大檀率6万骑深入云中（秦汉时今内蒙古托克托县古城村古城），攻陷盛乐宫（今内蒙古和林格尔县土城子古城），来征的北魏世祖拓跋焘，被柔然骑兵围困五十余重，后解围去。次年，大檀闻北魏兵分五路汇聚漠南，惊骇北走。429年，柔然汗庭遭北魏两路大军攻击，部众四散，损失惨重，大檀绝迹西走，不知去向。高车等部乘北魏兵势，大杀柔然，前后归降北魏的柔然人达30余万，柔然力量开始削弱。不久大檀发病而死，子吴提立，号敕连可汗。吴提为免遭北魏进一步打击，遣使朝贡，双方一度和好。北魏延和三年（434年），吴提娶北魏西海公主，拓跋焘纳吴提妹为左昭仪，柔然数百人朝魏，献马二千匹，北魏回赠甚厚。436年，柔然绝和犯塞，双方你征我扰，不得安宁。444年，吴提死，子吐贺真立，号处可汗。处可汗在位期间（444—464年），柔然遭北魏多次征讨，损失人畜百余万，不复南掠。464年，吐贺真死，子予成立，号受罗部真可汗。470年，柔然侵北魏边塞，北魏献文帝亲征，与诸将会军于女水（武川县枪盘河）之滨，柔然多受北魏奇兵诱惑，战死五万人，降万余人，北退三千余里。北魏因这次战役胜利，改女水为武川，即今呼和浩特市武川名称的由来。此后，柔然请和，岁贡不绝。北魏太和九年（485年），予成死，子豆仑立，号伏古敦可汗，建元太平元年。豆仑性情残暴、嗜杀成性，属下数以忠言谏止，又劝与北魏和亲，不事侵扰，均遭杀害。492年，北魏七万骑侵入柔然，属部高车首领阿伏至罗乘机率十余万落摆脱柔然控制，自立为主，削弱了柔然的统治。豆仑与叔父那盖分道追赶，豆仑频为阿伏至罗所败，那盖屡获胜。柔然部众以那盖得天助，欲推以为主，那盖不从，众杀豆仑母子，那盖方继位，号候其伏代库者可汗，建元太安元年。那盖死后，子伏图立，号他汗可汗，建元始平元年（506年）。继位之初，伏图遣使朝献，请求通使和亲，遭北魏世宗拒绝。508年，伏图又遣使奉函书，献貂裘，向北魏请和而不成。后伏图在西征高车时被杀，子丑奴立，号豆罗伏跋豆伐可汗，建元建昌元年。511 年后，丑奴屡遣使朝贡北魏，又西征高车，擒高车王弥俄突并杀之，重新将高车部众纳入柔然统治之下，国势稍有恢复。520 年，豆罗伏跋豆伐可汗因信用女巫，被其母及臣下所杀，众立其弟阿那瓌为可汗，族兄示发不服，率众数万伐阿那瓌，一时国乱。阿那瓌失败后南投北魏，入洛阳，受封朔方郡公、蠕蠕王。阿那瓌投靠北魏后，柔然诸贵族互争可汗大位，示发被婆罗门击破，投奔地豆于，为其所杀，婆罗门立为弥偶可社句可汗。521 年，阿那瓌请求北归，北魏议允，遣使往喻婆罗门退位以迎阿那瓌。婆罗门无逊避之心，遣兵来迎，阿那瓌不敢北行，驻扎在北魏怀朔镇（故址在今内蒙古包头市固阳县白灵淖尔乡城库伦古城）一带，与漠北柔然可汗对峙。值婆罗门受高车攻击，败后率十部落至凉州降于北魏，于是柔然部众数万迎阿那瓌还漠北，北魏命其驻牧怀朔镇北吐若奚泉。此后，柔然与北魏联系更为密切。522 年，阿那瓌上表请求援助，北魏给粮万石。525 年，应北魏统治者召唤，阿那瓌率众十万帮助北魏镇压六镇起义，从武川镇（故址一说为今武川县西乌兰不浪土城梁古城）至沃野镇（今乌拉特前旗苏独仑乡根子场古城），连战连捷。柔然与北魏和好无战事，又多得北魏援助，故"部落既和，士马稍盛"，阿那瓌乃号敕连头兵豆伐可汗。此后，频繁通使北魏。528 年，北魏孝庄帝以"阿那瓌镇卫北藩，御侮朔表，遂使阴山息警，弱水无尘"，特准他"赞拜不言名，上书不称臣"。孝武帝太昌元年（532 年），阿那瓌遣使朝贡，并为长子请婚。次年，孝武帝诏以范阳王长女琅邪公主允嫁，未及成婚，北魏分裂为东、西魏。

北魏分裂后，东、西魏竞相与柔然结好，以削弱对方。西魏文帝以舍人元翌女称为化政公主嫁与阿那瓌弟，又娶阿那瓌女为后，送给大量财物。阿那瓌遂扣留东魏使。538 年，阿那瓌屡掠东魏边郡，又杀使者。东魏放还柔然使者，好言相慰，并利用西魏文帝所娶阿那瓌女病死之事离间柔然与西魏关系，阿那瓌与东魏和，双方互使。东魏以常山王妹兰陵公主嫁阿那瓌子庵罗辰，阿那瓌以孙女嫁齐神武王第九子长广公湛，又以爱女嫁齐神武王，自此双方互使不断，友好相处。北周明帝（557—560 年在位）之后，中原大乱，阿那瓌愈益强大，更为骄横，"遣使朝贡，不复称臣"。此时，突厥日益强大，对柔然形成很大威胁。北齐天保三年（552年），阿那瓌拒绝属部突厥首领土门的求婚，引起突厥攻击，战败自杀。阿那瓌子庵罗辰、阿那瓌从弟登注及子库提率部分部众投奔北齐，余下的部众又立登注次子铁伐为可汗。553年，北齐送登注、库提还居北方草原，铁伐寻为契丹所杀，部众立登注为主，又为部人所杀，部众复立库提。后遭突厥攻击，遂举部奔齐。北齐北讨突厥，迎纳柔然，废掉库提，立庵罗辰为可汗，并向其提供生活物资，使驻牧于马邑川。554年，庵罗辰试图脱离北齐控制，遭受多次打击，一次损失三万余人。555年，北齐文宣帝亲自带兵出击柔然，在白道（今呼和浩特市西北坝口子村以北）整兵，留辎重，率轻骑五千追击，至沃野镇（今内蒙古乌拉特前旗苏独仑乡根场古城），大胜而还。柔然屡为突厥、北齐攻击，最后有部众千余家于555年奔西魏，柔然汗国灭亡。在突厥的一再要挟下，西魏将柔然可汗及壮年三千余人交与突厥，悉数被杀。漠北柔然余众则辗转西迁，进入欧洲，被称为阿瓦尔人（Avar）。

柔然是游牧民族，逐水草放牧，牲畜数量很大，把畜牧业作为主业。狩猎业在社会经济中占有重要地位，用貂皮、豹皮、虎皮、狮子皮等与北朝或南朝交换。手工业附属于畜牧业，有制造毛毡、皮革、车具、金属的行业。居无城郭，以穹庐毡帐为室，首领与部众都住穹庐，衣毛皮，食畜肉，饮畜乳。贵族穿小袖锦袍，小口裤，着靴。辫发左衽。

社仑时建立军法，实行十进位军制：千人为军，置将一人；百人为幢，置帅一人。作战争先者，赏给掳获的财物人口；退却懦弱者，以石击首杀之，或捶挞。统治阶级有可汗、将、帅、大人、俟利、俟利发、俟利莫何、俟斤、莫何、吐豆登等。柔然社会由许多氏族部落组成，如纥突邻部、黜弗部、素古延部、俟吕邻氏、尔绵氏、阿伏干部、纥奚部、肺渥氏等是主要部落。此外还有属于柔然的别部，如无卢真部、乌朱贺颓部、匹娄部、匈奴余种拔也稽部、高车斛律部、副伏罗部、他莫孤部、奇斤氏部、贺述也骨部和謦历辰部等。统治核心是郁久闾氏，可汗均出自这一氏族。

柔然初兴时"国政疎简"，无文字，将帅以羊屎粗略核记兵数，稍后颇知刻木记事。社会流行以东为贵，所居穹庐毡帐一概东向。汉文化对柔然产生很大影响。5世纪中叶，可汗予成（464—485年）仿照中原王朝做法，建元"永康"，是柔然用汉字建年号之始，后来其他可汗还用过"太平"、

"太安"、"始平"、"建昌"等年号。史载柔然国相希利塾擅长星算数术，精通汉语。曾向南齐求要医病、织锦之人及指南车、漏刻等物。阿那瓌时，模仿北魏制度，立侍中、黄门等官，用南齐人淳于覃为秘书监黄门郎，掌管文墨。柔然人早期信奉萨满教，以后传入佛教。史载法爱为柔然国师，曾为可汗解释经文和数术之学，享受俸三千户的待遇。柔然人实行氏族外婚制，有收继婚风俗。

五、敕勒

敕勒，汉文文献中春秋时作赤狄，秦汉时作丁零，隋唐时称铁勒。南北朝时北方汉人及南朝人因其用高轮车而称其为高车，北方塞外各族则称之为敕勒①。

匈奴时期，丁零游牧于北海（今贝加尔湖一带），长时期内服属于匈奴，也曾联合其他属部反抗匈奴的剥削和压迫。匈奴衰落后，一部分南迁，活动在黄河河套经阴山直到代郡（今河北蔚县东北）之北的长城以北广大地区。鲜卑占据匈奴故地后，隶属于鲜卑。柔然汗庭时代，漠北敕勒部落强大，常与柔然相互攻战，亦时常骚扰北魏边界。北魏多次北袭敕勒。4世纪末期，敕勒部落多次被拓跋鲜卑击破，损失大量人口和牲畜。北魏登国五年（390年），敕勒袁纥部（后演变为回纥）被渡过弱洛水（今土拉河）而来的拓跋珪击破，失人口、马牛羊20余万。同年，狼山（今内蒙古巴彦淖尔盟临河市西北）一带的敕勒豆陈部又遭拓跋鲜卑攻击。北魏天兴二年（399年），敕勒三十余部被北魏攻破，损失人口9万多、马35万余匹、牛羊160余万头、高轮车20余万辆。战败的敕勒部众被掳至平城（今山西大同市东北），为北魏修筑"鹿苑"。还有一些敕勒部落主动内附北魏。柔然社仑率部迁徙漠北后，敕勒诸部被征服。5世纪20年代，北魏太武帝拓跋焘时，贝加尔湖一带的敕勒部落归附北魏，30余万落敕勒人及其牲畜百余万被迁到东起濡源（今河北丰宁县），西至五原阴山，幅员汗里的漠南之地。今内蒙古乌兰察布市兴和县至巴彦淖尔市五原县一带，都曾分布有敕勒人。漠南地区的敕勒部落起初也是逐水草而居，食肉饮酪，后来渐渐学会食用一些粮

---

① 敕勒（高车）主要史实，参阅《魏书·高车传》等。

食作物。由于敕勒每年向北魏提供牲畜产品，以至于使北魏畜产品价格低贱，毡皮委积。北魏文成帝时，漠南五部敕勒大会祭天，众至数万，走马杀牲，歌舞升平。正是南北朝时期敕勒人在漠南地区的活动，使呼和浩特平原又被称作敕勒川。"敕勒川，阴山下，天似穹庐，笼盖四野。天苍苍，野茫茫，风吹草低见牛羊"这首敕勒民歌，生动地描绘出当时阴山南部地区水草丰美，畜牧兴旺的景象。敕勒川成为北魏王朝的牧业发达地区。

孝文帝元宏时，北魏征敕勒南攻刘宋，敕勒部众不愿南行，推首领树者为主，起兵反抗，大败北魏军。后北魏遣使抚慰，树者重新降附。此时，漠北敕勒副伏罗部阿伏至罗与从弟穷奇各统领部众十余万落，附属柔然。北魏太和十一年（487年），柔然豆崙可汗侵扰北魏，阿伏至罗阻止不从，率部西走，在车师前部（今新疆吐鲁番交河故城一带）西北自立为主，建立高车国（487—541年），号"候娄匐勒"，汉言"大天子"之意。穷奇号"候倍"，汉言"储主"之意。二人分部而立，阿伏至罗居北，穷奇居南，向南控制了通往西域的门户高昌（今新疆吐鲁番东南）以及焉耆（今新疆焉耆县）、鄯善（今新疆吐鲁番盆地东部），势力东北至色楞格河、鄂尔浑河、土拉河一带，北达阿尔泰山，西接乌孙西北的悦般，东与北魏相邻。490年，阿伏至罗派商人通使北魏，表示愿助北魏攻击柔然，北魏回使，双方使节不断。穷奇后为哒所杀，部众分散，或奔附北魏，或投属柔然。阿伏至罗则因统治残暴，逐渐失去人心，后被部众杀死，跋利延得立。稍后国人又杀跋利延，迎立穷奇子弥俄突为主。此后，在北魏支持下，敕勒多次与柔然争战，互有胜负。弥俄突时，与柔然伏图可汗战于蒲类海北，因战败而西迁300余里，柔然伏图可汗驻军伊吾北山。当时，北魏派宣威将军孟威迎接要求内附的高昌王曲嘉，至伊吾，柔然惊走，弥俄突乘势追击，杀死伏图，与北魏复通使。北魏孝明帝熙平元年（516年），弥俄突与柔然丑奴可汗交战，被擒杀，部众或进入哒，或降柔然。数年后，哒允许弥俄突弟伊匐复国，伊匐遣使北魏，受封镇西将军、西海郡开国公、高车王。伊匐与柔然战，大胜，柔然婆罗门可汗走投北魏凉州。复与柔然战，败归，伊匐被弟越居杀害，越居自立。东魏天平（534—537年）中，敕勒复为柔然所破，伊匐子比适又杀越居自立。兴和（539—542年）中，敕勒又为柔然攻破，越居子去宾自柔然奔东魏，被封为高车王、安北将军、肆州刺史，不久病死。

高车国共历 7 主，前后约 55 年，最后灭于柔然。

敕勒社会氏族部落各有酋长。种姓有狄氏、袁纥氏、斛律氏、解批氏、护骨氏、异奇斤氏；又有 12 姓：泣伏利氏、吐庐氏、乙旃氏、大连氏、窟贺氏、达薄干氏、阿崘氏、莫允氏、俟分氏、副伏罗氏、乞袁氏、右叔沛氏等。敕勒一些部落有时结成部落联盟，共同生产、生活，或者反抗当时的柔然或拓跋鲜卑的统治。副伏罗部的阿伏至罗曾成为敕勒各部盟主，于 487 年建立政权。敕勒（高车）人主营畜牧业，随水草迁徙放牧，每家畜产各有标记。

敕勒人能歌善舞，"好引声长歌"，集会时"歌舞作乐"，祭天时"歌吟忻忻"。"敕勒歌"就是流传至今的敕勒人民歌。敕勒婚俗独具特点：婚姻以牛马等牲畜作为聘礼。婚约已定，男方用营车围住马群，由女方任意选取，直至数满为止。迎亲之日，女方于穹庐前宴请男方宾朋终日。次日，男携女归，女方则允许男方入马群，选取良马。习俗忌讳娶寡妇，寡妇不再嫁，部人给予照顾。丧俗亦不同于其他中国古代北方民族，葬式流行坐式，死者张臂引弓，佩刀挟矟，与生时无异。送葬时，男女老少集会，多杀杂畜，烧畜骨，骑马绕墓地走，多者数百周。信仰萨满教，有女巫主持仪式。语言与匈奴大体相同而略有差异，应属不同方言。

5 世纪 70 年代以后，漠南地区的敕勒人不断掀起反抗北魏统治的斗争，惨遭镇压后，许多敕勒人被强迫迁入内地，剩下的敕勒人仍在漠南地区游牧，有一些则归附了柔然。

六、吐谷浑

源出鲜卑[①]。原为人名，后演变为族名和政权名，唐代后期文献又写作吐浑。史载辽东鲜卑酋长涉归（又作弈洛韩）庶长子名吐谷浑，嫡子名若洛廆（即慕容廆）。涉归分户 700（另作 1700 家）给吐谷浑，与若洛廆分部游牧。4 世纪初，涉归死，若洛廆代父统摄部落，逐步形成慕容氏。后因二部马群相斗，若洛廆迁怒及人，吐谷浑统领本部部众西迁阴山，西晋永嘉（307—313 年）年间又渡陇而西，在枹罕（今甘肃省临夏桴罕山，即大力加山）与甘松间游牧，南界昂城（今阿坝）、龙涸（今四川省松潘），占据从

---

① 3 至 6 世纪吐谷浑史实，参阅《魏书》、《北史·吐谷浑传》。

洮水西南至白兰（今青海巴隆河流域布兰山一带）的数千里之地。西北诸族又称其为阿柴虏。吐谷浑死后，长子吐延继位，在与昂城羌族酋长姜聪争斗中被刺，遗嘱其子叶延速保白兰。叶延在位23年，对汉文化有浓厚兴趣，依《礼记》，以吐谷浑为氏并作为族名。

叶延死后，子辟奚立，与前秦建立联系，遣使献马50匹，金银500斤，苻坚拜辟奚为安远将军，实际成为前秦属部。后辟奚三弟专权，不能控制，诸大臣唯恐祸害吐谷浑，群起而诛辟奚弟，辟奚忧郁而死，在位25年。视连继位后，通使于西秦，乞伏乾归拜为白兰王。视连在位15年死，子视罴立，广纳贤才，秣马厉兵，拟与诸国争衡。西秦遣使封视罴为沙州牧、白兰王，视罴拒受。乞伏乾归畏其强大，初犹结好，后兴兵击之，视罴大败，退保白兰。视罴在位11年，子树洛干年少，传位于弟乌纥提。时乞伏乾归入据长安，乌纥提借机屡屡骚扰西秦境界，西秦出兵攻击，乌纥提大败，损失万余口，被迫附于南凉。树洛干立后，率所部数千家归莫何川，自称大都督、车骑大将军、大单于、吐谷浑王。招引部众，控弦至数万，征服邻近弱小部落，号为戊寅可汗。乞伏乾归惧其继续发展，率骑兵二万攻击赤水，树洛干大败，降附了西秦，受封平狄将军、赤水都护，其弟吐贺真受封捕虏将军、层城都尉。后屡为乞伏炽磐所破，又保白兰，在位9年。420年左右，树洛干弟阿豺立，居浇河（青海省贵德县），自号骠骑将军、沙州刺史，兼并羌氏部落，控地数千里，号为强国。遣使通贡于南朝刘宋，受封沙州刺史、浇河公。后阿豺传位于侄子慕璝，又奉表通宋，受封陇西公。慕璝招引各割据国亡散及羌戎部众五六百落（户），南通蜀汉，北交凉州、赫连夏，部众转盛。

北魏太武帝拓跋焘时，慕璝遣侍郎谢大宁朝贡，后擒与北魏为敌的赫连定，送至平城（今山西大同市东北）。拓跋焘遣使封慕璝为大将军、西秦王，占有金城、枹罕、陇西等地。慕璝死后，弟慕利延立，受北魏镇西大将军、西平王封号。慕利延亦通使刘宋，受封河南王。魏太武帝出征凉州，慕利延惧，率部人西入沙漠，太武帝以慕利延兄慕璝有擒获赫连定之功，遣使招还。时北魏强盛，慕利延侄纬代与魏使者联络归降，为慕利延发觉而被杀，纬代弟等八人降魏，请出兵攻击。太武帝派兵出讨，斩杀5 000余人，慕利延退据白兰，部众一万三千落降附北魏。太平真君六年（445年），北魏再攻白兰，慕利延西走于阗，杀于阗王，南征罽宾，在西域扩充势力。慕利延死后，树洛干子拾寅立，始邑于伏罗川。拾寅与北魏修好，派遣使者朝贡北魏，太武帝封其为镇西大将军、沙州刺史、西平王。同时，又接受南朝刘宋所封河南王称号，与其关系密切，而后颇对北魏不恭。北魏高宗时，出南北两道兵攻击白兰，拾寅退保南山，失驼马二十余万。北魏显祖时，复败拾寅，吐谷浑遣使修贡，北魏不允。拾寅部落大饥，屡寇浇水，北魏兵入吐谷浑境，根除待收割庄稼，拾寅被迫称臣纳贡。到伏连筹时，受北魏高祖封使持节、都督西垂诸军事、征西将军、领护西戎中郎将、西海郡开国公、吐谷浑王等号。并且开始模仿北魏制度，设置官属，号为强富。伏连筹死，子夸吕立，自号可汗，居伏俟城（位于青海湖西 15 里，遗址即今青海省共和县石乃亥铁卜加古城），控地东西三千里，南北千余里。

东、西魏时，夸吕借道柔然，遣使朝贡东魏，与东魏和亲，孝静帝纳其妹为嫔，夸吕娶济南王孙女广乐公主为妻。夸吕虽遣使贡方物于西魏，但抄掠不断。西魏凉州刺史史宁攻击吐谷浑于州西赤泉，俘获仆射、将军二人及胡商 240 人，驼骡 600 头，丝绢以万计。恭帝三年，史宁又与突厥木杆可汗联兵，击破吐谷浑，掳夺夸吕妻子，获珍宝杂畜。武成初，夸吕寇凉州，西魏还击，攻克洮阳、洪和二州，置洮州而还。天和初，吐谷浑龙涸王莫昌率众来降东魏，以其地置扶州。建德五年，武帝征吐谷浑，军至伏俟城，夸吕遁走，俘虏其余众而还。宣政初，其赵王来降，朝献遂绝。

第三节　魏晋南北朝时期中原政权
对内蒙古部分地区的统治

魏晋南北朝时期，内蒙古地区多分布着南下的北方各游牧民族，经过激烈争夺，一些北方民族集团建立了割据政权，曾经统治过内蒙古高原的一些地方，最后被北魏政权相继灭亡，内蒙古高原大部纳入了北魏的统治版图，后来又为东、西魏和北齐、北周沿袭。

一、魏晋对内蒙古部分地区的统治

曹魏政权（220—265 年）建立以后，北方地区虽然得到统一，但内蒙古高原多为鲜卑等游牧民族占据。内蒙古地区自战国以来设立、秦汉时期完善起来的许多郡县因而废弃。根据文献记载，曹魏立郡12，而省废者7。其中的朔方、五原、云中、定襄等郡，曾是内蒙古中西部地区重要的行政建置。黄初元年（220年），曹魏复置并州，陉岭（即句注山，在今山西代县北）以北地区均予废弃，直至西晋（265—316年），沿袭不改。魏晋之际的并州辖境，亦较前代大为缩减，内蒙古高原上只有额济纳河流域在曹魏及西晋的凉州西海郡管辖之下，原来设在内蒙古地区的五原、云中等郡治所均已侨今山西境内。

二、北朝诸政权对内蒙古地区的统治

南北朝时期，北魏、东魏、西魏、北齐和北周相继占据和统治着内蒙古大部分地区，其他地区则被一些割据国和新出现的北方各族占据着。

376年，拓跋鲜卑建立的代政权被前秦攻灭，什翼犍死，其孙拓跋珪随母亲相继寄附于独孤部与贺兰部。383年，前秦政权在淝水之战中败亡，拓跋部乘机发展自己的势力，实力逐步得到恢复。386年，拓跋珪在牛川（今呼和浩特西南）大会诸部，继代王位，建元登国。不久迁都盛乐（今内蒙古和林格尔县土城子古城），改称魏王[1]。这时，在拓跋魏周围，北面是阴山以北的柔然和高车，东面是西拉木伦河、老哈河流域的契丹和库莫奚，南面主要有慕容氏的后燕国，西面有河套地区的铁弗匈奴。为了扩充地盘和实力，拓跋珪继位之初（386—409年在位），屡屡亲征周边诸族，兼并部落，获得大量财物。登国三年（388年），北击库莫奚，获其四部杂畜10余万。出击解如部，获部众及杂畜10余万。五年，又破高车袁纥（即回纥）部，获生口马牛羊20余万。七年，南与同族慕容垂所建后燕和好，攻灭铁弗匈奴刘卫辰，平定黄河河套以南诸部，得马30余万匹，牛羊400余万头。又与后燕合兵，破贺兰、纥突邻、纥奚三部，并向北大破柔然，阴山及其以北部落多为臣属。

拓跋珪兵强马壮，又把矛头指向占据中原地带的后燕。395年，拓跋珪在参合陂夜袭后燕军，大胜，生擒慕容王公贵族及文武将吏数千人，获器甲

---

[1]　拓跋魏史实，参考《魏书》相关传记。

辎重、军资杂财 10 余万计。俘虏中有才能者，皆用为谋士。396 年，慕容垂攻魏至平城（今山西大同市东北），因病而归，死于途中，其子宝继位。同年，拓跋珪始建天子旌旗，改元皇始。进而率军 40 万攻击后燕，取得并州，始设台省，置百官，任命刺史、太守管理地方军政，尚书郎以下官职悉用士人。拓跋珪初得中原，特别留意招纳拔擢汉族士大夫。有来求见者，无论少长，皆亲见详谈，即使略有才识，也能得到任用。397 年，拓跋珪与慕容宝继续争夺中原地盘。钜鹿柏肆坞一役，珪遭宝夜袭，魏军惊散，珪来不及着衣冠，跣足击鼓，召集将士，设奇阵大胜后燕军，斩杀万余人，擒俘 4 千余人，获取军资无数。后燕重臣多来降魏，均受到任用。进而珪率兵包围后燕都城中山（今河北定县），宝携宗亲数千骑向北逃遁，珪最终攻取中山，获所传皇帝玺绶、图书、府库、珍宝、簿列数万。398 年，珪又攻取邺城。除南燕的山东半岛和北燕的辽东一带外，太行山以东的中原地区基本上归入拓跋魏版图。

通过兼并战争，拓跋魏统治地区逐步扩大，建国称帝条件基本具备。天兴元年（398 年），拓跋珪建都平城（今大同市东北）。随后迁徙太行山以东六州吏民、徒何鲜卑、高丽及 36 署百工伎巧共 10 余万口，以充实京城。并给新迁代地的农民耕牛，实行计口授田。六月，诏有司议定国号。群臣议以"代"为宜，拓跋珪定国号为"魏"。七月迁都平城，始营建宫室，建宗庙，立社稷。八月，下诏定封畿、道里、度量衡制度。十一月，诏有司典官制，立爵品、定律令，制礼乐，造浑仪，考天象。十二月，珪于天文殿即皇帝位（初谥宣武皇帝，后改谥道武，庙号太祖）。追谥祖先，制定一系列典章制度。又徙 6 州 22 郡守宰、豪杰、吏民两千家于平城。

拓跋珪深知统治中原，必须依靠汉族儒士，采用汉族典章制度。所以，从他打天下之初，即重用汉族儒士。建国后，仍以汉族士大夫为统治力量。汉族受教育的传统模式也得以保存。399 年，诏令置五经博士，国子监太学生增至 3 000 人。401 年，集聚博士儒生，对比众经文字，义类相从，成 4 万余字的《众文经》。入主中原后，注重农业生产。作战中，严禁伤毁农作物。注意吏治，经常派官吏循行州郡，察举不法。

通过拓跋珪的草创和经营，到太武帝拓跋焘（423—452 年在位）时，又先后灭掉了夏、北燕、北凉等国，击走了漠南一带的柔然，统一了北方。

北魏疆域北逾沙漠，东接高丽，囊括了今天内蒙古的大部分地区。在今天内蒙古鄂尔多斯准格尔旗沙圪堵石子湾、呼和浩特武川县乌兰不浪土城梁和库伦图城卜子等地发现的北魏古城，以及呼和浩特美岱村、大学路等地的北魏墓葬，大都是建都平城时期拓跋魏的遗迹。

拓跋魏在中国北方地区的统治确立以后，为防御北方柔然等游牧民族的南下，统治者也修筑了长城。北魏长城东起今河北赤城县，经内蒙古乌兰察布市南部、鄂尔多斯市东部，西至包头市西，绵延2 000余里。同时，在北方地区设立了6个军镇，其中的5个在今内蒙古地区，它们是沃野镇、怀朔镇、武川镇、抚冥镇和柔玄镇①。

沃野镇，故址初在今巴彦淖尔市磴口县河拐子古城。孝文帝太和十年（486年），迁至朔方故城，约当今鄂尔多斯市杭锦旗东北什拉召一带。北魏末年，又迁至今巴彦淖尔市乌拉特前旗苏独仑乡根子场古城。镇戍和统辖今乌加河河套地区。

怀朔镇，故址在今固阳县白灵淖尔乡城库伦古城。后来建立北齐政权的高氏集团出自此镇。

武川镇，故址在今武川县西乌兰不浪土城梁古城。北周政权的建立者宇文氏统治集团曾是武川镇豪强。怀朔、武川二镇镇戍和统辖今乌兰察布高原大部。

抚冥镇，故址在今四子王旗乌兰花土城子古城。

柔玄镇，故址待定，大致有四种说法：今四子王旗库伦图城卜子古城，今察右中旗塔布胡同古城，今察右后旗白音察干古城，今兴和县台基庙东北。抚冥和柔玄二镇镇戍和统辖今乌兰察布高原东部和锡林郭勒高原西部。

此外，怀荒镇（在今河北张北县境）的镇戍区包括今锡林郭勒高原东部。

军镇是军政合一的机构，既管军又管民。居民大多是汉人、鲜卑人和匈奴人，还有发配来的罪人和强迫迁来的各族人民。

在内蒙古地区，北魏还设置了恒州、朔州、夏州、凉州等地方建置。

恒州，北魏天兴（398—403年）年间置司州，太和（477—500年）中

---

① 北魏军政建置，参阅《魏书·地形志》。

改称恒州，治所在平城。领 8 郡，其中善无郡所领沃阳县即西汉雁门郡所领之沃阳，故址是今凉城县双古城。梁（凉）城郡，领参合、旋鸿二县，一在今凉城县西南，一在今丰镇市北。恒州辖境包括今内蒙古黄旗海、岱海以南地区。孝昌（525—527 年）时为六镇军民攻陷，废。

朔州，北魏延和二年（433 年）置镇，后称怀朔，孝昌中改称朔州，治所在盛乐故城，辖境包括今呼和浩特平原、鄂尔多斯高原东北段。孝昌后废。

夏州，北魏始光四年（427 年），攻占夏都统万城，置统万镇。太和十一年（488 年）改称夏州，治所在统万城。领四郡，辖境包括今内蒙古鄂尔多斯高原大部。

凉州，太和年间改镇为州，所领张掖郡辖境包括今额济纳河流域。

北魏统治者依靠军镇和州郡建置，行使了对内蒙古地区的管辖权。但在其都城南迁洛阳以后，由于镇将跋扈，镇民所受剥削日益沉重。到 6 世纪 20 年代，六镇军民相继举起义旗，反抗北魏王朝的统治，在五原、白道（今呼和浩特市西北坝口子村以北）等地大败魏军，占据了六镇全部地区，攻陷了恒州、朔州等地。后来，北魏统治者勾结柔然贵族，镇压了起义军。由于战争的破坏，沃野、怀朔等城镇均已残破不堪，走向末日的北魏统治者已难以维持对边镇地区的统治了。

孝武帝永熙年间（534 年），北魏政权分裂为东、西魏，双方大体以今内蒙古、陕西和山西境内的黄河流域南流段为界，形成了东西对峙的局面。550 年和 557 年，北齐、北周分别取代东魏、西魏以后，仍旧维持各自的统治地区。东魏、北齐和西魏、北周曾经分别控制着今天的呼和浩特平原和鄂尔多斯高原、巴彦淖尔—阿拉善高原。大象二年（580 年），北周灭北齐，统一了北方地区，为隋日后建立统一王朝奠定了基础。

史实证明，公元 3 世纪初至 6 世纪末，古代中原政权的统治势力总体退出了内蒙古高原，以农业为主业的汉民族作为整体集团基本上南退，而北方游牧民族大量南迁南进，填充了因汉人南退留下的空地。以畜牧业为主业的游牧民族进入内蒙古高原，使这一地区的牧业经济重新焕发了勃勃生机，一些地方经过汉代大规模开发已显脆弱的生态，也得到一定的恢复。这一时期，匈奴、鲜卑、氐、羌、汉等族在内蒙古高原相继建立了地方性政权，相互兼并，最后被拓跋魏吞灭。汉文献上记载了新出现的一些北方民族的历史状况。南与拓跋魏相对的北方民族柔然、敕勒等在内蒙古北部地区活动，建立了古代游牧国家。拓跋鲜卑统一了中国北方地区，对内蒙古部分地区实施了管辖。

第 六 章

6世纪末至10世纪初的内蒙古地区

公元6至10世纪，约相当于中原的隋唐时代。这一时期，此前活跃在内蒙古地区的游牧民族有的已经衰落，退出了历史舞台；有的继续发展壮大，逐步成为影响地区局势的重要力量，并在日后主宰大漠南北的政治军事大局；有的则建立了游牧政权，成为叱咤草原的民族。同时，隋唐势力相继进入内蒙古部分地区，设置一些军政建置，确立了统治。

第一节　6世纪末至10世纪初内蒙古
地区的北方游牧民族

6世纪末至10世纪初，在内蒙古高原上活动的北方游牧民族主要有突厥、回纥、契丹、奚、室韦—达怛、吐谷浑、党项和沙陀等，其中突厥、回纥建立了统治大漠南北的古代游牧民族国家，契丹、奚、室韦—达怛等一度附属于突厥、回纥。唐中期以后，契丹、室韦—达怛势力日益发展，活动范围不断扩大，在蒙古高原及其边缘地区的历史影响逐步增强，为辽金蒙元时期契丹和蒙古的崛起奠定了历史基础。

一、突厥与突厥汗国

在汉文史料当中，"突厥"一名最早见于《周书》。这一族名在隋唐时的音值可构拟为 * t'uat-k̄iuat，法国汉学家伯希和（P. Pelliot）认为是 Turk

一词的蒙古语复数形式 Turkut 的对音。突厥和铁勒同族。突厥族名来源，根据史书记载，因居地位于金山（今阿尔泰山）之阳，金山形似兜鍪（古战盔），其俗谓兜鍪为突厥，因以为号①。

从诸史记载的突厥历史传说可知，突厥的驻牧地发生过变迁。突厥祖先初住平凉一带，439年，北魏灭亡北凉沮渠氏，因受影响而迁移至高昌（今新疆吐鲁番东南）北山（今新疆博格多山）。5世纪中叶，柔然占据高昌，突厥再移居金山南麓，成为柔然统治者的"锻奴"。6世纪初，柔然衰落，突厥乘机发展势力。突厥的逐步壮大，引起中原政权注意，西魏文帝大统八年（542年），突厥始见汉文文献《周书·宇文测传》著录。6世纪中叶，突厥部落逐渐强盛，首领阿史那土门（Tuman，古突厥文碑铭上记作 Bumim）曾派人到中原边塞以牲畜互市缯絮，表示"愿通中国"。西魏大统十一年（545年），西魏文帝宇文泰派酒泉昭武九姓胡安诺槃陀出使突厥，翌年，突厥遣使西魏，与内地王朝开始正式交往。随后，突厥助柔然平定铁勒诸部叛乱，降服5万余落，实力大增。土门因功向柔然求婚，柔然可汗阿那瓌以突厥为柔然"锻奴"而加以拒绝。土门怒杀柔然使者，与其绝交，并转向西魏求婚。大统十七年（551年），土门娶西魏长乐公主。同年，西魏文帝死，土门遣使祭吊，赠马200匹，与中原联系趋于密切。552年，土门出兵攻击柔然，于怀荒镇北大破之，阿那瓌可汗兵败自杀，柔然部众四散，汗国名存实亡。土门乃自立为伊利可汗，在于都斤山（Utukan，汉文献又作乌德鞬、郁都军山，今蒙古国鄂尔浑河上游杭爱山之北山）设立牙帐（汗庭），始建突厥汗国。汗国建立同时，土门派弟室点密（Istami，拜占庭史料作 Silzibulos 或 Dizabulos）西征，进行扩张。553年，土门死，子科罗立，号乙息记可汗。不久科罗死，弟燕都俟斤立，号木杆可汗（553—572年）。

木杆可汗勇而多谋，性格刚烈，喜好征伐。在位20年，灭亡柔然，西破嚈哒，东服契丹，与西魏联兵攻破吐谷浑，北并契骨（黠戛斯），威服塞外诸部，控制了东起辽海（今辽河一带），西至西海（今里海，一说咸海），北至北海（今贝加尔湖），南抵阴山的广大区域，开创了汗国的强盛局面，

---

① 突厥史实，参阅《周书》、《隋书》和两《唐书·突厥传》。

今阴山以北的内蒙古高原皆被突厥控制。中原地区正值北周、北齐东西对峙，双方为遏制对方，争相与木杆结好，以为奥援。北周岁给缯絮锦彩 10 万匹，北齐更是倾府库所藏。木杆依违其间，大获其利，实力进一步壮大。572 年，木杆死，弟佗钵可汗（572—581 年）立，在位 10 年，控弦达数十万，与中原的北齐（550—577 年）、北周（557—581 年）相抗衡。齐、周仍然相互对峙，争相结好突厥以限制对方，不惜厚输财物，以博突厥欢心。佗钵继续保持了木杆时期的强大国势。

581 年，佗钵可汗死，突厥贵族争夺汗位，导致了东、西突厥分裂，突厥汗国大一统阶段结束了。东突厥，鄂尔浑突厥文碑自称蓝突厥。东突厥汗国的历史又可分为前后汗国时期。

佗钵可汗死后，侄摄图即位，称伊利可汗（又号沙钵略可汗，581—587 年在位），牙帐设在于都斤山，仍统辖南抵阴山，东至西拉木伦河流域的漠南部分地区。其下又分封四个可汗，分别驻牧不同地区。沙钵略之弟号突利可汗，管辖东面契丹、奚、室韦—达怛各族分布区。隋开皇三年（583 年），大漠南北发生旱灾和疫病，人畜大批死亡，隋朝乘机分兵八路出塞攻击，大胜突厥。突厥诸可汗复相互攻击，汗国在混乱中削弱，正式分裂为东、西汗国。沙钵略迫于不利形势，遣使向隋求和。隋朝允许突厥部落南迁漠南，寄居白道（今呼和浩特市西北坝口子村以北）川，并提供衣物粮食。587 年，沙钵略死，弟处罗侯继位，号叶护可汗（又作莫何可汗）。次年末，叶护可汗死，沙钵略子雍虞闾继位称都蓝可汗。都蓝与隋绝交，联合西突厥达头可汗共攻处罗侯之子染干。时染干号突利可汗，为保存自己实力，向隋示好，遣使请婚。隋廷图谋离间突厥，于是嫁以宗室女安义公主，双方使节多次往还，突利得到大量隋朝财物，并将驻牧地南迁。都蓝大为不满，数度南下侵扰，突利则屡通情报，隋边每先有备。都蓝又举兵攻突利，突利兵败投隋，被封为意利珍豆启民可汗（"意智健"之意），居于隋为其所筑大利城（故址为今和林格尔县土城子古城）。时安义公主已亡，隋又妻以宗室女义成公主。由于部众来投奔者日众，都蓝又侵掠不已，隋复将启民部众移居于黄河以南夏（故址在今陕西靖边县与内蒙古乌审旗交界处的白城子古城）、胜（今内蒙古准格尔旗十二连城古城）二州之间，东西至黄河，南北四百里之地，尽为启民部众畜牧之地，即大致分布在鄂尔多斯高原上。稍后，隋发大兵出塞击都蓝，都蓝为麾下所杀，达头占据漠北，东突厥部众纷纷南下投归启民可汗。隋朝又为启民筑金河（今呼和浩特市托克托县哈拉板申古城）、定襄（今山西大同市南）二城。启民部众在隋朝庇护下，"人民羊马，遍满山谷"，日益兴盛。

隋仁寿元年（601 年），隋军助启民北征，获得大胜，漠北突厥部众多归启民，启民返归北方，统治了东突厥部众。不久，西突厥大乱，启民又领有西突厥部众。启民时期，东突厥与隋关系密切。隋大业三年（607 年）春正月，启民入隋都长安朝见隋炀帝。夏五月，与义成公主同见巡行至榆林郡（今内蒙古准格尔旗十二连城古城）的隋炀帝，得赏赐物颇多，位次在诸侯王之上。秋八月，炀帝溯金河（今呼和浩特市南大黑河）北上，至启民牙帐，启民招集契丹、奚、室韦等诸属部酋长，一同觐见。随后，启民护送炀帝入塞，至定襄后还归驻牧地。609 年，启民至东都洛阳朝见炀帝。同年病死，隋立其子咄吉为始毕可汗（609—619 年在位）。始毕依突厥婚俗，复娶义成公主。

始毕可汗在位时是东突厥最强盛的时期，东自契丹、室韦，西尽吐谷浑、高昌，皆被臣服，史称"控弦百余万，北狄之盛，未之有也"。615 年，始毕因不满隋朝离间削弱突厥的做法，于雁门围困隋炀帝。隋援军至，始解围，自此不朝贡于隋。隋末大乱，中原人多北徙避祸，薛举、王世充、刘武周、梁师都、李轨等北方割据势力及农民军首领窦建德、高开道等并结交始毕，有的受其所封可汗之号，以壮大声势。始毕赐梁师都狼头纛，封为大度毗伽可汗，师都引始毕部众入居河南（黄河河套以南）之地。617 年，唐高祖李渊起兵于太原，也曾遣使向始毕请兵，约定若助其入长安，民众土地归李渊，金银财物归始毕。始毕助渊入关。618 年，李渊建立唐朝，始毕遣使入唐，受到优待。始毕前后得唐馈赠无数。619 年，始毕率部众渡黄河至夏州，与梁师都兵会合，谋划抄掠。又拨 500 骑给刘武周，欲侵太原。619年，始毕死，处罗可汗（619 年立）、颉利可汗（620 年立）一再侵扰唐朝辖境。尤其是颉利在可汗位时，以内蒙古高原作依托，大规模入侵唐朝沿边各州郡，烽火遍及今晋、冀、豫、陕、甘、宁等地。颉利为启民可汗第三子，名咄苾。初为莫贺咄设，驻牧于五原以北。620 年处罗可汗死，隋义成公主废其子而立其弟咄苾，是为颉利可汗。颉利复娶义成公主。颉利时，兵马强盛，迫使初建的唐王朝输送给突厥大量财物，但颉利仍连年率部侵扰唐朝，有时逼近关中，致使唐廷一度议论迁都。唐武德九年（626年），颉利可汗率十余万骑深入长安附近，隔渭水与唐太宗对阵，见李世民镇定自若，军容大盛，于是请和，与太宗同盟于渭水便桥之上，然后退兵。因颉利连年发动战争，内外不堪苛税重赋，属部纷起摆脱突厥的控制。627年，突厥东边属部奚、霫等数十部落叛离突厥，归附唐朝。同年，漠北的薛延陀、回纥、拔野古、同罗、仆骨等铁勒诸部也相继脱离突厥，发动攻击。颉利遣兵讨伐，又遭败绩，致使突厥势力益衰，族人亡散。628年，颉利与其侄突利可汗矛盾加深，突利奏请唐朝出击颉利，太宗诏以并州兵接应。唐贞观三年（629年），薛延陀汗国建立，对突厥产生威胁，颉利于是向唐称臣。

颉利任用胡人，疏远同族，导致部人离心，兵革岁动。境内又连年大雪，雪厚平地数尺，六畜多死，部人大饥。颉利于是重敛诸部，内外诸部纷纷反叛，突利等贵族亦率众投奔唐朝。同年，唐出兵与薛延陀部南北夹击突厥。630年春正月，唐军在白道大破突厥。二月，复于阴山（今内蒙古阴山）破突厥，颉利逃至铁山（阴山北），余众尚有数万，请求举国附唐，太宗遣使安抚之。稍后，唐军与薛延陀突袭颉利，颉利独乘千里马投奔其从侄沙钵罗部，旋即被俘，东突厥亡。至此称为东突厥前汗国时期。漠北诸部相继归服唐朝，自阴山北至大漠，尽为唐有，由唐朝设置的羁縻府州统辖。

颉利被送于唐都长安，唐设馆封官，赐田宅，生活优裕，但颉利郁郁寡欢，与家人或相对悲歌而泣。贞观八年（634年），病死，依突厥俗葬。

此后约50年间，东突厥统一于唐朝，唐将归附的近10万东突厥人安置在黄河河套以南地区，按照突厥原来实行的部落制进行管理。到7世纪70年代末，东突厥开始掀起反抗唐朝统治的浪潮。679年，归单于都护府管辖的突厥二部反唐，立阿史那泥熟匐为可汗，苏农等24州突厥酋长起而响应，连败唐军。次年，唐出兵30万征讨，突厥大败于黑山（今内蒙古黄河北岸），可汗被杀。681年，阿史那伏念复自立为可汗，与唐军战于长城北，至横水（今呼和浩特市南大黑河附近）击败唐军。后内部相互猜忌，势弱而降附于唐。到682年，颉利可汗族人阿史那骨咄禄又纠合700人反唐，被唐军击败后率残部进入总材山，占领黑沙城（今呼和浩特市北），招集亡散，聚众至五千余人。又东败契丹，北掠九姓铁勒，得到很多羊马牲畜，势力逐渐壮大，于是自立为颉跌利施可汗。此为东突厥后汗国之始。阿史那骨咄禄以弟默啜为设，咄悉匐为叶护，以来投的阿史德元珍为阿波达干，专主兵马事。立北牙于乌德犍山（即于都斤山，亦作郁督军山，今鄂尔浑河上游杭爱山之北山），以黑沙城为南牙，派默啜驻守。随后，突厥部民来投者约有数万人，渐至强盛。唐永淳二年（683年）以后，骨咄禄先后侵扰唐朝蔚、朔、代等州，与唐军作战，胜多负少。691年，骨咄禄死①，其子年幼，弟默啜自立为可汗。默啜在位时（691—716年），与唐和多战少，武则天封其为迁善可汗。696年，契丹反唐，唐出军征伐，或遭败绩，或畏缩怯阵。默啜以归还先前降唐的突厥人口为条件，为唐攻击契丹，俘获大批人口财物，自此兵众渐盛。武则天以默啜有功，又封其为颉跌利施大单于、立功报国可汗。698年，默啜按约向唐索要6州（丰、胜、灵、夏、朔、代）突厥降户、单于都护府之地及种子、农具等，武则天初不许。默啜则扣留唐使，以兵示威。唐惧其兵势，答允和亲，并尽还降户数千帐，给谷种10万斛，农具3千件，杂彩5万段，铁数万斤。默啜更为强盛，以前来和亲者是武氏而非李氏后代，突厥只附李唐，要出兵助立李氏为由，大肆侵扰唐边，杀掠吏民。

默啜在位25年，东败奚、契丹，北服铁勒、回纥诸部，拓境东西万余里，控弦称40万，为后突厥最盛时期。"大抵兵（马）与颉利时略等，地纵广万里，诸蕃悉往听命。"默啜依照游牧民族旧例，实行左右翼区划制。除可汗汗庭以外，又将统治区分为"左厢"和"右厢"。699年，默啜立其弟咄悉匐为左厢察，骨咄禄子默矩为右厢察，各主兵马2万余人。又立其子匐俱为小可汗，号拓西可汗，位在两"察"之上，主十姓兵马4万余人。自此之后，突厥连年南扰，唐廷疲于应付。703年，默啜向唐请婚，武则天应允，默啜献马及土产谢许亲之意。唐中宗（705—710年）即位后，默啜又攻灵州，大破唐军，杀六千余人，并进而攻原、会等州，掠陇右牧马万余匹而去。中宗下制绝其请婚，重金招募能斩获默啜的勇士，并命朔方道大总管张仁愿于黄河北岸修筑东、中、西三座受降城（东受降城在今呼和浩特

---

① 阿史那骨咄禄于唐天授（690—692年）中病卒。在《毗伽可汗碑》和《阙特勤碑》中，骨咄禄的儿子追述其一生战绩，共出征47次，参加20次战斗。

托克托县南，中受降城在今包头西北，西受降城在今巴彦淖尔市乌加河北岸），防御默啜，默啜遂把矛头指向西域和西突厥。唐睿宗（710—712 年）继位后，默啜遣使和亲，因睿宗传位而未成。714 年，默啜遣其子拓西可汗率兵围攻唐北庭都护府，被唐击溃。715 年，有左、右厢贵族率众相继降唐，前后有万余帐，默啜势力受到很大削弱。同年，默啜与铁勒九姓部落战于漠北，大胜，迫使九姓酋长降唐。716 年，九姓铁勒拔野古部反，默啜北讨，战于独乐河（今蒙古国土拉河），大破之。默啜获胜不设防备，归途中被隐藏在柳林中的拔野古溃卒颉质略突袭所杀，尸首传至唐都长安。骨咄禄之子阙特勤纠合旧部，立兄默棘连为毗伽可汗。毗伽可汗采纳谋主暾欲谷计策，减少了侵掠唐境的活动，与唐朝的关系有所修复。734 年，毗伽可汗被大臣梅录啜毒死，此后后突厥汗位争夺激烈，更替频繁，终致国中大乱。744 年，强盛起来的回纥人在首领骨力裴罗率领下，攻杀后突厥最后一个可汗白眉可汗，东突厥后汗国亡。

史载突厥共有十个氏族（姓），阿史那氏最为显赫，诸可汗皆出此氏族。阿史那氏以狼为图腾，酋长帐前立狼头纛，示不忘本。突厥社会有奴隶制、家长奴役制和宗法封建制等说法，学术界尚无定论。在突厥汗国内，大可汗是一国之主，地位最尊，权力最高。下有小可汗、叶护（Yabhu）、设（Shad，亦作察、杀、煞等）、特勤（Tigin）、俟利发、俟斤（Irkin）、吐屯、发等官职共 28 等，皆由氏族酋长、部落首领等贵族统治阶层世袭，各在划定的牧地从事游牧生产，总属于可汗。汗庭周围地区由大可汗直接统辖，为中部，其余地区分为东、西二部（即左、右二部），每部置设，东设牙帐于幽州之北，西设牙帐于五原之北。随着国家机器的建立，汗国逐渐制定反映私有制的刑法和税收（特别是向属部敛取）制度。征发兵马及收取赋税时，刻木为契并附上金箭，用蜡加封铃印，作为凭信。

突厥民众以畜牧、射猎为业，衣皮革，住穹庐，食畜肉，饮湩酪，过着逐水草迁徙放牧畜群的游牧生活。突厥人善骑射，以狩猎业为辅助行业。突厥马善长途奔驰，种性良好，狩猎、作战都很合用。手工业多与畜牧、狩猎和军事有关，有冶铁、铸铜、纺织、皮革、造车等行业，能制作角弓、鸣镝（响箭）、甲、矟（长矛）、刀、剑等兵器和布匹、鱼胶等生活用品。经常用畜产品、狩猎品与中原交换缯絮、粮食种籽、农业器具等，说明突厥农业生产也在发展。

突厥语言属阿尔泰语系突厥语族。突厥是第一个创造了自己文字的古代
北方民族。在蒙古高原发现了很多突厥碑铭，主要有阙特勤碑、毗伽可汗
碑、暾欲谷碑、阙利啜碑等，是现存最早的突厥语文献，在语言学、历史学
上都有重要价值。1893年，丹麦学者汤姆森解读了阙特勤碑和毗伽可汗碑
铭文，后来一些国家的学者在此基础上进一步取得研究成果。从碑铭中可
知，突厥是较早使用动物名称作符号来计算年份的民族。这种以动物名称纪
年的方法是：一鼠，二牛，三虎，四兔，五龙，六蛇，七马，八羊，九猴，
十鸡，十一狗，十二猪，每十二年为一周期，交相循环。由于游牧经济的分
散和流动特点，平时难得聚会，突厥社会形成了在举行葬礼时选择配偶的习
俗。会葬时，青年男女装扮一新，留意物色意中人。如看上某一女子，回家
后即派人求婚，女方父母多不拒绝。突厥也有收继婚俗。父、兄、伯、叔死
后，子、弟及侄可以娶后母、嫂子、伯母、叔母，但长辈不可以收继晚辈。
史书记载的突厥丧俗较为详细。人死之后，停尸于毡帐之中，子孙及男女亲
属各杀羊马，陈列帐前祭奠。亲属要骑马绕帐七周，其中一人至帐门前用刀
剺面痛哭，血泪交流，反复七次。随后选择日子，将死者尸体与平时坐骑及
佩戴物品一起焚毁，收取骨灰，待时而葬。如春夏季死，则等到草木黄落，
如秋冬季死，则等到草木茂盛，才挖坑埋葬。入葬之日的仪式，和停尸时一
样。葬毕，依一生杀人多少于墓前立石，杀一人，立一石，有多至千百的。
还于墓前立木柱，在上面挂供祭的羊马头、图画死者容貌及生平所经战阵。
突厥人以东为贵，崇敬日出，毡帐门东开向日；祭拜祖先天地；有占卜习
俗，这些都是萨满教信仰和流行的表现。此外，突厥人还信仰佛教，上层贵
族多有皈依者，祆教、景教则仅流行于西突厥。

突厥汗国前后，蒙古高原分布有许多铁勒部落，有的盛极一时，短暂统
治过漠北地区，有的实力逐步壮大，建立了游牧政权。

二、铁勒诸部

铁勒即南北朝时期的敕勒（高车），隋唐时期的汉文文献中多称为铁
勒。分布于蒙古高原上的铁勒氏族或部落主要有：色楞格河流域的回纥，
土拉河流域的仆骨、同罗、拔野古、思结、契苾等，阿尔泰山西南的薛延

陀等，贝加尔湖南的都波等。此外，在中亚、西亚等地还有铁勒部落活动。

突厥兴起及汗国建立后，铁勒各部均在突厥统治者的统辖之下，因不堪盘剥，经常起来反抗突厥的统治。薛延陀曾一度攻灭突厥政权并且建立了汗国。薛延陀为铁勒诸部之一，由薛和延陀两个氏族组成，原住土拉河流域，隋初迁至阿尔泰山西南，受西突厥统治。628 年，西突厥统叶护可汗死，国内大乱，薛延陀首领乙失钵之孙夷男（628—645 年在位）率部落 7 万家迁至鄂尔浑河流域，附属于东突厥颉利可汗（620—630 年在位）。颉利赋税繁苛，导致东突厥国内大乱，铁勒诸部多叛。薛延陀以其实力最强，诸部多来附属，成为反抗东突厥的中坚。时唐朝正欲解决东突厥的威胁，于是册封夷男为真珠毗伽可汗，赠以鼓纛。贞观四年（630 年），薛延陀联合回纥部帮助唐朝共同进攻东突厥，灭亡了东突厥汗国。然后建牙帐于鄂尔浑河上游郁督军山（又作于都斤山），建立汗国。薛延陀盛时，疆域东及大兴安岭，西达阿尔泰山，北至色楞格河，南抵黄河河套一带，回纥、拔野古、同罗、仆骨、阿跌、霫等铁勒诸部都服属于薛延陀。薛延陀多次侵扰唐朝边境，唐以漠南突厥防御薛延陀。645 年，夷男卒，其子跋灼继立为颉利俱利薛沙多弥可汗（645—646 年在位），引兵南侵，大败而返。多弥猜忌无恩，族人不附，所属诸部遂起而叛之。贞观二十年（646 年），铁勒回纥、仆骨、同罗等部助唐攻击薛延陀，其他部落也相率叛而附唐，多弥可汗战败被杀，部众溃散，余部立夷男侄子咄摩支为可汗。唐发兵攻击，咄摩支降唐，薛延陀汗国灭亡，回纥部占有了大漠南北薛延陀故地。唐朝在回纥及铁勒各属部置 6 府 7 州，府设都督，州置刺史，封回纥可汗吐迷度为怀化大将军兼瀚海都督府都督，受燕然都护府管辖。659 年，回纥灭西突厥，尽据突厥汗国故地，铁勒诸部也并入其中。后突厥汗国建立后，铁勒诸部重又归服突厥，但也不时有所反抗。716 年，拔野古部袭击后突厥，杀默啜可汗。744 年，回纥等铁勒诸部共同结束了后突厥的统治，蒙古高原开始了回纥时代。

三、回纥与回纥汗国

回纥在南北朝隋唐时为敕勒（高车）或铁勒诸部之一，在文献中相继被记作袁纥、韦纥、回纥等，后更名为回鹘①。

隋代到唐初，回纥驻牧于色楞格河流域，对突厥时附时叛。630 年，回纥与薛延陀助唐共灭东突厥前汗国，薛延陀以鄂尔浑河为中心建立汗国，回纥首领菩萨则另在南面土拉河畔建立牙帐，自称"颉利发"（意为首领），服属于薛延陀汗国，有时也与薛延陀分庭抗礼。646 年，回纥助唐灭薛延陀，656 年，又出 5 万骑兵助唐灭西突厥，回纥即据有了东、西突厥汗国故地。此后，回纥七代首领均接受唐朝瀚海都督封号，受唐燕然都护府管辖。682 年，东突厥后汗国兴起，一部分回纥部众被迫迁往甘（今甘肃张掖）、凉（今甘肃武威）之间，留居漠北的回纥余众则服属于后突厥。8 世纪 40 年代，后突厥统治阶级内部自相残杀，回纥首领骨力裴罗奉唐诏谕，联合拔悉密、葛逻禄等后突厥汗国属部起兵共攻后突厥，杀死骨咄禄叶护。唐天宝元年（742 年），骨力裴罗与葛逻禄酋长共推拔悉密酋长为颉跌伊施可汗，自任左叶护。唐封其为奉义王。次年，骨力裴罗子磨延啜率回纥军助拔悉密、葛逻禄部击败并俘虏了后突厥乌苏米施可汗。744 年，骨力裴罗联合葛逻禄部击破拔悉密部，杀死颉跌伊施可汗，自称骨咄禄阙毗伽可汗，立牙帐于乌德鞬山与嗢昆河（今蒙古国鄂尔浑河）之间，辖药罗葛九姓，建立了回纥汗国。745 年，骨咄禄阙毗伽可汗攻杀后突厥最后一个可汗白眉可汗，征服邻近各部，尽有突厥故地，东至呼伦贝尔草原，西及新疆北部，南止长城，北连贝加尔湖，继突厥之后成为漠北地区新的统治者。唐封之为怀仁可汗。自此，回纥汗国（744—840 年）存在近 100 年。

汗国初建，怀仁可汗东征西讨，铁勒诸部如仆骨、拔野古等，非铁勒部落如契丹、室韦等均附属于回纥；磨延啜负责汗国西面军事，曾攻破葛逻禄，迫其西迁。唐天宝六年（747 年），磨延啜即可汗位，号登里罗没密施颉翳德密施毗伽可汗（意为天生的建国的英明可汗）。继位之初，任命两个儿子为叶护和设，致力于征服邻族邻部，铁勒部落及非铁勒部落如九姓达怛等都成为属部。又在于都斤山和铁兹河上游都建立了汗庭，制作了可汗印记和诏谕，确立了疆界，汗国根基得到巩固。天宝十四年（755 年），唐暴发安史之乱。至德（756—758 年）初，应唐肃宗召请，遣太子叶护率精兵

---

① 回纥史实主要依据《旧唐书·回纥传》、《新唐书·回鹘传》及《磨延啜碑》等。

4 000 余人援，助唐平叛。唐给回纥军每日提供羊 200 只，牛 20 头，米 40 石。757 年，帮助唐收复西京长安、东京洛阳。758 年，肃宗封幼女为宁国公主，嫁与磨延啜，并册立其为回纥英武威远毗伽阙可汗。磨延啜遣使回谢唐廷，并派兵三千助唐讨逆。突厥文"磨延啜碑"（又名"葛勒可汗碑"）和"铁尔痕碑"（又称"塔里亚特碑"、"磨延啜第二碑"）记载了英武威远毗伽阙可汗一生的功业。

总之，回纥与唐关系密切。政治上，回鹘 15 世可汗，有 11 世都接受唐朝的封号；经济上，双方开展巨额的绢马贸易；唐朝皇帝多次把公主嫁给回纥可汗，双方结成姻亲。

780—795 年间，回鹘内部上层围绕汗位斗争激烈，接连四代可汗均以暴力夺位。对外则与吐蕃等争夺地盘，征讨突厥等部的叛离。内争外讨严重消耗了回纥的国力。从 832 年起，回鹘又连遇灾年，畜牧经济遭到很大损失，国内动乱，势力大衰。840 年前后，回鹘可汗被黠戛斯所杀，部众溃散，属部叛离，汗国灭亡。回鹘余众或南下降唐，或西迁另谋牧地。南下唐边的回鹘以特勤乌介为可汗，往来于天德（今河套东）、大同之间，后为唐军击破，残部先附于奚，后依附于室韦，最后被黠戛斯俘还漠北。其余 15 部由贵族庞特勤率领，分 3 支向西北迁徙，先后建成高昌回鹘、河西回鹘（甘州回鹘）和喀喇汗王朝 3 个政权，在西域建立和存在了一百多年至五百年之久，到 12 世纪开始离开历史舞台或趋于衰落。

回纥部由 9 个氏族组成，即药罗葛、胡咄葛、咄罗勿、貊歌息讫、阿勿嘀、葛萨、斛嗢素、药勿葛、奚耶勿，通常称为"内九姓"或"内九族"。药罗葛是组成回纥部落的核心，可汗大多出自这个氏族。后来又有铁勒的 8 个部落加入回纥部落联盟，即仆骨、浑、拔野古、同罗、思结、契苾、拔悉密和葛逻禄，与居首的回纥部又合称"外九部"或"九姓铁勒"。回纥沿用突厥制度，官号大多相同。实行左、右翼建置和十进位军制，可汗是最高统治者，直辖汗庭周围地区。其余统治区划分为左、右二部，各置"设"管理。大臣有叶护、颉利发、始波罗、梅禄、啜、俟斤、达干共 28 等，均世袭。受唐朝影响，也采用汉地官制，有内宰相、外宰相、都督、将军、司马等官职。

回纥人的畜牧业发达，盛产马羊。狩猎业在日常经济生活中占有一定地位，"常以战阵射猎为务"。手工业应有金属和木器制作等行业。与唐朝进行大规模互市，主要以马交换茶叶、丝绸等物。

回纥语言应属阿尔泰语系突厥语族。回纥建国之初用突厥文，后使用粟特文，并以粟特字母拼写回纥语，回纥文逐步形成。20 世纪初以来，在蒙古高原发现了一些回纥汗国时期的碑铭，主要有磨延啜碑、铁尔痕碑、铁兹碑（又称牟羽可汗碑）、九姓回鹘可汗碑等，是珍贵的历史文献。回纥婚俗以牛、马做聘礼，流行收继婚习俗和制度，存在一夫多妻现象。葬俗有土葬、火葬，也有劖面痛哭的习俗。与突厥一样，以狼为图腾，有拜狼纛的习俗。信奉萨满教。汗国中期，从唐朝传入摩尼教，并作为回纥国教而得以传播。

回鹘汗国灭亡后，蒙古高原各族曾经历了黠戛斯人的短暂统治。黠戛斯人退回叶尼塞河流域后，标志着突厥语族部落统治蒙古高原时代的结束，随后进入了蒙古语族部落在蒙古高原发展壮大的新的历史时期。

四、黠戛斯

唐代见于汉文献记载的北方游牧民族，属铁勒部落之一，今我国柯尔克孜族祖先。汉代文献记作鬲昆、坚昆，南北朝至隋作护骨、结骨、契骨、纥骨，唐朝通用的汉译名是黠戛斯，或纥扢斯，突厥文《毗伽可汗碑》等作 Qirqiz。游牧于今叶尼塞河上游至阿尔泰山一带。秦汉时，被匈奴征服，后附属于鲜卑。隋唐时期，先后臣属于突厥、薛延陀、回纥汗国。632 年，唐朝遣使至黠戛斯。648 年，黠戛斯首领失钵屈阿栈入唐，唐设坚昆都督府，任失钵屈阿栈为都督，隶燕然都护府管辖。840 年左右，黠戛斯发兵攻灭回鹘汗国，控制蒙古高原及其周边。回鹘余众或南下唐边，或西迁另谋牧地。往来于天德（今河套东）、大同之间的回鹘乌介可汗，后为唐军击破，残部先附于奚，后依于室韦，最后被黠戛斯俘还漠北。又追击西迁回鹘部众，曾一度占领安西、北庭，但不久退出。845 年，黠戛斯可汗受唐封为宗英雄武诚明可汗。

黠戛斯人以游牧为主，渔猎为辅，兼有少量农业。出现贫富分化和阶级对立，但原始社会遗风相当浓厚。信仰萨满教，称为"甘"。使用类似北欧的鲁尼字母拼写的文字。文献记载黠戛斯人赤发皙面，应为欧罗巴人种；也有黑发之人，传说为汉代李陵之后。

五、吐谷浑

6 至 10 世纪，吐谷浑的实力进一步发展壮大，与诸边诸族及隋唐王朝发生了密切关系①。

隋开皇初，吐谷浑侵掠弘州，隋以地旷人稀，废州。随后，隋出兵数万征讨吐谷浑，夸吕畏惧，率亲兵远遁，其名王 13 人各率部落投降隋朝，隋文帝以吐谷浑高宁王素得众心，封为河南王，统其降众。开皇八年，高宁王死，文帝令其弟树归袭统其众。十一年，夸吕死，子世伏称藩于隋。十六年，隋以光化公主妻世伏。次年，吐谷浑国大乱，部众杀世伏，立其弟伏允，遣使贡隋，依俗娶公主。隋炀帝继位后，伏允遣子慕容顺来朝。隋唆使铁勒击吐谷浑，伏允东走，保西平境。隋兵两路出击，伏允逃匿山谷间，故地皆空。自西平临羌城以西，且末以东，祁连以南，雪山以北，东西四千里，南北二千里皆为隋有。隋置河源、西海、鄯善、且末四郡以及县、镇、戍等，徙罪徒居之。伏允率部人数千骑，客居党项。炀帝立伏允子顺为吐谷浑主，送出玉门，使统吐谷浑余众，遇阻未成而还隋。隋末大乱，吐谷浑渐复故地，屡寇隋边塞，郡县难以应制。

唐朝建立后，慕容顺自江都至长安投唐。唐高祖遣使与伏允通和，以放顺返归吐谷浑为条件，使击割据凉州的李轨。伏允同意，兴兵攻击。后频遣使请归顺，唐乃还。唐太宗在位时，伏允遣洛阳公至唐，未返，吐谷浑大掠去。太宗遣使诏伏允入唐，称病不至，遣使为其子尊王求婚，唐允婚，令尊王亲迎，不肯入唐，遂诏停婚。后伏允率部寇兰、廓二州，唐廷议决出兵攻击，一路至青海南，破吐谷浑，掳牛羊二万余头而还。太宗又频遣使至吐谷浑，使者十余返，不与唐和。贞观九年（635 年），吐谷浑被唐大举攻击，连战皆败，人畜损失惨重。大宁王顺举众降唐，伏允遁于沙碛中，相随骑兵仅百余人，乃自缢而死。从此吐谷浑分成东、西二部，西部居鄯善，由伏允次子掌控，后来降伏吐蕃。东部居伏俟城，国人立顺为可汗，向唐称臣内附，受封为西平郡王。不久，顺为臣下所杀，子诺曷钵立。诺曷钵年幼，大臣争权，国中大乱。唐太宗派兵增援，封为河源郡王，授乌地也拔勒豆可汗

---

① 隋唐时期吐谷浑史实，参阅《隋书》和两《唐书·吐谷浑传》。

称号，加封青海国王。贞观十四年（640年），诺曷钵请婚，唐朝以弘化公主妻之。次年，诺曷钵所部丞相宣王专权，阴谋作乱，计划袭击弘化公主，劫持诺曷钵至吐蕃。诺曷钵大惧，率轻骑走入鄯善城。唐鄯州刺史杜凤举与吐谷浑威信王合兵击宣王，大破之，太宗遣使抚慰诺曷钵。唐太宗死后，以诺曷钵石刻像，列于昭陵陪葬。后吐谷浑与吐蕃相互攻伐，各遣使请唐兵援助，唐高宗皆不允。龙朔三年（663年），吐蕃攻吐谷浑，诺曷钵难以抵御，携弘化公主投凉州（今甘肃武威）。高宗遣薛仁贵等救援，为吐蕃所败，吐谷浑遂亡。

诺曷钵率亲信数千帐内附，部众被安置于灵州（今宁夏灵武西南）一带，置安乐州，以诺曷钵为刺史。诺曷钵后，历四世，仍世袭青海王号，在灵州一带驻牧。8世纪后，吐蕃东侵，攻陷安乐州，吐谷浑又东迁入朔方（今内蒙古乌审旗白城子）、河东等地。

唐末，文献又记作"吐浑"、"退浑"。贞元十四年（798年），唐以慕容复为长乐州都督、青海国王、乌地也拔勒豆可汗。不久，慕容复死，封袭遂绝。五代时，一支吐谷浑散处蔚州等地，曾附属于沙陀李氏，与沙陀有和战关系，并曾助唐讨伐庞勋，后属后晋石氏。后晋天福初（936年），燕云地区割属契丹，吐谷浑人附契丹，后世多同化于汉族或其他民族。

吐谷浑人主要从事畜牧业，"随逐水草"。马、牦牛、羊、驼是主要牲畜。据史书记载，有良马能日行千里，号"青海骢"。俗"好射猎"，狩猎业在吐谷浑经济生活中占有重要位置。经营农业，有大麦、粟、豆等作物，因北界气候寒凉，适宜种植大麦、蔓菁。富产铜、铁、朱砂等手工业原料，善做兵器，有弓刀甲稍。吐谷浑对外商业交往频繁，与南北朝及后来的隋唐以及波斯等，都有贸易关系。吐谷浑社会初有长史、司马、将军，后又有王公、仆射、尚书、郎中等官号。无常赋，需要时向富人、商人收税以充国用。刑罚简略，杀人及盗马者处死，方式是用毡蒙头，从高处以石击之。其余犯罪则以物赎罪，也有杖刑。王公服式略同于汉族，有冠帽，着小袖袍，小口裤。"肉酪为粮"。"有城郭而不居"，"庐帐为室"。实行蒸母报嫂婚。富家厚出聘礼，贫困没有财力的人，有抢婚习俗。土葬，有丧服，葬毕则除。原信奉萨满教，西迁后，逐步信仰佛教。

吐蕃灭吐谷浑后，仍有一部分吐谷浑人留居故地，附落犹存，达延芒结波与素和贵等仍拥重兵。9 世纪中叶吐蕃崩溃后，吐谷浑居住在湟水和大通河流域，依险屯聚自保。12 世纪后，河东的吐谷浑人返回甘青故地，与湟水流域之吐谷浑人聚会。元朝时，称作西宁州土人。依近年来一些研究者认为，今青海土族即吐谷浑的后裔。

六、契丹

6、7 世纪，契丹逐步发展壮大起来，在内蒙古东部西拉木伦河、老哈河流域及以南地区发挥越来越大的历史作用①。

6 世纪末期（隋代），史载契丹有 10 部。时突厥称雄于大漠南北，契丹部落酋长多依附于隋廷和突厥牙帐之间。开皇五年（585 年），北齐时徙居白狼水（今大凌河）以东的契丹部落归附隋朝，隋文帝诏许回归松漠故地之间。次年，北齐时寄居高丽的契丹部落一部分人背高丽附隋，文帝下令将他们安置在渴奚那颉以北之地，约相当今赤峰市辖区及通辽南部一带。开皇十九年（599 年），北齐时降附突厥的契丹 4 000 家也趁突厥内乱而南下要求隋朝接纳。文帝考虑会因此导致突厥附隋局面的破裂，便让突厥安抚并继续控制这部分契丹人。由于突厥内争激烈，对属部难以有效统治，契丹人也不愿再受突厥腴削，坚持不附。后来由于部众增多，于是北徙辽西 200 里，依托纥臣水（今老哈河）而居，地域东西 500 里，南北 300 里。

7 世纪初期（唐朝初期），史载契丹人居潢水（今西拉木伦河）之南、黄龙（今辽宁朝阳）之北的鲜卑故地，东邻高丽，西接奚，南抵营州，北毗室韦。此时契丹各部落已组成部落联盟，首领出自大贺氏。附属于突厥，受"俟斤"官号。唐贞观二年（628 年），契丹首领摩会率部背突厥附唐。648 年，契丹诸部皆请内附，唐于契丹活动区置松漠都督府（今内蒙古巴林右旗南），封首领窟哥为都督。又置 10 个羁縻州，各以契丹部落首领做刺史，契丹活动区正式纳入唐朝行政建制之中。此后与唐和好，直到 7 世纪末始反唐附于后突厥。8 世纪初，契丹首领李失活重又附唐，唐复置松漠都督府，以失活为都督，封松漠郡王，唐玄宗又以甥女为永乐公主妻之。唐天宝四年（745 年），遥辇氏迪辇俎里被立为阻午可汗，取代大贺氏成为契丹部

---

① 隋唐时代契丹历史脉络，主要根据《隋书》和两《唐书·契丹传》。

落联盟首领。遥辇氏在联盟中设迭剌、乙室、品、楮特、乌隗、突吕不、涅剌、突举、左大部、右大部共10部，实行联盟长就职的"柴册仪"。迭剌部势力最大，始终掌握军、政权力。这一时期，契丹族政权初具雏形，制度、官署、刑辟、地牢、城邑、军队统帅、生产组织、奴隶、贵族阶层均已出现。时回纥兴起，契丹臣属，间或附唐。9世纪中叶，回鹘汗国亡，又附属于唐朝。此后部落渐盛，征服邻近奚、室韦等部落。907年，耶律阿保机取代遥辇氏为盟主。916年，阿保机在龙化州（今通辽奈曼旗境）称皇帝，国号"大契丹"，建立游牧的国家政权。大契丹国是一个以契丹族为主，包括奚、突厥、吐谷浑、党项、室韦—达怛、汉等族在内的政权。都城建在今赤峰市巴林左旗林东镇南，辽太宗时改为上京。947年，改国号为辽。

契丹奇首可汗时期，其所生八子分别组成悉万丹部、何大何部、具伏佛部、郁羽陵部、日连部、匹洁部、黎部、吐六于部，称古八部。隋朝时期，部落渐众，分为十部，形成重大事务协商行动的联合体。唐朝时期，组成大贺氏联盟，确立三年一会选举大人、建旗鼓以统八部的制度，社会进入新的发展时期，与周边各族和政权特别是唐朝的往来日益密切。

契丹政权实行"以国制治契丹，以汉制待汉人"，"因俗而治"的统治方针，吸收、借鉴、改造唐朝、五代诸政权、宋朝的官制，建立北、南双轨政权体制。统治机构核心部分有在迁徙移动中商讨政务、行使职权的重要特点。契丹军队以骑兵为主，设御帐亲军、宫卫骑军、部族军、属国军，铸金鱼符调动军队。

契丹人以游牧经济为主，居毡帐，随季节水草放牧牲畜。辽朝建立后，设立专职机构和官员管理。早期契丹人的生活中，渔猎是重要产业，后来畜牧业和农业的发展，使之变为辅助性产业。契丹早期有一定农业，随着农业区的占领和扩大，农业比重不断增大，产量不断增加，与畜牧业一同成为契丹辽的主要经济产业。契丹人的手工业比较发达，主要有陶瓷、金银、皮革、铜铁、木器、纺织等制造业。商业也较发达，与邻族有广泛的贸易往来。

契丹语与鲜卑语相通，是东胡后裔诸语言的一支，属阿尔泰语系蒙古语族。契丹人早期无文字，刻木为信。耶律阿保机建国后，借鉴汉字等创制契丹大、小字，考古多有发现。契丹贵族受汉文化影响很深，留下了不少文学作品和绘画艺术品。契丹人以耶律（皇族）和萧（后族）姓为贵，互相通婚。部众实行族外婚制，也有收继婚俗。建国前葬俗为树葬加火葬。将死者尸体置于山树之上，三年后收尸骨焚烧，有一定祭奠仪式。后来实行土葬，有砖石墓和土坑墓。契丹人信仰萨满教、佛教和道教。

契丹—辽的建立，揭开了古代内蒙古历史的新篇章。此后，内蒙古高原进入契丹人统治的时代，在中国乃至世界历史上留下了广泛而深刻的影响。

七、奚

6世纪末（隋初），汉文献略称库莫奚为奚，分辱纥主、莫贺弗、契个、木昆、室得五部，各有首领一人，借用突厥官号，称俟斤（Irkin）。其中阿会氏最强，为诸部之长。初臣属突厥，后附于隋。奚在契丹西，突厥东，营州（今辽宁朝阳）西北，约当今西拉木伦河上游南部。大业年间遣使贡隋①。

7世纪初期（唐初），史载奚亦居鲜卑故地，东接契丹，西邻突厥，南拒白狼河（今大凌河上游），北与霫毗邻。地域四至大体东部以松陉岭（今努鲁儿虎山）与契丹为界，西滨大洛泊（今克什克腾旗西部达里诺尔），北至西拉木伦河北，南到大凌河上游一带。奚人多依吐护真水（今老哈河）而居，奚王牙帐南距古卢龙塞（今河北喜峰口一带）600里，约在老哈河中游西岸地区。奚时附于唐，时属于突厥。唐贞观三年（629年），奚遣使唐廷，与唐朝建立了贡赐关系。贞观十九年（645年），唐太宗李世民征伐辽东，奚兵从征，大酋苏支立有战功。贞观二十二年（648年），奚臣属唐朝，唐于奚活动区置饶乐都督府（今赤峰市林西县双井店乡西樱桃沟古城），下置九个羁縻州，各以部落首领为都督、刺史。7世纪末，后突厥兴起，向东击败奚部，奚背唐附后突厥。在古突厥文《阙特勤碑》和《毗伽可汗碑》中，突厥人称其为 Tatabi（有认为 Tatabi 对应汉文献中的地豆于）。8世纪初，后突厥属部纷起反抗，奚复来附唐，首领李大酺被唐玄宗封为饶乐郡王，复为饶乐都督，受营州都督府节制，并娶唐宗室女固安公主为妻。奚与契丹相邻而居，既有和平交往，又间有战事。720年，奚与契丹争斗，首领大酺战死，弟鲁苏继位，袭爵饶乐郡王，复娶东光公主为妻。726年，改封

---

① 隋唐时代奚人历史脉络，主要根据《隋书》和两《唐书·奚传》。

鲁苏为奉诚郡王。735年，改饶乐都督府为奉诚都督府。8世纪中期以后，奚与唐关系密切，每年常派出数百人至幽州进行经济文化交流。并从数百人中选三五十人至长安朝贡，从事政治交往和经济贸易。唐中叶前，奚强大，有胜兵3万余人，与契丹并称为"两蕃"。后来，契丹日益强盛，奚的发展势头和空间受到遏制，转向衰落，服属于契丹，常为契丹守疆界。唐末，首领去诸率领奚之一部背离契丹，西迁妫州（今河北怀来）北山内附，文献别称西奚，于是有了东奚、西奚之分。10世纪初年，奚部连遭契丹攻击，人口财富损失惨重。911年（后梁开平五年），东、西部奚被契丹耶律阿保机分兵攻破，最终降附于契丹—辽。契丹"于是尽有奚、霫之地。东际海，南暨白檀，西逾松漠，北抵潢水，（奚）凡五部，咸入版籍"。

　　奚人源自东胡鲜卑，操与契丹、室韦相同语言，过着逐水草而居的游牧生活，以畜牧业为主[①]，渔猎业为辅。饮食以肉类和奶酪为主，所谓"食牛羊之肉酪"。随着与中原汉人频繁接触和杂居，许多奚人学会农耕[②]，也以稷、穈、粟等为食。奚人"居有毡帐，兼用车为营"[③]；毡帐又称穹庐、毡庐、毡包、帐幕、毳幕等，是适宜游牧狩猎生活需要而可以拆迁移动的圆形毡房。随着奚与汉、渤海等农耕民族频繁接触，从事农业的奚人日益增多，居住方式也开始发生变化，由流动走向定居，出现"草屋"、"板屋"等[④]。作为游牧民族，奚人以马、车为主要交通工具[⑤]。上层贵族与唐朝皇室、回

---

　　① 《旧唐书》卷199《奚传》载：库莫奚以"畜牧为业"；《续资治通鉴长编》卷79《王曾上契丹事》载：宋大中祥符五年（1012年），王曾使辽，出古北口进入奚境后，"时见畜牧牛马橐驼，尤多青羊黄豕"。

　　② 据《新唐书》卷219《奚传》记载，隋唐五代时，奚人即借边民荒地种稷。

　　③ 《旧唐书》卷199（下）《奚传》。

　　④ 宋天祐四年（1089年），宋人苏辙《出山诗》（载《栾城集》卷16）曰："奚人自作草屋住"；《续资治通鉴长编》卷79《王曾上契丹事》："自过古北口，即番境，居人草庵板屋。"

　　⑤ 《新五代史》卷74《四夷附录》（三）载，"马逾前蹄坚善走，其登山逐兽，下上如飞"；沈括《使辽图抄》（《永乐大典》卷103777《房》，中华书局影印本1986年版，第4480页），奚人"行则乘马"；李商隐《为荣阳公贺破幽州奚冠表》（《文苑英华》卷568）记：幽州节度使张仲武奏破奚部落，俘获物中有奚车五百乘；《新五代史》、《辽史》也记载契丹君主乘奚车到中原作战。沈括《使辽图抄》则详尽地记载了奚车的功能和形制："奚人业伐山、陆种、斲车。契丹之车，皆资于奚。车工所聚曰打造馆。[其]辐车之制如中国，后广前杀而无般，材俭易败，不能任重而利于行山。长毂广轮，[轮]之牙其厚不能四寸，而斲之材不能五寸。其乘车驾之以驼，上施慌惟。富者加毡幰文绣之饰。"奚车为木制、轻便，适于山地之用。

纥贵族、契丹贵族有婚姻关系。普通牧民多仍保持族内婚。

自4世纪中叶（十六国时期）见诸史乘，奚与契丹相邻而居，在文献中如影随形。奚与契丹言语相通，习俗相近，具有绵长的历史渊源。至10世纪初，奚被契丹彻底征服，以后在契丹——辽朝政治、军事、经济体系中占据重要地位，发挥关键作用。辽代，契丹、渤海、奚、汉"四姓杂居，旧不通婚，谋臣韩绍芳献议，乃许婚焉"。① 随着族内婚逐渐被打破，最终导致与汉、契丹、女真、渤海、蒙古等族融合，特别是与汉族融合，至元朝，奚最后退出历史舞台。

八、霫

隋代见于汉文献记载，《旧唐书》始认为属于匈奴别种②。隋开皇三年（583年）归附隋朝，此后朝贡不绝。唐代居于潢水（今内蒙古西拉木伦河）以北，东邻靺鞨，西毗突厥，南接契丹，北至乌罗浑。居地方圆二千里，四面环山，应在今西拉木伦河以北的大兴安岭山中。擅长射猎，风俗与契丹大略相同。衣服边缘用红色畜兽皮缝缀，妇女以铜钏为贵，衣襟上下悬挂小铜铃。都伦纥斤部落最强，有四万户，胜兵万余人。唐贞观三年（629年），酋长遣使通唐。又附属突厥。《新唐书》又称为白霫。唐以后不见史籍记载，流向不明。

九、室韦—达怛

6世纪末至10世纪初的室韦—达怛在内蒙古高原日益活跃，中原史家对室韦的了解也愈来愈深入③。

6世纪末至7世纪初（隋代），史书记载的室韦部落分成南室韦、北室韦、钵室韦、深末怛室韦和大室韦5大部，分布在嫩江流域、大兴安岭山脉、额尔古纳河和黑龙江上游地区。南室韦在契丹以北，分为25部。文献记载的南室韦的地理环境、经济生活和风俗习惯等与北朝时的室韦基本相

---

① 《武溪集》卷17《契丹官仪》。
② 参见《隋书》、《旧唐书·霫传》。
③ 隋唐时期室韦史实，主要参考《隋书》、《旧唐书》、《新唐书·室韦传》和《通典》室韦条。

同，可以认为南室韦相当于北朝时的室韦，分布于嫩江中下游以西地区。北室韦南距南室韦11日程，分9部落，绕吐纥山而居，约在大兴安岭北端。钵室韦南距北室韦千里，人众多于北室韦，依胡布山而住，大体在黑龙江上游以南的盘古河流域。深末怛室韦在钵室韦西南4日行程，位于北室韦西北，因水而得名，当今额尔古纳河东岸流域。大室韦在深末怛室韦西北的望建河之南。望建河为今额尔古纳河及黑龙江，隋代大室韦已在额尔古纳河下游右岸居住。隋代室韦部落隶属于突厥，由3个吐屯管领。593年、610年分别派使者出使隋朝，酋长曾随突厥启民可汗见过隋炀帝。由于地理环境略有差异，各室韦部落的经济生活和风俗稍有不同。

7世纪初至10世纪初（唐代），史书对室韦的记载较前代更为详细，有了具体名称的20多个室韦部落。史载，唐代呼伦湖周围均分布有室韦部落。乌素固部在俱轮泊（今呼伦湖）西南，西与回纥相邻，当在今克鲁伦河下游两岸。依次往东位于呼伦湖南部的还有移塞没、塞曷支、和解、乌洛侯、那礼、东室韦、黄头、达姤等部。北朝时的乌洛侯已成为唐代南部室韦的一支。在乌洛侯等部以北，还分布着山北、大如者、小如者等室韦部落，大致在呼伦贝尔草原和大兴安岭山脉之间活动。西室韦在呼伦湖北部，沿望建河（今额尔古纳河和黑龙江）上游而居。大室韦亦依傍望建河而居。史载望建河源出俱轮泊（今呼伦湖），这与实际情况或有出入。今额尔古纳河上源本为海拉尔河，汛期由达兰鄂洛木河与呼伦湖相通，古人误以为源出呼伦湖。大室韦既在望建河之南，当在额尔古纳河中下游的东南岸地带。与大室韦相邻的有蒙兀室韦。"蒙兀"是"Mongkhol"（蒙古）一名见于汉文史籍记载的最早形式，首见于《旧唐书·北狄室韦传》。根据拉施特《史集》，"蒙兀"是"质朴无力"的意思。唐代室韦有二十余部，蒙兀室韦为其中的小部落，史载望建河东向流经其北。文献所说额尔古纳河屈曲东流，就其大段而言，实为东北流。结合《史集》所载蒙古先民曾在额尔古纳河流域大山里居住过的史实，蒙兀室韦应在额尔古纳河下游东南及黑龙江上游以南地区，北隔望建河与落坦室韦相望。

这一时期，室韦地域东邻黑水靺鞨，西面相继与突厥、回纥接界，南邻契丹，各部主要分布于今霍林河南北，嫩江流域东西，大兴安岭山脉，呼伦湖周围和额尔古纳河及黑龙江上游两岸。此后，室韦活动范围逐步向南向西扩大。

室韦各部依违于突厥和唐朝之间。作为属部，室韦要在政治、经济、军事方面对突厥尽义务，突厥则提供一定的安全保证。对于唐朝，室韦更多表现的是一种名义上的臣服，通过朝贡这种方式，获得较大的经济利益。从经济层面上看，室韦等似乎更倾向于跟唐朝建立广泛的联系。唐武德（618—626年）年间，室韦遣使于唐，贞观（627—649年）以后，更是朝贡不绝。630年，东突厥前汗国灭亡，室韦更转而归附唐朝。室韦与唐朝联系频繁，使者往还不断。唐朝在室韦地域内设室韦都督府，任命室韦酋长为大都督、都督等来统治部众。东突厥后汗国建立后，室韦复属突厥。在突厥文碑铭中，突厥人把他们泛称作 Tatar（达怛）。

8 世纪初，室韦部落分几支向西向南迁移，有的进入漠北腹地，有的靠近了唐朝的沿边州郡。一些室韦人已经在土拉河、色楞格河及鄂尔浑河一带活动，被突厥语族部落称为九姓达怛（Toquz Tatar）。呼伦贝尔高原的室韦部落则被称为三十姓达怛（Otuz Tatar）。此后，室韦人逐步南移，与唐朝北部边界日益接近，部落庐帐已在契丹牙帐以北的百里之地。8 世纪末 9 世纪初，部分室韦人已到达今内蒙古鄂尔多斯高原东北部、乌兰察布高原西南部及巴彦淖尔高原乌加河流域。788 年，室韦与奚联合，袭击唐振武节度使（治所在今和林格尔县土城子古城）辖区，击败唐和回纥联军。9 世纪初（唐元和年间，806—820 年），室韦不断骚扰振武、天德（旧址在今乌拉特前旗乌梁素海东岸阿拉奔古城）地界，唐朝百姓"谓之刮城门。人情骇惧，鲜有宁日"。近边的室韦部落，有时受控于回纥，骚扰唐边，劫掠财物，有时附唐互市。随着地域变迁和势力不断壮大，室韦同回纥、沙陀突厥、党项、吐浑、奚、契丹等族有了更频繁的交往，同唐、后唐的关系也更为密切。9 世纪中叶回鹘汗国衰亡以后，室韦人大批涌入蒙古高原和阴山地区，中原人受突厥语族部落影响，又开始泛称室韦为达怛。汉文献中出现了黑车子达怛、阴山达怛、九族达怛、黄头达怛等具体称谓。

达怛，突厥文作 Tatar，最早见于唐开元二十年（732 年）所立突厥文《阙特勤碑》[1]。碑中两见 Otuz Tatar（三十姓达怛）。在突厥《毗伽可汗碑》

---

[1] 张久和：《关于达怛的名称、族属问题》，《黑龙江民族丛刊》1999 年第 1 期。

（735年立）、回纥《铁尔痕碑》和《磨延啜碑》中数见 Toquz Tatar（九姓达怛）和 Tatar。唐李德裕的《会昌一品集》，是记载 Tatar 这一名称最早的汉文文献，写作"达怛"。从唐到辽金，"Tatar"一名在不同汉文史籍中有不同的汉字译写形式，主要有达靼（《旧唐书》等）、鞑靼（《旧五代史》等）、塔坦（《续资治通鉴长编》）、达坦（《挥麈前录》）、挞笪（《武溪集》）、挞靼（《武经总要》）、塔塔（《宋史》）、达打（《契丹国志》）、靼鞑（《西夏仁宗碑文》）、达旦（《辽史》）、达达（《辽史》、《元史》）、达塔（《黑鞑事略》）、塔塔儿（《元朝秘史》）等。Tatar 一名于公元8世纪30年代使用于突厥语世界，汉语文献则到9世纪中期（唐会昌年间）才对 Tatar 有了记载。各种汉文献对 Tatar 的不同汉译形式，往往反映着不同时期不同地域不同方言的译音规律，或者译自不同的少数部族语言。除突厥文碑中记录的三十姓达怛和九姓达怛以外，汉文史籍中还有黑车子达怛（《会昌一品集》）、阴山达怛（《三朝北盟会编》）、黄头达怛（《续资治通鉴长编》）、黄怛怛（西夏皇陵碑文 M2D：393）、白达达（《辽史》）、黑鞑靼（《黑鞑事略》）、熟鞑靼（《大金国志》）、生鞑靼（《大金国志》）等记载，所指多有不同。

达怛名称的来源和含义，有很多不同说法。古人宋白、洪迈认为达怛由鞑靼讹误而来，今人有以下观点：

1. Tatar 之名源自通古斯语 tartar 或 tata，义为"拖"、"推"，疑其相当于"游牧民"；

2. 因其最早居地内的 Tar 河或 Tartar 河而作部落名；

3. 因其境内岛名 Taraconta 而作族名；

4. 乌桓首领蹋顿的异译；

5. 落怛室韦的转音；

6. 柔然可汗大檀的异译；

7. 源自古突厥语 tat，"义为突厥地方所包含之外族"，"犹诸汉文之'蕃'"。

拉施特《史集》记载："他们（塔塔儿人——笔者）的名称自古以来即闻名于世。""他们在远古的大部分时间内，就〔已经〕是大部分〔蒙古〕部落和地区的征服者和统治者，〔以其〕伟大、强盛和充分受尊敬而〔出类拔萃〕。由于〔他们〕极其伟大和受尊敬的地位，其他突厥部落，尽管种类和名称各不相同，也逐渐以他们的名字著称，全都被称为塔塔儿。这些各种不同的部落，都认为自己的伟大和尊贵，就在于跻身于他们之列，以他们的名字闻名。"根据《史集》，"Tatar"一名应来自呼伦贝尔草原的塔塔儿，是族自称。唐代，突厥语族部落泛称室韦为达怛。唐会昌年间以后，中原地区受突厥、回鹘等的影响，接受了这一称谓，把室韦人也称作达怛。随着室韦—达怛部落的日益强大，名声显赫，一些非室韦系部落也自称或被称为达怛。达怛逐渐成为北方草原游牧民族的泛称。但在达怛名下，占主要部分的仍是讲东胡后裔语言或方言的室韦部落。辽金时期，辽人、金人又称蒙古高原的达怛为阻卜、阻鞯。呼伦贝尔草原上的塔塔儿是蒙古高原上的强大部落。蒙元时期，达怛—塔塔儿这一族称又有了一些变化。在中国，达达是蒙古的同义语。明代的蒙古，被称为鞑靼。在钦察汗国，人数众多的各种突厥语族部落与蒙古人一起被称为达达人。现在，塔塔儿（达达）成了一个突厥语民族的族称，我国也有一部分塔塔儿居民。

在不同的历史时期，达怛诸部参与了一系列历史事件，对中国历史产生了深远影响。三十姓达怛与突厥有战有和，最终成为突厥汗国的属部。九姓达怛深入蒙古高原腹地，对突厥、回纥时附时叛。入辽以后，九姓达怛不断掀起反辽斗争，削弱了辽王朝对西北部的统治。黑车子达怛与回鹘、唐朝均有密切交往。被辽征服以后，在辽这一由多民族部落组成的帝国里，占有重要位置。阴山达怛随沙陀突厥参与镇压中原庞勋、黄巢起义，在经济上接济、在军事上增援辽天祚帝。达怛在中国北方民族历史上占有重要位置。

总体来说，室韦—达怛人是蒙古族的先民，是原蒙古人（经历突厥化以前的蒙古人）。

南北朝时期，室韦处在原始公社阶段，内分 25 个小部落，已出现世袭的部落首领。唐朝初年，室韦人还处在典型的原始公社阶段，"其国无君长"，"无赋额"。部落首领称为"莫贺弗"。在原始的农耕中使用人拽的木犁。盛行集体围猎。在父权家族中保留着明显的母权制遗迹：男子娶妻，要在岳丈家劳动 3 年，才能领回妻子。

室韦人早期主要从事牲畜饲养、渔猎、粗放农业和手工业生产。6—8世纪，室韦部落的牲畜饲养已达到一定规模，饲养物主要有猪、狗、牛、马，没有羊。渔猎业在室韦各部的经济生活中占有重要位置。由于生产能力低下，捕获物主要是獐、鹿、狐、貉、貂、青鼠和鱼鳖等小动物。渔猎工具有网、渔叉、角弓和长箭等。南部室韦部落经营粗放农业，有粟、麦、穄子等作物。除食用，还用来酿酒。农具有木犁。手工业制品有弓箭、渔网、车、木桅、皮舟、滑雪板和马具等生产、生活用品。后来，金属冶炼和毛纺织技术也达到一定水平。主要食用猪、鱼、狗肉。夏季巢居，冬季穴居。9世纪以后，很多迁入草原地带的室韦—达怛部落，转变为以游牧业为主的经济生活，饮食起居也发生了很大变化。

室韦语与契丹语相同，也是东胡后裔诸语言的一支。6世纪中期，室韦社会形成习惯法，惩戒盗窃，盗一罚三，杀人者可以300匹马抵死罪。民俗喜爱赤珠，以多为贵，女无赤珠，甚至终身不嫁。有抢婚和不落夫家习俗。以牛马做聘礼。夫死妇人不再改嫁。唐代室韦婚俗，已不见抢婚痕迹，不落夫家习俗还保留着。又出现了服役婚，即男子要先到女方家服役三年，期满后，女家分配一定的财物，夫妇同归男家。室韦人初期实行树葬，后来有土葬。北朝时将死者尸体放置于林树之上，隋唐时改为部众共享的大棚，应是氏族或部落的公共墓葬场所。守丧三年，每年四次到葬所哭拜祭奠。

10世纪以后，室韦—达怛部落几乎遍布蒙古高原，先后附属于契丹—辽，契丹人又泛称室韦—达怛为阻卜。女真—金也沿用了契丹人对室韦—达怛的称呼。室韦—达怛部落大批进入蒙古高原，改变了自突厥以来蒙古高原的民族分布和构成，开启了蒙古语族部落统治蒙古高原的又一个历史时代。

十、党项和沙陀突厥

8世纪中后期，党项和沙陀突厥相继归附唐朝，被唐朝统治者安置在内蒙古高原中西部地区。党项、沙陀相互争斗，与古代内蒙古各族和中原唐朝也发生了密切联系。沙陀贵族还一度统治了内蒙古中南部，后来被契丹—辽击退。

党项是古代羌族的一支。唐朝初年，党项拓跋部居住在松州（今四川松潘）一带。吐蕃强盛以后，党项拓跋部不堪侵掠，请求内徙，至8世纪60年代辗转迁移于银州（今陕西榆林东南）以北、夏州（今内蒙古乌审旗白城子古城）以东之地，进入鄂尔多斯高原南部。9世纪初期（唐元和年间，806—820 年），唐振武、天德一带也散布着一些党项部落，与室韦等部不时抄掠唐朝缘边郡县，令边地居民苦不堪言。814 年，唐宪宗诏令复置宥州，以卫护附唐的党项各部，党项在鄂尔多斯地区的活动范围进一步拓展。附唐的党项拓跋部受到唐朝扶持，首领往往被任命为夏州或银州刺史，成为地方行政长官。881 年，拓跋思恭以助唐镇压黄巢起义有功，被封为定难军节度使，赐姓李，势力扩展到夏、绥、银、盐、宥等九州岛之地。直到唐朝崩溃，党项李氏一直世袭定难军节度使职位，设置在鄂尔多斯高原南部的夏、盐、宥等州仍在党项控制之下，为后来西夏政权的建立奠定了地域基础。

沙陀突厥原为西突厥属部，故地在准噶尔盆地东南一带。7 世纪 50 年代，归附唐朝。唐德宗贞元六年（790 年），被吐蕃征服。不久，摆脱吐蕃控制自甘州奔附唐朝，进入了贺兰山区和鄂尔多斯高原，后来被唐安置在晋北地区和呼和浩特平原，为唐戍守边地，剿平叛乱。9 世纪，在阴山及以南地区活动的各族各部落，以沙陀的实力最强，对唐朝边地的局势影响最大。唐会昌二年（842 年），亡国的回鹘可汗乌介南下唐边，引起唐北边郡县的骚乱。唐武宗下诏"太原起室韦、沙陀三部落、吐浑诸部"，以防乌介。9 世纪六七十年代（唐咸通年间，860—873 年），沙陀首领朱邪赤心帮助唐军讨伐起义者庞勋，阴山室韦—达怛酋长也率众随从。朱邪赤心帮助唐朝维护统治，屡立战功，被赐姓名李国昌，做了振武节度使（治和林格尔县土城子古城）。乾符二年（875 年），黄巢起义爆发，局势大乱，沙陀贵族趁机反唐，割据一方。878 年，李国昌子李克用攻克云州，唐廷命国昌移镇云州，国昌试图两镇并据而抗命，并与克用合兵攻掠。此间，沙陀与被唐安置在相邻地区的吐浑、党项等部相互攻伐兼并，争夺地盘。唐广明元年（880 年），唐派大兵分攻振武、云州，国昌、克用战败，北投阴山室韦—达怛。同年十二月，黄巢兵入长安，唐僖宗迁逃成都，唐政权岌岌可危，无奈急召沙陀。克用于是率阴山室韦—达怛诸部万人趋雁门，国昌自阴山率沙陀部众归代州。882 年，克用率 35 000 骑"赴难于京师"，数战黄巢，连连取胜。次年四月收复长安，克用因功迁为河东节度使，后受封晋王。此后，沙陀在与唐各藩镇势力间的兼并战争中，吞并异己，扩充地盘，不断发展势力，阴山地区的室韦—达怛、吐浑、奚和契苾等部均听从沙陀节制，随从沙陀贵族四处征战，沙陀贵族实际上控制了内蒙古中南部地区。923年，克用子存勖灭掉后梁，建立后唐。在随后与契丹—辽的争锋中渐处劣势，沙陀—后唐退出了今内蒙古中南部地区。

第二节　隋唐王朝对内蒙古地区的统治

隋、唐是继秦、汉以来统一中原地区的封建王朝，也先后与内蒙古及周边的北方游牧民族发生和战关系，并进入和控制内蒙古高原部分地区，实行了有效的管辖和治理。

一、隋朝对内蒙古地区的统治

581年，杨坚称帝（隋文帝），灭周，建国号"隋"。589年，隋灭陈，统一中原，结束了自魏晋南北朝以来300多年的分裂割据局面。隋的统治势力进入了今内蒙古地区，设置郡县，统辖了今内蒙古高原的中、西部地带。

隋朝对北方民族的控制　隋朝建立之初，就加强对内蒙古地区的统治。此时，内蒙古东部的契丹、奚、霫和室韦各族受突厥汗国的统治。开皇三年（583年），隋幽州总管李崇击破前来犯塞的突厥，契丹、奚、霫等族脱离突厥控制，争来内附。隋朝把这些归降的北方族仍旧安置在各自的故地，以营州、幽州等地总管负责统摄。契丹、奚、霫和室韦则经常遣使隋朝，并上贡地方物产，表示愿意接受隋朝统一管辖。隋朝确立了对内蒙古东部的统治。

在内蒙古中西部，突厥政权分裂以后，开皇五年，东突厥沙钵略可汗率领部众进入漠南，投靠隋朝，驻牧于白道川，接受隋朝的统辖。十九年，都蓝可汗（沙钵略子，588年即位）进攻管辖东部的突利可汗，突利大败后率众附隋。隋朝封他为启民可汗，筑大利城（今呼和浩特和林格尔县土城子古城）安置其部众。不久，因启民可汗屡遭都蓝可汗侵扰，隋朝又把这部分突厥人迁至夏、胜二州之间，安置在东西至河（黄河），南北400里的地区内，分布在今鄂尔多斯高原部分地区。年末，都蓝可汗被部下杀死，部众多归启民可汗。二十年，隋文帝又为启民筑金河（故址在今呼和浩特托克托县哈拉板申古城）、定襄（故址在今大同市南）二城，供其居住。此时，漠北地区由西突厥达头可汗统治，经济萎缩，战乱连绵，各部都向往漠南突厥"人民、羊马，遍满山谷"的安定富足生活。仁寿元年（601年），漠北9万人南下降隋，投归启民可汗。奚、霫等部也摆脱了达头可汗统治，转附启民可汗。漠北各部的反抗斗争，使达头可汗难以立足，逃到了青海，漠北各部又转归启民帐下。于是，东突厥贵族以呼和浩特平原为中心控制的内蒙古大部分地区和漠北地区，都统一于隋王朝。

隋朝在内蒙古高原部分地区设郡置县进行统治 隋文帝统一中原地区前后，北方的地方建置已经混乱不堪，出现州、郡滥置，数量较前代激增，州不管郡，郡不辖县的局面。有的郡，只立名而无官主事，形同虚设。据大象二年（580年）北周统计，当时有州211，郡508，县1124，这样，一郡往往只领一两个县，成为多余的行政区，所以，隋朝于开皇三年下令废郡，以州直接统县，改东汉末年以来的州、郡、县三级制为州、县二级制。隋炀帝大业三年（607年），又改州为郡，以郡领县①。

隋朝在今内蒙古西部的地方建置主要有朔方郡、盐川郡、榆林郡、五原郡、定襄郡、马邑郡、雁门郡、张掖郡和武威郡。

朔方郡，北魏置夏州，北周置总管府，隋初称夏州，大业三年改为朔方郡。领岩绿、宁朔、长泽三县。大业年间，户11673。郡治岩绿县，故址疑为今陕西靖边县与内蒙古乌审旗交界处的白城子。长泽县原属西魏阐熙郡，故址在今鄂尔多斯鄂托克前旗城川古城。辖境包括今鄂尔多斯乌审旗、鄂托克前旗东南部。

盐川郡，西魏置安西州。大业初年置郡。郡治五原，在今陕西定边县。辖境包括今鄂尔多斯鄂托克前旗大部。

榆林郡，开皇三年（583年），隋置榆林关。七年，置榆林县，属云州。二十年，割云州榆林、富昌、金河三县而置胜州。领榆林、富昌、金河三县，2330户。郡治榆林县，因县地北近榆林，即汉代榆溪塞而得名。富昌县，开皇十年置。金河县，开皇三年置，称阳寿。十八年改称金河。两年后，隋文帝为突厥启民可汗筑城于此。今呼和浩特南部的大黑河古称金河，县名或源于此。辖境包括今鄂尔多斯高原东北部、呼和浩特平原西段。大业三年（607年）五月，隋炀帝曾亲巡至胜州，启民可汗及其妻隋宗室女义成

---

① 有关隋代行政建置，参阅《隋书·地理志》。

公主同至行宫觐见。秋八月，炀帝又溯金河至启民可汗牙帐，见启民可汗及附属突厥的契丹、室韦等部酋长。大业五年，炀帝改胜州为榆林郡。

五原郡，开皇五年（585年），文帝废北周永丰镇置丰州。大业元年（605年），改称五原郡。领九原、永丰、安化三县，户2330、郡治九原县，在今巴盟乌拉特前旗境内。开皇五年置，大业初置郡。永丰县，开皇五年置。在今巴盟临河市境内。安化县，开皇十一年置。五原郡大体辖有今乌加河河套地区。

定襄郡，开皇五年置云州总管府，大业元年（605年）府废，改称定襄郡。原辖境相当今鄂尔多斯高原东北部及呼和浩特平原。开皇二十年，从云州分出榆林、富昌、金河三县，置胜州。大业初年，隋炀帝于定襄郡置大利县，户374。郡治大利，故址即今和林格尔县土城子古城。辖境包括今和林格尔县、呼和浩特市区、卓资县、武川县等地。境内有长城、阴山、紫河。此段长城，即大业三年（607年）为防御日益强大的突厥，隋炀帝征发百万民工修筑的。西起榆林城（今准格尔旗十二连城），东至紫河岸边。紫河，即流经今和林格尔、清水河县境的浑河，蒙古语称乌兰木伦（红河）。

马邑郡，北魏属恒州。隋代治所善阳在今山西朔县，辖境包括今内蒙古清水河、凉城、丰镇等县地及察哈尔右翼前旗和集宁市。

雁门郡，开皇五年改后周肆州为代州，大业年间改称雁门郡，辖境包括今内蒙古兴和县等地。

张掖郡，北魏置凉州，西魏置西凉州。隋代治所张掖在今甘肃张掖市，辖境包括今内蒙古额济纳河流域及巴丹吉林沙漠西段。

武威郡，北魏属凉州。隋代治所姑臧在今甘肃武威市，辖境包括今内蒙古巴丹吉林沙漠南段及腾格里沙漠大部。

二、唐王朝对内蒙古地区的统治

618年，李渊（唐高祖）废掉隋恭帝，在长安（今陕西西安）称帝，建立唐朝。唐朝同突厥、回纥、契丹、奚、室韦—达怛等族发生密切联系，统一了北方民族游牧的大部地区，设置郡县管辖主要从事农业生产的汉人，实行羁縻府州制度管理北方游牧民族，有效地统治了内蒙古部分地区。

唐朝对内蒙古高原统治的确立　唐朝对内蒙古地区的统治是逐步确立

的。隋朝末年，由于隋王朝的腐败，地方割据势力的出现，中原大乱，东突厥政权东山再起。唐初，东突厥不时进攻唐朝统治区，并曾进逼唐都长安，给初建的唐王朝造成很大威胁。唐太宗继位之初，趁突厥"政乱，灾异屡起"的时机，北连薛延陀，于贞观四年（630 年）派六路大军进攻突厥，推翻了东突厥政权，突厥部众近 10 万人归附唐朝。此后约 50 年间，东突厥统一于唐王朝。唐朝把降附的近 10 万突厥人安置在鄂尔多斯高原一带，通过突厥部落贵族统治突厥人民。附唐的突厥贵族多被封为都督、将军、中郎将等高官，深受优待，以致当时有突厥人近万家迁入长安。贞观十五年（641 年），唐朝以突厥居地迫近京都，多有不便为由，又把这部分突厥人迁还漠南旧地呼和浩特平原一带。突厥贵族阿史那思摩在定襄故城设立牙帐，统领 10 余万部众，为唐防御北方的薛延陀。突厥人迁居漠南地区以后，不断遭到薛延陀人的杀掠。十七年，这部分突厥人又渡过黄河，迁回鄂尔多斯一带，唐朝准许他们居于夏、胜二州之间。

与此同时，薛延陀仍不断侵扰唐朝边郡。贞观二十年后，唐朝乘其内乱出兵，击破薛延陀，原属薛延陀的漠北铁勒回纥 10 余部归附唐朝。唐朝在漠北地区设置 6 府 7 州，从此，大漠南北继隋朝以后又重新统一于唐王朝。

在内蒙古东部的契丹、奚、霫、室韦等部原曾服属于东突厥政权。贞观二年，契丹、奚和霫起来反抗突厥人的残酷统治，归附了唐朝。唐朝在契丹驻牧地设置松漠都督府等府、州，任命契丹首领窟哥为左领军将军、松漠都督，封爵号无极男，赐姓李氏。在奚地设饶乐都督府，在室韦地置室韦都督府，委派其本族首领进行管辖。内蒙古东部地区大致也归入唐朝的间接统治。

唐高宗永淳元年（682 年），云中都督府突厥首领阿史那骨咄禄纠众反唐，建立后突厥政权。中宗景龙二年（708 年），为抵御突厥侵扰，唐朝方道大总管张仁愿在阴山以南、黄河以北一线构筑军事设施，修筑了东、中、西三座受降城，设置烽堠 1800 所，控制了阴山以南地区。后突厥毗伽可汗在位（716—734 年）前后，统治阶级残酷压榨服属于后突厥的北方各族，致使游牧民族大批南下，降附唐朝。唐玄宗天宝四载（745 年），回纥首领骨力裴罗攻杀后突厥白眉可汗，建立回纥政权。后突厥亡后，突厥各部大多归属回纥，有一部分南迁入塞，归附唐朝，在灵武（今宁夏灵武县）、丰州

（相当今内蒙古河套地区及呼和浩特平原）等地驻牧。

回纥政权自天宝四载建立至文宗开成五年（840年）覆亡，同唐朝基本上保持和好关系。开成五年，回纥政权被黠戛斯人灭亡，其贵族嗢没斯、那颉啜和乌介各率部逃入漠南地区。嗢没斯、那颉啜到唐天德军（治所在今乌拉特前旗乌梁素海东岸阿拉奔古城）塞下请求内附，唐以谷2万斛赈济其部众。次年，那颉啜率七千帐回纥人众东屯今呼和浩特平原。会昌二年（842年），那颉啜反唐失败，七千帐回纥被分配在唐诸节度使下，健壮者成为骑兵。同年，嗢没斯部被唐朝编为归义军，为唐戍守振武军节度使所辖地区边境。同时，乌介部驻牧于错子山（今杭锦后旗乌加河北300余里）一带。这一年，乌介请求借居天德军城，被唐拒绝。乌介率兵抄略唐朝边郡，败后投附了活动在阴山地区的黑车子室韦，另有部众两万余人降唐。不久，乌介被杀，依附黑车子室韦的回纥余众被黠戛斯人劫回漠北。

终唐一代，内蒙古地区的北方民族，有的直接接受唐王朝的统辖，有的同唐建立了密切关系。

唐朝统辖漠南地区的行政建置　唐朝初年，由于隋末割据势力众设州县，州县之数已倍于隋朝。唐太宗李世民即位后，为加强中央对地方的有效统治，于贞观元年（627年）开始并省州县，并根据全国山川形势，将全国划分为10道，即10个监察区。道的设置，是我国行政建置史上的一个重要措施。最初，每道设有固定的官员和机构，巡察官员多为中央临时派遣或由地方官兼任。中宗神龙二年（706年），始置10道巡察使等官职。玄宗开元二十一年（733年），增置5道，合为15道。每道设采访使，三年一替，监察非法，整顿吏治。这时，道的采访使不但有了固定治所和辖区，而且掌握了处理政事，任免所属官吏的权力。道已逐渐向州的上一级行政机构转化，这种监察区开始在一定程度上具备了行政区的性质。从此，道成为州以上的一级行政区。在唐朝统治的大部分时间里，实行道、州、县三级地方建置①。

唐代关内道所属灵州、盐州、夏州、宥州、胜州、丰州和河东道所属云内州以及陇右道所属凉州、甘州、肃州等管辖着今内蒙古中西部地区。

---

①　唐代行政建置史料，主要依据两《唐书·地理志》。

灵州，隋灵武郡，唐武德元年（618年）改为灵州，天宝元年（742年）改为灵武郡，肃宗乾元元年（758年）复为灵州。武德六年（623年）废丰州后，曾将九原、永丰二县地归入灵州怀远县管辖，灵州一度辖有今乌兰布和沙漠及河套一带。贞观二十三年（649年）复归丰州。

盐州，隋盐川郡，武德元年改为盐州，寄治灵州。贞观二年（628年），梁师都以地降唐，复置。天宝元年曾一度改为五原郡。领五原、白池二县。郡治五原，在今陕西定边县境内。白池县故址即今鄂托克前旗二道川西八公里处大池古城。白池原称兴宁，景龙三年（709年）以地近白池而得名。今鄂托克前旗南部一带当属唐盐州白池县管辖。

夏州，隋朔方郡。贞观二年，讨平梁师都，以其地置夏州。天宝元年曾一度改为朔方郡。领朔方、长泽等四县。郡治朔方，隋岩绿县，贞观二年更名，治所仍沿有隋夏州旧址。长泽县，隋旧县，故址在今鄂托克前旗城川古城。县北500里的胡洛盐池（今鄂尔多斯杭锦旗哈日芒乃淖尔），方圆30里，年采盐量达14 000余石。今鄂托克前旗东南一带曾归夏州长泽县管辖。夏州辖境包括今鄂尔多斯鄂托克前旗、乌审旗等地。

宥州，调露元年（679年），唐在灵、夏二州二部置六胡州，安置附唐的突厥人。长安四年（704年），并为匡、长二州。开元十一年（723年），迁六州突厥等"胡户"至河南、江淮之地。二十六年，又把突厥等"胡户"迁还旧地，取"宽宥"之意，置宥州，领延恩等三县。天宝元年曾一度改为宁朔郡，宝应（762—763年）后废。宥州辖境相当今毛乌素沙地一带。宥州废弃后，这一地区的党项人屡遭回纥侵扰。元和九年（814年），为保护党项等部降户，在旧宥州城东北300里处的经略军复置宥州，领延恩、长泽二县。开元年间（713—741年）有户7 083，人口32 652。延恩县，开元二十六年以匡州地置，故址无确考，约在今鄂尔多斯鄂托克旗境。长泽县，本隶夏州，贞观七年（633）置长州，十三年州废，隶夏州，元和十五年归入新宥州。宥州治所后徙治长泽，故址即今鄂托克前旗城川古城。

胜州，隋榆林郡。隋亡，郡人郭子和以城降突厥。武德四年（621年），郭子和归唐，又被梁师都占据。贞观二年平梁师都，次年置胜州，天宝元年曾一度改为榆林郡。领榆林、河滨二县，户4 187，人口20 952。郡治榆林县，故址即今准格尔旗十二连城古城。榆林关在县东30里，东北临黄河。

河滨县，贞观三年置，属云州，次年改称威州，八年仍降为河滨县，改属胜州，以东临黄河得名。唐代胜州辖境较隋代缩小，主要包括黄河西岸的准格尔旗等地。

丰州，隋文帝置，后废。唐贞观四年（630年），突厥附唐，置丰州都督府，不领县，专门管理降附的北方族。十一年废，地入灵州。二十三年，复置丰州。天宝元年曾一度改为九原郡。领九原、永丰二县及天德军、西受降城、中受降城。户2813，人口9641。郡治九原县，永徽四年（653年）置，在今巴彦淖尔市乌拉特前旗境内。境内有陵阳、咸应、永清三渠，溉田数百顷。永丰县，永徽元年置，在今巴彦淖尔市临河区境。天德军，天宝十二载，置天安军，乾元后改，治所由今乌拉特前旗陈二壕古城址移至西受降城。元和八年，复移旧城。西受降城，在丰州西北80里，疑为今乌拉特前旗库伦补隆古城。中受降城，据考即今包头市敖陶窑子古城。唐代丰州辖境相当今河套地区及呼和浩特平原。

云州，隋末被割据势力占据。武德四年（621年）置北恒州，七年废。贞观十四年（640年）置云州。永淳元年（682年），地为后突厥默啜攻破，民众徙于朔州（今山西朔县）。开元十八年（730年）复置，天宝元年曾一度改为云中郡。领云中县，约在今山西大同市东。州境东西177里，南北490里。境内有阴山道、单于台。阴山道大致从今大同北上集宁，在集宁附近山口越过阴山，进入漠北。单于台在云中县西北40余里，约在今乌兰察布市南部。云州辖境南北490里，当包括乌兰察布丘陵南段。

凉州，隋武威郡。武德二年（619年），平李轨后置。州治姑臧（今甘肃武威市），辖境包括今阿拉善盟阿拉善左、右两旗南段。

甘州，隋张掖郡。武德二年，唐平割据者李轨，置甘州。天宝元年曾一度改为张掖郡，领张掖、删丹二县。郡治张掖县（今甘肃张掖市）北900余里有盐池，当在今拉善阿盟额济纳旗境内。删丹县（今甘肃山丹县）界内有居延海，即今阿拉善盟额济纳旗嘎顺淖尔等湖泊。唐代甘州是通往漠北的交通要道，沿今额济纳河流域，唐修筑了不少军事设施。在居延海西南有宁寇军，再北300里有花门山堡。从花门山堡东北行千里，就到了漠北回纥牙帐。唐代甘州辖境包括今阿拉善盟额济纳河流域。

肃州，武德二年，分隋张掖郡地置。天宝元年曾一度改称酒泉郡，州治酒泉（今甘肃酒泉市），辖境包括今额济纳旗西部。

唐朝中期以后，又出现了节度使的建置和辖区。永徽年间（650—655年），为加强边防力量，控御北方各族，凡边境诸州，皆授予都督带使持节，以增强权力。8世纪初，唐朝逐渐形成了节度使统辖制度。睿宗景云元年（710年），唐朝廷正式任命凉州都督贺拔嗣为河西节度使，节度使遂成定制。节度使往往统辖数州，所统各州长官受其管辖节制。节度使集军权、政权、财权、监察权于一身，位高权重。天宝（742—756年）时，节度使又开始兼任每道的采访使，从而道和镇基本上合而为一。758年以后，节度使成为合法的军事、民政长官。节镇亦称道，道、州、县三级行政区划一直实行到唐末。

朔方节度使、平卢节度使和振武节度使等管辖着设置在内蒙古高原的州县和北方各族聚居区的都督府。

朔方节度使，抵御北方各族，玄宗开元九年（721年）置，治所在灵州回乐县（今宁夏灵武县西南），领单于都护府，灵、盐、夏、胜、丰等州，振武等七军府，西受降城、东受降城，经略、丰安、定远等军，辖区包括内蒙古鄂尔多斯高原、巴彦淖尔高原南部及呼和浩特平原一带。

平卢节度使，开元九年（721年）置，治所在营州（今辽宁朝阳），领安东都护府等，镇抚室韦、靺鞨等部。

振武节度使，肃宗乾元元年（758年）置，治所在单于都护府（今和林格尔县土城子古城）。辖境屡有变动，较长时期内领有单于都护府、东受降城及麟、胜二州，辖区相当今陕西秃尾河以北，包括内蒙古鄂尔多斯东北部诸旗、乌兰察布市西南部旗县及呼和浩特、包头等地。10世纪初年，辖地分别陷入契丹—辽和党项，遂废。

唐朝管理内蒙古高原北方各族的都护府和羁縻府州 唐代，大漠南北各族相继统一于唐王朝。为了加强对边疆少数民族的统治，唐在沿边要地设置了一些都护府，以管辖在边疆地区以及北方各族驻牧地设置的都督和羁縻府州。其中，与内蒙古地区有关的主要有安东、东夷、燕然、瀚海、单于和安北等都护府。

安东都护府，高宗总章元年（668年），唐灭高丽，在平壤置安东都护府以统辖。上元三年（676年）以后，移治于今辽宁境内。玄宗开元二年

（714年）又迁于平州（今河北卢龙）。开元年间，唐在靺鞨、室韦等族居住区设置渤海都督府、黑水都督府和室韦都督府，均由安东都护府统辖。当时，室韦人主要活动在今内蒙古东部的呼伦贝尔市和兴安盟境内。天宝元年，室韦等都督府改属平卢节度使。乾元元年（758年）府废。

东夷都护府，贞观二十二年（648年），唐以内属的契丹和奚两部置松漠都督府和饶乐都督府，又在二都督府下分置数个羁縻府州，在营州（今辽宁朝阳市）置东夷都护府统辖。辖境包括今内蒙古西拉木伦河及老哈河流域。永徽（650—655年）年间，东夷都护一职由营州都督兼任，都护府流于形式，不久遂废。

燕然都护府，贞观二十年（646年），唐灭薛延陀，漠北铁勒诸部降服于唐，请置官府。次年，唐太宗在漠北地区设置许多羁縻府州，置燕然都护府统辖，治所在故单于台（今乌加河北乌拉特中旗境内）。高宗龙朔三年（663年），徙燕然都护府于漠北回纥牙帐，改称瀚海都护府。

瀚海都护府，永徽元年置。统辖以突厥诸部地设置的狼山、云中、桑乾3个都督府和苏农等十四州。龙朔三年，迁治于今和林格尔土城子古城，更名云中都护府。以大漠为界，管辖漠南诸羁縻府州。

单于都护府，高宗麟德元年（664年），改云中都护府为单于都护府。领金河县，户2 155，人口6 877。金河县址也在今和林格尔县土城子古城。单于都护府统大漠以南诸羁縻府州，乾元元年（758年）后，隶属于振武节度使。振武节度使，乾元元年置，治所与单于都护府同在一地。较长时期内，领有单于都护府、东受降城（今托克托县"大皇城"）及麟、胜二州。自唐中期始，节度使成为地方最高长官，往往统辖数州。圣历元年（698年），单于都护府并入安北都护府。开元二年（714年）复置。会昌五年（845年），改隶安北都护府。唐末废。

安北都护府，高宗总章二年，改瀚海都护府为安北都护府。武则天垂拱元年（685年）以后，突厥占领漠北，安北都护府迁于漠南的同城（今额济纳旗东南），后又移治西安城（今甘肃山丹县西南99里）。圣历元年（698年），唐将单于都护府并入。景龙二年（708年），移治西受降城。开元二年，迁于中受降城。天宝八载（749年），又迁于横塞军（今乌拉特中旗西部阴山北麓）。十四载，再移于天安军（乾元后改名天德军）。至德（756—

758 年）年间改名镇北，大历（766—779 年）中复名安北，建中（780—783 年）时废。

唐朝初期，对附属于唐王朝的北方各族，依其部落列置府州，实行一种特殊的行政区划。大一些的称都督府，小一些的称为州，总称为羁縻府州。都督、刺史等官，由朝廷任命各族首领充任，可以世袭。羁縻府州在行政上隶属于边州都督府、都护府或边州。

唐在内蒙古地区设置的羁縻府州主要有：在今鄂尔多斯高原南段以党项部设置的兰池（据考证故址即今鄂托克前旗巴拉庙古城）、永平、清宁等都督府，隶灵州都督府。在今锡林郭勒高原、乌兰察布高原、巴彦淖尔高原和阿拉善高原东段以突厥部落设置的云中、桑乾、呼延等都督府，隶单于都护府。在今西拉木伦河、老哈河流域以契丹、奚设置的松漠都督府和饶乐都督府，隶幽州都督府。在今西拉木伦河北以霫部设置的居延州，不久改称居延都督府。在今呼伦贝尔高原以室韦部落设置的室韦都督府等。唐朝的羁縻府州制与道、州、县三级区划制是有区别的。道、州、县主要管辖汉人，实行封建制度，农业经济为主；羁縻府州管辖各族部众，实行部落制，畜牧经济为主。道、州、县官吏由朝廷任命，不能世袭；羁縻府州官吏由朝廷任命各族首领担任，可以世袭。道是一级行政区划单位，直接受控于朝廷；大多数羁縻府州只是名义上的行政区划，其版籍分划并不向唐朝呈报，也不承担定额贡赋。

唐朝在设州置县管辖汉人的同时，还在北方各族居住区大规模设置羁縻府州，行使统辖权，这是前代所没有的。唐朝在内蒙古地区设置的州县和羁縻府州几乎使整个内蒙古地区纳入了唐王朝的统治之下，有利于当时内蒙古地区的相对安定和经济、文化的发展，对以后的历史也产生了很大影响。

6 世纪末至 10 世纪初（隋唐时期）的内蒙古地区，北部相继有北方民族突厥、回纥、契丹、奚、室韦—达怛等族活动，中南部是隋唐王朝设立的郡县等行政建置。唐朝还在北方游牧民族活动区设立许多羁縻府州，一度对内蒙古地区内的北方民族实行统治。

教育部人文社会科学百所重点研究基地
内蒙古大学蒙古学研究中心学术著作系列
TOMUS 23

国家社科基金成果文库

SELECTED WORKS OF THE CHINA
NATIONAL FUND FOR SOCIAL SCIENCES

内蒙古通史 第一卷
远古至唐代的内蒙古地区（二）

总 主 编　郝维民　齐木德道尔吉
本卷主编　张久和

人民出版社

第三编

专　　题

第　七　章

石器至青铜时代内蒙古与周边地区的交流

经过几代考古学者的努力工作，内蒙古地区石器至青铜时代的文化遗存有了许多发现。经过研究，总的讲这一时期内蒙古地区的诸种考古学文化，有的有本地区特点，有的呈现出与周边地区文化交流的态势和内涵。

第一节　发端于新石器时代早期的文化区分野

内蒙古地区自旧石器时代起，就有既具特色、又与周边同期文化有联系交流的考古学文化遗存。中石器时代特别是新石器时代以来，内蒙古高原上各种考古学文化类型与周边地区的影响和交流愈加频繁和紧密，在接受和传承的同时，仍保有着自己的地域文化特色。

一、旧石器时代的文化态势

内蒙古地区目前发现最早的旧石器时代遗存，为呼和浩特市东郊大窑遗址四道沟地点的石器制造场，起始年代大约距今七八十万年左右。在全国范围内的同类遗址中均极为罕见的是，该石器制造场的文化层堆积从旧石器时代早期起，历经旧石器时代中期，一直延续至距今约 1.2 万年以前的旧石器时代晚期①。早期和中期的遗存，除四道沟外，遗址内的其他地点尚无发

---

① 汪英华：《大窑遗址四道沟地点年代测定及文化分期》，《内蒙古文物考古》2002 年第 1 期。

现；到晚期，同类遗存不仅广布于整个大窑遗址 3 平方公里多的范围内，而且在周围大青山主脉和支脉的山坡上也发现了多个石器制造场遗址，如呼和浩特市榆林镇前乃莫板村脑包梁、保合少乡南水泉村附近和卓资县哈达图乡火石窑沟等①。大窑遗址从旧石器时代早期至晚期的打制石器制造传统保持了一定的延续性，如以大型石器为主，但存在变小的趋势，器物组合以刮削器占主要地位，砍砸器次之，尖状器不发达，其中龟背形刮削器是最富特色的器物。

距今约 5 万—3.7 万年的河套人及其所创造的萨拉乌苏文化，是在内蒙古中南部地区发现的一处与大窑遗址的石器制造传统截然不同的旧石器时代晚期文化类型。萨拉乌苏遗址的石器器类有柱状石核、刮削器、钻具、尖状器和雕刻器等，其显著特点是器形非常细小，多数仅长 2—3 厘米，宽 1 厘米左右，重量在 1—2 克左右的数量最多②。

对于以大窑遗址旧石器时代晚期遗存为代表的大窑文化和萨拉乌苏文化两种不同的石器制造传统的解释，往往与整个华北地区旧石器时代文化的两个系统学说联系在一起。自 20 世纪 70 年代初，有的学者认为华北地区从旧石器时代早期开始，即存在着两个文化系统，二者以不同的石器制造传统相区别，分别为匼河—丁村系（又称大石片砍砸器—三棱大尖状器传统）和周口店第一地点—峙峪系（又称船头状刮削器—雕刻器传统）。前者的基本特征是利用宽大石片制造各种类型的大砍砸器和三棱大尖状器等，小型石器不多，类型也简单，属于这个系统的遗址主要分布在晋、陕、豫三省的交界地区。后者的基本特征是利用不规则的小石片制造小石器，遗址分布甚广，包括河北、山西、陕西三省的北部和宁夏、内蒙古、辽宁三省区的南部。大窑遗址与萨拉乌苏遗址惯常分别被纳入前、后两个系统之中。萨拉乌苏遗址的文化内涵与山西朔县峙峪遗址十分接近，且时代大致相当，被认为是周口店第一地点—峙峪系向西分布、发展的文化遗存③。至于大窑遗址

①　内蒙古博物馆、内蒙古文物工作队：《呼和浩特市东郊旧石器时代石器制造场发掘报告》，《文物》1977 年第 5 期；汪宇平：《内蒙古阴山地带的石器制造场》，《内蒙古文物考古》1981 年创刊号。

②　王幼平：《中国远古人类文化的起源》，科学出版社 2005 年版，第 160—161 页。

③　李壮伟、石金鸣：《华北旧石器时代晚期文化的相互关系》，《史前研究》1985 年第 1 期。

确实能否归属前一系统，尚存诸多疑点，如遗址远离该系统的传统分布区，却与后一系统交织在一起，也没有发现匼河—丁村系的典型器之一三棱大尖状器。

随着华北地区旧石器时代考古研究的不断深入，两系统说日渐显示出诸多难以自圆其说之弊，开始受到不同程度的质疑。但两种不同的石器制造工艺的客观存在，至少反映了一定地区内文化间的联系与交流。从这个意义上可以说，大窑文化与华北地区其他的一些旧石器时代文化互有影响，同时有着自己独具的文化传统。

西部地区的旧石器时代晚期遗存，发现有乌拉特后旗艾力克铁不克、阿拉善左旗巴彦浩特镇东北 30 公里和 35 公里处的贺兰山西麓 89 地点、91 地点等 3 处遗址①，它们在文化面貌与石器制作技术上均较为接近，其中以贺兰山西麓 91 地点的材料较为丰富。91 地点的石器均采用直接打击法加工而成，个别石器的第二步加工使用了较为特别的软锤技术，器形有砍砸器、刮削器、端刮器和凹缺刮器等，以刮削器数量最多。89 地点的石器器形与 91 地点相近，只是在技术上有所进步，使用了压剥技术，时代较后者稍晚，二者间可能存在传承关系。

在内蒙古东南部和东北部地区发现的旧石器时代晚期遗址，有翁牛特旗上窑村北的老虎山洞穴遗址、东乌珠穆沁旗金斯太洞穴遗址和满洲里市扎赉诺尔区的蘑菇山遗址②。老虎山洞穴遗址发现的打制石器有大型的砍砸器和小型的刮削器，伴出肿骨鹿化石，属于旧石器时代晚期遗存。金斯太洞穴遗址经过两次正式发掘，洞内的文化层堆积被划分为三层，中层属旧石器时代晚期遗存，下层可能更早。下层出土石器较原始，有尖状器、砍砸器、石砧和石核等，主要伴出野马化石；中层出土石器以小型者居多，大型的较少，

---

① 戴尔俭、盖培、黄慰文：《阿拉善沙漠中的打制石器》，《古脊椎动物与古人类》1964 年第 4 期；李壮伟：《内蒙古阿拉善左旗发现原始文化遗存》，《考古》1992 年第 5 期；李壮伟、王爽：《贺兰山西麓的旧石器》，《考古与文物》1994 年第 2 期。

② 景爱：《沙漠考古通论》，紫禁城出版社 2000 年版，第 84 页；魏坚、王晓琨：《东乌旗金斯太旧石器时代及商时期洞穴遗址》，《中国考古学年鉴》（2002），文物出版社 2003 年版；汪宇平：《扎赉诺尔蘑菇山旧石器时代晚期遗址》，《内蒙古文物考古文集》第 1 辑，中国大百科全书出版社 1994 年版，第 62—71 页。

器类有尖状器、砍砸器、雕刻器、石核和细石器类的石叶、刮削器等，伴出的动物群包括野马、披毛犀、鹿、野牛、转角羚羊、鬣狗、旱獭和骆驼等。蘑菇山遗址的石器器形偏大，主要器类有石锤、刮削器、尖状器和砍砸器等，其中刮削器又分凸刃、直刃、凹刃、两边刃、端刃等多种，自身特色鲜明；但其中石锤的大量出现、锤击加工石器法的广泛应用、用交互打击法对刮削器进行加工、尖状器和砍砸器在生产和生活中不占主要地位等特点，又与大窑文化具有一定相似性。

对于内蒙古境内发现的这些旧石器时代文化遗存相互之间的关系，以及它们与我国西北地区、华北地区、东北地区乃至整个蒙古高原的旧石器时代遗存之间的关系，目前尚缺乏足够的资料予以较为明确的认识。这些遗址的分布，西起贺兰山西麓，经河套平原、阴山山脉，一直北延至中蒙边境草原和东北地区，无疑对此后内蒙古地区古代文化传统的形成与分化具有重要的影响。

二、细石器传统的起源与发展

在距今大约 1.2 万年左右，地质年代进入全新世，中国的史前文化也开始步入中石器时代。在秦岭—淮河一线以北，这一时期的文化遗存普遍以盛行细石器为主要特征。

细石器以间接打击法所剥离的细石核、细石叶以及用细石叶加工的石器为代表，一般是为了装备骨、木等复合工具而专门制作的石刃，习惯上往往把与它们共存的用石片制作的小型石器，如刮削器、尖状器、雕刻器、镞等石制品，以及大型的砍砸器也都包括在内。自旧石器时代晚期以来，由于狩猎技术的进步而导致的对复合工具的需求，使石器小型化的趋势在全世界范围内普遍出现，从而奠定了细石器产生的基础。欧洲、西亚、北非和澳洲等地的细石器以几何形（三角形、半月形、梯形、菱形）为特征，而亚洲东北部和美洲西北部则多细石叶细石器，形成不同的文化传统。

我国华北地区是细石叶细石器工艺传统的起源地，在旧石器时代晚期石器已逐渐向小型化发展，特别是河南安阳小南海、峙峪和萨拉乌苏等遗址出土的若干石器，已具备了细石器的雏形。此后以黄河中下游为中心，细石器的分布愈加广泛，扩展至周边广大地区，东北穿越白令海峡抵于北美洲，西南越喜马拉雅山脉到达印度境内①。

　　大窑遗址南梁沟地点 1976 年发掘的探方 2T5 表土层，出土的刮削器、尖状器和锥状石核等石器，器形较小，打击技术进步，具有细石器的特征。金斯太洞穴遗址中层出土的石器，以小型者居多，并出现了典型的细石器。由此可见，大窑和金斯太两个遗址在由旧石器时代晚期向中石器时代的过渡上具有一定的延续性，丰富了我国华北地区细石器传统起源的理论。此外，鄂伦春自治旗嘎仙洞遗址探沟第 3 层遗存和海拉尔区松山、科尔沁右翼中旗嘎查、察右中旗大义发泉、阿拉善左旗巴彦浩特城南等遗址②，也都被定位于大约中石器时代之际。这些遗址，大部分与华北地区和蒙新高原的同时期遗存具有较多共同的特点，如以细石器为主，扁体和圆体的细石核共存，船底形石核数量较多，细石叶较普遍，不见磨制石器和陶器等。

　　中石器时代是作为旧石器时代与新石器时代之间的过渡形态提出的，其经济生活仍以狩猎、采集和捕捞为主。农业的产生是我国北方大部和南方共同进入新石器时代的一个重要标志，这一经济活动方式的重大转变大约发生在距今 1 万年以前。由于自然地理环境的不同，形成了三个巨大的经济文化区，即华中、华南的水田稻作农业经济文化区，华北和东北南部的旱地粟作农业经济文化区，东北北部、蒙新高原和青藏高原的狩猎采集经济文化区。在新石器时代，华北地区的细石器传统由于农业的兴起而走向衰落，生产工具以磨制石器为主，偶尔可见个别的细石器。而东北北部、蒙新高原和青藏高原，由于气候寒冷干燥而难于发展农业，经济上仍不得不以狩猎和采集为主，故石器传统仍然继承中石器时代的模式，以细石器为主，只是在技术上更加成熟进步，陶器和磨制石器虽已出现，但始终没有得到充分的发展。

---

　　①　安志敏：《中国细石器发现一百年》，《考古》2000 年第 5 期。
　　②　呼伦贝尔盟文物管理站：《鄂伦春自治旗嘎仙洞遗址 1980 年清理简报》，《内蒙古文物考古文集》第 2 辑，中国大百科全书出版社 1997 年版，第 444—452 页；安志敏：《海拉尔的中石器遗存——兼论细石器的起源和传统》，《考古学报》1978 年第 3 期；吉林省文物工作队：《内蒙古科尔沁右翼中旗嘎查石器时代遗址调查》，《考古》1983 年第 8 期；内蒙古自治区博物馆、文物工作队：《察右中旗大义发泉村细石器文化遗址调查和试掘》，《考古》1975 年第 1 期；李壮伟：《内蒙古巴彦浩特的细石器》，《考古》1993 年第 4 期。

三、文化区的划分

始于新石器时代早期的三大经济文化区，在考古学区系类型理论的指导下，还可以划分为许多较小的文化区。南方水田稻作农业经济文化区和北方旱地粟作农业经济文化区，大致可再分为六个文化区，分别为江浙文化区、长江中游区、山东文化区、中原文化区、甘青文化区和燕辽文化区。东北北部、蒙新高原和青藏高原的狩猎采集经济文化区，以前被笼统地称为细石器文化，实际上它们之间存在着很大的地域差别，相信以后随着对这些遗存研究的不断深入，有进一步细分的可能。这些文化区通常可与我国古史传说中各部落集团的活动区域相对应，实际上是一种民族文化区的萌芽。它们既呈现出多样性的发展格局，又以在一定范围内的联系而具有某些共同因素，并始终以中原文化区为核心，从而形成了中国早期文明起源多元一体的格局，对后世产生了重大影响，可以说奠定了以汉族为主体、统一的多民族国家的基石①。

内蒙古境内发现的新石器时代文化，大体上分属于中原文化区、燕辽文化区和狩猎采集经济文化区的一部分。在这些文化区的形成与发展过程中，由于地理环境的差异和受周边文化影响的不同，还可以分出一些小的亚文化区。当然无论是文化区还是亚文化区，其分布范围并非是一成不变的，不同的时期会有所变化，可能一个时期某种考古学文化的分布范围会超出一个文化区的范围之外，或者也可能发生邻近文化区的某种文化深入到此区的现象，关键是需要依据各个考古学文化的具体分布区域来确定。内蒙古地区的情况亦是如此，考古学上惯用的"内蒙古中南部"、"内蒙古东南部"和"内蒙古北部草原地区"等地理学名词，并不能够完全代表该区域考古学文化的实际分布范围，而要与周边省区联系起来通盘考虑。

内蒙古中南部位于黄河一曲之处，属于中原文化区"北方地区"亚区的一部分，其中又可分为西部的河套与鄂尔多斯黄河两岸小区、东部的岱海—黄旗海—商都小区。北方地区的地理范围，大体西以包头—靖边、南以甘泉—灵石、东以五台山、北以阴山山脉为界，包括内蒙古中南部、晋中

---

① 严文明：《中国史前文化的统一性与多样性》，《文物》1987 年第 3 期。

北、冀西北和陕北等地区。内蒙古东南部是指以西拉木伦河和老哈河为中心的地区，行政上包括赤峰市全境和通辽市的大部，属于燕辽文化区"辽西区"亚区的一部分。燕辽文化区至少包括了燕山南麓区（简称燕南区）、辽西区、下辽河区和辽东半岛区等几个亚文化区，其中后二者又往往与辽西区相对应被合称为辽东地区。辽西区的范围，东、西分别以医巫闾山和七老图山为界，北至西拉木伦河两侧，包括西拉木伦河、老哈河、大凌河、小凌河及它们的支流地区。区内以东北—西南走向的努鲁尔虎山为界，分为东、西两个小区，内蒙古东南部位于努鲁尔虎山以西小区，并占据了其大部。内蒙古北部草原地区包括了东起呼伦贝尔市大兴安岭西麓、南达阴山北麓、西至阿拉善盟的广大内蒙古高原地带，属于狩猎采集经济文化区的一部分，其中可能包含了多个不同的考古学文化类型。

考察内蒙古地区战国以远诸考古学文化与周边地区的交流，首先要明确一个时期的文化或文化类型在文化区或亚文化区内的分布范围、所处地位以及内蒙古境内的田野考古工作和谱系研究状况，然后才能够进一步探讨其与周边甚至更远地区考古学文化的交流情形。与内蒙古相关的北方地区和辽西区两个亚文化区，从新石器时代、青铜时代一直到早期铁器时代的考古学文化发展脉络，均各自基本上长期保持着相对稳定的状态，因此可以作为直至战国时期的对外文化交流研究的基础。

第二节　内蒙古中南部诸考古学
文化与周边地区的交流

分布于内蒙古中南部的新石器时代至战国时期的考古学文化，按照时代先后的顺序，主要有仰韶文化的几个地方类型①、龙山时代的老虎山文化、青铜时代早期的朱开沟文化、殷商中晚期的西岔文化和东周时期以鄂尔多斯式青铜器为代表的诸文化类型。这些时代有先后之别、内涵各具特色的诸文化类型，均与周边同类文化有深浅不一、或疏或密的交流。

---

① 韩建业：《中国北方地区新石器时代文化研究》，文物出版社 2003 年版，第 77—126 页。

一、仰韶文化诸地方类型

仰韶文化是约公元前 5000 年至公元前 2500 年之间主要分布于黄河中游地区的一种新石器时代文化，它来源于本地区更早的裴李岗文化、磁山文化和老官台文化等，钵、壶（瓶）、盆、罐和瓮是该文化最稳定的陶器器类组合。以公元前 3500 年为界，仰韶文化分为前、后两期，前、后两期中又各分两期，总共为四期。

仰韶一期遗存的年代约在公元前 5000 年至公元前 4200 年之间，是仰韶文化初步形成的时期，出现了许多不同的地方类型，约以公元前 4800 年为界分为早、晚两段。目前在整个北方地区尚没有发现该文化的早段遗存，内蒙古中南部最早的新石器时代遗存也是从晚段开始讨论的。晚段遗址不多，在岱海小区和鄂尔多斯小区之间还存在一些差别，分属于主要分布于豫北、河北大部的后岗类型和鄂尔多斯、晋中一带的鲁家坡类型。

岱海小区遗存以石虎山Ⅰ和Ⅱ遗址为代表①，陶器主要分夹砂褐陶和泥质红陶两类，前者占主要地位，夹砂陶早段尚素面晚段多绳纹，泥质陶始终素面和压光，主要陶器器类有红顶钵、红顶盆、釜、釜形鼎、壶等，鼎的足部多压窝加固或穿孔。石虎山Ⅱ遗存与属于后岗类型早段的北京房山区镇江营一期晚段遗存非常相似，推测前者是后者一类遗存所代表的居民向西扩展的结果。石虎山Ⅰ遗存由Ⅱ遗存发展而来，期间与后岗类型其他小区相互交流，并受到半坡类型的较大影响，出现了一些新的文化因素，如在夹砂罐上遍拍绳纹，新出折唇高直颈壶、折唇球腹壶等。在后岗类型中，石虎山Ⅰ、Ⅱ遗存自始至终流行釜，缺乏彩陶，较多地保留了早段遗存的特色，可以划作后岗类型之下的石虎山亚型。

鄂尔多斯小区以准格尔旗鲁家坡遗址第一期文化遗存、官地遗址第一期文化遗存为代表②，陶质陶色与石虎山亚型大同小异，陶器器类主要有绳纹

---

① 内蒙古文物考古研究所、日本京都中国考古学研究会岱海地区考察队：《石虎山遗址发掘报告》，《岱海考古（二）——中日岱海地区考察研究报告集》，科学出版社 2001 年版，第 18—145 页。
② 内蒙古文物考古研究所：《准格尔旗鲁家坡遗址》，《内蒙古文物考古文集》第 2 辑，中国大百科全书出版社 1997 年版，第 120—136 页；内蒙古文物考古研究所：《准格尔旗官地遗址》，《内蒙古文物考古文集》第 2 辑，中国大百科全书出版社 1997 年版，第 85—119 页。

（旋纹）敛口罐、绳纹（旋纹）敛口瓮、红顶钵、素面钵、素面盆、折唇球腹壶、贴加乳丁装饰的大口尖底罐、小口罐、盆形甑等。鲁家坡类型的重要特色是多旋纹盆，这在仰韶一期遗存的其他类型中是少见甚至不见的。它的来源，应该是半坡类型和后岗类型等扩展至此并融合的产物，半坡类型也通过鲁家坡类型一直影响到了石虎山亚型，可以说是由于半坡类型和后岗类型在内蒙古中南部和晋中一带的势力角逐而形成了鲁家坡类型。鲁家坡类型中个别有肩石锄的形制，与辽西区大约同时的赵宝沟文化、富河文化的同类器相近[1]，或许表明它们之间存在一定的联系。

仰韶二期遗存的年代约在公元前 4200 年至公元前 3500 年之间，是仰韶文化大发展的时期，各地方类型间的共同因素大为加强，并对外部的其他原始文化产生了强烈的影响。内蒙古中南部的仰韶二期遗存可分为早、中、晚三段，在早段与晋中共同形成了王墓山下类型，到中段该类型的分布范围进一步扩大，包括了冀西北、晋北和商都地区。王墓山下类型地域不断扩大的过程，也正是仰韶二期遗存以文化面貌趋于统一为发展主流的反映。

王墓山下类型早段遗存以凉城县王墓山坡下遗址早期遗存、清水河县白泥窑子遗址 C 点 F1 为代表[2]，基本陶器器类有雏环形口小口尖底瓶、宽带黑彩钵、卷沿鼓腹盆、侈口罐、绳纹敛口瓮、火种炉等（图一）。夹砂陶多饰细绳纹和旋纹，泥质陶多饰黑彩花纹，是半坡类型对本地区仰韶一期遗存强烈影响的产物。东、西部之间仍存微小差异，如鄂尔多斯小区的假圈足碗未见于岱海小区。

王墓山下类型中段遗存以王墓山坡下遗址晚期遗存、鲁家坡第二期文化遗存为代表，主要陶器器类有环形口小口尖底瓶、葫芦口瓶、黑彩窄带钵、卷沿曲腹盆、侈口罐、绳纹或素面敛口瓮、绳纹或素面敛口盆等。这一时期晋南豫西的庙底沟类型对外强势扩张，仰韶文化空前统一，王墓山下类型中

① 中国社会科学院考古研究所编：《敖汉赵宝沟——新石器时代聚落》，中国大百科全书出版社 1997 年版，第 174 页；中国科学院考古研究所内蒙古工作队：《内蒙古巴林左旗富河沟门遗址发掘简报》，《考古》1964 年第 1 期。

② 内蒙古文物考古研究所、北京大学中国考古学研究中心《聚落演变与早期文明》课题组编：《岱海考古（三）——仰韶文化遗址发掘报告集》，科学出版社 2003 年版，第 11—149 页；崔璇、斯琴：《内蒙古清水河白泥窑子 C、J 点发掘简报》，《考古》1988 年第 2 期。

段遗存在主要继承早段遗存的基础上，保持了与周围地区，尤其是与庙底沟类型的交流。文化类型内部之间的一些地方差异还是存在的，如岱海地区开始出现红彩、紫彩，新见鳞纹图案；东北边缘的商都县章毛勿素遗址彩陶盆曲腹不显，花纹僵硬，还存在红顶钵等①。此时的仰韶文化对辽西区的红山文化产生了积极影响，花瓣纹等仰韶文化因素从华山脚下出发，经由晋南、内蒙古中南部、河北与红山文化联系了起来，而内蒙古中南部地区也出现了一些红山文化的因素，如岱海地区的鳞纹等。

　　王墓山下类型晚段遗存发现较少，基本陶器器类在延续中段遗存的基础上，内部开始出现地区性分化，这也与整个仰韶文化由合而分的总体发展趋势是相一致的。鄂尔多斯小区以白泥窑子 A 点 F2、准格尔旗白草塔遗址 F25 等遗存为代表②，出现少量的砂质陶，绳纹罐由侈口变为翻缘或卷沿，新出现大口尖底瓶、圈足或假圈足盆。岱海小区以凉城县红台坡上 G1 为代表的遗存变化最大③，新因素占据了主流地位，小口突腹瓮、直口折腹钵、直口筒形罐等器形与大量复彩图案的出现，已无法把它继续归入王墓山下类型，实际上标志着一个新的文化类型开始出现了。

　　仰韶三期遗存的年代约在公元前 3500 年至公元前 3000 年之间，仰韶文化内部发生分化，地方类型间的差异增大，受外界影响显著，表明整体文化开始走向衰退。在北方地区，可划分出两个地方类型，即内蒙古中南部的海生不浪类型和晋中的义井类型。海生不浪类型完全分布于内蒙古中南部，而且由于这一时期仰韶文化地方类型的突出化，许多学者倾向于把此类遗存视为内蒙古中南部地区出现的第一个独立的新石器时代考古学文化，这实际上反映了如何看待仰韶后期遗存内部分化的问题。

　　海生不浪类型以托克托县海生不浪遗址和察右前旗庙子沟遗址为代

---

　　① 　内蒙古文物考古研究所、乌兰察布博物馆、商都县文物管理所：《商都县章毛勿素遗址》，《内蒙古文物考古文集》第 2 辑，中国大百科全书出版社 1997 年版，第 137—150 页。

　　② 　内蒙古社会科学院历史研究所考古研究室：《清水河县白泥窑子遗址 A 点发掘报告》，《内蒙古文物考古文集》第 2 辑，中国大百科全书出版社 1997 年版，第 191—210 页；内蒙古文物考古研究所：《准格尔旗白草塔遗址》，《内蒙古文物考古文集》第 1 辑，中国大百科全书出版社 1994 年版，第 183—204 页。

　　③ 　内蒙古文物考古研究所、北京大学中国考古学研究中心《聚落演变与早期文明》课题组编：《岱海考古（三）——仰韶文化遗址发掘报告集》，科学出版社 2003 年版，第 188—193 页。

表①，典型陶器器类有侈沿夹砂罐、直口缸、敛口瓮、筒形罐、小口双耳罐、喇叭口尖底瓶、钵和侈口罐等（图二），夹砂陶大部分饰绳纹，泥质陶有的装饰彩陶。海生不浪类型是在本地仰韶二期遗存的基础上，吸收了大量的外来文化因素而形成的，以来自北方地区以东同时期遗存的影响最大。深折腹钵来自豫北冀南的大司空类型，筒形罐和彩陶中的相对双勾纹、鳞纹、三角形纹、棋盘格纹等来自红山文化，小口双耳罐和彩陶中的对顶三角纹、对顶菱纹、折线三角纹等来自燕南区的午方类型和辽西区的小河沿文化，其中小口双耳罐的变化只是将直领圆肩的特征改造为斜领鼓腹而已。由于受周边文化影响程度的不同，海生不浪类型内部可分为东、西两个亚型，如东部庙子沟亚型的曲腹盆、偏口壶、漏斗、斜腹碗等器形与西部阿善二期亚型的喇叭口尖底瓶不互见，阿善二期亚型依稀可见来自甘肃东部石岭下类型的影响。

仰韶四期遗存的年代约在公元前 3000 年至公元前 2500 年之间，仰韶文化原有的许多文化因素日渐衰落和消失，新的文化因素不断滋长，因此也有人把它看做是仰韶文化和龙山时代之间的一个过渡时代。在北方地区，岱海小区、晋北和冀西北普遍缺失这一时期的遗存，鄂尔多斯小区和陕北形成了阿善三期类型，晋中有白燕类型。

阿善三期类型以包头市阿善遗址第三期文化遗存、准格尔旗寨子塔遗址第一阶段文化遗存为代表②，主要陶器器类有篮纹鼓肩或折肩罐、敛口瓮、大口瓮、小口瓮、高领罐、素面侈口罐、绳纹罐、直壁缸、喇叭口或浅杯形小口尖底瓶、小口壶、折腹盆、斜腹盆、弧腹盆、敛口曲腹钵、深折腹钵、平底碗、深腹豆、钵形甗、小单耳罐、小双耳罐、杯和器盖等，陶质多为纯正灰色，可见少量彩陶。该类遗存的陶器器形较多，大多与海生不浪类型的陶器存在演变继承关系，部分源自外来影响，如单、双耳罐来自关中地区的泉护二期类型，广肩高领罐的出现与来自晋南豫西的庙底沟二期类型的影响

---

① 北京大学考古系、内蒙古自治区文物考古研究所、呼和浩特市文物事业管理处：《内蒙古托克托县海生不浪遗址发掘报告》，《考古学研究》（三），科学出版社 1997 年版，第 196—239 页；内蒙古文物考古研究所编：《庙子沟与大坝沟——新石器时代遗址发掘报告》（上、下），中国大百科全书出版社 2003 年版，第 535 页。

② 内蒙古社会科学院蒙古史研究所、包头市文物管理所：《内蒙古包头市阿善遗址发掘简报》，《考古》1984 年第 2 期；内蒙古文物考古研究所：《准格尔旗寨子塔遗址》，《内蒙古文物考古文集》第 2 辑，中国大百科全书出版社 1997 年版，第 280—326 页。

有关，少数矮圈足双腹盘也是晋南豫西和关中一带流行的器物。阿善三期类型内部的地方差异较为明显，可区分出三个亚型，即南流黄河两岸（包括陕北北部）的寨子塔亚型，包头市东部、大青山南麓一线的阿善亚型，陕北南部的小官道亚型。寨子塔亚型流行在小口瓮颈部、肩部以下饰一周压印纹，深折腹盆折棱处饰一或二周压印纹，篮纹罐、绳纹罐等少数有花边。阿善亚型流行连点戳印纹（或刺纹），石刀常在中部划磨出长条形凹槽后再在中部穿孔。与此时的整个仰韶文化区普遍发生的情形一样，阿善三期类型的主要变化趋势是，绳纹减少，篮纹迅速增加，彩陶大幅度减少，仰韶文化已接近了尾声，龙山时代诸文化类型则开始启奏了它们的序曲。

二、老虎山文化

大约公元前 2500 年至公元前 1900 年之间，原仰韶文化分布区及其周围山东、江汉和甘青等地区进入了龙山时代。龙山时代的文化面貌具有轮制陶器的盛行和器表颜色的黑、灰化等共性，表明在一个更广大的范围内文化遗存间的统一性增强了；但另一方面，各地方遗存间又表现出相当的地方性，这是从仰韶后期开始的地方类型间长期分化的必然结果。北方地区的龙山时代遗存主要是在本地仰韶四期遗存的基础上发展起来的，大部分地区显示出极强的共性，虽仍与中原文化区保持了较亲密的联系，但自身特色显露无遗，形成了独立的老虎山文化[①]。与其他龙山时代遗存一样，老虎山文化的陶器群相当庞大，有斝式鬲、甗、盉、大口折肩尊、敛口瓮、大口瓮、直壁缸、绳纹或篮纹鼓腹罐、高领罐、斜腹盆、曲腹盆、敛口钵、平底碗、浅腹豆、甑、单耳罐、双耳罐和小斝等，器物种类之多达到了一个最高峰，其中斝式鬲、甗和盉构成老虎山文化最典型的器物组合（图三）。

老虎山文化以约公元前 2200 年为界，分为前、后两期。依据一些地区间的差别，前、后两期各可划分为三个地方类型。前期的地方类型有岱海地区以凉城县老虎山、园子沟等遗址为代表的老虎山类型[②]，鄂尔多斯南流黄

---

① 韩建业：《中国北方地区新石器时代文化研究》，文物出版社 2003 年版，第 143 页。
② 内蒙古文物考古研究所编：《岱海考古（一）——老虎山文化遗址发掘报告集》，科学出版社 2000 年版，第 10—392 页。

河两岸包括陕北北部在内以官地遗址第四期文化遗存、准格尔旗永兴店遗址为代表的永兴店类型①，晋中地区的游邀类型。老虎山类型独见素面夹砂罐，斝式鬲多拍印篮纹，其他类型则多饰绳纹；老虎山类型的花边绳纹罐多圆肩或鼓肩，永兴店类型则多折肩。到后期，岱海地区表现为文化的缺失，永兴店类型为白草塔类型所取代，晋中地区前期的游邀类型继续发展，冀西北兴起了筛子绫罗类型。白草塔类型以白草塔遗址 F8 类遗存为代表，继承了前期的永兴店类型，最大的变化是溜肩斝式鬲演变为溜肩和鼓肩的两小类鬲，器物的环形耳也普遍变大。

老虎山类型和永兴店类型的绝大多数器物都是由阿善三期类型的同类器演变而来，只有老虎山类型的素面夹砂罐以及二者共有的斝、折盘浅腹豆和镂空矮圈足簋为新出。素面夹砂罐的源头可追溯至海生不浪类型庙子沟亚型，由此推测在岱海地区可能存在连接庙子沟亚型与老虎山类型之间的遗存。折盘浅腹豆和镂空矮圈足簋的来源不清。釜形斝最初出现在庙底沟二期类型的晋南地区，后向关中和北方地区传播。在龙山时代早期，岱海地区出现了素面小斝和绳纹釜形斝，随后准格尔地区也出现了类似的器物，还新见最早形态的双鋬篮纹斝或斝式鬲。到龙山时代前期晚段，斝式鬲分布于北方地区大部，分为侈口单把釜形和侈口双鋬釜形两大类。可以肯定地说，内蒙古中南部是这两类斝式鬲的起源地。到龙山时代前、后期之交，老虎山文化的斝式鬲就已经影响到了晋南的陶寺类型晚期遗存、陇东的齐家文化。龙山时代后期阶段，老虎山文化的对外影响加大，主要表现为鬲类器物的大规模南下东进，从晋南一直影响到豫西，从冀中一直影响到山东和豫东。

三、朱开沟文化

朱开沟文化是分布于北方地区大部的青铜时代早期文化，以经过大规模发掘的伊金霍洛旗朱开沟遗址为代表，以鬲、甗、三足瓮为主体构成比较稳定且独具特色的器物群（图四），年代约在公元前 1900 年至公元前 1200 年之间。其间依据器物组合的变化，又可分为早、中、晚三期，早期约公元前

---

① 内蒙古文物考古研究所：《准格尔旗永兴店遗址》，《内蒙古文物考古文集》第 1 辑，中国大百科全书出版社 1994 年版，第 235—245 页。

1900 年至公元前 1700 年，中期约公元前 1700 年至公元前 1500 年，晚期约公元前 1500 年至公元前 1200 年，每期之下又可划分出不同的地方类型①。

朱开沟文化早期遗存以朱开沟遗址第一、二段遗存为代表，大部分器物显示出与老虎山文化后期白草塔类型的发展演变关系，如双鋬鬲、单耳鬲、敛口甗、盉、斝、带钮圆腹罐、篮纹折肩罐、双耳罐、单耳罐、长颈壶、大口尊、高领尊、斜腹盆和直柄豆等器形。此外，还有不少因素来自周边地区的影响。三足瓮的器身与老虎山文化后期游邀类型的敛口深腹圜底瓮、白草塔类型的大口平底瓮存在渊源关系；大肥袋足鬲、深腹篮、三足杯、单耳杯、鬶形器、素面或饰压印纹的折肩罐等陶器，来自陶寺类型晚期遗存；双或三大耳罐来自齐家文化；曲柄豆为直接受二里头文化的影响产生；花边鬲、花边罐等口沿部的附加堆纹花边装饰，此时广布于北方、中原乃至西北地区；蛇纹鬲上的蛇纹装饰也见于齐家文化等遗存，二者的关系尚难明辨。

内蒙古中南部和晋中、陕北的早期遗存之间存在着一些很小的差异，如朱开沟的花边鬲、带钮罐不见于陕北和晋中，陕北以出土大量精美的玉器为特色，其中内蒙古中南部和陕北可分别划分为朱开沟类型和石峁类型。朱开沟类型遗存还包括准格尔旗大口遗址瓮棺葬、伊金霍洛旗白敖包墓地等②，目前的发现仅限于鄂尔多斯地区。大口瓮棺葬及该遗址的第三、四层遗存以前曾被称做所谓的"大口二期文化"，其实它所包含陶器的文化性质并不单一，其中有一部分属于老虎山文化白草塔类型，在目前文化谱系研究已趋于明朗的情形下，这种不恰当的文化命名应当予以取消。

朱开沟文化早期对外影响很弱。早期与中期的划分界限，是早期来自晋南、关中和甘肃影响的文化因素大部分突然消失，重现以鬲、甗和三足瓮为主体的传统北方文化面貌。其中来自晋南陶寺类型晚期的陶器，与关中地区

① 内蒙古自治区文物考古研究所、鄂尔多斯博物馆编：《朱开沟——青铜时代早期遗址发掘报告》，文物出版社 2000 年版，第 278—286 页；田广金、韩建业：《朱开沟文化研究》，《考古学研究》（五）上册，科学出版社 2003 年版，第 227—259 页。

② 吉发习、马耀圻：《内蒙古准格尔旗大口遗址的调查与试掘》，《考古》1979 年第 4 期；内蒙古文物考古研究所、伊金霍洛旗文物管理所、鄂尔多斯博物馆：《伊金霍洛旗白敖包墓地发掘简报》，《内蒙古文物考古文集》第 2 辑，中国大百科全书出版社 1997 年版，第 327—337 页。

大约相当于朱开沟文化晚期或稍晚的长武碾子坡、彬县断泾等先周文化遗址中出土的一些陶器具有共同特征①，提供了这类陶器及其使用者南迁的一个重要线索。

朱开沟文化中期遗存以朱开沟遗址第三、四段遗存和准格尔旗高家坪遗址为代表②，陶器以带领鬲、卷沿或微折沿鬲、侈口甗、三足瓮、小口瓮、弧腹盆和豆为主体，共存器类还有双系罐、方杯等。大多数器类为早期遗存同类器的继承或演变，此外除早期外来因素的消失外，还出现一些新的变化，如甗由敛口变为侈口；卷沿盆、卷沿鬲和小口瓮的流行与当时北方及中原大部地区的潮流相吻合，表明这一广大地区内存在着持续而频繁的交流。卷沿盆、小口瓮及其所饰云雷纹，明确为来自二里头文化的影响。

中期遗存可划分为内蒙古中南部的高家坪类型和晋中的光社类型。高家坪类型较朱开沟类型的分布范围扩大，遗址数量大为增加，鄂尔多斯和岱海两个小区间还存在着一些差别，如前者中的方杯、戳印纹、云雷纹等不见于后者。中期是一个蓬勃发展的时期，对周边文化的影响明显加强。山西夏县东下冯遗址Ⅱ—Ⅴ期所见三足瓮、高领鬲、厚背弯身石刀以及鬲足端带竖向沟槽和横向捆绑痕等特征，垣曲商城二里头文化晚期和二里岗下层文化所见三足瓮，冀西北壶流河流域、洋河流域乃至于辽西区夏家店下层文化遗存中所见三足瓮、蛇纹鬲、蛇纹甗、花边鬲、高领实足根鬲等，都明确为朱开沟文化因素③。

朱开沟文化晚期遗存与中期的关系，要较早期与中期之间的关系亲密。晚期遗存的陶器组合在主要继承中期继续发展的基础上，另一方面体现出极

---

①　中国社会科学院考古研究所泾渭工作队：《陕西长武碾子坡先周文化遗址发掘纪略》，《考古学集刊》第 6 集，中国社会科学出版社 1989 年版，第 123—142 页；中国社会科学院考古研究所泾渭工作队：《陕西彬县断泾遗址发掘报告》，《考古学报》1999 年第 1 期。

②　伊克昭盟文物工作站：《准格尔旗高家坪遗址》，《内蒙古文物考古文集》第 1 辑，中国大百科全书出版社 1994 年版，第 261—271 页。

③　中国社会科学院考古研究所、中国历史博物馆、山西省考古研究所编：《夏县东下冯》，文物出版社 1988 年版，第 28—185 页；中国历史博物馆考古部、山西省考古研究所、垣曲县博物馆编：《垣曲商城——1985—1986 年度勘察报告》，科学出版社 1996 年版，第 117 页；张家口考古队：《蔚县夏商时期考古的主要收获》，《考古与文物》1984 年第 1 期；张家口市文物事业管理所、宣化县文化馆：《河北宣化李大人庄遗址试掘报告》，《考古》1990 年第 5 期；中国社会科学院考古研究所编：《大甸子——夏家店下层文化遗址与墓地发掘报告》，科学出版社 1996 年版，第 17—25 页。

强的商文化因素，表明极有可能有商人移民迁徙到这里①。折沿分裆鬲、单耳敛口罂、豆和碗形簋等器形，受到二里岗上层文化、殷墟早期文化的强烈影响；大三角形纹、大"十"字镂空、云雷纹、兽面纹等特征，与同时期商文化亦步亦趋；长体折沿鬲、花边折沿鬲，是土著与商文化结合的产物。晚期遗存的另一个重大变化是出现了成套的青铜器。青铜戈、鼎来自商文化；青铜短剑、环首刀、护牌等鄂尔多斯式青铜器第一次以组合的形式出现，成为晚期遗存的一大特色，其更早的来源还有待探索。

晚期遗存发现很少，除晋中零星可见外，内蒙古中南部也仅见于朱开沟遗址第五段遗存。限于资料，难以进一步划分地方类型。朱开沟遗址第五段遗存的蛇纹鬲、带纽罐和厚背弯身石刀等，基本不见于晋中，构成一定的地方特色。晚期对周围文化的影响更加明显。殷墟苗圃一期所见厚背弯身石刀，周原扶风壹家堡商代早期遗存中所见蛇纹鬲，耀县北村商文化遗存中所见蛇纹鬲、厚背弯身石刀等，都明确为朱开沟文化因素；西北地区的刘家文化、郑家坡文化、辛店文化以及碾子坡类型等也都受到朱开沟文化的影响②。自中期开始的对辽西区的东进运动，到晚期仍然继续，魏营子文化花边鬲的出现可能与朱开沟文化末期的影响有关③。

朱开沟文化在陕北发展为李家崖文化，晋中也发现有类似于李家崖文化的遗存，而内蒙古中南部则表现为该类遗存的空缺。

四、西岔文化

西岔文化以清水河县西岔遗址第三期文化遗存、碓臼沟遗址为代表，年代范围约在公元前 1500 年至公元前 1100 年之间④。陶器分夹砂和泥质两类，

---

① 张忠培、朱延平、乔梁：《晋陕高原及关中地区商代考古学文化结构分析》，《内蒙古文物考古文集》第 1 辑，中国大百科全书出版社 1994 年版，第 283—290 页。

② 田广金、韩建业：《朱开沟文化研究》，《考古学研究》（五）上册，科学出版社 2003 年版，第 227—259 页；田广金：《中国北方系青铜器文化和类型的初步研究》，《考古学文化论集》（四），文物出版社 1997 年版，第 266—307 页。

③ 郭大顺：《试论魏营子类型》，《考古学文化论集》（一），文物出版社 1987 年版，第 79—98 页；董新林：《魏营子文化初步研究》，《考古学报》2000 年第 1 期。

④ 内蒙古文物考古研究所、清水河县文物管理所：《清水河县西岔遗址发掘简报》，《万家寨水利枢纽工程考古报告集》，远方出版社 2001 年版，第 60—78 页；曹建恩：《清水河县碓臼沟遗址调查简

以后者居多；陶色多褐陶，也可见灰陶和红陶；纹饰以绳纹为主，个别器物肩部或颈部饰水波纹、圆圈形划纹或附加堆纹；主要器类有侈沿双鋬鬲、高领双鋬鬲、甗、小口鼓肩罐、单耳罐、双耳罐、鼓腹盆、鼎、豆、钵等（图五），器身多附双鋬耳。青铜器有刀、管銎斧、空首斧、銎内戈、镂空铜铃、镜形饰和弹簧式耳环等，具有显著的早期鄂尔多斯式青铜器特色；西岔遗址还出土一些残陶范，所铸器形有管銎斧、直柄齿状格短剑、刀子等。石器也见厚背弯身石刀。墓葬流行侧身直肢葬。

西岔文化的主要分布区，推测在内蒙古中南部南流黄河两岸。其文化特征中的部分因素，明显来自朱开沟文化中期遗存光社类型，如高领鬲、甗、豆等；双鋬耳是北方地区自仰韶文化后期以来一直保持的一种文化传统；厚背弯身石刀是朱开沟文化在内蒙古中南部地区的典型器物。侈沿鬲、小口鼓肩罐和鼎等器形不见于朱开沟文化，综合了来自其他多方文化的因素。

五、以鄂尔多斯式青铜器为代表的诸文化类型

以鄂尔多斯式青铜器为代表的诸文化类型专指主要分布于内蒙古中南部地区、遗物以鄂尔多斯式青铜器为显著特征、遗迹以墓葬最为常见的东周时期的考古学文化遗存。该类遗存的分布范围集中在内蒙古中南部，在陕北神木县境内的纳林高兔等地也有多处发现①。目前学界多主张以"北方系青铜器"的命名来取代"鄂尔多斯式青铜器"这一地域色彩颇浓的叫法；北方系青铜器在商代后期已颇为发达，分布于南起中原、东达辽东沿海、西至黑海沿岸、北及米努辛斯克盆地和外贝加尔的广大地区②。实际上，在明确北方系青铜器概念的前提下，可以将鄂尔多斯式青铜器看做是前者的一个支系，即以鄂尔多斯式青铜器为代表的诸文化类型出土的北方系青铜器系列器

报》，《万家寨水利枢纽工程考古报告集》，远方出版社 2001 年版，第 81—87 页；中国社会科学院考古研究所考古科技实验研究中心碳十四实验室：《放射性碳素测定年代报告》（三十），《考古》2004 年第 7 期；王立新：《试论长城地带中段青铜时代文化的发展》，《庆祝张忠培先生七十岁论文集》，科学出版社 2004 年版，第 262—288 页。

　　① 戴应新、孙嘉祥：《陕西神木县出土匈奴文物》，《文物》1983 年第 12 期。
　　② 林沄：《商文化青铜器与北方地区青铜器关系之再研究》，《林沄学术文集》，中国大百科全书出版社 1998 年版。

物。大体来说，鄂尔多斯式青铜器的代表性器物，有柄身联铸的青铜短剑、铜刀、铜斧和铜锥等工具类，有各种动物纹腰牌饰、带扣和料珠组成的随身佩戴的装饰品，有马衔、马面饰等组成的马具。

依据目前发表的考古资料，以鄂尔多斯式青铜器为代表的诸文化可划分为早、中、晚三期和三个主要的文化类型①。三期的大致年代范围分别为春秋时期、春秋晚期至战国早期和战国中期至秦代，各以一些典型的青铜器器类为发展特征。早期武器和车马器尚不发达，不见短剑，服饰品的数量较多；中期以短剑和牌饰为代表，出现了大量的、各式各样的青铜短剑，其中以双鸟回首剑最为典型，还出现了鹤嘴斧；晚期由于铁制品的出现，青铜武器和工具类减少，新出现的立体动物和金银贵金属浮雕动物主题成为这个阶段的主要特征。三个文化类型分别为岱海地区的毛庆沟类型、包头山前地带的西园类型和鄂尔多斯地区的桃红巴拉类型，它们之间的差别主要体现在葬俗上，其中原因除部分墓葬发展阶段早晚有别外，与不同的周边文化之间的交流也是主要因素之一。

毛庆沟类型以凉城县毛庆沟墓地、饮牛沟墓地和崞县窑子墓地为代表②，年代范围集中于春秋晚期至战国早期。该类遗存与冀北地区军都山一类遗存有很多的相似之处③，如头向均朝东，都有少数木制葬具的墓，几乎每个墓都随葬陶器，陶器的陶质、纹饰和器形十分相近，都有头龛，陶器多置于头部或龛里，刀剑都挂在腰带上，镞均在腿足附近，戈矛在胸部，马具少见。但两者仍有区别，冀北地区殉牲多用狗，岱海地区以羊为主，晚期牛的数量增加；冀北地区流行耳环，岱海地区则很少见。毛庆沟类型在蛮汉山南、北麓还有一些差别，蛮汉山北麓的崞县窑子墓地，与南麓的毛庆沟、饮

　　① 田广金、郭素新：《内蒙古长城地带不同系统考古学文化的分布区域及相互影响》，《北方考古论文集》，科学出版社2004年版，第111—125页；杨建华：《春秋战国时期中国北方文化带的形成》，文物出版社2004年版，第43—62页。

　　② 内蒙古文物工作队：《毛庆沟墓地》，《鄂尔多斯式青铜器》，文物出版社1986年版；内蒙古文物考古研究所、日本京都中国考古学研究会岱海地区考察队：《饮牛沟墓地1997年发掘报告》，《岱海考古（二）——中日岱海地区考察研究报告集》，科学出版社2001年版，第278—327页；内蒙古文物考古研究所：《凉城县崞县窑子墓地》，《考古学报》1989年第1期。

　　③ 北京市文物研究所山戎文化考古队：《北京延庆军都山东周山戎部落墓地发掘纪略》，《文物》1989年第8期。

牛沟等墓地相比，不见以带钩为代表的中原文化因素，而出土大量的骨镞、弓弭和骨环等，反映了狩猎经济的重要性。到战国早期，毛庆沟和饮牛沟墓地都在同一个墓地中出现了两类墓葬，即东西向、有殉牲的北方式墓和南北向、以随葬带钩为主的中原式墓，反映出中原农业居民来到这里后与土著文化发生了融合。

西园类型以包头西园墓地为代表①，年代为春秋晚期，较多地受到了来自西部甘肃、宁夏地区"西戎文化"的影响，都有洞穴式墓，还有合葬墓，头向东偏北，不见木制葬具，使用陶器随葬的情况比较少见。桃红巴拉类型以乌拉特中旗呼鲁斯太、准格尔旗玉隆太、西沟畔和杭锦旗桃红巴拉、阿鲁柴登等墓葬为代表②，发现的遗存最多，时代跨度也最大，涵盖了早、中、晚三期。这类墓葬头向均朝北，殉牲数量很大，以马为主；很少见木制葬具；很大一部分随葬品，尤其是与车马器有关的器物，放置在殉牲之下、人骨架上；陶器或在头上，或在足下。西园类型和桃红巴拉类型的早期遗存，都具有夏家店上层文化的遗风和军都山一类遗存的风格，只不过前者夏家店上层文化的遗风较浓，如双连珠饰和表面有放射线纹的铜扣，而后者则具有更强烈的军都山遗存的风格，如刀柄饰重环纹和双环首马衔。桃红巴拉类型和毛庆沟类型的中期遗存，都有大量的短剑和腰带饰，代表了它们发展的鼎盛时期。但二者在这一时期的差别也是明显的，前者的短剑剑身均为菱形，不见后者的柱脊形，剑柄也不见凸棱条状；前者不见中原式的戈和带钩，受中原的影响要较后者为小；前者流行的马面饰反映了与甘宁地区在生产活动方面的更多相似性；前者的陶器，较早的桃红巴拉墓葬以单把杯形的陶器为主，是受到来自甘宁地区的影响；较晚的呼鲁斯太墓葬为双耳高领罐，与毛庆沟类型相似，说明与后者的联系开始加强。

总的来看，以鄂尔多斯式青铜器为代表的诸文化的三个类型，分别与冀

---

① 内蒙古文物考古研究所、包头市文物管理处：《包头西园春秋墓地》，《内蒙古文物考古》1991年第1期。

② 塔拉、梁京明：《呼鲁斯太匈奴墓》，《文物》1980年第7期；内蒙古博物馆、内蒙古文物工作队：《内蒙古准格尔旗玉隆太的匈奴墓》，《考古》1977年第2期；伊克昭盟文物工作站、内蒙古文物工作队《西沟畔匈奴墓》，《文物》1980年第7期；田广金：《桃红巴拉的匈奴墓》，《考古学报》1976年第1期；田广金、郭素新：《内蒙古阿鲁柴登发现的匈奴遗物》，《考古》1980年第4期。

北地区和甘宁地区有一定的联系，毛庆沟类型与冀北地区的相似性大于西园类型、桃红巴拉类型与甘宁地区的相似性。此外，在准格尔旗广衍古城附近的八垧地梁、和林格尔县新店子乡小板申村北坡，也发现有这一时期的墓地，各具地方特色，有进一步划分新的文化类型的可能①。

六、由文化交流所反映的历史地位

内蒙古中南部新石器时代至战国时期文化格局的演变及其与周边地区的交流，首先是放在北方地区这样一个大的地理单元下面来进行讨论的。因此，由文化交流所反映出的历史地位问题，至少包含了两个层面的内容，小的方面是内蒙古中南部在北方地区考古学文化发展谱系中的历史地位，大的方面是内蒙古中南部或北方地区在最晚于仰韶前期业已成型的早期"中国文化共同体"的形成和发展过程中的历史地位。

仰韶前期是全新世气候最适宜期，各地的考古学文化都取得了突飞猛进的发展。北方地区在新石器时代早期处于文化相对空缺状态，此时由于气候的改善，人口可能出现暴增的中原仰韶文化的农业居民在仰韶一期晚段之时开始大规模地向北方地区迁徙垦殖。东部的镇江营一期晚段遗存，顺着洋河河谷，通过黄旗海到达岱海，或者沿着桑干河河谷，通过大同盆地来到岱海。同时半坡类型溯黄河北上。两个类型的人群在内蒙古中南部相遇，由冲突到相安，融合成一个相对统一体，对仰韶文化共同体的形成起到了关键性的作用，与东北地区文化的联系也日渐增多。仰韶二期时，北方地区主要受制于庙底沟类型，半坡类型的影响依然存在，后岗类型的势力被由西向东驱逐出去，东、西部之间文化的统一性大为增强，仰韶文化因之而形成空前统一的局面。此时，黄河、长江流域的新石器时代文化也具有了文化上的相对统一性，形成了早期"中国文化共同体"②。这个超文化共同体以仰韶文化为中心，包含有红山文化、大汶口文化和大溪文化等诸多考古学文化，而仰

---

① 崔璇：《秦汉广衍古城及其附近的墓葬》，《文物》1977 年第 5 期；王大方、曹建恩：《内蒙古发现春秋战国时期狄人氏族墓地》，《中国文物报》2000 年 3 月 5 日。

② 严文明：《龙山文化与龙山时代》，《考古》1981 年第 6 期；张光直：《中国相互作用圈与文明的形成》，《庆祝苏秉琦考古五十五年论文集》，文物出版社 1989 年版，第 1—23 页。

韶文化与红山文化之间的联系主要是通过北方地区实现的。

从仰韶后期开始，气温明显下降，降水随之减少，气候的变化导致北方地区仰韶三期遗存与周边文化交流状况的改变。由于气候的干冷化，南方的农人不愿再向北迁徙，而东北、东部和西部的红山文化、小河沿文化、大司空类型和石岭下类型等的文化因素代替了晋南、关中的影响，较多地涌入北方地区，使该地区在一定程度的分化、重组后走向具有明显地方特色的统一体。海生不浪类型的细石器镞突然增多，表明狩猎经济成分的增大，干冷的气候使农业生产变得困难，狩猎、捕捞和采集等补充性经济的地位上升。这种情形在该文化类型东北边缘的商都地区表现得最为显著，可能有一些北部草原地区以狩猎为主业的人群南移，并有部分融入当地农业居民当中。海生不浪类型在遗址的分布范围和数量上，都达到了内蒙古中南部地区新石器时代的一个顶峰。到仰韶四期，气候持续恶化，可以利用的资源减少，岱海、晋北和冀西北地区文化极度衰弱甚至缺失，对外关系冷淡，以接受晋南、关中的影响为主，但基本文化格局未变，地区特点仍然突出。

如果说仰韶文化时期北方地区主要处于接受外来影响的自我积淀时期，那么到龙山时代，北方地区已基本形成一个文化统一体，转变为主要向外影响的变革时期，许多北方文化因素逐渐成为整个早期"中国文化"的一部分。龙山前期气温和降水的回升，使该地区迎来了又一个文化大发展时期，产生了极具中国文化特色的炊器鬲，尤其是起源于内蒙古中南部的双鋬鬲，北方地区因之成为中国三大文化系统之一的鬲文化系统的核心[①]。约公元前2300年至公元前2200年间的降温，迫使老虎山文化的人群大规模南下，对中原、山东、东北等地的文化都产生了不同程度的影响。鬲及其所代表的饮食习俗、卜骨及其所代表的特殊宗教习俗，都成为中国早期文化的典型因素；自仰韶三期开始形成的所谓"北方模式"的文化发展模式，以协调的人地关系、平等的家庭社会为主要特征，对独具特色的中国早期文明的形成产生了一定的影响[②]。

①　严文明：《中国古代文化三系统说（提要）——兼论赤峰地区在中国古代文化发展中的地位》，《中国北方古代文化国际学术研讨会论文集》，中国文史出版社1995年版，第17—18页。
②　韩建业：《中国北方地区新石器时代文化研究》，文物出版社2003年版，第267—269页。

　　晋南陶寺类型晚期形成于老虎山文化的南下，后又北上成为朱开沟文化早期遗存的重要组成因素，这些文化间的变迁与姬周早期历史联系在了一起。结合"唐伐西夏"的古史传说，晋南的陶寺类型早期，被认为是陶唐氏从东方迁徙而来、征服了原居地庙底沟二期类型部分先夏居民的遗存。陶寺类型晚期取代早期遗存，代表陶唐氏的东方因素消失，先夏文化因素得以保留，新出大量鬲类器，表明来自老虎山文化的人群将陶唐氏驱逐出晋南地区；结合"稷放丹朱"的古史传说，这是北方姬周先民对陶唐氏的征服。紧接其后发生的象征夏王朝诞生的"禹征三苗"事件，也当与老虎山文化南渐所产生的压力有关①。约公元前1800年左右气候的回暖，使属于夏王朝主体的二里头文化积极向北扩张，晋南的陶寺类型晚期被迫北上，在陕北和鄂尔多斯地区与当地文化融合，形成朱开沟文化早期的朱开沟类型和石峁类型，暗合于《国语》所载周先公不窋"窜于戎狄之间"的记载。朱开沟文化早、中期之交原陶寺类型晚期因素向陕西长武、彬县一带南移，形成了碾子坡一类先周文化遗存，又为"公刘迁豳"提供了重要线索②。

　　朱开沟文化在中期阶段达到了极盛，成为北方地区独霸一方的势力，对外关系积极活跃，可能已步入"方国"文明阶段。到晚期时，随着气候的日趋干冷，朱开沟文化开始衰落下去，最后向南迁徙发展为李家崖文化。朱开沟文化从早期到晚期的生态环境，是由森林草原向草原演变，经济也经历了以农为主、以家畜养殖为辅向半农半牧的转化，李家崖文化延续了这种发展态势。经济基础的改变，导致了意识形态和风俗习惯的变化，象征畜牧业文化的鄂尔多斯式青铜器成为文化的核心因素，从此开始有了中原华夏诸族与北方民族的分野。朱开沟文化的花边鬲、带钮圆腹罐、三足瓮、蛇纹鬲等陶器与其早期鄂尔多斯式青铜器组合向周围地区扩散，对周边文化产生了深刻的影响，是之后北方长城沿线半农半牧—畜牧业文化带的重要源头之一③。

---

　　① 韩建业：《唐伐西夏与稷放丹朱》，《北京大学学报》（哲学社会科学版）2001年第4期。

　　② 田广金、韩建业：《朱开沟文化研究》，《考古学研究》（五）上册，科学出版社2003年版，第227—259页。

　　③ 田广金、郭素新：《北方文化与草原文明》，《内蒙古文物考古文集》第2辑，中国大百科全书出版社1997年版，第1—12页。

西岔文化的发现表明，至少从朱开沟文化晚期开始，北方地区内部开始发生文化的分化，外来文化因素呈不断上升的趋势。在朱开沟文化和西岔文化相继消失之后，随着在公元前1000年左右北方地区的气候进入了一个干冷低谷期，内蒙古中南部的人类活动处于极度衰弱状态。目前发现的年代相当于西周阶段的文化遗存极为稀少，因而准格尔旗西麻青墓地的资料显得尤为珍贵①。西麻青墓地共清理墓葬19座，以侧身屈肢葬为主，仰身直肢次之，头向北；多以羊肢骨殉葬；陶器为鬲、罐、盆的组合（图六）。年代大致在西周晚期到春秋早期。西麻青遗存除弹簧式耳环可追溯到西岔文化以外，其他已很难找到与以前本土文化间的联系，而受周文化的影响显著，已初步纳入周文化圈之内，成为周文化的地方变体。

根据甲骨文、金文和古文献等的相关记载，晚商至商周之际，在内蒙古中南部活动的古代部族有荤育、舌方、鬼方、鬲方和无终等，西周至春秋初期前后有猃狁、犬戎和狄人等。朱开沟文化在陕北至河套一带的晚期遗存被推测与舌方有关②。陕西清涧县李家崖古城中出土有带"鬼"字的陶片，李家崖文化的创造者可能就是鬼方③。鬲方受控于舌方，共同与商王朝为敌④。鬲方可能与西岔文化有关，西岔遗址发现有石城址，正是与商王朝处于敌对状态的反映。西麻青遗存的族属可能是狄人，属鬼方后裔，由于长期受周文化影响，与周人逐渐趋同。

到东周时期，从甘宁地区、内蒙古中南部到冀北，大体沿着后来的北方长城一线，开始形成一个以北方系青铜器为主要特征的半农半牧—畜牧业文化带。以鄂尔多斯式青铜器为代表的诸文化类型是这个文化带的重要组成部分，朱开沟文化和西岔文化虽包含有早期鄂尔多斯式青铜器因素，但并非其直接源头。它的形成以外来文化因素占据了主导地位，虽然以鄂尔多斯式青铜器为共同特征，相互间联系密切，但地区间的差异也较为明显。目前划分

①　王立新：《试论长城地带中段青铜时代文化的发展》，《庆祝张忠培先生七十岁论文集》，科学出版社2004年版，第365—385页。

②　韩嘉谷：《土方历史的考古学探索》，《内蒙古文物考古文集》第2辑，中国大百科全书出版社1997年版，第338—352页。

③　吕智荣：《陕西清涧县李家崖古城址陶文考释》，《文博》1987年第3期。

④　李海荣：《北方地区出土夏商周时期青铜器研究》，文物出版社2003年版，第98页。

的三个地方类型只能是一个大致的区分，新的考古发现不断揭示出其文化面貌的多样性和复杂性。约公元前500年左右，北方地区的气候又开始向暖湿方向发展，这个文化带亦进入了它的繁盛时期。桃红巴拉类型的晚期晚段遗存，以西沟畔M2、阿鲁柴登、碾坊渠和石灰沟等墓葬为代表①，青铜器以浮雕装饰为共同特征，纹饰极为华丽，流行金银质地的动物纹浮雕，反映了这一时期社会等级制度的发达和上层社会的奢靡之风。尤其是阿鲁柴登的金冠顶、金牌饰和西沟畔M2的金牌饰和鹿形怪兽，无疑是王族用品。关于以鄂尔多斯式青铜器为代表的诸文化类型的族属问题，目前争议颇多，总的来看，它们大体属于戎狄遗存。其中，西园类型受到了甘青地区"西戎文化"的较多影响，该类遗存可能是由甘青地区北上的西戎人的一支；桃红巴拉类型、毛庆沟类型蛮汉山南麓遗存、和林格尔县新店子乡小板申村北坡墓葬等当与分布在晋北一带的林胡、楼烦之戎有关，而毛庆沟类型蛮汉山北麓的崞县窑子墓地则有可能是由漠北南下的胡人的一支。

如果说毛庆沟类型在战国早期出现的中原式墓葬只是反映了一小部分中原农业居民的北徙，那么到战国晚期，随着赵、秦两国向北方的军事扩张，晋文化和秦文化随之在这一地区占据了主导地位。晋文化和秦文化大致以南流黄河为界东、西分布，桃红巴拉类型退缩于鄂尔多斯高原北部一带。清水河县城嘴子遗址发掘出土的战国晚期遗存，遗迹有小规模的城墙、简陋不规整的半地穴式房址、小型的馒头式陶窑和潜埋但极少随葬品的墓葬，主要陶器器类有釜、罐、盆、豆和碗等，纹饰多绳纹，生产工具仍然以石器为主，充分地体现了这一时期内蒙古中南部地区晋文化的发展状态②。

第三节　内蒙古东南部诸考古学文化与周边地区的交流

内蒙古东南部新石器时代至战国时期的诸考古学文化，至少从新石器时

---

① 伊克昭盟文物工作站：《内蒙古东胜市碾坊渠发现金银器窖藏》，《考古》1991年第5期；伊克昭盟文物工作站：《伊金霍洛旗石灰沟发现的鄂尔多斯式文物》，《内蒙古文物考古》1992年第1、2期。

② 内蒙古自治区文物考古研究所：《清水河县城嘴子遗址发掘报告》，《内蒙古文物考古文集》第3辑，科学出版社2004年版，第81—128页。

代中期开始，已经体现出在同一时期内大多会出现几种考古学文化并行局面的文化格局。某一时期并存的几种文化中，一般情形下会有一种文化占据主导地位（但也许只是目前对于该文化类型的研究较为充分而已）。以不同时期的主导文化为主体，该地区自新石器时代至战国时期可划分为以下几个发展阶段，即兴隆洼文化阶段、赵宝沟文化阶段、红山文化中期阶段、红山文化晚期阶段、夏家店下层文化阶段、夏家店上层文化阶段和水泉文化阶段等。

一、兴隆洼文化阶段

辽西区目前可以确认的最早的新石器文化至少有三种，除主体的兴隆洼文化外，还有以素面陶为特征的小河西文化、以由条形附加堆纹和各种压划的线形纹样组成的复合纹饰为特征的西梁类型。

兴隆洼文化以克什克腾旗南台子、林西县白音长汗和敖汉旗兴隆洼、兴隆沟第一地点等遗址为代表[①]，存续的时间约在公元前 6000 年至公元前 4500 年前后。陶器以夹粗砂褐陶为主，主要器类是一种口大底小、腹壁斜直的筒形罐（图七）。纹饰比较繁缛，主体纹样是线形之字纹和交叉压印纹，泥条堆纹和凹弦纹也较为常见。上述纹饰往往被分为三段搭配，在罐体的上三分之一处饰一周泥条堆纹，泥条以上至口部饰凹弦纹，泥条以下至底部为交叉压印纹或竖压横排之字纹。石器以打制的有肩石锄和磨制的长方形石铲最具代表性。内蒙古东南部目前可区分出三个地方类型，即西拉木伦河上游的南台子类型和白音长汗类型，大、小凌河流域的兴隆洼类型，其中白音长汗类型系主要由南台子类型发展而来。

该文化的分布地域以辽西区为中心，外延甚为广大。燕辽文化区南部的燕南区，可划分出以北京平谷上宅遗址第八层遗存为代表的一个地方类型，再往南在山东省邹平县苑城遗址发现其与北辛文化的混合遗存，往西南在河

---

① 内蒙古文物考古研究所：《克什克腾旗南台子遗址》，《内蒙古文物考古文集》第 2 辑，中国大百科全书出版社 1997 年版，第 53—77 页；内蒙古自治区文物考古研究所编：《白音长汗——新石器时代遗址发掘报告》，科学出版社 2004 年版，第 500—501 页；中国社会科学院考古研究所内蒙古工作队：《内蒙古敖汉旗兴隆洼遗址发掘简报》，《考古》1985 年第 10 期；中国社会科学院考古研究所内蒙古第一工作队：《内蒙古赤峰市兴隆沟聚落遗址 2002—2003 年的发掘》，《考古》2004 年第 7 期。

北省阳原县姜家梁遗址发现其与磁山文化的混合遗存，在磁山遗址里也曾发现饰之字纹的陶片；东北部至少可以吉林省通榆县敖包山、张俭坨子等遗址为该文化类型的代表，北部在乌尔吉木伦河上游依然是其典型分布带；甚至再往北，在贝加尔湖周围地区勒拿河上游维季姆河流域的乌斯季·卡拉坎遗址也曾发现与兴隆洼文化相似的陶片和石器①。当然，以上仅代表兴隆洼文化在漫长的发展过程中所达到的最大势力范围，而其在某一个阶段的分布地域也许要小得多。

小河西文化发现的遗址较少，有林西县锅撑子山、巴林左旗福山地、翁牛特旗大新井和敖汉旗千斤营子、小河西、榆树山、西梁等②。该文化类型的陶器，质地为夹砂陶，陶色灰黑，器形简单，主要是平底敞口的筒形罐，绝大多数器表不施纹饰，或仅在口沿下贴附一些简单的短泥条，这种风格和山东一带的后李文化比较接近③。它的年代与兴隆洼文化大体同时；以其较为原始的文化面貌来看，有可能先于兴隆洼文化出现在辽西地区，是探索这一地区更早的新石器时代遗存的重要线索。

西梁类型以林西县井沟子村西梁遗址为代表④，陶器以筒形罐为主，夹砂陶，外表多呈黄褐或灰褐色，内壁呈黑灰色，烧制火候较低，器体口大底小，腹腔较浅，腹壁内收略有弧度，纹饰以条形附加堆纹和线形压划纹为主，还发现有戳印纹和压印窝点纹等。该类遗存在克什克腾旗瓦盆窑、巴林右旗塔布敖包、锅撑子山和巴林左旗金龟山等遗址中也有发现，分布地域集中在西拉木伦河上游一带，年代大约相当于兴隆洼文化晚期偏早阶段。西梁

---

① 北京市文物研究所、北京市平谷县文物管理所上宅考古队：《北京平谷上宅新石器时代遗址发掘简报》，《文物》1989 年第 8 期；山东大学历史系考古专业：《山东邹平县苑城早期新石器文化遗址调查》，《考古》1989 年第 6 期；河北省文物研究所：《河北阳原县姜家梁新石器时代遗址的发掘》，《考古》2001 年第 2 期；王国范：《吉林通榆新石器时代遗址调查》，《黑龙江文物丛刊》1984 年第 4 期；徐光冀、朱延平：《辽西区古文化（新石器至青铜时代）综论》，《苏秉琦与当代中国考古学》，科学出版社 2001 年版，第 86—96 页。

② 朱延平：《辽西区新石器时代考古学文化纵横》，《内蒙古东部区考古学文化研究文集》，海洋出版社 1991 年版，第 9—14 页；郭治中：《内蒙古东部区新石器——青铜时代的考古发现与研究》，《内蒙古文物考古文集》第二辑，中国大百科全书出版社 1997 年版，第 13—23 页。

③ 济青公路文物考古队：《山东临淄后李遗址第一、二次发掘简报》，《考古》1992 年第 11 期。

④ 吉林大学边疆考古研究中心、内蒙古文物考古研究所：《内蒙古林西县井沟子西梁新石器时代遗址》，《考古》2006 年第 2 期。

类型富有特色的、发达的条形附加堆纹及其所构成的组合纹饰，在西拉木伦河以南地区极为罕见，而与松嫩平原甚至更北的黑龙江中游地区的新石器时代文化具有较多的相似性，而且与上述地区史前文化中以细石器为主要特点的渔猎型生产方式也相一致。西梁类型这种游离于辽西区主体文化之外而具有地域分布边缘性的特征，应当是来自区域间文化传播甚至居民迁徙的结果①。

　　小河西文化虽然在西拉木伦河流域和大、小凌河流域都有发现，但无论从分布地域的广度还是所营聚落的规模来看，其势力远远低于兴隆洼文化。辽西区下一阶段发展起来的赵宝沟文化、富河文化和红山文化早期遗存等，皆是以兴隆洼文化为主要根基。

二、赵宝沟文化阶段

　　这一阶段的辽西区可见四种考古学文化，分别为兴隆洼文化晚期、赵宝沟文化、红山文化早期和富河文化，年代范围大体在公元前4800年至公元前4000年之间。

　　进入这一阶段以后，赵宝沟文化和红山文化取代兴隆洼文化占据了内蒙古东南部大部地区，若就波及范围来讲，前者似乎来得更广。赵宝沟文化以敖汉旗赵宝沟遗址、小山遗址为代表②，陶器器类有筒形罐、红顶钵、圈足钵、尊形器、敛口鼓腹罐和器盖等（图八），器表装饰着复杂的几何纹饰，还有一部分被神化的动物图形，主要有猪首、鸟首和鹿首三种。红山文化早期遗存与赵宝沟文化交错并存。早期红山文化以兴隆洼遗址F133、F106为代表③，陶器以夹砂陶为主，泥质陶也占一定比重，主要器类有筒形罐、斜口器、曲腹钵、小口平底瓶、敛口厚唇盆和红顶钵等。夹砂陶装饰以压印之

---

① 朱永刚：《论西梁遗存及其相关问题》，《考古》2006年第2期。

② 中国社会科学院考古研究所编：《敖汉赵宝沟——新石器时代聚落》，中国大百科全书出版社1997年版，第217页；中国社会科学院考古研究所内蒙古工作队：《内蒙古敖汉旗小山遗址》，《考古》1987年第6期。

③ 杨虎：《关于红山文化的几个问题》，《庆祝苏秉琦考古五十五年论文集》，文物出版社1989年版；中国社会科学院考古研究所内蒙古工作队：《内蒙古敖汉旗兴隆洼遗址发掘简报》，《考古》1985年第10期。

字纹为主，同时存在一定数量的成组划纹；泥质陶装饰出现彩陶，有红、黑两色，图案主要为平行竖线纹、平行线组成的三角形纹和鳞纹等。红山文化与赵宝沟文化的主要成分均来源于兴隆洼文化，如二者都有的横压竖排之字纹起源于兴隆洼文化的同类纹饰，广泛见于赵宝沟文化的几何纹同兴隆洼文化的某些压印纹有关，某些赵宝沟文化陶器的底部也有红山文化筒形罐习见的席状编织纹印痕。但二者陶器群的整体风格还是迥然不同的，其缘由有待探讨。

赵宝沟文化和早期红山文化都受到中原同时期一度兴盛的仰韶文化后岗类型的影响，如二者共见的红顶钵、红山文化的红彩彩陶和部分彩陶图案等。赵宝沟文化的凹底舌形石铲和石磨盘、石磨棒等农业工具十分发达，这种现象是在兴隆洼文化阶段所不见的，表明种植农业取得了突破性的推广发展，这与后岗类型的影响不无关系。后岗类型的北进，同时对赵宝沟文化与燕辽文化区其他亚区的相互关系产生了各不相同的影响。一方面，辽西区与燕南区的联系较上一阶段减弱，文化面貌差异性增大，于是有研究者认为此时燕南区的文化遗存已不再属于赵宝沟文化的地方类型，而应视为独立的考古学文化[1]；另一方面，辽西区与辽东地区的联系得到加强，辽东地区农作的普遍经营也出现在这一阶段，形成了东北地区普及种植业的第一次浪潮[2]。

晚期兴隆洼文化和富河文化集中分布在乌尔吉木伦河流域。富河文化以巴林左旗富河沟门遗址为代表[3]，陶器都是夹砂陶，器类仅见筒形罐、钵和圈足器，装饰以篦点式横压竖排之字纹别具特色，另见大量细石器和兽骨。富河文化的前身主要是兴隆洼文化制造和使用篦点式之字纹筒形罐的一支人群，而这些因素在白音长汗类型阶段就已产生，二者之间的发展演变尚有缺环，但年代不会相差太远。富河文化受到赵宝沟文化的较多影响，如三角形

① 刘国祥：《关于赵宝沟文化的几个问题》，《北方文物》2000 年第 2 期。
② 朱延平：《东北地区南部公元前三千纪初以远的新石器考古学文化编年、谱系及相关问题》，《考古学文化论集》（四），文物出版社 1997 年版，第 84—95 页。
③ 中国科学院考古研究所内蒙古工作队：《内蒙古巴林左旗富河沟门遗址发掘简报》，《考古》1964 年第 1 期。

戳纹、圈足钵等因素明显来自后者①。富河文化出土的细石器及兽骨所代表的狩猎经济，表明其与北部草原地区的细石器传统人群有着更密切的联系。

三、红山文化中期阶段

红山文化中期阶段的年代约在公元前4000年至公元前3500年前后。进入这一阶段以后，上一阶段的赵宝沟文化和富河文化都突然消失，只有红山文化仍在继续发展，并迅速成长，不仅遗址数量空前，分布面也显为扩张。东面达到西辽河东流折向南流的转弯一带，北至乌尔吉木伦河上游；在燕南区，后岗类型的势力消退，红山文化占据了主导地位。

中期红山文化遗存以赤峰市蜘蛛山、西水泉和巴林右旗那斯台等遗址为代表②。陶器仍有大量的夹砂陶筒形罐，但泥质陶显著增多，折腹钵大量存在，突出的特征是彩陶发达，流行黑彩，图案以菱形纹、涡纹、平行斜线与弧边三角等纹样为主（图九）。与红山文化中期阶段大约同时，中原仰韶文化庙底沟类型的彩陶也达到了一个极盛的阶段。这种不同地域间相似文化因素的同步性发展，有各自的本土文化底蕴与自身创造，另外与文化间的交流和碰撞也有密切的关系，其中北方地区的王墓山下类型是二者发生联系的主要中介之一。中期红山文化出现了规模较大的积石冢群，与它们相应的社会组织肯定已超出一般的聚落群之上。另外，敖汉旗西台遗址所出的两件铸范，证明此时的红山文化已存在冶炼术，这在东亚地区也是较早的冶铸实例③。

即便中期红山文化如此发达，也没有能够独占辽西区，至迟在本阶段小河沿文化已经出现，如赵宝沟聚落西北邻的遗址即属这一阶段的小河沿文化遗存④。当然，此时小河沿文化的势力尚属有限，无法同盛极一时的红山文化相比拟。

① 朱延平：《富河文化的若干问题》，《内蒙古文物考古文集》第1辑，中国大百科全书出版社1994年版，第114—118页。
② 中国社会科学院考古研究所内蒙古工作队：《赤峰蜘蛛山遗址的发掘》，《考古学报》1979年第2期；中国社会科学院考古研究所内蒙古工作队：《赤峰西水泉红山文化遗址》，《考古学报》1982年第2期；巴林右旗博物馆：《内蒙古巴林右旗那斯台遗址调查》，《考古》1987年第6期。
③ 杨虎：《辽西地区新石器——铜石并用时代考古学文化序列与分期》，《文物》1994年第5期。
④ 徐光冀、朱延平：《辽西区古文化（新石器至青铜时代）综论》，《苏秉琦与当代中国考古学》，科学出版社2001年版，第86—96页。

四、红山文化晚期阶段

红山文化晚期阶段即公元前 3500 年至公元前 3000 年前后的时期，目前所见仍是红山文化和小河沿文化两种遗存。

晚期红山文化的分布范围较中期有所收缩，集中在努鲁儿虎山东西两侧和老哈河上游一带。在辽宁省境内发现了东山嘴、牛河梁和城子山等一系列与礼仪活动相关的重要遗址[①]。一般居住址则很少，以兴隆沟遗址第二地点较具代表性。陶器除继承上一阶段的主要特点外，专门用于祭祀的筒形器甚为流行，新出现豆和三足或四足小陶器，彩陶图案以错叠三角纹、方块纹和宽带纹为主，并出现一部分内彩。这一时期的红山文化以祭坛、女神庙、积石冢群和成批成套的玉质礼器（玉龙、玉龟、玉兽形器）为标志，率先进入了早期城邦式的原始国家，即“古国”的阶段，它的发展超越了同时期的黄河流域和长江流域。红山文化“古国”对中原“古国”的形成产生了强有力的推动作用。晋南陶寺类型早期大墓出土陶盘内的蟠龙纹，其身上的鳞纹图案与红山文化的彩陶鳞纹十分相似。陶寺类型早期比红山文化要晚数百年，陶寺大墓中的蟠龙纹陶盘为重器，而龙是辽西区古文化的传统作品，前者明显受到了后者的影响[②]。就整个燕辽文化区而言，红山文化“古国”显然处于龙头的位置，其对整个大文化区的强烈影响是毋庸置疑的；但也正是由于红山文化中期的强势扩张及晚期的集中收缩，使其他亚区文化的地域独立性大为增强。

此时的小河沿文化较上一阶段有了很大的发展，其文化遗存几乎遍布整个辽西区，在一定范围内呈现出与红山文化重合分布的态势。内蒙古东南部以敖汉旗小河沿遗址、翁牛特旗大南沟墓地为代表[③]。陶器以夹砂褐陶居

---

① 郭大顺、张克举：《辽宁省喀左县东山嘴红山文化建筑群址发掘简报》，《文物》1984 年第 11 期；辽宁省文物考古研究所：《辽宁牛河梁红山文化“女神庙”与积石冢群发掘简报》，《文物》1986 年第 8 期；李恭笃：《辽宁凌源三官甸子城子山遗址试掘报告》，《考古》1986 年第 6 期。

② 苏秉琦：《关于编写田野考古发掘报告问题》，《华人·龙的传人·中国人——考古寻根记》，辽宁大学出版社 1994 年版，第 187—201 页。

③ 辽宁省博物馆、昭乌达盟文物工作站、敖汉旗文化馆：《辽宁省敖汉旗三种原始文化的发现》，《文物》1977 年第 12 期；辽宁省文物考古研究所、赤峰市博物馆编：《大南沟——后红山文化墓地发掘报告》，科学出版社 1998 年版，第 142 页。

多，泥质陶有红、黑、灰三种颜色；器类有各种钵类、筒形罐、双耳小口鼓腹罐、侈口鼓腹罐、盆、豆，还有数量虽少但别具特色的尊形器、器座、鸟形壶和双口壶等（图十）；器表装饰有拍印线纹、磨光素面和彩陶等，素面陶的口沿外表多贴一周细窄的附加堆纹，彩陶多是红衣上施画黑彩，纹饰以错向平行线或于这些线之间再加施错向半重环纹最为常见，还有少数八角星纹、动物纹和回折几何纹等。

小河沿文化的主要特征与辽西区的传统有显著差别，组成成分十分复杂。依然有辽西区的传统器形筒形罐，但以前流行的压印之字纹已为拍印线纹所代替，该种纹饰来自仰韶文化；尊形器和一些几何形图案继承自赵宝沟文化，不少钵类器与红山文化难以区分；豆座上的三角形镂空和八角星纹彩绘图案，是来自山东一带大汶口文化的影响。小河沿文化接受了大量的南来因素，它的扩展使红山文化呈北退之势；在一定程度上也正是由于小河沿文化的威胁，导致红山文化的分布地域收缩，其内部之间为了抵御外敌而被迫加强联系，催化了"古国"文明的诞生。同时期燕南区的午方类型与小河沿文化有着极大的相似性，有人建议把它们划为总称做"雪山一期文化"的两个地方类型①。

在红山文化晚期阶段以后，红山文化消亡，小河沿文化向南部退缩，又继续发展了一段时间，最迟至公元前2500年以前消失。此后直到公元前两千纪初夏家店下层文化的兴起，在相当长的一段时间里，辽西区古文化的发展陷入了低潮，有关的考古发现寥若晨星。奈曼旗大沁他拉遗址戊类遗存的两件素面筒形罐，分别于上腹壁饰桥耳和舌状耳，与辽宁彰武平安堡二期遗存类似，是内蒙古东南部地区目前唯一可以确认的相当于中原龙山时代的遗存，为探寻这一时期的文化发展提供了重要线索②。

五、夏家店下层文化阶段

在该阶段，辽西区目前只发现夏家店下层文化一种文化类型。它的年代

---

① 韩建业：《中国北方地区新石器时代文化研究》，文物出版社2003年版，第109页。

② 朱永刚、王立新：《大沁他拉陶器再认识》，《内蒙古文物考古文集》第1辑，中国大百科全书出版社1994年版，第119—124页。

范围大致在公元前 1900 年至公元前 1400 年之间，分布地域遍及整个辽西区，而老哈河中上游、教来河上游、大小凌河及其支流地区是遗址分布较密集的区域。遗址所见陶器以夹砂或泥质灰陶为主，褐陶、黑陶次之。主要器类有尊形鬲、无腰隔甗、罐形鼎、尊、中口深腹罐、双錾深弧腹盆、大口鼓腹瓮、浅盘高柄豆等，纹饰流行绳纹或弦断绳纹。墓葬随葬陶器以鬲、罐为基本组合，且多施复杂的彩绘纹饰，是为专门冥器。

夏家店下层文化的来源较为复杂。无腰隔甗、中口深腹罐和双錾深弧腹盆等来自中原龙山时代的后岗二期文化，尊、钵形鼎、浅腹平底盆和浅盘高柄豆等来自红山文化和小河沿文化。此外，敖汉旗大甸子遗址所见玉器与红山文化玉器、夏家店下层文化陶器的彩绘作风与小河沿文化彩绘陶之间①，也都存在着不容忽视的因果关系。

夏家店下层文化与周邻地区甚至更远的考古学文化存在着不同程度的联系。在燕南区，夏家店下层文化与大坨头文化并行发展，二者关系亲密，前者典型的鼓腹鬲、折肩鬲、簋等屡见于后者，而后者最具特色的尊、尊形鬲等也常见于前者，而且这种相互之间的联系到中晚期还有不断加强的趋势。下辽河区的高台山文化与夏家店下层文化互有影响，早期主要是后者影响前者，高台山文化借鉴吸收了夏家店下层文化袋足三足器的制作工艺；晚期反过来主要是前者影响后者，表现为夏家店下层文化的红褐陶系增多，绳纹衰退，以及丧葬习俗和随葬陶器上的一些变化。夏家店下层文化中所见的饰蛇纹或棱状堆纹的鬲、甗以及所见罐、鬲等器物口沿带錾钮或花边堆纹的作风，明确为来自朱开沟文化的影响。此外，夏家店下层文化还吸收了来自地域上并不毗邻的二里头文化、先商文化、岳石文化和松嫩平原的小拉哈文化的少量因素②。总的来看，那些来自南面和东面的文化因素多见于夏家店下层文化的偏东区域，而那些来自北面和西面的文化因素则多发现于其偏西区域。这样，由于受周边文化影响的差异，以努鲁尔虎山和教来河下游为界，夏家店下层文化可被划分为东、西两个地方类型。

---

① 中国社会科学院考古研究所编：《大甸子——夏家店下层文化遗址与墓地发掘报告》，科学出版社 1998 年版，第 101、141、156—179 页。

② 王立新：《辽西区夏至战国时期文化格局与经济形态的演进》，《考古学报》2004 年第 3 期。

内蒙古东南部西拉木伦河南侧和老哈河的主要支流沿岸，夏家店下层文化遗址分布非常密集，形成了许多石城址群。它们往往坐落在山顶或靠近山坡的台地上，中心城址占据主要位置，四周分布着若干子城，俨然一派城邦林立的态势。夏家店下层文化已进入与中原夏王朝并立的"方国"阶段；大甸子贵族墓葬中出土的陶鬶、陶爵，与二里头遗址的同类器类似，表明夏家店下层文化"方国"已与夏王朝之间具有了非同一般的礼仪往来。

六、夏家店上层文化阶段

晚商至春秋中期，辽西区努鲁尔虎山东、西两侧的文化开始明显分化，东侧先后有魏营子文化和凌河文化早期类型，西侧则为夏家店上层文化。

夏家店上层文化的陶器群以素面红陶为主要特征，制陶工艺粗疏，火候较低，陶质疏松，主要器类有鬲、甗、鼎、罐、豆、盆、钵等。青铜器相当发达，包括青铜容器、兵器、工具、车马器以及丰富多彩的动物纹装饰艺术品。以西周中期为界，该文化可分为早、晚两期。早期遗存多见于西拉木伦河流域，晚期向南扩展，在西周晚期至春秋早期（约公元前9世纪至公元前8世纪）达到鼎盛时期。基于地域的差别，该文化分布于西拉木伦河和老哈河流域的遗存分别被划分为龙头山类型和南山根类型，前者以克什克腾旗龙头山遗址、关东车遗址为代表，后者以宁城县南山根墓地、小黑石沟墓地为代表[1]。龙头山类型的墓葬为袋状坑套土坑竖穴式，而南山根类型则多见石质葬具。此外，与南山根类型以农业为主、兼营畜牧业的经济形态有所不同，龙头山类型畜牧业和狩猎经济的地位较农业更为突出。

夏家店上层文化的具体来源，目前尚无定论，有可能是来自于北部草原地区以细石器和素面红陶为代表的文化与夏家店下层文化、高台山文化、小拉哈文化等不同文化的因素融会整合的结果。在发展过程中，夏家店上层文化与大、小凌河流域的魏营子文化、凌河文化、松嫩平原的白金宝文化以及

---

① 齐晓光：《内蒙古克什克腾旗龙头山遗址发掘的主要收获》，《内蒙古东部区考古学文化研究文集》，海洋出版社1991年版，第58—72页；吉林大学边疆考古研究中心、内蒙古自治区文物考古研究所：《克什克腾旗关东车遗址考古调查与试掘》，《边疆考古研究》第2辑，科学出版社2004年版，第15—29页；中国社会科学院考古研究所东北工作队：《内蒙古宁城县南山根102号石椁墓》，《考古》1981年第4期；项春松、李义：《宁城小黑石沟石椁墓调查清理报告》，《文物》1995年第5期。

欧亚大陆草原文化、中原文化等保持着或近或疏的关系。夏家店上层文化的花边鬲可能是吸收自魏营子文化的因素；各式青铜曲刃短剑源于凌河文化，而凌河文化的叠唇双錾盆、侈口鼓腹罐等素面夹砂红褐陶器均来自夏家店上层文化；装饰篦点纹和动物纹的仿皮囊器等来自小拉哈文化和白金宝文化；青铜兵器、马具和"野兽纹"艺术等所谓的"斯基泰三要素"，同欧亚大陆草原文化有着千丝万缕的联系，尤其是与分布在蒙古国中、东部和俄罗斯外贝加尔一带的石板墓文化关系密切；宁城一带的墓葬出土的典型周式青铜礼器和兵器，则被看做是一种战利品或财富的炫耀。

在夏家店上层文化阶段，努鲁儿虎山以东以大、小凌河流域为中心，晚商至西周中期有魏营子文化，西周晚期至春秋中期为凌河文化早期类型。魏营子文化和夏家店上层文化虽然都有源自于夏家店下层文化的因素，但两支文化的本质面貌已经产生了根本性差别。魏营子文化的陶器以夹砂灰褐陶、红褐陶、橘红陶为基本陶系，以口沿或领部饰附加堆纹的素面鼓腹鬲、外叠唇盆、素面瓮、附加堆纹罐、高领罐、钵为基本组合。内蒙古东南部境内目前只在努鲁尔虎山附近的个别遗址中发现有魏营子文化的遗存，如通辽市小库伦、敖汉旗水泉等①。凌河文化早期类型部分地承继了魏营子文化的因素，而可能源自辽东地区的短茎式曲刃青铜短剑、双錾筒腹陶罐等因素则对该文化的形成起了至为关键的作用，曲刃短剑亦成为该文化的重要特征，该类遗存目前在内蒙古东南部境内尚无发现。

七、水泉文化阶段

春秋晚期至战国中期，辽西区的文化格局呈现出更为复杂的面貌。目前仅在内蒙古东南部能够辨识出来的不同文化遗存至少有以下四种，即水泉文化、凌河文化晚期类型、井沟子类型和铁匠沟遗存，发现的遗迹主要是墓葬。

水泉文化以敖汉旗水泉墓地北区墓葬为代表②，稀疏地分布于老哈河流

---

① 董新林：《魏营子文化初步研究》，《考古学报》2000年第1期；塔拉、曹建恩：《敖汉旗水泉村青铜时代遗址》，《中国考古学年鉴》（1997），文物出版社1999年版，第101—102页。

② 郭治中：《水泉墓地及相关问题之探索》，《中国考古学跨世纪的回顾与前瞻》，科学出版社2000年版，第297—309页。

域和大凌河上游一带。墓葬形制以长方形土坑竖穴墓为主，多见木质葬具，流行单人仰身直肢葬；墓圹方向多为西北—东南向，人骨头向或西北或东南；殉牲数量多，以猪的头蹄为主；随葬陶器以夹砂陶为主，泥质陶极少，器类比较单一，有双耳罐、单耳罐、单把杯、叠唇鼓腹罐和高领鼓腹罐等。水泉墓地的南区墓葬，属凌河文化晚期类型，与北区墓葬存在很大的差异。墓葬形制虽亦多为长方形土坑竖穴墓，但规模较小，许多墓埋葬很浅，有葬具的仅个别几座，存在一部分砌石墓；墓向多为南北向，头骨方向皆朝南；殉牲也较普遍；随葬陶器器类有夹砂的叠唇鼓腹罐、叠唇筒腹罐、折沿鼓腹罐和泥质的侈口鼓腹罐、大口盉、角把罐等，不见在北区占主要地位的带耳陶器，北区少见的叠唇鼓腹罐却是南区的主要器类。水泉文化的部分带耳罐和叠唇鼓腹罐唇缘内侧抹斜的特点以及高领鼓腹罐的斜直领，体现了与夏家店上层文化的联系。凌河文化晚期类型主要由其早期类型发展而来，接受了辽东地区和中原文化的较多影响，与水泉文化有着较为密切的关系，水泉文化的叠唇鼓腹罐明显源自凌河文化的影响。水泉墓地部分南区墓葬打破北区墓葬的现象，表明凌河文化晚期类型由其原居地大、小凌河北上，占据了一部分原属水泉文化的领地范围。

　　井沟子类型目前能够确认的仅林西县井沟子遗址西区墓地一处遗存，敖汉旗周家地墓地与之存在很多的相似性，但二者是否属于同一类型的遗存，还遽难判定[①]。井沟子类型的墓葬形制多呈长方形或窄梯形土坑竖穴状，不见葬具，分单人葬、双人葬和多人葬，葬式以仰身直肢为主，头向多朝西北；多见成人与儿童葬于一墓的现象；大多数墓有扰动痕迹，或局部被扰，或完全被扰；殉牲普遍，以马、牛、羊为主，不见猪，个别墓有殉人现象；随葬陶器以夹砂陶为主，陶色多为红褐色，少量可见灰褐色，烧制火候较低，表面色泽不均，器类简单，以高领鼓肩罐最为常见，另有少量带耳罐、筒腹鬲和钵等；其他随葬品有青铜圆凸格扁茎直刃短剑、刀、镞、多种装饰品和骨镞等；几例人头骨眼眶内发现的小铜泡，反映了可能存在的死者覆面

　　① 吉林大学边疆考古研究中心、内蒙古文物考古研究所：《2002 年内蒙古林西县井沟子遗址西区墓葬发掘纪要》，《考古与文物》2004 年第 1 期；中国社会科学院考古研究所内蒙古工作队：《内蒙古敖汉旗周家地墓地发掘简报》，《考古》1984 年第 5 期。

习俗。井沟子类型的部分文化因素可确认来自夏家店上层文化，如部分高领鼓肩罐的高直领特征、外叠唇陶钵、个别陶鬲腹部带鋬的做法以及弹簧式耳环等青铜装饰品。它与水泉文化也存在一定的联系，如带耳陶罐和圆形铜泡、弹簧式耳环等为二者所共见，但差别是主要的，尤其是井沟子类型以马、牛、羊殉牲，不见猪，骨镞异常丰富，体现了与水泉文化在经济类型上的重要分野。

铁匠沟遗存见于敖汉旗铁匠沟墓地 A 区的 3 座墓葬，清理时已遭破坏①。大体情形是，均为土坑竖穴墓，墓向为南北向，分单人葬和双人合葬两种；随葬陶器较少，有夹砂灰陶侈口鼓腹罐、夹砂红陶碗和泥质灰陶短颈壶等；青铜器有环手刀、带钩和异常丰富的装饰品，其中 7 件野猪形牌饰最具特色。可以看到，铁匠沟遗存的部分文化因素可以追溯至夏家店上层文化，此外与水泉文化、凌河文化晚期类型和井沟子类型都有一定的相似性，但自身的特点还是显著的，尤其是野猪形牌饰在辽西区属首次发现。囿于目前所发现的遗迹遗物数量有限，对铁匠沟遗存的整体文化面貌和最终的性质归属，还有待进一步探索。

八、由文化交流所反映的历史地位

自新石器时代起，东北地区开始形成为一个以渔猎经济为特色的更高层次的文化区，一般称之为东北文化区。它的范围要比现在行政区划的东北地区大得多，南起燕辽文化区，东到鄂霍次克海、日本海沿岸，西达大兴安岭，北抵外兴安岭②。东北文化区在由旧石器时代向新石器时代的过渡中，与黄河流域和长江流域不同的是，大部分地区渔猎经济的主导地位并没有被农业经济所取代。东北文化区至少在新石器时代以平底筒形罐为共同的文化特征，北部一些地区这种器形甚至一直沿用到战国、汉代。分别位于燕山南、北麓的燕南区和辽西区，处于东北文化区和中原文化区相濒临的前沿地带，辽西区吸收了中原的农业文化因素，在东北文化区的发展过程中长期处

---

① 冯恩学：《东北平底筒形罐区系研究》，《北方文物》1991 年第 4 期；郭大顺：《东北文化区的提出及意义》，《边疆考古研究》第 1 辑，科学出版社 2002 年版，第 170—180 页
② 邵国田：《敖汉旗铁匠沟战国墓地调查简报》，《内蒙古文物考古》1992 年第 1、2 期。

于领先地位，而燕南区受辽西区和中原文化区不同时期势力消长的影响，文化面貌显得复杂多变，构成了辽西区的"亲缘文化区"。

在生态学上，辽西区属于典型的生态脆弱带，一方面可以为人类的生存活动提供多样化的经济方式，另一方面自然系统的脆弱性又决定了其对人类生存活动的承载力是有限的。《尚书·禹贡》记载的九州第一州冀州"厥赋惟上上错，厥田惟中中"，反映的正是一种土质虽然并不肥沃，但通过多种经济互补造成的繁荣昌盛景象。如果在这种繁荣景象下掩盖的是人类对自然的过度开发利用，那么也很容易造成人地关系的失衡。全新世以来，辽西区的自然景观经历了由灌丛草原、森林草原演变为荒漠化草原的过程，最终形成了现在的科尔沁沙地，人力的破坏是造成这种恶性变化的主要因素之一①。这种生态系统的脆弱性，在相当大的程度上影响了这一地区古文化的发展兴衰。

约自公元前 6500 年左右，中国进入全新世大暖期以后，各地由零星发现的新石器时代早期文化阶段相继步入初具遗址群规模的新石器时代中期。兴隆洼文化以原始农业、用玉习俗和猪首龙形态三个方面的文化因素的出现，确立了在东北文化区中的核心和主导地位。该文化的经济形态虽仍以狩猎、采集为主，但在兴隆沟遗址第一地点发现了经过人工栽培的炭化粟颗粒，表明已经有了原始农业；用玉习俗趋于普遍，玉器有玦、匕、管、凿等，主要见于墓葬中；兴隆沟遗址第一地点发现了用真实猪首、陶片、自然石块和残石器组成的"S"形猪龙形象，是中国目前所能够确认的最早的猪首龙形态②。在燕山以南，兴隆洼文化与磁山文化、后李文化等强势角逐，互有影响，并行发展。

赵宝沟文化对燕南区的影响较兴隆洼文化有所减弱，却以迅速发展起来的原始农业为基础，对整个东北文化区的影响加大。小山遗址尊形器上装饰的猪首、鸟首和鹿首三种动物图形，被认为是神化了的猪龙、凤鸟和麒麟形

---

① 宋豫秦：《科尔沁沙地沙漠化正逆轮回的人地关系初探》，《考古学研究》（五）下册，科学出版社 2003 年版，第 949—969 页。

② 刘国祥：《兴隆沟聚落遗址发掘收获及意义》，《东北文物考古论集》，科学出版社 2004 年版，第 58—74 页。

象，是反映社会分化的艺术神器，显示出该文化的物质和精神生活已达到一个新高度，在某些方面具有高于与其交错分布的红山文化早期遗存的水平。赵宝沟文化在东北文化区中地位的加强和自身显著的社会分化，构成了辽西区新石器时代文化发展过程中承上启下的关键阶段，预示着一个社会大变革的时代即将来临。

红山文化晚期"古国"的形成，是红山文化中期遗存与仰韶文化庙底沟类型发生碰撞后所迸发出的耀眼"火花"。红山文化的彩陶龙纹（鳞纹）图案与庙底沟类型的彩陶玫瑰花图案相结合，在红山文化晚期遗址的出土陶器上出现了"龙与花"一体的彩陶装饰，这可以看做是以龙和华（花）为象征的两个不同文化传统共同体的结合，从而奠定了华夏文明的根基，这也是在整个东亚大陆升起的第一缕文明的曙光①。

红山文化"古国"以"坛、庙、冢"为主体的庞大祭祀体系及与此相关的极度发达的玉器制造业，充斥着对宗教的狂热，造成了对社会资源的过度倾向性配置。原始农业生产也达到了该地区新石器时代的一个高峰，犁耕撂荒轮作式的粗放型农业，大范围地破坏了地表结皮层，导致大面积风蚀沙化景观的出现。红山文化盛极而衰，似乎不可避免。小河沿文化在相当大的程度上背离了辽西区的固有文化传统，与仰韶文化、大汶口文化的关系密切，它在红山文化"古国"的消亡过程中究竟扮演了一个什么样的角色，仍然是一个未解之谜。

红山文化之后的近千年时间里，辽西区一直处于生态恢复期，直到农业生产更为成熟的夏家店下层文化的兴起。从敖汉旗大甸子遗址700多座墓葬的发掘资料中，可以看到夏家店下层文化在社会特权阶层和经济分化方面不同寻常的发展，墓葬规模、建筑方法以及随葬品的数量和质量等方面的明显差异，是与社会政治、经济的差别密切相关的。该文化的石城址群是一种前所未有的劳动密集型的防御系统，不过并非所有的石城址都是用来居住的，许多建于山顶之上的中心城址和石圆圈等石构建筑，缺乏实际使用功能，更多地被赋予政治和宗教的意义。这些特殊的建筑群在公共祭祀的特点方面和

---

① 苏秉琦：《华人·龙的传人·中国人》，《华人·龙的传人·中国人——考古寻根记》，第88—90页。

红山文化一脉相承，只不过规模更为庞大。此外，夏家店下层文化遗址分布的高密度，表明农业生产活动似乎已经达到饱和状态。红山文化覆灭的历史悲剧不可避免地又重新上演，代之而起的是能够较好地适应这一地区生态环境变化的半农半牧的夏家店上层文化。

夏家店下层文化和上层文化之间的对比，代表了辽西区考古学文化发展序列中最非同寻常的变化。夏家店上层文化的遗址没有显示出任何大规模防御工程的迹象，发现的建筑大多是小型房址和存储窖穴。陶器陶质较差，软而易碎，陶色不均匀，但人口密度的变化并不是很大，而且青铜器制造业以空前规模发展起来。这些青铜器绝大部分出土于墓葬之中，埋葬习俗是夏家店上层文化的社会阶层并没有下降甚至可能继续上升的主要证据。最富有的夏家店下层文化墓葬的随葬品，陶器不超过 20 件，还有一些石器、骨器和用以祭祀的动物骨骼（通常为猪和狗）等，偶尔会出土 1 件小型的铜器；这和最富有的夏家店上层文化的墓葬形成鲜明对比，例如在小黑石沟发掘的一座石椁墓，随葬品有上千件，包括 90 多件大型青铜器，其中有从中原输入的周式青铜器[①]。较小的夏家店上层文化的墓葬，通常都至少包含一些青铜器和其他的随葬品。

夏家店上层文化的族属有东胡和山戎二说，其中后者更符合历史记载[②]。公元前 706 年，山戎穿过燕国攻打齐国，与齐釐公战于齐郊。44 年后，山戎又攻打燕国，燕国向齐国求救，齐桓公北伐山戎，山戎败退。夏家店上层文化在其鼎盛时期的文化遗存屡见于燕南区，与山戎"病燕"的历史记载相吻合，即山戎的强盛致使燕国国势衰微。齐桓公"尊王攘夷"，深入辽西腹地，对令支、孤竹和山戎等部落予以沉重打击，夏家店上层文化也正是从此时走向衰落的。

井沟子类型的经济形态较夏家店上层文化有了很大的改变，与同时期的水泉文化也有所不同。夏家店上层文化墓葬较少殉牲；水泉文化墓葬殉牲已很普遍，有猪、牛、狗、马等，猪最多见，偶见马；井沟子类型有殉牲的墓

---

① 项春松、李义：《宁城小黑石沟石椁墓调查清理报告》，《文物》1995 年第 5 期。

② 韩嘉谷：《从军都山东周墓谈山戎、胡、东胡的考古学文化归属》，《内蒙古文物考古文集》第 1 辑，中国大百科全书出版社 1994 年版，第 336—347 页。

葬比例极高，所用牲畜主要是适合放养的马、牛、羊、驴、骡等，尤以马的数量最多，不见猪，偶见狗。由此可见，井沟子类型的经济形态是以畜牧业占据主要地位的，它也是辽西区目前可以确定的年代最早的发达的畜牧业类型遗存。所以，将井沟子类型指认为东胡，从经济形态来看，无疑是最为合适的①。

公元前3世纪初，燕将秦开北破东胡，东胡退却千余里，燕国筑长城，置五郡。在燕国破东胡前后，毗邻燕国的貊地也逐渐为燕国所占据，而主要分布于大、小凌河流域的凌河文化被推测与貊人有关。考古发现显示了与历史记载的完全吻合，在战国中期，较典型的燕人墓葬已出现于赤峰、朝阳一带，最北到达沈阳②。此后，燕国的农业定居文化便占据了燕北长城沿线以南的广大地区，虽然仍可见到一些传统土著文化因素的残留，但整体文化面貌趋于一致。

第四节　内蒙古北部草原地区细石器传统的长期延续

大兴安岭地区是历史时期东北平原渔猎文化与蒙古高原游牧文化的一条重要分界线。但至少在新石器时代，这条分界线并不明显，在它的北部地区细石器传统都占据了很重要的地位，体现了较为一致的以渔猎为主的经济生活。因此，这里将在新石器时代至早期铁器时代的文化区划分中，一般纳入东北文化区的呼伦贝尔市大兴安岭东麓、嫩江右岸一带，也作为内蒙古北部草原地区的一部分，一并加以叙述。

内蒙古北部草原地区大部分为荒漠、草原环境，早期遗址多散布于半固定的沙丘或沙窝中，有文化层的很少见到；考古工作基础薄弱，多系简单的调查材料，对于它们文化性质的认识和区别一直较为模糊。细石器是这些遗址共有的主要特征，在原料、加工方法和器形等方面继承了旧石器时代晚期以来的传统，到新石器时代晚期之际达到了一个加工工艺十分成熟的发展高

---

① 王立新：《探寻东胡遗存的一个新线索》，《边疆考古研究》第3辑，科学出版社2004年版，第84—95页。

② 郑君雷：《战国时期燕墓陶器的初步分析》，《考古学报》2001年第3期。

峰。这些细石器粗略地具有一些共同特点，如普遍使用玛瑙、燧石等石料，多用间接打击法或压制法加工细小石器，常见器形有镞、尖状器、刮削器、石叶、石片和石核等。至于不同地域的细石器是否还存在一些其他方面的区别，目前尚难以分辨。进入青铜时代以后，由于其他材质工具的不断增多和经济方式向以畜牧业为主的转变，细石器的数量经历了一个逐渐减少的过程，但它的延续时间极长，个别遗址最晚在相当于辽时期的地层里仍可见到细石器的踪影。细石器遗存中通常发现极少且流于碎小的陶片，往往与其周边主要是南部地区的考古学文化有更多的类似，从而成为鉴定这些遗存的时代和地域差别的主要依据。

我们尝试将内蒙古北部草原地区新石器至早期铁器时代以细石器为代表的文化遗存，划分为以下五个区分别加以论述，由东向西依次为呼伦贝尔东部区、呼伦贝尔西部区、锡林郭勒—乌兰察布草原区、巴彦淖尔—阿拉善左旗区和额济纳河流域区。在当前考古资料极不充分的情形下，所做的分区只代表主要依据陶器的差别对它们不同点的大致区分，不代表考古学文化意义上的文化区划分，实际上更多的是反映了内蒙古北部草原地区与周边地区不同文化间交流的差异。

一、呼伦贝尔东部区

位于大兴安岭以东的呼伦贝尔东部区，与黑龙江省西部的嫩江左岸地区构成了一个相对独立的松嫩平原文化区。该文化区嫩江以东地区新石器至早期铁器时代的文化发展序列与谱系关系已趋于清晰，而在呼伦贝尔东部区只发现了年代约相当于春秋晚期至西汉时期的汉书二期文化的部分遗存。鄂伦春族自治旗嘎仙洞遗址出土的口沿饰珍珠纹的夹砂陶片和夹砂红褐陶鬲足残片，与汉书二期文化有着密切的关系[①]。莫力达瓦达斡尔族自治旗尼尔基镇东北临近嫩江岸边山冈上的老山头遗址，面积在 3 000 平方米左右，不见文化层，地表散布有砂质灰陶、红褐陶等碎陶片和石片、细小刮削器等细石

---

① 呼伦贝尔盟文物管理站：《鄂伦春自治旗嘎仙洞遗址 1980 年清理简报》，《内蒙古文物考古文集》第 2 辑，中国大百科全书出版社 1997 年版，第 444—452 页；王立新：《中国东北地区所见的珍珠纹陶器》，《边疆考古研究》第 2 辑，科学出版社 2004 年版，第 113—124 页。

器，从陶片的陶质陶色判断，该遗址应属汉书二期文化遗存①。

二、呼伦贝尔西部区

海拉尔河自东向西流经该地区中部，两侧汇聚了许多支流，在这些河流的岸边高地上，孕育了极为发达的细石器遗存，经初步统计在呼伦贝尔市境内已发现了240多处这样的遗址。这些遗址除一小部分，如海拉尔区松山遗址属于中石器时代外，大部分有陶片共存，年代范围以新石器时代为主，还有一部分经青铜时代、早期铁器时代一直到历史时期仍延续了很长一段时间。如经小规模试掘的鄂温克族自治旗辉河水坝遗址，共发现了大约相当于新石器时代、汉代和辽代三个不同时期的含有细石器的文化层②。

呼伦贝尔西部区年代较早的新石器时代遗存，首推颇多争议的扎赉诺尔人，但至少以第3、4、5号人头骨及其文化遗存为代表的扎赉诺尔文化，应是一种新石器时代早期偏晚阶段的文化类型，年代推断在公元前8000年至公元前5300年之间③。扎赉诺尔文化发现的陶片有素面陶和绳纹陶两种，均为夹砂陶，手制，制作粗糙；石器有石镞、圆头刮削器及石叶、石片、石核等，均打制或压制，不见磨制石器；骨器有磨制的骨锥、骨刀梗残段，还出土了桦皮器；伴出的哺乳动物化石有猛犸象、野牛、马、鹿、羚羊、狼、鼠、兔等，还有软体动物和鸟类、鱼类等化石，石化程度均较轻。扎赉诺尔人的经济生活以狩猎为主，同时从事捕捞、采集活动，尚未发现明显的农业及家畜饲养痕迹。

对于其他大部分新石器时代遗存，以辉河水坝遗址、海拉尔区哈克镇团结遗址和陈巴尔虎旗东乌珠尔墓葬为代表，有研究者总以"哈克文化"命名④。团结遗址的地表采集物较多，且同出有人骨，推断主要是墓葬被破坏

① 内蒙古文物考古研究所1999年配合尼尔基水利枢纽建设考古调查资料。

② 塔拉、张文平：《鄂温克旗辉河水坝细石器遗址》，《中国考古学年鉴》（1997），文物出版社1999年版，第99—100页。

③ 赵朝洪：《中国新石器时代早期文化的发现、研究及相关问题的探讨》，《北京大学百年国学文粹·考古卷》，北京大学出版社1998年版，第382—399页。

④ 中国社会科学院考古研究所内蒙古工作队、呼伦贝尔盟民族博物馆：《内蒙古海拉尔市团结遗址的调查》，《考古》2001年第5期；王成：《呼伦贝尔东乌珠尔细石器墓清理简报》，《辽海文物学刊》1988年第1期；赵越：《论哈克文化》，《内蒙古文物考古》2001年第1期。

后暴露的随葬品，有石器、玉器、陶器、骨器和牙器等。石器加工方法以压削为主，打制和磨制石器很少，器形有石镞、刮削器、石核、石叶、石斧、石铲、石镰和石管等；玉器有斧、锛、璧和玉环、玉珠等，器表均素光无纹，加工时使用了切割、抛光、钻孔等技术；陶器均为夹砂陶，胎体略薄，采用泥圈套接成器，陶色有黄褐、红和灰褐等，器形仅见罐、钵，纹饰有横排窝点纹、平行短斜线纹、内填平行短斜线的菱形格纹、凹弦纹和细泥条附加堆纹等；有彩陶，系红地黑彩，以三角形和窄道波折形图案为主。团结遗址的彩陶和玉器制作明显受到红山文化的影响，细石器加工传统和松嫩平原区的昂昂溪文化比较接近。红山文化的年代下限可到公元前3000年，昂昂溪文化的年代在公元前2000年左右，团结遗址的年代范围当大致处于二者之间。

东乌珠尔清理的一座墓葬中，出土了石、玉、骨、牙器等合计277件。石镞的数量最多，加工精致，较团结遗址同类器在加工工艺上显得更为成熟；玉器仅见1件玉璧；骨器的数量也较多，有骨刀、骨梗和镞、匕、锥、两端尖状器等；牙器共10件，器体上有钻孔者7件。该墓葬内没有随葬陶器，对人骨的年代测定大约在公元前2000年稍晚。

团结遗址与东乌珠尔墓葬的出土遗物相比较，既有一定的共性，也存在明显的差异，类似的情形在该区域其他同类遗存的比较中也很常见。再者，由于绝大多数遗址的遗物系地面采集，难免不发生片面的印象，陶器多琐屑，时代难以准确划定。因此，在尚没有对其中的一处遗址进行系统发掘研究之前，草草地将这些遗址统统划归于一种文化类型之下，是不切合实际且毫无意义的。

青铜时代和早期铁器时代的考古发现较少，但体现出来的文化面貌差异甚大。海拉尔西山遗址发现的1件形体较大的陶鬲，为夹砂红褐陶，侈口圆唇，筒形腹，尖底款足，唇缘压印斜绳纹，颈下饰一周珍珠纹；器物特征显示与汉书二期文化有一定的联系[①]。海拉尔区谢尔塔拉镇东南约2公里处海拉尔河北岸被破坏的墓葬上，采集和征集65件青铜器，器形包括环手刀、兽首刀、动物纹牌饰以及其他装饰品类，具有北方系青铜器的风格，为探寻

---

①　王成：《内蒙古海拉尔西山发现大型陶鬲》，《北方文物》1998年第2期。

北方系青铜器在欧亚大陆草原的分布和传播路线增添了新的证据①。西部克鲁伦河下游、海拉尔河下游、呼伦湖周围和额尔古纳河流域等地区，分布着为数不少的石板墓群，多坐落在依山傍水的朝阳坡地上，每群少则七八座，多则上百座，分布密集，排列有序。墓葬多以石板砌成长方形或方形墓穴，一般没有木质葬具；多单人葬，仰身直肢，头向东；随葬品有饰细绳纹和方格纹的陶鬲、口沿饰粗齿状花纹的夹砂陶罐、蚌刀、细石器等，个别有殉牲现象②。它们的形制、随葬品等特征与主要分布于蒙古国中、东部地区的石板墓文化雷同，应为该文化分布区东缘的遗存。

三、锡林郭勒—乌兰察布草原区

该区范围大致包括今锡林郭勒盟全境和乌兰察布市、包头市的阴山以北地区。由于气候干燥，地貌景观多呈现荒漠或半荒漠状态。这里的细石器遗存，无论是遗址规模还是细石器加工工艺，都远没有呼伦贝尔西部区发达。遗址多分布于河、湖岸边的草地或沙丘中，在没有河流和湖泊的地方，则位于水泉旁或小山坡上，常常成群地分布着，每一个遗址的面积都很小。

20世纪二三十年代，外国人在这一地区做了很多调查工作，大多资料已公开发表。新中国成立后的一些工作，也以简单的地面采集调查为主。采集的陶器多系夹砂褐陶和灰陶，纹饰以绳纹最为常见。其中苏尼特右旗吉日嘎郎图遗址发现的陶片较多，陶质有夹砂褐陶、灰陶和泥质灰陶、红陶，器形可辨罐、钵，纹饰有绳纹、交错旋纹和篮纹等，部分钵的口沿部分还饰有黑带彩③。这些陶器与内蒙古中南部地区的仰韶文化有较多的联系，如见于后岗类型和鲁家坡类型的夹粗砂褐陶粗绳纹罐，见于王墓山下类型的大口旋纹罐、黑带彩钵，见于阿善三期类型的折沿篮纹罐等，均可以在该遗址中找到类似的器形。从地理位置上看，锡林郭勒—乌兰察布草原区虽与内蒙古中南部有阴山山脉阻隔，但山间颇多交通孔道，在吉日嘎郎图遗址发现的陶器受山南文化影响的情形，在其他一些新石器时代遗存中也屡有发现。

---

① 王成、沙宝帅：《内蒙古呼伦贝尔草原发现青铜器》，《考古》2004年第4期。
② 郝思德：《内蒙古新巴尔虎右旗哈乌拉石板墓》，《北方文物》1988年第4期。
③ 纳古善夫：《内蒙古苏尼特右旗吉日嘎郎图新石器时代遗存》，《考古》1982年第1期。

青铜时代遗存仅见于东乌珠穆沁旗金斯太洞穴遗址①。该遗址最上部文化层堆积的年代约相当于商时期，出土遗物种类丰富，有陶器、铜器、石器、玉器、骨器及大量动物骨骼等。陶器均为夹砂陶，灰陶、黑陶居多，少量为红陶，烧制火候低，破碎程度较大。器形有鬲、罐、三足瓮、钵、杯及陶范残片等，纹饰有蛇纹、珍珠纹、绳纹、三角纹和细线纹等，部分陶器口沿有小鋬钮装饰。铜器数量很少，主要是铜镞、铜扣和铜泡等小件器物。石器数量较多，以细石器为主，也有部分磨制石器，如石础、石砧、石锤及穿孔饰物等。动物骨骼以羊、马居多。陶器上的蛇纹、小鋬钮装饰和三足瓮等器形，与朱开沟文化有一定的联系。陶器口沿部的珍珠纹装饰，源于贝加尔湖周围地区公元前 4000 年前后的伊萨科沃文化，西拉木伦河流域最早到晚商时期才开始出现该类纹饰。金斯太珍珠纹的发现表明，锡林郭勒草原及与之相连的蒙古东部草原是贝加尔湖周围地区与辽西区古代文化交流的重要通道所在②。

四、巴彦淖尔—阿拉善左旗区

该区域的范围主要包括今巴彦淖尔市阴山以北和阿拉善盟阿拉善左旗东部一带，自然环境较锡林郭勒—乌兰察布草原区更加荒漠化，发现的细石器遗址也大为减少。这里的考古工作依然以 20 世纪二三十年代中瑞西北科学考察团的调查成果最为显著。阿拉善左旗新中国成立后一些零星的调查工作也较具代表性，发现的细石器遗存集中在贺兰山西麓山前洪积扇区、腾格里沙漠西北缘巴彦浩特镇周围和乌兰布和沙漠地区。

巴彦淖尔市的细石器遗存中发现有彩陶片，有的与仰韶文化半坡类型接近，有的与甘青地区的马家窑文化马厂类型接近③。阿拉善左旗巴彦浩特镇周围的细石器遗址较为集中，其中位于该镇西北 7.5 公里处的头道沙子遗址

---

① 魏坚、王晓琨：《东乌旗金斯太旧石器时代及商时期洞穴遗址》，《中国考古学年鉴》（2002），文物出版社 2003 年版，第 150—152 页。

② 王立新：《中国东北地区所见的珍珠纹陶器》，《边疆考古研究》第 2 辑，科学出版社 2004 年版，第 113—124 页。

③ 陈星灿：《内蒙古巴彦淖尔盟的史前时代遗存——中瑞西北科学考察团考古资料的整理与研究之一》，《考古学集刊》第 11 集，中国大百科全书出版社 1997 年版，第 1—31 页。

规模较大，采集遗物丰富，有石器、陶器和贝币等①。石器以细石器为主，另有少量打制和磨制的大型石器；陶器的文化面貌较为复杂，时代跨度大，与甘青及内蒙古中南部地区的仰韶文化和朱开沟文化等，都有一定的联系。此外，在巴彦浩特镇城南 0.5 公里处的鹿图山遗址采集有齐家文化的陶器，包括单把鬲、双耳罐和盏形器等，应为该文化类型的分布北界②。

总的来看，巴彦淖尔—阿拉善左旗区新石器时代至早期铁器时代的细石器遗存，在出土陶器方面同时受到内蒙古中南部和甘青地区两个方面的影响。相对来说，由于地理位置的差异，巴彦淖尔市受内蒙古中南部的影响多一些，而阿拉善左旗则受甘青地区的影响多一些。

五、额济纳河流域区

中瑞西北科学考察团在额济纳河流域也发现了一系列的细石器遗址③。如河流东部的圭尔奈，是一个数十公里长的环形沙丘，在沙丘边缘发现了许多遗物较为丰富的遗址。细石器有石核、石片、穿孔锥、钻、镞和刀形器等，大型打制石器极少；陶片较多，有夹砂红陶和泥质褐陶两种，前者饰有绳纹和刻纹，后者呈亮红或砖红色，有的饰几何形黑彩；还发现有鸵鸟蛋化石做成的穿孔圆珠等。甚至在额济纳旗最西部的黑戈壁中也采到一些石器，其中有大型打制石斧等。额济纳河流域和黑戈壁的细石器遗存大体都处于新石器时代，两个地区之间还存在着一些差别，其中前者受到来自甘青地区的较多影响。

绿城子古城遗址有发现早期铁器时代遗存的连续报道④。该城址位于达来呼布镇东南约 40 公里处，分内、外城，墙体均以土坯垒筑而成。外城平面呈椭圆形，东西长 445 米，南北宽 330 米，东墙中部开门；内城位于外城

---

① 李国庆、巴戈那：《阿拉善左旗头道沙子遗址调查》，《内蒙古文物考古》2004 年第 1 期。

② 齐永贺：《内蒙古白音浩特发现的齐家文化遗物》，《考古》1962 年第 1 期。

③ 严文明：《长城以北的新石器文化》，《史前考古论集》，科学出版社 1998 年版，第 105—122 页。

④ 魏坚：《额济纳旗居延遗址》，《中国考古学年鉴》（2000），文物出版社 2002 年版，第 133—134 页；魏坚、王晓琨：《额济纳旗居延遗址》，《中国考古学年鉴》（2001），文物出版社 2002 年版，第 130—131 页；魏坚：《额济纳旗居延遗址群》，《中国考古学年鉴》（2002），文物出版社 2003 年版，第 160—161 页。

西南角，平面呈长方形，东西长 43 米，南北宽 30 米。城内遗迹有圆角长方形地面式房址和长方形土坑竖穴墓等，其中墓葬见有 1 例二次葬，墓内随葬陶器、铁刀和骆驼、马、羊等动物骨骼；出土陶器多夹砂红褐陶，器形有鬲、双耳罐、单耳罐、钵、壶、瓮等。绿城子遗存与公元前一千纪上半叶分别分布于河西走廊东部和西部的沙井文化、兔葫芦类型遗存都具有一定的相似性，但也存在一些显著差别，是河西走廊地区土著文化自公元前二千纪中期以来不断分化的一种反映①。初步推断，绿城子遗存是一种以畜牧业为主、兼营农业的西北羌戎文化类型。

六、由文化交流所反映的历史地位

内蒙古北部草原地区细石器遗存主要与其南部农业文化之间的交流，对双方的发展都起到了不同的促进作用。北部草原地区吸收了南部农业文化的制陶技术，提高了生活质量；而南部农业文化则学习北部草原地区细石器传统人群的细石器加工工艺，丰富了经济生活形态。

呼伦贝尔西部区团结遗址等细石器遗存在陶器和玉器上均可见红山文化的影响，而辽西区的新石器时代文化中，均或多或少的有细石器存在。尤其是在西拉木伦河北岸，至少包括西梁类型、富河文化在内，细石器占据了极其重要的地位，与西拉木伦河以南地区自赵宝沟文化以来以农业经济为主不同，这里的渔猎经济始终占有较大比重。

辽西区与呼伦贝尔西部区、松嫩平原区之间的文化交流，通辽市东部、北部地区和兴安盟一带是其必经之地，而这一地区属于尚待开发的考古处女地，目前只有一些零星的调查发现。扎鲁特旗南勿呼井一带采集的一批大型打制石器，形态特征与山西怀仁鹅毛口遗址出土的新石器时代早期遗存类似，年代估计为公元前 8000 年至公元前 6000 年之间②。科尔沁右翼中旗霍林河流域的遗址较为丰富，霍林河右岸发现的南布林一号、二号和西查干陶

---

① 李水城、水涛：《公元前一千纪的河西走廊西部》，《宿白先生八秩华诞纪念文集》（上），文物出版社 2002 年版，第 63—76 页。

② 吉林省考古研究室、吉林省文物工作队：《统一的多民族国家的历史见证——吉林省文物考古工作三十年的主要收获》，《文物考古工作三十年》（1949—1979），文物出版社 1979 年版，第 100—112 页；贾兰坡、尤玉柱：《山西怀仁鹅毛口石器制造场遗址》，《考古学报》1973 年第 2 期。

力盖等三处新石器时代遗址，显示了与北部草原地区相似的细石器传统特色，陶片很少见，以夹砂红陶、褐陶为主，具体文化属性不明①。霍林河左岸小白音胡硕遗址采集有高领鼓腹实足根鬲、小口罐、筒形罐等陶器残片，均为夹砂陶，其中鬲和罐的领口外普遍饰附加堆纹和珍珠纹，个别鬲的器表还印有纵向的细绳纹。该类遗存也见于西拉木伦河流域的克什克腾旗天宝同、巴林右旗呼特勒、查日斯台、和布特哈达等遗址，年代范围大致相当于晚商前后，总体文化面貌尚不清楚②。小白音胡硕一类遗存的珍珠纹陶鬲与白金宝文化的同类器也十分相似，之中的珍珠纹可能历经了一个漫长的传播过程，即从发源地贝加尔湖周围地区经锡林郭勒草原金斯太类商时期遗存、西拉木伦河流域晚商遗存、霍林河流域小白音胡硕类晚商遗存，最后抵达松嫩平原③。此外，白金宝文化的花边鬲也当是从辽西区经霍林河流域一带传播过去的。

在红山文化晚期阶段，三角形凹底细石器镞从原来一般见于红山文化分布区及其以北，少量见于岱海地区，扩展至燕南区和整个内蒙古中南部。到龙山时代晚期阶段，北方地区的三角形细石器镞又一次继续向南扩展至晋南、河南、山东、皖北等地④。细石器镞的两次南渐，均发生于辽西区和北方地区气候恶化之际，可能的情形是，此时北部草原地区的生存环境变得更加恶劣，大量的细石器传统人群被迫南下，与南部的农业文化人群发生冲突，产生了各不相同的后果。有的长期处于敌对状态，如阿善三期类型出现的石围墙和石墙地面式房屋、老虎山文化修筑的大量石城址，其功能推测主要是应付细石器传统人群入侵的；有的农业文化在冲突中衰落或消亡，这可能是红山文化“古国”覆灭、小河沿文化向南退缩的原因之一；有的农业文化人群被迫南迁，如老虎山文化老虎山类型的南下当与此有关；有的细石

①　盖山林：《科尔沁右翼中旗霍林河右岸考古调查》，《内蒙古文物考古》2004 年第 2 期。

②　李殉甫、朱声显：《科尔沁右翼中旗呼和河沿岸原始文化遗存》，《文物资料丛刊》（7），文物出版社 1983 年版，第 115—121 页；克什克腾旗文化馆：《辽宁克什克腾旗天宝同发现商代铜瓿》，《考古》1977 年第 5 期；朱永刚：《查干木伦河流域古遗址文化类型及相关问题》，《考古与文物》2004 年第 3 期。

③　王立新：《中国东北地区所见的珍珠纹陶器》，《边疆考古研究》第 2 辑，科学出版社 2004 年版，第 113—124 页。

④　韩建业：《中国北方地区新石器时代文化研究》，文物出版社 2003 年版，第 147 页。

器传统人群则融入了当地农业文化，如海生不浪类型东北边缘商都地区所表现出的发展情形。青铜时代早期，夏家店下层文化的覆灭，与细石器传统人群的压迫不无关系；而在夏家店上层文化的形成过程中，细石器传统人群则扮演了重要的角色。细石器传统人群一波又一波南下的浪潮，实际上在以后北方民族的历史上不断重演，只不过主角变成了骑马弯弓的游牧人。

第五节　中国北方长城文化带的形成

战国晚期，燕、赵、秦三国先后北筑长城以拒胡。从此，修筑长城成为中原王朝抵御北方游牧民族入侵的重要手段之一，长城亦成为定居农业民族和游牧民族的分界线。在历史上，这条分界线并不是固定不变的，它随着中原王朝和游牧政权的势力消长南北移动，但移动的范围大致在燕赵秦三国长城以南、明长城以北的这一长条形地带内，这一地带惯常被称做"北方长城地带"。从东周时期开始，在北方长城地带的范围内，西起陇山，经内蒙古中南部，再向东到桑干河谷至燕山，形成了一个以北方系青铜器为代表的、以半农半牧—畜牧业为主要经济方式的文化带，即北方长城文化带。北方长城文化带的形成，有着深远的历史背景，其中内蒙古中南部和东南部的考古学文化之间以及它们与该文化带内的其他文化之间不断交流、日渐趋同的历史发展进程，对理解整个文化带的形成过程具有普遍意义。

一、文化交流的底蕴

内蒙古中南部与东南部之间的文化交流，最晚在仰韶一期阶段就已经发生。仰韶前期，文化间的南北交流是主线；从仰韶后期开始，东西间的交流逐步加大。在整个新石器时代，东、西间的交流基本在平等的基础上进行，互有影响。到青铜时代早期，东西间的交流占据了主导地位，而且体现出一种自西向东单一的文化传播态势。夏家店下层文化的三袋足器和罐、鬲等器物口沿带錾钮或花边堆纹的作风，明确为来自朱开沟文化的因素。到晚商时期，花边鬲遍布于西起甘青、东到辽东的广大地区，北方系青铜器也于这一时期开始出现于这一地带，与花边鬲的分布范围大致相重合。这种不同文化间共同因素的互现，为东周时期北方长城文化带的形成奠定了基础。

北方长城文化带兴起于夏家店上层文化的鼎盛阶段之后，按地域可划分为西部的甘宁、中部的内蒙古中南部和东部的冀北三个地区。整个文化带的发展阶段与以鄂尔多斯式青铜器为代表的诸文化类型大体一致，也可以区分为早、中、晚三期。早期（至少在春秋晚期）三个地区之间的文化面貌差别较大，西部流行马面饰，东部流行单体动物牌饰，前者用于马的装饰，后者用于人的装饰。中期以发达的短剑和牌饰为代表的骑射为特征，各地区之间的联系程度大大增强，反映技术水平的双鸟回首剑、鹤嘴斧和马面饰由西向东传播，反映生活习惯与文化习俗的小口鼓腹罐和动物纹牌饰由东向西传播，整个文化带的文化面貌呈现出前所未有的一致性，北方长城文化带初具规模；晚期各地共同经历了立体动物和浮雕装饰两个阶段，反映了各地发展的同步性，桃红巴拉类型上升为整个文化带的中心①。

二、人种的构成

内蒙古中南部和东南部新石器时代至战国时期墓葬出土人骨的体质人类学研究表明，这两个地区这一时期的居民主要可以划分为两个古代蒙古人种类型，即古华北类型和古东北类型②。古华北类型的主要体质特征是高颅窄面，较大的面部扁平度，同时还常常伴有中等偏长而狭窄的颅型，是现代东亚蒙古人种的一个重要源头。该类型的中心分布区在内蒙古中南部到晋北、冀北一带，从庙子沟遗址新石器时代居民、朱开沟遗址早期青铜时代居民到毛庆沟、饮牛沟墓地东周时期居民，一脉相承地延续了下来。古东北类型的主要体质特点是颅型较高，面型较宽阔而且扁平，与现代东亚蒙古人种之间的接近程度也比较密切。该类型居民在东北地区的分布相当广泛，包括了翁牛特旗大南沟墓地小河沿文化居民、敖汉旗大甸子墓地第二、三分组夏家店下层文化居民、敖汉旗水泉墓地水泉文化和凌河文化晚期类型的一部分居民。自青铜时代早期开始，古华北类型的居民随着朱开沟文化的东进，也开始出现在辽西区和辽东一带，与古东北类型交错分布，如夏家店上层文化的

①　杨建华：《春秋战国时期中国北方文化带的形成》，文物出版社 2004 年版，第 172 页。
②　朱泓：《内蒙古长城地带的古代种族》，《边疆考古研究》第 1 辑，科学出版社 2002 年版，第 301—313 页。

居民大都属古华北类型。

北方长城文化带内西、中、东三个地区的人种类型，以现有的资料来看，冀中和毛庆沟类型均以古华北类型为主，甘青地区以土著的古西北类型为主。这种人种的差异性在一定程度上表明，整个文化带的趋同过程是以不同地区间文化因素的相互交流为主，并非纯粹人群迁徙的结果。

三、环境演变与生业类型的转化

在新石器时代，受全新世大暖期的影响，内蒙古中南部和东南部的经济形态大都以原始农业为主。中南部在仰韶文化一期晚段之时，中原地区后岗类型和半坡类型的农人同时北上来到这里，由于北部草原地区狩猎人群的不断加入，到海生不浪类型时，庙子沟遗址的"古华北类型"居民已经与中原仰韶文化的"古中原类型"居民在人种类型上产生了分异。东南部在兴隆洼文化中期时发生了原始农业的萌芽，到赵宝沟文化阶段在后岗类型的影响下取得了长足进步，红山文化"古国"的诞生是以发达的原始农业为基础的。

进入青铜时代以后，前北方长城文化带的分布区普遍经历了一个降温过程，西周时期达到了干冷化的极点。受气候变化的控制，生态景观大范围地由森林草原向干燥草原转化，森林面积缩小，草原和荒漠面积增大。环境决定生业类型，普遍体现为一种农牧混合经济，畜牧业的比重不断增大，但并没有进入游牧阶段，只是各个地区间的农业与牧业所占比重有所不同而已。

东周时期形成的北方长城文化带内，开始出现了游牧业的因子，但从墓葬的殉牲情况看，文化带内各地区间的畜牧业发展是不平衡的。桃红巴拉类型以马为主，甘宁地区以羊为主，马、牛次之，二者的畜牧业均很发达，游牧化程度较高；毛庆沟类型以羊、牛为主，马少见，畜牧业较为发达，但牲畜的游动性较小；冀北地区以狗和牛为主，东部甚至不见羊，属于半农半牧的经济类型。整个文化带内畜牧业发展的总趋势是，西部较东部发达，北部较南部发达。由此可见，北方长城文化带并非纯粹的游牧文化带，只能称之为半农半牧—畜牧业文化带。

战国时期，北方长城文化带又进入相对暖湿时期。战国晚期燕、赵、秦三国北进，在长城以南地区从事农耕开发，与气候的适宜性是密不可分的。

四、对匈奴族源的探讨

北方长城文化带的族属与史料记载的戎狄系统相对应，如甘宁地区有乌氏、义渠之戎，晋北有林胡、楼烦之戎，冀北有白狄建立的代国。春秋时期，这些戎狄系统的人群"各分散居溪谷，自有君长，往往而聚者百有余戎，然莫能相一"①，反映了一种部落林立、互不统属的状态，这与以鄂尔多斯式青铜器为代表的诸文化类型早期的各自特点相吻合。进入战国以后，这些小的部落之间战争频繁，反映在这一时期的墓葬习俗上，随葬器物流行青铜武器工具类；战争的结果，小的部落逐渐合并为几个大的部落集团，考古资料也显示这一时期文化带内部各文化类型之间的共同因素大为增强。北方游牧民族是马背上的武士，他们与中原北部诸国之间的冲突加剧。战国晚期，燕国破东胡，赵国破林胡、楼烦，秦国破义渠之戎，此后在中原北方所面对的敌人成为了一个共同的"胡"。

"胡"至迟在战国之初已与中原国家之间发生了联系，有"诸胡"之说，与戎狄并列。在燕、赵、秦三国走东胡、逐戎狄、修筑拒"胡"的长城之后，紧接着便在长城之北出现了一个匈奴军事大联盟，其最高首领称单于。其中冒顿单于在位期间，东破东胡，西击月氏，南并楼烦白羊河南王，北服浑庾、屈射、丁零、鬲昆、薪犁之国，建立起蒙古高原历史上第一个统一的游牧政权。从匈奴单于"胡者，天之骄子也"的自命之语及其他相关的史料记载中可以看到，匈奴政权的构成是以本体民族"胡"为主体、加上被征服的北方诸族而形成的一个军政联合体。可能基于人种类型、文化渊源和采取的统治方式等多方面的差异，匈奴内部被征服民族的命运颇不相同。如月氏大部逃往西方；丁零、鬲昆等保持了民族的相对独立性，在北匈奴西迁之后，继续活动在蒙古高原一带；一部分东胡和戎狄则不再著于史籍，与"胡"发生了融合。匈奴对北方诸游牧民族的统一和古代政权的建立，实际上同时标志着一个新的匈奴民族的形成，该民族至少包含了以下三部分人群，即胡、东胡和戎狄。"胡"之下还包含有多个氏族，匈奴单于来自挛鞮氏（或称虚连鞮氏）。在以后的汉文史料中，"胡"有时仍与匈奴共

---

① 《史记》卷110《匈奴列传》。

现，此时"胡"的内涵已往往扩大为指称整个匈奴民族。这里，关于匈奴的族源问题，主要是探讨匈奴建立政权之前"胡"的考古学文化归属，一般称之为匈奴的本体民族文化或原匈奴文化。

匈奴族源问题一直是学术界长期探讨、迄今仍未得到解决的一个重要学术课题。相关的研究者主要提出了两种不同的推断，一种为鄂尔多斯起源说，另一种为石板墓文化起源说。前者认为桃红巴拉类型是由白狄发展而来的匈奴本体民族文化，阿鲁柴登墓葬的随葬品属于王族用品，而且该类型在整个北方长城文化带之中的游牧业最为发达①。该说由于缺乏传统史料的支持，已遭到多方面的批驳而被基本否定。桃红巴拉类型所在的"河南地"自春秋战国以来一直是林胡、楼烦的活动地域，战国时有林胡王、楼烦王（后称楼烦白羊河南王）称雄，冒顿单于时吞并楼烦白羊河南王，占领了"河南地"。到秦代，蒙恬将匈奴势力一度驱逐出"河南地"，但趁秦末之乱，楼烦白羊河南王又重回故土，直到公元前127年卫青出兵打败楼烦白羊河南王，才最终将这一地区纳入汉王朝的版图。鄂尔多斯地区发现的汉代早期的匈奴墓葬，其地面无标志物、土坑竖穴式埋葬等特点与桃红巴拉类型一脉相承，与史料记载得以相印证。

在批驳"鄂尔多斯起源说"的基础上，有的学者根据汉初"单于庭直代、云中"的记载，设想匈奴的本体在中国境外度过早期生涯，在公元前3世纪后期至公元前2世纪中期活动于内蒙古中部偏北地区②。这一观点在国内颇具影响力，越来越多的学者开始把寻找匈奴族源的目光投向了漠北的石板墓文化。该文化遗存基本为墓葬，用竖埋的石板砌成墓穴，四角有立石，一般没有木质葬具；多单人葬，东西向为主，死者仰身直肢，头向东；殉牲以绵羊、马和牛头为主；年代大致处于早期铁器时代阶段③。石板墓文化的年代下限与匈奴十分接近，但它的葬俗却很难与典型的匈奴葬俗完全衔接起

① 田广金：《中国北方系青铜器文化和类型的初步研究》，《考古学文化论集》（四），文物出版社1997年版，第266—307页。

② 林沄：《关于中国的对匈奴族源的考古学研究》，《林沄学术文集》，中国大百科全书出版社1998年版，第368—386页。

③ 乌恩：《关于北方草原早期铁器时代文化的若干问题》，《21世纪中国考古学与世界考古学》，中国社会科学出版社2002年版，第365—391页。

来。如在蒙古国中、东部地区发现的大量匈奴墓葬，绝大部分皆以圆形石头圈作为地面标志，南北向的土坑竖穴，墓室底部四周砌石，多有木质葬具，人骨头向北。此外，石板墓文化流行的陶鬲和附加堆纹装饰不见于匈奴文化，后者以肩部饰波浪纹的陶罐最具特点。对于石板墓文化与匈奴文化之间差异的假设性解释，是作为原匈奴文化的石板墓文化，在吸收了其他被征服民族或周边先进民族文化的基础上，最终形成了匈奴文化，如墓穴南北向、人骨头向北是接受了北方长城文化带戎狄文化的影响，普遍使用木质棺椁及由此体现出的等级制度，则是仿效了汉文化的礼仪制度①。

　　体质人类学的研究趋向于支持"石板墓文化起源说"。石板墓文化出土人骨的颅形特征与公元前一世纪生活在外贝加尔和蒙古国的匈奴人相似，是中长颅和低颅的结合，属于古代蒙古人种的古西伯利亚类型。北方长城文化带内仅在个别墓地发现的人骨与古西伯利亚类型有关。桃红巴拉类型桃红巴拉墓地发现的一具残颅骨含有古西伯利亚类型的因素，由于资料太少，难以说明问题。毛庆沟类型崞县窑子墓地的人骨特征与古西伯利亚类型接近，可能与史料记载的"诸胡"有关，但其葬俗却与石板墓文化迥然不同。在内蒙古东南部的林西县井沟子墓地，发现了目前所能确定的东北地区年代最早的一批古西伯利亚类型的居民，如果该文化类型确属东胡遗存的话，那么作为族他称的"东胡"可能是"胡"在大兴安岭以东派生出的一支人群。汉代以来的鲜卑、契丹、蒙古等东胡系民族，人种特征与古西伯利亚类型稍有不同，为低颅、短颅、高面、阔面相结合的西伯利亚（北亚）蒙古人种类型，或许是古西伯利亚类型在稍晚时期的一种"短颅化"的地方性变体，与北方长城文化带的"古华北类型"居民具有不同的种系来源。

　　蒙古国中部的色楞格河、鄂尔浑河和土拉河等大河流域是匈奴墓葬分布最为集中的地区，分别位于后杭爱省呼努伊河畔和哈努伊河畔的高勒毛都（一）高勒毛都（二）两处匈奴墓地，均发现了西汉时期匈奴单于的大型墓冢。这一地区处于杭爱山脉的北麓、肯特山脉的西端，形成了山水相连的自然景观。连绵的山谷蕴涵着丰富的水源，气候相对暖湿，山谷下面是优质的

---

　　① 马利清：《原匈奴、匈奴历史与文化的考古学探索》，内蒙古大学出版社 2005 年版，第 154—161 页。

牧场，山坡上是天然的林带。对于游牧民族来说，这样的地理环境较之平坦的草原能够有效地减轻干旱和风雪等自然灾害带来的危害，是最理想的游牧场所。古代的匈奴、突厥、回纥和蒙古等北方游牧民族，都曾经以富庶的漠北草原作为他们的统治中心。拥有如此优良的生态系统，漠北草原无疑是孕育早期游牧政权的天然摇篮。

由于目前对于石板墓文化本身的了解远远不够充分，其内部之间的文化属性差异以及与其他文化之间的交流情形，尚需更多的考古发掘资料来求证。匈奴族源的石板墓文化起源说，似乎得到了越来越多的证据支持，也许有一天能够真正地自圆其说。

五、北方长城文化带形成的历史意义

北方长城文化带萌生于晚商，到东周时期正式形成。战国晚期，来自中原列国和北部草原胡人的双重压力，使该文化带以长城为标志趋于消解。但另一方面，长城的修筑又使这个文化带以物化的形式永久地固定了下来，在中国历史上产生了深远的影响。

文化带的居民是当地的土著，他们的文化既不属于中原文化，也不同于欧亚大陆草原文化，经济形态最重要的特色是农牧交错。它是中原农耕民族和北方草原游牧民族之间的一条缓冲地带，中原政权和游牧民族政权在这里展开势力的角逐，许多游牧政权由此进入中原，建立起许多半中原化、半草原性质的统治王朝，丰富了中国历史上的国家组织形态。

自公元前十世纪至公元前七世纪，欧亚大陆草原普遍发生了游牧化的浪潮。北方长城文化带也正是在此次浪潮中形成的，它的游牧因子虽然并不彻底，但从整个文化带之中发现的大量与欧亚大陆草原文化相同相似的因素来看，它与欧亚大陆草原之间的文化交流通道已经畅通无阻。在西汉张骞凿通由河西走廊通西域的道路之前，这条草原之路在沟通东、西方之间的交流方面发挥了至今仍难以全面想象和评估的重大作用。

长城以北匈奴帝国的建立，是与长城以南从诸侯列国到秦帝国的统一同步的。匈奴在冒顿单于统治之时，趁中原楚汉相争之机发展壮大，统一了整个北方草原，南度阴山而牧马，迫使汉王朝屈辱和亲，成为中国历史上重要的游牧政权之一。后来北匈奴的西迁，对西方历史的发展也产生了深远的影响。

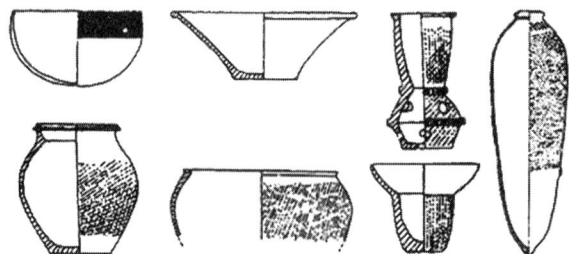

图一　白泥窑子遗址 C 点 F1 出土陶器

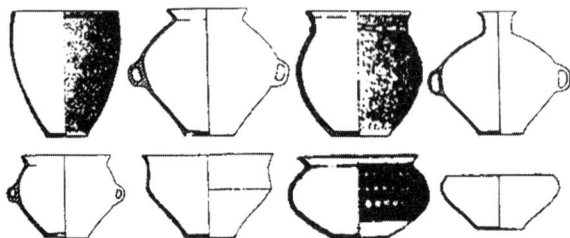

图二　庙子沟遗址出土陶器

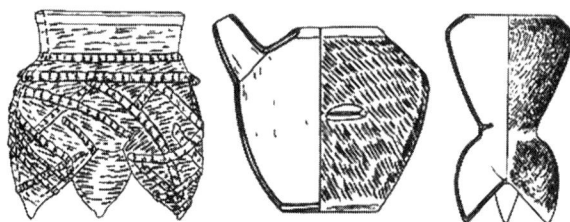

图三　老虎山文化典型陶器

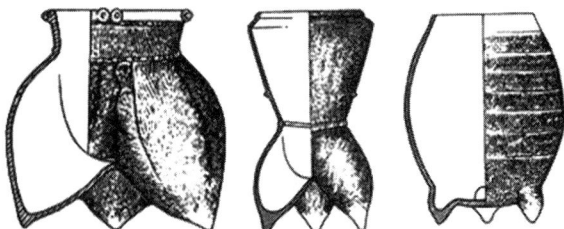

图四　朱开沟文化典型陶器

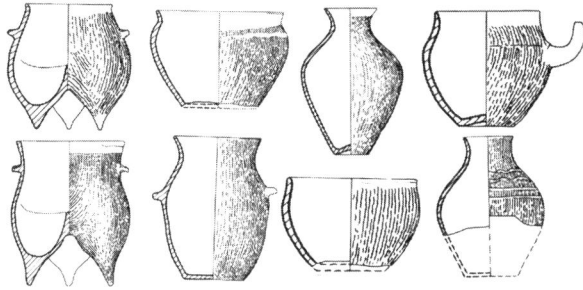

图五　西岔文化陶器

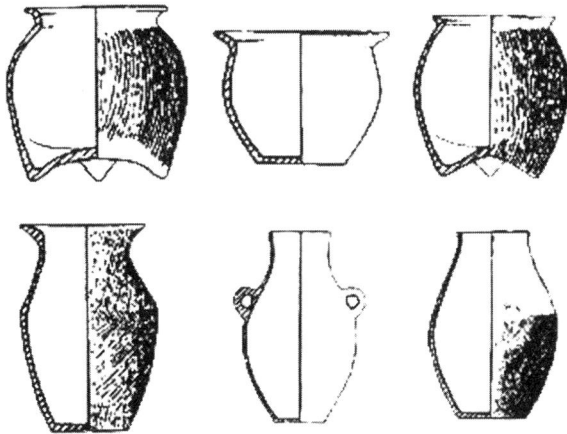

图六　西麻青墓地出土陶器

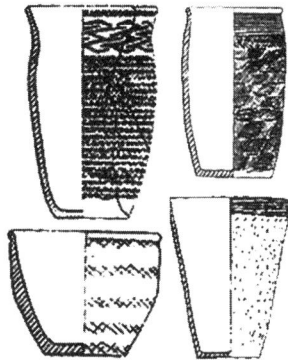

图七　兴隆洼文化陶器

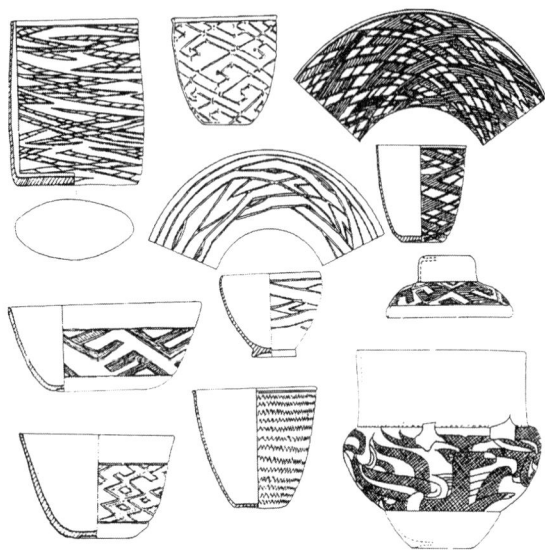

图八 赵宝沟文化陶器

（采自杨虎《辽西地区新石器——铜石并用时代考古
学文化序列与分期》图四）

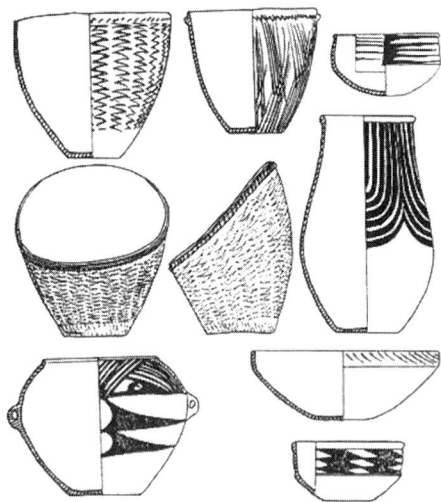

图九 红山文化中期陶器

（采自杨虎《辽西地区新石器——铜石并用时代考古
学文化序列与分期》图五）

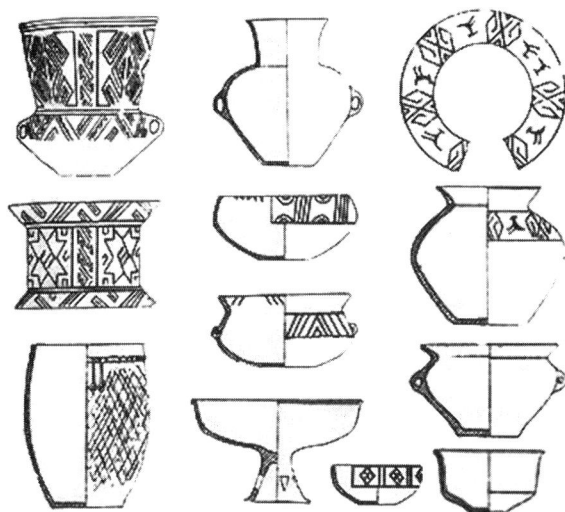

图十　小河沿文化陶器

（采自杨虎《辽西地区新石器——铜石并用时代考古学文化序列与分期》图七）

第　八　章

10 世纪以前内蒙古地区
考古学主要成果

　　与中原地区以夏王朝的建立作为划分史前时期与历史时期的界标不同，内蒙古地区至迟到战国晚期，随着燕、赵、秦三国的北进和匈奴的崛起，其历史发展脉络才开始被中原史家较多地记录下来。在战国晚期之前，相比中原的青铜时代已有信史可循而言，内蒙古地区的相关史料记载很少，纯粹以史料为依据的研究，不可能产生盖棺定论的成果。因此，战国晚期之前内蒙古地区的历史发展，在相当大的程度上需要由考古学资料来填补，仍应属于史前时期。

　　内蒙古地区史前时期的考古学文化概况，在本书第一卷第三编第七章《石器至青铜时代内蒙古与周边地区的交流》中已多所涉及。鉴于考古学资料繁多、文化命名标准有差，本章不再重复。唯一例外的是，内蒙古中南部地区发现的以鄂尔多斯式青铜器为代表的诸文化类型中的桃红巴拉类型，年代从东周时期一直延续到秦代，被部分学者认为属于先匈奴文化和匈奴文化。虽然目前尚存在很大争议，但不可否认它与汉代的匈奴文化之间关系密切，特将该文化类型的考古资料放在匈奴之前加以介绍。

第一节　桃红巴拉类型与匈奴族源
以及匈奴遗存的辨识

桃红巴拉类型主要指发现于鄂尔多斯高原地区的，出土器物以鄂尔多斯式青铜器为典型特征，时代范围在东周至秦代的一类遗存。田广金最早于20世纪70年代初发现了桃红巴拉墓地①，以后同类遗存陆续出土。迄今为止已发现10余处，包括准格尔旗玉隆太墓葬、宝亥社铜器群②、西沟畔战国墓、速机沟铜器群、勿尔图沟古城附近的八垧地梁墓葬③，杭锦旗桃红巴拉墓葬、阿鲁柴登铜器群、伊金霍洛旗公苏壕墓葬、明安木独墓葬④、石灰沟墓葬⑤、东胜区碾坊渠金银器窖藏⑥；此外，位于鄂尔多斯高原以北乌拉特中旗境内的呼鲁斯太墓葬也通常被划归于这一类型之中。桃红巴拉类型的遗迹以墓葬为主，分布零散，无大型墓地；墓葬形制均为长方形土坑竖穴式，无葬具，流行单人仰身直肢葬式，绝大部分头向北；随葬品以青铜武器、工具、车马器、牌饰和装饰品等为主，陶器很少，且器类变化较大；殉牲普遍，马的数量最多，羊次之。

田广金、郭素新编著的《鄂尔多斯式青铜器》，是国内最早的一部对鄂尔多斯式青铜器进行系统考古类型学研究的专著，提出了鄂尔多斯式青铜器可能起源于鄂尔多斯及其邻近地区的观点。并推测，相当于商周至春秋时期的鄂尔多斯式青铜器为古文献记载的狄人的先期文化和狄人文化，到战国晚期在鄂尔多斯地区发现的鄂尔多斯式青铜器是已成为匈奴组成部分的林胡遗物，可称为匈奴文化，而这一地区春秋晚期至战国早期的同类遗存则可称为先匈奴文化或早期匈奴文化。此后，田广金、郭素新在各自单独发表或合作

---

① 田广金、郭素新：《鄂尔多斯式青铜器》，文物出版社1986年版，第203—219页。

② 伊克昭盟文物工作站：《内蒙古准格尔旗宝亥社发现青铜器》，《文物》1987年第12期。

③ 崔璿：《秦汉广衍故城及其附近的墓葬》，《文物》1977年第5期。

④ 伊克昭盟文物工作站、伊金霍洛旗文物保护管理所：《内蒙古伊金霍洛旗匈奴墓》，《文物》1992年第5期。

⑤ 伊克昭盟文物工作站：《伊金霍洛旗石灰沟发现的鄂尔多斯式文物》，《内蒙古文物考古》1992年第1、2期。

⑥ 伊克昭盟文物工作站：《内蒙古东胜市碾坊渠发现金银器窖藏》，《考古》1991年第5期。

研究的一系列论文中，如《源远流长的北方民族青铜文化》、《中国北方系青铜器文化和类型的初步研究》、《鄂尔多斯式青铜器的渊源》、《再论鄂尔多斯式青铜器的渊源》、《中国北方畜牧——游牧民族的形成与发展》、《近年来内蒙古地区的匈奴考古》、《北方文化与草原文明》等，不断在反复注解着他们原初的观点，即鄂尔多斯式青铜器的族属总体上属于"狄—匈奴系统文化"，桃红巴拉类型是白狄林胡人的文化遗存，到战国晚期发展为匈奴文化。

乌恩是另一位对匈奴研究用力颇多的学者，精通俄文，多专注于蒙古高原大漠以北早期铁器时代考古学文化的研究。他在一系列论文中，倡导匈奴族源多源说①，即认为匈奴是由很多分散的部落联合而成的，蒙古和外贝加尔地区的石板墓文化、内蒙古中南部以鄂尔多斯式青铜器为代表的诸文化类型，均发展为匈奴部落联盟的重要组成部分。在《匈奴族源初探——北方草原民族考古探讨之一》② 一文中，进一步引申认为，由于匈奴族源构成复杂，中国北方草原的古代游牧部落和蒙古国、外贝加尔石板墓文化居民在文化及体质人类学特征等方面存在差异，这是导致后来南、北匈奴分裂的重要原因之一。乌恩所言的匈奴族源，仅仅涉及的是匈奴国家的民族构成，而没有进一步深入到匈奴单于挛鞮氏所在部落的起源问题。

林沄的《关于中国的对匈奴族源的考古学研究》③ 一文，不赞同历史学界长期以来流行的先秦北方各族一体化的观点，在对春秋战国时期北方长城地带内诸多考古学遗存进行分类研究的基础上，指出了它们相互之间的内在差异，认为冒顿单于所建立的匈奴联盟包含了许多体质形态和文化特点互不相同的小族团，关于匈奴族源的研究应当是对冒顿赖以建立联盟的核心族团的追溯。《史记·匈奴列传》记载，汉初"单于庭直代、云中"。他据此判断，在公元前3世纪后期至前公元2世纪中期，匈奴本体活动于今内蒙古中

---

① 　乌恩：a.《论匈奴考古研究中的几个问题》，《考古学报》1990 年第 4 期；b.《欧亚大陆草原早期游牧文化的几点思考》，《考古学报》2002 年 4 期；c.《关于北方草原早期铁器时代文化的若干问题》，《21 世纪中国考古学与世界考古学》，中国社会科学出版社 2002 年版，第 365—391 页。

② 　乌恩：《匈奴族源初探——北方草原民族考古探讨之一》，《周秦文化研究》，陕西人民出版社 1998 年版，第 832—841 页。

③ 　林沄：《关于中国的对匈奴族源的考古学研究》，《内蒙古文物考古》1993 年第 1、2 期。

部偏北地区。因此，加强对这一地区战国晚期遗存的探索，是解决匈奴族源问题的有效途径；在考古资料尚不充分的情形下，将赵北长城一线以南春秋战国时期的任何一类考古学遗存指认为匈奴本体的前身，都是毫无科学性可言的。林沄的观点为探索匈奴族源问题开辟了新的思路，在考古学界产生了深远影响。之后发表的《戎狄非胡论》①、《中国北方长城地带游牧文化带的形成过程》② 等论文，运用体质人类学的研究成果进一步说明，在新石器时代至春秋战国之际生活在北方长城地带的主体居民是具有高颅特征的古华北类型、古东北类型和古西北类型等古蒙古人种，与具有低颅特征的北亚蒙古人种类型的汉代匈奴和鲜卑等北方民族属于不同的种系，这些北亚蒙古人种类型的胡人自战国中期以来从蒙古高原大批南下进入北方长城地带，凉城县崞县窑子墓地出土人骨的北亚蒙古人种特征表明他们即是外来的胡人。在后文中还特别指出，准格尔旗西沟畔墓地的 M3、M2 和 M4 分别代表了战国中期、晚期和西汉前期的楼烦遗存，楼烦原来不是匈奴，被匈奴兼并后才逐渐冠以匈奴之名。这实际上意味着否定了以桃红巴拉类型为匈奴本体前身的观点。

乔梁的《匈奴遗存的发现与研究》③，通过对匈奴文化因素构成的分析，推断匈奴的形成可能是多元的，以外贝加尔和蒙古高原的土著文化为主体，在来自南方的中原文化和西方的游牧文化的参与下，最终形成了强盛的匈奴文化。内蒙古中南部的西沟畔、阿鲁柴登等遗存，可能是早期匈奴的遗留，这些遗存与中亚草原联系密切，而汉字铭文表明已有中原仕人参与其间，也许正是这种多元的优势整合，才使得匈奴能够迅速崛起。

21 世纪初出版的三篇相关的博士论文，其中李海荣的《北方地区出土夏商周时期青铜器研究》④、杨建华的《春秋战国时期中国北方文化带的形

---

① 林沄：《戎狄非胡论》，《金景芳九五诞辰纪念文集》，吉林文史出版社 1996 年版，第 101—108 页。

② 林沄：《中国北方长城地带游牧文化带的形成过程》，《燕京学报》新 14 期，北京大学出版社 2005 年版，第 95—145 页。

③ 乔梁：《匈奴遗存的发现与研究》，《庆祝张忠培先生七十岁论文集》，科学出版社 2004 年版，第 466—489 页。

④ 李海荣：《北方地区出土夏商周时期青铜器研究》，文物出版社 2003 年版。

成》①，均侧重于对北方地区匈奴以前不同时期遗存的区域类型学研究，而对匈奴族源问题则持谨慎态度，或者干脆避而不谈。马利清的《原匈奴、匈奴历史与文化的考古学探索》②，是国内第一部较为全面、充分地利用考古学资料研究匈奴历史的专著。在匈奴族源问题上，首先指定蒙古国呼努伊河畔发现的早期匈奴贵族大墓为匈奴主体文化，然后提炼出"原匈奴文化"，即匈奴主体民族前身所创造和使用的文化，提出了分布于蒙古国中部地区的石板墓文化可能即是原匈奴文化的假设，但它与匈奴文化之间尚存在很大的缺环。原匈奴文化在向匈奴文化的过渡过程中，吸收了鄂尔多斯地区东周时期先进的文化，提出阴山南北农牧交错地带是"原匈奴"人群向"匈奴"民族过渡的重要转折点。该书最大的特点是资料收罗全面，论述富有系统性，立论既有真知灼见，但也不乏可商榷之处。

唐晓峰《先秦时代山陕北部的戎狄与古代北方的三元人文地理结构》③一文，认为把戎狄与匈奴看成是一脉相承的北方游牧民族的观念是古人的误解，实际上在商周时代的大约 1 000 年里，中国北方大体可划分为三个大的人文地理地带，即中原的发达农业区、山陕北部等地的戎狄活跃区和北方草原地带，其中戎狄地带是一个以畜牧为主的混合经济地带。后来由于华夏农业帝国和匈奴游牧帝国的崛起与对峙，戎狄地带的独立地位才逐渐消失，并以长城为标志，演变为中国北方的政治过渡区。这种三元人文地理结构的观点，给予了"戎狄非胡论"深刻的理论阐释。

对于已发现的匈奴遗存的辨识，也是内蒙古地区民族考古的重要课题。目前内蒙古地区发现的确定以匈奴文化因素占据主导地位的汉代匈奴遗存主要有两处，一处是准格尔旗西沟畔墓地④，另一处是鄂尔多斯市东胜区补洞沟墓地⑤。西沟畔墓地的原报告称，M4—M12 共 9 座墓葬均为西汉初期的匈奴墓，除 M10 为瓮棺葬外，其余均为长方形土坑竖穴墓，单人葬，仰身直

① 杨建华：《春秋战国时期中国北方文化带的形成》，文物出版社 2004 年版。

② 马利清：《原匈奴、匈奴历史与文化的考古学探索》，内蒙古大学出版社 2005 年版。

③ 唐晓峰：《先秦时代山陕北部的戎狄与古代北方的三元人文地理结构》，《地理研究》2003 年第 5 期。

④ 伊克昭盟文物工作站、内蒙古文物工作队：《西沟畔汉代匈奴墓地调查记》，《内蒙古文物考古》1981 年创刊号。

⑤ 伊克昭盟文物工作站：《伊克昭盟补洞沟匈奴墓清理简报》，《内蒙古文物考古》创刊号。

肢葬式，头向北，未见葬具，随葬品有陶罐、瓮、瓶、包金卧羊牌饰、带具、金饰片、铜马、镞、戒指和石佩饰等，殉牲有马、羊的骨骼和狗头等。其中M4为一座女性贵族墓，随葬品较为丰富，出土了金、银、玉、石、琉璃等各种质料的头饰、项饰和腰带饰等。补洞沟墓地亦清理墓葬9座，均为长方形土坑竖穴墓，以单人仰身直肢葬为主，仅见一例男女双人合葬，头向北，未见葬具，随葬品有陶罐、铜镜、牌饰、耳环、铁鼎、镊、镞、带扣、带饰、马衔和骨器等，殉牲有马、牛、羊的骨骼；陶器的肩部盛行波浪折线纹装饰，陶罐大都在近底部处有小孔，这些皆是匈奴文化陶器的典型特征，整个墓地的年代被笼统地划为汉代。

　　林沄在《关于中国的对匈奴族源的考古学研究》一文中，结合史料记载，对西沟畔墓地和补洞沟墓地的具体部族归属作了推定。从楚汉相争之际匈奴南并楼烦白羊河南王，到公元前127年卫青攻取"河南地"，《史记》与这一时期内的相关记载表明，鄂尔多斯北部一带只有楼烦白羊王部族活动，因此年代属于西汉初期的西沟畔墓地非匈奴楼烦白羊王部族遗存莫属；同时，对M9的时代作了重新推定，根据随葬陶器形制，认为是北朝时期的鲜卑墓。东汉初年南匈奴附汉后，单于建庭于西河郡美稷县，即今准格尔旗一带，补洞沟墓地应是东汉初年南匈奴单于庭附近的嫡系部族所遗。乔梁《匈奴遗存的发现与研究》一文认为，西沟畔墓地的时代较为复杂，M4和M12都大约已到东汉中晚期；补洞沟墓地的年代大体当在东汉中晚期阶段，文化面貌受汉文化的影响相对较少，而同汉、魏阶段的鲜卑遗存具有较多共性，其墓主人可能是同汉王朝及南匈奴王庭敌对的、融合了乌桓、羌人和鲜卑等部族的匈奴集团。

　　准格尔旗大饭铺墓地①，发现20余座墓葬，清理4座，均为长方形土坑竖穴墓，南北向，人骨均残乱，随葬品有肩部或颈部饰一周波浪纹的陶罐、铜带扣、铁马衔和武器残段等。在墓葬近旁发现的3块铜镜残片，也被认为是墓葬内的随葬品。原报告断代为北朝时期，乔梁前揭文认为可能是和补洞沟相同的东汉中晚期的匈奴集团。马利清的《原匈奴、匈奴历史与文

　　①　内蒙古文物考古研究所、伊克昭盟文物工作站：《内蒙古准格尔煤田黑岱沟矿区文物普查述要》，《考古》1990年第1期。

化的考古学探索》则认为应属东汉时期的南匈奴墓葬。

兴和县沟里头墓葬①，原报告认为是战国至汉代的匈奴墓。仅清理1座遭取土破坏的墓葬，形制为长方形土坑竖穴，单人仰身直肢葬式，头向西北，随葬品有兽首青铜短剑、铜带扣和三棱铜镞等。由于资料有限，具体时代和族属难以作进一步确认。

大量秦、汉时期的匈奴文化遗存主要分布在蒙古国和俄罗斯外贝加尔一带，中国境内的发现相对较少，国内作综合研究的也只有田广金和乌恩等寥寥数人。田广金早期曾经将匈奴墓葬划分为土坑墓、木棺墓、木椁墓和砖室墓四个发展阶段，时代从春秋晚期延续至东汉晚期②。由于受当时可见资料的局限，这种四个发展阶段的划分法目前已被证明是错误的，如木棺墓、木椁墓主要代表墓葬规格的差异，而与时代早晚关系不大；土坑墓是鄂尔多斯地区从春秋战国一直到东汉时期的主要葬俗。田广金、郭素新合作的最后著作《北方文化与匈奴文明》③，是这对早年毕业于北京大学考古专业、支边到内蒙古自治区从事考古事业三十余年的夫妇，对他们卓有成就的内蒙古中南部史前考古及匈奴考古研究的一个总结。与著者以前的观点相比较，该书有"一变一不变"两点值得特别指出：变的是对匈奴墓葬类型的划分抛弃了早期的四个发展阶段说，转而支持乌恩提出的八种类型说；不变的是匈奴族源鄂尔多斯说，将东汉初年南匈奴附汉，描述为"叶落归根"，回到了其先世生活过的地方——"故塞"。

乌恩的《论匈奴考古研究中的几个问题》，将匈奴墓葬的形制划分为八个类型，这种反映在墓葬结构复杂性和随葬品多寡上的明显差别，与年代、分布地域、社会分化及贫富悬殊、外来文化的影响和渗透等多方面的因素有关；探讨了匈奴城郭及与之相联系的农业、手工业等与游牧业的关系问题；以匈奴遗存中出土的大量汉式文物为依据，论证了匈奴与中原地区之间的紧密联系。

内蒙古中南部地区发现了许多以中原文化因素为主、兼有游牧文化因素的东汉时期墓葬，这些墓主人的族属引发了一些学者与匈奴相关的猜测。张

---

① 崔利明：《内蒙古兴和县沟里头匈奴墓》，《考古》1994年第5期。
② 田广金：《匈奴墓葬的类型和年代》，《内蒙古文物考古》1982年第2期。
③ 田广金、郭素新：《北方文化与匈奴文明》，江苏教育出版社2005年版。

海斌认为，鄂托克前旗三段地 M8、M23、包头沼潭 M3，是西汉中晚期归附汉王朝的匈奴人后裔的墓葬，年代为东汉前期；补洞沟墓地和包头张龙圪旦 M1 是东汉后期南匈奴的墓葬。由于长期与汉人杂居错处，受汉文化影响较深，这些墓葬的形制和随葬品大都采用汉制，只是部分地保留了本民族的习俗，如殉牲，随葬品中的波浪纹陶器、铁镞、铜牌饰和弓弭等①。马利清前揭文列举了更多有殉牲现象等胡俗的汉式墓葬，认为它们大多数应是各时期入居汉地、汉化程度很高的匈奴人及其后裔的墓葬，但也不排除一部分可能是习染胡俗的汉人墓葬②。

第二节　战国秦汉考古

自战国晚期开始，"战国七雄"之北方三国燕、赵、秦相继向北推进，击逐胡人，筑修长城，在长城以南地区设置郡县进行管理，产生了内蒙古地区最早的一批中原式城址。到秦汉时期，除沿用这些战国城址外，又设置了更多的郡县，新建了更多的城址，形成了自新石器时代以来内蒙古东南部、中南部和西部地区农业耕作的第二次高潮。

内蒙古地区的战国秦汉考古，主要指这一时期的中原型考古学文化遗存，包括城址、村落遗址、墓葬和长城等。

战国秦汉时期中原政权在内蒙古地区修筑的城址，是内蒙古考古工作的重要内容，取得了不少成果。燕国北破东胡后，曾设置辽东、辽西、右北平、渔阳和上谷五郡，秦、汉并加沿袭。考古工作者对右北平和辽西郡县故城有所判定。赤峰市宁城县甸子乡黑城古城由"花城"、"外罗城"和"黑城"三部分组成。张郁首次对该城址做了简要报道③，当时未发现外罗城，时代暂定为辽，因又见到许多汉代遗物，感到尚需进一步探索。1975—1976年，在外罗城南部发现并清理了一座王莽时期的钱范作坊遗址④。1979 年，

---

① 张海斌：《试论中国境内东汉时期匈奴墓葬及相关问题》，《内蒙古文物考古》2000 年第 1 期。
② 马利清：《原匈奴、匈奴历史与文化的考古学探索》，第 353—369 页。
③ 张郁：《内蒙宁城县古城址的调查》，《考古通讯》1958 年第 4 期。
④ 昭乌达盟文物站、宁城县文化馆：《辽宁宁城县黑城古城王莽钱范作坊遗址的发现》，《文物》1977 年第 12 期。

在李文信组织下，对该城址做了全面调查，并详细考证了其建制沿革，认为花城是燕国修筑的一座城堡，外罗城为秦汉右北平郡郡治平刚故城，黑城建于辽而历元、明两代①。近年，邓辉等进一步做了考证，认为西晋建兴二年（314 年）慕容鲜卑的慕容廆设立的冀阳郡，郡治为西汉右北平郡平刚县，即黑城古城；北魏时期冀阳郡是营州下辖四郡之一，设平刚、柳城二县，郡治平刚县仍在黑城，大约在北周时被废②。

李殿福考证《汉书·地理志》辽西郡注下的渝水为今牤牛河，西汉辽西郡所领 14 县中的新安平、文成两县的县治分别为今通辽市奈曼旗境内的西土城子古城和沙巴营子古城③。王绵厚则认为，沙巴营子古城为新安平县治，西土城子古城为另一西汉县治④。

赵国北退林胡、楼烦后，设置了云中、代和雁门三郡，另筑九原城，秦、汉也均承袭。对位于内蒙古中南部地区的云中郡等故城，也有研究和勘定。呼和浩特市托克托县古城村古城早年发现有推测为西汉晚期至东汉时期的"云中"戳印残陶⑤；2001 年经正式发掘，出土了包括战国、汉、北魏三个时期的遗存⑥。苏哲调查并考证其为战国赵武灵王所筑之云中城，秦汉在此置云中郡治，北魏置延民县，属云中郡，魏末在原云中郡治（今呼和浩特市和林格尔县土城子古城）置盛乐郡，别置云中郡于此城；西南角子城城墙夯土中夹有唐初白瓷碗残片，说明初唐以后城墙仍有增补⑦。赵国的九原城，有巴彦淖尔市乌拉特前旗三顶帐房古城和包头市麻池古城两说，目

① 冯永谦、姜念思：《宁城县黑城古城址调查》，《考古》1982 年第 2 期；李文信《西汉右北平郡治平刚考——宁城县黑城村古城址》，《社会科学战线》1983 年第 1 期。

② 邓辉等：《从自然景观到文化景观——燕山以北农牧交错地带人地关系演变的历史地理学透视》，商务印书馆 2005 年版，第 145 页。

③ 李殿福：《西汉辽西郡水道、郡县治所初探——兼论奈曼沙巴营子古城为西汉文成县》，《辽宁大学学报》1982 年第 2 期。

④ 王绵厚：《考古学所见两汉之际辽西郡县的废迁和边塞的内徙》，《中国考古学会第六次年会论文集》，文物出版社 1987 年版，第 151—159 页。

⑤ 文卿：《托克托县发现"云中"戳印残陶》，《内蒙古文物考古》1991 年第 1 期。

⑥ 内蒙古自治区文物考古研究所、托克托县博物馆：《托克托县古城村古城遗址发掘报告》，《内蒙古文物考古文集》第 3 辑，科学出版社 2004 年版，第 218—261 页。

⑦ 苏哲：《内蒙古土默川、大青山的北魏镇戍遗迹》，《北京大学百年国学文粹·考古卷》，北京大学出版社 1998 年版，第 635—649 页。

前多倾向于后说。张海斌进一步认为，麻池古城北城才是战国赵九原城，秦沿用，为秦直道终点；到汉代，北城为五原郡郡治兼九原县县治，南城为五原郡辖下五原县县治①。李逸友在《中国北方长城考述》中认为乌兰察布市兴和县大同窑古城为赵国代郡延陵县故城②。卓资县城卜子古城，发掘者认为该城是战国赵北长城边侧的一处重要障城③。

呼和浩特市清水河县拐子上古城征集刻有"相邦吕不韦三年"、"相邦吕不韦四年"和"上郡尉守"等铭文的青铜兵器 10 件，结合实地调查采集陶器，认为该古城始建于战国秦，为秦、西汉两代所沿用④。战国秦及秦汉王朝设置的上郡均管辖过鄂尔多斯一带。崔璿通过鄂尔多斯市准格尔旗勿尔图沟古城出土的"广衍"铭文兵器，考证该古城为秦代、西汉初期的上郡广衍县，汉武帝时增设西河郡，又划归西河郡管辖⑤。李逸友考证托克托县哈拉板申西古城为秦代临河所筑 44 县城之一，具体名称不清；哈拉板申东古城为汉代云中郡沙陵县故城⑥。《托克托县黑水泉遗址发掘报告》⑦根据发掘出土的"武泉"字样戳印陶文，推断汉代云中郡武泉县治所应当在黑水泉遗址附近。石俊贵经过考察，认为黑水泉遗址原残留有古城墙遗迹，应即武泉县故城所在⑧。

汉武帝时，分云中郡地设定襄郡。对定襄郡及属县故城，也有推定。和林格尔县土城子古城在 1960 年首次做了正式发掘，1997 年重新开始的发掘至今还在进行中。发掘对象包括城内遗迹、城墙局部和城外墓葬等，发现了

①　包头市文物管理处、达茂旗文物管理所：《包头境内的战国秦汉长城与古城》，《内蒙古文物考古》2000 年第 1 期。

②　李逸友：《中国北方长城考述》，《内蒙古文物考古》2001 年第 1 期。

③　内蒙古自治区文物考古研究所、乌兰察布博物馆：《卓资县城卜子古城遗址调查发掘简报》，《内蒙古文物考古文集》第 3 辑，第 129—143 页。

④　乌兰察布盟文物工作站：《内蒙古清水河县拐子上古城发现秦兵器》，《文物》1987 年第 8 期；乌兰察布盟文物工作站：《清水河县拐子上古城调查》，《内蒙古文物考古》1991 年第 1 期。

⑤　崔璿：《秦汉广衍故城及其附近的墓葬》，《文物》1977 年第 5 期。

⑥　李逸友：《托克托城附近的秦汉代遗迹》，《内蒙古文物考古文集》第 1 辑，中国大百科全书出版社 1994 年版，第 348—353 页。

⑦　内蒙古自治区文物考古研究所、托克托县博物馆：《托克托县黑水泉遗址发掘报告》，《内蒙古文物考古文集》第 3 辑，第 153—217 页。

⑧　石俊贵主编：《托克托文物志》（上），中华书局 2006 年版，第 89—93 页。

春秋晚期、战国、秦汉、魏晋、唐代和辽金元等多个时期的遗存①。第一次发掘认为南城为汉代定襄郡郡治及成乐县县治所在，第二次发掘在中城、北城也发现了汉代遗存。

李逸友根据和林格尔汉代壁画墓内后室北壁的武成图及南壁的庄园图，推断壁画墓东 3 公里处、浑河北岸的榆林古城，早期为汉定襄郡武成县治所，晚期为明代玉林卫遗址；同时考订，定襄郡辖下的桐过县、骆县分别为今清水河县上城湾古城和古城坡古城②。1998 年对清水河县城嘴子古城（即上城湾古城）的发掘，推定其始建年代可早到战国赵时期③。陶卜齐古城发掘出土有刻画"安陶"字样的空心砖残片，考订为汉代定襄郡安陶县故城④。李兴盛根据《魏书》记北魏道武帝拓跋珪"西登武要北原，观九十九泉"这一线索，初步推断卓资县三道营古城为汉代定襄郡武要县县治所在⑤，李逸友在《内蒙古史迹丛考》⑥一文中印证了这一推断。

汉武帝时占据"河南地"后，置朔方郡。侯仁之、俞伟超、李宝田等通过实地调查，考证汉代朔方郡最西部的三个县城临戎、窳浑和三封，分别是今巴彦淖尔市磴口县布隆淖古城、保尔浩特（土城子）古城和陶升井（麻弥图）古城；保尔浩特古城西北约 20 公里处哈隆格乃山谷入口处西侧台地上的石城，为汉代鸡鹿塞废墟；保尔浩特古城东北一带明显下降、有如釜底的地形，应即汉代屠申泽的西部边缘部分。张郁对西汉朔方郡河西（今巴彦淖尔市境内）五县三封、临戎、窳浑、沃野、临河及鸡鹿塞、屠申泽的调查考证，大部分沿袭了侯仁之等人的成果，另新证沃野、临河二

① 内蒙古自治区文物工作队：《和林格尔县土城子试掘纪要》，《文物》1961 年第 9 期；张郁：《内蒙古和林格尔县土城子古城发掘报告》，《考古学集刊》（6），中国社会科学出版社 1989 年版，第 175—203 页；内蒙古文物考古研究所：《和林格尔县土城子古城考古发掘主要收获》，《内蒙古文物考古》2006 年第 1 期。

② 李逸友：《和林格尔壁画墓所反映的东汉定襄郡武成县城的地望》，《考古与文物》1985 年第 1 期。

③ 内蒙古自治区文物考古研究所：《清水河县城嘴子遗址发掘报告》，《内蒙古文物考古文集》第 3 辑，第 81—128 页。

④ 内蒙古文物考古研究所：《呼和浩特市榆林镇陶卜齐古城发掘简报》，《内蒙古文物考古文集》第 2 辑，中国大百科全书出版社 1997 年版，第 431—443 页。

⑤ 李兴盛：《内蒙古卓资县三道营古城调查》，《考古》1992 年第 5 期。

⑥ 李逸友：《内蒙古史迹丛考》，《内蒙古文物考古文集》第 2 辑，第 393—411 页。

县治所分别为今巴彦淖尔市临河区黄羊木头镇脑高古城和八一乡土城子古城。①

陈梦家《汉居延考》一文对贝格曼将 K710（中瑞西北科学考察团编号，K688 同）古城指认为汉居延县城的观点表示了认同，并指出 K688 古城可能是路博德所筑的遮虏障。李并成则对 K710 古城为居延县城的观点提出质疑，考证绿城子古城为居延县城，而 K710 古城有可能是遮虏障，K688 古城为居延都尉府城。②

调查发现的其他汉代古城还有很多，散见于各类相关资料，对它们的行政建制有很多推断，以李逸友《论内蒙古文物考古》③ 一文论述最为全面，但多由于缺乏充足的证据，难以遽成定论。如经正式发掘的呼和浩特市二十家子古城，出土了大量的封泥，以"安陶丞印"最为多见，该古城一度被认为是西汉定襄郡安陶县治所，并进一步推断定襄郡下属武进县、定襄县治所分别在今呼和浩特市赛罕区黄合少古城和凉城县崞县窑子乡左尉窑子古城，而呼和浩特市赛罕区八拜古城不是都武县便是复陆县县治所在，二者必居其一④。但随着陶卜齐古城"安陶"字样空心砖残片的发现，目前多倾向后者更近于安陶县故城。徐龙国所著《北方长城沿线地带秦汉边城初探》⑤，是第一篇综合研究内蒙古地区秦汉时期古城遗址的考古学论文，就这些边城的界定、发现、分布、特点、居民及民族交流等问题作了较为全面的探讨。

属于战国秦汉时期的古城下还有大大小小的村落遗址，古城和村落周围

---

① 侯仁之、俞伟超、李宝田：《乌兰布和沙漠北部的汉代垦区》，《治沙研究》第 7 号，科学出版社 1965 年版，第 15—34 页；侯仁之、俞伟超：《乌兰布和沙漠的考古发现和地理环境的变迁》，《考古》1973 年第 2 期；张郁：《汉朔方郡河外五城》，《内蒙古文物考古》1997 年第 2 期。

② 陈梦家：《汉居延考》，《汉简缀述》，中华书局 1980 年版，第 221—227 页；李并成：《汉居延县城新考》，《考古》1998 年第 5 期。

③ 李逸友：《论内蒙古文物考古》，《内蒙古文物考古文集》第 1 辑，第 1—40 页。

④ 张郁、陆思贤：《呼和浩特市郊区二十家子汉代城址出土的封泥》，《内蒙古文物考古文集》第 1 辑，第 354—364 页。

⑤ 徐龙国：《北方长城沿线地带秦汉边城初探》，《汉代考古与汉文化国际学术研讨会论文集》，齐鲁书社 2006 年版，第 33—48 页。

则分布着成片的墓葬。战国时期的燕国墓葬见于赤峰市红山区箭亭子①、榆树林子②、宁城县小黑石沟等地点③。战国时期的赵国墓葬见于丰镇市十一窑子④、察右前旗呼和乌苏⑤、清水河县城嘴子古城东山、和林格尔县土城子古城周边等。战国时期的秦国墓葬及秦代墓葬见于准格尔旗勿尔图沟古城周边、和林格尔县土城子古城周边等。发现的汉墓数量最为庞大，清理发掘数百座，以内蒙古中南部地区最为集中，有积石积炭木椁墓、木椁墓、多室砖墓、单室砖墓和竖穴土坑墓等多种形制。壁画墓有两起重要的发现，分别为托克托县西汉闵氏壁画墓与和林格尔东汉壁画墓⑥。《内蒙古中南部汉代墓葬》一书⑦，汇集了自20世纪80年代以来配合基本建设清理发掘的大部分汉墓资料，对这些墓葬作了总体的类型学研究，其中《前言》部分还列举了此前该地区调查和发掘的汉墓，是内蒙古中南部地区汉墓研究的重要资料。

　　1972—1973年清理发掘的和林格尔东汉壁画墓，是内蒙古地区汉墓的一个突出代表⑧。墓有前中后三室，前室附设左右两个耳室，中室设右耳室。墓室的不同单元分别象征着庭、明堂、后寝（室）、更衣、车马库、炊厨库以及农田和牧野。墓室的内壁、穹隆顶及甬道两侧都绘满了壁画，计有46组、57个画面，面积约百余平方米，壁画中可辨识的榜题近250条。这些壁画内容极为丰富，描绘了墓主人由"举孝廉"至"使持节护乌桓校尉"时止的全部仕宦经历。画面上有繁阳、宁城、离石、武成等府县城市，有官署、幕府、坞壁、庄园、门阙、楼阁等各种建筑；有出行、仪仗、饮宴、迎宾、百戏、庖厨等生活画面；也有农耕、放牧、蚕桑、渔猎等劳动场景；还

　　①　王兆军：《内蒙古昭盟赤峰市发现战国墓》，《考古》1964年第1期。

　　②　张松柏：《赤峰市红山区战国墓清理简报》，《内蒙古文物考古》1996年第1、2期。

　　③　塔拉、杨杰：《宁城县小黑石沟夏家店上层文化遗存及战国墓葬》，《中国考古学年鉴》（1999），文物出版社2001年版，第135页。

　　④　乌兰察布博物馆：《内蒙古丰镇市十一窑子战国墓》，《考古》2003年第1期。

　　⑤　曹建恩：《察右前旗呼和乌苏战国汉代北魏墓葬》，《中国考古学年鉴》（1996），文物出版社1998年版，第110页。

　　⑥　罗福颐：《内蒙古自治区托克托县新发现的汉墓壁画》，《文物参考资料》1956年第9期；内蒙古文物工作队、内蒙古博物馆：《和林格尔发现一座重要的东汉壁画墓》，《文物》1974年第1期。

　　⑦　魏坚：《内蒙古中南部汉代墓葬》，中国大百科全书出版社1998年版。

　　⑧　内蒙古自治区博物馆文物工作队编：《和林格尔汉墓壁画》，文物出版社1978年版。

有古圣先贤、烈士豪杰、神话传说、珍禽异兽等西汉以来的传统壁画内容。壁画场面壮阔，人物众多，全面生动地展现了当时边塞地区的社会风貌。整体风格率意洒脱，线条圆润流转，渲染赋彩技巧熟练，人物的身份、姿态、神情的刻画生动入微。"车马出行图"与"牧马图"中马的造型简练概括，尤富意趣。是迄今为止发现的壁画内容最丰富、构图最完整和榜题最多的一座东汉壁画墓，在我国绘画史上占据重要地位。自该墓葬壁画资料公开发表以来，从各种不同角度对这些壁画的艺术手法、风格及内容等进行研究的论文大量涌现。

战国秦汉时期，中原政权在取得对内蒙古部分地区的控制权后，除了采取设郡县、迁徙人口等加强统治的措施以外，还均修筑了长城。据《史记·匈奴列传》记载，赵武灵王在位时（前325—前299年），"筑长城，自代并阴山下，至高阙为塞，而置云中、雁门、代郡"。这道长城一般被称为赵北长城。有关学术机构和研究人员对赵北长城的东端起点、西端终点、具体走向等作了调查、考辨①。燕昭王在位期间（前311—前279年），"燕亦筑长城，自造阳至襄平"。该段长城被称作燕北长城，有实地调查的第一手资料发表②。秦昭王三十五年（前272年），秦国灭义渠戎后，在陇西、北地、上郡一带修筑了长城。史念海、李逸友均考察并探讨了秦昭王长城在今鄂尔多斯市境内的分布与走向。③

秦汉长城的调查报告有：《内蒙古西北部秦汉长城调查记》、《内蒙古境内的战国秦汉长城遗迹》、《昭乌达盟燕秦长城遗址调查报告》、《昭乌达盟汉代长城遗址调查报告》、《辽宁西部汉代长城调查报告》、《蒙恬修筑阴山

---

① 李兴盛、郝利平：《乌盟卓资县战国赵长城调查》，《内蒙古文物考古》1994年第2期；朝克：《呼和浩特地区长城遗存》，《内蒙古文物考古》1994年第2期；包头市文物管理处、达茂旗文物管理所：《包头境内的战国秦汉长城与古城》，《内蒙古文物考古》2000年第1期；李逸友：《高阙考辨》，《内蒙古文物考古》1996年第1、2期；李逸友《中国北方长城考述》，《内蒙古文物考古》2001年第1期。

② 内蒙古自治区昭乌达盟文物工作站：《昭乌达盟燕秦长城遗址调查报告》，《中国长城遗迹调查报告集》，文物出版社1981年版，第6—20页；李庆发、张克举：《辽西地区燕秦长城调查报告》，《辽海文物学刊》1991年第2期。

③ 史念海：《鄂尔多斯高原东部战国时期秦长城遗迹探索记》，《考古与文物》1980年创刊号；李逸友：《内蒙古史迹丛考》，《内蒙古文物考古文集》第2辑，第393—411页。

北麓秦长城考察记》和《中国北方长城考述》等①，以上文章均是内蒙古地区秦汉长城调查的第一手资料。

李文信在对唐以前长城的相关史料记载作较全面收集的基础上，结合考古发现探讨了其具体分布、走向和现存状况等②。辛德勇对赵北长城的西端终点、秦始皇长城的西段走向以及蒙恬所筑长城等提出了自己的一些独到看法，极富启发意义③。《中国文物地图集·内蒙古自治区分册》在《专题文物图说明》部分中，对内蒙古境内历代长城遗迹的分布情况做了概括性介绍④。张维华、罗哲文、董耀会等人的专著⑤和《中国长城遗迹调查报告集》、《长城国际学术研讨会论文集》等论文集⑥中，都包含有大量有关内蒙古境内长城的内容。此外，散见的调查报告和研究文章还有很多，但水平参差不齐，以讹传讹者甚众，不可尽信。

秦直道在沟通秦关中京畿地区与西北边疆防务中的重要作用，已经得到了充分认识与肯定。贾以肯认为秦直道就是秦始皇长城西北段的一个重要组成部分，是防御匈奴、月氏和众羌等部落的一条防线⑦。史念海结合史料记载和实地调查，对秦直道的起点、终点、具体走向、道路两侧遗迹以及直道修筑的战略意义、所起的作用等做了综合的论述⑧。《包头境内的战国秦汉

---

①　唐晓峰：《内蒙古西北部秦汉长城调查记》，《文物》1977 年第 5 期；盖山林、陆思贤：《内蒙古境内的战国秦汉长城遗迹》，载《中国考古学会第一次年会论文集》（1979），文物出版社 1980 年版，第 212—224 页；内蒙古自治区昭乌达盟文物工作站：《昭乌达盟燕秦长城遗址调查报告》，《文物》1985 年第 4 期；内蒙古自治区昭乌达盟文物工作站：《昭乌达盟汉代长城遗址调查报告》，《文物》1985 年第 4 期；李庆发、张克举：《辽宁西部汉代长城调查报告》，《北方文物》1987 年第 2 期；鲍桐：《蒙恬修筑阴山北麓秦长城考察记》，《长城学刊》1991 年第 1 期；李逸友：《中国北方长城考述》，《内蒙古文物考古》2001 年第 1 期。

②　李文信：《中国北部长城沿革考》，《社会科学辑刊》1979 年创刊号第 2 期。

③　辛德勇：《阴山高阙与阳山高阙辨析——并论秦始皇万里长城西段走向以及长城之起源诸问题》，《文史》2005 年第 3 辑。

④　国家文物局主编：《中国文物地图集·内蒙古自治区分册》（上），西安地图出版社 2003 年版，第 93—97 页。

⑤　张维华：《中国长城建置考》，中华书局 1979 年版；罗哲文：《长城》，北京出版社 1982 年版；董耀会：《瓦合集——长城研究文论》，科学出版社 2004 年版。

⑥　文物编辑委员会编：《中国长城遗迹调查报告集》，文物出版社 1981 年版；中国长城学会编：《长城国际学术研讨会论文集》，吉林人民出版社 1995 年版。

⑦　贾以肯：《蒙恬所筑长城位置考》，《中国史研究》2006 年第 1 期。

⑧　史念海：《秦始皇直道遗迹的探索》，《文物》1975 年第 10 期。

长城与古城》①　一文，肯定了画家靳之林提出的包头麻池古城为秦直道终点九原城的观点。在此基础上进一步认为，麻池古城北城才是九原城，而原来认作九原城的乌拉特前旗三顶帐房古城，则是有着"石崖城"之称的汉代五原郡属下宜梁县故城。1998 年对鄂尔多斯市东胜区城梁段秦直道遗迹的发掘解剖，了解到路基宽约 16 米，修筑过程首先是底部以黑土填实找平，上部再以黏度较大的红土掺以砂石夯实，道路旁侧的高台建筑基址并非史念海前揭文所认为的汉代古城建筑遗址，而是一座秦代的砖瓦窑址②。

居延汉简的考古发现和研究也取得了许多成果。居延汉简因其出土地点属于汉代张掖郡居延县的辖区而得名，后来也有人以其出土地点在今阿拉善盟额济纳旗境内而称之为额济纳汉简③。汉武帝太初三年（前 102 年），强弩都尉路博德筑居延，在弱水（今额济纳河）流域形成了南有肩水、北有居延两个都尉府。都尉府下设候官，如居延都尉府下共有殄北、甲渠和卅井三个候官，候官下辖部，部下辖燧，构成了全长 250 余公里的居延边塞防御体系。与居延边塞紧密联系的屯戍活动随之兴起，大约一直持续到东汉建武初年结束。自 20 世纪 30 年代起，在居延边塞各级候望系统遗址中先后发现了三批数量较大的汉简，以木质为主，少量为竹质，正是当时屯戍活动的实录④。

1930—1931 年，中国和瑞典合组的西北科学考察团在今额济纳河流域的汉代边塞遗址中采集、挖掘汉简 10200 余枚。内容涉及西北边塞地区的行政、边防、邮驿、屯田及戍卒的日常工作和生活等许多方面。由于战乱，这批汉简辗转各地后，现存于台北"中央研究院历史语言研究所"。这批汉简的发现报告及亭障分布图见波·索麦斯特罗根据贝格曼的原始记录整理的《内蒙古额济纳河流域考古报告》和《居延汉简甲乙编》中的《额济纳河流

①　包头市文物管理处、达茂旗文物管理所：《包头境内的战国秦汉长城与古城》，《内蒙古文物考古》2000 年第 1 期。

②　内蒙古自治区文物考古研究所、鄂尔多斯市东胜区文物管理所：《东胜城梁段秦直道遗址发掘简报》，《内蒙古文物考古文集》第 3 辑，第 144—152 页。

③　魏坚主编：《额济纳汉简》，广西师范大学出版社 2005 年版。

④　于振波：《近三十年大陆及港台简帛发现、整理与研究综述》，《南都学坛》2002 年第 1 期。

域障燧述要》①。简牍整理的基本资料包括：劳榦所著的《居延汉简考释·释文之部》、《居延汉简考释·考证之部》、《居延汉简考释·图版之部》和《居延汉简·考释之部》，中国科学院考古研究所编著的《居延汉简甲编》，中国社会科学院考古研究所《居延汉简甲乙编》、《居延汉简释文合校》和《居延汉简补编》等②。其中，《居延汉简甲乙编》发表了这批简牍的全部照片和释文；《居延汉简释文合校》以《居延汉简甲乙编》的释文为底本，在《居延汉简考释·释文之部》与《居延汉简甲乙编》的基础上，吸收了国内外有关研究成果，重新校订，纠正了不少错误，并注明各版本的异文，对学术研究大有裨益；《居延汉简补编》采用了先进的红外线摄像技术，一些原来用肉眼无法辨认的字得以识读，校正、补充了释文中的不少错误和遗漏。

　　1972—1976 年，由甘肃省博物馆等单位联合组成的居延考古队，对甲渠候官（破城子）、甲渠候官第四燧和肩水金关等遗址进行了发掘，获得汉简 20 000 余枚，现存于甘肃省博物馆。相对于早期的居延汉简，这批汉简被称为居延新简，原来发现的则被称为居延旧简。新简绝大部分为木简，内容非常广泛，不仅记录了居延地区的屯戍活动，而且保存了一批从西汉中期至东汉初年的官方文献资料。无论在出土简的数量还是简文内容的丰富程度上，都是空前的。《居延汉代遗址的发掘和新出土的简册文物》对这次考古工作做了简要介绍③；简牍整理的基本资料包括：《居延新简释粹》、《居延新简——甲渠候官与第四燧》、《居延新简——甲渠候官》。④ 肩水金关的简

---

　　①　Bo Sommarstrom，"Archaeological Researches in the Edsen-gol Region Inner Mongolia"，*Stackholm*，1956—1958；中国社会科学院考古研究所编：《居延汉简甲乙编》，中华书局 1980 年版。

　　②　劳榦：《居延汉简考释·释文之部》，四川南溪石印本 1943 年版；劳榦：《居延汉简考释·考证之部》，四川南溪石印本 1944 年版；劳榦：《居延汉简考释·图版之部》，台北中央研究院历史语言研究所 1957 年版；劳榦：《居延汉简·考释之部》，台北中央研究院历史语言研究所 1960 年版；中国科学院考古研究所编：《居延汉简甲编》，科学出版社 1959 年版；中国社会科学院考古研究所编：《居延汉简甲乙编》，中华书局 1980 年版；谢桂华、李均明、朱国照：《居延汉简释文合校》，文物出版社 1987 年版；台北中央研究院历史语言研究所简牍整理小组：《居延汉简补编》，文渊企业有限公司 1998 年版。

　　③　甘肃居延考古队：《居延汉代遗址的发掘和新出土的简册文物》，《文物》1978 年第 1 期。

　　④　甘肃省文物考古研究所编，薛英群、何双全、李永良注：《居延新简释粹》，兰州大学出版社 1988 年版；甘肃省文物考古研究所、甘肃省博物馆、文化部古文献研究室、中国社会科学院历史研究所编：《居延新简——甲渠候官与第四燧》，文物出版社 1990 年版；甘肃省文物考古研究所、甘肃省博物馆、中国文物研究所、中国社会科学院历史研究所编：《居延新简——甲渠候官》，中华书局 1994 年版。

牍尚未公布。

1998—2002年，内蒙古文物考古研究所在居延遗址继续开展调查发掘工作，共获得汉简500余枚，现藏于内蒙古文物考古研究所。这是继旧简、新简之后的第三次重大发现。《额济纳汉简》[①] 一书包括考古调查发掘工作的简要报道、对简牍的初步研究和图版、释文等内容，是研究这批汉简的基本资料。

居延汉简虽然只是整个屯戍时期文书总量的一小部分，但其内容特别丰富。自旧简公布以来，各类研究论文和著作不断问世，涉及历史学、考古学、古文字学、文献学、文书档案学、中医药学、数学、天文历法、法律、军事、经济和交通等多个方面，是简牍学研究极其重要的一个领域。

第三节 鲜卑遗存的发现与研究

目前考古学所提到的鲜卑，在相当大程度上属于一个"泛鲜卑"概念。起码内蒙古地区发现的自西汉末年到北朝时期的大部分北方民族墓葬，一般研究者都将其统统地归属于鲜卑名下。实际上，这些墓葬首先可能分属于匈奴、乌桓、鲜卑、高车和柔然等不同的古代北方游牧民族；其次，各个北方民族之下又有各自众多的氏族部落部族，如匈奴有独孤、铁弗等部，鲜卑有慕容、宇文、段、吐谷浑、拓跋和贺兰等部。一些学者已经着手对这些墓葬作了初步的分期分区及相关民族、部族的推定研究，但从史料记载这一时期在内蒙古境内活动的鲜卑及其他民族的复杂性来看，这些成果对于较为明晰地厘清当时部落丛杂的局面还是远远不够的。

20世纪30年代，日本学者赤崛英山和江上波夫两次对今包头市达尔罕茂明安联合旗百灵庙砂凹地的6座鲜卑墓葬进行了发掘[②]，从此拉开了内蒙古地区鲜卑考古的序幕。20世纪60年代后，鲜卑考古工作才得以开展。迄

---

① 魏坚主编：《额济纳汉简》，广西师范大学出版社2005年版。

② ［日］江上波夫：《内蒙古百灵庙砂凹地の古坟》，《アジア文化史研究·论考篇》，东京大学东洋文化研究所1967年版。

今为止，内蒙古地区发现的鲜卑墓地约有 40 余处，墓葬数量达 700 余座，经过考古发掘的有 300 多座。大致按照由北向南的顺序排列，这些墓葬包括：呼伦贝尔市的额尔古纳市七卡①、拉布达林②、新巴尔虎左旗伊和乌拉③、陈巴尔虎旗完工④、满洲里市扎赉诺尔⑤、海拉尔区团结⑥、鄂温克族自治旗孟根楚鲁、伊敏车站⑦，兴安盟的科右中旗北玛尼吐⑧，通辽市的科左中旗六家子⑨、希伯花⑩、科左后旗舍根⑪、新胜屯⑫和毛力吐⑬，赤峰市的巴林左旗南杨家营子⑭、林西县苏泗汰⑮、敖汉旗西粉房⑯，锡林郭勒盟的二连浩特市盐池⑰、正蓝旗和日木图⑱，乌兰察布市的商都县东大井⑲、

①　呼伦贝尔盟文物管理站、额尔古纳右旗文物管理所：《额尔古纳右旗七卡鲜卑墓清理简报》，《内蒙古文物考古文集》第 2 辑，中国大百科全书出版社 1997 年版，第 457—460 页。

②　内蒙古文物考古研究所、呼伦贝尔盟文物管理站、额尔古纳右旗文物管理所：《额尔古纳右旗拉布达林鲜卑墓群发掘简报》，《内蒙古文物考古文集》第 1 辑，第 384—396 页。

③　呼伦贝尔盟文物管理站：《新巴尔虎左旗伊和乌拉鲜卑墓》，《内蒙古文物考古文集》第 2 辑，中国大百科全书出版社 1997 年版，第 453—456 页。

④　内蒙古文物工作队：《内蒙古陈巴尔虎旗完工古墓群清理简报》，《考古》1965 年第 6 期。

⑤　郑隆：《内蒙古扎赉诺尔古墓群调查记》，《考古》1961 年第 9 期。

⑥　陈凤山等：《呼伦贝尔市团结墓地》，《内蒙古地区鲜卑墓葬的发现与研究》，科学出版社 2004 年版，第 3—15 页。

⑦　程道宏：《伊敏河地区的鲜卑墓》，《内蒙古文物考古》1982 年第 2 期。

⑧　钱玉成、孟建仁：《科右中旗北玛尼吐鲜卑墓群》，《内蒙古文物考古文集》第 1 辑，第 397—406 页。

⑨　张柏忠：《内蒙古科左中旗六家子鲜卑墓群》，《考古》1989 年第 5 期。

⑩　中国美术全集编辑委员会编：《中国美术全集 10·工艺美术编·金银玻璃珐琅器》，文物出版社 1987 年版，第 21、22 页。

⑪　张柏忠：《哲里木盟发现的鲜卑遗存》，《文物》1981 年第 2 期。

⑫　田立坤：《科左后旗新胜屯鲜卑墓地调查》，《文物》1997 年第 11 期。

⑬　赵雅新：《科左后旗毛力吐发现鲜卑金凤鸟冠饰》，《文物》1999 年第 7 期。

⑭　中国科学院考古研究所内蒙古工作队：《内蒙古巴林左旗南杨家营子的遗址和墓葬》，《考古》1964 年第 1 期。

⑮　林西县文物所：《林西县苏泗汰鲜卑墓》，《内蒙古文物考古文集》第 2 辑，第 461—462 页。

⑯　西粉房墓地为内蒙古文物考古研究所于 2005 年配合赤通（赤峰—通辽）高速公路的考古发掘成果，共清理 13 座鲜卑墓葬。资料待刊。

⑰　宁培杰、魏坚：《二连浩特市盐池墓葬》，《内蒙古地区鲜卑墓葬的发现与研究》，第 106—111 页。

⑱　珊丹、魏坚：《正蓝旗和日木图鲜卑遗存》，《内蒙古地区鲜卑墓葬的发现与研究》，第 103—105 页。

⑲　李兴盛、魏坚：《商都县东大井墓地》，《内蒙古地区鲜卑墓葬的发现与研究》，第 55—102 页。

察右后旗三道湾①、赵家房村②、二兰虎沟③、察右中旗七郎山④、兴和县叭沟⑤、卓资县卓资山镇开元小区⑥、石家沟⑦、察右前旗下黑沟⑧、呼和乌素⑨，呼和浩特市的赛罕区大学路⑩、美岱村⑪、添密梁⑫、土默特左旗讨和气⑬、和林格尔县西沟子村⑭、另皮窑⑮、土城子古城附近⑯、鸡鸣驿⑰、托克托县皮条沟⑱、苗家窑⑲、包头市的达茂旗百灵庙砂凹地、土默特右旗姚齐姬墓⑳、固阳县蒙古族学校、补卜代㉑、九原区阿善沟门、吴家圪旦、稀

①　杜承武、李兴盛：《察右后旗三道湾墓地》，《内蒙古地区鲜卑墓葬的发现与研究》，第 16—54 页。

②　盖山林：《内蒙古察右后旗赵家房村发现匈奴墓群》，《考古》1977 年第 2 期。

③　郑隆、李逸友：《察右后旗二兰虎沟的古墓群》，《内蒙古文物资料选辑》，内蒙古人民出版社 1964 年版，第 99—101 页。

④　王新宇、魏坚：《察右中旗七郎山墓地》，《内蒙古地区鲜卑墓葬的发现与研究》，第 123—183 页。

⑤　兴和县文物普查组：《兴和县叭沟村鲜卑墓葬》，《内蒙古文物考古》1992 年第 1、2 期；崔利明等：《兴和县叭沟墓地》，《内蒙古地区鲜卑墓葬的发现与研究》，第 112—122 页。

⑥　卓资山镇开元小区墓地由乌兰察布博物馆、卓资县文物管理所于 2004 年联合发掘。资料待刊，现藏卓资县文物管理所。

⑦　内蒙古博物馆：《卓资县石家沟墓群出土资料》，《内蒙古文物考古》1998 年第 2 期。

⑧　郭治中、魏坚：《察右前旗下黑沟鲜卑墓及其文化性质初论》，《内蒙古文物考古文集》第 1 辑，第 434—437 页。

⑨　曹建恩、魏坚：《察右前旗呼和乌素墓葬》，《内蒙古地区鲜卑墓葬的发现与研究》，第 184—188 页。

⑩　郭素新：《内蒙古呼和浩特北魏墓》，《文物》1977 年第 5 期。

⑪　内蒙古文物工作队：《内蒙古呼和浩特美岱村北魏墓》，《文物》1962 年 2 期。

⑫　原平：《鲜卑金饰牌及篦纹陶罐》，《呼和浩特文物》第 1 期。

⑬　伊克坚、陆思贤：《土默特左旗出土北魏时期文物》，《内蒙古文物考古》1984 年第 3 期。

⑭　乌兰察布盟文物工作站、和林格尔县文物管理所：《内蒙古和林格尔西沟子村北魏墓》，《文物》1992 年第 8 期。

⑮　内蒙古自治区博物馆、和林格尔县文化馆：《和林格尔县另皮窑村北魏墓出土的金器》，《内蒙古文物考古》1984 年第 3 期。

⑯　内蒙古文物考古研究所：《和林格尔县土城子古城考古发掘主要收获》，《内蒙古文物考古》2006 年第 1 期。

⑰　王大方：《内蒙古首次发现北魏大型砖室壁画墓》；苏俊、王大方、刘幻真：《内蒙古和林格尔北魏壁画墓发掘的意义》，均刊于《中国文物报》1993 年 11 月 28 日。

⑱　金学山：《内蒙古托克托县皮条沟发现三座鲜卑墓》，《考古》1991 年第 5 期。

⑲　石俊贵主编：《托克托文物志》（上），中华书局 2006 年版，第 127—128 页。

⑳　郑隆：《内蒙古包头市北魏姚齐姬墓》，《考古》1988 年第 9 期。

㉑　包头市文物管理处：《包头固阳县发现北魏墓群》，《考古》1987 年第 1 期。

土高新区刘二圪梁①，鄂尔多斯市的准格尔旗西沟畔 M9②、二里半③、伊金霍洛旗阿勒腾席热镇查干庙村索伦沟沙场④、乌审旗巴图湾水库区⑤、毛乌素⑥、翁滚梁⑦、鄂托克旗察汗淖尔等⑧。

宿白《东北、内蒙古地区的鲜卑遗迹——鲜卑遗迹辑录之一》一文，对全国各地发现的鲜卑遗存进行了比定，分别探讨了慕容鲜卑、吐谷浑和拓跋鲜卑等不同鲜卑部族遗存的文化特征⑨。认为完工墓地和扎赉诺尔墓地是拓跋鲜卑南迁大泽时期的遗迹，南杨家营子墓地是拓跋鲜卑南移匈奴故地途中的遗迹，二兰虎沟墓地和百灵庙砂凹地墓地是拓跋鲜卑进入内蒙古草原初期的遗迹，从而利用考古学资料勾画出《魏书·序纪》所记载的拓跋鲜卑从大鲜卑山迁移到阴山以南地区的路线图。从今天看来，这一研究成果虽然存在很多值得推敲之处，但它无疑具有凿破鸿蒙的作用，为以后的鲜卑考古学文化研究开启了一条指导性的道路。紧接着，宿白又连续发表了两篇有关鲜卑考古的重要论文⑩。

1980 年，考古工作者在大兴安岭北段东麓的嘎仙洞发现了北魏太平真君四年（443 年）的石刻祝文，从而确定了嘎仙洞左近的大兴安岭一带即是拓跋鲜卑的发源地大鲜卑山⑪。这一发现无疑是在宿白系列研究成果的基础上，为利用考古学资料探讨鲜卑的历史变迁提供了更加充分的依据和推动力。随之，各种研究文章应运而生，李逸友、干志耿与孙秀仁、靳维柏、陈

---

① 张海斌：《包头市鲜卑墓葬》，《内蒙古地区鲜卑墓葬的发现与研究》，第 189—204 页。

② 林沄：《关于中国的对匈奴族源的考古学研究》，《内蒙古文物考古》1993 年第 1、2 期。

③ 魏坚：《准格尔旗二里半墓葬》，《内蒙古地区鲜卑墓葬的发现与研究》，第 205—207 页。

④ 索伦沟沙场墓葬系由内蒙古文物考古研究所、伊金霍洛旗文物管理所在 2003 年夏天的考古调查中发现，地表暴露一座遭沙场取沙破坏的墓葬，残存少量人骨和一件铁镟。资料待刊。

⑤ 陆思贤：《巴图湾水库区的古墓》，《内蒙古文物考古》1981 年创刊号。

⑥ 内蒙古文物考古研究所、伊克昭盟文物工作站、乌审旗文保所：《乌审旗毛乌素大夏国墓地》，《中国考古学年鉴》（1993），文物出版社 1995 年版，第 113 页。

⑦ 内蒙古自治区博物馆、鄂尔多斯博物馆：《乌审旗翁滚梁北朝墓葬发掘简报》，《内蒙古文物考古文集》第 2 辑，第 478—483 页。

⑧ 1986 年鄂托克旗察汗淖尔苏木发现一批北朝壁画墓，为长墓道单室墓。资料待刊。

⑨ 宿白：《东北、内蒙古地区的鲜卑遗迹——鲜卑遗迹辑录之一》，《文物》1977 年第 5 期。

⑩ 宿白：《盛乐、平城一带的拓跋鲜卑——北魏遗迹——鲜卑遗迹辑录之二》，《文物》1977 年第 11 期；《北魏洛阳城和北邙陵墓——鲜卑遗迹辑录之三》，《文物》1978 年第 7 期。

⑪ 米文平：《鲜卑石室的发现与初步研究》，《文物》1981 年第 2 期。

雍等均发表了有关论文。① 这些文章在具体分辨比较拓跋鲜卑、慕容鲜卑和宇文鲜卑等的墓葬遗存特征上，取得了一些初步的成就。

20 世纪 90 年代之后，发现的鲜卑墓葬数量剧增，使研究人员对鲜卑文化因素差异的分析趋于更加深入细致。乌恩、徐基、田立坤、许永杰、赵越、郑君雷、乔梁等人都发表了富有见地之作。② 乔梁与杨晶合作的《早期拓跋鲜卑遗存试析》和孙进己、孙海合写的《鲜卑考古学文化》也值得一读。③

近年来面世的《内蒙古地区鲜卑墓葬的发现与研究》④ 一书，是一部鲜卑考古学重要著作。该书分上、下编。上编为考古发掘报告，除了兴和县叭沟和察右后旗三道湾这两处墓地⑤，其余十多处墓地均是 20 世纪 90 年代以来内蒙古地区的新发现。下编为研究文章，其中《内蒙古地区鲜卑墓葬的初步研究》一文，全面介绍了内蒙古境内发现的鲜卑墓葬资料，并对这些墓葬作了分期、分区的尝试，总结了各类鲜卑及与鲜卑有关部族的考古学文化特征。该文的大部分结论主要因循了前人的研究成果，其最大的特点在于

---

① 李逸友：《扎赉诺尔古墓为拓跋鲜卑遗迹论》，《中国考古学会第一次年会论文集》（1979），第 328—331 页；于志耿、孙秀仁：《关于鲜卑早期历史及其考古遗存的几个问题》，《民族研究》1982 年第 1 期；靳维柏：《关于鲜卑早期文化的再认识》，《北方文物》1988 年第 3 期；陈雍：《扎赉诺尔等五处墓葬陶器的比较研究》，《北方文物》1989 年第 2 期。

② 乌恩：《试论汉代匈奴与鲜卑遗迹的区别》，《中国考古学会第六次年会论文集》（1987），文物出版社 1990 年版，第 136—150 页；徐基：《关于鲜卑慕容部遗迹的初步考察》，《中国考古学会第六次年会论文集》（1987），文物出版社 1990 年版，第 160—173 页；田立坤：a. 《三燕文化遗存的初步研究》，《辽海文物学刊》1991 年第 1 期；b. 《鲜卑文化源流的考古学考察》，《青果集——吉林大学考古专业成立二十周年考古论文集》，第 361—367 页；c. 《三燕文化墓葬的类型与分期》，《汉唐之间文化艺术的互动与交融》，文物出版社 2001 年版，第 205—230 页；许永杰：《鲜卑遗存的考古学考察》，《北方文物》1993 年第 4 期；赵越：《拓跋鲜卑文化初探》，《内蒙古文物考古》1994 年第 1 期；郑君雷：a. 《察右后旗三道湾墓地文化因素分析》，《内蒙古文物考古》1998 年第 2 期；b. 《早期东部鲜卑与早期拓跋鲜卑族源关系概论》，《青果集——吉林大学考古系建系十周年纪念文集》，知识出版社 1998 年版，第 309—318 页；乔梁：a. 《内蒙古中部的早期鲜卑遗存》，《青果集——吉林大学考古系建系十周年纪念文集》，知识出版社 1998 年版，第 301—308 页；b. 《鲜卑遗存的认定与研究》，《中国考古学的跨世纪反思》（下），商务印书馆 1999 年版，第 483—508 页；c. 《北朝墓葬研究》，《宿白先生八秩华诞纪念文集》（上），文物出版社 2002 年版，第 161—184 页。

③ 乔梁、杨晶：《早期拓跋鲜卑遗存试析》，《内蒙古文物考古》2003 年第 2 期；孙进己、孙海：《鲜卑考古学文化》，《内蒙古文物考古》2003 年第 2 期。

④ 参见魏坚主编：《内蒙古地区鲜卑墓葬的发现与研究》。

⑤ 兴和县叭沟和察右后旗三道湾这两处墓地的资料以前发表过，在本书中又作了补充和修订。

资料索引广博，为后来的研究者提供了非常有价值的参考。

林沄为《内蒙古地区鲜卑墓葬的发现与研究》一书所作的《序》，对目前鲜卑考古研究中存在的一些问题，提出了自己独到的理解。该文首先肯定了以前一些对鲜卑墓葬的研究成果，尤其是乔梁所著《鲜卑遗存的认定与研究》，被认为是自宿白《东北、内蒙古地区的鲜卑遗迹——鲜卑遗迹辑录之一》发表之后，对20年来各种新发现、新见解总结最全面、所考虑问题最周到的佳作。然后就三个方面的问题发表了自己的观点：（1）完工墓地的主要文化因素包括了西汉匈奴文化和汉书二期文化，头宽足窄的木葬具并不是鲜卑所独有的，同样存在于外贝加尔地区的匈奴墓中。《内蒙古地区鲜卑墓葬的初步研究》将二兰虎沟、石家沟墓地定为匈奴遗存，视角独特，但证据不足。（2）南杨家营子墓地出土陶器以往多被认为是从扎赉诺尔到美岱村鲜卑陶器演变序列上的中间环节，但无论从陶器还是葬俗来看，南杨家营子遗存均具有一定的复杂性，目前尚难对其族属作出科学推定。（3）马长寿《乌桓与鲜卑》一书将鲜卑分为东部鲜卑和拓跋鲜卑两大部分，其中东部鲜卑是作者自创的一个分类术语，没有明确界定且自相矛盾，因此不能视为文化分类概念。以后的考古遗存分析不宜再继续使用这个名词。鲜卑墓葬的文化内涵、部族归属等十分复杂，绝不是东部鲜卑和拓跋鲜卑两大系统所能涵盖的。该序立论高屋建瓴，为今后的鲜卑墓葬研究开拓了视野，提出了更高标准的要求。

其他鲜卑遗存，有居址、城址、窖藏和长城等。

鲜卑普通居址发现极少，以位于鄂伦春自治旗的嘎仙洞遗址最为著名。洞内前厅西壁上的石刻祝文被发现后不久，即在洞口部位进行了小规模的考古发掘，出土陶器中的侈口罐及戳印纹、研光暗纹等装饰，均为拓跋鲜卑陶器的典型特征；但它们与后来的拓跋鲜卑陶器相比，还具有很大的原始性，年代至少可早到战国初期[①]。王立新认为嘎仙洞出土的口沿饰珍珠纹的夹砂陶片和夹砂红褐陶鬲足残片，与松嫩平原文化区的主要年代在春秋晚期至西汉时期的汉书二期文化有着密切的关系，甚或就应归属于这一文化；

---

① 呼伦贝尔盟文物管理站：《鄂伦春自治旗嘎仙洞遗址1980年清理简报》，《内蒙古文物考古文集》第2辑，第444—452页。

由于发掘工作中存在着层位混乱现象，这些陶器与早期鲜卑文化之间的关系尚不清楚①。此外，南杨家营子墓地附近曾发现含有陶片的灰土堆积层和灰坑等。

在呼和浩特市区以北的大青山蜈蚣坝坝顶，有一现存主要建筑遗迹为平面呈圆形夯土台基的遗址，或称坝顶遗址。台基底径东西约 35 米，南北约 36 米，高约 5 米。环台基建有两重土墙，距台基西北 120 米和东北 130 米处各有一夯土丘。台基环墙上发现北魏灰色绳纹残砖、素面残板瓦等。汪宇平以为是太武帝拓跋焘所建行宫，即《水经注》里所谓的"阿计头殿"②。苏哲则推测极有可能是北魏白道城下属的烽燧遗址，并为后代沿用③。

属于鲜卑的城址发现较多，包括乌兰察布市的兴和县民族团结乡土城子古城④、化德县七号镇收图古城、商都县大磁子乡大磁子古城、玻璃忽镜乡郭家村古城、察右后旗白音察干镇白音察干古城⑤、韩勿拉苏木克里孟古城⑥、四子王旗乌兰花镇土城子古城、库伦图乡库伦图古城⑦，呼和浩特市的武川县二份子乡二份子古城⑧、大青山乡土城梁古城⑨、回民区攸攸板镇坝口子古城⑩、和林格尔县盛乐镇土城子古城、托克托县古城乡古城村古

---

① 王立新：《中国东北地区所见的珍珠纹陶器》，《边疆考古研究》第 2 辑，科学出版社 2004 年版，第 113—124 页。

② 汪宇平：《呼和浩特市北部地区与"白道"有关的文物古迹》，《内蒙古文物考古》1984 年第 3 期。

③ 苏哲：《内蒙古土默川、大青山的北魏镇戍遗迹》，《北京大学百年国学文粹·考古卷》，北京大学出版社 1998 年版，第 635—649 页。

④ 常谦：《北魏长川古城遗址考略》，《内蒙古文物考古》1998 年第 1 期。

⑤ 李逸友编著：《内蒙古历史名城》，内蒙古人民出版社 1993 年版，第 60 页；李逸友：《中国北方长城考述》，《内蒙古文物考古》2001 年第 1 期；张郁：《内蒙古大青山后东汉北魏古城遗址调查记》，《考古通讯》1958 年第 3 期。

⑥ 乌兰察布盟文物工作站：《察右后旗克里孟古城调查简报》，《乌兰察布文物》1989 年第 3 期。

⑦ 李兴盛、赵杰：《四子王旗土城子、城卜子古城再调查》，《内蒙古文物考古》1998 年第 1 期。

⑧ 乌兰察布博物馆：《武川县二份子北魏古城调查记》，《内蒙古文物考古文集》第 1 辑，第 438—442 页。

⑨ 张郁：《内蒙古大青山后东汉北魏古城遗址调查记》，《考古通讯》1958 年第 3 期。

⑩ 汪宇平：《呼和浩特市北部地区与"白道"有关的文物古迹》，《内蒙古文物考古》1984 年第 3 期。

城，包头市的达茂旗希拉穆仁镇城圐圙古城①、固阳县白灵淖乡城圐圙古城②，巴彦淖尔市的乌拉特前旗苏独仑乡根子场古城、小余太乡增隆昌古城③，鄂尔多斯市的准格尔旗沙圪堵镇石子湾古城④等。

对于古城的历史名称和归属，研究者也提出了一些看法。常谦将兴和县土城子古城考证为拓跋力微于219年依附于没鹿回部大人窦宾之后所建的长川城⑤。汪宇平认为，呼和浩特市坝口子古城即为《水经注》所记之白道城，古城北的大青山蜈蚣坝即白道岭，古城西的乌素图水即白道中溪水⑥。苏哲对坝口子古城为白道城说予以肯定，并认为其在军事上的作用是守卫白道南谷口，但同时又提出白道岭包括了比现今蜈蚣坝更大的范围，北可达武川县城可以力更镇一带，西至土默特左旗毕克齐镇水磨沟，而枪盘河才是当时的白道中溪水⑦。《和林格尔县土城子试掘纪要》提出了土城子古城为北魏北都盛乐城的观点。《内蒙古和林格尔县土城子古城发掘报告》进一步认为，拓跋鲜卑早期的盛乐城是在汉代南城的基础上增筑修补而成的。《和林格尔县土城子古城考古发掘主要收获》介绍了南城和中城都发现有北魏时期的遗迹遗物。苏哲通过调查指出（前揭文），北魏盛乐城的范围至少应当包括土城子的中城和南城。提出土城子的建置沿革为，3世纪末、4世纪初拓跋猗卢居"定襄之盛乐故城"；猗卢六年（313年）"城盛乐以为北都"，似对汉城有所扩建；什翼犍三年（340年）移都于云中之盛乐宫，遂称此城为"定襄之盛乐"；孝文帝迁洛后为云中郡治并置朔州，正光五年（524年）又诏改为云州，孝昌元年（525年）其城陷于破六韩拔陵。

---

①　包头市文物管理处、达茂旗文物管理所：《达茂旗希日穆仁城圐圙古城调查》，《内蒙古文物考古文集》第2辑，第474—477页。

②　内蒙古文物工作队、包头市文物管理所：《内蒙古白灵淖城圐圙北魏古城遗址调查与试掘》，《考古》1984年第2期。

③　李逸友：《汉光禄城的考察》，《内蒙古文物考古》1984年第3期。

④　盖山林：《内蒙古伊盟准格尔旗石子湾古城调查》，《考古》1965年第8期；崔璿：《石子湾北魏古城的方位、文化遗存及其他》，《文物》1980年第8期。

⑤　常谦：《北魏长川古城遗址考略》，《内蒙古文物考古》1998年第1期。

⑥　汪宇平：《呼和浩特市北部地区与"白道"有关的文物古迹》，《内蒙古文物考古》1984年第3期。

⑦　苏哲：《内蒙古土默川、大青山的北魏镇戍遗迹》，《北京大学百年国学文粹·考古卷》，第635—649页。

太武帝拓跋焘年间，为防御柔然的进攻，在阴山一带先后设置了六个军镇，由西向东依次为沃野、怀朔、武川、抚冥、柔玄和怀荒，后来在六镇之间又加筑了许多戍堡。对于六镇中大多数的具体地望，争论颇多，难以取得一致。《内蒙古文物古迹简述》将乌拉特前旗根子场古城指认为沃野镇故城。李逸友的《汉光禄城的考察》认为乌拉特前旗增隆昌古城原是秦汉长城的障址，北魏改筑为戍堡，郦道元在《水经注》中称其为光禄城。《内蒙古白灵淖城圐圙北魏古城遗址调查与试掘》考证白灵淖城圐圙古城为怀朔镇。张郁《内蒙古大青山后东汉北魏古城遗址调查记》考证，武川县土城梁古城为武川镇，四子王旗乌兰花镇土城子古城为抚冥镇或大安郡郡治所在，库伦图古城为柔玄镇或大安郡的属邑。对于张郁提出的土城梁古城为武川镇说，后起的质疑较多，各执一词。《武川县二份子北魏古城调查记》认为二份子古城为武川镇，而土城梁古城应是北魏皇帝的行宫之一；苏哲前揭文推测武川镇可能就在枪盘河上游、今武川县城西部一带，而土城梁古城为呼应武川镇与白道城的镇戍遗址；《达茂旗希日穆仁城圐圙古城调查》一文，推断城圐圙古城为武川镇，而二份子古城则正好处于左右呼应怀朔镇（白灵淖城圐圙古城）和武川镇（希日穆仁城圐圙古城）的位置之上。《四子王旗土城子、城卜子古城再调查》一文，则同意张郁将乌兰花镇土城子古城定为抚冥镇的观点，而认为库伦图古城则是当时根据某种需要增筑的与军事防御设施有关的一座城池。《察右后旗克里孟古城调查简报》考证克里孟古城为柔玄镇。

李逸友在《中国北方长城考述》一文中，对北魏北方镇戍遗址作了通盘的论述考证，对自己以前提出的一些观点也有部分解释、补充和修正。例如，支持二份子古城为武川镇说，对达茂旗城圐圙古城为武川镇说持保留意见；考证克里孟古城所处地区为北魏王朝龙兴之地牛川，而克里孟古城即牛川城遗址；对自己以前在《内蒙古历史名城》中提出的白音察干古城为柔玄镇说予以否定，重新考证该城址为怀荒镇；推测河北省尚义县哈拉沟古城为柔玄镇。

李逸友在对九十九泉地带以前调查所认为的一段战国赵长城遗迹的复查过程中，发现这段墙体并非长城，而是北魏御苑遗址[①]。该遗址位于卓资

① 李逸友：《北魏九十九泉御苑遗址》，《内蒙古文物考古》1998 年第 1 期。

县、察右中旗和察右后旗三旗县交界地段的灰腾梁上，环绕的苑墙呈坐北朝南的簸箕状，总计全长约 40 公里，苑墙内侧有石亭 3 座、望台 38 座。《魏书·太祖纪》记载，道武帝拓跋珪于天赐三年（406 年）八月"丙辰，西登武要北原，观九十九泉，造石亭，遂之石漠"。专供北魏皇帝游幸的御苑遗址就是自此开始动工修建的。

与鲜卑有关的窖藏在内蒙古地区也有发现。主要有商都县大库伦乡石豁子村窖藏①、凉城县小坝子滩窖藏②、达茂旗西河乡前河窖藏③和乌审旗嘎鲁特苏木白音温都窖藏④等。

商都县石豁子村窖藏共出土铜、铁器 11 件，包括铜"大员"壶、三兽足盘、三足镂空器和铁犁铧、犁镜等。陈棠栋认为这些出土物具有祭祀天地祖先的功能，"大员"（"天圆"之意）铜壶、三兽足铜盘、铁犁铧和铁火盆（原报告称作"铜三足镂空器"，不知孰是），分别对应于嘎仙洞石刻祝文中所祭祀的皇皇帝天、皇皇后土、皇祖先可汗配和皇祖先可敦配⑤。

凉城县小坝子滩窖藏共出土金银器 13 件，种类有"晋乌丸归义侯"金印、"晋鲜卑归义侯"金印、"晋鲜卑率善中郎将"银印、刻有"猗㐌金"字样的四兽形金牌饰和其他各种金银牌饰、饰件、戒指等。张景明认为，西晋初年晋武帝司马炎曾对边疆各部族加封，"晋乌丸归义侯"、"晋鲜卑归义侯"和"晋鲜卑率善中郎将"等三颗印信可能就是当时所封发的；四兽形金牌饰所刻"猗㐌金"三字，与《魏书·序纪》所记载的拓跋猗㐌部的活动范围相符合⑥。

达茂旗前河窖藏出土金饰 5 件，包括龙饰 1 件、牛头鹿角饰和马头鹿角饰各 2 件。龙饰龙身用金丝编缀，做绞索式管状空腔，两端为龙头，龙身上

① 内蒙古自治区乌兰察布盟文物工作站：《内蒙古商都县发现北魏窖藏》，《文物》1989 年第 12 期。

② 李逸友：《内蒙古出土古代官印的新资料》，《文物》1961 年第 9 期；张景明：《内蒙古凉城县小坝子滩金银器窖藏》，《文物》2002 年第 8 期。

③ 陆思贤、陈棠栋：《达茂旗出土的古代北方民族金饰件》，《文物》1984 年第 1 期。

④ 伊克昭盟文物工作站：《乌审旗发现北魏窖藏文物》，《内蒙古文物考古》1992 年第 1、2 期。

⑤ 陈棠栋：《商都县出土窖藏铜器、铁器考》，《内蒙古文物考古》1991 年第 1 期。

⑥ 张景明：《内蒙古凉城县小坝子滩金银器窖藏》，《文物》2002 年第 8 期。

还连缀有盾、戟、钺、梳等共 7 件器物，两个龙头可以扣在一起结成一根项链；牛头鹿角饰和马头鹿角饰下部为奇特的动物形象，上部为金枝金叶，是鲜卑上层统治者喜戴的步摇冠。齐东方认为，前河窖藏出土物的年代相当于西晋或稍晚，这些遗物造型奇特，是否属于拓跋鲜卑尚无有力证据；金器上可见多种风格，锤制金片作摇叶为装饰，在慕容鲜卑金器中更为流行，金龙项饰与中原和西方文化关系密切①。

乌审旗白音温都窖藏出土物均为铁器，共 8 件，包括镂 2 件和镶斗、犁铧、锸、镢、斧、铲各 1 件。这些器物中的大部分为铁农具，反映了北魏时期鄂尔多斯地区农业的发展。

北魏长城的主要研究者有艾冲和李逸友等，二人观点有所牴牾。艾冲先有《北朝诸国长城新考》之作②，李逸友在《中国北方长城考述》中多所批评，艾冲再作《再论北魏长城的位置与走向——与李逸友先生商榷》③。二人都同意北魏曾三次修筑长城，分别为泰常八年（423 年）长城、太平真君七年（446 年）"畿上塞围"和太和"长堑"。艾冲认为太和"长堑"筑于太和年间（477—499 年），李逸友具体定为太和八年（484 年），对于三道长城的具体分布走向则争执不一。

第四节　隋唐考古

隋唐考古是指隋唐时期内蒙古地区以中原文化为主体的考古发现，主要包括城址考古和墓葬考古两个方面。

对和林格尔县土城子古城的考古发掘表明，唐以后的遗存见于中城和北城。苏哲前揭文主要依据《元和郡县志》的记载，考证其在唐代的建制沿革：入唐以后，武德四年（621 年）平突厥，于此城置云州，贞观二十年

---

① 齐东方：《鲜卑金银器研究》，《汉唐之间文化艺术的互动与交融》，文物出版社 2001 年版，第 559—577 页。

② 艾冲：《北朝诸国长城新考》，《长城国际学术研讨会论文集》，吉林人民出版社 1995 年版，第 134—142 页。

③ 艾冲：《再论北魏长城的位置与走向——与李逸友先生商榷》，《陕西师范大学继续教育学报》2006 年第 3 期。

（646 年）改为云州都督府，麟德三年（666 年）改为单于大都护府，天宝四载（745 年）王忠嗣移振武军节度使于城内。至五代后唐此城依然为北方重镇，辽代更为县，金代设振武镇，属丰州，此后未设县以上建制。

李逸友《内蒙古托克托城的考古发现》，考证托克托县县城所在地西北托克托古城内的"大皇城"遗址，是唐景龙二年（708 年）张仁愿所筑的东受降城。石俊贵、刘燕通过对托克托县博物馆征集的一方出土于十二连城古城附近的唐白休征墓志的考释，再次证实十二连城古城即是隋唐胜州城。同时认为托克托县蒲滩拐古城是唐宝历元年（825 年）张惟清徙修的东受降城，而托克托县旧城北街山梁前沿台地的汉代烽燧南距蒲滩拐古城 15 公里，与《旧唐书》所记张惟清徙修的东受降城在"绥远烽南"相符合①。

张郁在《中受降城址初探》一文中，初步推断包头市共青农场的敖陶窑子古城为唐中受降城，包头钢铁公司西面的孟家梁古城为敬本故城，而呼延谷系今昆都仑沟，拂云堆指的是昆都仑沟西山诸峰范围内的一座形似笔架的高峰②。刘幻真《唐拂云祠地望考辨》一文，认为敖陶窑子古城中至今仍保留的一座大型建筑台基，很有可能即是拂云祠旧址③。

李作智通过对准格尔旗十二连城古城遗址的调查，以唐开元十九年（731 年）姜义贞墓志铭为线索，认定十二连城乡所在地的五座古城中的一号、五号古城为隋唐时期的胜州州治及所辖榆林县县治所在④。李逸友考证十二连城中的天顺圪梁古城为唐胜州辖下河滨县故城，县东北黄河渡口处设河滨关，该渡口即自郦道元《水经注》所记载以来的君子津渡⑤。

侯仁之考证毛乌素沙漠中的白城子古城为汉代奢延县城、赫连夏统万城、唐代夏州城，毁于北宋；城川古城为唐代元和十五年（820 年）之前的

①　石俊贵、刘燕：《准格尔旗十二连城出土的唐代墓志与东受降城的地望》，《内蒙古文物考古文集》第 3 辑，第 513—516 页。
②　张郁：《中受降城址初探》，《包头文物资料》第 2 辑，包头市文物管理处 1991 年内部资料。
③　刘幻真：《唐拂云祠地望考辨》，《内蒙古文物考古文集》第 1 辑，第 443—445 页。
④　李作智：《隋唐胜州榆林城的发现》，《文物》1976 年第 2 期。
⑤　李逸友：《内蒙古史迹丛考》，《内蒙古文物考古文集》第 2 辑，第 393—411 页。

长泽县城和之后移治的宥州城①。王北辰指出，唐夏州城是唐中期以后边疆高级官员绥银节度使的驻地，长庆四年（824 年）节度使李祐新筑的陶子城古城为城川古城东 30 多里处的大石砭古城②。《唐代河曲的"六胡州"》一文认为，鄂托克前旗敖勒召其古城为唐之兰池都督府城，开元二十六年（738 年）置宥州；鄂托克旗保尔浩绍古城是唐朝在榆多勒城基础上建立的经略军城，并推测它原来可能是汉代北地郡的浑怀障，唐元和九年（814年）置新宥州③。张郁调查了鄂托克旗二道川乡大池古城，并将其初步考证为唐盐州辖下白池县治所，乌兰镇巴拉庙古城为唐兰池都督府治所④。

关于巴彦淖尔市临河区东北的八一乡丰收村古城（即八一乡土城子古城），据王北辰考证，该城并非唐景龙二年张仁愿在汉临河县故址所筑西受降城，而是开元十年（722 年）张说所筑新西受降城，汉临河县县治、唐张仁愿所筑旧西受降城在此城西面，尚未发现地面遗存；今临河区古城乡杨家营古城为唐横塞军城，该城原为突厥可敦城；阿拉善盟额济纳旗马圈古城则是唐宁寇军城⑤。

此外，李逸友《内蒙古历史名城》列举的其他一些隋唐时期古城有：隋代朔方郡所属长泽县故址在今鄂托克前旗城川古城，榆林郡所属富昌县故址在今准格尔旗天顺圪梁古城，金河县故址在今托克托县七星湖附近（已被大黑河冲积土湮没地下），五原郡治丰州城故址在今乌拉特前旗东土城古城；唐代饶乐都督府故址在今林西县樱桃沟古城。

隋代墓葬仅在乌审旗郭梁清理 2 座，墓葬形制均为斜坡式墓道洞室墓⑥。发现或发掘的唐墓较多，有乌审旗郭梁、鄂托克旗大池⑦、准格尔旗

① 侯仁之：《从红柳河上的古城废墟看毛乌素沙漠的变迁》，《文物》1973 年第 11 期。

② 王北辰：《毛乌素沙地南沿的历史演化》，《中国沙漠》1983 年第 4 期。

③ 王北辰：《唐代河曲的"六胡州"》，《内蒙古社会科学》1992 年第 5 期。

④ 张郁：《鄂托克旗大池唐代遗存》，《鄂尔多斯文物考古文集》（内部资料），伊克昭盟文物工作站编印 1981 年版，第 251—254 页。

⑤ 王北辰：《内蒙古后套平原的几个历史地理问题——兼考唐西受降城》，《内蒙古社会科学》1989 年第 5 期。

⑥ 内蒙古文物考古研究所、鄂尔多斯博物馆：《乌审旗郭梁隋唐墓葬发掘报告》，《内蒙古文物考古文集》第 2 辑，第 484—501 页。

⑦ 张郁：《鄂托克旗大池唐代遗存》，《鄂尔多斯文物考古文集》（内部资料），伊克昭盟文物工作站 1981 年编印，第 251—254 页。

十二连城古城城南姜义贞墓①、乌拉特前旗王逆修墓②、托克托县托克托古城南墙东端③、和林格尔县土城子古城周边④及大梁⑤、南园子⑥、清水河县山跳峁⑦、凉城县吉成庄等⑧墓葬。唐墓的墓葬形制一般分为土洞墓和砖室墓两种。土洞墓有直洞室墓和偏洞室墓，砖室墓均为单室，皆由墓室、甬道、墓门、墓道四部分组成。砖室墓多以仿木结构砌成，分为圆形和方形两类，部分内壁绘有壁画。其中清水河县山跳峁墓地原报告定为五代时期，其墓葬形制、出土遗物等与其他唐墓大体相似，应属于同一时期、同一类型墓葬。

　　部分唐墓出土有砖、石墓志，对于当时历史地理的考订，具有很大价值。郭梁唐墓 M1、M5 出土两方墓志。据志文可知，M1 墓主人为曾任唐陇西郡甘州弱水府别将、上柱国等官职的李操；M5 墓主人姓麻，名不清，系唐定远将军。据志文考证，墓地西面约 10 公里处的白城子古城即是十六国时期大夏国赫连勃勃所筑的都城统万城，唐代沿用为夏州所属朔方县县治。准格尔旗十二连城古城城南姜义贞墓出土两块长方形砖墓志，证明位于墓葬北部的十二连城古城即是隋唐时期的胜州城。唐王逆修墓出土墓志一方，可知墓主人王逆修卒于长庆三年（823 年），生前历任天德等军州作坊使、都防御马步都虞候、监察御史等官职，位于墓葬西北的天德军城现已被乌梁素海淹没。此外，内蒙古博物馆在乌审旗征集唐上柱国、赏绯鱼袋权崇墓志一方⑨。和林格尔县土城子古城周边ⅡM242 出土唐单于大都护府左金吾卫大

　　① 李作智：《隋唐胜州榆林城的发现》，《文物》1976 年第 2 期。

　　② 张郁：《唐王逆修墓志铭考释》，《内蒙古文物考古》1981 年创刊号；《唐王逆修墓发掘纪要》，载《内蒙古文物考古文集》第 2 辑，第 502—518 页。

　　③ 李逸友：《内蒙古托克托城的考古发现》，《文物资料丛刊》（4），文物出版社 1981 年版，第 210—217 页。

　　④ 内蒙古自治区文物工作队：《和林格尔县土城子古墓发掘简介》，《文物》1961 年第 9 期；内蒙古文物考古研究所：《和林格尔县土城子古城考古发掘主要收获》，《内蒙古文物考古》2006 年第 1 期。

　　⑤ 孙建华：《和林格尔县大梁村唐代李氏墓》，《内蒙古文物考古》1996 年第 1、2 期。

　　⑥ 内蒙古文物考古研究所、和林格尔县文物管理所：《和林格尔县南园子墓葬清理简报》，《内蒙古文物考古文集》第 2 辑，第 519—524 页。

　　⑦ 内蒙古文物考古研究所、乌兰察布博物馆、清水河县文物管理所：《内蒙古清水河县山跳峁墓地》，《文物》1997 年第 1 期。

　　⑧ 内蒙古文物考古研究所：《凉城县吉成庄遗址发掘简报》，《内蒙古文物考古》2006 年第 1 期。

　　⑨ 丁勇：《唐代权崇墓志浅释》，《内蒙古文物考古》2001 年第 1 期。

将军、试太常卿刘如元墓志一方①。赤峰市阿鲁科尔沁旗白音花苏木乌兰苏
木村发现"大唐营州都督许公德政之碑"残碑额一块②。

　　唐代遗物也有发现。1976 年，在喀喇沁旗锦山镇哈达沟门发现 6 件錾
花银器，其中银盘 4 件，圆罐和双鱼壶各 1 件。银盘的直径普遍在 46—48
厘米之间，錾花有花卉、火焰宝珠、狮子、鹿和双鱼等；圆罐器身錾花有花
卉、鹿纹等；双鱼壶壶身呈扁圆形，由双鱼腹部相连而成。其中 1 件银盘背
底錾刻铭文一行共 55 字，知其为唐朝宣州官员刘赞向朝廷的进贡之物，而
这批银器可能即是宣州当地的手工匠人制造的，为唐代金银器中的精品③。

第五节　突厥、契丹早期和室韦考古

　　内蒙古地区目前发现的突厥遗存较少，对北部草原地区的一些石圈墓和
石堆墓等遗迹还缺乏足够明确的认识，与其他北方民族类似的墓葬遗存难以
完全区分开来。郑隆、丁学芸、魏坚等均对乌兰察布草原、锡林郭勒草原北
部地区调查发现的石圈墓、石堆墓等作了介绍，并部分进行了试掘，推断其
中的一些墓葬可能为突厥遗存。④ 盖山林收录了大量内蒙古北部草原地区的
突厥石雕人像资料，并做了初步研究⑤。丁学芸对苏尼特右旗布图木吉苏木
出土的 104 件金带镳、带銙饰件做了研究，认为这些文物是一条完整的蹀躞
带的组件，推测属于突厥风格的回鹘遗物⑥。

　　敖汉旗李家营子发现的两个土坑墓中出土了一批金银器。其中 M1 出土

　　①　内蒙古文物考古研究所：《和林格尔县土城子古城考古发掘主要收获》，《内蒙古文物考古》
2006 年第 1 期。

　　②　苏赫：《内蒙古昭盟发现"大唐营州都督许公德政之碑"碑额》，《考古》1964 年第 2 期。

　　③　喀喇沁旗文化馆：《辽宁昭盟喀喇沁旗发现唐代鎏金银器》，《考古》1977 年第 5 期。

　　④　郑隆：《略述内蒙古北部边疆部分地区的"石头墓"和"石板墓"》，《包头文物资料》第 2 辑，
包头市文物管理处 1991 年内部资料，第 132—139 页；丁学芸：《阿巴嘎旗巴彦图嘎石人、石堆墓》，
《内蒙古文物考古文集》第 1 辑，第 446—453 页；魏坚、刘红梅、赵占奎：《乌拉特后旗欧布乞石板
墓》，《中国考古学年鉴》（1996），文物出版社 1998 年版，第 111—112 页；魏坚：《正镶白旗三面井与
英图、镶黄旗乌兰沟与乌力乌素元代墓地》，《中国考古学年鉴》（2001），文物出版社 2002 年版，第
134—135 页。

　　⑤　盖山林：a.《内蒙古百灵庙一带突厥遗迹初探》，《盖山林文集》，黑龙江教育出版社 1995 年
版，第 725—761 页，辽沈书社 1992 年版；b.《丝绸之路草原民族文化》，新疆人民出版社 1996 年版。

　　⑥　丁学芸：《布图木吉金带饰及其研究》，《内蒙古文物考古文集》第 2 辑，第 463—473 页。

银器 5 件，包括银执壶、镏金银盘、椭圆银杯、小银壶和银勺各 1 件。M2 出土金带饰 99 件、玛瑙珠 2 件、其他银镯、小银环和镏金铜盒等各一件。报告执笔者认为是一处年代较早的辽代墓地①。齐东方认为，李家营子 M1 出土器物的原产地应在粟特或萨珊王朝的东北部，而以粟特地区的可能性最大，其年代为 7 世纪后半期至 8 世纪中叶②。孙机则认为，李家营子 M1 出土的折肩小银壶和 M2 出土的拱形金銙、金铊、叶形与匕形饰件等金带具，都充满了突厥色彩，两座墓葬均为年代不超过 8 世纪的突厥墓③。

《内蒙古哲里木盟发现的几座契丹墓》④、《契丹早期文化探索》⑤ 二文，对通辽市境内发现的扎鲁特旗荷叶哈达、乌日根塔拉、科尔沁区乌斯吐、科左后旗呼斯淖和库伦旗秦家沟等多座年代在北朝至辽初阶段的墓葬进行了报道，认为其以夹砂大口罐、泥质盘口壶和长颈瓶为固定随葬陶器组合的特征，属于早期契丹文化，是由属于鲜卑文化的舍根文化发展而来的。齐晓光认为，巴林右旗塔布敖包发掘的两座石砌墓与通辽市早期契丹文化墓葬的性质大同小异，应属于同一文化系统⑥。

赤峰市松山区城子乡洞山村南山坡出土 3 件金花银器，有鱼龙提梁壶 2 件、仿皮囊壶 1 件。1 件鱼龙提梁壶通体錾刻直立相对鱼龙两尾，1 件鱼龙变化很大，下半部变成直立相对的凤鸟，仿皮囊壶的主体纹饰为卧鹿纹。项春松认为，这批银器在造型上具有契丹民族特征，是辽代遗物，而在工艺上则具有唐代金银器风格⑦。张松柏等认为其年代不晚于 8 世纪末，当是奚族贵族使用的外来输入品，由于具有明显的波斯风格，推测可能是移居营州的波斯金银器工匠制造的⑧。

---

① 敖汉旗文化馆：《敖汉旗李家营子出土的金银器》，《考古》1978 年第 2 期。

② 齐东方：《李家营子出土的粟特银器与草原丝绸之路》，《北京大学学报》1992 年第 2 期。

③ 孙机：《论近年内蒙古出土的突厥与突厥式金银器》，《文物》1993 年第 8 期。

④ 哲里木盟博物馆：《内蒙古哲里木盟发现的几座契丹墓》，《考古》1984 年第 2 期。

⑤ 张柏忠：《契丹早期文化探索》，《考古》1984 年第 2 期。

⑥ 齐晓光：《巴林右旗塔布敖包石砌墓及相关问题》，《内蒙古文物考古文集》第 1 辑，第 454—461 页。

⑦ 项春松：《赤峰发现的契丹鎏金银器》，《文物》1985 年第 2 期。

⑧ 张松柏、宋国军：《城子金银器研究》，《内蒙古东部区考古学文化研究文集》，海洋出版社 1991 年版，第 73—79 页。

陈巴尔虎旗西乌珠尔清理的6座墓葬，均为长方形土坑竖穴墓，葬具分为独木棺、木板棺和桦树皮葬具三类，随葬陶器夹砂大口罐、泥质长颈瓶与赤峰、通辽一带早期契丹文化的同类器物相似，只是显得更为原始，而且不见后者的典型器物盘口壶。这批墓葬资料系两次发掘所得，分为两次发表，第一次报告认为时代约当唐代中期，为早期契丹人墓葬①，第二次报告认为年代为辽代早期②，赵越撰文推测为室韦遗存③。呼伦贝尔市海拉尔区谢尔塔拉墓地，共清理10座墓葬。形制均为长方形土坑竖穴墓，有木棺，以单人葬为主，也有少数男女合葬墓，流行屈肢葬式，头向朝东南。随葬品相对集中在墓主人头部周围或身体一侧，其中陶器以手制夹砂筒形罐、轮制泥质陶壶为组合，装饰滚压、戳压、压划线形、窝点和细泥条附加堆纹等。出土人骨经鉴定，具有蒙古人种的一般特征，更接近蒙古人种北亚类型。年代测定结果为9—10世纪。发掘者研究认为其与西乌珠尔墓葬属于同一性质遗存，只是年代较后者为晚，族属均为室韦，并对二者提出了"谢尔塔拉文化"的命名④。

　　① 　白劲松：《陈巴尔虎旗西乌珠尔古墓清理简报》，《辽海文物学刊》1989年第2期。

　　② 　呼伦贝尔盟文物管理站：《陈巴尔虎旗西乌珠尔古墓葬调查清理简报》，《内蒙古文物考古》1997年第2期。

　　③ 　赵越：《论呼伦贝尔发现的室韦遗迹》，《内蒙古文物考古文集》第1辑，第598—600页。

　　④ 　中国社会科学院考古研究所、呼伦贝尔民族博物馆、海拉尔区文物管理所编：《海拉尔谢尔塔拉墓地》，科学出版社2006年版，第71—108页。

第　九　章

东胡系各族族名研究及其存在的问题

东胡系各族大体包括东胡、乌桓、鲜卑、柔然、契丹、室韦和蒙古等。其族名依靠古代汉语文献的记载而流传下来，为我们进行相关研究提供了一定的依据。但留存至今的汉文史料很少或根本没有对这些族名的来源、含义等作出明确解释。相关史料的缺乏，使东胡系各族的族名来源、含义很难或根本无法为我们所知。中外一些研究者从各自的角度出发，依据古人某些不着边际的训释或间接的史实，对东胡系各族族名的来源、含义等相关问题提出了各自的看法。今天看来，由于一些族名不具备进行释义研究的可行性，因此，令人满意的结果几乎难以看到。基于此，我们在进行有关族名等专有名词含义的研究之前，似应考虑这样一个问题：在没有明确直接释义的文献记载条件下，对东胡系各族族名（当然应包括其他古代民族的其他译名形式）有必要强行解释吗？

第一节　东胡系各族族名研究

中外史学界关于东胡、乌桓、鲜卑、柔然、契丹和室韦等族名来源、含义及相关问题已有一定研究，本专题试作归纳、总结和述评，旨在使读者了解东胡系各族族名研究的基本情况和存在的问题，并对北方民族专有名称研究方法形成正确认识。

一、东胡

"东胡"一名，最早见于《逸周书·王会篇》。《逸周书》是汇集了西周至汉代资料的一部文献，其中的《王会篇》是战国时期的材料。东胡在战国时已为中原人所知。及至汉代，司马迁在《史记》中更多地记述了东胡的情况，但现存唐代以前史书都没有提及"东胡"一名的来历。唐代，司马贞《史记索隐》引服虔语说："东胡，乌丸之先，后为鲜卑，在匈奴东，故曰东胡。"即东胡一名是因其地望在匈奴（胡）东面而得。显然，东胡是族他称，应是战国时期的中原人对匈奴以东（今内蒙古东部和东北西部）族属、语言、习俗相同或相近的各部落的称谓。

关于"胡"字的来源，中外研究者计有：匈奴一词的急读，匈奴首音"匈"的译音，Oghuz（乌护）的略称，鬼方的"鬼"的音变等说法①。这些观点不但没有文献根据，而且有的明显与史实相悖，如 Oghuz 是晚于"胡"出现的名称，"胡"不可能是 Oghuz 的略称；有的在音韵上说不通，如先秦时，"匈"（晓钟开三）奴（泥模合一）的音值可构拟作 ∗ X iɔŋ-nua，胡（匣模合一）则作 ∗ γua②，"胡"是"匈"的译音或是"匈奴"的急读都不能成立。"胡"原本是匈奴人自称，后为中原人沿用，指称非华夏人。

"东"的含义，有人认为是古代蒙古语"统格"的音讹，意为"森林"③。这显然不符合"在匈奴东，故曰东胡"的记载和东胡一名是族他称的事实。这种说法，在比较语言学上也解释不通。按"统格"即蒙古语"tüng"，是科尔沁和昭乌达方言。《元朝秘史》第50、81、82 诸节音写做"屯"（tün），汉意为"林"。tün 是阴声字，与东（端东开一，∗ toŋ）属阳

---

① 白鸟库吉著，方壮猷汉译：《东胡民族考》上编，商务印书馆 1934 年版，第 10、18 页；冯家升：《匈奴民族及其文化》，载林幹编：《匈奴史论文选集》，中华书局 1983 年版，第 157 页；陶克涛：《毡乡春秋》，人民出版社 1987 年版，第 182 页。

② 古汉字音值的构拟均依据《宋本广韵》中国书店张氏泽存堂 1982 年影印本、王力：《汉语音韵学》中华书局 1981 年、《汉语语音史》中国社会科学出版社 1985 年等，不再赘注。应该说明，同历史学其他研究手段一样，音韵学构拟古汉字音值的正确性不是绝对的。

③ 韩国权：《"蒙古"一词浅释》，《辽金契丹女真史研究》（阜新专号）1987 年第 1 期。

声不合。"胡"的含义，多认为是蒙古语"khun"（人）的意思。这种说法从 20 世纪 30 年代出现，直至 80、90 年代出版的相关著作仍加沿袭。① 这一观点是站不住脚的。"khun"在 13 世纪蒙古语中写作 kühün，有些方言作 kümün，《元朝秘史》译为"古温"（gü'ün），八思巴字作 kuḥun，其中 kümün 与畏吾体蒙古文书写形式相同，也许是更古老的语音②。而胡（匣模合一）在先秦两汉时音值分别是 * γua 和 * γuo，宋、元时为 * hu 和 * xu，同 13 世纪蒙语 kümün 的音值有较大差别。从文献方面看，所谓"南有大汉，北有强胡。胡者，天之骄子也"这句话并不是对"胡"字含义的解释，而是匈奴人崇拜上天心理的流露。它出自匈奴单于之口，也同中原皇帝每每说"承天广运"，并自称"天子"，突厥可汗称自己是上天所立可汗，蒙古汗崇拜"长生天"等是一样的，都是统治者"君权神授"观念的反映。所以，"胡"为蒙古语"人"也没有文献根据。

另外，西方史家兰穆塞（Abel Rémuset）、克拉普罗特（J. Klaproth）、沙畹（Ed. Chavannes）、伊诺斯特兰采夫（G. Inostrancev）等认为东胡是通古斯（Toungouse）的音译。对此，白鸟库吉、冯家升、凌纯声等人在《东胡民族考》、《东北史中诸名称之解释》③、《松花江下游的赫哲族》④ 等论著中作了详细驳证。这一观点，现已无人相信。

根据上述，我们知道东胡的"东"是汉语方位词，具体历史含义是指匈奴的东面；"胡"是匈奴语词的汉语译音用字，并无史可证是蒙古语。究属何意，因无明确记载，目前尚难知晓。"胡"字含义的解读，应寄希望于有明确释义的汉文史料的发现，并同相关民族古文字材料进行比较研究。

二、乌桓

对"乌桓"一名的起源，《后汉书·乌桓鲜卑传》和《三国志·魏书·

---

① 白鸟库吉前引书上编第 18 页。方壮猷：《匈奴语言考》，见林幹编：《匈奴史论文选集》第 534 页；刘学铫编：《蒙古论丛》，台北金兰文化出版社 1982 年版，第 1 页；干志耿、孙秀仁：《黑龙江古代民族史纲》，黑龙江人民出版社 1987 年版，第 59、84 页。

② 参见伯希和：《评长春真人西游记译文》，《西域南海史地考证译丛五编》，中华书局 1956 年版；亦邻真：《中国北方民族与蒙古族族源》，《元史论集》，人民出版社 1984 年版，第 386 页注①。

③ 冯家升：《东北史中诸名称之解释》，《禹贡》1934 年第 2 卷第 7 期。

④ 凌纯声：《松花江下游的赫哲族》上册，国立中央研究院历史语言研究所 1935 年版。

乌丸鲜卑传》裴注引王沈《魏书》都说东胡一部分余众因据保乌桓山而得名。史学界一般采用因山名族的说法。

乌桓，或作乌丸①。桓、丸古代同音，《广韵》俱作胡官切。乌桓含义，中外史家有不同训释。白鸟库吉《东胡民族考》谓乌桓为蒙语 ukhagan—ukhân（智慧、聪明）的对译，并列举古代北方民族中含聪明意的词，如屠耆、毗伽、薛禅等来佐证。乌（影模合一）桓（匣桓合一）的两汉时音值可作 * uɔ-ɣuan，发音虽然与 ukhân 相近，但乌桓一名出现在汉代，ukhân 一词则使用于近现代。汉代，乌桓语中是否有 ukhân 一词，这个词的词源以及后来的历史变化等情况，均杳然不知。况且白鸟所举屠耆等词并非部名族名之例，发音也与乌桓相左，丝毫无助于问题的证明。在没有明确释义的文献记载情况下，白鸟硬将汉代人用汉字译写的族名与近现代蒙古语单词联系在一起，这种做法是不妥当的，结论也不可能正确。类似将乌桓释为 ukhân 的例子，在白鸟的史著中还有很多。如果采取在近现代民族语言里寻找与古代译名发音相近的词，从而得出二者等同结论的做法，似乎任何一个古代译名都能随研究者意愿而得到解释。

丁谦《后汉书·乌桓传地理考证》认为乌桓是蒙古语 ula'an（乌兰、红）的转音。这一说法，在史学界颇有影响，赞同者很多②。按《元朝秘史》、《华夷译语》等书中，"红"作"忽剌安"（hulaḥan），与现代蒙语 ula'an 的差别在于有词首辅音 h。属于今天蒙古语族的达斡尔语、东乡语中"红"的发音仍有 h 辅音，而蒙古语中的词首 h 辅音则在 16 世纪消失了③。乌桓的上古音值是 * uɔ-ɣuan，中古音值是 * u-ɣuan，它的零声母和匣声母，同 13 世纪蒙古语 hula ḥan 的词首词中辅音均有差异。不顾蒙古语 ula'an 的历史变化，仅以乌桓与其发音相近，就遽下断言，结论是靠不住的。没有确

①　《史记·货殖列传》，《汉书·昭帝纪》、《匈奴传》，《后汉书·乌桓鲜卑传》作"乌桓"；《汉书·地理志》，《三国志·魏书·乌丸鲜卑传》等作"乌丸"。

②　就笔者所见，傅朗云、杨旸：《东北民族史略》，吉林人民出版社1983年版，第48页；张博泉：《东北地方史稿》，吉林大学出版社1985年版，第85页；黄烈：《中国古代民族史研究》，人民出版社1987年版，第223页。均袭此说。内田吟风在下引文中虽然也提出了自己的看法，但实际上他赞同丁谦之说，并认为丁说一时难以否定。

③　《元朝秘史》中有许多带 h 辅音的词，而在现代蒙古语中则失掉了，如哈儿班（harban）今作 arban，许孙（husu）今作 usu 等等。

凿证据支持，不加分析就盲目信从，做法是不可取的。

冯家升认为"乌"、"宇"古常通用，"桓"与"文"可以对音，宇文为"草"意，则乌桓原意为"草"①。这也是附会之说。首先，乌桓一名出现在西汉初期，乌桓人是从东胡人中分出的一支，原居住地在今内蒙古东部地区。而宇文一名见于魏晋南北朝史籍，其贵族是匈奴南单于后裔，原居阴山一带，后徙辽西而成为鲜卑部落大人。二者出现的年代、历史活动时期以及活动地域等均无多大关系。其次，宇（云虞合三）文（微文合三）的音值是 *jio-miuan，同 *uɔ-ɣuan 亦大相径庭。

其他如内田吟风说乌桓为"归降者"之意②，则是把乌桓人后来屡屡归降他族的史实附会在族名含义上，其主要依据《魏书·官氏志》"其诸方杂人来附者，总谓之'乌丸'"的记载成说。实际上，这则史料说明南北朝时期，乌桓一名已成为塞外杂胡的称谓。内田一说既不符合乌桓因退保乌桓山而得名的早期记载，也违背了历史发展的先后顺序。在内田氏文中，他还引述了西方史家对乌桓含义的推测，诸如乌桓是古突厥语 uran（贵重物、尊贵者）或 uruq（母系或妻系亲属）的对音等说法，都是没有文献根据，仅凭发音相近就勉强得出结论的例证。从现有的文献记载情况看，乌桓的含义还难于知晓。

三、鲜卑

"鲜卑"一词，早在《楚辞·大招篇》等春秋战国时代的史籍中出现过。作为族名，则最早见载于《后汉书·祭肜传》中。《后汉书·乌桓鲜卑传》和《三国志·魏书·乌丸鲜卑传》及引王沈《魏书》都说鲜卑是东胡余众，因据保鲜卑山而得名。

鲜卑，伯希和（P. Pelliot）认为是根据 *serbi，*sirbi 或 *sirvi 汉译的③。鲜（心仙开三）卑（帮支开三），两汉时的音值作 *sian-pie。根据汉

---

① 冯家升：《述东胡系之民族》，《禹贡》第 3 卷，1935 年第 8 期。
② ［日］内田吟风：《北亚细亚史研究——鲜卑柔然突厥语》，同朋舍昭和五十年版，第 15 页。
③ 伯希和：《吐火罗语考》，中华书局 1957 年版，第 79 页。

代译写规则①，* sian 的-n 韵尾译写的是非汉族语言的-r 尾音，则 sian 可译 siar，则 siar-pie 与 serbi 等可通。

对"鲜卑"一词，前人有所注释。《楚辞·大招篇》王逸注说："鲜卑，衮带头也。"《史记索隐》引张晏语谓："鲜卑郭落带，瑞兽名也，东胡好服之。"《汉书·匈奴传》颜师古注曰："犀毗，胡带之钩也。亦曰鲜卑，亦曰师比，总一物也，语有轻重耳。"由此大略可知，鲜卑原指东胡人喜欢佩戴的一种兽状带钩。鲜卑的含义，人们大都沿袭张晏之说，认为是祥瑞之义②。有的研究者根据文献记载，结合鲜卑考古出土的大量鹿纹图案饰牌、墓碑、器皿，鲜卑墓中殉牲不见鹿以及大兴安岭地区的生态环境适于养鹿等特点，认为鲜卑这种瑞兽是指驯鹿。作为族名，鲜卑是"祥瑞"、"神"之义③，或说其原义是"养神兽的人们"或"养祥瑞的鹿类动物四不像的人们"④。从张晏等人的注释看，鲜卑是指带钩上的一种动物。从属于鲜卑的出土物考察，鲜卑是指鹿类动物，可能是东胡中一部分人把自己的图腾崇拜物用做了族名。这种解释，不无道理。但作为族名，鲜卑意为"祥瑞"或"好"或"养神兽的人们"的说法，只能归于推测和附会。因为张晏并没对"鲜卑"的原本含义作出明确解释，他只是从东胡人把一种动物用于饰物这一点上，意会出"鲜卑"一定是祥瑞之物。所以，根据张晏等人的注释来说明鲜卑的族名含义仍没有说服力。

还有研究者认为鲜卑是蒙古语 siγui（森林）的对音⑤。没有文献根据，对音也谈不上⑥。这种把"鲜卑"同一些发音貌似相近而没有丝毫文献根据的名词硬扯在一起的做法，在清末就已盛行，并对当代一些研究者产生相当大的影响。如"锡伯"、"西伯利亚"也是鲜卑转音，"锡伯"是鲜卑遗民等说法⑦，当

---

① 伯希和：《库蛮》，《西域南海史地考证译丛续编》，商务印书馆 1935 年版。

② 白鸟库吉前引书上编第 26 页；马长寿：《乌桓与鲜卑》，上海人民出版社 1962 年版，第 173 页注①。

③ 干志耿、孙秀仁：《关于鲜卑早期历史及其考古遗存的几个问题》，《民族研究》1982 年第 1 期。

④ 米文平：《鲜卑源流及其族名初探》，《社会科学战线》1982 年第 3 期。

⑤ 苏日巴达拉哈：《蒙古族族源新考》，民族出版社 1986 年版，第 78 页。

⑥ 按蒙语 siγui 即《元朝秘史》中的"石桅"，元代音值为 * çi-k'uəi，与 * sian-pie（鲜卑）不是一回事。

⑦ 何秋涛：《朔方备乘》卷 31，光绪七年刻本；西清：《黑龙江外纪》卷 1，中国书店重印本 1992 年版；李文田：《元秘史注》卷 12，渐西村舍本。

代一些研究者大都相信不疑①。按"锡伯"一词最早出现在 16 世纪末叶。《清文鉴》卷 290 记录有一词，注为蒌草，可音写为 sibe。锡伯族名可能就源于满语 sibe 一词，而 sibe 则来自蒙语 sibege（边栅、边堡，还有牛蒡义）。锡（心锡开四）伯（帮陌开二）明清时音值可作 * si-pe，与 sibe 全同。* si-pe 一名迟至 16 世纪末才见著录，而鲜卑人在南北朝隋唐时已与各族（主要是汉族）融合，锡伯族不可能与鲜卑有直接关系。何秋涛等是仅凭发音相近而武断成说的。锡伯族当源自女真②。西伯利亚的较早形式于《元史·玉哇失传》中作亦必儿—失必儿。《元朝秘史》第 239 节有失必儿，《史集》第 1 卷第 1 分册第 73，第 150 页等作 Ibir-Sibir。作为地名，早期失必儿仅指今俄罗斯叶尼塞河流域以西地区，不是今天西伯利亚所囊括的地理范围。作为汗国，失必儿 15 世纪从钦察汗国分出，16 世纪被沙俄侵占。随着沙俄逐步向东扩张，也把所占地域称为西伯利亚。清人不详西伯利亚的来源和演变，望音生义，将它同鲜卑联系起来，是不对的。现在还一味因循就更不对了。

另外，有的论著提出匈奴须卜氏的须卜是鲜卑音译，又演变为锡伯③。须（心虞合三）卜（帮屋合三）的汉代音值是 * siuɔ-pok，同 * sian-pie、sibe 的韵腹韵尾均有差别，在史料当中，也没有能将匈奴须卜氏同鲜卑或锡伯联系起来的证据。由此推想开来，有关族名的研究，在没有确凿证据的情况下，不能仅从对音角度出发，就将某一族名与其他族名、地名或其他形式的名称简单地联系起来。因为历史的漫长、族名的古老、词源的复杂和地理、语言的隔阂等因素，使族名含义在今天已很难确知。此外，族名研究还往往牵扯到古代民族的族源、族属、历史演变及与近现代民族的关系等问题，所以，应持审慎态度。

① 肖兵：《犀毗·鲜卑·西伯利亚》，《人文杂志》1981 年第 1 期；肖夫：《锡伯族族属浅析》、曹熙：《锡伯族源新考》、米文平：《英雄民族的摇篮》等文，《锡伯族史论考·论文集》，辽宁民族出版社1986 年版；《锡伯族简史》编写组：《锡伯族简史》，民族出版社 1986 年版；白友寒：《锡伯族源流史纲》，辽宁民族出版社 1986 年版等。

② 参阅徐恒晋、马协第：《锡伯族源考略》、《锡伯族史论考》。

③ 杨宪益：《须卜即鲜卑说》，林幹编：《匈奴史论文选集》，《锡伯族简史》，第 8、30 页。

四、柔然

"柔然"一名的来历，《魏书》、《北史》的专传有相同记载："木骨闾死，子车鹿会雄健，始有部众，自号柔然……"可见，柔然是族自称。除柔然外，这一族名还有多种汉字译写形式，《晋书》作"蝚蠕"，《魏书》又作"蠕蠕"，《北齐书》、《周书》、《隋书》作"茹茹"，《宋书》、《南齐书》、《梁书》作"芮芮"。这些不同的译法，当源自不同历史时期的汉语方言。大体上，北朝史书所记柔然族名其他形式的古音为 * n̨iu-n̨io（蝚蠕），* n̨io-n̨io（蠕蠕）或 * cĩ-cĩ（茹茹），南朝史书作 * n̨iuæi-n̨iuæi（芮芮）。从北朝鲜卑人与柔然同族、地缘相近、语言相通等看，应以北朝史书所记接近柔然名号原音。

关于柔然含义，中外研究者说法各异。白鸟库吉认为"柔然之名乃车鹿会之所自命。其必取义嘉好，不待言也"[1]。依据这一主观想象的前提，他相信《宋书·索虏传》"芮芮，一号大檀，又号檀檀"的记载不误，从而认为柔然又称大檀，檀檀即蒙古语 Tsetsen（聪明、贤明）的对音。显然，《宋书·索虏传》所载柔然又称檀檀是将柔然可汗大檀这一人名误记作了族名。况且大檀、檀檀无史可证有"聪明"之意，* dan-dan 与 Tsetsen 亦难对勘。白鸟这一说法早被冯家升先生驳证[2]。对白鸟说，周伟洲先生认为取"大檀"作标准与今日蒙语比较虽有不妥，但薛禅与柔然音相近，故柔然意为贤明、聪明，可备一说[3]。柔（日尤开三）然（日仙开三）可作 * n̨iu-n̨iæn，与 Tsetsen 相去甚远。对音不通，史籍无证，断难成说。此外，藤田丰八认为柔然即 ju-jen，是蒙语 ju'sun 的对音，意为礼义、法则[4]。沙畹同意马伽特（J. Marquart）"Hyaonas"为"蠕"字对音，是"虫"字含义的说法[5]。

---

① 白鸟库吉前引书下编第 67、71 页。

② 冯家升：《蠕蠕国号考》，《禹贡》第 7 卷，1937 年第 8、9 合期。

③ 周伟洲：《敕勒与柔然》，上海人民出版社 1983 年版，第 85—86 页。

④ 参见周伟洲上引书第 82 页。

⑤ 沙畹著，冯承钧汉译：《西突厥史料》，中华书局 1958 年版，第 207 页。

还有学者认为柔然是阿尔泰语的"异国人"或"艾草"之意①。这些说法，因没有可靠文献证据，对音又不严整，至今已无人赞同。

周建奇先生专文阐释柔然族名，在对以上诸说提出质疑基础上，认为柔然一名可能与当时柔然境内的燕然山（即杭爱山）有某种关系②。他认为杭爱山的蒙古语形式作 XaHTaÑ Hypyy，其中的 Hypyy（背脊、山脊、山脉），即古之柔然对音，并且 Hypyy（H）和蒙古尼伦部［niru'（u）n］的名称也是同一个词。根据学者考证，柔然始祖木骨闾所投附的纥突邻部，在女水即今武川县一带游牧。至其子车鹿会稍有部众自号柔然时，仍是一个隶属于拓跋鲜卑，游牧于阴山北面意辛山（今内蒙古乌兰察布高原沙拉木伦河一带）的弱小部落③。至社仑可汗征服蒙古高原各部，建立柔然汗国时，其地域方奄有杭爱山一带。周先生说柔然是以一座足以象征其国土的巍巍大山（指杭爱山）来作为自己的族名，殊不知，自车鹿会自命族名到柔然国土囊括杭爱山已经相隔五代了。可见，柔然族名与杭爱山并无关联。至于尼伦蒙古与柔然也不可能有直接联系。我们知道，柔然衰败于 6 世纪中叶，余众或入中原，或走西方，留居蒙古高原者也为后起之突厥等吞并。而蒙古部在唐代只是额尔古纳河流域的一个小部落，经过几个世纪的发展，到 12 世纪末 13 世纪初，才在蒙古高原兴起。将蒙古早期历史追溯到柔然，结论也是不能使人信服的。

针对上述问题，亦邻真教授《柔然拾零》一文对有关柔然族名的聪明说、法则说、北域说、山脉说及尼伦蒙古与柔然一名的关系等提出了自己的卓见④。

在柔然族名研究方面，近年中外都有将蒙古尼伦部与柔然联系起来的观点出现，其中有的研究者存在着将蒙古族历史追溯得越远越好的思想倾向。

五、契丹和室韦

据《魏书·契丹传》记载，"契丹"一名当在北魏登国年间（386—395年）出现，是族自称。关于"契丹"一名的来源，文献缺载。白鸟库吉说

①　内田吟风前引书第 275—276 页。
②　周建奇：《柔然族名试释》，《内蒙古大学学报》1988 年第 1 期。
③　周伟洲前引书第 89—91 页。
④　亦邻真：《柔然拾零》，《内蒙古大学学报》（蒙文版）1992 年第 1 期。

契丹源自其始祖奇首可汗，"契"与"奇"有关联，"丹"当如西域地名语尾"斯坦"[①]。冯家升认为契丹由宇文部析出，契丹一名为宇文部酋长悉独官、乞得龟、逸豆归等去掉语尾官、龟、归的对音[②]。陈述认为是"悉万丹"别译的可能性很大[③]。这些说法，都没有明确的史料根据，是仅凭契（苦计切，溪霁开四。*k'iæt，又苦结切，溪屑开四，*k'iæt）与奇（群支开三，*gie），契丹（端寒开一，*tan）与悉独（心质开三，定屋合一。*siet-dok）、乞得（溪迄开三，端德开一。*k'iət-tek），逸豆（以质开三，定候开一。*jiet-du）、悉万丹（*siet-miuen-tan）等貌似音近而勉强成说的。另有人认为契丹之名来源于鲜卑段部之"段"[④]，也被证明是不能成立的[⑤]。

契丹的含义，早期历史文献不见记载。及至辽金时期，始有"辽以镔铁为号"的附会。白鸟等人据此而提出契丹为刀剑或钢铁的意思[⑥]，国内学者曾一度普遍接受[⑦]。这则史料的不可靠性已为人所共知，那么，由此得出的结论也是靠不住的。综合起来，关于"契丹"一名含义的说法大致有杀害或切断说、刀剑或钢铁说、寒冷说、类似奚人的人或杂处于奚人中间的人说、奚东（奚的东面）说、大中说、草原、沙漠或与森林相关的意义说，等等。这些说法，有的纯粹从对音角度出发，烦琐地列举许多民族语言或方言的词汇，而没有丝毫可靠证据。如杀害或切断说、刀剑或钢铁说、寒冷说等，都是根据"契丹"的发音与蒙古语等民族文字 kitu-、kutu-、goto-、huitən 等的发音相近而得出结论的。有的找寻一些不能说明问题或根本没有关系的史实来证明，如大中说、奚东说等。虽然大中说提出者，从契丹字研究入手来探寻契丹含义，方法是可取的；但可惜文献记载不充分，并且相关

---

① 白鸟库吉著，方壮猷汉译：《契丹民族考》，《女师大学术季刊》第 1 卷第 2、3 期。
② 冯家升：《契丹名号考释》，见孙进己等编《契丹史论著汇编》（上），内部资料，第 37—42 页。
③ 陈述：《契丹政治史稿》，人民出版社 1986 年版，第 24、26 页。文中另引有大升说，认为刀剑、钢铁等说法牵强。
④ 即实：《契丹国号解》，《社会科学辑刊》1983 年第 1 期。对契丹含义诸说提出质疑。
⑤ 邱久荣：《〈契丹国号考〉质疑》，《中央民族学院学报》1983 年第 4 期。
⑥ 《白鸟库吉全集》第 4 卷，岩波书店昭和四十五年版，第 241—245 页。
⑦ 如冯家升：《契丹名号考释》、张正明《契丹史略》中华书局 1979 年等论著。

契丹字词的释读也存在异议。有的则根据契丹邻族室韦一名的含义来推测契丹之意，如草原、沙漠或与森林相关意义说等。实际上，室韦含义为森林之说并无道理，由此得出的观点其可信程度就可想而知了。至于杂处于奚人中间的人之说，则明显与史实相牴牾：《魏书·契丹传》明言契丹在库莫奚东。并且两族都是在从宇文鲜卑中分离出来时才有族名的。此说提出者还认为契丹不是自称而是他称，由此又提出契丹是类似奚人的人之说。按《新唐书》、《契丹国志》和《辽史》均言："至元魏，自号曰契丹。"可见，是族自称，那么，他称类似奚人的人之说也不攻自破。

关于契丹一名的含义，之所以这样众说纷纭，我们认为根本原因是在没有明确直接释义的文献记载下，任意比对和牵强附会的结果。这种徒劳无功的做法不应再持续下去了。

"契丹"含义的训释，在汉文献缺载的情况下，也许应等待契丹文字资料的进一步发现和解读。

与契丹大约同时见于史乘在契丹北方的东胡系后裔是失韦。失韦首见《魏书》，《隋书》、《北史》作"室韦"。"失"、"室"同音，《广韵》俱作式质切。伯希和认为室韦和鲜卑的词源相同，都是根据 * serbi、* sirbi 或 * sirvi 汉译的[1]。失（或室，书质开三）韦（云微合三）在南北朝时的音值可构拟作 * çi̯et-γi̯uəi，其中声母 ç-与 s-均为清擦音，-t 韵尾译-r 尾音，则 çiet-与 ser-或 sir-可通。声母 γ-为发音甚轻的舌根擦音，则-uəi 与-vi 或-bi（b 弱化即为 v）差异几无。室韦当继承了鲜卑的称谓。元魏之所以另用汉字音写 * serbi，是因为拓跋鲜卑人不愿承认与室韦同源的关系。

室韦的含义，学界多认为是蒙古语 si̯γui（森林）的意思[2]。蒙语 si̯γui 一词在《元朝秘史》中作"石恢"，它在元朝时的音值是 * çi-kʻuəi，与"室韦"在元朝时的音值 * çi-γi̯uəi 虽然有几乎完全相同的声部和韵部，但

① 伯希和：《吐火罗语考》，中华书局1957年版，第79页。

② 吕光天：《北方民族原始社会形态研究》，宁夏人民出版社1981年版，第420页；《鄂温克族简史》编写组：《鄂温克族简史》，内蒙古人民出版社1983年版，第10页；陈述：《契丹政治史稿》，人民出版社1986年版，第20页；苏日巴达拉哈：《蒙古族族源新考》，民族出版社1986年版，第78页；干志耿、孙秀仁：《黑龙江古代民族史纲》，黑龙江人民出版社1987年版，第195页。

我们认为：室韦与 siγui 发音相同是偶然的巧合，并没有文献记载可资证明室韦就是蒙古语"森林"的意思。如果笼统地说室韦人原居于森林之中，因此以森林名族似还不能说服人。因为北朝时首先以"失韦"一名见载史籍的这部分东胡后裔，其活动地域主要在嫩江中下游流域①。从失韦"颇有粟麦及穄，唯食猪鱼，养牛马，俗又无羊。夏则城（巢）居，冬逐水草"②等记载分析，其地理环境应以平原为主，所以，并不能以后来某些室韦人居住在森林之中来以偏概全。在讨论室韦族名问题时，伯希和的观点不应忽视，即室韦和鲜卑的译名根据相同。即在探讨室韦族名问题时，应和鲜卑联系起来。另外，有人承认"室韦"来源于"鲜卑"一词，但认为室韦演变为蒙古语"saibilik"与达斡尔语"sai"（祥瑞）的观点③，我们则不敢苟同。我们认为：脱离文献记载而搞俗词源学的做法，终将无功而返。

第二节　东胡系各族族名研究中存在的问题

综观东胡系各族族名研究概况，我们认为存在着以下问题：

（一）在缺乏明确直接释义的文献记载条件下，仅靠所谓对音得出结论，结论有很大不可靠性。

（二）许多研究者没有对族名的汉字古音作相对严格的构拟复原工作，就与民族文字进行比对，充满了任意性。

（三）没有或很少阐述相应的民族文字的历史及演变情况，仅凭现代发音与某一族名相近就将二者扯在一起，许多观点是非历史的。

上述问题也或多或少地存在于民族史的人名、地名、物名、官名等其他形式译名的研究当中。据此，有必要提出一个译名含义研究的可行性条件：即在没有明确直接释义的文献记载条件下，对译名含义的确切解释是不可行的。如果某一译名具备了这一可行性条件，在具体研究过程中也要大体弄清

---

① 《魏书》卷 100《失韦传》，参见张久和：《南北朝隋唐时期室韦地域考》，《内蒙古社会科学》1991 年第 5 期。

② 《魏书》卷 100《失韦传》。

③ 郑英德：《试论室韦是蒙古族源》，《北方民族关系史论丛》第 1 辑，内蒙古人民出版社 1984 年版。

楚以下几个问题：（1）这一译名最早出现在哪一历史时期，最早见于何种典籍，是由古代中原史家由何种语言音写记录下来的。这主要是为利用音韵学手段构拟这一译名的古代音值作准备。（2）这一译名在某一特定历史时期相对正确的读音，亦即利用音韵学手段尽可能将译名复原，并阐明当时的译写规则和惯例。只有辨明这一译名的古代音值，才有可能同相应的民族文字作比较研究。虽然汉字音值构拟的准确性是相对的，但如果文献记载的具有明确释义译名的音值与民族文字的发音、含义相符，那么，得出的结论便具有可靠性。（3）与这一译名有关的民族文字的现状和历史演变，其中要阐明相应民族语言、文字的特点、发音和变化规则等等。最后，将这一译名同民族文字进行比较研究。概括而言，对译名的释义研究，首先，研究者要掌握明确的直接的文献记载和相应的文献学知识，其次，要具备汉语音韵学和民族语文学知识。由于汉文文献记载有明确释义的译名很少，并且历史上的民族同化使绝大多数古代北方民族的语言消失，因此，对译名含义的研究应持慎重、严谨的态度。

第　十　章

中国古代北方游牧民族政权及其政治制度

10 世纪以前在内蒙古地区建立或统治内蒙古部分地区的游牧民族政权，相关民族有匈奴、东胡、乌桓、鲜卑、拓跋鲜卑、柔然、突厥和回纥等。这个历史时期内的各个游牧民族，在建立政权以前，大多经历了具有鲜明的游牧、狩猎特征的部落联盟时期，并且对后来所建政权以及各项制度的建立，有着不可忽视的渊源和传承关系。

第一节　匈奴政权及其政治制度

以往的研究普遍认为，匈奴是第一个建立了游牧政权的中国古代北方民族。按照现存历史文献记载，在匈奴政权建立以前，北方草原上确实没有出现过本族人口数量占有绝对多数、使用着同一种语言、活动地域如此广阔、有明确的政权组织形式的集团。因此，至少在目前，可以将匈奴政权列为北方民族政权建设的滥觞。但是，第一个建立的政权，只是一个时间定位。对于这个政权的性质，则要进一步考察。迄今为止，多数研究北方民族政权的论著，几乎都将北方民族早期的政权定位为游牧奴隶制。即使有不同意者，也并没有将早期的北方民族政权的性质向奴隶制以前或以后的政权性质延伸。在研究中我们注意到，对于北方民族政权的定位，既不能依据传统的史学分期法，硬将人类社会发展的一般规律套在北方游牧民族政权身上；也不能单纯注意北方游牧民族的特殊性，忽视了在其起源、发展过程中同周边民族和政权的关系。在古代中国，尤其要注意其同中原地区农业民族政权的交往。如果注意了这种交往，我们就会理解今天从古代文献中看到的关于匈奴的历史，基本是由中原地区的史学家用汉文记载下来的。这样，反映北方民族历史的汉文史料中，许多内容都与中原地区传统的政治、经济、文化习俗有关，匈奴的职官制度中就大量存在此类问题，这是在研究中必须要辨析的。

在内蒙古地区古代历史中，匈奴政权是建立最早，具有典型游牧特征的政权。在相关论著中，一般都将冒顿单于视做这一政权的创建者，即内蒙古地区史上第一个北方民族政权是冒顿单于建立的。对此，笔者不敢苟同现行的学术定位。

研究政权问题，首先要回答什么是"政权"？现代人对政权的界定，多为占有统治地位的集团行使统治权力的组织机关；作为国家政权，则是行使国家权力以及管理国家事务的组织机关。我们今天对历史上各个民族建立的政权的研究，基本上也是按照这个思路进行的。当然，古代政权、特别是古代北方游牧民族政权未必有这么规范。进而也就有一个如何确定具备哪些条件才能被视为已经建立的北方游牧民族政权的问题。从一个政权应当具备的基本要素来讲，至少应当包括：拥有最高统治者或最高权力机关；拥有比较完善的行政或军事指挥体系；拥有具有量刑、审判功能的组织部门。管理功能的正常发挥是这个政权生命力的表现。对于古代北方游牧民族政权来讲，由于其生产力、生产方式具有特殊性，全面具备这些要素往往都是在较多地吸收了中国古代中原地区的统治方式以后。那么，是不是说没有全面具备这些要素就不能视为政权呢？回答是否定的。中国古代北方游牧民族有自己的生产、生活方式，也有适合于本民族的统治方式，行使统治权力的政权机关也与自身的生产方式相适应。匈奴政权的突出特点就是以"单于"为最高权力的拥有者。有了"单于"，这个政权的核心也就形成了。如果再有一些其他相应的管理部门或职官，就可以认为该政权已经建立。按照这样的思路，匈奴政权建立的时间就值得商榷了。

一般认为，匈奴政权的建立，以冒顿杀其父头曼单于自立为匈奴单于为证明。当然，从对匈奴历史的影响来讲，这个事件是可以认定的。但作为匈奴政权建立的最早形态，认为冒顿创立了匈奴政权，这个历史事件的点位却不恰当。因为在头曼时代，已经可以见到匈奴政权的轮廓。根据现有史料记载，匈奴政权的创立者是头曼而不是冒顿。

匈奴"单于"的存在是头曼时代匈奴政权已经创建的一个证明。

史载，秦始皇灭六国后，"使蒙恬将十万之众北击胡，悉收河南地"；又载，"当是之时，东胡强而月氏盛。匈奴单于曰头曼，头曼不胜秦，北徙"①。

在这两条史料中，与匈奴政权直接有关的就是"单于"。"匈奴单于曰头曼"的提法，确定了匈奴人的最高统治者为"单于"，遗憾的是，这里没有表明单于是从何时出现的。具体来讲，也就是在头曼以前是不是已经有"单于"史书没有记载。不过，从存疑的角度讲，头曼以前有没有单于还不能轻下结论。这个问题从司马迁的论述中也可以有所觉察。《史记·匈奴列传》说："自淳维以至头曼千有余岁，时大时小，别散分离，尚矣，其世传不可得而次云。"显然，司马迁还是想对冒顿以前匈奴职官的情况进行追述的，但匈奴"世传"已难连贯叙述下来无疑是当时写史的一个困难。既然有"世传"，头曼以前就存在"首领"（或许就是单于）的继承制。另有一条史料值得注意，即："蒙恬将十万之众"击匈奴，这说明匈奴的力量已经达到需要重兵出击才能奏效的程度。这种出兵十万的情况，就是在后来冒顿时期也不多见。由此可以基本断定，头曼时期匈奴的力量已经很强大了。还有一个值得注意的问题，就是头曼与"所爱阏氏，生少子，而单于欲废冒顿而立少子"②。这里谈到的是匈奴人在"单于"位置继承方面的问题。从字面分析，以年龄较长的儿子继承是可以肯定的。我们且不论头曼是如何当上单于的，至少在他那个时代，匈奴社会已经在实行单于的继承制了。因此，从理论上来讲，当时匈奴的统治体制已经以"单于"为核心了，而且，特权阶层亦已存在。权力被运用在管理匈奴部族事务以及对周边其他民族交往的各类事务中。在这一点上，应当说是具备了政权的特征。

那么，除了单于以及单于继承制以外，到冒顿单于时期的匈奴政权以前，还有没有其他与政权相关的史料呢？应当说是有线索的。《史记·匈奴

---

① 《史记》卷110《匈奴列传》。
② 《史记》卷110《匈奴列传》；《汉书》卷94（上）《匈奴传》。

列传》记载的冒顿从月氏逃回来以后，头曼令其"将万骑"，就值得关注。匈奴是军政合一的政权，谁能统辖多少"骑"，标志着权力的大小。而且，要取得这个权力，就连亲儿子也需要由单于来授予。对"万骑"的指挥权已经是相当可观了，基此亦可知在"万骑"之下还存在着不同的等级。当然，此时的"万骑"之长与后来冒顿时期职官体系中的"万骑"长还不一样，但也可以看做是"万骑长"的雏形。冒顿对万骑的训练和指挥也说明管理方面万骑长的权力。

头曼时期，除"单于"、"万骑长"之外还有其他职官。史书记载，当冒顿杀掉头曼后，"遂尽诛其后母与弟及大臣不听从者"。所谓"大臣"，当是拥护头曼单于的匈奴官员。而"尽诛"之说，表明官员是有一定数量的。这也从一个侧面印证了在头曼时代存在着职官体系，"大臣"只是一个笼统的称谓。当然，这些记载全是汉人史家留下来的，会有不准确的地方，至少"大臣"就不是匈奴职官的名称。但是，如果反过来分析，正是由于汉人对匈奴职官或政权了解得不全面，才会把常见的、印象最深的记载下来，也会漏掉许多不明白的。据此，我们虽然不能十分肯定头曼单于时代匈奴有没有体制完备的政权，却可以初步肯定当时已有了一个政权创建时所应当具备的相关要素。

除以上谈到的史实之外，还有与头曼同时代的东胡、月氏的情况作为旁证。以往的研究，多数论著都注意冒顿对东胡、月氏的征讨，但却忽略了从政权的角度认识匈奴、东胡、月氏的关系问题。与匈奴头曼单于处在同一时代的东胡、月氏，强盛程度并不在匈奴之下。《史记·匈奴列传》记载："当是之时，东胡强而月氏盛。匈奴单于曰头曼。"但在头曼时期却把冒顿送到月氏当"人质"，这证明匈奴十分在意同月氏的关系。而将自己的儿子送到邻国为"质"，也说明力量不如人家强大，这也是一般的道理。同样，东胡的力量也不是匈奴可以小视的。就连建立在古代北方农业地区的燕、赵、秦三个政权，为防备北方的游牧民族，也分别修筑长城，派重兵驻守。活动在偏东部地区的东胡，虽然被燕将秦开击败，却很快就又强大起来。而且，头曼单于时代并没有战胜或重创东胡势力的记录。即使在冒顿单于时，也是经过再三准备才击败东胡的。所以，如果匈奴在头曼时代已经创建了政权，那么，月氏与东胡也不会例外。三个游牧民族政权谁先建立，谁更完善，现有史料还不能说明。但是，以往学术界视冒顿单于的匈奴政权为中国古代历史上建立的第一个北方游牧民族政权的论点就值得商榷了。而东胡、匈奴、月氏谁先建立政权也当进一步研究。

经过以上论证，如果从匈奴政权演变的整个过程来看，应当将其大体分为三个阶段：头曼单于时期的创建阶段；冒顿单于时期的完善阶段；南匈奴及以后的逐步解体阶段。创建阶段政权机构的体系比较模糊，后两个阶段在主干上是基本一致的。

匈奴政权的统治中心是"单于庭"①。随着历史的发展，"单于庭"的地点也在发生变化。头曼单于时期，单于庭当在今内蒙古中西部的阴山、河套地区，或与此相对应的北部地区。《汉书·地理志》五原郡条下记载："北出石门障，得光禄城，又西北得支就城，又西北得头曼城。"② 头曼城应是较早的匈奴政权的统治中心。后来，大约在冒顿单于击败东胡以后不久，匈奴"单于之庭直代、云中"③，很明显，这时的单于庭已经向东移动。这是一个大致的范围，相当于今天内蒙古呼和浩特地区的北部以及山西省的北部地区。也可以理解为单于庭的直辖地域。在这么大的地区内，单于庭到底在哪个具体点位上并不明确。不过，无论是头曼时代还是冒顿单于时代以至以后，匈奴的单于庭多因其控制地域中心的变化而变化，也随时因单于所在地的变化而变化，并不是严格地固定在某一个具体地点。这充分显示了游牧民族政权机构的特点。这种活动性强的特点是与其生产、生活方式相适应的。冒顿时代以"单于庭"为中心形成的匈奴政权的统治区域，东边直达辽河流域，西边延伸到葱岭一带，北部深入漠北草原，南部与中原政权的缘边郡县毗邻。这在内蒙古地区古代历史上是第一次。以后匈奴政权的控地范

---

① 对"单于庭"的"庭"字的解释，司马贞为《史记》作的《索隐》谈到："谓匈奴所都处为'庭'。乐产云'单于无城郭，不知何以国之。穹庐前地若庭，故云庭'"。由此可知，单独将"穹庐"理解为"单于庭"是不妥当的。而"穹庐前地若庭"之说，也是汉人的直观印象。那么，对"庭"的解释，就是根据汉人的习惯，为"院子"、"庭院"之意。但单于庭是否如此，没有更直接的资料证明，还存疑。若从政权角度理解，这条史料是将单于庭作为统治中心解释的，在研究中可供参考。

② 《史记》卷110《匈奴列传·正义》所引与此同（第2916页）。

③ 《史记》卷110《匈奴列传·正义》释此条之意为"代郡城，北狄代国，秦、汉代县城也，在蔚州羌胡县北百五十里。云中故城，赵云中城，秦云中郡，在胜州榆林县东北四十里。言匈奴之南直当代、云中也。"

围，或大或小，都是在这个基础上演变的。而且，其他北方游牧民族政权统治地区的主要部分，也大体上在这样一个范围之内。

匈奴的活动中心，除了"单于庭"外，还有因季节和活动不同而设立的另外两处。一是"茏（龙）城"；另一是"蹛林"。在以往的研究中，一般都比较模糊地谈到单于庭与"茏（龙）城"、"蹛林"的关系。实际上，如果按照文献的记载，三者还是有区别的。《史记》记载为："岁正月，诸长小会单于庭，祠。五月，大会茏城，祭其先、天地、鬼神。秋，马肥，大会蹛林，课校人畜计。"①《汉书·匈奴传》记载大体相同，仅将"茏"字改为"龙"。《后汉书》记载为"匈奴俗，岁有三龙祠，常以正月、五月、九月戊日祭天神"②。针对史料中的差异，主要疑问在于单于庭、茏（龙）城、蹛林在匈奴政权中的实际作用，所处的地位和从事的活动有没有区别？

对此，应当根据其发挥的作用来具体分析。正月在"单于庭"所从事的是高层次的、小范围的祭祀活动。祭祀的对象虽没有表明，却只有单于以及"诸长"级的贵族才能参与。这条史料也反映出匈奴高低贵贱的等级区别已经深入社会生活的各个方面。

对于"茏城"或"龙"城以及"龙祠"，都是指的一个大规模的祭祀地点，与单于庭在地理位置上会有联系，但两者又有区别。这里，首先应当注意的是三条史料中都有一个"龙"字。而且，司马贞为《史记》作的《索隐》，专门引入了崔浩的解释，即："西方胡皆事龙神，故名大会处为龙城"③。"西方胡"不像是指一个民族，是不是匈奴暂不探讨，但"龙"却是汉人史家的认识。"胡"是汉人对秦汉时代活动在北方草原地区的游牧民的称谓。《索隐》中西方的"胡"，很可能指的是月氏。匈奴敬龙神，就渊源来讲，应当有三种可能：匈奴本族故有的习俗；受西方胡影响；受中原汉人影响。以"茏城"命名祭祀地点，说明这项活动是受到高度重视的。但是，"茏"与"龙"在写法上的区别还是值得推敲的。"茏"，在《现代汉语词典》中的解释为"茏葱"，是"（草木）青翠茂盛"的意思。而把

①　《史记》卷110《匈奴列传》。
②　《后汉书》卷89《南匈奴列传》。
③　《史记》卷110《匈奴列传》，《索隐》第2892页。

"龙"字单独拿出来，所有的解释中也没有与草木以及植物生长状态有关的意思。加之这两个字是汉人史家的记载，其本身就是对匈奴这个祭祀地点整体场景自然状态的描绘。所以，"茏城"实际上是一个水草很好的祭祀地点，或者可以说是一个风水宝地。这类大型的祭祀活动选择在这样的地方是合乎情理的。史料中记载的"大会"，也透露出"龙城"是不同于"单于庭"小会的。即使是崔浩对西方胡祭祀的解释也是"大会"，并不是"诸长"所参与的小会。所以，他的记载是与《史记》"五月，大会龙城"相对应的，是大范围的、凡匈奴人皆可以参加的活动。《后汉书》虽未提大小，但却将其视为"匈奴俗"，范围亦很广。可以肯定，在规模上不同于正月的"小会"。再一个应当注意的是"茏（龙）城"的"城"字，也不是史家随意添改的。如此大规模的祭祀活动，应当有一个集中祭祀的场所。前来祭祀的人们，要分别祭奠祖先、天地、鬼神。这种活动，单于和"诸王"是要参加的，但祭祀的中心却不会设在"单于庭"，也不会远离单于庭，最大的可能是设在距离单于庭比较近的地方。即使匈奴的政治统治与祭祀活动有十分紧密的联系，在祭祀时也会有专门的场所。从这个意义上讲，单于庭是统治中心，不是祭祀中心，两者是有区别的。这样，对于这个"城"字的理解，从游牧民族的活动规律来看，是临时性的、以一个用于集中祭祀的建筑为中心的建筑群。但是，这个建筑群不是中原地区式的固定性很强的城镇，而是以参加祭祀活动的单于大帐为核心的车帐式的游牧建筑群。如果单于庭所在地有变动，也不排除"茏城"随之变动的可能。不过，一般来讲，任何一个民族祭祀祖先的地点是不会发生变化的，除非有重大的、民族整体性的迁移。前文谈到，匈奴单于庭所在地有过变化，而在大的范围内却没有离开阴山、河套地区。所以，即使"茏城"不随着单于庭而迁徙，每年的祭祀活动在没有大规模战争的情况下也还是可以在"茏城"举行。

第二次大规模的活动是在"蹏林"，地点在哪里也不清楚。根据所从事的活动"课校人畜计"分析，匈奴单于也会参加，但地点是否会在单于庭则应当讨论。从活动的内容来讲，"课校"当是对人口和畜产品进行全面的统计。这项活动安排在秋季，正是当年的收获季节，能够比较全面地反映当年人口、畜产品的增减情况。匈奴各个阶层都会关心这项事务。关于这次活动，《史记》裴骃"集解"引《汉书音义》解释为"匈奴秋社八月中皆会祭处。蹛音带"；张守节"正义"引颜师古的解释则说："蹛者，绕林木而祭也。鲜卑之俗，自古相传，秋祭无林木者，尚竖柳枝，众骑驰绕三周乃止，此其余法也。"① 两条解释中都没有涉及"课校人畜"的事，比较一致的是提到了"祭"，以及"祭"的时间和形式。其中"皆会祭处"，则说明是一次规模盛大的活动，与《史记》正文的"大会"相吻合。将这个习俗归于从鲜卑旧俗延续而来不能说没有道理，因为匈奴与东胡的确是有过密切的接触，而鲜卑又是东胡中较有代表性的一部分。综合以上记载，"蹛林"这次活动的形式很特别，即使就是祭祀，也要在有林木的地方，如果没有还要临时插柳枝以代替林木。很明显，这样的活动需要有比较宽广的场地，与正月、五月那种祭祀活动是不太一样的。这种匈奴部众都要参加的大规模聚会，还涉及生活、安全等诸方面的问题。所以，按照史料记载分析，应当是在水草适宜、有林木、也适合安排部众生活、单于大帐又有较好安全保障的地区。由于单于庭具有移动性，也不排除"蹛林"随之变动的可能。

还应当指出，三次祭祀也好，集中会面也好，所涉及的正月、五月、九月，也都是汉籍的记载。史书称匈奴人"不禀中国正朔"②。匈奴人能够按时聚会，也当有比较科学的测算季节的方法。遗憾的是，就连汉人撰写的史书中也没有留下可供参考的痕迹。

综上所述，单于庭、"茏城"、"蹛林"应当具有不同的作用。由于单于庭作为统治中心没有大的疑问，所以，"茏城"、"蹛林"两次大型活动也会各有特色，一般来讲，地点也随单于庭的变更而选择。而在冒顿单于时期，三次活动的地点就在云中郡、代郡以北地区。

史料缺载匈奴政权形成时间，但从冒顿单于时期匈奴各类职官大量出现的事实分析，这个时期匈奴政权的框架是比较完整的。选择这个匈奴政权全面建设的关键时期，结合南匈奴时期的一些变化进行研究，可以大体窥见其基本面貌。

冒顿单于时期的匈奴政权，是以单于庭居中，以左、右贤王庭驻牧于两翼的游牧政权特有的行政格局为特征的。统治集团的高层成员有左右贤王、

① 《史记》卷110《匈奴列传》。
② 《晋书》卷97《北狄·匈奴传》。

左右谷蠡王、左右大将、左右大都尉、左右大当户、左右骨都侯，以下再设置不同等级的职官，构成了与匈奴生产和生活相适应的游牧政权体制。

匈奴政权按地位高低呈现中、左、右特征。但是，由于匈奴没有本民族的文字，所以，我们今天研究匈奴以及与匈奴相关的所有问题，都要依据中原政权史家留下的"正史"，参考相应的考古资料。那么，在对匈奴政权组织形式的定性问题上就存在按照什么原则去把握的问题。我们在"正史"中见到的匈奴政权的情况，与匈奴历史的真实是否一致，"正史"修撰者根据中原人对匈奴的了解和看法记载的史实的可信度如何，均应当有一个基本估计。而且，这是在研究中回避不了的。对此，如果客观地讲，中原政权的修史者根据从各种渠道对匈奴的了解，记载了匈奴历史的说法当是最接近事实的。基于对史料的这样的看法，在研究匈奴以及相关的一些古代民族的历史时，联系相同时代或比该民族兴盛时期稍早一些的中原政权的历史内容进行比较研究是十分必要的，尤其对政权机构的研究更是如此。

匈奴政权中、左、右格局是研究时首先应当关注的。对于这个格局，是定位为左、中、右，还是中、左、右，从表面看似乎只是形式不同而已，实际却涉及对匈奴最高权力所在位置的定位。以往的论著中，陶克涛的《毡乡春秋》（匈奴篇）对这个格局予以肯定[1]，并且从军事角度进行了论证。实际上，如果从政权角度来看，这个中、左、右形式中还有一些值得注意的内涵。就匈奴政权来说，直接涉及权力大小的分布，而权力大小与其政治地位是相应的，军事指挥权亦由此而定。从古代北方各个游牧民族政权建设的历史来讲，也关系到对后代鲜卑等族的研究。因此，准确的表述是必要的。在对内蒙古地区历史的研究中，确定了匈奴统治中心——"单于庭"的位置，也就大体确定了其所对应的今天内蒙古某个局部地区的位置，有助于准确地研究相应的历史事件。

据史书记载，左、右之分的职官体制在中原政权中早就存在。《史记·秦始皇本纪》记载，秦始皇三十七年（前210年），"始皇出游，左丞相斯从，右丞相（冯）去疾守"。左右之分十分明显。然而，这也不是最早的。据东汉时期的郑玄《礼记·祭义》"注"，有"周尚左也"之说。可见，西

---

[1]　陶克涛：《毡乡春秋·匈奴篇》，人民出版社1987年版，第280页。

周时期就已经有了尚左之俗。不过，西汉初年，丞相级的高官是有左右之分的，而且是右丞相尊于左丞相。但到了汉武帝时期则出现了变化，比较全面地将尚右改为尚左。丞相如此，军队的左、右将军等也如此。更应当注意的是，这个习俗被"正统"皇朝所延续。司马迁写《史记》，对匈奴政权机构的记载，同样谈到了左、右的问题。在研究匈奴政权的这种格局时，我们没有匈奴本族的资料来证明是匈奴自己创立了中、左、右政权框架的。但是，匈奴的历史是中原史家记载的却是可以肯定的。司马迁就明确谈到"其世传国官号乃可得而记云"①。"可得"者就记载下来，而且是"世传国官号"。这就表明了两种意思，即汉人史家所了解的就记载了；已经记载的官号不是全部也不是初设，而是相传已久。所以，根据现有的历史资料，对匈奴左、右贤王的划分形式的认识，应当考虑中原政权的尚左、尚右习俗在记载匈奴历史过程中的历史影响。

匈奴政权的建立，改变了中国古代北方的历史格局，在内蒙古历史上也是具有划时代意义的事件。因为，在匈奴政权建立以前，北方草原有没有游牧民族建立的政权尚没有具有说服力的印证。《史记》卷110《匈奴列传》仅有"百有余戎"都"各有君长"的记录。《晋书》卷97《北狄·匈奴传》中也提到"匈奴地，南接燕赵，北暨沙漠，东连九夷，西距六戎。世世自相君臣，不禀中国正朔"。而所谓"君长"、"君臣"，显然是汉人史家的看法，并不准确。只能说明当时的北方游牧各族是有一定的群体，各个群体又有自己的头领。如果从当时活动在秦、晋等边郡的游牧群体的情况分析，各个群体则基本呈规模较小，没有比较固定的区域，各自为政，分散性很强的状况。

随着历史的演进，当匈奴被农业民族进一步了解时，他们已经作为一个比较庞大的族群活动在北方草原。其主要活动地区的南部是燕、赵、秦三个政权的边境地带。史书中有时称之为"胡"，有时称之为"匈奴"。与匈奴同时存在的以游牧为主的还有偏驻于西方的月氏和活动在匈奴东部的东胡。实际上，包括匈奴在内，都还不能说是一个民族，而是包括语言大体相通、分散活动、各有大小头目统领的游牧群体。

---

① 《史记》卷110《匈奴列传》。

　　当史书中第一次出现与政权或制度相关的内容时，匈奴政权是最为完整的。这也与匈奴以各种形式接触中原较多、对中国古代正北方的历史影响较大有关。匈奴政权的总体情况在《史记》中记载为：匈奴在单于之下"置左右贤王，左右谷蠡王，左右大将，左右大都尉，左右大当户，左右骨都侯"；"凡二十四长，立号曰'万骑'"；在二十四长之下"亦各自置千长、百长、什长、裨小王、相、封都尉、当户、且渠之属"。很明显，上到单于，下到且渠等，形成了一个组织系统严密的整体。这种框架完整、等级分明的政权的出现，是一个民族文化发展的写照，也体现着其政治文明的进程，在北方游牧民族的历史中有着不可忽视的意义。

　　在匈奴政权中，"单于"，是最有权力的人物。就是这样一个代表最高权力的称呼，在北方草原的历史上沿用了相当长的历史时期。直到"可汗"出现以前，甚至以后，游牧民族大多都在使用这个称呼，中原的汉人政权也都习惯了这个称呼。那么，从北方游牧民族政权和制度的角度，我们应当怎样认识"单于"呢？以往的研究，基本都是对这个最高统领的称呼泛泛地解释，而没有从政权机构角度去进行历史地分析。

　　在匈奴历史上，第一个最高统治者是"匈奴单于曰头曼"。在此之前，未见有明确记载匈奴最高统治者的史料。史书对"单于"的解释，主要是依据《史记·匈奴列传》裴骃"集解"引《汉书音义》的记载，其曰："单于者，广大之貌，言其象天单于然。"而《汉书》也对"单于"做了解释，侧重谈了单于是出于匈奴的哪个姓氏，并结合匈奴语"撑犁孤涂"翻译的，意思是"天子"。当然，这也是我们今天理解"单于"之意的主要依据。在没有其他印证的前提下，只能照此理解。就其地位来讲，单于当然是匈奴政权的最高统治者了。不过，随着匈奴历史的推进，在匈奴政权内部不断出现为了单于位置的争斗，各个争位者往往自立为单于，以致出现同时几个单于并存的情况。比如：南单于、北单于、五单于等。甚至将"单于"这个匈奴最高统治者的称谓加在了地位并不高的人的头上。这都是匈奴政权分裂的结果。可见，所谓的"天"，只是相对而言。

　　在单于之下，《史记》中记载了左、右贤王等数个高层职官。这是研究匈奴政权时必须涉及的。对于这样一个统治体系，《汉书》、《后汉书》也都有所记载，尤其是《后汉书》卷89《南匈奴列传》的记载则与前两部史书出现了不同。当然，这是从南匈奴政权统治机构出发所作的介绍。其中某些主要职官与《史记》、《汉书》的记载相同，表明在政权机构演变的过程中对主干部分的保留。在对匈奴政权机构作全面探讨时，我们有必要对这两段比较完整的史料进行综合比较分析。

据《南匈奴列传》载："其大臣贵者左贤王，次左谷蠡王，次右贤王，次右谷蠡王，谓之四角；次左右日逐王，次左右温禺鞮王，次左右渐将王，是谓六角；皆单于子弟，次第当为单于者也。异姓大臣左右骨都侯，次左右尸逐骨都侯，其余日逐、且渠、当户诸官号，各以权力优劣、部众多少为高下次第。单于姓虚连题。异姓有呼衍氏、须卜氏、丘林氏、兰氏四姓，为国中名族，常与单于婚姻。呼衍氏为左，兰氏、须卜氏为右，主断狱听讼，当决轻重，口白单于，无文书簿领焉。"综合前三史的记载，我们可以将匈奴政权的统治体系分为四个层次。第一层次是单于，前文已经论证。

第二层次为宗姓王。《史记》、《汉书》未提宗姓，却说"诸大臣皆世官"，这不是异姓王所能享受的待遇。宗姓王在《后汉书》里表述得比较清楚。《南匈奴列传》里与《史记》、《汉书》记载相同的高层官员有左右贤王（又可称为"左右屠耆王"）、左右谷蠡王、左右骨都侯。不同的是少了左右大将和左右大都尉。在"世官"范围里将"左右骨都侯"排斥在外。《后汉书》里又加进了左右日逐王、左右温禺鞮王、左右渐将王。这是匈奴政权不断演变的结果。其中原因还有待进一步深入研究。从历史发展的先后分析，当与匈奴分为北、南时政权机构发生变化有一定关系。这些"王"构成了宗姓王集团。对于左贤王是单于继承人的规定，大多数研究论著予以肯定。但是，如果准确地说，应当是在单于位置正常继任的情况下，即将争夺单于位置的特殊情况排除。按照《后汉书》的记载，"四角"、"六角"诸王"皆单于子弟，次第当为单于者也"①。这就在匈奴政权中确定了一个宗姓集团。在这个集团中，虽然存在着地位高低、尊贵程度不同，但都有资格担任单于。这也反映出在单于位置继承问题上，宗姓观念、民族观念还是很强的。《南匈奴列传》就记载了"单于弟右谷蠡王伊屠知牙师以次当〔为〕左贤王。左贤王即是单于储副。单于欲传其子，遂杀知牙师"的争权

---

① 《后汉书》卷89《南匈奴列传》。

事件，亲疏远近之分很明显。而且，在这段记载中也明确指出了"右谷蠡王"按照顺序应当成为左贤王，左贤王是法定的匈奴单于继承人。

第三层次为异姓王。主要异姓大臣有左右骨都侯、左右尸逐骨都侯、日逐、且渠、当户等。异姓王来自"呼衍氏、须卜氏、丘林氏、兰氏四姓，为国中名族"，因"常与单于婚姻"而显贵，其在匈奴政权中的地位亦由此而决定。从史料记载中可知，异姓大臣在匈奴政权中承担着许多重要的事务。《史记》记载有"左右骨都侯辅政"，《汉书》与之相同。《后汉书》虽未明确提辅政之事，却比较具体地谈到了"断狱听讼，当决轻重，口白单于"，这在一个政权中也是枢要之职。而"辅政""口白单于"都反映出异姓王在政务方面与单于密切接触的事实。

第四个层次是千长、百长、什长、裨小王、相、都尉、当户、且渠等，他们是宗姓王和异姓王的下级职官，任职者的社会地位不会太高。设置此类职官的原则是"各以权力优劣、部众多少为高下次第"。① 按照这个记载，这些职官的地位变化是比较灵活的，似乎没有十分严格的规定。与此相关的记载在《汉书》里还有"诸二十四长，亦各自置千长……"之说，表明此类职官的设置并无定数，设官权力亦归诸王。

匈奴政权对诸王的驻牧地区有原则的界定。《汉书》记载为"诸左王将居东方，直上谷以东，接秽貉、朝鲜；右王将居西方，直上郡以西，接氏、羌；而单于庭直代、云中，各有分地，逐水草移徙"。这里谈到的显然是冒顿单于时期的情况。诸王的驻牧地区在南匈奴时期发生了变化，迁入云中等郡县边地或进入某些郡的行政区，此不赘述。匈奴诸王贯通东西的大范围的分布，表明了该政权有效控制地区的大小，也反映了诸王与单于关系东亲、西疏以及宗姓王诸部围绕单于庭的事实。对于游牧民族政权来说，也是一种适合游牧生产和生活的行政建制。

匈奴与中原政权接触较早，其职官中也有许多与中原政权名称相同的内容。比如：大将、大都尉、相等。这种情况的出现，当有两种可能，一是匈奴确实在本族政权中引入了中原的职官；另外一种可能是修史者根据当时了解的情况记载下来的。秦汉以来，匈奴政权中有汉人谋士，中原政权中有匈

---

① 《后汉书》卷89《南匈奴列传》。

奴人任职已是不争的事实。各个民族的历史因生产方式各异而展现出不同的文化特点，在历史发展中也必然会在经济、政治文化方面产生差异。差异会产生碰撞，也会导致互融。政权建设往往体现着一个民族文化的发展和变异，也是判断一个民族文明程度的重要标志之一。匈奴职官体系中有中原政权的职官，是与中原地区长期交往的结果，也是其政治统治的需要。匈奴政权在民族特点方面的非单一民族的特征，在内蒙古地区古代游牧民族政权建设的历史中是最早的。

第二节　鲜卑的政权组织

鲜卑建立政权略晚于匈奴。控制较大的驻牧地区，具备一定的游牧政权规模的鲜卑政权出现在东汉末年。较有影响的鲜卑政权有檀石槐联盟、轲比能集团和拓跋鲜卑的代政权。

在各支鲜卑势力成为史书记载的重点以前，东胡部落联盟是与匈奴大体处在一个时期的值得注意的历史内容。在中原史家眼中，因为其活动在匈奴的东面而被视之为东部的“胡”。当然，如果从这样的认识出发，也可以将匈奴看做中部的“胡”，因为其西部还有月氏，故史书中有“西部胡”之说。不过，“胡”只是泛称而已，从后来匈奴、东胡、月氏等发展的走向来看，他们在各个方面还是有区别的。既然匈奴政权在头曼时代已经存在，那么，比匈奴强大的东胡也不会是一个松散的联盟体。由于对东胡是否已经建立了政权的定位关系到对鲜卑和乌桓的研究，所以，首先要谈一下对这个问题的看法。

关于东胡是否建立了政权，史书没有留下详细的记载。在已经出版的论著中，多将东胡的统治体系视为部落联盟。这种定位对不对？如果仔细研读史料，就会发现许多疑点。

其一，在汉文史书中，记载了东胡、胡、西部胡。“胡”是指以匈奴为主的活动在正北方的游牧民族；西部胡是指以月氏为代表的西北部、西部地区的诸族；东胡是指活动在匈奴以东的游牧民族。现在基本可以断定，中部的匈奴最晚在头曼单于时代就有了本民族的政权。那么，比匈奴强大的东胡如果还处在部落联盟时代，怎能对匈奴造成那么大的威胁？就连记载当时历史的《史记》，也十分明确地表示了东胡"强"、月氏"盛"的看法，但对匈奴却无任何评价，这应当不是史家的疏忽。《史记》大篇幅地记载匈奴的历史，说明中原政权对匈奴的了解较深。即使这样，在谈到这三个古族时也没有说那时匈奴比东胡强大，甚至连对匈奴自身强弱的评价都没有。按照司马迁的史德和写史风格，是不会出现知而不言的。

其二，匈奴为什么不敢轻易碰东胡也是一个疑问。头曼单于曾经与蒙恬十万骑兵作战，虽败，但也间接地证明了匈奴的实力。秦军是训练有素的，有着比较完善的军事组织。头曼单于的部队能与秦军进行大规模作战，也说明匈奴的军事指挥系统是比较健全的，有统一的指挥。即使如此，对于东胡却显得无能为力，不敢轻易去碰。冒顿单于时期，有了比头曼单于时期还要训练有素的匈奴骑兵，也要对东胡一让再让，在东胡"不为备"①的情况下采取突然袭击的战术击垮东胡，这也间接证明东胡的强大。

其三，冒顿立为单于后，史书直接就谈到"东胡强"，并与匈奴有"使者"往来的关系。"使者"是两个政权之间互派的，一般是在有比较完善的政权体系时才设置。另外，双方在统治地区间也存在一个"中间地带"，史书称匈奴与东胡"各居其边为瓯脱"，即双方都有"瓯脱"。就功能而言，师古释之为"境上候望之处"，有边防哨卡之意。互设哨卡，也是一个政权军事防备比较完善的表现，也反映着政治统治的有组织、有计划性。可见，从政权角度看，东胡与匈奴都是拥有相对固定、完整的统治区域的，是两个政权的关系。东胡与匈奴的头曼、冒顿单于处在同一个时期时，匈奴有"单于"，东胡也已经有了自己的最高首领"王"。虽然史料记载比较模糊，但也可以看出其政治统治不断强化的线索。

其四，早期活动在"燕北"的东胡和山戎是"各分散溪谷，自有君长"②；此后，燕将秦开还曾"为质于胡"，人质也是两个政权之间弱者对强者有失尊严的"抵押"，燕将作为人质，一个重要的原因当是在军事上还无奈于东胡。

综合这些记载，至少不能轻易断定东胡没有政权，也不能断定东胡建立

---

① 《汉书》卷94《匈奴传》。下文不加注者与本注同。
② 《汉书》卷94《匈奴传》。

政权的时间晚于匈奴。笔者倾向于至少在与匈奴头曼单于同一时期，东胡的政权就已经存在了。所以，当我们研究鲜卑和乌桓的政权建设时，也应当考虑到东胡的影响。

在今天内蒙古地区最早建立的鲜卑政权是鲜卑檀石槐联盟。这个政权是继匈奴政权以后值得注意的北方游牧民族政权。其在政权特点方面虽然也具有浓厚的游牧特色，但在有些方面却显示出与匈奴政权的区别。

在当时活动在草原上的各支鲜卑势力中，涌现出一位智勇兼备的领袖——檀石槐。他在十四五岁时，就以"勇健而有智略"著称。游牧生活和草原上诸族之间刀光剑影的争斗锤炼了他勇猛顽强的意志。他曾只身追回被他部大人抢掠去的牛羊，并因此得到本部族人的尊敬和敬畏。游牧在其周围的鲜卑邑落也纷纷向他靠拢。为促进中坚力量的形成，檀石槐对自己可以有效控制的鲜卑部落"施法禁，平曲直，无敢犯者，遂推以为大人"①。檀石槐所在部落的鲜卑大人，是以推举的方式产生的（在此之前，史籍记载鲜卑情况时，也多是"部"或"大人"）。担任大人后，檀石槐在高柳（今天山西省阳高）以北三百余里的弹汗山歠仇水上建立鲜卑庭，活动在东、西部的鲜卑大人率领部落投归，从此势力壮大。不久，檀石槐带领鲜卑各部"南抄缘边，北拒丁零，东却夫余，西击乌孙，尽据匈奴故地，东西万四千余里，南北七千余里"②。在这样大的范围内用兵，显然要有统一的指挥，也要得到各部鲜卑大人的配合。这种情况说明，鲜卑檀石槐联盟在这个过程中已经形成。

东汉桓帝延熹末年，檀石槐将其统治地区分为东、中、西三部。这三个部分的基本情况是："从右北平以东至辽东，接夫馀、濊貊二十余邑为东部，从右北平以西至上谷十余邑为中部，从上谷以西至敦煌、乌孙二十余邑为西部，各置大人主领之，皆属檀石槐"③。这是我们今天研究檀石槐联盟的较为完整的一条史料。由于鲜卑在檀石槐时期没有自己的文字，这些情况只能依靠中原史家的记载去了解，所以，我们对檀石槐联盟政权及其制度的

---

① 《后汉书》卷90《乌桓鲜卑列传》。
② 《后汉书》卷90《乌桓鲜卑列传》。
③ 《后汉书》卷90《乌桓鲜卑列传》。

分析也只能基于此。从这个联盟的整体情况看，我们应当将檀石槐联盟称为鲜卑族建立的"政权"。这也是内蒙古古代历史上由游牧民族建立的主要政权之一。将其确定为政权，主要是从三个方面考虑。

首先，檀石槐联盟有相对固定的活动区域。尽管这个区域很大，但也是得到记载当时历史的史家认可的。与前代的匈奴政权相比也是无可非议的。因为鲜卑的活动区域与其大人制度联系紧密，详细的论证归入联盟的制度部分。

第二，檀石槐联盟以地位高低为序分为东、中、西三个部分，设有最高统治中心"庭"，也就是鲜卑庭。其在统治意义上与匈奴"单于庭"的性质应当是同等的。关于这个鲜卑庭的具体地点，史籍记载比较含糊。但其大致方位是在今天内蒙古地区内当无疑窦。应当说，从这时起，北方草原游牧民族政权演变的历史又进入了新的时代——鲜卑时代。这个时代一直延续到拓跋鲜卑代政权过渡为北魏政权。

第三，从史料记载中我们可以含糊地看到该联盟有相应的职官制度和其他制度。

据《后汉书》记载，鲜卑为中原人所知时就与匈奴有别。这不仅仅是匈奴击破了鲜卑，使其东迁。在对部族的称呼上也是"邑"或"落"，各有"大人"统领。东汉年间有鲜卑大人于仇贲、满头的记载，也有按照地区称呼某位鲜卑大人的，比如"辽西鲜卑大人乌伦"等等[①]。檀石槐在建立联盟的初期，也只是其本部的大人。可见，"大人"是鲜卑族"邑"、"落"组织的统领。至檀石槐联盟建立，三部仍然设"大人"，但其权力已经发生了变化。他们是对一个较大的地区内的鲜卑邑、落实行统领的大人，而且，对上要服从檀石槐这位"大人"的统领。这样，鲜卑的"大人"就有了等级划分。檀石槐这位大人的地位和权力最高、最大，不同于其他鲜卑大人，而另外两部的鲜卑大人，具有仅次于檀石槐的军政权力。从鲜卑分布的情况分析，三个大的部族集团，是由分散的鲜卑部落组合而成。东汉安帝年间就有"鲜卑邑落百二十部"[②]。但当时并无被有效控制的活动地区，分散性较强。

---

① 《后汉书》卷90《乌桓鲜卑列传》。
② 《后汉书》卷90《乌桓鲜卑列传》。

在檀石槐联盟建立以后，史书中有了"乃自分其地为三部"的记载。所谓"其地"，就是当时鲜卑有效控制的地区。在这个地区驻牧的鲜卑人大体上分成三部分，总数约有60个邑。当然，也会有游离于联盟之外的鲜卑邑落。可以肯定，当时鲜卑的主体已经被联盟控制，统属于檀石槐统治，一个游牧政权的框架是很明显的。

从檀石槐对其他鲜卑大人指挥的效果看，联盟的统治还是比较有效的。东汉末年，汉朝派夏育等率三四万骑并联合南匈奴共同出击鲜卑。"檀石槐命三部大人各帅众逆战"，汉朝方面大败①。这种大规模的战役，如果没有权威性的指挥和协同配合是很难取得胜利的。可见联盟的统治有很强的整体性。

在制度建设方面，虽然史料记载很粗略，但也可以看出一点轮廓。

联盟大人的世选制，在檀石槐时代就已经确立，但后来有一些变化。檀石槐死后，其儿子和连接替联盟大人的位置。和连死时儿子还小，只得由其兄长的儿子魁头接替大人。这也还是在檀石槐的家族中选择接班人。此后，联盟大人之争虽一直没有停止过，但都是在檀石槐的后代中进行。而三部的其他鲜卑大人中还未见出面相争联盟大人者。当然，这种情况的出现，可能会有史书记载的缺漏或其他原因。但面对这样的历史记载，我们暂时只能以现有的资料为依据。《后汉书》在记载这个问题时最后还强调"自檀石槐后，诸大人遂世相传袭"。也就是说，檀石槐联盟的大人直至联盟彻底瓦解都在"世相传袭"。事实上，这个"世相传袭"的历史阶段并不长，到鲜卑步度根担任大人时就结束了。对于一个游牧政权来讲，在职官体制方面的表现往往很简单。前世的匈奴政权，等级制和职官设置相对分明一些。到鲜卑檀石槐联盟时代，鲜卑根据自身社会发展和统治的需要，设立了比较简单、单一的军政合一的体系统治。在这个方面，匈奴与鲜卑之间没有联系紧密的继承关系。这点与中原以农业民族为主体的政权是有较大区别的。

在其他制度方面，檀石槐早期实行的"施法禁，平曲直"，对鲜卑各部产生了很强的约束力，这也是联盟得以建立、强大，对周边征讨取得成功的重要因素。这个记载虽然很简略，但却包含着对于一个政权来说十分重要的

---

① 《后汉书》卷90《乌桓鲜卑列传》。

内容。"法禁"，至少可以理解为有一些制约各个部落的规定以及对个人进行限制的内容。与"法禁"相配套的就是"平曲直"，这个记载可以理解为对正确与错误、公平与不公平的解决也有相应的规定。要"平"，就要有平的标准，不能随意去"平"。这是一种通用于联盟的评判机制。尽管它还很原始，也没有更多的可以参考的文字记载来印证，但在联盟统治的实际效果上已经可以感觉到它的威力。

还应当指出的是，鲜卑是在南下的过程中与中原封建朝廷接触较早、接受封号较早的北方游牧民族。匈奴也与中原政权有过频繁、密切的接触，但从匈奴在草原上发源、强大的整个过程来看，与中原接触是比鲜卑晚的，接受中原政权皇帝的册封也较晚。相比之下，鲜卑则不同，许多鲜卑大人在檀石槐联盟建立以前就接受了封号、官号，与乌桓几乎处在同一个时代。如：鲜卑大人於仇贲被封"王"，满头被封"侯"，燕荔阳被封"王"并授予"印"①，辽西鲜卑大人乌伦、其至鞬为"率众王"、"率众侯"等。但在檀石槐担任鲜卑大人时，虽然汉朝"遣使持印绶封檀石槐为王"，却没有得到同意。这也从一个侧面证明了檀石槐联盟已经作为一支独立的政治力量活动在北方草原上了。当然，与中原政权的接触，会对鲜卑社会制度的变化产生潜移默化影响，这些影响在联盟时期还不是很明显。史书中对这个方面的记载也很少，这就导致了对这个问题深入研究时的困难。不过，如果整体地观察鲜卑的历史发展，中原政权对鲜卑政权建设的影响是不可低估的，檀石槐联盟时期只是一个前奏。

轲比能联盟是在鲜卑檀石槐联盟瓦解以后建立的一个过渡性政权。虽然影响不如鲜卑檀石槐联盟大，但其在内蒙古地区古代史中也是不可或缺的内容。

史籍记载，"轲比能本小种鲜卑"②。檀石槐为联盟大人时期，史书中没有见到关于"小种鲜卑"的内容，说明这部分鲜卑人在联盟中并不占有举足轻重的地位。史书中记载轲比能在东汉建安中期（大约206年前后）有过一些活动，《三国志·乌丸鲜卑东夷传》记载为"建安中，太祖定幽州，

---

① 《后汉书》卷90《乌桓鲜卑列传》。
② 《三国志》卷30《乌丸鲜卑东夷传》。

步度根与轲比能等因乌丸校尉阎柔上贡献"。步度根是鲜卑檀石槐联盟的最
后一位大人，当时联盟已经基本处在解体的状态，他也没有能力去重新振
兴。漠南地区活动的鲜卑人散乱无首，各自为政。轲比能就是在这样的情况
下再次统一了鲜卑各部。史载，"鲜卑大人轲比能复制御群狄，尽收匈奴故
地，自云中、五原以东抵辽水，皆为鲜卑庭"①。这里提到的地理范围并不
小于鲜卑檀石槐联盟的控制地区。其中"匈奴故地"与后文"自云中、五
原以东"也大体包括了匈奴强大时单于庭和左、右贤王控制的大部分地区。
从与北方农业政权的接触分析，轲比能鲜卑联盟的核心力量，主要是活动在
当时的幽、并塞外，大体相当于今天的内蒙古中西部地区。与曹魏政权之间
的两次规模较大的战役，一次发生在"马城"，一次发生在"陉北"，大致
在今天内蒙古中部和山西省北部。从对某一地区实行有效控制来看，轲比能
鲜卑联盟与以往其他游牧民族政权相比基本具备了条件。

　　轲比能建立的鲜卑联盟，在体制上与鲜卑檀石槐联盟具有一定区别。史
料中没有见到将其控制地区划分给其他鲜卑大人的内容。存在的时间大体为
曹魏文帝黄初五年（224 年）至青龙年间（233—236 年）②。在仅仅 10 年多
的时间内，也不可能建立起一个体制完整的游牧政权。我们今天所能知道
的，只是当联盟成立后，"余部大人皆敬惮之，然犹未能及檀石槐也"③。根
据这样的记载分析，轲比能是统御着以强大起来的"小种鲜卑"为核心的
部落，能战之士为十余万骑，人口大约 50 万左右。以往鲜卑传统的"大
人"制在轲比能联盟时期有所继承，但不是整体继承。他本人就是由"小
种鲜卑"部众推举为大人的④。由此可知，这种带有原始民主特色的"推
举"制在轲比能时期仍然发挥着效应。但是，轲比能联盟的大人制只是针
对轲比能统御的本部来讲，其他鲜卑部落仍然有自己的大人，这些大人没有
经过像鲜卑檀石槐联盟时的任命，他们自有自己的部落，跟随轲比能是出于
"敬惮"。由于当时跟随轲比能东征西讨，特别是频繁地与曹魏政权接触，

---

　　① 《三国志》卷30《乌丸鲜卑东夷传》。
　　② 据《三国志》卷30《乌丸鲜卑东夷传》记载，青龙三年，轲比能被曹魏所派刺客杀害（第839
页）。
　　③ 《三国志》卷30《乌丸鲜卑东夷传》。
　　④ 《辽史》卷63《世表》载为"部长比能"，与《三国志》记载有别。

故为中原人所知。从基本形式来讲，已经形成了以轲比能所部鲜卑为核心的联盟体。不过，正是由于轲比能联盟大人制的这种不正规，造成了联盟从形式看是整体，而在实际上却是松散结合的状况。这种状态下的联盟，凝聚力不强，短命是必然的。

轲比能鲜卑联盟在解决鲜卑族内部纠纷以及从多领域学习中原地区统治方法等方面也有一些值得注意的内容。史载，轲比能"以勇健，断法平端，不贪财物"① 而被部民拥戴。这一方面说明了他个人的才干，同时也表明了他在当时处理鲜卑内部纠纷时采取了公平的原则。在鲜卑檀石槐联盟瓦解以后，北方草原处在长期动乱之中，所有鲜卑部落的经济利益都受到不同程度的影响。如果对抄掠的财物分配不均，就会引发鲜卑内部的各种矛盾。在处理此类问题时，轲比能采取了宽厚、公平的办法，"每钞略得财物，均平分付，一决目前，终无所私"②。这种原始的分配方法使他的威信得到了提高。"断法平端"也间接地表明该部鲜卑在处理纠纷时有某些需要部落共同遵守的原则。

轲比能鲜卑联盟时期，在与曹魏等政权的接触并从中吸取对鲜卑统治有利的相关内容方面较之檀石槐联盟时期有所推进。这种情况的出现，当然也有相应的客观原因。中原地区的动乱，各支割据势力的争夺拼杀，使得民众正常的生产和生活受到了严重的影响。许多汉人不得不向北避难，逃入鲜卑控制区。据史书记载，轲比能鲜卑"部落近塞，自袁绍据河北，中国人多亡叛归之，教作兵器铠楯，颇学文字。故其勒御部众，拟则中国。出入弋猎，建立旌麾，以鼓节为进退"③。这段记载虽然简略，但涉及的内容却是轲比能鲜卑部主动吸收中原政治统治、军事指挥、文字、手工业等。有多少中原汉人逃入轲比能鲜卑活动的地区，史料中没有详细的记载。如果从轲比能接受魏文帝"附义王"以后一次就放还"魏人在鲜卑者五百余家，还居代郡"④ 来看，数量绝不在少数。"魏人"，明显是指曹魏政权统治下的汉

---

① 《三国志》卷30《乌丸鲜卑东夷传》。
② 《三国志》卷30《乌丸鲜卑东夷传》。
③ 《三国志》卷30《乌丸鲜卑东夷传》。
④ 《三国志》卷30《乌丸鲜卑东夷传》。

人，5 百余家，以一家 5 口计，约为 2500 人。在鲜卑活动的地区生活的汉人为轲比能所用，在多领域内吸收农业民族的统治方式和文化，为以往的匈奴和鲜卑檀石槐联盟时期所没有。这种吸收不是强制性的，而是当时鲜卑社会发展的需要。在北方民族的历史上，我们也是第一次见到学习文字的记载。尽管轲比能所学文字后的情况不可考，但可以肯定，中原文化对其影响是比较深的。如果与后来的契丹族的历史联系起来，这支被许多学者定位为契丹祖源的鲜卑集团，在契丹接受汉文化的历史上也是有渊源关系了。

轲比能为了实现对本部鲜卑为主干，包括汉人、乌丸人以及自愿以鲜卑相称的匈奴人的有效统治，就要有一套行之有效的制度或办法。能够把相关的统治手段传授给轲比能的，也是汉人中具有一定身份或相关知识的人。史料中突出地强调了"勒御部众，拟则中国，出入弋猎，建立旌麾，以鼓节为进退"，说明轲比能的确吸取了一些能够与鲜卑的统治习俗配合实施的统治方式。从后来轲比能势力不断强大并且引起曹魏政权高度关注以至出重兵打击轲比能的历史事实来分析，在制度方面学习中原在轲比能时期是成功的。从草原文化发展的角度看，轲比能时期是鲜卑檀石槐联盟与拓跋鲜卑建立政权之间的过渡时期，其承前启后的作用是明显的。

拓跋鲜卑也是鲜卑族的一支。从东胡集团被匈奴击破以后，这部分鲜卑人长期生活在大兴安岭北麓。他们晚于鲜卑檀石槐联盟南下的原因之一也在于此。但是，在中国古代北方草原文化的鲜卑族阶段中，当首推拓跋鲜卑的历史影响。这种想法的产生，不仅仅是因为拓跋鲜卑建立了本民族的政权，更为重要的是在北方游牧民族的历史上，是拓跋鲜卑第一个挺进到中原政权长期控制的农业地区，建立了以游牧民族为主干的政权——北魏。我们这里所要论述的是北魏政权建立以前的拓跋鲜卑政权建设情况。

在拓跋鲜卑的历史中，神元皇帝力微率部迁驻盛乐地区是一重大的事件。从此以后，拓跋鲜卑的历史发生了具有划时代意义的变化。而"代"政权的建立则是这段历史中的闪光点。从政权建设和制度角度看，这段历史大体可以分为两个阶段。一是拓跋鲜卑占据盛乐作为统治中心时期；一是代政权建立直至北魏政权建立以前的历史时期。

拓跋鲜卑来到盛乐以后，在与曹魏、西晋政权以及其他北方各族政权的接触中显示出旺盛的发展势头。对盛乐城的利用、建设是一个引人注目的历史问题，在内蒙地区古代历史上也占有重要地位。由北方游牧民族在今天内蒙古地区修建类似于中原地区的城镇并将其作为都城的历史由此开始。

东汉末年至曹魏初年，两汉时期设置在北方地区的郡县级行政建制大多数在战乱中被废弃。云中、定襄、五原等郡全部乔迁到今天山西省境内。盛乐地区被视为"弃之荒外"之地，残存下的只是经过东汉末年战乱毁坏的县城旧址。民众流离他乡，县城内外土地荒芜。在考古发现的内蒙古和林格尔汉墓壁画中所描绘的当地的繁华景象已经荡然无存。就在此时，拓跋鲜卑在始祖力微的带领下"迁于定襄之盛乐"①，揭开了这里历史发展新的一页。

始祖力微是一位很有远见的政治家。他看到盛乐地区在政治上和军事上的重要地位，同时也注意到这里土地、水源等自然资源的方便性，决心将拓跋鲜卑的统治中心确定在这里。盛乐地区的地理位置，北部基本平坦，宜于耕作，直抵大青山，如果守住主要山口，其他北方游牧民族很难对拓跋鲜卑构成大的威胁。西部为古云中郡地，有黄河等水流，既是天然屏障，又是生产用水的源泉，对发展农业、畜牧业都有好处；东部为岱海，也有很大的活动空间；南部和东南部则可以通往今天的山西省大同地区。如果与曹魏建立友好关系，就能更多地了解北方和中原内地的情况，促进拓跋鲜卑社会的发展。面对这样的局势，力微制止各部抄掠曹魏的边地，力促双方友好，接纳汉人到鲜卑活动地区，派儿子沙漠汗长期留住曹魏宫廷。这些措施都在很大程度上促进了拓跋鲜卑的快速发展。在不到40年的时间里，拓跋鲜卑的控弦之士就由20万增加到40万左右。

在力微时期，拓跋鲜卑定都盛乐，但还没有见到规范的政权机构和相应的制度。这种情况的出现，或许是史书漏载，或许是当时确实就没有相应的制度。在《魏书》记载的拓跋鲜卑早期的最高统领者中，也只能见到某某"皇帝"，这显然是撰写《魏书》的史家的编撰，未必是拓跋鲜卑原始时期的真实情况。可以依稀看到的是始祖力微时拓跋鲜卑存在许多的"部"，这些部各有首领统辖。力微就曾"请率所部北居长川"②。当其对部众的统治

---

① 《魏书》卷1《序纪》。
② 《魏书》卷1《序纪》。

初见效果时，才出现了"诸旧部民，咸来归附"① 的局面。诸部的统领，在
力微时期是以"大人"出现在史籍里的。这与推寅时代设置"四部大人"②
的情况有相似之处。但所谓"四部"，又与拓跋禄官时代及其以后的东、
中、西三大部有所矛盾。不过，"大人"存在似当肯定。因此，目前暂时可
以认为，拓跋鲜卑早期制度是以"大人"为核心的部族制。而所谓"大
人"，在地位和权力上并不一定相同。有总率数部的大人，有仅仅统率一个
部的大人，也有参与决定"辞讼"的大人。在力微率部迁居盛乐以前，拓
跋鲜卑的统治状况就是处在这种比较原始的阶段。

迁居盛乐以后，有了"都城"。尽管这个城还很残破，但也是构成了一
个中心。与以前不同的是，拓跋鲜卑的这个中心，固定性很强，不是那种游
牧过程中的暂时的中心。这对拓跋鲜卑政权的演变和制度的建立有着不容忽
视的意义，也是与前代匈奴政权建设的一个重大区别。

可以认为，从建都盛乐时开始，拓跋鲜卑以游牧民族的政权组织形式有
其自身的发展规律和特点，拓跋鲜卑政权同样如此。与匈奴政权比较起来，
拓跋鲜卑政权的变化相对较快，这个变化从力微统治时期便已开始。根据
《魏书》记载可知，当力微率部迁驻盛乐时起，对诸部"大人"的称呼也有
了一点变化，出现了"诸部君长"与"某部大人"混称的情况。这是政权
机构和职官制度产生变异的表现形式。这种变化出现在力微时期，当然与其
同中原政权的接触，拓跋鲜卑的政治、经济、文化的演变有着密切关系。如
果从使用权力的角度观察，诸部族协商的原始民主制还占据主导地位。虽然
力微具有对拓跋鲜卑整体的控制权，但并不一定拥有对拓跋鲜卑各个部族的
所有权。许多重大事务还要聚集各部大人共议而决之，就连自己的亲儿子的
生死问题也要诸部大人们议定。"变易旧俗"是不允许的③。但是，所谓的
民主制在这个时期已经受到了猛烈的冲击。

拓跋禄官时期，拓跋鲜卑的政权体制有了不同于以往的变化，由比较分
散趋向于相对集中。

---

① 《魏书》卷1《序纪》。
② 《魏书》卷111《刑罚志》。
③ 《魏书》卷1《序纪》。

在力微死后，拓跋鲜卑曾经经历了一个时期的动乱，但时间并不长。拓跋禄官即位为大人之后，根据当时已经比较广阔的活动地区，将拓跋鲜卑分为由东向西排列的三大部分。其中，禄官亲自统辖一部，"在上谷北，濡源之西，东接宇文部"；又让拓跋猗㐌统辖一部，"居代郡之参合陂北"；以猗卢统一部，"居定襄之盛乐故城"①。在这样一个广阔的区域内，自然环境仍然以草原为主。但是，拓跋鲜卑的部族已经更加靠近了以往中原政权的边郡，说明拓跋禄官在划分三部地域时，对中原政权边境郡县是有所考虑的。特别是猗卢所部，再次占据了盛乐作为活动中心，使这个力微时代的基地重新得到利用。史书表述猗卢将盛乐作为中心时，文字上也有了变化。同是一部《魏书》，记载拓跋力微是"迁于定襄之盛乐"，而拓跋猗卢则是"居定襄之盛乐故城"。这说明，力微时期只是举族迁徙到这个地区内，虽然也将其视为都城，但还没有充分利用，拓跋鲜卑的游动性还很强。到拓跋猗卢时期，已经居住在旧城之内，定居意识增强了。这一举动，对拓跋鲜卑的社会演变必将起到潜移默化的作用。而且，真正的政权建设也从这时开始。就在拓跋禄官即位的当年，就派猗卢统兵"出并州，迁杂胡北徙云中、五原、朔方。又西渡河击匈奴、乌桓诸部。自杏城以北八十里，迄长城原，夹道立碣，与晋分界"②。这很明显是在确立拓跋鲜卑在地域上的所有范围，或者也可以说是统治区域。

东、中、西三部的分布，也明确了以拓跋禄官为核心的统治体系。

应当指出，这个体系的三大部分是按地区划分的，与匈奴以单于庭居中，左、右贤王为两翼的政权体制至少在形式上存在明显区别。这也就表现出这两个有影响的民族，虽然都是游牧民族，都主要活动在中国古代北方草原地区，但在文化发展的内涵上还是有区别的事实。鲜卑是这个时期草原文化的代表，匈奴的辉煌时代已经过去。具体分析这种布局可知，拓跋禄官所属的最东边的一部是拓跋鲜卑的统治中心，应属于地位最高者，依次向西排列。这种安排，在史书记载中完全是按照辈分的大小排列的。拓跋禄官是力微的儿子，拓跋猗㐌是已故文皇帝沙漠汗的长子，猗卢是猗㐌的弟弟。从这

---

① 《魏书》卷1《序纪》。
② 《魏书》卷1《序纪》。

个地位不同的排列，我们还可以揭开一个谜点，同样是鲜卑，而且在历史发展的先后上连接很紧，没有出现大跨度的时间分离。但拓跋鲜卑三部是"按照辈分的大小排列"的，而鲜卑檀石槐联盟并没有这个因素在内。遗憾的是，史籍中并没有留下有关这个时期拓跋鲜卑政权机构的详细内容，而且在内容上比较混乱，甚至将中西二部的首领都称为皇帝。所以，史家就以"桓帝"、"穆皇帝"着墨了。实际上，拓跋猗㐌并没有当皇帝，真正当皇帝的只有拓跋禄官和猗卢。为什么会出现这种情况，依据现有史料还很难定论。就统兵权而言，三人皆有数量较多的战骑。应当指出的是，在这个阶段，拓跋鲜卑与周边许多政权或民族发生了接触。在与晋的接触中，猗㐌接受了晋朝的"大单于，金印紫绶"[1]。"单于"在拓跋鲜卑职官制度中是没有的，晋帝将此职加授，表明晋人对拓跋鲜卑高层的看法，但并没有史料证明拓跋鲜卑本身长期实行"大单于"制度。就是在拓跋猗卢统治时期，也是晋朝封给拓跋猗卢的"大单于"。

拓跋猗卢当政，继续以三部的体制进行统治。《魏书》记载他是"遂总摄三部，以为一统"，就字面理解，集权性是加强了。作为一个建制规范的政权在这个时期也逐步具备了条件。

晋怀帝于310年进拓跋猗卢为大单于，"封代公"的历史时期，北方地区的政治格局也在不断发生变化，拓跋鲜卑已经是一支实力较强的政治势力。在拓跋猗卢接受"代公"之封以后，有两件事应当注意。一是向晋帝提出索求句注、陉北之地，轻而易举地得到了马邑、阴馆、楼烦、繁峙、崞县5个县级行政区，并将至少1万家以上的拓跋鲜卑统治下的人户迁徙到5县境内[2]。这在某种意义上来讲可以认为是拓跋鲜卑的统治区域向晋朝境内扩展了，在地区上与今天的内蒙古地区中西部连在了一起。如果从更为深远的意义来讲，则预示着拓跋鲜卑已经把进一步向晋朝统治区发展作为目标

　　① 《魏书》卷1《序纪》。

　　② 《资治通鉴》卷87注引《晋春秋》曰：永嘉四年（310年），"猗卢率万余家避难，自云中入雁门"；又引刘琨《与丞相笺》曰："以并遣三万余家，散在五县间"；《魏书》卷1《序纪》载为"帝乃徙十万家以充之"。几个数字，悬殊甚大。若以盛乐地区的人口估计，将10万家迁到5县地区，则该5县就将增加40万—50万（一户以4—5口计）人口，这种情况对晋朝来讲是难以允许的。所以，比较可信的是1—3万家。至于迁徙的原因，各条史料的记载也不尽一致，并引，待考。

了。另一件事是 313 年，拓跋猗卢"城盛乐以为北都，修故平城以为南都"，又"于漯水之阳黄瓜堆筑新平城，晋人谓之小平城，使长子六修镇之"①。史实表明，拓跋鲜卑是在其有效控制的地区内设置这 3 个统治中心的。其中有两个可以明确是"都城"级的。其中"平城"和"小平城"在地理位置上是超出了今天的内蒙古地区的，但在地缘关系上也有紧密联系。即使单从盛乐城的建设来讲，也有十分重要的意义。从这时起，属于今天内蒙古地区范围内的东汉建安末年以后被封建政权废弃的行政建制，在拓跋鲜卑的统治下得到局部恢复，而且是作为"北都"，这在拓跋鲜卑政权建设的历史上也当是值得铭记的。因为，这里曾经是拓跋鲜卑最早建立的政治、经济、文化中心。在历史资料中，记载"北都"与"南都"、"小平城"时用了"城"、"修"、"筑"三种不同的表达方式。盛乐用"城"，其意当为筑城。拓跋猗卢受晋之封而为"代公"，其所占有的地区即可视为封地，或曰采邑。汉代的成乐县，遭战争破坏，难以满足作为统治中心的要求，所以，在原城址上修筑一座城是完全可能的。从拓跋鲜卑政治制度的演变来讲，再建盛乐城并定为都城，是其制度方面的一个重大变革。以往的东、中、西三部的统治体制被都城制所取代。而最高统治中心也从东移到了拓跋猗卢所在的西部。盛乐与平城结为犄角之势，进一步南下已经成为必然。在中国古代历史的发展中，这时的拓跋鲜卑政权，完全可以看做是一个地方割据政权了。

在此之后，晋愍帝于 315 年再次下诏，进拓跋猗卢"为代王，置官属，食代、常山二郡"。② 对于晋帝同意拓跋鲜卑"置官属"一事，很明显是不得已之举。置不置"官属"是晋帝左右不了的。只是是否吸收中原政权的传统制度，应当成为关注代政权建立以后拓跋鲜卑历史发展的重要问题了。

可以肯定，代政权的建立是拓跋鲜卑历史的一个重要转折点。在拓跋鲜卑相应的制度方面也发生了一些变化。从历史记载可知，在拓跋猗卢担任代政权最高统治者时期，以军法为特征的制度变革是比较明显的。《魏书·刑罚志》载，拓跋鲜卑早期的社会制度为"礼俗纯朴，刑禁疏简"。这种状

---

① 《魏书》卷 1《序纪》。
② 《魏书》卷 1《序纪》。

况，显然还谈不上法律制度。到宣帝推寅率领拓跋鲜卑南迁以后，"复置四部大人，坐王庭决辞讼，以言语约束，刻契记事，无囹圄考讯之法，诸犯罪者，皆临时决遣"。这条史料反映了以"言语"为约束的情况，可是并没有什么章法可寻。拓跋猗卢建立代政权以后，与晋朝在军事方面的协同配合增多了，因此，拓跋猗卢也很注意加强军令的权威性。《魏书》说他"明刑峻法"，对违抗军令和未能及时按调遣迅速行动者要"举族戮之"，这在一定意义上就是军法。

拓跋鲜卑在猗卢死后内部发生了争权引起的动乱，结果由拓跋郁律实现了统一。这个时期比较引人注目的就是其控制的地区和人口的增长。《魏书》载为"西兼乌孙故地，东吞勿吉以西，控弦上马将有百万"[1]，其发展之快使拓跋郁律产生了"平南夏之意"[2]，但因拓跋鲜卑内部动乱未能成行。这个时期，拓跋鲜卑的政权构成的具体情况没有大的变化。

拓跋什翼犍担任拓跋鲜卑最高统治者期间，代政权的地位、政权体制都发生了较多变化。在选择都城时，经过激烈的争论，再次确定以盛乐为都城。在《魏书》里也有"移都于云中之盛乐宫"的记载，还在原盛乐城南再筑另外一座"盛乐城"。这说明当地的城镇建设在不断地加强。在相关史料中，拓跋鲜卑高层统治者在盛乐地区活动的事例也增多了。另一个很显著的变化是拓跋鲜卑历史上第一次出现了年号。拓跋什翼犍即位的当年，"称建国元年"[3]（338年）。对于游牧民族的政治统治来讲，这是一个重大的转变。以往的匈奴政权和南匈奴政权，曾有进入汉朝边郡驻牧的经历，但并无年号。拓跋鲜卑建年号表明，在政权的地位方面已经把自己等同于同时代的中原政权。而且，也是对中原地区政治制度吸收的一个重要内容。

在职官制度方面，拓跋什翼犍也进行了突破性的改革。建国二年（339年）春，"始置百官，分掌众职"[4]。其具体情况在《魏书·官氏志》有所反映，即"昭成之即王位，已命燕凤为右长史，许谦为郎中令矣。余官杂

① 《资治通鉴》卷90载为"郁律西取乌孙故地，东兼勿吉以西，士马精强，雄于北方"。虽然没有具体人口数字，但也肯定了拓跋鲜卑在北方的影响力。

② 《魏书》卷1《序纪》。

③ 《魏书》卷1《序纪》。

④ 《魏书》卷1《序纪》。

号，多同于晋朝"。这里所谈到的职官内容虽然比较笼统，但已经不同于以往的"大人"制度了。可以见到的职官还有"左右近侍"，以"诸部大人及豪族良家子弟仪貌端严，机辩才干者应选"；设"内侍长四人"，相当于"侍中"、"散骑常侍"。当年还设置了北、南两部大人，管理"诸方杂人来附者"。二部大人一直到北魏建立初年仍然设置。从这些简单的记载我们已经可以看到，代政权的职官体制与以往拓跋鲜卑的"大人"制具有明显的区别。"代王"的集权统治强化了，"左右近侍"之类的官员直接服务于皇帝，入选者全为拓跋鲜卑贵族子弟。这是代政权中央机构的变化。对于部族，仍然实行的是"大人"制度。变化较大的是专门设立了"北、南两部大人"。对于一个政权来讲，这样的职官体制还很不规范。可是，作为北方游牧民族政权体制的变化却有着不同寻常的意义。代政权在这些方面的演变，为北魏政权建立后政治制度的全面变革揭开了序幕。

386 年，拓跋珪即位，建年号"登国"，仍称"代王"。当年四月，"改称魏王"[1]。从这位皇帝开始，拓跋鲜卑建立的政权开始向北魏过渡。其都城由盛乐逐步迁往平城，盛乐作为重要的军事、行政统治重心依然发挥作用。396 年，对政权机构也进行了全面系统的改革，"建台省，置百官，封拜公侯、将军，刺史、太守、尚书郎已悉用文人"[2]，拓跋鲜卑的历史进入了新的发展时期。

第三节　乌桓的"大人制"

在公元前 3 世纪—公元 4 世纪的北方民族政权中，乌桓是否建立了政权还当深入研究，但是与行政、政治统治有关的"大人"在其历史中的确存在。这是我们探索乌桓政治统治史的最直接的线索。

史籍中关于乌桓历史的记载大多比较散乱，一般对从东胡中析分出来的乌桓与鲜卑都有记载，相比之下，对鲜卑的记载比较系统、全面。尤其在政权建设方面，乌桓的情况基本空缺。但是，乌桓在历史上的影响却很大，在

---

[1]　《魏书》卷 2《太祖纪二》。
[2]　《魏书》卷 2《太祖纪二》。

一定的历史阶段内并不弱于鲜卑。同样，在内蒙古地区古代历史中，当东胡被匈奴击败以后，真正引起中原史家注意的主要就是乌桓与鲜卑。

乌桓既然来自东胡，那么，东胡时期的政治、经济、文化就与乌桓早期的历史有关，在政权建设方面也当有一定的渊源关系。然而，关于东胡政权的情况，历史记载十分模糊，很难概括其全貌，因此，寻求乌桓的情况就更为渺茫了，对许多问题只能予以分析或推断，为今后的研究拓开一点思路。相关的学术看法，在撰写鲜卑部分之前已经谈到，此不赘述。

综观乌桓的历史，与政权建设密切相关的内容就是"大人制"。研究时可以参考的史籍主要就是《后汉书·乌桓鲜卑列传》和《三国志·乌丸鲜卑东夷传》，《资治通鉴》中也有一些相关的记载。应当明确，"乌桓"作为族称是因作为东胡的"余类"保"乌桓山"才被中原史书记载下来的。长期以来，学术界围绕"乌桓山"有过许多争论，但对此山就在今天的内蒙古地区的看法还是基本趋于一致的。乌桓是在这个地方长期生活后产生了"大人"制，还是早在东胡集团中就有，这个问题也已很难考证。不过，乌桓首领称为"大人"，东胡的首领称为"王"，两者之间找不到有什么继承关系。同样，东胡中的另外一支鲜卑，在汉文史籍中也是称"大人"，这种情况倒与乌桓的首领有关。根据现有文献的记载，从东胡中析分出来的、又见于后代历史的只有乌桓和鲜卑，他们的首领又都称"大人"。在这一点上，与曾经同东胡处于同一个时代、后来又同鲜卑和乌桓在一定的历史时期有过交往的匈奴"单于"比较，鲜卑和乌桓也都没有留下从本族语言翻译过来的资料，所以，"大人"还是由中原史家主观定名的可能性最大。

在《后汉书·乌桓鲜卑列传》里，对乌桓决定"大人"人选以及大人以下拥有管理职能者的记载是："有勇健能理决斗讼者，推为大人，无世业相继。邑落各有小帅，数百千落自为一部。"对于任何民族来说，剩余产品的出现所导致的直接后果是人们之间为了利益而发生矛盾和争斗。与此同时，调解意识和调解人也随之产生。调解人的权力随着威望的提高而增大，利欲和权欲同样熏染着调解者的心灵，权力者随之出现。很显然，乌桓的大人就是这么产生的。史料中提到的"推"，表明了"大人"早期产生的形式是很原始的推举制。这种推举制在古代其他游牧民族早期的历史中几乎都曾存在，而且许多民族还是生活在4世纪以后，如契丹等。这是与中原地区不同的文化发展特点。关于乌桓大人的权威性，《后汉书》记载为"大人有所召唤，则刻木为信"，十分原始，但却有"部众不敢违犯"之说。如果违反了大人的指令，会受到十分严厉的处罚，直至处死。对于有罪之人还有比较固定的流放地；在骑兵中有"贵兵"，反映出等级观念的存在。这都说明乌桓大人在控制各个邑落方面也是有一定的不成文的章法的，而且有很强的权威性和实效性。

乌桓大人之下设有哪些官员，史书记载更为简陋，根本谈不上系统，仅仅可以见到"邑落各有小帅"① 之说。"小帅"的统领权并不很大，因为"数百千落"聚集起来才是"一部"。一个"邑落"有多少"落"组成不会很一致，数落或数十落都可能聚为一个"邑落"。他们是"邑落"的统领，负责各个邑落平日的各种事务，"传行"大人的指令，这些都反映出乌桓行政统治十分分散的事实。乌桓的"帅"在王莽篡位时期有了新的提法，史载：因王莽杀掉了不服水土而逃往塞外的乌桓人质，匈奴乘机拉拢乌桓，"因诱其豪帅以为吏"②。所谓"豪帅"与以往的"小帅"有什么关系，因无史料证明不能臆断。从字面上看，"豪帅"的权力、地位要大于"小帅"。不过，这部分乌桓人是居住在代郡，受王莽政权节制的，有专门派去的汉将统辖。这样，乌桓原有的统治体制是否存在也令人怀疑。

但是，随着历史的发展，乌桓很快就与中原皇朝建立了比较稳固的"朝贡"关系，并得到封王、侯的待遇，这在研究乌桓统治制度的历史时是要注意的③。从接受中原政权的册封以后，乌桓对本族中的权力拥有者的称呼或许出现了一点变化，因为史书中出现了范明友击败乌桓以后"获其三王首而还"的记载。当然，乌桓自己是否称王还需研讨，汉籍中的记载只是说明了问题的一个侧面。

乌桓大量被封为王侯的事发生在东汉建武二十二年至二十三年（46—47年）。当时，乌桓在北方地区对东汉袭扰最为频繁。为了维护北方地区的局势，东汉采取了从经济、政治多方笼络的策略。建武二十五年（49年），

---

① 《后汉书》卷90《乌桓鲜卑列传》。
② 《后汉书》卷90《乌桓鲜卑列传》。
③ 在与中原政权的关系中，"护乌桓校尉营"是很有意义的问题，因另有论述，此不赘述。

仅辽西地区就有900余人在乌桓大人郝旦的率领下"诣阙朝贡"①。在乌桓的影响下，还出现了"四夷朝贺，络绎而至"的局面。不久，东汉朝廷对归顺的乌桓"渠帅"封王、封侯，受封者81人。在这件事情发生前后，涉及了乌桓上层的一些情况。所谓"辽西乌桓大人"，只是表明了一个地区乌桓的情况，还有其他部乌桓分布在其他地区，其总体力量之强大致可知。而900多"诣阙朝贡"者，不会是普通乌桓民众，至于受封为王、侯者，更是900多人中有身份的乌桓头领。被封王的乌桓大人，在史书中再次出现时往往被冠以封号，或冠以汉官官称。如"雁门乌桓率众王无何"、"亲汉都尉"等②。

乌桓控制的地区，没有匈奴和鲜卑那样相对集中，在史书记载中也很粗略。乌桓走出乌桓山以后最早的地区分布是汉武帝时期，因霍去病击破匈奴的左地，"徙乌桓于上谷、渔阳、右北平、辽西、辽东五郡塞外"。③ 而这"五郡塞外"的地理位置大多为今天内蒙古地区所辖。当然，史籍中对乌桓活动地区的记载，除了这五个郡以外还有朔方、五原、云中、定襄、雁门、代郡等。东汉以前，受乌桓骑兵骚扰最为严重的地区是代郡、上谷郡、渔阳郡等。说明乌桓在这些地区塞外的邑落比较集中。此后，在东汉建武二十五年（49年）大封乌桓80余人以后，又出现了十郡乌桓，即：辽东、辽西、右北平、渔阳、广阳、上谷、代郡、雁门、太原、朔方。实际上，乌桓活动的地区并不局限于十郡，如果按照今天的行政地理大致估计，应当包括内蒙古中东西的大部地区，河北省、山西省、辽宁省、甘肃省的部分地区。其南下的部分人口，已经进入塞内，而其核心部族还居住在塞外，故史书有"居址近塞，朝发穹庐，暮至城郭"④ 之说，也有"其在上谷塞外白山者，最为强者"的评价。当乌桓近塞居住以后，其头领取得"王"号的途径也发生了变化，即"自称王"的情况。东汉灵帝初年，有上谷乌桓大人难楼、辽西的丘力居、辽东的苏仆延、右北平的乌延皆"自称王"。甚至有汉朝郡

---

① 《三国志》卷30《乌丸鲜卑东夷传》注引《魏书》记载为"九千余人"。不取。
② 《后汉书》卷90《乌桓鲜卑列传》。
③ 《后汉书》卷90《乌桓鲜卑列传》。
④ 《后汉书》卷90《乌桓鲜卑列传》。

太守叛入乌桓丘力居部的张纯，还"自号弥天安定王，遂为诸郡乌桓元帅"①。汉人为乌桓"元帅"，是否可以视为乌桓族的部落头领还应商榷。值得注意的是这位张纯所投奔的辽西乌桓丘力居部，在东汉献帝时期一跃而成为乌桓诸部之中最为强大者。《后汉书·乌桓鲜卑列传》记载该系情况为"丘力居死，子楼班年少，从子蹋顿有武略，代立，总摄三郡，众皆从其号令"。说明丘力居部最终是取得了对乌桓诸部的"总摄"权。

从蹋顿"代立"以后，可以大致看出乌桓各部的分布和相对集中的活动区。史料中的提示就是其统有的"三郡"。这"三郡"就是东汉灵帝时期的上谷难楼、辽西丘力居所拥有的乌桓邑落，两部合计原有部落约为15 000落；辽东苏仆延拥有的1 000余落；右北平乌延拥有的800余落。当然，这是《后汉书》的划分。实际上，应当将上谷难楼与辽西的丘力居分开，共4个郡。这是三国鼎立时期以前乌桓各部出现的一次联合，在活动地区上也有一定的集中性。

第四节　柔然政权及其政治制度

柔然是拓跋鲜卑的分支，发祥于今内蒙古呼和浩特市武川县境内。② 柔然所建政权在中国古代北方游牧民族历史中有着划时代的意义。因为，柔然政权是继汉文献记载较为具体的匈奴政权之后又一个等级和职官较为严明的政权，对在他们之后建立的突厥政权和回纥政权有着深远的影响。突厥、回纥政权基本上因袭了柔然政权的统治模式。

对于柔然政权的建立时间，以往的研究普遍认为是在社仑时期（402年）。依据的主要史实是，社仑得权之后消灭了本民族的其他势力，并自称可汗，设立军法。但据史料记载，社仑得权之前柔然已经有了形成政权的基本要素。我们可以把这一话题延伸至木骨闾的儿子车鹿会时代。据传说，柔然的祖先是"木骨闾"，"木骨闾"即"首秃"之意，后来"木骨闾"语讹而变成"郁久闾"。柔然在木骨闾时代仅有"百余人"，但到了他的儿子车

---

① 《后汉书》卷90《乌桓鲜卑列传》。

② 亦邻真：《柔然拾零》（蒙古文），《亦邻真蒙古学文集》，内蒙古人民出版社2001年版。

鹿会时期，部众繁衍，有了自己的称号，即"始有部众，自号柔然"。"自号柔然"意味着柔然分离于拓跋鲜卑，并与其他势力开始对峙。当时，在蒙古高原上居住着匈奴、鲜卑、乌桓、高车等诸多部族。在这样一个部族林立、弱肉强食的年代里，能够找到一个生存空间是多么艰难的事情。而柔然在车鹿会时期所辖的地理空间并不狭小，即"冬则徙度漠南，夏则还居漠北"。如果没有一个统一领导，他们不可能在大漠南北间这么自由自在地游牧。有了部众、称号和土地，还有生产生活的组织机构，恐怕不能仅将其视为一个氏族部落组织，至少可以看作是一个松散的部落联盟。对此史料没有给我们留下更多有参考价值的信息，只是粗略地叙述了部落首领的世袭。即车鹿会死，子吐奴傀立；吐奴傀死，子跋提立；跋提死，子地粟袁立等。与乌桓、鲜卑早期的推举制相比，柔然见于史册之初，其部族首领即实行世袭制，说明其社会发育程度从一开始就较为成熟。那么，以此推断，其政权雏形或更在社仑之前即已形成。众所周知，中原史家记载周边邻近部族时，因其与自己王朝关系密切或影响较大而了解较多从而详载，因其与自己王朝关系疏远或没有多大影响而了解较少从而略载。形成不久的柔然同中原王朝没有多少往来，更谈不上构成威胁，因此，关于柔然早期历史的史料就显得十分简略。但我们不能受史料记载特点的影响而忽略了柔然的早期历史，更不能由此定位柔然政权就建立于社仑时代。

自车鹿会下传四世时，中原王朝开始把目光更多地放在了逐渐发展壮大起来的柔然人身上。史载"地粟袁死，其部分为二，地粟袁长子匹候跋继父居东边，次子缊纥提别居西边"①，活动地域大约在今天的内蒙古中、西部地区。从地分东西，东部为长子，西部为次子看，东部柔然贵族的权势要大于西部。这与鲜卑的三大部的行政地域划分也有区别。在此之前，柔然人主要役属于拓跋鲜卑，"岁贡马畜、貂豹皮"。至此，匹候跋、缊纥提开始尝试脱离拓跋鲜卑的羁縻统治。为此，拓跋魏为了征服柔然大动干戈。登国年间（386—396年），北魏先袭击了居于东边的匹候跋，在南床山（位于大漠之南）大破其众，"虏其半部"。拓跋珪又遣长孙嵩和长孙肥乘胜追击，长孙肥越过大漠在涿邪山（位于蒙古国南部）追及匹候跋，匹候跋"举部

---

① 《魏书》卷103《蠕蠕传》。

请降"。大概与此同时，北魏又攻击了居于西边的缊纥提，大破之，获其子曷多汗及曷多汗兄诘归之、社仑、斛律等。缊纥提西逃，拓跋珪追及跋那山（今内蒙古包头西），缊纥提请降。394 年，降于北魏的曷多汗和社仑弃其父西走，长孙肥轻骑追击，在跋那山杀死了曷多汗，而社仑投奔于匹候跋。匹候跋让社仑居于南部，并派四个儿子进行监视。不久，社仑诱杀了匹候跋，"尽并其部"。随后，社仑与后秦姚兴和亲，共同对付北魏。401 年，北魏向后秦求婚，姚兴加以拒绝。拓跋珪以此为借口，派将军和突袭击了居于河套地区的黜弗、素古延等诸部，社仑遣军救援。次年，社仑战败，退居漠北。当时，居于漠北的高车诸部势力最强的是斛律部，其首领倍侯利趁社仑被北魏打败之机，击溃了社仑的残余部众。稍后，倍侯利乘胜不设防，遭到社仑的突然袭击，社仑转而"侵高车，深入其地，遂并诸部，凶势益振"。于是，社仑"北徙弱洛水"，自称可汗，在原有基础上建立了汗国。柔然汗国"其常所会庭则敦煌、张掖之北"，其辖地"西则焉耆之地，东则朝鲜之地，北则渡沙漠，穷瀚海，南则临大碛"，称霸蒙古高原。

柔然汗国自从建立到 487 年为止一直与北魏为敌，双方主要围绕漠南和西域地区展开争斗。柔然汗国初建时期北魏已迁都至平城（今大同市），并且把主要精力放在与其他各政权逐鹿中原上。柔然汗国趁此机会，不断寇掠北魏北部边地。北魏为了防御柔然，在北边一线设置六个军镇。在西域地区，北魏和柔然争夺的主要目标是控制丝绸之路的中西交通权。柔然消灭了盘踞在高昌的北凉残余势力，并立阚伯周为高昌王。这样，在西域的争夺当中柔然一度占得先机。柔然汗国从 487 年到 555 年灭亡为止，国内内乱不断，在与北魏的对峙当中逐渐处于下风。487 年，臣属于柔然的高车副伏罗部首领阿伏至罗率众十万脱离柔然政权控制，迁至西域一带建立了"高车国"，并袭杀了柔然所立高昌王阚伯周之子首归兄弟，以敦煌人张孟明为王，从柔然手中夺取了西域交通权。后来，柔然贵族围绕可汗权力不断争斗。534 年，北魏分为东、西魏，此时柔然在阿那瓌可汗率领下恢复元气，政局开始稳定。但好景不长，臣属于柔然的漠北铁勒开始反抗。546 年，居于阿尔泰山之南的突厥首领土门率众讨铁勒，"尽降其众五万余落"。土门并杀死柔然使者，与其正式决裂，率军袭击柔然。阿那瓌被迫自杀，柔然也分成了东、西两部。555 年，土门击灭柔然东西部，柔然政权崩溃。

　　柔然政权的政治制度对以后在蒙古高原上所建政权而言有着划时代的意义，突厥、回纥基本上模仿柔然政治制度而建制，有些职官制度更是原封不动地照搬使用。柔然政权的有些行政制度在匈奴、北魏等以前所建政权当中能够见到，但有些制度可以说是柔然政权的独创。

　　柔然汗国把最高统治者称为"可汗"。"可汗"相当于匈奴政权的"单于"，中原王朝的"皇帝"。《魏书·蠕蠕传》记载："'可汗'犹魏言皇帝也。"① 据汉文史料记载，社仑最早"自号丘豆伐可汗"。从此以后，在蒙古高原上建立的政权几乎都把最高首领称之为"可汗"。社仑最早称"可汗"，给人一种"可汗"之号创建于社仑的感觉。实际上，"可汗"之称在此之前就有。前已提及，柔然政权在社仑之前的状况因史料记载过于简略而无法得知其详情。所以，社仑之前柔然人对其最高首领的称谓已难于知晓，但不能排除使用"可汗"称号的可能。拓跋鲜卑也把自己的首领称为"可汗"。北魏太平真君四年（443年）三月，"乌洛侯国遣使朝贡"。据乌洛侯使者说在他们居地西北有拓跋鲜卑先祖的"石室"。于是，北魏拓跋焘派遣中书侍郎李敞前往祭祀，并在石壁上刻录了祝文。在李敞的祝文中就有"可寒"之称，② 表明拓跋鲜卑也把自己的首领称为"可汗"。但奇怪的是在《魏书》中我们丝毫见不到拓跋鲜卑把首领称为"可汗"的记载。这可能是因为《魏书》编纂时拓跋鲜卑已入主中原多年，大量地吸收汉文化，在生产生活方式、风俗习惯等各个方面有了一定的或根本的改变。在《魏书》中，史家把拓跋鲜卑的所有最高首领统统称之为"皇帝"。拓跋鲜卑在呼伦湖时期和盛乐时期不可能把自己的首领称为"皇帝"，很有可能后人在修撰史书时对原来的称谓进行了替换。除了拓跋鲜卑以外，慕容鲜卑也把首领称为"可汗"。据《魏书·吐谷浑传》记载，吐谷浑因"马斗相伤"与其弟若洛廆产生矛盾，率部向西迁徙，若洛廆派遣七那楼追及吐谷浑让他返回，"楼（七那楼）力屈，乃跪曰：'可汗，此非复人事。'"③ 吐谷浑以一部首领的

---

① 《魏书》卷103《蠕蠕传》。

② 米文平：《鲜卑石室寻访记》，山东画报出版社1997年版，第55页。

③ 《魏书》卷101《吐谷浑传》，中华书局点校本，第2233页。同传第2240页又载："伏连筹死，子夸吕立，始自号为可汗。"

身份而被称为"可汗"，结合北魏皇帝称其祖先为"可汗"的史例，可知"可汗"之称最早在鲜卑人或东胡系部落中使用是没有问题的，并且这一称谓也并不是北方民族在建立政权以后才给予最高统治者的称呼。

"可汗"之称音译自 qaɣan，其原义为何尚难考证清楚。前引《魏书·吐谷浑传》中七那楼所说的话，在《宋书·吐谷浑传》中记载为："楼喜拜曰：'处可寒。'虏言'处可寒'，宋言尔官家也。"① 可见，"可汗"等同于汉地所称"官家"，即"皇帝"，用来指称北方游牧民族政权的最高统治者。

柔然政权的"可汗"由木骨闾（郁久闾）家族世袭。据汉文史料记载，除了特殊情况以外，柔然政权的"可汗"一般是父亲死后由儿子继承，柔然社会主要实行父子继承制度。按柔然风俗，每一个可汗即位之后都有自己的"号"，如社仑号"丘豆伐"、斛律号"蔼苦盖"等。对此，《魏书·蠕蠕传》解释说："蠕蠕之俗，君及大臣因其行能即为称号，若中国立谥，既死之后，不复追称。"②

"可汗"之妻被称之为"可贺敦"，相当于匈奴政权的"阏氏"，中原王朝的"皇后"。"可贺敦"之称音译自 qatun，可能与"可汗"之称同时出现。前引李敞祭祀刻文中也有"可敦"一词；《南齐书·索虏传》载拓跋鲜卑人称皇后为"可孙"；《魏书·吐谷浑传》中也有"恪尊"的记载；《魏书·蠕蠕传》称为"可贺敦"，等等。这些足以证明"可贺敦"之称在东胡系部族当中普遍使用。

柔然政权的地方行政体制是东、西分统制。地粟袁时期"长子匹候跋继父居东边，次子缊纥提别居西边"。社仑建立汗国之后，把这一制度是否沿袭了下来，史料没有明载，但从零散史料所透漏的信息来看是因袭了这一项制度。《魏书·蠕蠕传》记载："大檀者，社仑季父伏浑之子，先统别部，镇于西界"；大檀弟匹黎"先典东落"等。③ 显然，柔然汗国实行东西分统制。

柔然政权的行政制度按照原来的部落组织进行构建，部落首领一般称之

① 《宋书》卷96《吐谷浑传》。
② 《魏书》卷103《蠕蠕传》。
③ 《魏书》卷103《蠕蠕传》。

为"俟力发"、"俟斤"（irkin）等①。而且，"俟力发"和"俟斤"也是柔然政权的地方军政组织单位。据载，"俟力发"是在柔然政权中掌管军事的重要官职。《魏书·蠕蠕传》记载，阿那瓌"立经十日，其族兄俟力发示发率众数万以伐阿那瓌，阿那瓌战败，将弟乙居伐轻骑南走归国"；"阿那瓌来奔之后，其从父兄俟力发婆罗门率数万人入讨示发，破之"；"九月，蠕蠕后主俟匿伐来奔怀朔镇，阿那瓌兄也"。② 从率众"数万"来判断，"俟力发"应是掌管数目较多军队的军官。又从"俟力发"之官主要是由可汗的兄弟们担任来看，此官极其尊贵。由此推断，柔然政权的"俟力发"应该是掌管一方军事的武官。众所周知，中国古代北方游牧政权大多是军政合一的政权。所以，"俟力发"有可能就是柔然政权的高级地方行政长官，或许也就是东西分统制的下一级单位。

对于"俟斤"一职，《魏书·蠕蠕传》记载："四年，遣使俟斤尉比建朝贡"；"婆罗门遣大官莫何去汾、俟斤丘升头六人将兵二千随具仁迎阿那瓌"。③ 对此，胡三省做注云："俟斤，柔然大臣之号。"④ 除此之外，史籍没有了更有价值的关于"俟斤"一职的记载。由此我们也只能得出"俟斤"是柔然政权中的一个职官的结论。然而，除了柔然政权以外，其他政权或部族当中也用此官号。《南齐书·魏虏传》载："又有俟勤地何，比尚书。"⑤ "俟勤"即"俟斤"，可见北魏王朝中也有此官，且与中原封建王朝的"尚书"相当。库莫奚在隋朝时期有五个部落，"每部俟斤一人为其帅"⑥。契丹有时也把部落酋长称为"俟斤"。另外，在突厥语族部落当中则经常见到这一称号，如铁勒诸部、黠戛斯等都把自己的部落酋长称为"俟斤"。由此来看，"俟斤"之号最初是部落酋长之号，后来成为某个政权的一个重要的职官。柔然政权的"俟斤"一官或许就是一部之长，可能是"俟力发"的下级单位。说到部落酋长之称，在柔然政权中又有"大人"之称。如高车叱

---

① 《南齐书·芮芮传》中记有"国相希利垔"、"国相邢基祇罗回"。"国相"，应该是南朝史家按照本国的官号记载了柔然政权的官职。

② 《魏书》卷 103《蠕蠕传》。

③ 《魏书》卷 103《蠕蠕传》。

④ 《资治通鉴》卷 148，梁武帝天监十六年十二月条。

⑤ 《南齐书》卷 57《魏虏传》。

⑥ 《隋书》卷 84《奚传》。

洛侯背叛其首领，向导社仑击破高车诸部，于是"社仑德之，以为大人"；北魏平阳王长孙翰出击大檀弟匹黎，"杀其大人数百"。① 这可能是沿用了鲜卑、乌桓时期原有的"大人制"。

柔然又仿照北魏制度在国内立"军法"，并建立了"军将"、"幢帅"制。史载社仑"北徙弱洛水，始立军法：千人为军，军置将一人，百人为幢，幢置帅一人；先登者赐以虏获，退懦者以石击首杀之，或临时捶挞"。② 这是社仑建立汗国之时，仿效北魏制度对原来的军事体系所作的一次改革。北魏太祖对尚书崔玄伯说："今社仑学中国，立法置战陈，卒成边害。"对此，胡三省也解释说："军将、幢帅，皆魏制，社仑盖效而立之。"③ 既然柔然政权按照十进制组织了军队，那么在"军将"之上有没有统帅万人的官员呢？我们都知道突厥最初是柔然的"锻奴"，而他们有个叫"土门"的首领，后来成为突厥汗国的建立者。"土门"即"万"之义，看来在柔然政权中以"万"为单位的军事组织有可能存在。但不管怎么说，"军将"、"幢帅"制是柔然政权中的最基层的行政、军事单位，也可能是"俟力发"、"俟斤"等的下级单位。

柔然政权又有"吐豆发"之官。《北史·蠕蠕传》记载："三年四月，阿那瓌遣吐豆登郁久闾譬浑、俟利莫何折豆浑侯烦等奉马千匹，以为聘礼，请迎公主"；"阿那瓌遣其吐豆登郁久闾匿伏、俟利阿夷普掘、蒲提弃之伏等迎公主于新城之南"；"阿那瓌遣其吐豆登郁久闾譬掘、俟利莫何游大力送女于晋阳"；"阿那瓌遣其吐豆发郁久闾汗拔姻姬等送女于晋阳"。④ 从这些记载来看，"吐豆发"主要是由柔然郁久闾氏担任，说明此官地位不低。在柔然政权中具体有什么职掌，史料未见明载。《通典》卷197"突厥"（上）记载："谓发为索葛，故有索葛吐屯，此如州郡官也。"的确，突厥政权把这一官职设于汗国所属部落当中，主要任务就是监察，如高昌、室韦、契丹等突厥汗国所属部落都设有"吐屯"官。突厥政权的"吐屯"官应该

---

① 《魏书》卷103《蠕蠕传》。
② 《魏书》卷103《蠕蠕传》。
③ 《资治通鉴》卷112，晋安帝元兴元年正月条。
④ 《北史》卷98《蠕蠕传》。"吐豆登"的"登"可能是"发（发）"字之误。

是因袭了柔然政权的"吐豆发"。由此推测，柔然政权也把"吐豆发"设置于所属部落，主要任监察一职，与中原封建王朝的"御史"基本相仿。

在柔然政权中又经常出现"莫何"（"莫弗"、"莫贺"、"莫何去汾"等）之号。据学者们研究，"莫何"即"莫何咄"之简称，"莫何咄"又是 baγatur 之音译，即"勇健者"之意。"莫何"之号除了柔然外，在乌桓、鲜卑、高车、契丹、库莫奚、室韦、乌洛侯、突厥、回纥等部族中经常使用，而且往往用于自己的首领。由此揣测，"莫何"最初应该是部民授予自己的领袖或勇健者的美称，后来可能演绎为授予英雄或有功者的爵位。

随着柔然政权与北魏王朝的不断接触并受其影响，对自己的统治体制不断地进行调整或改革。除了上面所提及的"军将"、"幢帅"制以外，从予成可汗之后每个可汗都有了自己的"年号"，如予成可汗的年号为"永康"，豆仑可汗的年号为"太平"，那盖可汗的年号为"太安"，伏图可汗的年号为"始平"，丑奴可汗的年号为"建昌"等。尤其阿那瓌投奔于北魏之后，长期居住在洛阳，对北魏王朝的统治体制较为熟悉。当他继承可汗之位后，就仿效北魏官制"立官号，僭拟王者，遂有侍中、黄门之属"[1] 等。

第五节　突厥政权及其政治制度

当柔然人所建政权走向衰落之时，在被他们统治下活动在金山（今阿尔泰山）南麓的突厥人日益强大起来。552 年，突厥首领阿史那土门率领部众击破铁勒五万余众，在于都斤山（今杭爱山）设立牙帐，自称可汗，建立了突厥汗国，史称前突厥汗国（或称第一突厥汗国）。土门弟木杆可汗继位后，"西破挹怛，东走契丹，北方戎狄悉归之，抗衡中夏"，由此今天的内蒙古大部分地区被突厥控制。木杆弟佗钵可汗死后，国内出现五个可汗争位的局面，[2] 隋朝利用这一局势，采取软硬兼施、分化瓦解和军事打击等手段，致使突厥分裂为东、西汗国。

---

[1] 《北史》卷 98《蠕蠕传》。
[2] 《隋书》卷 84《突厥传》："且彼渠帅，其数凡五，昆季争长，父叔相猜，外示弥缝，内乖心腹，世行暴虐，家法残忍"。

隋末唐初，东突厥给中原政权施加了很大压力。唐太宗李世民在位时，联合薛延陀汗国灭亡了东突厥汗国。唐朝为了处置突厥俘虏和降民在漠南设置了定襄、云中、顺、佑、化、长等六个羁縻州府，其地大概包括今内蒙古呼和浩特市、包头市、鄂尔多斯市、巴彦淖尔市、乌兰察布市等地。东突厥汗国灭亡之后，过了将近半个世纪，依附于唐朝的突厥贵族积极准备复国运动。682 年，阿史那骨咄禄自称可汗，重建突厥政权，史称后突厥汗国（或称第二突厥汗国）。相邻的契丹、奚、室韦等部落又成了突厥属部。直到 742 年，回纥、拔悉弥、葛逻禄三部组成联盟，反抗后突厥汗国统治。744 年，回纥等击杀突厥乌苏米施可汗，国人更立其弟为白眉可汗，后亦被回纥杀死，后突厥汗国遂灭亡。

突厥在历史上断续建立过几个政权，有统一的政权也有分裂的政权。对于突厥政权，我们既要注意早期统一的突厥政权的内容，又要具体分析东、西突厥的具体情况。作为古代游牧民族，在政权机构建设方面，有其本民族共同的、传统的内容，也有走向不同的地区以后，经过长期与周边许多民族交往后所产生的新的内容。在突厥历史发展中，与今天内蒙古地区历史关系密切的是东突厥。它在漠南、漠北地区所创造的历史以及与隋唐两朝交往、交融的历史，使突厥政权成为一个时代的代表。

关于突厥政权的政治制度，汉文史料记载得较多，其中以《通典》所记最为详细。《通典》卷 197《突厥》（上）记载："土门遂自号伊利可汗，犹古之单于也，号其妻为可贺敦，亦犹古之阏氏也。其子弟谓之特勒，别部领兵者谓之设，其大官屈律啜，次阿波，次颉利发，（次）吐屯，次俟斤。其初，国贵贱官号凡有十等，或以形体，或以老少，或以颜色、须发，或以酒肉，或以兽名。其勇健者谓之始波罗，亦呼为（英）［莫］贺弗。肥粗者谓三大罗。大罗便，酒器也，似角而粗短，体貌似之，故以为号。此官特贵，惟其子弟为之。又谓老为哥利，故有哥利达官。谓马为贺兰，故贺兰苏尼、阙苏尼，掌兵之官也。谓黑色者为珂罗便，故有珂罗便啜，官甚高，耆年者为之。谓发为索葛，故有索葛吐屯，此如州郡官也。谓酒为匐你热汗，热汗掌监察非违，厘整班次。谓肉为安禅，故有安禅具泥，掌家事如国官也。有时置附邻可汗，（附）邻，狼名也，取其贪杀为称。亦有可汗位在叶护下，或有居家大姓相呼为遗可汗者，突厥呼屋为遗，言屋可汗也。……其后，大官有叶护，次设，特勒，次俟利发，次吐屯发，余小官，凡二十八等，皆代袭焉。"由于相关具体释义史料缺乏，大多官号含义、职掌等已无法考释清楚，① 只能与突厥政权的历史相结合叙述大体轮廓。

突厥政权与柔然政权一样把最高统治者称为"可汗"，其妻谓为"可敦"。这应是因袭了柔然政权的称谓。突厥政权的"可汗"由阿史那氏世袭。

前突厥汗国时期，国内施行"大、小可汗制"，从某种意义上讲也可以认为是分封制。突厥可汗把自己的子弟们封为"小可汗"，而自己是汗国的"大可汗"。如木杆可汗死后弟佗钵可汗立，"佗钵以摄图（土门可汗之弟逸可汗之子）为尔伏可汗，统其东面，又以其弟褥但可汗子为步离可汗，居西方"②。"尔伏可汗"和"步离可汗"是佗钵可汗之下的"小可汗"。随着佗钵可汗的死，国内"小可汗"的数目逐渐增多，说明突厥政权的中央集权开始松散。佗钵可汗死，国人立其子庵罗为大可汗。但木杆可汗之子大逻便不服，"每遣人骂辱之"。庵罗不能制，让位于摄图，"庵罗降居独洛水，称第二可汗"。此时，大逻便遣使请摄图曰："我与尔俱可汗之子，各承父后。尔今极尊，我独无位，何也？"摄图无奈，于是把他封为阿波可汗，"还领所部"。此时，除了庵罗和阿波之外还有几个小可汗。如原来就居于西部的"西面可汗"土门之弟室点密之子达头可汗；居于北方的摄图子染干号突利可汗；不知何时被封为可汗的贪汗可汗等。对于这些小可汗的权限，史书没有给我们留下过多可以参考的史料。从突厥汗国日后发生的内讧来推测，这些小可汗在行政、军事等方面具有一定的独立性，否则他们也不可能那么轻易地威胁大可汗的权威。

前突厥汗国从摄图可汗时期开始内讧，诸小可汗相互征伐，争权夺利。对于这些小可汗的相互征讨，无论是古代史官还是现代学者都认为前突厥汗国此时已经分裂。最早把突厥记载为东、西部的史书是《隋书》，即记西突厥大约形成于583年。当时，隋朝刚刚建立，北边的突厥汗国对它构成了极大的威胁。就隋朝与突厥汗国的关系而言，隋朝是愿意看到前突厥汗国四分

---

① 韩儒林：《突厥官号考释》，《穹庐集》，上海人民出版社1982年版，第304页。
② 《隋书》卷84《突厥传》。

五裂的景象的。而且，当时突厥汗国也恰好处于这种诸小可汗争权夺利、兵戎相见的内讧时期。于是，隋朝制定拉拢其中的某一股势力，从而对付其他不顺从势力的策略。《隋书》作者应该是出于这种环境和隋朝对付突厥的策略出发，把突厥记载为东、西两部。《隋书》之后著成的史书均接受了《隋书》的观点，于是后人自然而然地把前突厥汗国分裂的时间定为583年。但是，某个政权分裂的标尺不在外界而在内部，在于国民是否继续承认和拥戴最高统治者的权力和地位。如果仅从外界考虑，那怎么去理解元朝和四大汗国之间的关系？突厥汗国是否真正分裂要看汗国的内部状况，即突厥汗国的臣民们是否还承认和拥护"大可汗"的统治权力和地位。事实上，"大可汗"的位置仍在表明汗国还没有分裂。的确，前突厥汗国从摄图可汗时期开始，诸小可汗的权力日益增大，从而不被汗国所使唤或根本不听从大可汗的命令。但这些小可汗也为了争夺"大可汗"之位而厮杀，可见他们客观上还是承认"大可汗"的存在和权威。对于突厥汗国的分裂问题，我们还可以详细分析隋朝大臣裴矩所说的话，他说："处罗不朝，恃强大耳。臣请以计弱之，分裂其国，即易制也。射匮者，都六之子，达头之孙，世为可汗，君临西面。今闻其失职，附隶于处罗，故遣使来，以结援耳。愿厚礼其使，拜为大可汗，则突厥势分，两从我矣。"[1] 在此所指的"大可汗"是把射匮拜为大可汗，而"两"是指射匮可汗和东部的启民可汗（隋朝刚恢复其蒙古高原上的统治）。很明显，隋朝的官员也认为把射匮拜为大可汗之后，能与东面的启民可汗对立，并且这两个可汗都臣服于隋朝，这样一来隋朝可以解除后顾之忧。隋朝把射匮拜为大可汗，说明突厥已经真正分裂为东、西两部。从某种意义上讲，突厥汗国的分裂是隋朝运作扶植的结果。对于突厥汗国的分裂问题，应该接受岑仲勉先生的观点，即西突厥完全分裂的时间为射匮可汗时期（即611—612年）。[2] 因此，我们不能把前突厥汗国的大、小可汗制与分裂问题混为一谈。前突厥汗国分裂之后，对以前的大、小可汗制进行改革，东突厥汗国主要是施行了"设"的统治制度。

　　突厥政权中有"设"（又作"察"、"杀"等）一官，"设"即突厥语

[1] 《隋书》卷84《西突厥传》。
[2] 岑仲勉：《西突厥史料补缺及考证》，中华书局1958年版，第108页。

šad 之音译。据《通典》解释："别部领兵者谓之设"，可见"设"是拥有兵权的武官。在突厥建立汗国之前，把部落酋长称之为"设"，如"讷都六设"、"阿贤设"等。此官在柔然汗国或其他古代北方民族所建政权（突厥汗国之前）当中见不到，由此可以认定，"设"应该是突厥民族的官号。东突厥汗国从始毕可汗（启民可汗之子）开始原来的诸多"小可汗"从史书记载中突然消失，取而代之的是诸多"设"，说明东突厥汗国对行政制度作了一次改革。从以后的发展情况来看，此次改革大体上是除了保留一个"小可汗"以外，其余"小可汗"全部取消，而由"设"来取代。如颉利可汗（启民可汗之子）时期，颉利可汗把始毕可汗之子什钵苾封为突利可汗，统辖库莫奚、契丹等居于汗国东部的诸部族。除此之外，汗国之内未见其他小可汗，相反汗国内部出现了很多"设"，而且这些"设"大多由可汗的子弟们担任。如始毕可汗立其弟为"俟利弗设"，处罗可汗（启民可汗之弟）立弟为"步利设"，又立子为"奥射设"，颉利可汗立子为"欲谷设"等等。很显然，东突厥汗国从始毕可汗开始把以前的"小可汗"制取消，目的就是加强中央集权，从而把汗国的统治权集中到大可汗手里。由此看来，"设"由原来的部落首领之称逐渐转变为汗国的最基本的地方行政、军事单位。

突厥政权又有大官"叶护"（Yabγu）。从零星史料记载来看，在突厥汗国初期担任叶护者有时可以成为可汗的继任者。《隋书·突厥传》记载："初，摄图以其子雍虞闾性惧，遗令立其弟叶护处罗侯"；"处罗侯竟立，是为叶护可汗。以雍虞闾为叶护"；"其后处罗侯又西征，中流矢而卒。其众奉雍虞闾为主，是为颉伽施多那都兰可汗"。[①] 但是，我们不能仅据此断言在突厥政权中就有任叶护者继可汗位的一种制度。能够肯定的一点是，在突厥汗国时期"叶护"的地位较高，可能就是可汗之下的最高位的官职。

突厥政权又有"特勤"一官。据《通典》记载："其子弟谓之特勒。""特勒"应是"特勤"之误，"特勤"即突厥语 Tigin 之音译。据喀什噶里所著《突厥语大词典》解释，"特勤"一词原先是"奴隶"的意思，后来逐渐演变为可汗家族子弟们所专用之号。这一转变过程也很有趣，如可汗子弟

---

① 《隋书》卷84《突厥传》。

们为了请示某一件事或写奏折时，首先谦称自己为"您的奴隶某某这样做了，您的奴隶某某那样做了"等等，这样该词就成了他们的专用称号。① 但可汗的子弟们为了与别的奴隶区别，便在特勤之称前多冠以别的词，如"阙特勤"、"统特勤"等。后来，特勤之号不仅限于可汗子弟，而其他为汗国有功者也可以授予此号。如《资治通鉴》记载："突厥意欲降之，遣使谓崇曰：'若来降者，封为特勒'。"下文胡注曰："特勒，突厥达官。"② 可见，降服于突厥汗国者也可以授予特勤之号。又从胡三省所说特勤"突厥达官"得知，特勤从可汗子弟的专称又转变为一个官爵。

　　突厥政权又有"俟利发"、"俟斤"（Irkin）等官，这些官号因袭于柔然。在柔然政权当中，这两个官号是在可汗之下官位比较高的职官。在突厥政权当中这两个官号的级别同样也很高，如《周书·突厥传》记载："科罗死，弟俟斤立，号木（汗）［杆］可汗"；③《隋书·突厥传》记载："寻遣其弟子（达头可汗弟子）俟利伐从碛东攻启民。"④ 在此出现的"俟斤"和"俟利伐"并不是人名，而是他们的官号。由此可见，"俟利发"和"俟斤"由突厥可汗的子弟们担任，说明官职地位不低。但由于史料缺乏，对这一官号的级别、职务等具体内容不能详细考证。很有意思的是这两个官号在突厥本部的统治体系当中并不多见，反而在突厥汗国所属部落当中经常出现，如铁勒诸部的首领均称"俟利发"或"俟斤"等。看来，这一官号常用于突厥汗国所属部落当中，而在突厥本部当中并不多用。在突厥政权中，"俟利发"和"俟斤"或许是与突厥本民族的"设"和"啜"平级的官号。

　　突厥政权又有"土屯发"官，也因袭于柔然。这一官名的设置和职务等应该与柔然政权基本相当。《隋书·契丹传》记载："突厥沙钵略可汗遣吐屯潘垤统之"；⑤《隋书·室韦传》记载："并无君长，人民贫弱，突厥常

①　喀什噶里：《突厥语大词典》第1卷（汉译本），民族出版社2002年版，第436页。

②　《资治通鉴》卷175，至德元年（583年）六月。

③　《周书》卷50《突厥传》。

④　《隋书》卷84《突厥传》。

⑤　《隋书》卷84《契丹传》。

以三吐屯总领之。"① 可见，"土屯发"是由汗国派往所属部族的官员，其主要任务就是监察。

后突厥汗国基本上延续了东突厥汗国的统治体系。骨咄禄自称可汗之后，"以其弟默啜为杀，咄悉匐为叶护"②。尤其是后突厥汗国第二位可汗默啜时期，统治体系更加完备。默啜可汗"立其弟咄悉匐为左厢察，骨咄禄子默矩为右厢察，各主兵马二万余人。又立其子匐俱为小可汗，位在两察之上，仍主处木昆等十姓兵马四万余人，又号为拓西可汗，自是连岁寇边"。③很明显，后突厥汗国仍施行东突厥汗国时期的一个小可汗制，即"拓西可汗"默啜之子匐俱统领处木昆等居于汗国西部的部落。默啜可汗又把自己的弟弟和骨咄禄之子分别封为左右设，统辖汗国东西部地区。在后突厥汗国行政制度中，跟前突厥汗国不同的是有一个"左贤王"的官员，如默啜可汗时期骨咄禄之子默棘连任"左贤王"，毗伽可汗时期阙特勤任"左贤王"。"左贤王"是"专掌兵马"④，可能就是汗国的最高军事长官。此制度可能因袭于匈奴政权，因为匈奴汗国中有左贤王、右贤王制。716 年，默啜可汗被拔野古部所杀，骨咄禄之子阙特勤趁机杀死默啜之子小可汗及其诸弟，立兄默棘连为可汗，即毗伽可汗。毗伽可汗任阙特勤为"左贤王"，其下又设置了"二设"，如《毗伽可汗碑》东面第 21 行记载："我同二设及我弟阙特勤商谈了。"毗伽可汗被大臣梅禄啜所毒死，国人立其子为伊然可汗。伊然可汗死，又立其弟为登利可汗。登利可汗的"从叔父二人分掌兵马，在东者号为左杀（设），在西者号为右杀（设），其精锐皆分在两杀（设）之下"⑤。登利可汗被左杀所杀死，左杀自立为乌苏米施可汗，之后又被回纥汗国所击败。如此看来，后突厥汗国的最基本的地方行政制度是"左右设"；在默啜可汗时期则设有"小可汗"，统领居于汗国西部的各属部；后来又设"左贤王"，专门掌管汗国军事。

---

① 《隋书》卷 84《室韦传》。
② 《旧唐书》卷 194《突厥传》。
③ 《旧唐书》卷 194《突厥传》。
④ 《旧唐书》卷 194《突厥传》。
⑤ 《旧唐书》卷 194《突厥传》。

第六节　回纥政权及其政治制度

回纥是铁勒部落之一，原居地在贝加尔湖南、色楞格河下游一带。在前突厥汗国时期，回纥臣属于前突厥汗国。前突厥汗国末年，回纥无法忍受颉利可汗的残暴统治，与薛延陀部一同进行反抗。薛延陀夷男于 629 年击破东突厥汗国，占据其地，并自称可汗，建立了薛延陀汗国。回纥首领菩萨也击败了前来挑战的东突厥汗国欲谷设的十万军队，随后率众依附于薛延陀汗国，号为"颉利发"。646 年，薛延陀汗国灭亡，回纥又臣属于唐朝，唐朝在其地设置了瀚海都督府。回纥首领菩萨死后，其酋胡禄俟利发吐迷度继任，唐朝"拜吐迷度为怀化大将军、瀚海都督"，吐迷度"然私自号可汗，置官吏，壹似突厥，有外宰相六、内宰相三，又有都督、将军、司马之号"①。可见，回纥此时已建立政权。吐迷度被"其侄乌纥所杀"，唐封其子婆闰为"左骁卫大将军、大俟利发、使持节回纥部落诸军事，瀚海都督"。婆闰之后，比粟毒、独解支、伏帝匐等先后成为回纥首领。大约在伏帝匐时期，回纥被后突厥汗国所征服，部分人不愿受其统治，遂与铁勒契苾、思结、浑部一起南迁，徙居至唐甘州、凉州之间，大约今甘肃、宁夏以及内蒙古西部一带。此后，史书又记载了伏帝匐的继任者承宗、伏帝难等。目前史学界并不承认这一支回纥政权的存在，主要原因之一是它始终被唐朝所羁縻统治。确实，从汉文史籍记载看，无论是唐朝政府还是中原史家当时并不承认回纥的最高首领"可汗"的存在。虽然回纥吐迷度"已自称可汗，署官号皆如突厥故事"，但唐朝政府始终把他们的"可汗"封为大将军、都督、大俟利发等，而不像以后那样封为某某可汗，说明唐朝把他看成是在漠北地区设置的六府七州之一，并不认为是个相对独立的政权。中原史家也从这一角度出发记述当时的历史，给后人留下了漠北回纥人从薛延陀汗国灭亡到后突厥汗国建立为止始终被唐朝所直接统治的印象。然而，不管唐朝政府或中原史家承认与否，吐迷度自称可汗的史实是客观存在的。

关于吐迷度所建政权的行政机构方面的资料，在史书中并不多见。《旧

---

① 《新唐书》卷 217（上）《回鹘传》。

唐书·回纥传》中记载，"署官号皆如突厥故事"；《新唐书·回鹘传》又记载，"置官吏，壹似突厥，有外宰相六、内宰相三，又有都督、将军、司马之号"。由此看来，吐迷度所建政权基本继承了以前突厥汗国的行政制度，其中也夹杂着一些中原封建王朝的职官制度。这一政权的最基本的行政体制亦是"左右杀"制，即"左杀右杀分管诸部①。

742 年，回纥酋长骨力裴罗与拔悉弥、葛逻禄联合击败了后突厥汗国，并推举拔悉弥酋长为可汗，骨力裴罗自称叶护。次年，骨力裴罗又与葛逻禄联合推翻了刚刚被推举为可汗的拔悉弥酋长，而骨力裴罗自称苾伽阙可汗，回纥又一次建立了政权。之后，骨力裴罗打败了盟友葛逻禄，独霸蒙古高原。骨力裴罗建立政权及其巩固统治时期，唐朝正处于"安史之乱"。唐朝为了镇压叛乱请兵于回纥，骨力裴罗遣子叶护率兵助唐，并从叛军手中收复了洛阳、长安城。从客观上讲，安史之乱对于初建不久的回纥政权而言，是巩固统治和扩张势力千载难逢的好机会。回纥政权也正好利用这一机会，迅速发展势力、扩张领地。否则，他们也不会在这么短的时间内成为能与唐朝和吐蕃政权对峙的力量。当唐朝平定安史之乱之后，回纥政权与唐朝有时和亲，和平相处；有时则兵戎相见，或与吐蕃政权联合一同对付唐朝。更重要的一点是，唐朝与回纥政权之间的马市贸易对唐朝而言是个包袱。回纥每次遣数千人赶着数千匹或万匹马进行交易，这给唐朝的财政带来了沉重的负担。因此，唐朝尽量限制回纥互市的马匹数量和朝贡的人数。另外，回纥政权在西域也与吐蕃展开激战，争夺中西交通要道丝绸之路的控制权。在这三角链当中能生存并能与唐、吐蕃对峙、抗衡，这本身就显示了回纥政权强大的实力。

至 836 年，回纥萨特勤可汗发觉大臣安充合和特勤柴革预谋篡位，于是将二人处死。在外拥兵者掘罗勿对此不满，起兵攻击萨特勤可汗，并将其杀死。又有将军句录末贺者怨恨掘罗勿，投奔黠戛斯并引领十万骑兵攻破回纥城，杀死了掘罗勿。这样，回纥部众四处逃散，一支 15 部在庞特勤的率领下投奔葛逻禄，另一支 13 部在特勤乌介的带领下南附唐朝，部众后推乌介为可汗。乌介吞并了另一支降唐的赤心的部众七千余人后，拥众十万，屯驻

---

① 《旧唐书》卷 195《回纥传》。

于唐天德（今内蒙古乌拉特前旗境内）、振武（今内蒙古和林格尔县境内）北界。从此，回纥政权在内蒙古地区盘踞了一段时间。黠戛斯攻破回纥汗国对唐朝而言，是给唐解除了后患。唐朝为了彻底消灭回纥政权，嫁太和公主于黠戛斯可汗，拟与其联合共同对付乌介。乌介以所截获的太和公主为要挟，向唐提出各种要求，并时而率兵寇掠边境。乌介又想与相邻而居的黑车子达怛联手，借他们的势力死灰复燃、卷土重来。唐朝为了不让乌介得逞，一方面给黑车子达怛施加压力，另一方面频繁遣使至黠戛斯敦促其尽快用兵乌介。在黠戛斯和唐朝的夹击之下，回纥部分贵族纷纷降唐。黠戛斯又派人用重金贿赂黑车子达怛杀死乌介，其弟遏捻被立为可汗。黑车子又把遏捻部众分为七部，由七姓各占一部。848年，黠戛斯相阿播率众七万来取遏捻，大败黑车子，将回纥余众掳回漠北。从此，在蒙古高原上的回纥政权彻底被消灭。逃至西域的庞特勤此时自称可汗，回纥政权由蒙古高原转向了西域。

骨力裴罗所建回纥政权在蒙古高原上存在了一个多世纪，它没有像突厥政权那样分裂而相对稳定地存在，很大程度上与其施行的政治制度有关。回纥政权基本因袭了突厥政权时期的职官制度，但与其有别之处是较多地使用了中原封建王朝的官制体系。回纥政权把最高首领仍称"可汗"，由回纥药罗葛氏世袭。可汗的继承者有时是弟弟，有时是儿子。由此看来，在政权内部并没有明确规定可汗的继承制。可汗的子弟称之为"特勤"。

据史料记载，回纥政权有"内宰相三、外宰相六"，这应该是中央行政机构里的职官。这里的"宰相"是中原史家按照自己的理解并用汉地的官号记载的回纥政权的职官，实际上与中原封建王朝的"宰相"应该是有区别的。据汉文史料记载，在回纥助唐平定安史之乱时派遣"宰相磨咄莫贺达干、宰相噉莫贺达干、宰相护都毗伽将军、宰相揭拉裴罗达干、宰相梅禄大将军罗达干"① 等，说明在回纥政权中"宰相"一职不止一个，其地位和权力均远不及中原"宰相"。回纥政权还有"尚书"一官，如"回鹘尚书吕衡等诸部降振武"、"回鹘尚书仆固绎到幽州"等。"尚书"当与"宰相"一样，是中原史家按照自己惯用的官号记载的回纥政权的职官，不能将其与中原封建王朝的"宰相"、"尚书"等完全等同。中原史家所称的"宰相"

---

① 《旧唐书》卷195《回纥传》。

和"尚书"，在回纥政权中可能称为"梅禄"（Buyruq）。《铁儿痕碑》（也称《塔里亚特碑》、《磨延啜第二碑》）西面第 6 行记有"内梅禄首领伊难朱莫贺达干"，又记"大梅禄共有九个"。① "大梅禄共有九个"，这与汉文史籍所记"内宰相三、外宰相六"的数目完全吻合。可见，汉文史籍所记"宰相"就是回纥政权中的"梅禄"。"梅禄"是回纥政权的大臣，应与中原王朝的大臣相仿，但具体职务方面应该有一定的区别。对此，有待进一步深入研究。

回纥政权在地方行政制度上依然施行"左右杀"制。《磨延啜碑》东面第 7 行中记有"我赐予我的两个儿子叶护和设，让他们统治达头和突利施人民"。唐安史之乱时期，回纥可汗遣其太子叶护助唐讨贼，"叶护"不是可汗太子的名字，而是他的官职。可见，汉文史料和碑文中的说法完全一致。又，唐代宗册封回纥"可汗、可敦及左右杀、诸都督、内外宰相已下，共加实封两千户"②。这也证明回纥政权在地方上施行"左右杀"制。

骨力裴罗所建政权在地方上使用中原封建王朝的都督、将军制。骨力裴罗占领九姓铁勒居地之后，基本上统一了蒙古高原。他按照原来的部落组织在汗国内部设立了九个都督，"每一部落一都督"。之后，骨力裴罗又"破拔悉密，收一部落，破葛逻禄，收一部落，各置都督一人，统号十一部落"。回纥政权的都督制应该是深受唐朝在漠北地区长期设置都督府的影响。都督制按照十进制来组织，如《铁儿痕碑》西面第 6、7、8 行中经常出现"百人长"、"五百人长"、"九百人长"、"千人长"、"五千人长"等等。与此同时，在回纥政权中又有"将军"、"刺史"、"司马"等中原王朝的官号。但他们不是单独使用这些官号，而是与本民族原有的官号混合使用，如"毗伽大将军都督"、"骨咄禄毗伽将军"等等。回纥政权的这些官号虽然与中原王朝的官号相同，但不见得职掌等相同，应该有一定的差别。

回纥政权自从实行都督制之后，在汗国的直接统治区域内几乎没有了原有的"俟斤"、"俟利发"等官号，而这些官号在汗国的所属部族当中仍然

---

① 耿世民：《古代突厥文碑铭研究》，中央民族大学出版社 2005 年版，第 209 页。
② 《旧唐书》卷 195《回纥传》。

使用，如"回鹘授其（黠戛斯）君长阿热官为'毗伽顿颉斤'"①等。回纥政权对属部仍派遣"吐屯"一官，如"初，奚、契丹羁属回鹘，各有监使，岁督其贡赋"，当回纥汗国灭亡之后二部"尽杀回鹘监使等八百余人"②。"监使"又是中原史家按照自己的官号记载了回纥政权的官号——"吐屯"。③

①　《新唐书》卷 217（下）《回鹘传》。

②　《资治通鉴》卷 246，唐武宗会昌二年九月条。

③　《元朝秘史》第 45 节中记有"葳年土敦"一人，"土敦"即"吐屯"。这说明部分蒙古语族部落原先曾隶属于回纥政权，回纥授予了他们"吐屯"之官。这也可以证明《资治通鉴》所记"监使"即"吐屯"。

第 十 一 章

中原政权针对古代北方
民族事务设置的军政建制

在内蒙古古代历史中，中原政权为了加强对边疆地区的辖制，除设立一些州、郡、县类的行政建制外，还针对某一地区的实际情况，特别是民族事务的需要，设立了一些负有特殊使命、拥有特殊权力的专门性的统治机构。因这些机构大多兼有军政双重职责，所以，也可以称之为军政建制。

第一节　护乌桓校尉营

护乌桓校尉营的设置是两汉中原封建政权为解决北方地区的民族事务而采取的措施之一。

从这个建制的名称看，其设立是直接针对乌桓的。然而，实际上设置护乌桓校尉营却同汉朝与匈奴的关系有着密切的联系。这段历史情况，可以追溯到西汉时期。当时，对北方地区影响最大的游牧民族为匈奴、乌桓和鲜卑。其中，匈奴冒顿单于先后征服了东胡等周围敌对势力，称雄大漠南北，建立了匈奴政权。其控制区域以阴山河套为中心，但实际活动范围却十分广阔。西汉北部的陇西、武威、朔方、五原、云中、定襄、雁门、代郡、上谷、渔阳、右北平、辽西、辽东等郡受匈奴的抄掠最为严重。有些地区一年之内会被多次抄掠。公元前 162 年前后，从云中至辽东的各个郡县，每年都有数千甚至数万人被匈奴掠走。民众的生产和生活都处在动荡不安的境况之中。在西汉文帝后六年（前158年），甚至出现了匈奴分别以3万余骑进入上郡、云中，"烽火通于甘泉、长安"① 的严重局势。这种动乱的局势，迫使汉朝必须从安定边地局势的目的出发，解决匈奴的威胁问题。这个目标在汉武帝时期以武力方式得到实现。经过较大规模的武力征讨，匈奴在云中以西几个郡的抄掠大大减少。很快，汉朝与匈奴的战争中心转向了云中以东。公元前119年，大将军卫青将四将军出定襄，将军霍去病出代郡，各率五万骑击匈奴。卫青直进兵至漠北，获胜；霍去病击败匈奴左贤王，"封狼居胥山而还"。② 此次重兵出击，使匈奴遭受了沉重的打击，双方大规模的战争告一段落。为了巩固已经取得的胜利，加强对东北地区的防备，掌握匈奴左翼残余势力的动向，汉武帝采取了一项重要的措施，即"徙乌桓于上谷、渔阳、右北平、辽东、辽西五郡塞外"，使其为汉朝"侦察"匈奴活动的情况③。同时，也为了控制乌桓与匈奴的往来，加强对乌桓的统治，设置了"护乌桓校尉"。从此以后，由于两汉对当地政治统治和北方地区民族事务的需要，这个机构一直被保留下来。

　　汉武帝时期乌桓活动的"五郡塞外"，相当于今天的内蒙古锡林郭勒盟东部、赤峰市南部、河北省北部、辽宁省北部的广大地区。这个地区内既有水草肥美适应畜牧的牧场，又有土质较好的农耕场所。乌桓来到这里以后，在相对稳定的社会环境中，很快就发展起来。东汉建立以后，乌桓继续南下，进入幽州、并州所管辖的十郡塞内，活动范围遍布今天河北省北部、陕西省、内蒙古中部，西部达鄂尔多斯地区。随之，鲜卑也南迁、西进，驻牧于西拉木伦河一带。

　　活动在边塞内外的北方各个民族，同中原朝廷和边郡民众的政治、经济交往不断增多，其中的许多事务并不是郡县级地方机构所能处理和解决的。在此期间，护乌桓校尉营弥补了地方机构的不足，较为妥善地解决了乌桓、鲜卑同汉朝各级政权甚至民间的各种问题，实现了对当地的有效

---

① 《资治通鉴》卷15《汉纪七》。
② 《汉书》卷6《武帝纪第六》。
③ 《后汉书》卷90《乌桓鲜卑列传》。

管辖。

护乌桓校尉是一个特殊的军政机构。这个机构与今天内蒙古的历史有着不可分割的联系。以往的许多著作或文章，多将这个机构视为职官，这显然是不妥当的。因为无论从考古发现还是文献记载，都证明这是一个机构。据历史记载，"乌丸校尉屯上谷郡宁城县"①，其地约为今天河北省万全县境。在那里"开营府"② 进行统治。这里的"府"是护乌桓校尉的衙门或处理公务的场所，而"营"则是指军营，是护乌桓校尉所属军队的屯驻地。1971 年，考古工作者在内蒙古和林格尔汉墓壁画中发现了宁城护乌桓校尉幕府图，上面很明显地绘有粮仓、官府、兵弩库等画面。可见，当时这些部门或机构是存在的，这也是对文献资料记载的有力的印证和补充。

作为一级统治机构，护乌桓校尉还有等级分明的各级官员。在这个机构中，护乌桓校尉是最高行政和军事长官。因此，机构的名称也就以此命名。这种情况在两汉时期是很常见的。在主管官之下，设有长史 1 人，司马 2 人。这应当是协助护乌桓校尉工作的主要官员。另外，还规定"有事随事增之，掾随事为员"③。也就是说，如果需要，护乌桓校尉可以直接任命下级官员，而且数量没有严格的限制。这样的权力，一般的郡级官员是没有的。在考古发现的"护乌桓校尉出行图"中，对其下级官员也有证明。该图除残缺部分外，绘有随行之人 120 人，马 129 匹，车 11 辆；有"功曹从事"、"别架从事"、"校尉行部"等官吏④。《后汉书》中还载有"乌桓吏士"、"亲汉都尉"等官员⑤，这些显然都是护乌桓校尉的下属职官。护乌桓校尉还有系着青色绳子的"银印"作为行使权力的凭证。按照当时的规定，这类印标志着其地位相当于中郎将和诸郡都尉，俸禄仅次于郡守。

---

① 《后汉书》卷 65《张奂列传》注引《汉官仪》。

② 《后汉书》卷 90《乌桓鲜卑列传》。

③ 《后汉书》卷 38《百官志五》。

④ 文中有关护乌桓校尉的考古资料，不另加注释者均见内蒙古自治区博物馆文物工作队编：《和林格尔汉墓壁画》，文物出版社 1978 年版。

⑤ 《后汉书》卷 16《邓寇列传》。

护乌桓校尉还有不同于地方行政建制的特殊权力。在中国古代封建社会中，皇帝是最高权力的代表，皇权体现着封建统治阶级的意志。当某些重大事务需要以皇帝的名义进行处理时，执行者往往被授予特殊的权力和凭证。护乌桓校尉就长期拥有这样的权力。在解决当地的事务时，一般不用履行上奏请旨的手续。“拥节”（亦曰“持节”）是拥有这种特殊权力的象征。“节”即“符节”，使臣或官员出使、执行特殊任务时，由皇帝亲赐，是最高权力的凭证。两汉时期，把护乌桓校尉任以持节之官，充分体现了中央政权对这个机构的重视。在同一级官员中，“持节”与“无节”之待遇大不一样。“持节者，重导从，贼曹车、斧车、督车、功曹车皆两；大车，五伯璅弩十二人；辟车四人；从车四乘。无节，单导从，减半。”① 内蒙古和林格尔汉墓壁画“护乌桓校尉出行图”描绘的正是“持节”者权高势众、令人惊叹的场面。

护乌桓校尉的职掌主要为处理民族以及与之相关的事务。

首先，按照当地的地区和民族特点维护社会生产和生活。与护乌桓校尉直接发生关系的北方地区的游牧民族主要是乌桓、鲜卑和匈奴。

乌桓原为东胡联盟中的一个集团。公元前206年被匈奴冒顿单于击败，迁徙到乌桓山一带。汉武帝击垮匈奴左部以前，乌桓正处在缓慢南迁的过程中。其社会经济已经出现了牧业和农业的分工。关于这两种经济哪一种占主导地位，应当按照乌桓社会发展的不同的历史时期进行具体分析。在迁居五郡塞外前后，他们虽然也具有“俗善骑射，弋猎禽兽为事。随水草放牧，居无常处”② 的特点，但农业也是其赖以生存的重要部门。他们以布谷鸟的鸣叫声确定耕种的季节，从事粗放的农耕。根据活动地区的自然条件，播种青穄等农作物。因此，以牧业为主，农业、狩猎业并举是乌桓经济的基本结构。五郡塞外正是适合于农牧业发展的地区。乌桓来到这里以后，护乌桓校尉按照皇帝的旨意，尊重其生产和生活习俗，维护当地的安定局面。这对于乌桓社会经济的发展是十分有利的。到了西汉昭帝时期，乌桓力量渐强，甚至能同匈奴进行一定规模的军事较量。东汉建武年间，乌桓与中原政权的友

① 《后汉书》卷39《舆服志上》。
② 《后汉书》卷90《乌桓鲜卑列传》。

好关系进一步发展，光武帝采纳班彪的建议，恢复了因王莽弊政的破坏而名
存实亡的"护乌桓校尉"，令其"持节"管领、保护近塞驻牧的乌桓部落，
解决其日常纠纷，"岁时循行，问所疾苦"①。建武二十二年（46 年），随着
匈奴的北徙，乌桓的活动地域不断扩大，漠南大部分地区都有他们的足迹。
而且，乌桓的大部分部落都有迁居塞内的愿望。在这种形势下，汉光武帝接
受了乌桓的请求，"封其渠帅为侯王君长者八十一人，皆居塞内，布于缘边
诸郡"②。这些迁居塞内的乌桓人，仍然保留着本民族的社会组织形式，以
"落"为单位，数十、数千落聚居在一个地区。这对乌桓的发展是有利的。
至东汉灵帝初年，仅集中在上谷、辽西、辽东、右北平几个郡内的乌桓人口
就已经达到 1 万 5 千余落。一般来讲，人口增长的最基本的条件是经济发
展。而经济发展，需要适合的自然条件和安定的社会秩序。而迁居塞内的乌
桓，农业对其社会经济的影响越来越大、越来越深。塞内的天时、地利也为
农业的发展提供了保证。农业生产不仅丰富了乌桓族各部落的物质生活，也
克服了牧业经济的脆弱性，给社会带来了稳定。

　　第二，护乌桓校尉也担负着组织和促进北方地区各族人民之间贸易往来
的相关事务。

　　经济上的友好往来，互通有无，是我国古代北方民族关系发展的基础，
自古以来基本没有间断过。护乌桓校尉设置在边疆地区，以具有民族特色的
事务为主要职责，以民族之间的经济交往为主要特征的经济事务在工作中占
有很大的比重。从另一个方面看，无论是乌桓、鲜卑还是居住在北方的汉族
民众，都希望自己的物质生活更加丰富和多样化。这种对于物质生活的追
求，往往通过形式多样的经济交往得到实现。而"岁时互市"③ 就是主要形
式之一。而东汉初年复置护乌桓校尉于上谷宁城，管理互市也是其主要
目的。

　　在上谷宁城，为了给北方各族的经济贸易往来提供方便，护乌桓校尉将
幕府前、县城东门和南门之间的广场作为互市的主要场所。和林格尔东汉墓

---

① 《后汉书》卷 87《西羌列传》。
② 《后汉书》卷 90《乌桓鲜卑列传》。
③ 《后汉书》卷 90《乌桓鲜卑列传》。

壁画"宁城图"中称之为"宁市中"。图中，在"市"的东南和西北两个外角上各画一人，隔市场相间而立，可能是巡行市场的市史。根据市场占据的重要位置和市场管理者的设置可以断定，在护乌桓校尉之下，设有专职人员管理互市，各个民族之间在互市时是有条理的。参加互市的乌桓和鲜卑等北方民族，需要的是农业和手工业产品。从乌桓酿造白酒所用的曲蘖可知，日常生活用品在交换中是很受欢迎的。每当互市时，乌桓、鲜卑的大人们带领各个邑落的百姓，携带大批的马、牛、羊、驼以及其他民族手工业品来到以宁城为中心的互市点进行交易。据载，有一次鲜卑大人素利等竟带领5千余骑和辎重、家小前来互市。可见，宁城周围的互市规模是相当盛大的，在安全等方面也是有所保证的。"宁市中"可能是双方还价、成交的地点。能够在这里交易的当有一定的地位，或是双方的代表。这项事务在很大程度上反映出护乌桓校尉营是一个具有军政双层作用的机构。

第三，代表中央迎接乌桓、鲜卑的使者，办理双方交往的各类事务。

从西汉武帝时期迁乌桓于五郡塞外，双方交往频繁，友好关系在交往中不断发展。乌桓大人"岁一朝见，于是始置护乌桓校尉，秩二千石，拥节监领之"①。东汉初年，鲜卑附汉，也归于护乌桓校尉管领。在一般情况下，接待"朝见"汉帝的乌桓、鲜卑大人，转达他们的各种要求，按照汉帝的旨意对归附者封侯、王，予以赏赐等事务，均由护乌桓校尉直接办理。这些工作，礼节性很强，既要体现汉朝皇帝的统治权，又要尊重北方各族的习惯，按照游牧民族的风俗习惯解决有关问题。这就要求在这个机构中任职的官吏，特别是最高长官，熟悉这些民族的政治、经济、文化、民俗以及他们同周围民族的关系。同时，也要掌握北方地区不断变化的政治局势，正确贯彻朝廷的政策。一有疏漏，就会影响与北方各族的关系。

护乌桓校尉重权在手，又是"在外"之军将，因此，他的每一言行举止，都体现着国家对边疆地区的方针和政策。因此，对于这一官员的选派，朝廷一般都比较慎重。

关于历任护乌桓校尉职官的情况，已经难以逐次考清。但从东汉时期见于史籍的十几名护乌桓校尉的有关事迹可以看出，凡担任这一职官者，大多

---

① 《后汉书》卷90《乌桓鲜卑列传》。

都有在北方地区工作的经历。章帝时的邓训，因治政有方，奉诏将兵屯守渔阳郡黎阳营。该地之正北正是乌桓、鲜卑驻牧的主要地区。邓训就任护乌桓校尉之前，上谷太守任兴因解决同乌桓的关系采取的措施不利，导致紧张局面的出现。邓训到任，"抚接边民"①，情况好转。建初六年（81 年），他被迁调护乌桓校尉也有不凡政绩，乌桓等北方民族与他结下了很深的感情。还有一些护乌桓校尉，在任职前后都有在民族地区任职的经历，到任后也有一定政绩。和帝时的任尚，就任前曾在窦宪手下任司马，随其出击匈奴，对北方事宜多有所知；安帝时的吴祉，曾任"护羌校尉"，工作在西北。灵帝时的夏育，由北地太守迁任护乌桓校尉。在可以检索到的东汉时期的十几名护乌桓校尉中，除夏育因出战鲜卑不利被贬为庶人外，其余几乎没有因不称职而被贬的。相反，有些人因在任上颇有政绩而被调任其他重要职务。如邓训任护乌桓校尉五年后被拜张掖太守，后又迁护羌校尉。任尚于永元十二年（100 年）代班超为西域都护。邓遵、耿晔迁任北边另一个重要机构"度辽将军府"的主要负责人。

　　护乌桓校尉在当地较好地履行职责，也使得北方各族主动与汉朝友好往来。东汉年间，乌桓、鲜卑就与中原政权交往密切。建武二十五年（49年），"辽西乌桓大人郝旦等九百二十二人率众向化，诣阙朝贡"②，汉朝与北方各族的关系出现了令人欣慰的局面，"是时四夷朝贺，络绎而至，天子乃命大会劳飨，赐以珍宝"③。不久，汉帝封"其渠帅"为王、侯。同年，鲜卑也派使者通好。明帝年间，制定了每年从青、徐二州拨钱"二亿七千万"支持鲜卑的政策。安帝永初中，"鲜卑大人燕荔阳诣阙朝贺，邓太后赐燕荔阳王印绶，赤车参驾，令止乌桓校尉所居宁城下，通胡市"④，还在当地兴建了南北两部"质馆"，接纳来自鲜卑、乌桓各部的"侍子"，"赏赐"等相关事务都由护乌桓校尉来具体操作。

　　第四，维护北方地区政局的稳定。

---

　　① 《后汉书》卷 16《邓训列传》。

　　② 《后汉书》卷 90《乌桓鲜卑列传》。

　　③ 《后汉书》卷 90《乌桓鲜卑列传》。

　　④ 《后汉书》卷 90《乌桓鲜卑列传》。

在中国古代历史上，中原政权与北方游牧民族的关系一直处在十分重要的位置，因双方为利益所驱动，武力冲突是不可避免的。对于汉朝设立护乌桓校尉这样的机构来讲，其主要意图还在于安定边地的政局，以保证各族的正常生产和生活。

汉武帝大兴兵革，虽然从根本上削弱了匈奴的力量，但中原内地民众的生产和生活也受到了很大的影响。战争耗费了大量的钱财，损失了无数的人力、物力，致使西汉社会由盛转衰。虽经昭、宣二帝的中兴，但终未能扭转没落的趋势。东汉人宋意在谈到战争问题时曾说："自汉兴以来，征伐数矣，其所克获，增不补害"。① 正是鉴于前朝的经验，从东汉光武帝时期开始，执行了一条"汉秉威信，总率万国，日月所照，皆为臣妾。殊俗百蛮，义无亲疏，服顺者褒赏，畔逆者诛伐"② 的方针。在这一方针中，清晰地体现了封建的正统观念，但也反映出争取安定局面的宗旨。历史事实也证明，东汉建立以后，北方大规模的战争的确是减少了。在诸项措施中，继续设立护乌桓校尉以维护宁城周围的安定局面取得的效果是应当肯定的。而这个机构的管领范围，就包括今天的内蒙古地区的很大一部分，某位护乌桓校尉的家就在今天内蒙古和林格尔。再从宁城所处位置来看，其东北直接就与当时的乌桓、鲜卑活动的地区相连，其北部和西北，随着历史的发展，分别与匈奴、鲜卑发生关系。在军事上，护乌桓校尉与其他机构互为犄角，全面控制了正北、西北、东北的政局。

护乌桓校尉自己有"乌桓营"的军队可以调动，也可以调动乌桓、鲜卑的骑兵出战。东汉年间，中原政权的顾虑主要还是在匈奴。而护乌桓校尉在安抚乌桓、鲜卑，力求东北地区局势安定的前提下，多次同大举入塞抄掠的匈奴作战。明帝永平年间，发北边兵击匈奴，骑都尉来苗、护乌桓校尉文穆将太原等郡兵及"乌桓、鲜卑万一千骑出平城塞"。③ 和帝永元六年（94年），冬，护乌桓校尉任尚率乌桓、鲜卑大破北匈奴反叛者。可以说，宁城以东及其北部广大地区的政治局势直至东汉后期鲜卑称雄于塞外以前基本是

① 《后汉书》卷41《宋均列传》。
② 《后汉书》卷89《南匈奴列传》。
③ 《后汉书》卷23《窦固列传》。

稳定的。而护乌桓校尉在此中的作用绝对不容低估。

历史证明，设立护乌桓校尉营这样的机构，因时、因地、因俗地解决多民族地区的有关事务，有益于多民族国家的统一和发展，也有益于各个民族间在各个领域中的互融。

第二节　度辽将军营

度辽将军始设于西汉昭帝时期，是北方地区重要的军政建制之一，在内蒙古地区两汉时期的历史上占有重要的地位。

西汉时期，自汉武帝倾重兵讨伐匈奴以后，称雄于大漠南北的匈奴势力受到沉重打击，甚至陷入"孕重坠殰，罢极苦之"[1]的境地。同样，汉朝方面也元气大伤，阵亡将士超过历史上任何一个时期，经济上的支出也对国库造成了重大的压力。双方大规模的战争已经逐步减少。西汉昭帝当政的十余年，推行以守为主的方针，全面加强北方各地的防御，"边郡烽火候望精明"。[2]这一时期，从双方力量对比来看，虽然匈奴无力同汉朝进行大规模的军事较量，但他们在大漠南北和与之相邻的东西诸族中仍然是强大的势力，西汉王朝不得不把同匈奴的关系继续置于主导地位。

在昭帝始元元年（前86年）至元平元年（前74年）间，汉朝北边的许多郡县经常遭受匈奴的抄掠，主要集中在代、五原、朔方、酒泉、张掖几个郡。匈奴骑兵入塞规模，最大的在2万骑左右，少的千骑至数千骑不等。其目的以掠夺物质产品和人口为主，以此来补充因自然灾害、战争和游牧经济的脆弱性所造成的生产和生活的欠缺。这些方面的经济要求，匈奴曾于汉武帝末年派使者向西汉朝廷公开表白，如果"岁给遗我蘖酒万石，稷米五千斛，杂缯万匹，它如故约，则边不相盗矣"。[3]由此不难看出当时匈奴对汉朝经济上多方面的需求和每年所需的数量。昭帝年间，对于满足匈奴的经济要求等问题，虽然已经被提上了重要的议事日程，但在实施中还没有明显

---

① 《汉书》卷94（上）《匈奴传》。
② 《汉书》卷94（上）《匈奴传》。
③ 《汉书》卷94（上）《匈奴传》。

的进展。匈奴对此是不满意的。这样，他们往往趁西汉北边某些地区防御的疏漏，挥骑抄掠，以取所需，其结果是直接造成了当地的政局动荡，影响了正常的生产和生活。为解决这一问题，西汉朝廷在加强代郡以西各个郡县的军事力量的同时，在其东部也通过"护乌桓校尉"来组织乌桓、鲜卑的力量来牵制匈奴，而且在一定时期也收到了效果。然而，生活在上谷等五郡塞外的乌桓，因西汉初年被冒顿单于击破，远徙乌桓山而始终对匈奴怀有旧仇。西汉昭帝元凤三年（前 78 年），乌桓趁匈奴不备，举族出动挖掘匈奴的祖坟，导致了双方矛盾的再次激化。匈奴很快就出兵 2 万余骑东去，对乌桓予以报复。如果匈奴东击乌桓得手，代郡以西各郡就会更多受到匈奴抄掠的威胁。在匈奴与乌桓之战即将爆发之际，为缓解东线的紧张局势，汉昭帝接受大将军霍光的建议，以中郎将范明友为"度辽将军"，组建了一支战斗力较强的部队，配合当地驻军，很快就稳定了东北地区的政局。西汉时期的度辽将军就是在这样的情况下设置的。

东汉初年，在北方东达辽东，西至西域诸国的广阔区域内，分布着北方各游牧民族。东有乌桓、鲜卑，北有匈奴，陇西左近又有羌族诸部，民族关系错综复杂。由于西汉末年至王莽统治时期政局混乱，北方地区的政治秩序和社会经济也都受到严重的影响。一些根据北方地区民族事务的需要而设置的军政建制也多被废弃。匈奴、鲜卑、乌桓等力量较强的游牧民族，虽然先后同东汉朝廷建立了从属关系，但规模不等的武装抄掠却是十分频繁的。为了配合各郡解决好同北方各族的关系，东汉朝廷在统一部署北方行政、军事建制的过程中，鉴于西汉时期对整个北方地区的统治经验，将"度辽将军"作为建制固定下来，直至东汉末年。

度辽将军是以"渡辽水"而得名的。西汉昭帝时期，范明友曾东击乌桓。其时，他的主要任务是阻击征讨乌桓的匈奴骑兵。当范明友统兵到达辽东时，匈奴已经因汉兵至而引退。他只得执行大将军霍光"兵不空出"的命令，乘势渡"辽水"击乌桓。对此，东汉应劭曾经谈到，"当渡辽水往击之，故以度辽为官号。"[①] 西汉"辽水"，又曰"大辽水"，在辽东郡境内，流经望平、襄平辽队等县，由今天营口市入海。"度辽将军"即以这次渡辽

---

① 《汉书》卷 7《昭帝纪》注引《应劭曰》，第 229 页。

水得名。但是，当时度辽将军及其所辖部队，既无固定的屯驻地，也没有作为一个军政建制所应当具备的组织系统。因此，一般应当视为朝廷授予出征将领的官号。而且，范明友东征回军后，被封为平陵侯（西汉平陵位于今天陕西咸阳西北），没有继续履行度辽将军的职责。只是到了西汉宣帝本始二年（前72年），才再次率兵3万由张掖出塞，参加了援助乌孙、打击匈奴的战争，授命的官号依然是度辽将军。但是，这次出征仍然是临时性的，只是地点与"辽水"所在地相反。

东汉时期仍然有度辽将军，但已经是设置在北方地区的一个军政建制了。根据史料记载，东汉设置度辽将军一事酝酿于建武二十七年（51年）。当时，光武帝根据汉朝同南匈奴以及其他北方游牧民族的关系，考虑到北方多民族交叉往来的各个郡县人口流动的情况，对耿国提出的"置度辽将军，左右校尉，屯五原以防逃亡"。① 这条建议在当时虽然未被采纳，但提出者的意图已经与"度辽"没有什么直接的关系了。而且，五原在今天的内蒙古地区的中西部，也与东部的辽水相去甚远。设置的形式也是表现为"屯驻"，具有很强的固定性。

十余年以后，东汉明帝永平八年（65年），根据朝廷对北方统治的迫切需要，正式设置了度辽营。以"中郎将吴棠行度辽将军事，副校尉来苗、左校尉阎章、右校尉张国将黎阳虎牙营士，屯五原曼柏"。② 很明显，从组织系统上是具备了一个军政机构的规模。"度辽"只是作为名称延续下来，其实际含义与辽水无直接关系。最高长官称为"行度辽将军"或"度辽将军"③。其俸禄与郡太守、国副相相同，为二千石。系有"青绶"之"银印"乃是其平时行使权力的凭证。因为度辽营中的长官是度辽将军，所以，每当提起这个建制时，史书也往往以"度辽将军"相称。《后汉书》中就多次出现这类提法。李贤注也将"护乌桓校尉"与"度辽将

---

① 《后汉书》卷19《耿国列传》。

② 《后汉书》卷89《南匈奴列传》。关于黎阳营兵，注引《汉官仪》曰："光武以幽、冀、并兵克定天下，故于黎阳立营，以谒者监领兵骑千人"。

③ 《后汉书》卷89《南匈奴列传》第2985页李贤注曰："自置度辽将军以来，皆权行其事，今始以邓遵为正度辽将军，此后更无行者也。"此时已经是公元114年。可见，度辽将军在相当长的一段时间内都是"行"职。但自东汉时期基本上没有间断过。

军"并称为"二营"①。度辽将军营中还有副校尉、左、右校尉。还设有长史一人，总理"度辽"幕府各项事务；司马二人，主管营中军务。这些下级职官的俸禄皆为六百石。度辽将军营的地址在东汉时期的五原郡的曼柏。

度辽将军是根据汉代北方地区民族事务的需要而设置的，其权力的大小也就与一般的将领和地方行政建制不同。西汉昭帝时的度辽将军范明友，曾"将北边七郡郡二千骑"②，共 14 000 骑击匈奴。同一事件在《汉书·匈奴传》又载："将二万骑出辽东。"在统兵数量方面两条史料有别。但在当时同级地方官中还是不多见的。若论当时汉朝与匈奴各自军队的素质，匈奴骑兵不比汉军差。匈奴出 2 万兵马讨伐乌桓，汉军仅以 7 郡中调集的 14 000 郡兵迎击，实难应付战局。因此，《匈奴传》记载的"二万"甚为可靠。按照这样的数字大致推算，除了每郡之兵以外，还有 6 千军队归度辽将军指挥。很明显，度辽将军的军权，从设立之时就已经远远高于郡级统兵之官。

东汉年间，度辽将军除了统有度辽营的军队外，对黎阳、虎牙营的军队也有一定的指挥权。固定兵员大约可达到 8 千左右。与"护乌桓校尉"等机构中的最高指挥官相比，度辽将军虽然没有"持节"的特殊权力，但在某些情况下，皇帝往往将"假黄钺"这个代表亲征的凭证授予度辽将军。有了这个凭证，便可以免去上奏请旨的手续，直接代表皇帝调兵遣将，颁行军令。这种做法是东汉朝廷利用设置在北方民族交叉地区的各类建制实现对当地有效管辖的一个特点。

据《汉书》和《后汉书》等文献记载，对可以检索到的度辽将军列表如下：

---

① 《后汉书》卷 65《张奂列传》。
② 《汉书》卷 7《昭帝纪》。

两汉历任度辽将军简表

朝 代	姓 名	到离任时间	姓 名	到离任时间
西汉	范明友	元凤三年（前 78 年）	范明友	本始二年（前 72 年）
东汉	吴 棠	永平八年—十六年（65—73 年）	来 苗	永平十六年—建初元年（73—76 年）
	耿 秉	建初元年—七年（76—82 年）	邓 鸿	建初七年—永元元年（82—89 年）
	皇甫棱	永元二年—六年（90—94 年）	朱 徽	永元六年—七年（94—95 年）
	庞 奋	永初七年—十二年（95—100 年）	王 彪	永元十二年—永初三年（100—109 年）
	梁 慬	永初四年—五年（110—111 年）	耿 夔	永初五年—元初元年（111—114 年）
	邓 遵	元初元年—建光元年（114—121 年）	耿 夔	建光元年—延光三年（121—124 年）
	法 度	延光三年（124 年）	傅 众	延光四年—?（125 年—?）
	庞 参	永建元年—四年（126—129 年）	宋 汉	永建四年—阳嘉二年（129—133 年）
	耿 晔	阳嘉二年—永和元年（133—136 年）	马 续	永和元年—永和六年（136—141 年）
	吴 武	永和六年—?（141 年—?）	陈 龟	约建和元年—延熹元年（147—158 年）
	李 膺	永寿二年（156 年）	种 暠	?—延熹七年（?—164 年）
	皇甫规	延熹五年（162 年）	张 奂	延熹五年—?（162 年—?）
	皇甫规	?	桥 玄	?
	鲜于辅	约建安四年（199 年）		

从这些度辽将军的任职时间连续性大体可以看出，两汉时期这个机构是长期设置在北方的。西汉时期，由于设立度辽将军主要还是临时军务的需要，所以，其作用还不能系统总结。而到了东汉时期，这个机构具备了连续性，其作用也就很明显了。具体来讲，有以下两个方面。

其一，配合"使匈奴中郎将"加强对西河美稷（今内蒙古准格尔旗境）等多民族活动地区的军事防护。

建武二十四年（48 年），匈奴蒲奴单于与奠鞬日逐王比在争夺政治地位时发生矛盾，双方各拉走自己的部族，匈奴分裂为南、北两部。日逐王比率所部归附东汉王朝，派使者称臣。建武二十六年（50 年），东汉接受日逐王比的要求，派中郎将段郴、副校尉王郁前往南匈奴驻地，在五原塞西北部80 里处建立南匈奴单于庭，并下诏"听南单于入居云中"①。在这前后，因战乱在外流动的云中等 8 郡的民众也纷纷返还各郡，重整家业。同年冬，东汉王朝根据需要诏令南单于徙居西河美稷。其下属各部的匈奴各王也分别内迁，驻牧于北地、朔方、五原、云中、定襄、雁门、代郡 7 个地区。为了对这 7 个地区加强军政控制和管理，特别是按照匈奴的风俗习惯，根据东汉王朝对南匈奴的政策处理当地的相关事务，东汉设立了"使匈奴中郎将府"于美稷，护卫南匈奴。由于这个机构的设置，东汉北方地区的政局有所稳定。但是，在设置度辽将军以前，有两件事对东汉朝廷震动甚大。一是建武二十六年（50 年）夏，"南单于所获北虏奥鞬左贤王将其众及南部五骨都侯合三万余人畔归，去北庭三百余里，共立奥鞬左贤王为单于。"② 这实际上是脱离了东汉的控制。另一次是永平七年（64 年），南匈奴须卜骨都侯等首领，对汉明帝诏许北匈奴与东汉互市、和亲之事怀有疑忌和不满，欲率众出塞。这些不稳定因素的存在，十分不利于东汉王朝对当地的统治，也不利于各族人民在安定的社会环境中生产和生活。"度辽将军"的设置，构成了同"使匈奴中郎将"在地区军事和地理上的犄角之势，对于稳定南匈奴各部，"以防二虏交通"③ 十分有利。"二虏"，即北、南匈奴。曾经"持节"前往匈奴的汉使郑众，对度辽将军在当地的重要作用给予了较高评价。他在上疏中说："南单于久居汉地，具知形势，万分离析，旋为边害。今幸有度辽之众扬威北垂，虽勿报答，不敢为患。"④ 度辽将军在军事上的作用由此可见。

其二，配合北方地区的郡、县级地方建制，加强对地方的统治。

东汉前期，除匈奴南下分为南北两部外，其他北方游牧民族也纷纷南下、西迁或东进。光武、明帝两朝，处在西汉末年以后长期动乱的恢复时

---

① 《后汉书》卷 89《南匈奴列传》。
② 《后汉书》卷 89《南匈奴列传》。
③ 《后汉书》卷 89《南匈奴列传》。
④ 《后汉书》卷 36《郑众列传》。

期。在以"和"为主的原则下，力争求得北方地区的安定。西河地区的"使匈奴中郎将"、金城地区的"护羌校尉"、河北地区的"护乌桓校尉"、辽东地区以及张掖等地的"属国"，都是为了解决当地民族聚居和杂居的有关事务而设立的。但是，它们只能在一定范围内发挥作用。全面控制北方各地的政治、军事局势，对东汉王朝的统治意义重大。"度辽将军"弥补了上述各个建制在职权和军事事务方面的不足。明帝永平八年（65年）设置了"度辽将军"后，凡涉及东汉王朝同南匈奴、北匈奴、乌桓、鲜卑、羌等游牧民族之间关系的重大事务，大都由度辽将军参与解决。

永平十六年（73年），汉军4路出击北匈奴，太仆祭彤与度辽将军吴棠为一路，将兵1万余骑出高阙塞。章帝建初八年（83年），北匈奴大人稽留斯等率"三万八千人、马二万匹、牛羊十余万，款五原塞降"①。此后不久，汉朝大开北边关市，使北匈奴同汉朝商贾进行贸易往来。南匈奴对此不满，乘机袭击北匈奴，掳掠其人口、财物。元和二年（85年），章帝为维持同北匈奴的关系，下诏度辽将军，令其查南匈奴所掠人口，还归北匈奴。安帝永初三年（109年），南匈奴起兵反汉，围中郎将耿种于美稷。随之，五原、云中等郡许多汉民被掠，政局陷入混乱。翌年春，梁慬接任度辽将军，与辽东太守配合，解美稷之围，纳降南匈奴。东汉中后期，鲜卑日益强大，他们虽然同东汉王朝建立了臣属关系，接受护乌桓校尉的管理，但是，当某些经济利益得不到满足时，一些鲜卑大人便往往率数千骑，甚至万骑进入一些郡县抢掠财物，掳取人口。每当出现这种情况，度辽将军都配合当地的统治机构安定政局。元初六年（119年），"鲜卑寇马城，度辽将军邓遵率南单于击破之②。"桓帝延熹年间，南匈奴诸部皆叛，乌桓、鲜卑、诸羌以及龟兹等族，也在北方缘边郡县抄掠，甚至"度辽将军门"亦被焚烧。桓帝派种暠为度辽将军，配合使匈奴中郎将整顿北方的混乱局势。种暠到任，"诚心怀抚，信赏分明"，很快就收到了"边方晏然无警"③的效果。可见，度辽将军在北方地区的作用是比较明显的。

---

①　《后汉书》卷89《南匈奴列传》。

②　《后汉书》卷5《安帝纪》。

③　《后汉书》卷56《种暠列传》。

　　由于度辽将军承担的任务同封建王朝与北方各个游牧民族之间的各种关系十分密切，所以，对于这一建制的最高官员的选派、提升、迁调也很严格。东汉朝廷在选派度辽将军时非常注意他们在北方地区任职的经历。如，王彪、皇甫棱、耿夔、庞参、邓鸿，分别是由朔方、定襄、云中、辽东、张掖太守迁任度辽将军的。另有几位也曾在北方民族聚居区或杂居区的有关机构、建制中担任主要职务多年。像吴棠、马续，都曾担任过护羌校尉；邓遵、耿晔担任过护乌桓校尉；梁懂是由西域校尉调任的。桓帝时期的度辽将军陈龟，在西北地区当官多年，"世谙边俗"。就任度辽将军以前，他曾根据桓帝即位以来"匈奴数攻营郡、残杀长吏，侮略良细"①，对生产和生活造成的破坏以及因自然灾害而导致的野无青草，灾螟互生，稼穑荒耗，租税空阙的经济敝态，提出更选良吏担任北方重要机构的领导者；减免并、凉两州"今年租更，宽赦罪隶"等主张。桓帝纳其建议，下诏推行陈龟之策以后，不仅使政局逐步稳定下来，而且也节省了岁以亿计的各类经费。陈龟在北方各族民众中享有较高的声誉。他死后，"西域胡夷，并、凉民庶，咸为举哀，吊祭其墓②。"

　　东汉朝廷不仅对度辽将军的担当者严格铨选，而且也根据其政绩予以升迁。耿秉任度辽将军，"视事七年，匈奴怀其恩信"③，迁为督巡皇宫之外治安的执金吾。庞参、邓鸿皆以功劳升迁大鸿胪，成为国家管理少数民族事务的最高官员。桓帝年间，匈奴叛服不定，鲜卑骁骑频频抄掠幽、并等郡县。张奂任度辽将军，数岁之间"幽、并清静"④，提升为掌管全国经济的大司农。诸如此类的事例甚多，此不赘举。

　　总之，两汉时期的内蒙古地区已经是多民族活动的地区，政治、经济等各个方面都有十分鲜明的地区和民族特点。随着历史的发展，活动在北方、东北、西北草原地带的游牧民族纷纷南下、西进、东移，呈现出十分复杂的历史形势。以封建农业、手工业为主的民族同以游牧、狩猎为主的民族之间

---

①　《后汉书》卷51《陈龟列传》。
②　《后汉书》卷51《陈龟列传》。
③　《后汉书》卷19《耿秉列传》。
④　《后汉书》卷65《张奂列传》。

有了比秦代更加广泛的联系。各个民族之间的经济往来和相互依赖关系日益增强。从西汉至东汉，在北方诸郡塞内、塞外，逐步形成了一些北方游牧民族聚居区以及多民族交错分布区。为了加强对这些地区的有效统治，因时、因地、因俗地解决相关的民族事务，设立了度辽将军这样的军政建制。这在内蒙古地区古代历史中是有特色的、值得深入研究的课题。

第三节　使匈奴中郎将府

在内蒙古古代史中，"使匈奴中郎将府"是一个非常有作用的建制，尤其是在东汉王朝与匈奴的关系中，发挥着北方任何军政建制都难以替代的作用。

自秦代至西汉以来，匈奴与中原政权的关系一直是北方地区民族关系的主线。因汉武帝对匈奴的打击，匈奴势力在相当长的时间内处于弱势。在西汉宣、元二帝当政前后，双方关系基本呈现和平交往的趋势。直到西汉末年，经过王莽弊政，匈奴与中原政权的关系再次恶化，武装抄掠增多。中原政权处在更迭过程中，也为匈奴再次强大提供了机遇。

东汉初年，匈奴在北方草原的东部，震慑乌桓，又联合鲜卑势力，在代郡以西构成对东汉的威胁。在西部，匈奴再次控制了西域的一些地区，大大削弱了东汉对西部的控制力。而在地处北方边郡的中部，九原、五原、朔方、云中、定襄、雁门（多位于今天内蒙古地区的中西部和山西省北部）一线，匈奴联合中原战乱以后的割据势力，诸如卢芳等，不断深入各个郡县进行抄掠，造成了许多地区的动荡不安。据史载，武威地区"民畏寇抄，多废田业"[1]；渔阳一带，亦因"匈奴数抄郡界"而"边境苦之"[2]。匈奴由南下进兵的基地，大多在今天内蒙古地区境内。面对这种局势，刚刚建立的东汉政权，因受到经济和军事力量的制约，再加之一些割据势力还未能剿灭，很难抽调大量的军队控制匈奴的寇掠，只好采取以防御为主、维护"旧好"的方针。建武六年（30年），主动派归德侯刘飒出使匈奴。不久，

---

① 《后汉书》卷76《循吏列传》。
② 《后汉书》卷31《郭伋列传》。

又令"中郎将韩统报命，赂遗金币，以通旧好"①，即恢复西汉宣帝、元帝时期以和亲为主的友好关系。但匈奴自恃强大，仍旧与东汉边境的割据势力勾结，不断掳掠边民。北方地区许多郡县居民正常的生产和生活已经难以维持。在此期间，东汉朝廷虽然曾在一定规模上以武力制止，但却"经岁无功"②。至建武十三年（37 年），不得不将幽州、并州的边民徙于"常山关、居庸关已东③。"这样一来，匈奴左部的势力正好乘机转居塞内。在此后较长的一段时间内，东汉皇朝只得大筑亭候，修烽火，消极防御。为及早抽出军队应付北边的局势，加紧对中原割据势力的剿灭。

建武二十四年（48 年）前后，匈奴因内部争夺单于之位而发生了尖锐的矛盾。南边八部大人共议立呼韩邪单于之孙、乌珠留若鞮之子比为单于，"款五原塞，愿永为藩蔽，扞御北虏。"④ 这部分匈奴人大约有四五万。由于他们主动归附东汉朝廷，使东汉方面获得了解决与匈奴矛盾的机会。于是，很快便接受了匈奴内附的要求。建武二十四年底，"匈奴始分为南北单于"。建武二十五年（49 年），南单于出兵击北单于，获胜，"北单于震怖，却地千里。"⑤ 匈奴南单于将俘获的人马归于帐下，扩大了南部的力量。为巩固与东汉朝廷的关系，寻求中原在经济、军事等方面的支持，南匈奴再次遣使，要求"奉藩称臣，献国珍宝，求使者监护，遣侍子，修旧约⑥。"东汉朝廷鉴于北边形势的变化，郑重考虑了南匈奴的请求，采取设置"使匈奴中郎将"的办法，建立南匈奴与朝廷之间的正式联系。用南匈奴的力量"东扞鲜卑，北拒匈奴，率厉四夷，完复边郡。"⑦ 这个决定在建武二十六年（50 年）正式实施，使匈奴中郎将府正式建立。

使匈奴中郎将府是一个特殊的军政建制。前文主要探讨了这个建制设立的时间，但作为职官的"使匈奴中郎将"，则早在东汉初年就已经存在了。

---

① 《后汉书》卷89《南匈奴列传》。
② 《后汉书》卷89《南匈奴列传》。
③ 《后汉书》卷89《南匈奴列传》。
④ 《后汉书》卷89《南匈奴列传》。
⑤ 《后汉书》卷89《南匈奴列传》。
⑥ 《后汉书》卷89《南匈奴列传》。
⑦ 《资治通鉴》卷44《汉纪》。

《后汉书》载，建武六年（30 年），"匈奴遣使来献，使中郎将报命①。"此处提到的"报命"者就是使匈奴中郎将韩统。《后汉书·郭丹列传》也载，建武十三年（37 年），并州牧郭丹，因"有清平称，转使匈奴中郎将，迁左冯翊"。不过，这两条史料提到的使匈奴中郎将还没有固定的屯驻地，在建衙开府等方面也都未见明确的规定。所以，只能看作是临时性设官。

建武二十六年（50 年）冬，东汉朝廷正式在南匈奴驻地美稷（今内蒙古准格尔旗纳林镇北古城）设置"使匈奴中郎将"府以后，它就成为长期设置在当地的军政建制了。这个建制的基本情况是：首先，它有了相对固定的屯驻地，而且随着南匈奴的单于庭而迁动。从建武二十六年初设这个建制到当年年底，南匈奴的单于庭有 3 次地点变动。最初，南单于庭是在东汉五原郡西部塞 80 里，约位于今天内蒙古河套地区。此后不久，又移至云中郡（今内蒙古呼和浩特市托克托县古城镇古城）。当年年底，因北匈奴不断发兵骚扰，南匈奴出兵抵御，互有胜负。于是，东汉皇帝再次下诏，令"单于徙居西河美稷"，至此，这个建制的驻地基本固定下来。第二，使匈奴中郎将有一套相对稳定的组织机构，有自己的官府。中郎将之下，设有"从事二人"，规定"有事随事增之，掾随事为员②。"东汉永平二年（90 年），就因南匈奴"党众最盛，领户三万四千，口二十三万七千三百，胜兵五万一百七十"而"增从事十二人③"。可见，其下属官员数量的伸缩性还是很大的，这与有固定编制的地方行政建制存在明显的不同。第三，使匈奴中郎将是持节之官，是中央政权的全权代表。在史书中，记载这个职官的官"秩"为"比二千石"，月俸为"百斛"。这是建武二十六年（50 年）调整以后的待遇。东汉时期的二千石共有三个等级。"中二千石奉，月百八十斛，二千石奉，月百二十斛，比二千石奉，月百斛④。"地方郡级行政长官郡守为二千石级，月俸比使匈奴中郎将高二十斛。但是，月俸的差异并不能完全反映权力地位的高低大小。作为"拥节"之官，"使匈奴中郎将"是中央皇朝的全权代表。他持有皇帝授予的节杖，有专杀之权。其出行的声势、

---

① 《后汉书》卷 1《光武帝纪上》注引《汉官仪》曰："使匈奴中郎将，拥节，秩比二千石"。
② 《后汉书》卷 38《百官志（五）》。
③ 《后汉书》卷 89《南匈奴列传》。
④ 《后汉书》卷 38《百官志（五）》。

卫从也较之地方官显赫。这一点在《后汉书》里载为"持节者，重导从；贼曹车、斧车、督车、功曹车皆两；大车、五佰璸弩十二人；辟车四人；从车四乘。无节，单导从，减半①。"内蒙古和林格尔汉墓壁画的"使持节护乌桓校尉出行图"也对东汉持节之官的仪仗有形象的描绘。因此，虽然《后汉书》的《纪》、《传》、《百官志》等对使匈奴中郎将持节的情况没有详细的记载，但作为佐证，以上资料可补其阙。

使匈奴中郎将府是东汉王朝为解决同南匈奴的关系和边疆地区的事务而设置的。其日常工作是负责南匈奴与东汉政权之间各方面来往中的有关事务。

在经济方面，使匈奴中郎将监察和协调东汉朝廷对南匈奴的经济支持以及对南匈奴首领的特殊赏赐。经济支持的总费用，数量非常高，"费直岁一亿九十余万②"。特殊的赏赐，每年至少一次，有时多达两次以上。以建武二十六年（50年）为例。当年秋季，"诏赐单于冠带、衣裳、黄金玺、盭绶缰，安车羽盖，华藻驾驷，宝剑弓箭，黑节三，驸马二，黄金、锦绣、缯布万匹，絮万斤，乐器鼓车，荣戟甲兵，饮食什器。又转河东米糒二万五千斛，牛羊三万六千头，以赡给之③。"年底，又赐"彩缯千匹，锦四端，金十斤，太官御食酱及橙、橘、龙眼、荔枝；赐单于母及诸阏氏、单于子及左右贤王、左右谷蠡王、骨都侯有功善者，缯彩合万匹④。"这些物质赏赐和数量可观的经济援助，后来成为"岁以为常"的制度固定下来。而赏赐前后的各种事务，大多在使匈奴中郎将的监护或协助下办理。

在政治和军事方面，据《后汉书·百官五》记载，中心任务是"主护南单于"。"银印青绶⑤"是其持有的行使职权的凭证。由于东汉朝廷对南匈奴实行的是特殊管理，即使在使匈奴中郎将的监护下，南匈奴的部众仍然是按照本民族的风俗习惯生产和生活，自行处理本民族内部的人事纠纷和各种事务，允许其有"胜兵"。所以，使匈奴中郎将也就成为行政、军事兼而有

---

① 《后汉书》卷39《舆服志（上）》。
② 《后汉书》卷45《袁安列传》。
③ 《后汉书》卷89《南匈奴列传》。
④ 《后汉书》卷89《南匈奴列传》。
⑤ 《后汉书》卷40《舆服志（下）》。

之的建制。在史书记载的事例中，对南匈奴的护卫更多的是反映在军事上。使匈奴中郎将可以指挥西河长史的军队两千，刑徒五百名①。后来，这部分军队名义上属于西河，实际上已经归使匈奴中郎将指挥了。但是，关于使匈奴中郎将到底辖有多少部队，史籍没有明确的记载。仅西河的两千余骑显然不是全部。永元六年（94 年）就有使匈奴中郎将杜崇"领四千骑"的记载。这说明使匈奴中郎将的领兵数量是比较灵活的。也就是说在特殊的情况下，其军权是可以加大的。如东汉桓帝延熹九年（166 年），乌桓、鲜卑、南匈奴联合西部诸羌在缘边九郡寇掠，政局出现动乱。九郡范围，东及辽西、辽东，西达朔方、北地。为解决这一问题，东汉加强对这些地区的统一治理，"复拜奂为护匈奴中郎将，以九卿秩督幽、并、凉三州及度辽、乌桓二营，兼察刺史、二千石能否"②。这里提到的"九卿"，即东汉中央机构中的太常、光禄勋、卫尉、太仆、廷尉、大鸿胪、宗正、大司农、少府。这些职官都属于"中二千石"级。给张奂以"九卿秩"，就是在地位上使之与九卿同等，权力当然也就增大了，是一种临时越级授权的做法。有了九卿的权力和地位，使匈奴中郎将在军事、行政上就可以分别督察三州、二营。而幽、并、凉三州各郡都有地方部队，度辽、乌桓二营也有屯驻军队。可见，此时使匈奴中郎将的军权是很大的。

使匈奴中郎将对南匈奴的"护卫"，具体还体现在以下三个方面。

第一，"参辞讼，察动静③。"此项工作由使匈奴中郎将府中的"安集掾"负责。他可以代表主管官参加南匈奴的民事诉讼以及日常事务的商讨。在他的手下有刑徒 50 人，"持兵弩随单于所处"，承担对单于的保护任务。但是，一旦遇到比较复杂的情况，例如，当出现涉及南匈奴统治集团中的一些事务，或南匈奴与汉朝之间的关系等重要问题时，就要由使匈奴中郎将亲自过问，直至问题得到解决。东汉和帝永元五、六年间，南匈奴内部发生单于安国与左贤王师子之间的争权事件。安国联结塞外反对东汉朝廷和左贤王

---

① 《后汉书》卷 89《南匈奴列传》。

② 《后汉书》卷 65《张奂列传》。关于史料中出现的"护"字，当为"使"。因为史料叙述中有"复拜"一词。考张奂在北边任职经历，自永寿元年（155 年）至延熹五年（162 年）曾担任使匈奴中郎将，"复拜"当为此职。

③ 《后汉书》卷 89《南匈奴列传》。

师子的匈奴势力，企图杀掉在南匈奴各部中威信高于自己的师子。一时间，西河、上郡等地的局势甚为紧张。使匈奴中郎将杜崇与屯驻于曼柏的度辽将军共同上书朝廷，请求以武力解决这场纷争。得到准许后，两将军联兵直抵南单于庭，逐安国于塞外。单于安国在匈奴部众中平素即"无称誉"，基础很差。所以，出塞不久就被部下杀掉。左贤王师子代替安国成为南匈奴单于。这是一次关系到南匈奴单于人选的历史事件，使匈奴中郎将的参与，起到了十分重要的作用。

第二，负责迎送南匈奴"侍子"。据《后汉书·南匈奴列传》载，"单于岁尽辄遣奉奏，送侍子入朝，中郎将从事一人将领诣阙。汉遣谒者送前侍子还单于庭，交会道路"。一般来讲，"侍子"是南匈奴单于的王子，因东汉朝廷派驻使匈奴中郎将"护卫"南匈奴，双方每年才有迎送侍子的交往形式。"侍子"本身也有人质的意义，是东汉朝廷对南匈奴进行控制的一种手段，带有比较明显的民族压迫性质。但从另一个方面看，侍子在汉朝也得到很高的待遇①。代表南匈奴侍奉在东汉皇帝身边，有很多机会接触中原的政治、经济、文化，这在客观上又有利于双方在各个方面的交流。东汉迎纳匈奴侍子，也是在中原形势稳定，双方关系友好的时期。南匈奴迁驻西河美稷以后，东汉与南匈奴的关系的确进入了以友好往来为主的阶段。南匈奴单于也自愿为东汉朝廷维护边郡地区的社会安定。为维护这种互相往来的关系，侍子的安全对双方来讲都是重要的。因此，东汉朝廷令使匈奴中郎将承担护卫任务。同时，每年还专门派谒者护送前侍子返回单于庭，迎接新的侍子到来。从地区史的角度看，这是长期发生在今天内蒙古中西部地区的历史事件，也是双方高层次的往来。

第三，负责"元正朝贺"以及"吊祭慰赐"性质的交往中的一些事务。在这两项活动中，前者是南匈奴单于、侍子或代表每年"拜祠"东汉皇帝的祖庙，朝见皇帝，贺祝生辰等，后者是东汉朝廷派使者或指派中郎将"吊祭其薨者，慰其新立者"，颁赐玺印、物品等，皆属于礼节性很强的工

---

① 《后汉书》卷2《光武帝纪下》载，建武二十年冬，"鄯善王、车师王等十六国皆遣子入侍奉献，愿请都护。帝以中国初定，未遑外事，乃还其侍子，厚加赏赐"。由此也可从一个侧面了解东汉对待侍子的礼遇和送接条件。

作。以后者为例。建武中元元年（56 年），南单于比薨，使匈奴中郎将段郴"将兵赴吊，祭以酒米，分兵卫护之"①，立比之弟左贤王莫为单于。在举行吊旧立新的时候，东汉方面由皇帝派使者奉玺前往，新立单于"拜受"。同时，南匈奴诸王、骨都侯均要参加。由此也可以看出，虽然南匈奴的部众不在东汉朝廷地方郡县等行政部门的管辖之内，但东汉朝廷通过这种特殊的方式已经将南匈奴收归于东汉政权统治之下。颁赐的"玺书"，就带有行政统辖的意义。它也是南匈奴单于在部众中行使各种权力的凭证。使匈奴中郎将作为单于的护卫者，代表朝廷保证这一交接工作的顺利进行。

　　以上诸项事务对东汉朝廷处理同南匈奴的关系，保证边郡地区政局的稳定至关重要。因此，东汉朝廷对使匈奴中郎将这个职官的选拔、迁调等也是很严格的。如果南匈奴同东汉朝廷的关系出现裂痕，或者当地发生大、小规模的动乱，使匈奴中郎将就要受到各种处罚。这种情况在史书中记载较多，此不列举。

　　对于在东汉时期担任使匈奴中郎将的职官，根据掌握的材料，有以下20 余名。

东汉使匈奴中郎将简表

姓　名	在任时间	姓　名	在任时间	姓　名	在任时间
韩　统	建武六年（30 年）	郭　丹	建武十三年（37 年）	李　茂	建武二十二年（46 年）
段　郴	建武二十六年（50 年）	庞　奋	元和二年（85 年）	耿　谭	永元二年（90 年）
杜　崇	约永元六年至七年（94—95）	耿　种	永初三年（109 年）	郑　郚	永初五年（111 年）
马　翼	延光三年（124 年）	王　稠	阳嘉三年（134 年）	梁　并	永和五年（140 年）
陈　龟	永和五年（140 年）	张　耽	永和五年（140 年）	马　寔	汉安二年（143 年）
种　暠	约建康元年（144 年）	张　奂	永寿元年—延熹五年（155—162 年）	皇甫规	延熹五年（162 年）

---

① 《后汉书》卷89《南匈奴列传》。

（续表）

姓　　名	在任时间	姓　　名	在任时间	姓　　名	在任时间
燕　瑗	延熹五年（162年）	张　奂	延熹九年（166年）	臧　旻	熹平六年（177年）
张　侑	光和二年（179年）				

这些担任使匈奴中郎将的人，大多数都有在北方、西北、东北地区工作的经历，对边疆地区的民族事务比较熟悉。如东汉灵帝时的臧旻，不仅能清楚地描述西域由36国演变为55国，后来又划分为百余国的基本过程，而且对其"大小，道里近远，人数多少，风俗燥湿，山川草木、鸟兽异物名种不与中国同者"可以"口陈其状，手划地形①。"与他类似者，表中所列的庞奋、梁并、陈龟、种暠、张奂、皇甫规等，也都是边郡地区有名的军将。他们分别在西域都护府、度辽将军营、护乌桓校尉营以及边疆郡级行政部门担任过主要职务，对多民族事务的处理有一定的经验。由这些人担任使匈奴中郎将，基本可以保证这个军政建制作用的正常发挥。如果使匈奴中郎将的工作完成得好，就会受到物质奖励，或者提升、连任；反之，则要受到十分严厉的处分。东汉和帝永元年间，使匈奴中郎将杜崇因违反东汉对南匈奴以"抚"为主的方针，导致新降的匈奴人口大量逃跑。和帝以"失胡和，又禁其上书"之罪，定杜崇为死罪。由此亦可知，"上书"朝廷是南匈奴所拥有的正当权力，就连使匈奴中郎将也不可压制。灵帝时期，张修因为擅自斩首单于而"下狱死"②。东汉朝廷对使匈奴中郎将的要求如此严格，很清楚地证明了这个建制的特殊地位和作用，也从一个方面反映了对在民族地区工作的官员的使用原则。

不难看出，使匈奴中郎将是针对南匈奴而设置的军政建制，在对内蒙古古代历史的研究中，这类建制较多，也是不可忽视的内容。对于它的研究，有助于深入了解东汉时期北方各族关系的历史，特别是东汉朝廷与南匈奴关

---

① 《后汉书》卷58《臧浩列传》。
② 《后汉书》卷8《灵帝纪》。

系的历史；有助于对历史上中原王朝对北方边疆地区的统治思路、政策、方式进行总结。从客观上看，这类建制的设立，在北方多民族活动地区形成了郡县制与特殊军政建制互相结合的地方统治体系。对南匈奴部众在稳定的环境中生产和生活比较有利；对北边各个郡县免遭袭扰，消除大小规模的战乱也起到了一定的作用。友好和睦的民族关系，即使是在一定的历史阶段内的友好，对于多民族国家的发展来讲也是有利的。

第四节　单于大都护府

在唐代地方行政建置中，有一类特殊的州府——"羁縻州"。"单于大都护府"就是其中之一。其设置与沿革的历史，职官委派与职能，往往与唐朝对北方地区的统治、治理以及民族政策等有着密不可分的关系。在唐代北方地区的军政建制中，单于大都护府具有重要而特殊的历史地位。

关于始置单于大都护府的时间，《新唐书·地理志》载为"单于大都护府，本云中都护府，龙朔三年（663 年）置，麟德元年（664 年）更名"。依照这条史料，单于大都护府的前身应为云中都护府。因此，从建置沿革角度讲，有必要对云中都护的情况予以简单的回顾。唐武宗会昌年间，中书门下省臣曾有奏言，其曰："臣谨详国史，武德四年（621 年），平突厥后，于振武置云中都督。"① 很明显，这份奏言是有文字依据的。所谓"平突厥"以后设置云中都督，乃是指经过一段时间的武装冲突，唐朝与突厥颉利可汗暂结友好，恢复地方行政统治的一项暂时性措施。这个建置设立后，颉利可汗并未率突厥诸部长期驻牧于此。此时，云中都督府尚未能发挥其羁縻州府的作用。至唐太宗贞观四年（630 年），唐军在李靖的率领下击败颉利可汗于阴山，突厥势力大大削弱。当时，突厥部族被分别安置在漠南地区，云中都督府的"羁縻"作用开始发挥。然而，此时的云中都督府治所还没设置在云中（今内蒙古和林格尔县境）地区内，而是"侨治朔方境"②。唐高宗永徽元年（650 年），突厥车鼻可汗被唐军击败，突厥诸部基本内附。云中

---

① 《唐会要》卷 73《安北都护府》。
② 《新唐书》卷 43《地理志》；《资治通鉴》卷 193《唐纪九》。

都督府归于瀚海都护府。① 龙朔三年（663 年）二月，唐高宗再次对北边各都护府进行调整，"徙故瀚海都护于云中古城，更名云中都护。以碛为境，碛北州府皆隶瀚海，碛南隶云中。"② 与前两次相比，这是唐朝北方地区行政建置沿革中一次值得注意的变化。史料中的"云中古城"，系指西汉时期属云中郡，东汉划归定襄，北魏时期定为北都盛乐，今天内蒙古和林格尔县土城子古城。这一变化的历史意义之一在于确定了这个建置的治所。另外，还应注意到，云中"都督"被更名为"都护"，只字之差，反映了这个建置及主要职官工作性质、职掌、特点的变化，表明其已经担负起对整个"碛南"地区突厥诸部的辖制事务。

由云中都护府更名为"单于大都护府"是在唐高宗麟德元年（664 年），即如前文引《新唐书·地理志》所载。有关记载还有《唐会要》"单于都护府"条，其曰：麟德元年正月十六日，"敕改单于大都护府官秩，同五大都督"。其他史书，也都将"更名"时间系于这一年，此不一一列举。由此，将单于大都护府的正式设置时间定于公元 664 年是比较妥当的。云中都护府可视为其前身。

经过比较，有关史料在记载这个建置时也有一处较明显的区别，那就是"单于大都护府"比"单于都护府"多了一个"大"字。这使我们今天的研究也出现了一些不同的提法。③ 笔者认为，各部著述的取舍虽说只在一个"大"字上，但对于准确地研究这个建置来讲，却应尽可能地讨论出比较一致的结论。那么，应当按照哪条史料定论呢？首先应当重视《新唐书·地理志》的记载，前文已引述，此略。第二，应当依据和林格尔县大梁村李

---

① 《资治通鉴》卷 198 载：瀚海都护府设于太宗贞观二十一年春丙申，主要是辖制回纥部族。

② 《资治通鉴》卷 201《唐纪·高宗》。

③ 周清澍主编：《内蒙古历史地理》第 70 页为"单于都护府"（内蒙古大学出版社 1994 年版）；申友良：《中国北方民族及其政权研究》为"唐朝设立单于、瀚海二都护管辖东突厥故地"（中央民族大学出版社 1998 年版）；林幹：《突厥史》第 139 页为"单于大都护府"（内蒙古人民出版社 1988 年版）；李逸友编著：《内蒙古历史名城》第 71 页为"单于都护府治所"，第 72 页的"示意图"则标出"单于大都护府"（内蒙古人民出版社 1993 年版）；张郁：《呼和浩特地区的古战场》中的提法也是"单于都护府"（载《内蒙古文物考古》1996 年第 1、2 合期）；赵云田：《中国边疆民族管理机构沿革史》第 2 章第 4 节以"单于都护府"落笔（中国社会科学出版社 1993 年版）。其他著述，提法也不尽一致，此不列举。

氏墓的文字资料。其中有"守单于大都护府司马"① 之说。第三，唐代的职官制度也明确地将两者区分开来，有"大"字与无"大"字也有区别。②这些史料比较一致地证明"单于大都护府"是这个建置准确的名称。也就是说，唐代将这个建置定格在"大都护府"位置上，而不是定格为"都护府"。事实上，是将"云中都护府"向上升了一个级别。史书中某些地方以"单于都护府"落笔，可视为对此建置的简称。

在此，还有一个不可忽略的问题，即"云中"与"单于"的区别。"云中"是自古沿革下来的地方行政区的名称，字面上没有明确的民族特征。而更名"单于"却加进了不同于以往的意义。这个改变是在突厥人的要求下实现的。《资治通鉴》卷 201《唐纪·高宗》麟德元年条下记载了定名"单于"的原因。当时，突厥阿史德氏诣阙，"请如胡法立亲王为可汗以统之。上召见，谓曰：'今之可汗，古之单于也'。故更名为单于都护府"。事实上，当时还是有一点争论的。阿史德认为："单于者，天上之天。"这种提法，对于唐朝皇帝来说是难以接受的。但为了推行"羁縻"政策，又得注意与突厥的关系。唐高宗即以"朕儿与卿为天上之天，可乎？"③ 试探阿史德氏，看其对唐朝皇帝的态度。显然，突厥想单独为"天上之天"不会得到唐高宗的允许。只有双方同为"天上之天"才能达成协议。结果，在这次谈判中，阿史德氏不得不同意了唐帝的意见。于是，单于大都护府的建置正式确立。突厥要求"如胡法"，说明其希望唐朝尊重北方游牧民族的习俗；唐朝方面同意以"单于"代替"云中"，也表明其政策的宽松。鉴于当时人们"可汗者，犹古之单于"的观念，单于大都护府实际上就是突厥可汗大都护府。这是当时北方地区民族关系比较真实的写照。

在唐代地方建置中，单于大都护府的职官设置和职掌都不同于一般的地方统治部门。

依据《新唐书·百官志四下》的记载，单于大都护府的职官有"大都

---

① 孙建华：《和林格尔县大梁村唐代李氏墓》，《内蒙古文物考古》1996 年第 1、2 合期。

② 《新唐书·百官志》卷 49（下）分别载有"大都护府"、"上都护府"条，其主管官、下级属官都有区别；《旧唐书·职官》所载略同；《大唐六典》（三秦出版社 1991 年版）载为"大都护府"、"上都护府"。

③ 《唐会要》卷 73《单于都护府》。

护一人，从二品；副大都护二人，从三品；副都护二人，正四品。"① 副都护以下为"正五品上"以下的一些职官，计有：长史、司马、录事参军、录事、功曹参军、仓曹参军、户曹参军、兵曹参军、法曹参军、参军事。在唐代职官中，单于大都护府与"掌督诸州兵马、甲械、城隍、镇戍、粮廪"的大都督府大体上为一个级别的部门。大都督府一般负责十个州的事务。而大都护府的职能（责）虽说多与边政有关，辖制的"羁縻"州、府也比大都督府要少，从表面看似有权力轻重之别，但其历史地位却是不可忽视的。对此，《新唐书·地理志》有"然举唐之盛时，开元、天宝之际，东至安东，西至安西，南至日南，北至单于府，盖南北如汉之盛，东不及而西过之"。可以看出，盛唐之际，单于大都护府在唐朝北疆有着不可替代的地位，是唐朝处于盛世之时北方地区最有代表性的军政建置。

那么，单于大都护府从行政区划角度讲到底管辖多大范围，又包括哪些州县呢？《新唐书·地理志》"关内道"条下载有隶属于单于都护府的三个辖制突厥"羁縻"州的都督府，即云中都督府、桑干都督府、呼延都督府。在这段史料中，我们首先应注意到单于大都护府具有辖制某类"都督府"的权力。事实上，《新唐书·地理志》所载的州府已归于"道"的管理范围之内。开元二十一年（733年），设置了15采访使，检查诸道的工作。单于大都护府划归于"关内道"管领的行政区内，但没有去掉其都护府及其下辖都督府的名称。这种情况，显然不是史家的疏忽，而是在边疆地区确实保留了这类建置。"道"也是一种行政区划，可以认为是唐朝对一个地区行使有效行政管辖权的标志。单于大都护府归属于关内道，其重要意义之一就在于这个建置所辖有的地区已正式纳入唐朝版图。从另一个角度看，唐朝对单于大都护府这类建置又实行特殊的政策。

单于大都护府辖有云中、桑干、呼延三府，其管辖的区域大致也应是这样一个范围。为了使这一问题更加明朗，我们不妨简单追溯一下唐朝与突厥关系发展的历史。据史载，唐朝正式安置突厥部族于北边在贞观四年（630年）。当时，针对如何安置突厥曾有几种不同意见。温颜博力主"请准汉建

---

① 《旧唐书·职官三》载有大都护一员，副都护四人，品级与《新唐书》同。

武故事，置降匈奴于塞下，全其部落，顺其土俗，以实空虚之地，使为中国捍蔽。"① 所谓"建武故事"，系东汉光武帝建武二十六年（50 年）冬，正式在南匈奴驻地美稷（今内蒙古鄂尔多斯市准格尔旗以北）设立"使匈奴中郎将"之事。这个建置是东汉朝廷专为管理南匈奴事务而设置的军政建置。②

随着"使匈奴中郎将"的设置，南匈奴部众进驻于北地、朔方、五原、云中、定襄、雁门、代郡这些地区内。此后，东汉与南匈奴的关系在和好为主的状态中发展了较长时间。温颜博建议采取类似于东汉的方式，显然也是为了唐朝北边地区的长期安定，也符合唐太宗解决与突厥关系的大的指导原则，故最终得到采纳。当时，突厥颉利可汗被唐军击败后，突厥大体上分为三部分。一部分北附薛延陀，另一部分逃奔于西域地区，再有即为"其降唐者尚十万口。"③ 这部分突厥人被安置在"东自幽州，西至灵州"的广阔区域内。这个地理范围比单于大都护府辖有的云中、桑干、呼延三都督府要大。其东边可达今北京市及其以北地区，西边延伸到今内蒙古西部以及与宁夏回族自治区接壤的部分地区。当时，唐朝根据突厥降唐的具体情况，"分突利故所统之地，置顺、祐、化、长四州都督府；又分颉利之地为六州，左置定襄都督府，右置云中都督府，以统其众。"④ 这段史料涉及突利与颉利各自驻牧、活动的主要地区。

关于"突利故所统之地"，史书曾有较为具体的记载。《旧唐书·突厥上》曰：颉利嗣位，"以为突利可汗，牙直幽州之北。突利在东偏，管奚、霫等数十部。"⑤《资治通鉴》卷 192《唐纪八》太宗贞观二年（628 年）亦载为"初，突厥突利可汗建牙直幽州之北"。据此，顺、祐、化、长四州都督府应在唐代幽州及其北部的地区之内。如果是长期置州，应当有治所。然而，另一条史料却进一步载明了以上四州兴废的变化。这就是唐代河北道突厥州顺州顺义郡条载，"贞观四年平突厥，以其部落置顺、祐、化、长四州

①　《资治通鉴》卷 193《唐纪九》。

②　参考《后汉书》卷 1《光武帝纪上》、卷 89《南匈奴列传》；《资治通鉴》卷 44《汉纪》。

③　《资治通鉴》卷 193《唐纪九》。

④　《资治通鉴》卷 193《唐纪九》。

⑤　此前，突利领突厥东牙之兵，"号为泥步设"。见《旧唐书》卷 194《突厥上》。

都督府于幽、灵之境；又置北开、北宁、北抚、北安等四州都督府。六年顺州侨治营州南之五柳戍；又分思农部置燕然县，侨治阳曲；分思结部置怀化县，侨治秀容，隶顺州；后皆省。祐、化、长及北开等四州亦废，而顺州侨治幽州城中。"① 可见，贞观四年对突利部众设州辖制之举当为临时性措施。最后仅剩下顺州侨治"幽州城中"，主管内附于唐朝的"突利故所统之地"的突厥部众。

关于"又分颉利之地为六州"当与突利的情况有所区别。因为颉利是突厥汗国的可汗，包括突利在内均归他指挥。这样，所谓"颉利之地"就至少存在两种可能。一种是"初为莫贺咄设，牙直五原之北"② 时的驻地；另一种是唐贞观四年（630 年）李靖击破颉利于白道、阴山前后颉利活动的主要地区，也就是东至今天山西大同一带，西至内蒙古中西部地区。这里提到的"分颉利之地为六州"当是指后一种情况。根据《新唐书·地理七下》的记载，贞观四年并无"六州"之说，而有"析颉利部为二，以左部置，侨治宁朔"，以及"析颉利右部置，侨治朔方境"。朔方与宁朔，唐代都在夏州朔方郡辖区之内。朔方为州治所在地，宁朔为县治所在地。其地理范围都在今内蒙古鄂尔多斯市境内。如果按照这个地理范围，就与左置定襄、右置云中两个都督府在地理范围方面有一定的出入。显而易见，弄清这个问题的关键仍在"侨治"上。也就是说，在朔方、宁朔县治，设有专门管理被析分的原属颉利统辖的突厥部族的部门。但贞观年间析置突厥州时，实施的是"全其部落，顺其土俗"，"即其部落列置州县。其大者为都督府，以其首领为都督、刺史，皆得世袭"③ 的政策，直接管理突厥部众的为突厥本族人。这样，定襄都督府与云中都督府下辖的突厥六州，当在今天山西省北部，向西可达到鄂尔多斯市一带。其左、右之分大体也是这样一个地理范围。而上述突厥州府的建置，随着唐代行政区在贞观十三年（639 年）、十四年、景云二年（711 年）、开元二十一年（733 年）的几次较大的调整，以及唐代"朔方节度使"的设立也在不断规范化。其中有相当一部分围绕

① 《新唐书》卷43《地理志》。
② 《旧唐书》卷194《突厥上》。
③ 《新唐书》卷43《地理志》。

在今天内蒙古呼和浩特地区的突厥部族，归入到单于大都护府管辖之下。最后，单于大都护府管辖的州府基本确定为云中、桑干、呼延三府。

唐代单于大都护府的具体职掌，史籍没有系统的记载。《新唐书·百官志》大都护府、上都护府条下载有"都护掌统诸蕃，抚慰、征讨、叙功、罚过，总判府事"；《旧唐书·职官志》载为"都护之职，掌抚慰诸蕃、辑宁外寇、觇侯奸谲，征讨携贰。长使、司马贰焉"。两条略有区别，但所言皆为边地之事。所谓"诸蕃"，泛指归附于唐朝，"傍塞外"而居的"夷狄"部族。具体而言，单于大都护府的职责就是"掌统"突厥部族。这就从职掌上确定了它是一个设在边疆地区管理民族事务的建置。选派这类机构的主管官，历朝历代都与选派一般地方行政官员不同。唐代更有其特殊之处。据史载可知，唐高宗麟德元年（664 年）选任的单于大都护就是殷王旭轮。后来又有王浚等。这样的安排，正好符合唐代"京兆、河南牧，大都督、大都护，皆亲王遥领"① 的原则。唐玄宗开元十五年（727 年）还明确了"州牧、刺史、都督、节度大使、大都护经略使"皆由"诸子"领之而"实不出外"② 的制度。可见，大都护与这些重要职官都属于唐朝正式编制之内。"遥领"并不是专为单于大都护而定的政策。照此，"大都护府之政，以副大都护主之，副大都护则兼王府长使"是基本可信的。那位由长史兼任的副大都护应是单于大都护府中的主管官。关于"抚慰、征讨、叙功、罚过"的职能，主要还是针对突厥族而言。如果突厥部族有反叛之举，单于大都护府就负责平乱。在这方面，比较典型的事例有：唐高宗调露元年（679 年）冬，十月，突厥阿史德温博、奉职二部叛，导致突厥"二十四部酋长皆叛应之，众数十万"③ 的混乱局面。唐高宗派鸿胪卿单于大都护府长史萧嗣业等将兵讨之，被突厥击败。后来，唐以三十万重兵征讨才平定这次叛乱，而萧嗣业等三人则被撤职查办。唐朝自贞观四年以后，对突厥总体上实行的是友好的政策，没有大的动乱不派重兵征讨。这次萧嗣业之败，明显反映出单于大都护府的兵力寡不敌众的事实。从史实记载来看，单于大都护

①　《新唐书》卷 49《百官志》。
②　《资治通鉴》卷 213《唐纪》。
③　《资治通鉴》卷 202《唐纪》。

府确有驻兵。与萧嗣业共同领军的右领军卫将军花大智、右千牛卫将军李景嘉都是三品官，① 级别可谓不低。这一时期单于大都护府的驻军能与约"数十万"之众的突厥骑兵多次交战并取得阶段性胜利，说明部队数量至少应在万人左右，战斗力也较强。单于大都护府城内的驻军数量，在唐玄宗天宝元年（742 年），设置十节度使，全面规划北方的防御时有了明确的记载。当时，归属于朔方节度使辖下的振武军，在单于大都护府城内，"管兵九千人"② 。这部分军队与"单于府兵"③ 是否为同一类驻军有待进一步考证，但单于大都护府及其周围有唐军万人以上则是事实。这些部队主要担任"辑宁"、"征讨"的军务当无疑窦。而"叙功"、"罚过"的事务，当是指对于单于大都护府各级职官的奖惩而言。据史载，单于大都护府治在金河县，即今天内蒙古和林格尔土城子古城。单于大都护统有"户二千一百五十五，口六千八百七十七"④ 。这部分人口，显然不是前文所提及的驻军，更不可能是突厥降户，而是与单于大都护府有关的各级各类人员的家眷。他们直接受府中的官吏管理。单于大都护府中的职官，如长史、司马等，对在府中曾经任职人员的情况一般都比较了解。1988 年在内蒙古和林格尔县大梁村发现的"唐代李氏墓"，就是由"文林郎守单于大都护府司马"牛镇撰写的。他在墓志中详细记述并评价了死者先人的官阶履历，人品军功，同时也对死者李氏给予了"言行有则，礼客成规"等较高的评价。⑤ 由此，我们可以从一个侧面了解到一些"叙功"的历史情况。而与突厥民户有关的一些日常工作，往往要由突厥人去完成。唐高宗永淳元年（682 年）前后，突厥人阿史德元珍就是在单于府"检校降户部落"⑥ 的官员。当时，担任单于长史（实际应为副大都护）的王立本，根据阿史德元珍的表现，对其有罢免和重新起用的权力。另外，史料所记载的对于萧嗣业"减死，流桂州，

---

① 《旧唐书》卷 42《职官一》。

② 《旧唐书》卷 38《地理一》。

③ 《资治通鉴》卷 202《唐纪十八》。

④ 《新唐书》卷 37《地理一》。

⑤ 孙建华：《和林格尔县大梁村唐代李氏墓》，《内蒙古文物考古》1996 年第 1、2 合期。

⑥ 《资治通鉴》卷 203《唐纪》。

大智、景嘉并免官"以及对于单于副都护张知运"丧师，斩之以徇"① 的处理，也都说明了"罚过"职能的可信性。

应当指出，单于大都护府的设置，是唐朝在边疆地区实行特殊政策的结果。其作用，至少在设置初期是有利于休战息民、促进唐与突厥关系向着友好方向发展的，也符合突厥要求近塞下而居的要求。作为一个军政合一的建置，单于大都护府在唐朝存在了较长时间，虽然后来又有过在"单于"还是"安北"这个名称上的争议或更改，但这只能说明唐朝各位帝王统治时期的君臣对于突厥的歧视或政策的变化。阶级的局限性使得双方都会有狭隘与过分的举止，这正是多民族国家历史所难以回避的历史阶段。但是，透过唐朝民族政策的开明之处，以及突厥驻牧区的不断南移，我们也可以清晰地感觉到我国古代各族凝聚力不断增强的历史脉搏。

---

① 《资治通鉴》卷 202《唐纪十八》。

第　十　二　章

鲜卑考古所反映的西方文化因素

汉末到魏晋南北朝，是中华民族融合发展的关键时期，也是所谓的胡汉文化和东西方文明的大碰撞、大发展的时代。

第一节　西方文化因素影响的历史背景

东汉末年，汉王朝政治腐败，经济凋敝，人民流离失所，社会矛盾加剧。在气候方面，由于阴山以北季风的原因，北方地区的气候由温暖转变为寒冷，直接导致了农耕经济的衰退和畜牧业经济的萎缩。在北方草原上的许多区域，甚至连牲畜赖以生存的牧草都成了问题。所以，这一切均成为融合了匈奴、丁零以及部分汉族流民在内的鲜卑民族兴起、南下并入主中原的诱因。而这一历史进程直接导致了中国历史上又一次极为重要的时期——民族大迁徙、大融合、社会大转轨时期的到来，对中国古代文明史可谓产生了极为深远的影响。宽容性、可塑性极强的北方游牧民族，第一次在中原地区建立起由草原牧人和中原农人联合在一起的政权。两种截然不同文化传统和背景的人群密切交往、共同生存，促使南北民族间政治、经济、军事、文化、宗教信仰乃至社会习俗等各个领域的全面交流与交往。长江以南中国"客家人"的形成，北方草原民族的大批汉化，中土"胡风胡俗"的广为流行，东西交往渠道的日渐通畅，都是这一社会律动的直接后果。而传统上与欧亚大陆草原东西方均有着频繁交往和密切接触的北方游牧民族的入主中原，不仅带来了其自身极富生气、极其活跃的文化品质，为中原民族注入了新的活力，而且还带来了欧亚大陆西端诸民族的文化和各种信息，从而促进了东西文化的交流和发展。考古发现中屡见不鲜的这一时期具有域外文化因素的各种文物，正是在当时所谓的"五胡乱华"时代背景下，东西文化交流与交往的真实写照。

在魏晋南北朝时期北方地区的墓葬中，除出土有一些显具时代特征和民族特色的文物外，在一些较大型的贵族墓葬中，还可以见到完全来源于中亚、西亚甚至希腊、罗马等西方国家的舶来品，反映出统治阶层对奢侈物品的喜爱和东西方交往渠道的通畅。在金属器方面，山西大同南郊北魏第107号墓葬出土的银罐和鎏金錾花人物纹银碗；第109号墓葬出土的鎏金錾花人物纹高足银杯、银钵①，以及1981年发现的封和突墓出土的狩猎纹鎏金银盘与素面高足杯②，都应该是波斯萨珊王朝的产品。此外，1970年山西省大同市南郊轴承厂出土的鎏金錾花银碗、鎏金高足杯和八曲银盘③，也应来自于中亚、西亚地区。在玻璃器方面，前燕冯素弗墓出土的鸭形玻璃器④、山西大同南郊107号墓葬出土的束颈圜底磨花玻璃碗，以及宁夏固原北周李贤墓、北京西晋华芳墓、河北定县华塔地宫、湖北鄂城西晋墓⑤等等出土的各种形制的玻璃制品，反映出此时期外来文化的大量涌入，亦可佐证草原游牧民族在入主中原前后，与西方文化交往的繁荣局面。

除发现的西方舶来品外，魏晋南北朝时期东西方的交往亦可从史料的记载中找出依据。《魏书》中记载的"大月氏国，……世祖时，其国人商贩京师，自云能铸石为五色琉璃。于是采矿山中，于京师铸之。既成，光泽乃美于西方来者。乃诏为行殿，容百余人，光色映彻，观者见之，莫不惊骇，以

---

①　山西大学历史文化学院、山西省考古研究所、大同市博物馆编：《大同南郊北魏墓群》，科学出版社2006年版，第229、232、241、242页。

②　大同市博物馆：《大同市小站村花圪塔台北魏墓清理简报》，《文物》1983年第8期。

③　《文化大革命期间出土文物》第1辑，文物出版社1972年版，第149—152页。

④　黎瑶渤：《辽宁北票县西官营子北燕冯素弗墓》，《文物》1973年第1期。

⑤　宁夏回族自治区博物馆、宁夏固原博物馆：《宁夏固原北周李贤夫妇墓发掘简报》，《文物》1985年第8期；北京市文物工作队：《北京西郊西晋王浚妻华芳墓清理简报》，《文物》1965年第12期；河北省文化局文物工作队：《河北定县出土北魏石函》，《考古》1966年第5期；安家瑶：《北周李贤墓出土的玻璃碗——萨珊波斯器的发现与研究》，《考古》1986年第2期。

为神明所作。自此中国琉璃遂贱，国人不复珍之"①。可证当时有西方大月氏工匠进入中原地区从事玻璃器的生产，并在中原地区产生了重大影响。此外，随着北魏政权的稳固，与西域乃至中亚、西亚的交往日趋频繁，以至出现了史料记载的"自葱岭以西，至于大秦，百有千国，莫不款附，附化之民，万有余家"②的景象。北方地区广泛发现的波斯银币以及出土的外域器物，山西太原北齐娄睿墓壁画中出现的大食人、波斯人及黑皮肤的所谓"昆仑奴"等③，都是魏晋南北朝时期东西方经济文化交流繁盛的见证。

除考古发现的西方舶来品以及史料记载使者来华所反映出的东西文化交流现象以外，考古发现此时期的许多文物均表现出东西方文化交流的痕迹。也就是说，在考古发现中，许多的文化现象都是东西方交融的结果或变异的产物。例如，遍布于欧亚大陆草原的青铜釜形器，虽自西周以来一直是北方草原民族日常生活中常见的器形，并因之成为草原游牧民族一种独特的文化现象。但中国北方地区发现的青铜釜，其双耳基本是呈环形或半环形、立于口部的双耳青铜釜。而在欧亚大陆草原的西部和我国的新疆地区，族属斯基泰—塞人的青铜釜，其环形耳部则常见蘑菇状的凸起物。而且考古发现也反映出，这种带有凸起蘑菇状耳的青铜釜，从西到东有着递减的趋势。中外学界普遍认可的所谓"匈奴式铜釜"，"就是匈奴在西迁过程中发生变异而导致其耳部出现了许多蘑菇状凸起物的铜釜"④。所以，汉魏以来，青铜釜耳上出现带有蘑菇状凸起的文化现象，应视为欧亚大陆草原西方对东方的影响。内蒙古呼和浩特市和林格尔县出土的族属鲜卑的圈足青铜釜⑤，以及内蒙古博物馆收藏的一件征集于乌兰察布市四子王旗的青铜釜，口沿上均有一双饰有蘑菇状突的环形立耳，正是东西文化交流的实证。

此外，在装饰艺术上，南北朝时期有许多类型的文物均反映出鲜明的西

---

① 《魏书》卷102《西域传》，《北史》卷97《西域传·大月氏》。
② 周振甫译注：《洛阳伽蓝记》，中华书局1963年版，第120页。
③ 山西省考古研究所、太原市文物考古研究所编：《北齐东安王娄睿墓》，文物出版社2006年版，第14页。
④ 冯恩学：《中国境内的北方系东区青铜釜研究》，《青果集——吉林大学考古专业成立二十周年考古论文集》，知识出版社1993年版，第318—328页。
⑤ 内蒙古自治区博物馆等：《和林格尔县另皮窑村北魏墓出土的金器》，《内蒙古文物考古》1984年第3期。

方文化特色。如南北朝时期的许多大型石雕和佛教造像，受到希腊化艺术和犍陀罗艺术影响的痕迹十分明显，无疑是东西文化交流融合的结果。山西省大同云冈石窟中开凿最早的昙曜寺（16—20 窟），是北魏早期的作品。犍陀罗艺术风格主要表现在宽肩薄唇、鼻梁高直，袈裟短窄且露出足部，衣纹作平行的褶皱。司马金龙墓葬出土的石雕制品①、大同云冈第六窟中心塔柱西侧佛龛北侧的"太子灌顶"及云冈石窟中的中国传统瓦顶建筑式样，表明西方文化在进入中原后与中原文化的融合。可见，犍陀罗艺术进入中国后，很快被中国传统的艺术所吸收和借鉴，所以才出现了公元 5 世纪时期的艺术作品多偏重于装饰艺术的情况。但是，中国对西方艺术并不是纯粹的模仿，这在西方文化艺术的传入之初便是如此。中国艺术家在佛教创作中借鉴了犍陀罗艺术的成分便是明证。此外，山西太原北齐娄睿墓出土的贴花釉陶器上的装饰艺术，显然具有中亚伊朗、阿富汗的工艺特点；山西太原北郊徐显秀墓②中出土的一枚金戒指，在戒面上有西域胡人的图案，指环上则为龙的形象，显示出中西文化融为一体；而魏晋南北朝时期西域和中亚、西亚乐舞的传入，饮食习俗、饮食方式、饮食结构的调整和改变等等，无论在文献中还是考古发现里均有证可查，充分反映出北方草原民族入主中原带来的文化交流的繁荣，为隋唐时期东西文化交流空前的繁荣和发展奠定了坚实的基础。

　　以黄金作为装饰物，历来就是草原游牧民族乐此不疲的喜好，也是欧亚大陆草原具有相同或相近生产生活方式的民族在装饰上的一个共同特征。这在西方的斯基泰和东方的匈奴等游牧民族饰物中均可窥见一斑。尤其是在游牧民族兴起的早期阶段，更多见以这种贵金属为原料制成的装饰物，而相对少见黄金质的盛储用器具。这一文化现象可能与象征财富的贵金属较少以及草原民族的喜好有关，也有可能是便于迁徙的因素使然。鲜卑亦继承了这一传统。在中国北方地区发现的族属鲜卑的金饰物中，既有北方地区流行的以动物为造型及纹饰题材的饰物，如头饰、耳饰、项饰、饰牌以及带具等，也

---

　　①　山西省大同市博物馆、山西省文物工作委员会：《山西大同石寨山北魏司马金龙墓》，《文物》1972 年第 3 期。

　　②　山西省考古研究所，太原市文物考古研究所编：《太原北齐徐显秀墓发掘简报》，《文物》2003 年第 10 期。

可见因东西文化交流而导致的这些装饰品发生的明显变异和发展。

第二节　冠饰中的西方文化因素

文献记载表明，活动于古代内蒙古及周边地区的部分鲜卑人有着冠饰的习俗，考古发现也证实了实物的存在。尤其域外也有大量考古发现，为探讨相关问题提供了依据。

一、北方地区发现的金步摇冠

《晋书·慕容廆载记》中说："莫护跋初率其诸部入居辽西，从宣帝伐公孙氏有功，拜率义王，始建国于棘城之地。时燕代多冠步摇冠，莫护跋见而好之，乃敛发袭冠。诸部因呼之步摇。"① 由此可知，慕容鲜卑所着之步摇冠，当是借鉴临近民族冠饰而来的。乌桓妇女"髻着名决，饰以金碧，犹中国有帼、步摇"②。可知乌桓妇女所戴步摇同中原妇女一样是着于巾帼之上的。至于以"髡头为轻便"的乌桓男子戴不戴步摇冠不得而知。而身为男性的莫护跋"见而好之"的步摇冠，起码可证自"敛发"的莫护跋起，即为慕容鲜卑男性所用。在中国史籍中有关步摇冠的记载，当首见于《汉书·舆服志》。其描述的是皇后谒庙时所戴的礼冠。形制为"黄金为山题，贯白珠为桂枝相缪。八爵九华，熊、虎、赤黑、天鹿、辟邪、南山丰大特"③ 六种瑞兽饰于其上，但惜未见实物。曹植诗云："戴金摇之熠烁，扬翠羽之双翘。"④ 晋人傅玄《艳歌行》中亦有"头安金步摇，耳系明月珰"⑤的记述。顾恺之的《女史箴图》，更绘出了头着步摇冠的妇女形象。此图虽为宋人所摹，但亦可佐证步摇冠的一种戴法是两只相同的头饰直接插饰于发中。

从图形来看，这种步摇似乎只是枝脉可以摇动，有别于考古发现中鲜

---

① 《晋书》卷108《慕容廆载记》。
② 《后汉书》卷90《乌桓鲜卑列传》。
③ 《后汉书》卷40《舆服志下》。
④ 曹植：《七启》，《异文类聚》卷57。
⑤ 《玉台新咏》卷2。

卑人所戴的装有活动叶片的步摇冠。从目前中国考古发现来看，这种"步则摇动，行则有声"的步摇冠，多出土于内蒙古自治区和辽宁省境内，与鲜卑的活动区域相吻合。由此可见，东汉以来直至魏晋南北朝，带有活动叶片的步摇冠一直是北方地区较为流行的，且为鲜卑人所喜用的一种冠饰。

1981 年，在内蒙古包头市达茂旗西河子乡的一处窖藏中，考古发现了四件两两相同的步摇冠，被命名为马头鹿角金冠饰和牛头鹿角金冠饰，时代定为北朝时期①。从其造型、工艺及时代特征、出土地点等因素考虑，所定时代似显稍晚，而更可能是东汉末到魏晋时期的产品。从两种造型不同的动物形象上分析，一件面部瘦长，吻部无明显外凸，枝角亦相对窄长；另一件面部稍宽，吻部两侧外凸呈半圆形，头部枝角亦显宽大。故原报告中方有马头、牛头之称。两动物面部均以汉晋以来广为流行的粟珠工艺来表现动物的眼、嘴、鼻、耳等部位。面部瘦长者甚至在其枝角部亦有粟珠表现出的纹饰。桃形叶片的周缘还冲出点状的联珠纹。两型步摇冠的动物面部均镶嵌有水滴形料珠或宝石，其中，面部瘦长者更在枝角处镶嵌此类装饰，制作十分精美。从上述两套四件步摇冠基座的动物面部及角部特征来看，显然非牛非马。其形象更应该属于鹿科动物，即生息于森林之中、又为森林民族所熟知的马鹿和麋鹿属。这或许是源于森林的鲜卑人，在"其形似马，其声类牛"的神兽导引下，走出森林进入草原的一种原始追忆，也有可能是以鹿为图腾崇拜的反映。而发端于中亚、西亚地区的粟珠工艺以及欧亚草原地带广为流行的水滴形镶嵌技法，应为鲜卑人所继承或借鉴。除此以外，在内蒙古通辽市科左中旗毛力吐墓葬中，也曾出土了一件金步摇冠②。其造型为一立于圆片形基座上的鸟，在鸟羽和鸟尾上垂挂可活动的圆形金叶片。圆形基座上有四针孔，显系缝制于巾帼之上的步摇冠形式，时代被定于东汉早期。

在辽宁省境内亦发现了数件几种形制的步摇冠。如北票房身村 2 号前燕

---

① 陆思贤、陈棠栋：《达茂旗出土的古代北方民族金饰件》，《文物》1984 年第 1 期。
② 赵雅新：《科左后旗毛力吐鲜卑金凤凰步摇冠》，《哲盟博物馆馆刊》1996 年。

墓中出土的两件大小不一的金步摇冠①。基座为长方形透雕博山形，其上分别有 12 根和 16 根垂挂可活动金叶片的枝条；辽宁省朝阳市田草沟也发现了两件造型与房身村 2 号墓出土者几近一致的金步摇冠②。朝阳十二台砖厂王子坟也出土有与上述造型相近的金步摇冠。此外，北票西官营子北燕冯素弗墓中也出土了一件有片形摇叶的金步摇冠。与上述几例步摇冠有别的是，冯墓出土的步摇冠是以两窄条金片弯成相交的弧状十字形，在交叉处以铆钉依次与上面的空体扁球和仰钵形基座相连，其上再装饰六条枝脉，每条上环接 3 枚金片，由此构成了冠笼上之步摇冠形制③。

从上述出土于内蒙古自治区和辽宁省境内的鲜卑步摇冠来看，大致可分为两种形制。一为冠笼或着于巾帼上的步摇冠，另一种为直接插饰于头发中的两只对称状的步摇冠。二者共同之处即均垂挂有可活动的金叶片。

除装有活动摇叶的金步摇冠以外，族属鲜卑并饰有摇叶的金饰物还见于耳饰、带饰及马饰具上。如吉林省榆树老河深出土的带有活动摇叶的金耳饰④、前述的辽宁省北票房身村 2 号墓出土的饰有活动摇叶的方形带铸以及河南安阳孝民屯 154 号前燕墓出土的带有活动叶片的马当卢⑤和辽宁朝阳十二台乡砖厂出土的当卢等等。这种习俗一直影响到后来的北方草原民族。自称为鲜卑后裔的契丹人，也有佩戴活动叶片饰物的传统⑥。

二、中国境外发现的金步摇冠

在中国境外发现的、垂挂有活动摇叶的金冠，最早的要数 1864 年出土于顿河下游新切尔卡斯克的萨马尔泰女王墓中的金冠⑦，年代为公元前 2 世纪。在这件残损的金冠冠带上方的两株树上，装有写实性的、可以摇动的金

---

① 陈大为：《辽宁北票房身村晋墓发掘简报》，《考古》1960 年第 1 期。

② 辽宁省文物考古研究所、朝阳市博物馆等：《辽宁朝阳田草沟晋墓》，《文物》1990 年第 2 期。

③ 黎瑶渤：《辽宁北票县西官营子北燕冯素弗墓》，《文物》1973 年第 1 期。

④ 吉林省文物考古研究所编：《榆树老河深》，文物出版社 1987 年版，第 59 页。

⑤ 中国社会科学院考古研究所安阳工作队：《安阳孝民屯晋墓发掘报告》，《考古》1983 年第 6 期。

⑥ 在赤峰市巴林左旗巴彦尔灯苏木和布特哈达辽中出土了一件垂挂有活动叶形叶片的迦陵频迦金耳坠。资料刊载于《内蒙古珍宝》，内蒙古大学出版社 2007 年版，第 113 页。

⑦ M. I. Roslovtzff, "Iranians and Greeks in South Russia", *oxford*, 1922, pp. 1、26、131。

树叶。树下为两只鹿和一只大角羊，其后各有两只鸟，这是典型的萨马尔泰装饰风格。冠带正面装饰椭圆形水晶、珍珠及柘榴石雕琢而成的女神像，显系希腊艺术特征。

萨马尔泰即我国史书所称的"奄蔡"。《史记·大宛列传》载："奄蔡在康居西北可二千里，行国，与康居同俗。"另一次轰动世界的考古发掘，是1979年由苏联学者维克多·沙里阿尼迪主持的对阿富汗席巴尔罕"黄金之丘"的发掘。[①] 在这个与西迁大月氏有着密切关系的6座墓葬中，共出土了两万余件黄金饰品，时代被定为公元前1世纪至公元1世纪之间。这批金饰品的出土，对研究和认识中亚，特别是古代大夏、大月氏和贵霜王朝的历史、文化和民族起源，以及各民族间的文化交流与相互影响等，均具有十分重要的意义。在这批为数众多的金饰品中，既有欧亚草原以野兽搏斗为题材的图案纹饰，也有希腊——巴克特里亚文化、波斯文化、印度文化的装饰题材，还有源自中国的铜镜等等。希腊的故事、希腊的服装却配合着草原牧人的宽面庞；希腊神话中的怪兽与草原地区的马和羊搏斗在一起；几乎所有饰物上的松石镶嵌物均做成泪滴状。据吴焯先生的研究认为："金丘山墓葬的金制品和我国魏晋以后的金属工艺有一定的关系。特别是在錾刻方法上，有某种程度的借鉴。"[②] 其中6号墓中出土了一件满饰活动叶片的金步摇冠，在冠的正面为五簇树木，其上缀满金摇叶。树木的旁边装饰有八只鸟，与《续汉书·舆服志》所载的步摇上有"八爵（雀）九华"之制相吻合。

4号墓中还出土了一件枝条盘绕、上缀活动金叶的步摇冠，在细枝上还串有圆珠，也与《续汉书·舆服志》记载的步摇"贯白珠"的做法一致。在装饰有人物及动物纹的金耳坠上，也垂挂着圆形的金叶片。席巴尔罕黄金冢的发掘，对研究东西文化交流有着非常重要的价值。而其中出土的带有活动叶片的金步摇冠，可能就是汉魏以来中国北方地区步摇冠流行的直接祖

---

① 关于席巴尔罕遗宝的资料至今尚未见有深入研究的报告。1979年2月，美国《时代》杂志发表一篇报道。1980年，苏联学者维克多·沙里阿尼迪在美国考古期刊和1980年6月联合国教科文组织快报等杂志上有三篇报告。

② 吴焯：《阿富汗西伯尔罕墓葬文化》，张志尧主编：《草原丝绸之路与中亚文明》，新疆美术摄影出版社1994年版，第218页。

源。否则，这种装饰品的突兀出现便无从解释，而其中欧亚草原游牧民族所起的作用是不容忽视的。

三、欧亚草原民族的摇叶饰物传统

汉魏以来装有活动叶片的金饰物，除上述的金步摇冠、耳坠、马具和带具以外，还见于人身上的饰物。在1—3世纪的安息雕刻像上，我们也发现了缀于身上的叶形片。如在伊朗塔克伊布斯坦的石窟中的国王像上，其衣服上、尖顶帽上均缀有摇叶和叶形片。哈特拉发现的安息国王身上亦装饰着活动形的叶片①。这种装饰方法传入我国后，在山西太原王郭村北齐武平元年（570年）娄睿墓中的骑马陶俑上也可见到②。

此外，2001年在法国举办了由西班牙、法国、俄罗斯、蒙古和中国内蒙古博物馆共同举办的"从亚力山大到成吉思汗"展览。其中有一套出土于中国北方的金饰物十分引人注目③。这套以黄金制成的服饰包括带有活动叶片的服装饰件、镶嵌珠宝的凤纹金冠饰、弯月形金镶宝石项饰、龙纹金带饰及一块方形金饰片。原定其时代为公元6—8世纪，为族属突厥民族的金饰物。但从装有活动扣舌的金带具和金饰片上所錾刻出的着鲜卑式风帽的骑马人物来看，将其时代和族属定为南北朝时期鲜卑人的饰物似更为准确。其中，装有可活动叶片的服饰有两式：一为近似桃形、背面内凹的饰物，可能用于人之肩部或胸部；另一为长短不一的长条形，可能装饰于服装的边缘。金冠顶呈覆钵形，两端伸出长方形双系。其端部以合页与穿缀于长条形冠带上的倒"丫"字形金片穿接。冠带上锤镍有坐式乐伎15人。倒"丫"字形金片及冠上均镶嵌有圆形、菱形和水滴形宝石，冠顶上凸雕凤纹。所有图案及宝石边缘均饰有粟珠纹。此外，弯月形项饰上也饰有与冠顶上形制相同的宝石。此种形制的金冠目前还较为少见，而与山西大同南郊北魏墓群107号

---

① 孙机：《中国圣火——中国古文物与东西文化交流中的若干问题》，辽宁教育出版社1996年版，第100页。

② 山西省考古研究所、太原市文物考古研究所编：《北齐东安王娄睿墓》，文物出版社2006年版，第96页。

③ 内蒙古博物馆等：《从亚力山大到成吉思汗》（西班牙文）展览图录图版153，2001年版，第164—166页。

墓中出土的一件被认为是下颌托的铜头饰几近一致。而且，弯月形项饰也大体相同。值得注意的是，在大同市南郊发掘的 167 座墓中，有 14 座墓葬中出土了 15 件这样的下颌托，且上述 14 座墓葬中的随葬品在整个墓地来说是比较多的，表明墓主人的一定地位和身份。王银田先生认为使用上述下颌托，"此俗很可能就来自西域"①。

以金片装饰冠服的做法是欧亚大陆草原游牧民族由来已久的习俗。从公元前 6 世纪直至魏晋南北朝时期，用金片装饰于冠服之上的实物，常见于各地区墓葬和流散文物中。香港艺术博物馆藏有几件收集于北方地区的金饰品，在不同型制的金片上连缀小的金叶片是其共有的特征。不同的是自东汉以来，以活动叶片作为冠服饰物的做法才流行起来。这种习俗无疑应源于鲜卑人兴起以前的欧亚草原游牧民族。如乌克兰境内黑海北岸 Tat' janina Mogila 发现的公元前 4 世纪的一顶装饰华丽的帽子和一件缝缀有人面纹、狮纹及三角纹金片的尖顶帽②，二者均为斯基泰人的冠服式样。此外，在欧亚大陆草原诸游牧民族活动区域里，还有许多不同纹饰或造型的小金片出土，这些金片极有可能也是冠服上的饰片，其边缘上的针孔说明了它们的使用方法。如公元前 5—前 4 世纪出土于哈萨克斯坦阿拉木图墓葬中满饰四千余件金饰片的塞种王③、阿富汗席巴尔罕 1、2 号墓中出土的为数众多的金饰片，绝大多数是缝缀于腰以上部位的饰物。除境外发现的用于冠服上的金饰片以外，在内蒙古鄂尔多斯准格尔旗阿鲁柴登、西沟畔战国匈奴墓中，也常见有周边留有针孔的虎、怪兽、天鹅、鹰、马等金饰片④，它们极有可能也是缝缀在冠服上的饰物。准格尔旗西沟畔西汉时期的匈奴贵妇冠饰，亦证明了这些装饰物的使用方法⑤。

---

① 王银田、王雁卿：《大同南郊北魏墓群 M107 发掘报告》，《北朝研究》第 1 辑，北京燕山出版社 1999 年版，第 162 页。

② 转引自张文玲：《古代草原世界的贵族服饰》，《故宫文物月刊》（台北）第 213 期，第 4 页。

③ The Grand Exhibition of Silk Road Civilizations, The Oasis and steppe Routes, p. 253.

④ 内蒙古自治区文物工作队：《阿鲁柴登发现的金银器》、《西沟畔战国墓》，《鄂尔多斯式青铜器》，第 344、351 页。

⑤ 内蒙古自治区文物工作队：《西沟畔汉代匈奴墓地》，《鄂尔多斯式青铜器》，文物出版社 1986 年版，第 380 页。

第三节　饰牌中的西方文化因素

在鲜卑考古发现中，常可见到各式各样、各种质地的饰牌。其中有一部分是带扣或革带上的饰物，也有一部分是用于其他部位装饰的。从对鲜卑带饰、饰牌纹饰内容、风格等的总结分析，不难看出西方文化的因素。

一、带饰

在我国的北方地区乃至欧亚大陆草原的考古发现中，常可见到一些不同形式和图案纹饰的金属带饰。由于这些带饰常出土于死者的腰腹部，且多装饰有北方草原民族习用的动物造型或纹饰，而其扣结具又明显不同于中原革带上所用的带钩。所以，我们认为这就是所谓的"胡带"，也即中国古代史籍上记载的"鲜卑郭落带"，西方学者所谓的"斯基泰—西伯利亚带钩"。这就揭示了一个实际存在的文化现象，即：欧亚大陆草原地带的游牧民族，包括北狄、匈奴、鲜卑、塞种、斯基泰等，其带具风格相通，做法相近。形制、装饰纹样亦应相近。在已发现的认定族属为鲜卑的带饰中，主要有内蒙古呼伦贝尔市扎赉诺尔墓葬[1]出土的一对铜鎏金的神兽纹带饰。神兽独角、形状类马，肩生双翼；同样形制的带饰也见于吉林省的榆树老河深鲜卑（有人认为是夫馀的遗存）墓葬[2]。此外，在内蒙古呼和浩特市和林格尔县的另皮窑出土有一套野猪纹包金嵌宝石铁带饰，野猪长鬃獠牙作奔走状[3]；呼和浩特市土默特左旗讨合气村出土了一套包金神兽纹带饰[4]，神兽类豹，肩生双翼。上述带饰均呈马蹄状，时代跨度从东汉到晋。

"胡带"是欧亚大陆草原游牧民族常见的革带式样，东西方相互影响和彼此借鉴是其发展变化的主要源泉。考古发现亦充分证实了这一点。从上述发现的鲜卑带饰看，肩生双翼的神兽是西方喜用的纹饰。而鲜卑带饰中出现

---

[1]　内蒙古文物工作队编：《内蒙古文物资料选辑》，第101—106页。

[2]　吉林省文物考古研究所：《榆树老河深》，文物出版社1987年版，第59页。

[3]　内蒙古自治区博物馆等：《和林格尔县另皮窑村北魏墓出土的金器》，《内蒙古文物考古》1984年第3期。

[4]　伊克坚、陆思贤：《土默特左旗出土北魏时期文物》，《内蒙古文物考古》1984年第3期。

了这种纹饰，也可能是间接接受了在西方起源甚早的神兽纹的影响。因为从造型及使用方法上来分析，此类形制的带饰不仅为鲜卑所独有，应是西汉晚期到魏晋，活动于中国北方地区的匈奴和鲜卑等草原民族共同的物质文化现象。南北朝以后，这种头部对称、纹饰繁缛、系法独特的革带式样，迅速为那种装有活动扣舌、类似今天我们常见系法的腰带所取代，并向蹀躞带过渡。

二、饰牌

除带具以外，鲜卑人也有佩戴饰牌的习俗。据有的学者研究，"匈奴的动物纹饰牌基本上都是作为带具来使用的，鲜卑则除了明确的带扣外，饰牌大多是一种佩饰"。[①] 在考古发现中，也可见到许多各种质地、不同纹饰的饰牌。此外，各种动物形、动物纹饰牌，变形的各种怪兽纹或怪兽形饰牌等等，均应为鲜卑人用于装饰的物品。而其中有许多是受到域外文化因素影响的器物。例如我们见到的各式双兽人物纹金饰牌。

双兽人物纹金饰牌采用一人双兽的构图形式，表现了人与动物的特定关系。1990 年，在通辽市科左中旗腰林毛都苏木北哈拉吐出土的一件双狮人物纹金饰牌[②]，时代为东汉晚期。此件金饰牌为铸制而成，所饰人物为高鼻深目的胡人形象，其身旁两侧各有一头部侧向自己的长鬃雄狮，整体为胡人驯双狮的构图题材。1956 年，内蒙古乌兰察布市凉城县小坝子滩也出土了一件四兽人物纹金饰牌[③]。此枚金饰牌也系铸制而成，四兽两两反向排列于饰牌的四角。兽张口，颈部有鬃毛，似为马。其中上端中央有一双手执兽颈的人物，从上半部的构图来看，造型亦应属于上述胡人驯狮纹金饰牌的形式。此外，1981 年，在宁夏固原东郊乡雷祖庙村北魏墓中，出土了一件青铜饰牌和一件青铜铺首[④]。其中，青铜饰牌为双龙与人物纹，人物居于二龙之间。龙背部各有一凤。青铜铺首为立于铺首之上的双龙人物纹。二者在构

① 乔梁：《中国北方动物饰牌研究》，《边疆考古研究》第 1 辑，科学出版社 1986 年版，第 28 页。
② 上海博物馆编：《草原瑰宝——内蒙古文物考古精品》，上海书画出版社 2000 年版，第 143 页。
③ 一友：《凉城发现西晋时期鲜卑文物》，《内蒙古日报》1962 年 9 月 22 日。
④ 宁夏固原博物馆编：《固原历史文物》图版 68、69，科学出版社 2004 年版，第 116 页。

图形式上大致相同。在阿富汗席巴尔罕黄金冢出土的金耳饰上，我们也见到了这种构图方式。如 2 号墓中出土的两件金耳饰，其中一件的纹饰为相向的对马形龙，龙呈后肢反转的姿势，龙生双翼，龙身上镶嵌有水滴形松石。中间人物为宽脸庞、高颧骨、斜吊眼的草原游牧人形象，额部饰一点状纹。另一件金耳饰上的人物着希腊式服装，两侧各有一倒置的龙首鱼身、近似摩羯的怪兽。这样构图形式的金属饰牌，有时在民间也可见到。可见，在中国北方地区发现的这些族属鲜卑的饰牌，其构图形式明显是受到西方文化影响的结果。当然，青铜饰牌和青铜铺首上的龙，则显然是中国式的。尤其青铜铺首龙与其背部凤之结合，则更是中原文化的因素了。

关于上述饰牌上的纹饰，境内外多以龙、马、狮或摩羯等怪兽的形象为题材。狮子是秦汉时期由西方传入中原地区的。摩羯则源于印度，被认为是河中的精灵，在印度的雕塑和绘画中经常可以见到这种神兽的形象。在我国较早的摩羯形象见于南北朝时期。而在上述构图形式中最常见的是马和龙的题材。学界认为，阿富汗席巴尔罕黄金冢是大夏月氏人的文化遗存。而龙就是吐火罗——月氏人的龙神，是源于古代印欧语系游牧人宗教信仰中的双马神。林梅村先生以为这种神在艺术上有两个特点："第一，大都表现出马蹄或马鬃，其艺术原型显然是马；第二，往往成双成对出现。"[1] 我国古代也有"马八尺为龙"的说法。《论衡·龙虚篇》中说："世俗画龙之象（像），马首蛇尾。由是言之，马，蛇之类也"。俄罗斯埃米塔契博物馆收藏的一件被认为是公元前 2 世纪的鎏金骑象武士纹银盘，在大象的鞍鞯上阴刻了一马首蛇身、且只有马前肢的"龙神"，[2] 与《论衡·龙虚篇》中描述的"龙"近似。可见，魏晋南北朝时期在中国北方地区发现的、以双龙（双马）、双兽和人物为构图题材的饰牌，很有可能是受到大夏和印度等文化的影响。

以贵金属制成装饰物是草原民族的习俗，这些饰物除了造型及图案纹饰以外，在工艺上，可以看出其在继承以往的金银器传统工艺的基础上，两汉之际又出现了一些所谓的以"粟珠工艺"制成的精美金器，以及镶嵌有各

---

[1]　林梅村：《吐火罗神祇考》，《古道春风——考古新发现所见中西文化交流》，生活·读书·新知三联书店 2000 年版，第 7 页。

[2]　内蒙古博物馆等：《从亚力山大到成吉思汗》（西班牙文）展览图录图版 153，第 57 页。

色宝石、玻璃的金饰物。在饰物上进行镶嵌以增加其美感的做法由来已久，在内蒙古地区发现的战国时期、族属匈奴的一些金饰物上，可以见到各色、各种质地的镶嵌物。西方则习用在水滴形框格内添以珐琅釉。可见，水滴形的镶嵌是西方器物的一个重要特征，然西汉时此种做法尚不多见。到了东汉时期，以镶嵌水滴形宝石、玻璃等作为装饰的金饰物大量出现。如前文的达茂旗西河子乡出土的金步摇冠、金龙项饰、山西太原北齐娄睿墓出土的镶嵌料石的金冠饰以及在法国集美博物馆展示的黄金头饰等，可见汉末到魏晋南北朝时期西方文化影响的强烈。此外，粟珠工艺也是金器装饰中的一项重要且繁复的工艺，运用这样技法制作的金器，显得十分富丽堂皇和高贵典雅。我们知道，在所谓的金银器细工中，为制成小的颗粒，常采用"炸珠法"，即将熔融的金液滴入冷水中凝成小珠，这是中国传统金银器细工制作金珠颗粒的方法。而所谓的"粟珠"法，则是将等粗的金丝截成等距的小段，熔融成粒后，再夹在两块平板间碾研，以制成滚圆的小珠。在制作器物的过程中，先用金汞齐泥膏将金珠粘接在器物上以组成图案的边框或图案，然后加热使汞蒸发。这样，金珠就牢牢地固定在器物上了。此外，还可以用"扩散接合法"将金珠黏合在金器的表面，其原理是在炭粉中加热使金珠表面碳化物薄膜还原。用上述方法粘接的金珠不仅看不出焊茬，而且工艺精湛。上述方法很早就出现在西亚地区，约在西汉时期传入我国，到东汉时已臻成熟。除包头市达茂旗西河子乡出土的金步摇冠和金龙项饰以外，在呼和浩特市美岱村出土的西晋时期族属鲜卑的两件精美的、以粟珠和镶嵌工艺制成的包金羊形金戒指，在小小的戒指上，以细小且大小几近一致的粟珠排列构成图案，有的在其中添嵌不同色彩的宝石或玻璃，具有高贵雅致的艺术气息。可见汉晋以来出现在金器上的粟珠工艺，尤其是采用"扩散接合法"制成的金器，更应该是西方金器工艺在东方的传播所致。

鲜卑是兴起于中国北方草原的游牧民族，与其他游牧民族一样，独特的生产生活方式，使之更易于与外界的接触和交往，更易于接受外来文化的影响。东西文化的交往，在欧亚大陆草原生业形态相同或相近的民族中，历来就是频繁进行着的。如建立过横跨欧亚大陆东西草原的匈奴帝国，与中原王朝和西方诸国均有着密切的接触。汉王朝统治者通过与匈奴的交往，不仅得到了西方的许多奇珍异宝，同时也增进了对西方诸国的了解和认识。桓宽在

《盐铁论》中论述汉匈贸易时认为："夫中国一端之缦，得匈奴累金之物，而损敌国之用，……是则外国之物内流，而利不外泄也。"由此，"边郡之利饶矣"。[1] 可以说，在张骞通西域之前，东西方经济文化的交流，匈奴在很大程度上起到了桥梁和纽带的作用。在民间，东西文化的交往更多表现在潜移默化之中。如东汉辛延年《羽林郎》诗中写道："昔有霍家奴，姓冯名子都。依倚将军势，调笑酒家胡。胡姬年十五，春日独当垆。长裾连理带，广袖合欢襦。头上蓝田玉，耳后大秦珠。两鬟何窈窕，一世良所无。"描述了冯子都仗势调戏胡女的情景。而胡女头着蓝田玉头饰、大秦产的珠宝耳坠的装束，不经意间反映出草原民族与西方文化的密切联系。可见，汉匈之间不论战与和，均促进了草原文化与中原文化的交流与融合。此外，在习俗方面，匈奴上层有用敌酋头盖骨制成饮器和剥取敌酋头皮的做法。《史记·大宛列传》载："匈奴老上单于，杀月氏王，以其头为饮器。"在希罗多德笔下的斯基泰人，也有将敌人的头盖骨制成饮器并镀金使用的习俗。[2]《资治通鉴》有公元前403年"三家分智氏之田。赵襄子漆智伯之头，以为饮器"的记载[3]，然中原向无此俗，漆人头为饮器的做法当源自北方游牧人。可见，匈奴老上单于以月氏王之头为饮器的习俗，当师承于斯基泰人。此外，《后汉书·南匈奴列传》记载的章和元年（87年），"鲜卑入左地，击北匈奴，大破之，斩优留单于，取其匈奴皮而还"[4]。刘邠注谓："匈奴皮"中匈奴二字为衍。可见，"取其皮"，很有可能是优留单于的头皮。所以，地处匈奴之东的鲜卑，这样的习俗也有可能来自于受斯基泰影响下的匈奴。所以，融入了"十余万落"匈奴部民的鲜卑，受到匈奴文化的影响无疑是十分深刻的。他们同样会在继承着游牧民族相同或相近的文化传统的同时，以其兼容并蓄的气度，继续吸纳周边诸民族的文化并有所发展。鲜卑在入主中原后，为中原地区带来了更为强烈的民族融合浪潮。所谓的"胡化"现象，不仅是包罗万象的草原文化进入中原汉文化区域的表现，也是在草原民族广

---

① 桓宽：《盐铁论》卷1《本议第一》，卷2《忧边第十二》。

② ［古希腊］希罗多德：《历史》（汉译本），商务印书馆1985年版，第216页。

③ 《资治通鉴》卷1。

④ 《后汉书》卷89《南匈奴列传》。

收博取胸怀下，西方文化因素得以顺畅进入中原使然。正如苏秉琦先生所言："'五胡'不是野蛮人，是牧人。他们带来的有战乱，但不止是战乱，还有北方民族的充满活力的气质和气魄。"[①] 正是这种气质和气魄，使中华民族文明得以增添新鲜血液，向更深、更广的领域发展。也正是这种气质和气魄，使东西文化的交流与交往呈现出前所未有的局面，并对隋唐时期东西文化交流的进一步发展并达到鼎盛奠定了坚实的基础。

---

① 苏秉琦：《中华文明起源新探》，商务印书馆 1979 年版，第 136 页。

第 十 三 章

契丹的族源地

　　把"松漠之间"作为契丹族早期活动之空间范围，滥觞于《魏书》，《北史》、《周书》、《册府元龟》因之。由此，"松漠"成为契丹族源地之代称，为诸史家接受并沿续至今①。实际上，以"松漠之间"概括契丹族的早期活动地域，至少存在着以下诸问题：其一，如以"松"为"平地松林"②，则其区域为库莫奚（隋以后称奚）之活动范围，如以"漠"为"科尔沁沙地"，则又与"科尔沁沙地"形成于辽金以后的结论③相背逆。其二，契丹之初兴，与高句丽有着极为密切的地缘关系，诸史亦有明载④，"松漠"所括区间与之相距甚远。其三，"松漠之间"所属潢河（今西拉木伦河），土河（今老哈河）交汇地带，至今也从未发现过契丹早期遗存，而在下辽

---

　　① 陈述：《契丹政治史稿》，人民出版社 1986 年版，第 26 页；孙进已等：《东北历史地理》第 2 卷，黑龙江人民出版社 1989 年版，第 107 页；林幹：《东胡早期历史初探》，《北方文物》1987 年第 3 期；干志耿、孙秀仁：《黑龙江古代民族史纲》，黑龙江人民出版社 1987 年版，第 198 页；张博泉：《东北地方史稿》，吉林大学出版社 1985 年版，第 195 页；孙进已：《东北民族源流》，黑龙江人民出版社 1987 年版，第 53 页。

　　② 叶隆礼：《契丹国志》，上海古籍出版社 1985 年版。

　　③ 张柏忠：《科尔沁沙地的历史变迁及其原因的初步研究》，《内蒙古东部区考古学文化研究文集》，海洋出版社 1991 年版，第 158 页。

　　④ 《魏书》卷 100《契丹传》记：契丹惧高句丽侵扰，曾于太和三年举族内迁至白狼水地区。此事亦见《辽史·营卫志》。又据《魏书》卷 4《世祖纪》记：太武帝太延三年（437 年）"高丽、契丹国并遣使朝献"。《辽史》卷 49《礼志一》中亦记"辽本朝鲜故壤"。

河流域却有所发现①。表面上看来，上述似乎是"松漠"之概念问题，实质上却是对契丹早期活动地域的不同认识。契丹建国前具有五百余年的历史，对其族源地的确切认识，是研究契丹历史的一个重要方面。

第一节　"松漠"考辨

"松漠"一词源出《魏书·库莫奚传》："库莫奚之先，东部宇文之别种也。初为慕容元真所破，遗落者窜匿松漠之间。"同书《契丹传》亦载："契丹国，在库莫奚之东，异种同类，俱窜松漠之间。"这里的"松漠"一词是库莫奚、契丹活动范围之概括。到了唐代，唐王朝把"羁縻"契丹之机构名之为"松漠都督府"②，由此，"松漠"一词的考证，便逐渐成为历代史学家研究契丹早期活动地域的关键所在。

"松漠"一词，近现代的一些史书曾有考释，主要有以下几种：《地名词解》曰："松漠即千里松林，亦曰平地松林。今热河围场县及内蒙古克什克腾地方，兴安岭多松，滋生遍及原麓，故名。唐初置松漠都督，以处契丹"。《辞海》云："热河省围场县以北至内蒙古克什克腾西南，其中数百里地，林木蓊，松树尤多，称其地曰平地松林，亦曰千里松林，亦曰松漠。"《辽史·地理志典》谓："按自今隶永平府迁安县西北一百七十里之喜峰口外，迤北一百二十里外为辽之松亭关。山多大松，连绵内蒙古喀喇沁右翼，翁牛特右翼及克什克腾西南扎鲁特左翼，古谓之千里松林。唐置松漠都护府，命名以此。"③细观上述诸说，似乎多偏重诠释"松"字，即以"松漠"这两个不同地理概念来套证于"平地松林"，区间范围不甚明确。这与《魏书》原意对照，可以说是以点代面。如以"松漠之间"这一词组来看，"松"、"漠"二字应有狭义的具体所指，也就是说，"松"、"漠"二字是互不相同的地区概念，是两个明显的区域分界线之代言，无论指的是地理环境，还是气候环境，如同现在的"松辽平原"、"山海关"这两个合成地理

---

① 张柏忠先生根据内蒙古东部辽河流域舍根地区出土的印纹陶器，认为是属于鲜卑文化，也可以认定为契丹早期文化。详见《哲里木盟发现的鲜卑文化遗存》，《文物》1981年第2期。

② 《新唐书》卷235《北狄列传》。

③ 李慎懦：《二十五史补编》卷31《辽史地理考注》。

概念一样。所以说，上述诸说之解释，以"松"字来讲，范围似乎有些失之过大；如以"漠"字来讲，又没有释明所指。

我们知道，"松漠之间"源出《魏书·库莫奚传》，而库莫奚也正是因较接近于中原而先著于史。《魏书》称库莫奚："其民不洁净，而善射猎，好为寇抄，"① 亦有史书称奚"余部散山谷间，无赋入，以射猎为贽"。② "马齗前蹄坚善走，其登山逐兽下上如飞。"③ 有山方为"寇抄"之便；林多，野兽孳盛，则为射猎之源。显然，库莫奚活动地域是在山区，具体范围应当为今燕山、奴鲁儿虎山、七老图山等。自古以来这一区域一直是中原沟通辽东、辽西塞外的必经之地，著名的"松亭关"、"卢龙塞"、"虎北口"皆在这一范围内，而辽代亦有"奚关"之称。可见，燕山等丛山既是自然环境中农耕与游牧之分水岭，也是区分"蕃"、"汉"的分界线。"松漠"之"松"字，其真正的含义应当在这里，其表面所指的是生长于茫茫大山上的松林。众所周知，奚族有一种善于爬山而不利于负重的车很是著名，其造车基地打造馆即今河北隆化县武烈河东，此地即以松林茂密著称。由上述我们推断，以库莫奚居地意为"边塞"，以其地青松作为"称谓"，这才是《魏书》中"松漠"之"松"字的由来与所指。

至于"漠"字，有一种新的说法认为应当指内蒙古东部一带的科尔沁沙地④。其根据简单而又明了：诸史既称契丹"窜松漠之间"，而考契丹政治中心地也主要在今西拉木伦河与老哈河流域，恰好与现在的科尔沁沙地的范围大致吻合，于是"漠"字的所指即此非彼了。然而，考察科尔沁沙地的形成时间，主要是在辽、金两朝之后，在唐代至辽代尚属于水草丰美、林木茂盛的原野，科尔沁沙地发现的唐代契丹人的墓葬即是证明。⑤ 而《辽史·地理志》亦称科尔沁沙地"高原多榆柳，下混饶蒲苇"。由此可见，成书于北齐年间《魏书》中的"松漠"之"漠"字，自然指的不是科尔沁沙

---

① 《魏书》卷100《库莫奚传》。
② 《新唐书》卷235《北狄列传》。
③ 《新五代史》卷74《四夷附录第三》。
④ 张柏忠：《科尔沁沙地的历史变迁及其原因的初步研究》，《内蒙古东部区考古学文化研究文集》，海洋出版社1991年版，第146页。
⑤ 哲里木盟博物馆：《内蒙古哲里木盟发现几座唐代契丹墓》，《考古》1984年第2期。

地。持此说者一是没有搞清科尔沁沙地的历史变迁，二是以契丹后期的活动范围来证明早期的活动地域。其实问题很简单，考"漠"字的出现，是源于汉代的"幕"字。《汉书·匈奴传》载："信为单于计，居幕北，以为汉兵不能致。"还有，霍去病北征"临瀚海而还，是后匈奴远遁幕南而无王庭"。这里所言"幕南"、"幕北"的"幕"字，其原意是指处于蒙古高原上的东西沙漠线。它西起天山东侧，东至兴安岭西麓，宽约一千公里，长二千公里，横亘于蒙古高原的中腰，又似茫茫苍穹中的一道屏幕，故称"幕"，其后方演变为"漠"字，逐渐变为诸史家衡量中国北方骑马游牧民族往来迁徙之主要坐标点，从而也就有了"漠南"、"漠北"的称谓。如《魏书》记柔然车鹿会时"冬则迁渡漠南，夏则还居漠北"①。又称社仑的边界"北则渡沙漠，穷瀚海"②，由此可见，"漠"字的实际含义，就撰史者的习惯用法而言，是指中国正北方的大漠。如果是相对前述之"松"字，则应当指张家口北部正蓝旗、阿巴嘎旗、苏尼特右旗一带的浑善达克沙地。

"松漠"二字的确切含义既已清楚，那么，"松漠之间"这一空间范围也就明确了：即以辽宁西部松岭、黑山和北京北部的西山、军都山一线为南界，包括努鲁儿虎山、七老图山、燕山及大兴安岭南麓的"平地松林"地区。这一范围也正好与金毓黼先生在《东北通史》中考定"松漠"的范围基本上一致。其实，在元代这一地理概念已经澄清。《金史》记金世宗捺钵"远幸金莲，至于松漠，名为坐夏打围，实欲服劳习武"。③"金莲"指金莲川，在今大兴安岭南端元上都故址（正蓝旗五一牧场）一带，此处正为山地森林草原与沙漠戈壁草原交汇处，故《金史》称其为"松漠"。

第二节　契丹族源地并非在"松漠之间"

《魏书·契丹传》称契丹"审松漠之间"，以其成书时间为下限，本专题所讨论契丹的早期活动地域应属三燕至魏晋这一时间范围。由于此时正值

---

① 《魏书》卷103《蠕蠕传》。
② 《魏书》卷103《蠕蠕传》。
③ 《金史》卷96《梁襄传》。

契丹初载于史之际，故各史书对之记载多推测附会，且各有乖舛，因而有必要对相关史料加以甄别、考证，以明辨是非。下面从《魏书》与《辽史》的记载入手，附之以实物资料，对契丹的早期活动地域进行考察，进而探讨契丹与"松漠之间"的关系。

一、《魏书》所言"数百里"的具体范围

《魏书·契丹传》载："契丹国，在库莫奚东，异种同类，俱窜松漠之间。登国中，国军大破之，遂逃迸，与库莫奚分背，经数十年，稍有滋蔓，有部落，于和龙之北数百里，多为寇盗。"这是关于契丹早期活动地域最为原始的记载，以后历代史家多据此来推断契丹之初兴地，并以此推断其他诸民族之相对位置。其主要推理形式就是："和龙之北数百里"既为契丹最初之活动地域，因而自然也就属于"松漠之间"之范围。此推理的关键，实际上是对"数百里"这样一个空间范围的判断上。

《契丹传》称"数百里"在"和龙之北"，实际是《魏书》作者的误断。理由有三：其一，契丹与库莫奚分背之日起，便以松陉岭（今松岭）为界，契丹居东，库莫奚居西。以两者互市地设于和龙（今朝阳）来看，应当是以松岭—朝阳—大青山为南北分界线，北齐文宣帝征契丹"青山之战"① 便是证明。所以，契丹主要活动区域从大的方向上看，不可能在和龙的正北方向。其二，《魏书·勿吉传》曾载使者乙力支入中原朝献，"南出陆行，渡洛孤水，从契丹西界达和龙"。洛孤水为今西拉木伦河，勿吉国的大方向是在和龙之东北，乙力支自本国至和龙的走向应当与之相同。基于此点，推敲"从契丹西界达和龙"之句，即使使者乙力支从正北方向到达和龙，契丹国的主体位置也只能是在和龙之东或东北。其三，据《北齐书·文宣帝纪》载："天保四年九月，契丹入塞侵扰，北讨契丹。冬十月丁酉，帝至平城，遂从西道趣长堑，诏司徒潘相乐率精骑五千，自东道趣青山。辛丑，至白狼城，壬寅，经昌黎城，复诏安德王规率精骑四千，东趣，断契丹走路。"文中"东趣，断契丹走路"的参照点是对青山（今朝阳北大青山）、白狼城（今喀左西南）、昌黎城（今建平县东南）而言，那么，契丹"走

---

① 《北齐书》卷4《文宣帝纪》。

路。"的方向显然是由青山向东，而和龙正好处于青山之南麓。由此推断，契丹国之中心只能是在和龙之东，而非其北。

既然《魏书·契丹传》所言"和龙之北数百里"应是"和龙之东数百里"之误①，那么，"数百里"的空间范围也只能是在辽河流域以东地区。事实上，契丹初载于史之时，已与辽东塞外的高句丽、勿吉有着极为密切的地缘关系了。

契丹与高句丽的地缘关系有以下三件事情可以说明：一是契丹侵扰高句丽北境，被高句丽击伐之事。高句丽史籍《三国史记》卷十八有详载："小兽林王八年九月，契丹犯北边，陷八部。"同卷又载"广开土王元年北伐契丹，虏男女五百口，又诏谕本国陷没民口一万而归"。② 二是高句丽与契丹共同遣使朝贡元魏之事。此事详见《魏书》卷四《世祖纪》：太武帝太延三年（437 年），"高句丽、契丹国并遣使朝献"。三是契丹受高句丽侵逼，内迁白狼水（今大凌河）之事。此事亦载《魏书·契丹传》："太和三年，高句丽窃与蠕蠕谋，欲取地豆于以分之，契丹惧其侵轶，其莫弗贺勿于率其部落三千乘、众万余口，驱从杂畜，求入内附，止于白狼水东。"契丹与高句丽之间发生的这三件事，无论是侵伐还是被侵伐，或者是友好相处共同遣使于北魏，只能说明一点，那就是契丹至少在北魏太和三年（479 年）以前与高句丽在地缘上是相邻的，这应当是事实。根据上述一、三条史料，可以推断其地域应当在高句丽的西部及西北部边缘③。

至于契丹与勿吉的地缘关系，在《魏书·勿吉传》中说得较为清楚："其傍有大莫卢国、覆钟国、莫多回国、库娄国、素和国、具弗伏国、匹黎尒国、拔大何国、郁羽陵国、库伏真国、鲁娄国、羽真侯国，前后各遣使朝

---

① 《魏书》卷100 所列东北诸民族除高句丽、库莫奚以外，几乎皆用了"北"字和"千余里"来叙述其相对位置。如："百济国，其国北高句丽千余里，处小海之南"；"失韦国，在勿吉北千里，去洛六千里"；"豆莫娄国，在勿吉北千里，去洛六千里"；"乌洛侯国，在地豆于之北，去代郡四千五百里"。由上述例证得知，《魏书》中"北"字和"千里（千余里）"是笼统与模糊的概念，并不十分准确，所以"和龙之北数百里"应是"和龙之东数百里"之误。《魏书》卷100《失韦传》中"路出和龙北千余里入契丹国"亦属同样的道理。

② 金富轼：《三国史记》，孙文范等校勘，吉林文史出版社 2003 年 10 月版。

③ 高句丽在前燕、后燕时曾多次争夺辽东地区，以丁谦所言，在义熙六年（410 年）占有辽东、玄菟二郡，西安平及武况县皆归高句丽。也就是说，契丹在当时是羁縻于高句丽的。

献。"这里的具弗伏、匹黎尔、拔大何、郁羽陵等国皆属于契丹左八部，如果以勿吉国的位置来推断，以上诸部的驻牧地应在松花江与嫩江汇合处以南地区，与契丹本部①隔以今西拉木伦河下游西辽河，故整个契丹族的中心活动地区相对勿吉讲是在其西南方向。

澄清了契丹与和龙、勿吉、高句丽三者的相对位置，那么，契丹"数百里"这样的空间范围也就明确了。再据《魏书·勿吉传》："（乙力支）渡洛孤水，从契丹西界达和龙。"乙力支如渡洛孤水经和龙至中原地区，只能经下辽河河川平原地区②，再入"卢龙—营州—襄平"古道，那么由此推测契丹之西界也只能是以辽河南折入海这一区间为准。契丹显然是以辽河河川作为与中原（和龙地区）③ 之间的天堑，其主要活动区域则应当是和龙以东（朝阳、辽河地区）、高句丽以西、北至勿吉（嫩江与松花江交汇处）、南至渤海这样一个空间范围内。这也就是《魏书·契丹传》所言"数百里"的具体范围。

二、奇首可汗"故壤"的方位

《辽史·太祖本纪》称："辽之先，出自炎帝，世为审吉国，其可知者盖自奇首云。"这里所说的"奇首可汗"，如同中原的唐尧虞舜，被契丹人奉为始祖。对其居住地的判断，是确定契丹族源地的重要方面。后来撰史者之所以认为契丹早期曾兴于"松漠之间"，其主要根据之一即是《辽史·营卫志》中对奇首可汗故壤的具体论述。现引如下："契丹之先，曰奇首可汗，生八子。其后族属渐盛，分为八部，居松漠之间。今永州木叶山有契丹始祖庙，奇首可汗、可敦并八子像在焉。潢河之西，土河之北，奇首可汗故壤也。"

"八子"、"八部"及"松漠之间"本自《魏书·契丹传》④，"木叶山"、"始祖庙"，附会于《辽史·地理志》"永州"条⑤。《辽史·营卫志》

---

① 以《魏书》所言契丹只是契丹八部之一部，此时与其他诸部是互不领属的关系。
② 汉魏之际的"东西卢龙道"是取大凌河河川平原地带进入中原的。
③ 三燕政权皆曾以和龙地区为其政治、经济中心。
④ 《魏书》卷100《契丹传》中首见契丹古八部，亦称契丹"窜松漠之间"。
⑤ 《辽史》卷37《地理志》永州条中详述青牛、白马神话，故《营卫志》有此说。

的记载实际上是将《魏书·契丹传》所记古八部及"松漠之间"与契丹本民族固有的族源神话杂糅而成，得出的结论是"潢河之西，土河之北"为"奇首可汗故壤"，即所谓的"松漠之间"。要验证这个结论的准确性，需要弄清奇首可汗故壤的具体位置，我们可以从青牛白马神话的实际含义及元魏之际契丹内附的方向上找到一些线索。

首先是关于青牛白马神话。该神话详见《辽史·地理志》"永州"条："有木叶山，上建契丹始祖庙，奇首可汗在南庙，可敦在北庙，绘塑二圣并八子神像。相传有神人乘白马，自马盂山浮土河而东，有天女驾青牛车由平地松林泛潢河而下。至木叶山，二水合流，相遇为配偶，生八子，其后族属渐盛，分为八部。每行军及春秋时祭，必用白马青牛，示不忘本云。"神人、白马意为父系集团，代表耶律氏；天女驾青牛车，为母系集团，代表萧氏，二者的趋同结合，产生了契丹古八部。这种祖源神话的产生，显然是有其特定的历史条件与背景。追溯契丹历史，契丹人势盛于隋唐以后、大贺氏阶段，其势力方渐土河（老哈河）流域[1]。至唐咸通年间（860年以后），习尔王广扩土宇，其后钦德继位，趁中原多故，北边无备，蚕食诸部，鞑靼、奚、室韦尽服其下[2]。部落联盟的形成、领土的扩大，使政治与经济统一的时机逐渐成熟。为了维护本族内各派势力的均衡，特别是笼络本土内被征服的各民族，首先是要在精神世界上达到统一，于是契丹上层统治者以"两姓世婚"[3]为标榜，编造了一套"青牛白马"的神话。白马、青牛代表天神地祇，天地合一，构成大一统世界，既强调了契丹氏族内两大通婚集团的正统核心地位，又堂而皇之地将土河与潢河流域的其他诸少数民族巧妙地归属于契丹族系，这应当是契丹青牛、白马神话的实质[4]。由此，可以得到如下几点认识：其一，契丹青牛白马神话的政治色彩，恰好反证了土河与潢

---

① 《隋书》卷84《契丹传》载："开皇末，其别部四千余家背突厥来降……部落渐众，逐水草，当辽西北二百里，依托纥臣水而居。"

② 参见《资治通鉴》卷266，《旧五代史》卷137。

③ 辽朝上层统治者的婚姻基本上是耶律氏与萧氏联姻为主，故称"两姓世婚"。

④ 关于青牛、白马神话，以范镇《东斋纪事》、叶隆礼《契丹国志》记载较早，《辽史·地理志》次之，但较为详细，宋江少虞：《皇朝类苑》卷78并引。此神话一般为治史者研究契丹社会发展阶段、氏族、部落、血缘关系及居地等方面的重要参证。

河一带并非为契丹奇首可汗之故壤。其二，青牛白马神话的形成，是以强大的部落联盟为前提，而大贺氏部落联盟的形成是在隋朝以后，其后契丹才"依纥臣水而居"，说明神话的产生至少是隋朝以后的事情。其三，永州及始祖庙是辽太祖阿保机之妻承天皇后所建，而正好建于两河（土河与潢水）交汇处，其政治用意明显，因而不能与其祖源地等同。

其次是契丹迁离"故壤"的方向。《辽史·营卫志》载："元魏末，莫弗贺勿于畏高丽、蠕蠕侵逼，率车三千乘，众万余口内附，乃去奇首可汗故壤，居白狼水东。"此记载本之《魏书·契丹传》。《魏书》记契丹"内附"之趋向必本魏廷之大方向，应有三种可能：或自东向西，或自东北向西南，或自北向南。然查契丹内附原因为高句丽侵逼，那么，其原居地必然是与高句丽在大方向上相一致。前文已考出契丹之居地是与高句丽、勿吉相邻，所以其迁徙的方向必然是由东北或东向西内迁至大凌河流域，而不可能是由潢河、土河交汇地带向东南方向迁出，这样方能符合"内附"的本意。因而，从契丹"内附"的方向上看，奇首可汗的"故壤"应当在白狼水（今大凌河）之东或东北方向，而绝不是"潢河之西、土河之北"。

"潢河之西、土河之北"既非契丹始祖奇首可汗的"故壤"，那么，其故壤究竟在何处？其实答案在《辽史》中也有所披露。由于《辽史》草率成书，又集多种版本于一身，故其叙述多遗破绽，但其中亦不乏较为真实的线索，主要见于《地理志》："龙化州，兴国军，下节度，本汉北安平县地。契丹始祖奇首可汗居此，称龙庭。太祖于此建东楼。唐天复二年，太祖为迭刺部夷离堇破伐代北，迁其民，建城居之。明年，伐女直，俘数百口实焉。天祐元年，增修东城，制度颇为壮丽。十三年，太祖于城东金铃岗受尊号曰大圣大明皇帝，建元神册。天显元年，崩于东楼。"

由上述史料得知，契丹始祖奇首可汗所居之地即为"故壤"，但《辽史》中的记述是将"龙化州"、"汉北安平县地"、"东楼"这三个不同的地理概念混到一起进行笼统论述，自相抵牾，颇为混乱，首先需要澄清以下三个问题：

其一，龙化州是否是北安平县地。据《辽史·太祖本纪》，唐天复元年，阿保机受迭刺部夷离堇，次年九月，"城龙化州于潢河之南"，第三年三月，"广龙化州之东城"。由此观之，龙化州之治所在潢河之南当属无疑。

现已有先哲考其地为今内蒙古通辽市奈曼旗西孟家段古城①。然而，这却与"汉北安平县地"相距甚远。据《汉书·地理志》"玄菟郡西盖马县"注："马訾水西北入盐难水，西南至西安平入海。"《通典》则注："马訾水，一名鸭绿水，水源东北白山，水色似鸭头，故俗名之。去辽东五百里，经国内城南，又西与一水合，即盐难水也。二水合流，西南至西安平入海。"② 西安平即北安平，王莽时改名③；马訾水，今鸭绿江；盐难水，今浑江；小水，今叆河。考古实地调查已证明西安平县治所为今丹东市九连城乡鸭绿江口与叆河汇合处的尖汉古城④。如此看来，似乎在丹东市附近又出现一龙化州。那么，二者孰是孰非？笔者以为，龙化州实际上应有二处，前龙化州地，为奇首可汗"龙庭"所在，应在西安平县地内，与辽之原州、福州相同⑤。而后龙化州地，为辽太祖阿保机建元之地，在辽之大部落内潢河岸边永州附近⑥。据《辽史·太祖本纪·赞》曰："奇首生都庵山，徙潢河之滨。"由此可以清楚地得到契丹统治者将其始祖奇首可汗的"故壤"迁于潢河之滨的事实。虽然都庵山具体地点未明，但至少可以说明奇首可汗"故壤"应有新旧两处。那么，新地显然是处于潢河岸边永州附近的后龙化州，即今奈曼旗孟家段古城，而旧地则应是在丹东市古西安平县地内，前龙化州应在此范围内求之。《辽史·地理志》"龙化州"条的记载是将新旧龙化州的史料杂糅到一起进行论述⑦，因而也就自相矛盾，遗留公案至今。

其二，龙化州是否是辽的东楼。阿保机立国之初，曾营建游猎政治中心"四楼"⑧。其"东楼"的具体方位，《陈襄神宗继位使辽录》曰："惟东楼

---

① 郝维彬：《辽代龙化州调查记》，《内蒙古文物考古》1991 年第 5 期。

② 《通典》卷 186《边防二》。

③ 《汉书》卷 28《地理志》："西安平，莽曰北安平。"

④ 王金波：《丹东叆河尖汉城址的初步探索》，《辽宁省考古博物馆学会成立大会会刊》1981 年版，第 113 页。

⑤ 《辽史·地理志》"原州"、"福州"条皆言"北安平县地"。

⑥ 郝维彬：《辽代龙化州调查记》，《内蒙古文物考古》1991 年第 5 期。

⑦ 《辽史》编写时，多参照辽耶律俨《实录》及金陈大任《辽史》。

⑧ 赵志忠《虏迁杂记》载："太祖自号天皇王……于所居大部落置楼，谓之西楼，今上京是，又与其南木叶山置楼，谓之南楼，又于其北三百里置楼，谓之北楼，太祖四时游猎于四楼间。"《契丹国志》、《新五代史》所记辽之四楼皆本于此。

接女直，高丽界存之（指松果）。"① 《虏庭杂记》、《契丹国志》、《新五代史·四夷附录》皆称在契丹大部落东千里范围内。《续资治通鉴长编》、《辽史·国语解》则落实为"龙化州曰东楼"。考潢河岸边两河交汇处之新龙化州（孟家段古城）与永州之"南楼"相邻，仅百里之隔，且皆在大部落之南（上京地），与"东"、"南"、"西"、"北"四楼之称呼不符，并非在"大部落""东千里"之范围。而前龙化州地北安平县则与辽之大部落的实际里数基本上相符合②，从大方位上看也正处于临潢地（上京）之东。所以，前龙化州，即汉北安平地，亦应当是辽的"东楼"所在。

其三，龙化州是否是太祖亡地。既然"东楼"为前龙化州地，那么，阿保机是否于天显元年崩于前龙化州地？据《辽史·太祖本纪》："太祖所崩行宫在扶余城南两河之间。后建升天殿于此，而以夫余为黄龙府云。"这里所说的扶余城，实际上指辽的通州城。《辽史·地理志》"通州"条："本夫余国王城，渤海号夫余城，太祖改龙州，圣宗更今名。"《辽史·地理志》"龙州"条又云："龙州，黄龙府。本渤海夫余府。太祖平渤海还，于此崩，有黄龙见，更名。保宁七年，军将燕颇叛，府废。开泰九年，迁城于东北。"由此可知，迁城东北的后龙州（黄龙府），应指吉林农安古城；前龙州城指的是通州城，即夫余国王城，今辽宁昌图西北的四面城当是③。所以，辽太祖阿保机所崩之地应当指的是前"龙州城"，实际上也是"夫余城"、"通州"城，但绝非是前龙化州"东楼"之地。那么，《辽史·地理志》"龙化州"条中为何又称"太祖崩于东楼"呢？笔者以为应有两种可能，一是治史者将"龙州"与"龙化州"混淆所致，由此得出"太祖崩于东楼"的结论；二是治史者故意作出如此之言，由于扶余城与前龙化州东楼较为接近，从而被契丹人利用，将阿保机之死借喻于"龙化"二字。这种意图在记述阿保机死亡的过程中表现得尤为明显："甲戌，次夫余府，上不豫。是夕，大星陨于幄前，辛巳平旦，子城上见黄龙缭绕，可长一里，光

---

① 《辽海丛书》引《陈襄神宗皇帝继位使辽录》，辽海丛书社转印日本静嘉堂文本。

② 《辽史》卷37《地理志》载："原州，本辽东北安平县地……西北至上京八百里。"故推断前龙化州地亦应与上京相距千余里。

③ 郭毅生：《辽代东京道的通州与安州城址的考察》，《社会科学战线》1978 年第 3 期。

耀夺目，入于行宫。有紫黑气蔽天，逾日乃散。是日，上崩，年五十五。"①
由此可见契丹治史者②之用意。

澄清了上述三个互相缠绕的难题，契丹始祖奇首可汗"故壤"究在何
处便昭然若揭了。我们认为，《辽史·地理志》"龙化州"条中的"本汉北
安平地，契丹始祖奇首可汗居此，称龙庭"应是关于契丹始祖"故壤"的
自白。今丹东市为古西安平县地，既是契丹奇首可汗的真正"故壤"，也是
后来辽代的前龙化州、东楼所在地。

至于奇首可汗"龙庭"的具体方位，可根据"龙庭"、"龙化州"之
"龙"字推知一二。考汉北安平县地为辽东郡所辖，辽东郡治所为辽东城襄
平县址（今辽阳市），位于首山下，与西安平县地隔以千山山脉。据《三国
志·魏书·公孙度传》："八月丙寅夜，大流星长数十丈，自首山东北坠于
襄平县城东南。"此事亦载于《晋书·宣帝纪》："时有长星色白，有芒鬣，
自襄平城西南流入东北，坠于梁水，城中震慑。"如果说，陨石坠落于襄平
城是偶然，那么，后来被契丹人所利用而推演则又为必然。笔者以为，"龙
庭"、"龙化州"、"龙州"、"黄龙府"等一系列带有"龙"字的地名皆源于
此③。此说如果成立，契丹始祖奇首可汗"龙庭"所处"都庵山"④ 则应当
是在今丹东市以西、辽阳市以南之千山山脉范围内。

三、契丹人早期墓葬与石刻所证实的契丹族源地

考古材料是文献记载的补阙与修正，确定契丹人的族源地同样有赖于地
上、地下实物资料的发现与研究。以上述文献记载所见，契丹人既然肇兴于
辽河以东地区，那么，在其民族共同体的形成与发展过程中，必然会遗留下
相应的历史印迹，即所谓的"文化遗存"。而探讨、研究这些实物资料的形
成与发展规律，则又会使我们窥到契丹族源地与"松漠之间"关系的另一

---

① 《辽史》卷2《太祖本纪》。

② 契丹人在阿保机时代就设有"监修国史"的官职，在天祚帝时曾修世宗实录四次，而《辽史》
多本辽耶律俨《实录》及金陈大任之《辽史》，故有契丹治史者之说。

③ 辽代在辽东范围内有三处州名皆与"龙"字有关，如"龙化州"、"龙州"、"黄龙府"等，笔
者以为皆源于三国时期襄平城陨石事件。

④ 据《辽史》卷1《太祖本纪》载："上登都庵山，扶其先奇首可汗遗迹，徘徊顾而叹焉。"可知
都庵山即为奇首之出生地，又为"龙庭"所处。

些侧面。

墓葬是对人类社会现象直接而又现实的反映。契丹人的早期墓葬，目前已经确定并且能够构成一定文化类型的主要有如下几例：首先是属于东部鲜卑文化遗存的舍根文化①。时间介于汉代至南北朝之间，被初步认定为契丹文化的渊源。舍根文化主要分布于今通辽市东部、下辽河及新开河流域。以科左后旗、科左中旗、通辽市区、开鲁县、库伦旗最为集中。器物类型主要是手制的夹砂陶罐和轮制的泥质陶壶两种系统。器体通饰有滚轮压印的人字纹、重菱纹和复合的几何纹②。其次是通辽市及辽阳地区的契丹早期墓葬。主要包括以下几处：辽阳市三道壕竖穴土坑墓，扎鲁特旗荷叶哈达石棺墓、通辽县乌素图墓、扎鲁特旗乌日根他拉土坑竖穴墓、北票柳条沟砖室火葬墓。③ 以上几处契丹人的墓葬依次定为北齐至隋、唐前、中期及五代这一时间范围。出土的主要器物皆为口沿施有凸弦纹的夹砂陶罐和腹部施有瓜棱纹的盘口壶，故定其为同一文化类型④。再次是铁岭康平地区的契丹早期墓葬。主要包括胜利乡马莲屯火葬墓、万家屯乡后旧门火葬墓、柳树屯乡马窝堡火葬墓、胜利乡马莲屯竖穴土坑墓（M1）⑤。以上墓葬的时代初定为汉至魏晋，出土典型器物为施有压印篦点纹的鼓腹罐。

分析上述契丹人的早期墓葬，可以得到有关契丹早期活动地域如下几个方面的认识：第一，契丹早期墓葬分布地区，基本上是处于朝阳、西拉木伦河与老哈河交汇处以东地区，即西辽河、下辽河及新开河下游一带。由此可以推断上述地区大致可以确定为契丹人的早期活动地域，而在今内蒙古昭乌达"松漠"地区至今尚未发现早于隋唐的契丹人墓葬⑥。第二，契丹人的早期墓葬，多以夹砂鼓腹罐盛敛焚骨，属于火葬。而这种葬俗，恰恰与文献所记"树葬加以薪"的复合葬俗相符合。《北史·契丹传》载："其俗与鞑靼

---

①　张柏忠：《哲里木盟发现的鲜卑遗存》，《文物》1981 年第 2 期。

②　张柏忠：《哲里木盟发现的鲜卑遗存》，《文物》1981 年第 2 期。

③　李庆发：《辽阳三道壕辽墓》，《辽宁文物》1981 年第 1 期；哲里木盟博物馆：《内蒙古哲里木盟发现几座唐代契丹墓》，《考古》1984 年第 2 期；冯永谦：《北票柳条沟辽墓》，《辽宁文物》1981 年第 1 期。

④　张柏忠：《契丹早期文化探索》，《考古》1984 年第 2 期。

⑤　张少青：《辽宁康平发现的契丹、辽墓概述》，《北方文物》1989 年第 4 期。

⑥　李逸友：《内蒙古历史考古学的发现与研究综述》，《内蒙古社会科学》1980 年第 3 期。

同，好为寇盗。父母死而哭者，以为不壮。但以其尸置于山树之上，经三年后，乃收其骨而焚之，因酹酒而祝曰：'冬月时，向阳食，若我射猎时，使我多得猪鹿。'"契丹与靺鞨不同族，但由于二者在地缘上相近，故文化习俗相互渗透，所以《北史》称"其俗与靺鞨同"①。如靺鞨人"嚼米为酒"，契丹人则"酹酒祝文"；靺鞨人"其畜易猪……食其肉而衣其皮"，契丹人则"戴野猪头，披猪皮"，②且祈祷，"多得猪鹿"。所以说，从契丹人的丧葬习俗来看，其所处地域应是与"白山黑水"之靺鞨（勿吉）相近邻。在上述所列契丹人的早期墓葬中，火葬墓多位于西辽河、下辽河及新开河下游流域一带，而向东靠近长白山脉，这应当是有力的证明。第三，舍根文化的陶器特点是施布轮滚压印纹饰，多以箆点纹为主，且颈部施有磨光焙条纹。在内蒙古中西部的鲜卑文化中不见这种"繁缛的滚轮压印花纹的装饰"③，所以，这种滚轮压印花纹的陶器构成了东部鲜卑文化的主要特点。而后来契丹早期文化中普遍存在的压印箆点纹陶罐，则说明是起源于舍根文化，即东部鲜卑文化。考东部宇文鲜卑的主要活动区域，陈寿《三国志》记："从右北平（辽宁凌源）以东至辽东接夫余，涉洦为东部。"④ 这一活动区域，正好与舍根文化、契丹早期文化的分布地区相吻合，从而也就确凿地证实了契丹族源地是以朝阳、潢、土二河交汇处以东为主要覆盖面的事实。

集文献、实物资料于一身的石刻题记，对于确定契丹之族源地同样显得至关重要。北魏石刻材料，除嘎仙洞祝文以外⑤，首推"景明三年慰喻使韩贞等人造窑题记"⑥。这是"契丹"一词见于实物最早者。题记虽然简单，但如探赜索隐，亦能见到契丹早期历史的一些蛛丝马迹。

首先是关于题记本身所处的地理方位。题记发现于辽宁省义县西北的万佛堂内，属于北魏时期的石窟建筑。它东北依傍医巫闾山，东南距义县县城9公里，距锦州100公里，处于大凌河北岸。契丹在太和三年（479年）受高句

---

① 《隋书·契丹传》，《契丹国志·国土风俗条》。
② 《魏书·勿吉传》、《北史·勿吉传》、《隋书·靺鞨传》、《契丹国志》等。
③ 宿白：《东北·内蒙古地区的鲜卑遗迹》，《文物》1977 年第 5 期。
④ 陈寿：《三国志》卷 30《魏书·乌丸鲜卑传》引王沈：《魏书》。
⑤ 米文平：《鲜卑石室的发现与初步研究》，《文物》1982 年第 1 期。
⑥ 参见曹汛：《万佛堂石窟西方北魏题记中的若干问题》，《文物》1980 年第 6 期。

丽、蠕蠕侵逼，有车三千乘、众万余口内迁，"止于白狼水东"①，应当指的是大凌河中、上游以东的义县、锦州地区，而万佛堂正好位于此范围内，属于曹操北征三郡乌桓所经"卢龙西道"与"卢龙东道"相互沟通之枢纽地带。如果从这个角度考虑，万佛堂显然是与契丹太和三年的民族大迁徙有直接的关系。所以，万佛堂题记至少说明了契丹在太和三年以后至"万家寄于高丽"② 之前，确实居住于大凌河流域及棘城（义县）地区的事实。

其次是关于题记中的"沃连"、"沃黎"。题记中称万佛堂位于"沃黎之西"。"沃黎"二字，题记中共出现过三次，又名"沃连"。曹汛先生根据万佛堂所处地理环境特点推断其为"医巫闾山"③。考医巫闾山一带，历史上为东胡之居地，其后陆续成为乌桓、鲜卑、契丹的活动之地。从先秦文献所记"医巫闾"开始，经"医无虑"、"沃黎"、"沃连"再到今天的"医巫闾"，其语音基本上未变，说明"医巫闾"一词属于东胡——阿尔泰语系。考其语意，"医"可同蒙古语"依贺"，"巫闾"又同蒙古语"奥里"，恰好对译为"大山"之意，先秦即称医巫闾山为东北三大名山之一④。据《太平御览·地部一》"鲜卑山"条引《十六国春秋》："慕容廆，其先代居辽左，号曰东胡，……秦汉之际为匈奴所败，分保鲜卑山，因复以为号也。棘城之东，塞外又有鲜卑山，在辽之西北一百里，与此异山而同号。"棘城，义县附近；"辽"指辽河；"棘城之东"、"辽河之西"的鲜卑山，当指医巫闾山无疑。这正与《隋图经》所记在"柳城之东南"的大方向吻合。由此可以断定医巫闾山正为东部鲜卑之又一"鲜卑山"。而继鲜卑人之后的契丹人，当然是把医巫闾山作为自己的祖源地。在医巫闾山葬有东丹王耶律倍、世宗，这不仅仅是因为契丹人"爱其奇秀"，更重要的原因是契丹人"溯祖"观念意识导致的归葬习俗使然。考察契丹人的大型墓葬，也基本上是以医巫闾山为中心区域分布的。如法库前山北宰相萧袍鲁墓、叶茂台辽北宰相萧义

---

① 《魏书》卷100《契丹传》记：契丹惧高句丽侵扰，曾于太和三年举族内迁至白狼水地区。此事亦见《辽史·营卫志》。

② 《隋书》卷84《契丹传》。

③ 曹汛：《万佛堂石窟西方北魏题记中的若干问题》，《文物》1980 年第 6 期。

④ 《周礼·职方氏》："东北幽州，其山镇曰医巫闾"；《尔雅·释地》："东方之美者，有医巫闾之琪焉。"

墓、阜新东新屯辽左金吾上将军萧德温墓、清河门辽忠顺军节度使萧慎微祖墓、北镇龙岗子辽魏国王耶律宗政墓、鲁王耶律宗允及秦国妃墓、北票莲花山辽尚父于越宋王耶律仁先及其子庆嗣家庭墓、锦西辽静江军节度使萧考忠墓等等。这些契丹显贵把医巫闾山当做自己生养死葬的根据地。所以，通过考察"沃莲"、"沃黎"的语言及其渊源关系，还可以看到契丹族源地的另一方面。

综上所述，通过对《魏书·契丹传》中"数百里"以及《辽史·营卫志》奇首可汗"故壤"确切地望的详细讨论，辅之以地上、地下文物资料的印证，可以说，契丹最初活动地域，应是在朝阳、西拉木伦河与老哈河交汇处以东到丹东、朝鲜半岛这一区域内，而非前文所述之"松漠"地带。

第三节 "松漠之间"实指库莫奚活动范围

既然"松漠之间"非契丹早期活动地域，那么，它是不是指库莫奚（隋以后称奚）的具体活动范围呢？我们认为，《魏书》称库莫奚"窜匿松漠之间"是其真正本义，而记契丹"窜松漠之间"则是《魏书》的误载。由于《魏书》中两族记事较为零散，因而有必要对库莫奚的具体活动地域及相关史料再做详细的考察与分析。

首先看库莫奚的东界。《魏书·库莫奚传》载："高宗显祖世，库莫奚岁致名马文皮。高祖初，遣使朝贡。太和四年，辄入塞内，辞以地豆于抄掠，诏书切责之。二十二年，入寇安州，营、燕、幽三州兵数千人击走之，后复款附，每求入塞，与民交易。世宗诏曰：'库莫奚去太和二十一年前，与安、营二边民参居，交易往来，并无疑贰。'"由此可见，库莫奚在太和二十一年（497 年）便与安、营二州边民交易往来，其势力已经达到现在的朝阳一带，而朝阳位于松陉岭（今松岭）与青山（今大青山）衔接地带，也就是库莫奚与契丹"分背"之界线。所以，元魏之际，库莫奚的东界仍以松陉岭为基准。

其次看库莫奚的南界、西界。《晋书》记载第二十五"冯跋"称："库莫奚虞出库真，率三千余落，请交市。献马千匹，许之，处于营丘。"这里所言营丘，即今大凌河下游地区。又据《北齐书·孝昭帝纪》："皇建元年冬十一月……是月，帝亲戎，北讨库莫奚，出长城，虏奔遁。"由此得知，库莫奚的南界基本上是以大凌河下游地区至长城一线为基准的。至于库莫奚之西界，又据《北齐书·文宣帝纪》载："天保三年春正月丙申，帝亲讨库莫奚于代郡，大破之。"这又说明库莫奚势力西边已达到代郡（今山西代县）以北大同地区。

最后是库莫奚之北界。《魏书·库莫奚传》载："登国三年，太祖亲自出讨，至弱洛水南，大破之，获其四部落。"弱洛水，即《后汉书·鲜卑传》之"饶乐水"，为今西拉木伦河。《魏书·勿吉传》中的"如洛环水"、"洛孤水"皆指同一水流。根据后来奚族"盛夏必保冷陉山以自固"[1] 的记载，《魏书》所称"弱洛水"实际上是指大兴安岭南端今克什克腾旗一带的西拉木伦河上源。显然，库莫奚之北界应以此为基准。

以上为隋唐以前库莫奚之具体活动范围。隋唐以后奚族的具体活动地域基本上未有多大变化，对之记载颇为详细者首推两唐书所记"四至"："东接契丹，西致突厥，南拒白狼河，北致霫国。"[2] "东接契丹"，据贾耽《道里记》："营州西北百里曰松陉岭，其西奚，其东契丹"，应指东隔松陉岭与契丹为界。"西致突厥"，以《周书·突厥传》所载推测，突厥的势力范围应为大漠以北、大兴安岭以西地区，而《新唐书·北狄列传》则言奚族势力范围"西抵大洛泊"，是故奚与突厥西部边界应以今克什克腾旗达里诺尔地区为准。"南拒白狼河"，白狼河指大凌河，即以大凌河与他族势力相隔。"北致霫国"，据《旧唐书·北狄列传》："霫，匈奴之别种也。居潢水北，亦鲜卑之故地。其国在京师东北五千里。东接靺鞨，西致突厥，南致契丹，北与乌洛侯接。地周二千里，四面有山环绕其境。"又据《新唐书·回鹘传》"白霫"条："其部有三，曰居延，曰无若失，曰黄水。""黄水"与潢水同，皆指今西拉木伦河。"其北四面环山"，指大兴安岭南端余脉。所以，奚之北界应是大兴安岭南端西拉木伦河上游一带。

以上述考定的库莫奚的四方边界以及奚人的"四至"来与"松漠"的确切地望相比较，"松"指燕山等丛山，包括松岭、大青山、七老图山及平

---

① 《新唐书》卷235《北狄列传》。
② 《旧唐书》卷212《北狄列传》，《新唐书》卷235《北狄列传》。

地松林；"漠"指大兴安岭以西沙漠地带。显而易见，库莫奚（奚）之活动地域恰好位于此区间范围内。实际上，如前文所述，元人修《辽史》之时，对于奚（库莫奚）与"松漠"的关系就已经相当明确。如《辽史》中曾记："丙申，上亲征西部奚。奚叛服不常，数诏谕弗听。是役所向辄下，遂分兵讨东部奚，亦平之。于是尽有奚霫之地。东际海，南极白檀，西逾松漠，北抵潢水，凡五部，咸入版籍。三月，次鸳河，刻石记功。"① 这里所涉及的几处地理位置皆与奚之"松漠"有关，首先是辽国南、北、西三面疆界。南极白檀、北抵潢水、西逾松漠的前提是辽太祖征服了东、西部奚。那么，奚族的居地自然是以上述地理方位为主要覆盖面的。"白檀"指古濡水（滦河），"潢水"指西拉木伦河，而"松漠"无疑是指东南燕山等丛山与西北大漠之一线范围，从辽朝的大方向上看故称"西逾松漠"。其次是关于辽太祖刻石记功之"鸳河"地。"鸳河"为今滦河，西部奚之居地妫州（河北怀来隆化一带），属古安州地，此处正为滦河中段，而滦河上源即为内蒙古正蓝旗元上都金莲川之闪电河，上下游滦河正好将山地森林之"松"与戈壁草原之"漠"联结到一起。所以于此刻石记功，一方面是弘扬平奚之功业；另一方面也昭示着辽王朝已将这自然环境截然不同的两大地域尽归于其下的统一意识。

第四节 契丹窜 "松漠之间" 为库莫奚活动地域的误植

之所以形成契丹"窜松漠之间"的结论，是因为《魏书》作者附会库莫奚活动地域的错误记载②，因而有必要对相关史料做一辨析。

《库莫奚传》记："库莫奚之先，东部宇文之别种也。初为慕容元真所破，遗落者窜匿松漠之间，其民不洁净，而善射猎，好为寇抄。登国三年，太祖亲自出讨，至弱洛水南，大破之，获其四部落，马牛羊豚十余万。"

《契丹传》载："契丹国，在库莫奚东，异种同类，俱窜松漠之间，登

---

① 《辽史》卷2《太祖本纪》。
② 魏收其人虽与温子升、邢子才"世号三才"，但又有"轻薄徒"、"惊彩蝶"之称，"举之则上天，按之则入地"是其修史准则，是故《魏书》中失误较多，被人贬为"秽史"。

国中，国军大破之，遂逃迸，与库莫奚分背。"

对比分析两则史料，除个别文字有所增补外，记事笔法、顺序及内容基本相同，而《契丹传》记事更为简略。由此，我们认为《契丹传》所言"松漠之间"是附会《库莫奚传》之衍句。理由如下：其一，库莫奚之居地正处于中原与辽东塞外之中介地带，既为中原王朝与东北各民族联系之枢纽，又是牵制东北诸夷之战略要地。由于元魏之时库莫奚强盛于其他东北诸民族，故为中原王朝较为了解重视，而契丹远居辽东塞外，处于强大高句丽的羁縻之下，与中原相距甚远，直到魏显祖时，其酋长莫弗纥何辰入朝进贡，方为中原王朝详知。所以，《魏书》在记载库莫奚、契丹时，将《库莫奚传》置于《契丹传》之前是为必然，这也就为撰史者参照库莫奚之事迹来推测演绎契丹之事迹提供了前提。其二，由于附会《库莫奚传》中的"窜匿松漠之间"，致使《契丹传》记事重复、模糊，顺序混乱。例一，文首既称契丹"在库莫奚东，异种同类"，而后又记"登国中，与库莫奚分背"，自相矛盾。这主要是作者考虑到"俱窜松漠之间"之"俱"字的结果。例二，《库莫奚传》记登国三年"太祖亲自出讨，至弱洛水南，大破之，获其四部落"。此事的时间、地点、人物皆详细明了，而《契丹传》对此事的记载却很含混，只言"登国中，国军大破之"。显然是撰史者并不清楚登国年间魏太祖的出击是否真正波及到契丹，因而，确切的时间、地点在行文中并没有出现。这又是为了与"俱窜松漠之间"协调而有意为之。无独有偶，即实先生注意到这一问题后，就曾认为《魏书·契丹传》中"登国中，国军大破之"是魏太祖征库莫奚事之误植[1]，可谓真知灼见。其三，《魏书》记契丹"俱窜松漠之间"之失误也被后来的治史者意识到。《旧唐书》、《新唐书》、《新五代史》对契丹早期活动地域的记载皆称"黄水之南，黄龙之北"，独不言"松漠之间"，也恰好证明其舛误的存在。

通过对《魏书》中两族记事的详细检证，可以得出明确的结论：《魏书》所言"松漠之间"本义是指库莫奚的具体活动范围；《契丹传》中的"松漠之间"是《库莫奚传》"松漠之间"的误植，因而不是契丹的早期活动地域。契丹族源地当在朝阳、西拉木伦河、老哈河交汇处以东区域。

---

[1]　即实：《契丹国号解》，《社会科学辑刊》1983 年第 1 期。

第 十 四 章

内蒙古地区古代草原城市的兴建

中国古代城市最主要的特点是它的政治性，草原城市也概莫能外。从考古发现的古代城址的情况来分析，直到蒙元时期，草原城市所体现出的商业性质才逐渐突出起来，商业贸易成为城市的主要功能之一。因此，这里所讨论的"城市"一词，并不能仅仅局限于"城"与"市"的字面含义，而要放在中国特定的历史背景下，着重于不同时期草原城市的具体性质和功用。

第一节　新石器时代的环壕聚落和石城址

城是人们在聚落上构筑的防御性设施及拥有这种设施的聚落。这种防御性设施一般为垣墙，但也包含其他构筑物，如壕沟、栅栏等以及利用自然之险形成的防御系统。根据考古发现，内蒙古地区最早在新石器时代的兴隆洼文化和仰韶文化时期，已经出现了部分具有壕沟或石砌垣墙环绕的聚落。

辽西地区最早在兴隆洼文化（前 6000—前 4500 年）时期已出现了环壕聚落，如敖汉旗兴隆洼遗址、林西县白音长汗遗址等[①]。到红山文化（前 4800—前 3000 年）阶段，聚落数量较兴隆洼文化明显增多，在聚落规模上

---

① 中国社会科学院考古研究所内蒙古工作队：《内蒙古敖汉旗兴隆洼聚落遗址 1992 年发掘简报》，《考古》1997 年第 1 期；内蒙古文物考古研究所编：《白音长汗——新石器时代遗址发掘报告》（上），科学出版社 2004 年版，第 40—42 页。

出现了分化，环壕聚落也多有发现，如敖汉旗西台遗址等①。

内蒙古中南部地区环壕聚落出现的时间与辽西地区大体相当或稍晚，在属于仰韶一期晚段（前4800—前4200年）遗存的凉城县石虎山Ⅰ遗址，已发现有环壕的围绕，保存较好②。环壕呈圆角长方形，东西长约130米，南北宽约90米，面积约15 000平方米。环壕口部残存宽度为1.3—3米，底部宽度为0.8—1.5米，残存深度0.5—1.3米。东、北、南三面设有出入口，在南口发现有柱洞，为栅栏门遗迹。此外，在属于仰韶二期（前4200—前3500年）遗存的清水河县岔河口遗址、属于仰韶三期（前3500—前3000年）遗存的凉城县王墓山坡中遗址等，聚落周边也都有环壕的围绕。

到仰韶四期（前3000—前2500年）阶段，内蒙古中南部地区的原始聚落开始出现了石砌围墙，这些石城址在南流黄河两岸和包头以东大青山南麓东流黄河北岸地区成批地涌现了出来。南流黄河两岸这一时期的石城址有准格尔旗白草塔、小沙湾、寨子塔、寨子圪旦和清水河县马路塔等遗址，包头以东大青山南麓东流黄河北岸这一时期的石城址有阿善、西园、莎木佳、威俊、黑麻板等遗址。以寨子塔遗址为例③，遗址东、南、西三面为绝壁或陡坡，石筑垣墙依地势主要建在易于攀爬处，时断时续。北面与山梁相连，筑有两道并行的石墙，保存较为完整。两道石墙建在两条高大的土墙基之上，土墙基系在墙外侧就地取土、人工堆筑而成。石墙墙体基宽3.5—5米，高1.8—3.5米。外墙长142米，内墙长137米，两墙相距15—25米。两墙外侧开挖宽约15—25米的壕沟，仅在门址处留有平坦地面。外墙门址位于外墙偏西处，宽5米，两侧石墙明显加宽加厚，向外突出。内墙门址建于外墙门址再略偏西处，宽近4米。内墙内侧正对门址处另筑一道长约40余米的石墙，其内填充石块与土，形成了一个平台，可俯瞰外墙门址。

到龙山时代，内蒙古中南部地区主要分布有老虎山文化（前2500—前

---

① 杨虎：《敖汉旗西台新石器时代及青铜时代遗址》，《中国考古学年鉴》（1988），文物出版社1989年版，第134—135页。

② 内蒙古文物考古研究所、日本京都中国考古学研究会岱海地区考察队：《石虎山遗址发掘报告》，《岱海考古（二）——中日岱海地区考察研究报告集》，科学出版社2001年版，第18—145页。

③ 内蒙古文物考古研究所：《准格尔旗寨子塔遗址》，《内蒙古文物考古文集》第2辑，中国大百科全书出版社1997年版，第280—326页。

1900 年），石城址数量和规模都较仰韶四期阶段进一步扩大。凉城县岱海北岸山前地带的西白玉、老虎山、板城和大庙坡等遗址，南流黄河两岸的准格尔旗寨子上、后城嘴、二里半和清水河县城嘴子、下塔等遗址，都发现有石砌墙垣围绕。老虎山石城址城垣依山势而筑，上下高差逾百米，平面呈上窄下宽的不规则三角形，面积约 13 万平方米。城垣系黄土筑就，外侧再用石块包砌。全城制高点即山顶平台筑有一边长约 40 米的小城，中部有石砌建筑基址，应为祭台所在。整个城内依山势修成八层阶地，每层建有若干房屋①。下塔古城的石城墙外侧，每隔 5—10 米还加筑有石质垛口和类似于后世马面的房址，起到加固墙体以及防卫的作用。

　　与中国其他地区新石器时代的环壕聚落一样，内蒙古地区史前环壕聚落的出现，"是原始农业与定居生活方式发展的必然结果。它具有凝聚性、内向性和封闭性的特点，就聚落间的关系而言处于基本平等的状态"②。环壕聚落的主要功能在于防御，除防御凶猛的野兽外，其他聚落的入侵也是不得不考虑的因素。随着农业生产的发展而产生的剩余产品的不断积累，导致贫富分化的出现，聚落之间的矛盾由此而生。

　　从仰韶后期（前 3500—前 2500 年）阶段开始，随着贫富分化的不断加剧，开始出现了贵族和贫民的分化，黄河中下游和长江中下游等农业文化发达的地区，大约在公元前 3000 年左右已率先跨入了文明阶段，出现了最早的作为邦国权力中心的初期城市。内蒙古中南部石城址的出现，反映了人群之间空前紧张的相互关系，聚落之间的原始战争此起彼伏。但这些城址的规模都大体相当，并没有出现明显的中心城址对周围其他城址统率的情形，城址间的相互关系依然建立在一个平等的基础之上。因此，这些石城址并没有如黄河中下游和长江中下游的同类遗存一样体现了早期文明的城市阶段，充其量处于从原始部落社会向产生了国家的文明社会的过渡阶段，于是有人称之为平等的"北方模式"③。

　　① 内蒙古文物考古研究所编：《岱海考古（一）——老虎山文化遗址发掘报告集》，科学出版社 2000 年版，第 199—392 页。
　　② 许宏：《先秦城市考古学研究》，燕山出版社 2000 年版，第 47 页。
　　③ 韩建业：《中国北方地区石器时代文化研究》，文物出版社 2003 年版，第 267—269 页。

内蒙古地区新石器时代的环壕聚落和石城址的出现，属于草原城市的萌芽阶段。它们虽然都具有了城的外在形态，但具体功能着重于防御，与以政治军事职能为主的、作为邦国权力中心的聚落形态的中国早期城市有着本质的区别。[①]

第二节　夏商西周时期的草原城市

夏商西周时期（前21世纪—前771年），中国境内的古城遗址主要分为三种类型，即王朝都城址、方国城址和周边邦国部族城址。王朝都城址的显著特点表现为拥有大型夯土建筑基址的宗庙宫殿遗存，宫庙一体，以庙为主，是宗法制度和国家权力的最高体现。

这一时期内蒙古地区东南部的夏家店下层文化（前1900—前1400年）和中南部的西岔文化（前1500—前1100年）都发现了石城遗址，可以看做是中南部新石器时代石城址的发展和延续，属于夏商西周时期三种城址类型之中的周边邦国部族城址。

夏家店下层文化石城址主要分布于内蒙古东南部和辽西山前台地，以英金河、阴河、老哈河和大凌河流域最为集中，初步估计其数量已达到数千座。石城多建于地势较为平缓的山冈之上，城墙则建在周边地势较高处。石城址的分布相当密集，有的城址之间相距只有200—300米，而且是成组分布，每一组内的城址规模大小不一，一般面积为1万到2万平方米，最大的达到10万平方米甚至更大，分为若干个等级。因城墙皆随山势建造，所以城址的平面形状多不规整，有圆形的、椭圆形的，也有略似方形或三角形的。有的城址是2座甚至3座城址相连而成。这些城址往往不是四周都建城墙，在陡峭岩壁边或临沟壑的一面，一般都未发现城墙的痕迹，只是在缓坡和较为平坦的地方才建造城墙。在许多石城址的城墙外侧，还发现一些突出于城墙之外的半圆形的石块垒砌的建筑，它们分布的间距不一，有的4—20米，有的25—50米，往往在城墙转弯处有这类石建筑，酷似后世城墙上的马面。城址内大都发现有石砌的建筑基址，有圆形的，也有方形圆角的。

[①]　许宏：《先秦城市考古学研究》，燕山出版社2000年版，第9—10页。

　　内蒙古文物考古研究所于 2005—2006 年对赤峰市松山区三座店夏家店下层文化山城遗址作了全面揭露，展示了总体布局状况①。遗址分布在阴河左岸洞子山山顶及南坡，由大、小两座并列的石城组成，大城在西，面积约 14 000 平方米，小城在东，面积约 2 000 平方米。大城和小城中共清理圆形建筑基址 65 座、灰坑和窖穴 49 个、夏家店上层文化积石台 16 个、不同时代的墓葬 10 座，特别是规模巨大的城墙及星列的"马面"遗迹蔚为壮观。在大城城墙外侧共分布有 15 个"马面"，解剖的部分马面下都葬有一具人骨。根据对周边同类遗址的调查得知，这种大、小城相配置的建制是一种很普遍的现象，它们是一种共存关系而非前后为继。

　　著名考古学家苏秉琦先生曾经将这些石城址群称为"原始长城"、"长城雏形"、"类似'长城'的小堡垒群"、"四千年长城原型"②，突出了它们的军事防御功能。但也有的学者坚持认为，这些石城址背后常有更高的山岭，如作为军事设施的城堡，并没有被安置在更具军事意义的高山上；被认为马面的半圆形砌石建筑，有的仅 2 米宽，且排列密集，间距小的仅隔 4 米，不符合马面的实际功能，而是与红山文化祭坛周围堆放的筒形器有异曲同工之效；许多石城址建在迎风的阴坡上，气候条件恶劣；城内的圆形建筑基址墙体低窄，多用碎石垒砌，缺乏居住的实用功能，而是与兴隆洼文化以来的石圆圈祭祀遗迹颇为相像，由此得出这些石城址的性质多半是一种以祭祀为主的特殊遗址③。持军事防御说者认为，这些石城址主要抵御来自西拉木伦河以北地区的夏家店上层文化人群的进攻；持祭祀说者则认为，由于夏家店下层文化的居民沉浸在规模庞大的祭祀活动之中，耗费了大量的资源，在饱尝了这些精神会餐之后，潜在的社会危机便浮现出来，结果被夏家店上层文化轻而易举地取代。孰是孰非，尚有待于不断的考古发掘和深入研究的

　　① 内蒙古文物考古研究所：《赤峰市松山区三座店遗址 2005 年度发掘简报》，《内蒙古文物考古》2006 年第 1 期；郭治中、胡春柏：《赤峰三座店夏家店下层文化石城址发掘全面结束》，《中国文物报》2006 年 12 月 13 日。
　　② 苏秉琦：《辽西古文化古城古国——试论当前考古工作重点和大课题》，《华人·龙的传人·中国人》，第 76—79 页。
　　③ 朱延平：《辽西区古文化中的祭祀遗存》，《中国考古学跨世纪的回顾与前瞻》，科学出版社 2000 年版，第 207—226 页。

证实。

西岔文化仅在清水河县西岔遗址发现了 1 座石城址[1]。石城墙位于遗址北部，宽 1.2—1.5 米，残高 0.6—1.6 米，东西走向，长约 150 米，未发现城门遗迹。石墙内侧清理有房屋基址，均属半地穴式，多为单间，仅见 2 组双连间建筑。灰坑多分布于房屋的周围，以坑口呈椭圆形、圆形的直壁平底坑为大宗，坑口呈圆形或方形的袋状坑较少。专门的陶窑区集中位于石城墙外北部和东部，多二三座陶窑为一组，均为竖穴式，窑室平面呈圆形，多为单孔窑箅，火膛呈穹庐状，火道向西。墓葬仅有零星发现，均为小型竖穴土坑墓，葬式为侧身直肢，头向北，随葬品以玛瑙项链、弹簧式耳环最为常见，此外还见有铜管銎斧、戈、铃、镜形饰、泡饰及金耳环等。

根据甲骨文、金文和古文献等的相关记载，晚商至商周之际，在内蒙古中南部活动的部族有荤育、舌方、鬼方、鬵方和无终等，均属于从事农牧混合经济的北方族群，与中原王朝时战时和。西岔文化可能与鬵方有关。大约与西岔文化同时期的陕北的李家崖文化，也发现有土石结构砌墙的石城址，该文化被推测与鬼方有关。西岔古城和李家崖古城有可能分别为鬵方和鬼方的政治、经济中心，但它们均没有发现如中原王朝都城址那样的大型夯土建筑基址，只是军事防御色彩浓厚，反映了当时北方邦国部族一种欠发达的城市发展形态。

第三节 东周秦汉时期的草原城市

春秋时期是中国古代城市发展史上的一个重要的转折期，周王室衰微，诸侯争雄，纷纷筑城以自重，旧的等级城制遭到破坏，新的城市不断涌现。但这股筑城之风对当时北方地区的戎狄诸族影响甚微。从公元前 7 世纪开始，整个欧亚大陆草原的游牧业开始勃兴，北方戎狄诸族也卷入了这股游牧化的洪流之中，由农牧混合经济逐步转向定居畜牧业或流动畜牧业，筑城自守与其经济转化的方向是背道而驰的。

---

[1] 内蒙古文物考古研究所、清水河县文物管理所：《清水河县西岔遗址发掘简报》，《万家寨水利枢纽工程考古报告集》，远方出版社 2001 年版，第 60—78 页。

按《诗·小雅·出车》第三章写道："王命南仲，往城于方。出车彭彭，旗旐央央。天子命我，城彼朔方。赫赫南仲，狁狁于襄。"其中《史记·匈奴列传》引述为"出舆彭彭，城彼朔方"，指为春秋周襄王时事，唐人张守节所作《史记正义》解释为："狁狁既去，北方安静，乃筑城守之。"关于"朔方"的具体地望，有在今宁夏灵武县一带和即今鄂尔多斯市杭锦旗境内西汉朔方郡郡治等说，但更有可能是对当时狁狁所活动的北方地区的泛指，所筑之城无非是军事城堡之类，具体位置无考。

到战国时期，中原筑城之风较春秋有过之而无不及，尤其是郡县城的出现，突出地反映了城市性质的变化。公元前 4 世纪末叶以来，"战国七雄"之燕、赵、秦三国北击东胡、戎狄，占领了北方地区的大片土地，移民农垦，修长城，建郡县，与匈奴直接对峙。在三国长城内侧一带，燕国从造阳（今河北省独石口至滦河源一带）至襄平（今辽宁省辽阳市老城地区）置上谷、渔阳、右北平、辽西、辽东五郡，赵国置九原、云中、雁门、代四郡，秦国置上郡。部分郡下辖若干县，险要之地筑军事城堡，长城内侧建有大量的障城。这些城址多为秦汉两代所加筑沿用，战国时期的原始规模反而模糊不清。

在今内蒙古境内，已知的战国时期郡县级城址有：托克托县古城镇古城为赵国云中郡郡治；包头市九原区麻池古城北城为赵国九原郡郡治；兴和县大同窑古城为赵国代郡延陵县县治。麻池古城北城后世改筑较小，东西长720 米，南北宽690 米，北墙中部和南墙东段设门。军事城堡有：宁城县甸子乡黑城古城遗址中的"花城"，是燕国修筑的一座军事城堡；清水河县城嘴子古城，为赵国始筑的一座军事城堡；清水河县拐子上古城，为战国秦始筑的一座军事城堡。"花城"南墙为秦汉右北平郡治所平刚故城所利用，其他三面仍为燕国所筑原墙，多已塌毁，残存最高不到 4 米，南北长 280 米，东西宽200 米，城门已破坏不清①。三国长城内侧的障城很多，一般面积都在 200 平方米以下，个别有较大者，如卓资县六苏木乡城卜子古城是位于赵北长城内侧的一处规模较大的障址，北濒大黑河，处于河谷沟口地带，平面

---

① 冯永谦、姜念思：《宁城县黑城古城址调查》，《考古》1982 年第 2 期；李文信：《西汉右北平郡治平刚考——宁城县黑城村古城址》，《社会科学战线》1983 年第 1 期。

呈方形，边长 180 米，北墙偏西处开门①。

战国燕、赵、秦三国的北进，是对北方地区自夏商西周时期以来逐步形成的相对独立的戎狄诸族的侵略，春秋时期由南向北并列的中原列国、北方戎狄诸族、漠北胡人的三元人文地理单元被打破了，戎狄诸族或被并入中原国家，或北逃加入到胡人之中，中原列国与一个由胡人和戎狄结合而成的匈奴军事大联盟构成了二元对立的态势。燕、赵、秦三国在北方地区建立的郡县级城市，与这一地区夏商西周时期的城址没有丝毫的承继关系，完全属于一种殖民城市。由于要时刻防范匈奴的侵扰，这些城址的军事防御功能，远远大于其作为郡县治所的行政管理职能，当时即有"边城"之谓②。

秦汉王朝在北方地区与匈奴和后来的鲜卑互有攻守，继续修筑长城，大量设置郡县，文献中称作"边郡"或"缘边郡县"，有的学者专称其为"北方长城沿线地带秦汉边城"③。边城主要作为当时的郡县城、郡和属国都尉或校尉治所。据统计，《史记》、《汉书》和《后汉书》中提到的匈奴及鲜卑南下所及的郡大约有 20 个，它们主要是朔方、五原、云中、定襄、雁门、代郡、上谷、渔阳、右北平、辽西、辽东、玄菟、敦煌、酒泉、张掖、武威郡以及位置稍南的西河、北地、安定、太原郡等。西汉时期，这 20 个边郡设有 54 个都尉治，占全国 56 个郡所属 94 个都尉治的一半以上，每个边郡都设有 2 个甚至 4 个都尉治，掌管地方军队。都尉治所一般设在县城内，有些还设在长城边上规模较大的障城内，这些障城作为军事指挥机构所在地，也成为边城的一部分。而长城边上一般的规模较小的障城址，则绝大多数不在边城之列。

按照城址的规模大小，秦汉边城可分为三类：第一类一般规模较大，城址长宽在 600—2 000 米之间，面积在 40 万平方米左右，多为郡治所在；第二类城址长宽在 400—600 米之间，面积 16—36 万平方米，多为县治所在；

①　内蒙古自治区文物考古研究所、乌兰察布博物馆：《卓资县城卜子古城遗址调查发掘简报》，《内蒙古文物考古文集》第 3 辑，科学出版社 2004 年版，第 129—143 页。

②　《史记》卷 81《廉颇蔺相如列传》：李牧"灭襜褴，破东胡，降林胡，单于奔走。其后十余岁，匈奴不敢近赵边城"。

③　徐龙国：《北方长城沿线地带秦汉边城初探》，《汉代考古与汉文化国际学术研讨会论文集》，齐鲁书社 2006 年版，第 33—48 页。

第三类城址长宽在300—400米，面积在10万—16万平方米，有的甚至不到10万平方米，这类城址的情况较为复杂，一部分是在交通要道上建置的重要军事城堡，或大型障城，有的还是都尉治所所在地，另一部分则是县城。

秦汉边城城墙夯筑坚实高大，一些至今巍然耸立，防御设备齐全，其中瓮城、角楼和马面等，为同时期内地城址所少见。边城多采用"回"字形布局，小城位于大城的中部或一隅，小城为官署所在地，大城内主要是民居和兵营，大城起到保护小城的作用。秦汉边城与同时期其他地区的城址相比，具有数量多、人口少、规模小的特点，居民以士兵和屯垦移民为主，军事色彩浓厚。秦汉边城的修建几乎沿用加筑了以前所有的战国边城，又进行了大量的新建，与战国边城的军事防御性是一脉相承的。

匈奴也修筑城池，史料记载和考古发现可以相互印证，司马迁《史记·匈奴列传》所记载的"逐水草迁徙，毋城郭常处耕田之业"，反映的只是匈奴社会早期的情况。匈奴修筑城池，主要是一些汉朝的降将，组织投降或流亡到漠北的汉人进行的，城市也往往以汉降将的名字来命名，如赵信城、范夫人城（汉范姓降将筑城，死后其夫人保之）等。蒙古国和俄罗斯外贝加尔地区已发现近10座被认为是属于匈奴的古城址，四周筑有不甚高大的土墙，面积往往都不大，长宽在200—300米左右，墙外有壕沟。古城内的遗迹通常是几个土筑台基，其上有的散布瓦当等，有的则见不到任何遗物。

外贝加尔的伊沃尔加古城发现了大量的铁农具，有半地穴式房屋居址，是一处定居的农业点；赵信城有储粮的记载。可见一些匈奴城址有组织地进行了农业生产，生产者以北去的汉人为主，但由于气候条件的限制，其产量是极其微薄的。大部分匈奴城址仅仅是由四周的城墙和几个土筑台基组成，谈不上政治中心或军事防御功能。匈奴人本身是认识到"胡人不能守城"而不去筑城的，多次见于史籍记载的匈奴帝国的政治中心龙城，最有可能是由毡帐穹庐构成的一个聚落点。那么包含在这些处于空旷的漠北草原、孤零零的土筑垣墙之内的，更多的是汉朝降将的一种思乡情节。"越汉国兮入胡城，亡家失身兮不如无生。……胡与汉兮异域殊风，天与地隔兮子西母东。苦我怨气兮浩于长空，六合虽广兮受之不容！"蔡文姬的一曲《胡笳十八拍》，正是这种思乡情的最悲凄倾诉。

第四节　鲜卑代魏时期的草原城市

内蒙古境内目前确认的鲜卑代魏时期城址达近20座之多，主要是代及北魏古城，包括盛乐北都、云中城、北魏六镇以及其他一些军事防御性城堡等。

盛乐北都位于今和林格尔县土城子古城，古城分北、中、南三城①。南城始为两汉之定襄郡成乐县城，拓跋猗卢六年（313年）"城盛乐以为北都"，似对汉城有所扩建，平面近方形，南北长550米，东西宽520米。中城始建于北魏，辽代沿用，位于北城西南，北墙长460米，东墙中段已毁，北段残长540米，南段残长180米；南墙西段毁于河岸崩塌，残长150米，西墙南段被夷平，北段残长80米；城中部偏南临河处有一段曲尺形残垣，长约80米。城墙基宽约11米，东墙和北墙各开一门，每门似各有三个门道。

什翼健三年（340年）从盛乐北都移都于"云中之盛乐宫"，即迁都至今托克托县古城镇古城②。城址平面呈不规则形，南北长1920米，东西宽1760米，四墙各开一门。该古城始为战国赵武灵王所筑之云中城，秦汉在此置云中郡治。城内有多处建筑遗迹，北魏遗物主要分布在古城中部至西南部，其中中部一座俗称"钟鼓楼"的大型夯土台基，曾出土一尊北魏太和十八年铭鎏金释迦铜像，台基上下散布着北魏灰色筒瓦、板瓦，其中有前缘留有指捏痕迹的水滴板瓦，该夯土台基应即"云中之盛乐宫"所在。

在北魏太祖道武帝拓跋珪于398年建都平城之前，内蒙古中南部土默川平原一直是代魏的政治统治中心，系都城盛乐、金陵、宗庙之所在。在迁都平城之后至孝文帝493年迁洛之前，盛乐城作为北都的地位一直没有改变。

---

① 内蒙古自治区文物工作队：《和林格尔县土城子试掘记要》，《文物》1961年第9期；张郁：《内蒙古和林格尔县土城子古城发掘报告》，《考古学集刊》(6)，中国社会科学出版社1989年版，第175—203页；内蒙古文物考古研究所：《和林格尔县土城子古城考古发掘主要收获》，《内蒙古文物考古》2006年第1期。

② 内蒙古自治区文物考古研究所、托克托县博物馆：《托克托县古城村古城遗址发掘报告》，《内蒙古文物考古文集》第3辑，科学出版社2004年版，第218—261页。

为了保卫这一地区的安全，抵御主要是柔然等北方草原游牧民族的进攻，北魏政权在阴山南北建立了一系列城塞镇戍扼守南北交通孔道，在整个5世纪之中又先后三次修筑长城，与六镇等众多军镇相配合，构成统一有效的长城——军镇防御体系。

北魏六镇中由西向东的沃野、怀朔、武川、抚冥和柔玄五镇位于今内蒙古境内，除武川和柔玄二镇的具体地望尚存争议外，其他三镇的对应城址已都有定论。沃野镇为今乌拉特前旗根子场古城，平面呈倒"凸"字形，东西长约1 500米，南北宽约500—600米，南墙中部设门，外加筑瓮城，城墙四角有角楼址①；怀朔镇为今固阳县白灵淖城圐圙古城，平面呈五边形，东西长约1300米，南北宽约1100米，墙上有马面，四角有角楼址，城内西北隅有子城②；抚冥镇为今四子王旗乌兰花土城子古城，平面呈方形，边长900米，南、北墙中部各开一座城门，城内中部有三处建筑基址③。三镇城垣的边长都在1 000米左右，其他一些主要是在六镇之间加筑的军事城堡，除个别与三镇规模相当外，绝大部分仅占到三镇面积的一半左右。

六镇多建于阴山山脉北麓与内蒙古高原的过渡地带，古城旁边均有河流流过，这些河流或向南、或向北流去。古城多位于这些河流的上游地带，不但提供了洁净的水源，而且可以形成环绕古城的护城壕。六镇的经济除畜牧业外，农业亦占有很大比重，依靠军屯实现部分军粮自给。孝文帝迁都洛阳以后，六镇地位逐渐下降，社会矛盾尖锐，导致六镇起义。北魏统治者联合柔然共同镇压了六镇起义，北魏与柔然的关系趋于缓和，六镇也失去了往日的作用，逐渐荒废。

第五节 隋唐时期的草原城市

隋朝防御突厥的主要措施是修筑长城，但这些长城的工程多很粗疏，炫

① 李逸友：《内蒙古古代城址的考古研究》，《中国考古学会第八次年会论文集》（1991），文物出版社1996年版，第175—183页。
② 内蒙古文物工作队、包头市文物管理所：《内蒙古白灵淖城圐圙北魏古城遗址调查与试掘》，《考古》1984年第2期。
③ 李兴盛、赵杰：《四子王旗土城子、城卜子古城再调查》，《内蒙古文物考古》1998年第1期。

耀武力的色彩大于实际防御功能。有唐一代面对北方草原的势力，主要是东北边的奚、契丹，北边的突厥和回鹘，唐朝一改隋朝的边防政策，不筑长城，而是大力修筑边城，包括边州内州县级行政城市和军镇守捉城，同时在一些边城之间发展了完善的烽燧制度。

自唐高祖武德七年（624 年）开始，"遣边州修堡城，警烽候，以备胡"[1]，此后唐王朝在北边修筑边城的活动一直没有中断过。修筑防御突厥的边城，影响较大的有两次，一次是唐中宗景龙二年（708 年）朔方道行军大总管张仁愿修筑三受降城，另一次是唐玄宗天宝四年（745 年）王忠嗣兼任河东节度采访使时进行的一次规模较大的筑城行动。到唐武宗会昌年间（841—846 年），为了防御回鹘，又曾在北边短暂修筑边城或修补旧城。

位于内蒙古境内的唐代边城，并不是很多。如准格尔旗十二连城五座古城中的一号、五号古城为隋唐时期的胜州州治及所辖榆林县县治所在，阿拉善盟额济纳旗马圈古城为唐宁寇军城等。张仁愿修筑的三受降城，西受降城旧址目前尚不清楚，开元十年（722 年）张说所筑新西受降城即今巴彦淖尔市临河区东北的八一乡丰收村古城；中受降城即今包头市敖陶窑子古城，古城中至今仍保留的一座大型建筑台基，可能即是突厥拂云祠旧址；东受降城旧址即今托克托县县城所在地西北托克托古城内的"大皇城"遗址，宝历元年（825 年）张惟清徙修的东受降城即今托克托县蒲滩拐古城。张仁愿所筑三受降城初始不置瓮城，以为敌来则举兵出战，奋力击之，不可生后退之心。后来常元楷出任朔方军总管后，始筑瓮城，受到当时人的轻视。

唐朝北边边城的军事设施较前代边城更为完备，具体表现是：有的军城的规模大于州城的规模，在边城增设羊马城、瓮门、瓮城、月城以及角楼、马面、陷马坑等军事防御设施。此外，边城还担负着屯田聚粮的职责，以逸待劳，从而达到御敌的目的。

回鹘在漠北取代突厥的统治地位以后，与唐朝的关系较为缓和，和平多于战争，唐王朝北边边城一度荒芜无戍卒，州县尽为空垒。而回鹘汗国却大力学习中原文化，修筑了很多城市，有政治中心、商贸都市和军事戍堡等，与匈奴城址的草创简陋迥异，这种"城市化"的特点是以前北方草原上所

---

[1] 《册府元龟·外臣部·备御三》。

从来未有过的。

回鹘汗国的古城遗址以首都鄂尔都八里（Ordu Balik）为中心，聚集在鄂尔浑河上游一带。鄂尔都八里今天被称作哈剌巴剌嘎斯，是"黑城子"的意思。古城位于蒙古国后杭爱省浩腾特苏木鄂尔浑河西岸的草原之上，城墙及城内外遗迹均保存较好①。分为内、外城。外城南北长约300米，东西宽约250米，夯土筑墙，城墙之东南角为制高点，高约10米，一般城墙高4—5米，东墙设门。南、北城墙各可见3个马面，东、西各可见2个马面，四角有角楼。西城墙中部内、外皆有防御性的方形瓮城，但不见城门，外侧瓮城约50米见方，城门向北，内侧瓮城约30米见方，城门向南。内城位于外城东南角，城墙高耸。外城中部偏西有一处院落，西面开门，门内侧有一座高约10余米的夯土台基，其上可见石柱础；院落中部、南北两侧、西北角和西南角都有低矮的房屋基址。内、外城的城墙外侧均有护城河。城外南、北两侧距城墙约50米处分别有8个和7个一字排开的圆形夯土台基，为摩尼教建筑遗存。城外东部及西南部皆可见较矮的城墙围成的小城，里面有建筑基址等。在周围30公里的范围内，发现了大量与古城属于同一时期的建筑遗迹。哈剌巴剌嘎斯古城是当时草原丝绸之路上连接东、西方的一个重要的中转站。

第六节 辽宋夏金时期的草原城市

辽宋夏金时期的草原城市，以辽代的城市最具特点，既有仿效中原传统城市建制的部分，也有本民族自身的特色。一般研究认为，辽代的城市大体可分为五类，即都城、一般州县城、头下州军城、奉陵邑和边防城②。

都城共有五京，分别为上京临潢府、东京辽阳府、南京析津府、中京大定府和西京大同府，其中上京和中京分别代表了辽早期和中期的城郭营建制

---

① 塔拉、陈永志、张文平：《千里踏查游牧文化——中国首次蒙古国考古行动》，《中国文化遗产》2006年第4期。

② 李逸友：《辽代城郭营建制度初探》，《北方考古研究》（一），中州古籍出版社1994年版，第78—104页。

度。位于今巴林左旗林东镇南的辽上京城，始建于神册三年（918 年），初名皇都，是一座面向东南、西墙两端内折的小城，天显十三年（938 年）在皇都城南新加筑了一座汉城，原皇都城改称皇城。皇城供契丹统治者居住，汉城则为汉、渤海及回鹘人居住。皇城中有宫殿、官署、寺院、作坊等建筑物，街道分布不规则，汉城内有市肆、市楼及简陋的民居，表明当时各族是分族聚居的。位于宁城县铁匠营子乡的辽中京城，建于圣宗统和二十五年（1007 年），仿宋汴京城的制度，城垣分为外城、皇城和宫城三重城。外城南部为坊市区，是汉人聚居区，街道布局整齐，辟有中央大道，建筑物东西对称，形成中轴线，显然是借鉴了中原地区的城市制度。皇城内很少有建筑物，留出大片空旷地带，以备搭设毡帐之用，成为契丹统治者聚居区域，仍然保留了民族传统的习尚。

在原燕云十六州的南京道和西京道境内的一般州县城，除了沿用唐代城市外，新筑的州县城亦多仿效了唐朝城市制度。城垣规模按唐朝的六坊、四坊、两坊或一坊面积营建，每坊面积约 560 平方米。六坊或四坊面积的为上等州城，如位于呼和浩特市赛罕区白塔村的丰州城，城垣边长 1 100—1 200 米，面积相当于唐代的四个坊，十字形大街将城区分为东北坊、西北坊、东南坊、西南坊等四坊。城垣规模相当于两坊或一坊面积的为下等州或县城，城内为丁字街或南北街。在其他地区修筑的州县城，大多未采用唐朝城市制度，往往都不设坊和市，大致城垣周长 4 500 米左右的为上等州，周长 3 000 米左右的为中等州，周长 2 000 米左右和 1 000 米以下的为下等州和县城。

头下州军城是契丹贵族中诸王、国舅、公主所筑的私城，最初仅为安置俘户而筑，为契丹贵族服务。到圣宗时期，出现了以公主的从嫁户和诸王在自己的封地上建立的头下州。这些头下州的城主们往往不住在城内，只在城内设置官府进行管理，因此城垣简陋，不加筑瓮城和马面，只有少量的大型建筑物。

奉陵邑是在皇帝陵墓附近兴筑的专为祭祀和守卫陵墓的城郭，共有三座奉陵邑，分别为祖州、怀州和庆州。位于今巴林左旗石房子村的祖州城和位于今巴林右旗岗岗庙的怀州城，都是辽代早期所筑，前者平面呈不规则的五边形，后者平面呈方形。城内有享堂、祭殿、膳房、官廨和奉祀守卫功能的建筑物等；城外聚居着众多的守陵户，只有简陋的房舍和市肆遗迹，他们是为奉祀陵寝而服役的渤海人和汉人。辽代中期兴筑的庆州城，位于今巴林右旗白塔子苏木，该城为内、外两城的重城。内城除分布着享殿、祭殿、膳堂和官廨以外，还有一座佛寺，寺内建有一座名为释迦如来舍利塔的楼阁式砖塔。守陵户的小型建筑物基址，主要分布在内城的东、南、西三门到外城城墙之间的街道两侧。

边防城是修筑在辽国所属部族居住地区、驻扎兵卒的城郭，为镇压部族之用。如位于今陈巴尔虎旗的浩特陶海古城为辽通化州，城垣平面呈方形，边长约 500 米，加筑有瓮城和马面，南北各有 1 门。这些城郭的功能都是军事防御，因此瓮城、马面等军事防御设施较为完备，城内居住者仅是官兵，并无一般百姓，因此地面存留建筑遗迹极为罕见，推测当时士兵主要是居住在毡帐一类的建筑之内。

金灭辽，其城市制度多沿袭辽朝，如在全国建立 5 京。后改为设置 14 总管府，将全国划分为 19 路，形成路、州、县三级地方政权。金朝为抗御蒙古南下，在其北部边境挖掘了数道绵延漫长的界壕，于界壕沿线设置了东北路、西北路和西南路等三路招讨司。西北路招讨司治所，为位于今正蓝旗境内的桓州城，当地俗称"四郎城"。四郎城平面布局分为内、外两城。外城平面约呈方形，东西长 1 100 米，南北长 1 165 米，东、南、西三面开门，四墙均建有马面，四角有角楼。内城位于外城东北角，平面约呈方形，东西长 285 米，南北长 288 米，南墙开门，城墙外有护城河。

北宋在其西北地区与西夏的边界线上，构筑了近 500 个关、城、寨、堡，形成一条东北起自今陕西省神木县，西南到今甘肃省中部，长达 1 000 多公里的蜿蜒周折的军事分界线，当时称为"山界"或"横山"。北宋历任边防将帅都把经营横山作为对西夏作战的基地，而西夏也把横山视为生命线，常常发动全力来攻战和控制横山。这些城堡的规模都不大，控扼险要之地，军事性是第一位的。

西夏地方政权的设置，模仿唐宋制度，采用州（府）、县两级制。此外，还在全国设置了 12 个监军司，统率全国的军事力量，其中黑水镇燕军司驻黑水城，今址即额济纳旗黑城古城中东北小城。城址规模不大，长、宽各约 240 米，城内除有官兵住所外，还建有一些民居以及藏传佛教噶举派的寺庙。

第七节　蒙古高原蒙元时期的草原城市

蒙古部首领铁木真于 1206 年在斡难河源称"成吉思汗",标志着大蒙古国的正式建立。在漠北地区,成吉思汗有四大斡耳朵,窝阔台汗修建了和林城和四季行宫,它们构成了大蒙古国建都漠南以前的政治中心。

现存的哈剌和林古城遗址位于蒙古国南杭爱省哈尔和林苏木额尔德尼召北部,古城残存形状呈北侧长、南侧短的不规则六角形状,东、西、北三面围墙,南面开口,长轴方向北偏东 27 度。城墙南北长 1 450 米,东西宽1 138 米,残存高度1—3 米。城址内分布有大小不等的建筑基址,其中西南部有一座边长 260 米、用两重砖墙围砌而成的建筑物,即为万安宫殿址,宫殿南侧有一座用巨大岩石雕成的石龟①。《鲁布鲁克东行纪》里有许多关于哈剌和林当时状况的描述,展示了大蒙古国都城的布局及繁盛一时的经济文化②。城墙为土墙,东南西北各有一个门,每个门都是不同的市场区,东门卖黍等谷物,西门卖绵羊和山羊,南门卖牛和车,北门卖马。有两个城区,分别为"伊斯兰教徒商业区"和"中国人工匠区"。城内有 12 座佛教寺院,2 座清真寺,还有 1 座基督教堂。就当时来讲,俨然是一座世界性大都市的模样。

漠南在元代由以前的边疆地区变为连接漠北边疆与汉地之间的交通要地,是元朝夏都所在地,城镇迅速崛起,为以前历朝历代所罕见。最终出现了一个以上都为中心、以各路级治所和诸王王府为主要依托、辅以府州县治所和交通枢纽的草原城镇网络。据统计,在今内蒙古地区,元代古城遗址计有 80 余处之多,具有鲜明的地理特征、时代特征和民族特点。

元朝在漠南地区大力推行军事屯田,使农业在分布的地域和规模上都超过了以往任何朝代,但传统的畜牧业仍然无法替代,是平民经济生活的重要一部分。尤其引人注目的是,在政府的干预下,大批西域和汉族工匠迁至上

---

① ［日］白石典之著,张文平译:《蒙古帝国首都哈剌和林的城市平面图》,《内蒙古文物考古》1999 年第 2 期。

② ［美］柔克义译注,何高济译:《鲁布鲁克东行纪》,中华书局1985 年版,第 292 页。

都及各投下城址，从事专门的手工业生产，供皇室贵族享用。店肆林立，商贾辐辏，一些城市中手工业和商业的空前繁荣是以前历朝历代所不具的。

商业繁荣背后的另一个原因是交通的发达。元代的内蒙古地区是连接大都和岭北行省之间的枢纽之地，驿道的重要性不言而喻，以上都、大同路、集宁路、丰州、东胜州、亦集乃路、察罕脑儿宣慰使司都元帅府和大宁路等等重要关会之地为枢纽，构成了一个四通八达的交通网，沿途设置驿站，便利于商贾的往来通行，促进了商品的流通。

驿道设置的主要目的在政治和军事方面。岭北行省是大蒙古国的龙兴之地，在统治中心南移之后，这一地区成为抵御西北叛王侵扰的第一道防线。而主要分布在今内蒙古地区的以上都为中心的系列城址，则构成了第二道防线，它以弘吉剌部和汪古部为两翼，对岭北行省给予了强有力的支持。往东部，原"五投下"蒙古部落列置于东道诸王和上都、大都之间，对东道诸王起到了一定的遏制作用。驿道的作用，就是传递军情、运输军备，汉地的物质财富与蒙古部落军队的有效结合，是元朝战胜西北及东道诸王叛乱的重要保证。

在这样的一个时代环境背景下，内蒙古地区的元代城址，可以归结出四点显著的特征：1. 一些投下城址虽列入国家的统一行政建制，但其本质无异于贵族的私家财产，城市的功能也主要是为贵族家族设置的；2. 发现的大量中、小型城址，有的行政建制虽无法确认，但可以肯定的是，它们大多数为军事屯田所或驿站，军事性是其第一特征；3. 漠南是世祖忽必烈的发迹之地，与漠北一样受到优待，汉地的财富被大量地运到这一地区，供诸王贵族挥霍享用，城市经济一度繁荣，"贫极江南，富称塞北"，正是这一现象的生动写照；4. 在这些城址中，佛教、道教、儒学与伊斯兰教、聂思脱里教遗存并存，充分体现了元代多元文化的特征。

第八节　内蒙古明清时期的草原城市

明朝初年，在北方地区设置了大量的卫、所，以防御北元军队的南下。卫的主要任务是作战和防守，卫下设千户所、百户所，由都指挥使司管领，隶属于朝廷的五军都督府，并曾在一些蒙古部族中设立羁縻卫所，以本部首领为卫、所长官。如今和林格尔县大红城古城为云川卫治所，平面呈方形，边长约 1 500 米，夯筑城墙，四边各开一门，有瓮城。后来由于明朝的防线不断南退，这些卫所也逐步废弃，到正统十四年（1449 年）"土木堡之变"之后，这些卫所被全部撤除，长城成为明朝的最后防线。在长城之南设置了九个边镇，以总兵官统军抵御北元的南袭。

1510 年，北元达延汗结束了北方草原蒙古各部长期分崩离析的局面，建立左、右翼各三万户。其中土默特部在俺答汗统治时期一度与明朝关系缓和，封贡互市，招募汉族流民发展起了农业生产，在土默川平原上出现了许多汉族农民聚居的板升。1565 年，俺答汗修建了大板升城，1581 年又在三娘子的主持下兴筑了"库库和屯"城，次年明朝赐名"归化"，全城周长在 1 公里左右。库库和屯城，即是今天内蒙古自治区首府呼和浩特市的前身。

到清代，随着清朝蒙旗制度的推行，蒙古草原一直处于相对和平的状态之中。除作为中央镇守地方的一些城市，如绥远城的兴建外，到清代后期，草原上出现了大批因商业贸易而发展起来的城市，如赤峰、多伦诺尔、包头等。这些城市的商业主要为旅蒙商所把持，通过买入卖出，赚取大把的利润，一时百货云集，物资流通，店铺钱庄林立，经济繁荣。这些商业城市的兴起，标志着北方草原地区商业城市的兴起。

北方草原地区不仅仅是祖国的北部边疆，在东亚大陆的历史发展长河中，它位于农耕世界和游牧世界的交界地带，从这个意义上说，还是整个东亚大陆的中心地带。北方草原地区的历史，有着农牧过渡性的特点，但如果长期处于过渡状态之下，那么它就具有了不过渡的自身特点。

草原城市同样如此，其自身特点是极其鲜明的，可以主要概括为以下三点：首先，绝大部分的草原城市往往以军事性占据了主导地位。在北方草原地区，农耕民族和游牧民族长期对峙，农耕民族把修筑城池作为抵御游牧民族的重要手段之一，深沟高垒，易守难攻。其次，商业性在草原城市中往往占有一席之地。农耕民族与游牧民族在经济上具有互补性，战争不能解决的问题，便不得不依赖于贸易，"互市"是双方关系中极为常见的一个名词。互市的地点，城市是首要选择。最后，草原城市也是一个农耕民族和游牧民族进行文化交流的大舞台，战争和贸易同时导致了相互间文化的传播和影响，促进了民族间的融合，从而共同创造了丰富灿烂的中华文化。

第 十 五 章

10 世纪以前内蒙古地区的长城

10 世纪以前分布于内蒙古地区的长城，主要有战国、秦、汉和北魏长城等，它们总的坡面长度约 6575 公里①。

第一节　战国燕、赵、秦三国的北方长城

东周时期，列国争衡，大国称霸，国与国之间的战争十分频繁，一些国家纷纷修筑长城以自卫。如楚、齐、鲁、魏、中山等国都曾修筑长城，抗御来自周边列国的进攻。这也是中国历史上最早出现的利用长城作为战争防御手段的一个历史时期。到战国中晚期，随着北方游牧民族势力的日渐强大，对中原北方列国的威胁也越来越大，燕、赵、秦三国都向北扩张领土，并修筑长城，以抵御东胡、匈奴等族。

一、燕北长城

燕昭王在位期间（前 311—前 279 年），燕国的国力达到了一个极盛时期，大将秦开北逐东胡，使之退却千余里，大约在公元前 290 年前后，"燕

---

① 国家文物局主编：《中国文物地图集·内蒙古自治区分册》（上），西安地图出版社 2003 年版，第 93—95 页。

亦筑长城，自造阳至襄平，置上谷、渔阳、右北平、辽西、辽东郡以拒胡"[1]。相对于燕国此前沿易水北岸修筑的抵御齐、赵进犯的燕南长城，北部"拒胡"的长城一般被称作燕北长城。其西端造阳，在上谷郡之北，大体位置在今河北省独石口到滦河源一带，东端襄平是辽东郡治，即今辽宁省辽阳市老城地区[2]。

经实地调查，燕北长城西起河北独石口，从围场满族蒙古族自治县进入内蒙古赤峰市境内，向东经喀喇沁旗、元宝山区，过老哈河伸入辽宁建平县北部，然后经敖汉旗中部，再东经北票县的最北端越过牤牛河进入阜新县，一直延伸到鸡冠山[3]。再往东，对其线路有争议，尚需进一步调查确认。

燕北长城在赤峰市及建平县境内的大部分地段墙基保存完整，地面遗迹明显，断续绵延约 300 余公里。墙体有土筑和石筑两种，而以土筑段为长，过平原多以土筑，遇山则多以石垒。此外，在一些地带或利用陡峭的崖壁，或将两山的山口用石块堵砌起来，构成天然屏障。土筑墙体保存较好的段落，底部宽 5—6 米，残高约 1 米；石筑墙体底部宽 3—4 米，顶宽在 2 米左右，残高近 2 米。内蒙古境内沿线见有 7 座障址，未见烽燧址。

喀喇沁旗地段的燕北长城遗迹，在达拉明安山下的姜家湾村始见明显遗迹，西去 50 余公里与围场县交界，这一带山峦起伏，林木茂密，这段长城推测是从毛金坝一带由围场满族蒙古族自治县进入喀喇沁旗境内的。在姜家湾村沿南山坡到山顶，再由东坡下山进入娄子店乡的槟榔沟、半截沟、刘家店村东山。沿线见有姜家湾障址，位于头道营子乡姜家湾村西北达拉明安山脚下，平面呈长方形，东西长 65 米，南北宽 50 米，南墙开门。

元宝山区地段的燕北长城遗迹，由刘家店东山下来后进入五家镇大营子村南大山的大西坡，经过与喀喇沁旗交界的乌兰乌苏山脊，再向东进入山前镇砖瓦窑村北梁顶，又折向五家镇的瓦房南沟，直奔向敖包山。再经敖包山向东北至美丽河镇平顶山、冷水塘村东黑山头，黑山头东崖下即临老哈河，

———————

[1]　《史记》卷 110《匈奴列传》。
[2]　李文信：《中国北部长城沿革考》，《社会科学辑刊》1979 年（创刊号）第 2 期。
[3]　内蒙古自治区昭乌达盟文物工作站：《昭乌达盟燕秦长城遗址调查报告》，《中国长城遗迹调查报告集》，文物出版社 1981 年版，第 6—20 页；李庆发、张克举：《辽西地区燕秦长城调查报告》，《辽海文物学刊》1991 年第 2 期。

河东岸即进入建平县北部连绵起伏的丘陵山区。沿线见有 5 座障址：敖包山西山坡障址，位于美丽河镇敖包山西山坡上，平面呈长方形，南北长 45 米，东西宽 35 米，门址不清；敖包山平顶山障址，位于美丽河镇敖包山上，平面近方形，东西长 34 米，南北宽 31 米，门址不清；西城子障址，位于美丽河镇青山村，平面呈长方形，南北长 40 米，东西宽 30 米，门址不清；城子山障址，位于美丽河镇青山村，北距长城 1 公里，平面呈长方形，南北长 95 米，东西宽 60 米，门址不清；冷水塘障址，位于老哈河西岸、黑山头南山坡上，平面呈长方形，东西长 320 米，南北宽 260 米，门址不清。

敖汉旗地段的燕北长城遗迹，从建平县的程家沟村南出，在新惠镇与新地乡交界的三官营子村北扎西营子村后梁顶向东过孟克河，经扎东营子村后上平顶山。再经石匠沟、毛代村的水泉后山坡，顺桃山山顶，东南经丰收乡的格德营子村、丫巴梁、娄子山、卧龙岗、石匠沟、豁牙子山顶，由东坡下，过白杖子村八楞子山，向东经大黑山，即进入克力代乡的东大山、贝子府镇的大架子山、瓦盆窑的敖包山、苟家沟西大山。而后又经樱桃沟东山、十二连山、王家营子乡北部的大平房村、瓦房沟村后山、庙山、石碰子山，向东南至五家营子东山坡。再往东遗迹现象模糊不清，大致向宝国吐乡和北票县北部的方向延伸。沿线见有水泉障址，位于克力代乡赵家窝铺村水泉屯南，平面呈不规则形，东西长 75 米，南北宽 50 米，南墙开门。

二、赵北长城

赵国在赵肃侯时，曾于南部边境漳水和滏水之间修筑一道长城，抵御齐、魏两国，后称赵南长城。到赵武灵王在位时（前 325—前 299 年），锐意推行兵制改革，胡服骑射，北破林胡、楼烦，"筑长城，自代并阴山下，至高阙为塞，而置云中、雁门、代郡"[①]。相对于以前修筑的赵南长城，这道长城一般被称为赵北长城，主要分布在阴山山脉向阳的山麓地带。

赵北长城东端的起点，在大马群山西端的大青山脚下，可见遗迹始于兴和县民族团结乡二十七号村北鸳鸯河北岸，这一地区当时属于赵国代郡延陵县北境，延陵县故址即二十七号村南约 30 公里处的大同窑古城。从鸳鸯河

---

①　《史记》卷 110《匈奴列传》。

北岸起，赵北长城顺阴山南麓一线，经灰腾梁、大青山、乌拉山等山系南麓的平缓地带伸延，即经察右前旗、乌兰察布市集宁区、卓资县、呼和浩特市赛罕区、回民区、土默特左旗、土默特右旗、包头市，至乌拉特前旗乌兰布拉格沟口终止，平面距离长度约 460 公里。墙体因地制宜，用土夯筑或石块垒砌。沿线分布有障址，个别地段有烽燧址。

兴和县地段的赵北长城遗迹，自鸳鸯河北岸向西北方向延伸，经康家村西，再北行经举人村西，再西北行登上土山坡，至边墙渠村再折向西偏北方向延伸，至乔龙沟村西南山坡的断崖处中断。这段长城基宽 5—6 米，地表残宽 3—4 米，高 1.5—2 米，全部用土夯筑。此后在乔龙沟村西小河西岸的山坡上出现，墙身露出地表约 1 米，西北行至官子店村西，伸入察右前旗黄茂营乡境内。沿线见有 2 座障址：举人村障址，位于民族团结乡举人村西 100 米，东墙利用长城墙体，平面呈长方形，南北长 35 米，东西宽 30 米，门址不清；高家地障址，位于石湾子乡高家地村西 100 米，东墙利用长城墙体，平面呈长方形，东西长 30 米，南北宽 20 米，门址不清。

察右前旗及乌兰察布市集宁区地段的赵北长城遗迹，自兴和县进入黄茂营乡后，西行经黄茂营乡乡政府所在地北侧，至罗家村西折向西北行，经喜红梁村北翻越小山梁，再经小黑沟岩村，在兴和城村西的河岸处中断。再在河床西岸四喜村北的山坡上出现，西行经十二股村、半哈拉沟村、东二道洼村北、三股泉村、小土城村北、十一洲村南、北六洲村南、十二洲村北、九洲村南、西五洲村南，向西南伸入卓资县东边墙村境内。这段长城分布在灰腾梁的南麓地带，北部为起伏的山梁，南部为平川，一般可见墙体露出地表底部宽 1—4 米，残高 1.5—2 米，全部用土夯筑。沿线见有 5 座障址：顶兴局障址，位于黄家乡顶兴局村北 300 米，北墙利用长城墙体，平面呈长方形，东西长 40 米，南北宽 30 米，门址不清；高凤营障址，位于黄家乡高凤营村西 2 公里，北墙利用长城墙体，平面呈长方形，东西长 35 米，南北宽 30 米，门址不清；北六洲障址，位于煤窑乡北六洲村西 2 公里，北墙利用长城墙体，平面呈长方形，东西长 40 米，南北宽 35 米，门址不清；十二洲障址，位于煤窑乡十二洲村北 500 米，北墙利用长城墙体，平面呈长方形，东西长 35 米，南北宽 30 米，门址不清；西五洲障址，位于煤窑乡西五洲村西南 2 公里，北墙利用长城墙体，平面呈长方形，东西长 20 米，南北宽 16

米，门址不清。

卓资县地段的赵北长城遗迹①，基本上以卓资山镇为分界点，先后呈东北—西南和东南—西北方向延伸。长城自察右前旗进入巴音锡勒镇东边墙村以后，由东北向西南方向延伸，经小山子村、五福堂村、西边墙村、东营堂村进入印堂子乡，再经山映梁村、边墙村、官营盘村、少代沟村、三道沟村，至二道沟村消失。这段长城穿越地带属灰腾梁南部的丘陵山区，长城翻山越岭，有时修筑在平地或半山坡上，有时则构筑在山巅之上。卓资山镇以西，长城修筑在山势较陡的阴山南麓半坡上，遗迹保存较差，断断续续地分布，经福生庄乡苏木庆湾村西、东圪旦村北、泉子梁村南、梨花镇大黑山南麓、旗下营镇蒙古营村北平顶山南坡，在旗下营镇东侧的大黑河北岸消失。卓资县地段的赵北长城遗迹保存较好者，底部宽 10 米左右，残高 0.5—1.5米，全部用土夯筑。沿线见有 4 座障址，分别为东边墙障址、西边墙障址、山映梁障址和城卜子障址，后二者保存较好。山映梁障址位于印堂子乡山映梁村北，北墙利用长城墙体，平面呈长方形，东西长 70 米，南北宽 60 米，南墙开门；城卜子障址位于六苏木乡城卜子村东 300 米，北濒大黑河，处于河谷沟口地带，平面呈方形，边长 180 米，北墙偏西处开门②。

呼和浩特市地段的赵北长城遗迹③，东段出现在榆林镇后扁担沟村北部，大致沿着山腰地带向西延伸，经西铺窑子村北、喇嘛圐圙村北、古楼板村北、榆树沟村北、哈拉更村北、哈拉沁沟村北、坡根底村北，这段长城的高度在 0.5—1 米左右。再由坡根底村北向西，长城主要分布在大青山的大山脚下，经红山口村南、坝口子村南，在乌素图水库南侧折向南行，经西乌素图村西、东栅子村西，又向西沿大青山脚西行，进入土默特左旗境内，经台阁牧乡霍寨村西一直延伸，到陶思浩乡圪力更村北进入土默特右旗境内。呼和浩特市地段的赵北长城遗迹大部分用土夯筑，个别地段土石混筑，沿线见有哈拉沁沟口障址、霍寨沟口障址和万家沟口障址等。

---

① 李兴盛、郝利平：《乌盟卓资县战国赵长城调查》，《内蒙古文物考古》1994 年第 2 期。

② 内蒙古自治区文物考古研究所、乌兰察布博物馆：《卓资县城卜子古城遗址调查发掘简报》，《内蒙古文物考古文集》第 3 辑，第 129—143 页。

③ 朝克：《呼和浩特地区长城遗存》，《内蒙古文物考古》1994 年第 2 期。

　　包头市地段的赵北长城遗迹①，自土默特左旗圪力更村北进入土默特右旗境内，从美岱召镇上协力气村东北沿大青山南麓西行，过沟门镇北的水涧沟口，直至九原区莎木佳镇东园村西的五当沟口。这段长城断断续续地延伸，残存墙体累计长度不足5公里，全部用土夯筑，底部宽5米左右，残高1.2—5米。此后长城顺五当沟口转入山中，在老爷庙山下出现，沿大南沟北上，至石拐区国庆乡白草沟改为西行，大体沿包石公路，到九原区兴胜镇边墙壕村。这段长城在山中行进，以土筑为主，间有土石混筑者。从边墙壕村向西，长城沿着大青山山前的平坦地带，经兴胜镇大庙村北、二相公村北、西边墙村北、王老大村北、新城镇银匠村北、边墙村北，过昆都仑河，经昆都仑召北，沿乌拉山向西，过梅力更沟口、达拉盖沟南，进入乌拉特前旗境内。这段长城全部用土夯筑，保存较好地段，底部宽6—9米，残高4—5米。沿线见有11座障址和6座烽燧址。

　　包头市地段赵北长城沿线的11座障址，自东向西依次为：后坝障址，位于石拐区国庆乡后坝火车站北约1.5公里，东墙利用长城墙体，平面大致呈方形，南北长95米，东西宽92米，西墙开门；克尔玛沟障址，位于九原区兴胜镇大庙村东2公里克尔玛沟西侧，北墙利用长城墙体，平面呈长方形，东西长30米，南北宽25米，西墙开门；边墙壕障址，位于九原区新城镇边墙壕村西800米处昆都仑沟东岸高地上，北倚长城，平面呈长方形，南北长150米，东西宽70米，南墙开门；昆都仑召障址，位于昆都仑沟口西岸高地上，南距昆都仑召约1公里，北墙利用长城墙体，长82米，其他墙体已遭破坏；昆都仑沟障址，位于包头市北绕城公路昆河大桥北1.5公里昆都仑沟内，地处一向阳的簸箕形高地，城址依地势而建，平面呈不规则五边形，东墙长58米，北墙长70米，西墙长72米，南墙长39米，东南墙长36米，东南墙西端开门；虎奔汗沟北障址，位于九原区哈业脑包乡卜尔图村东北380米处虎奔汗沟口西岸河冈上，南墙利用长城墙体，平面呈长方形，南北长110米，东西宽83米，南墙开门；虎奔汗沟南障址，位于九原区哈业脑包乡卜尔图村东北300米处，平面呈长方形，内有一南北墙将城址分为

---

　　① 包头市文物管理处、达茂旗文物管理所：《包头境内的战国秦汉长城与古城》，《内蒙古文物考古》2000年第1期。

东、西两城，东城南北长 115 米，东西宽 60 米，东墙开门，西城南北长 115 米，东西宽 84 米，南、北墙各开一门；哈德门沟障址，位于九原区哈业脑包乡哈德门前口子村北约 0.5 公里哈德门沟口东侧黄土岗上，平面约呈方形，东西总长 213 米，南北现存最宽 203 米，门址不清；大坝沟障址，位于九原区哈业胡同镇雷家圪旦村北 1 公里大坝沟沟口西侧，北墙利用长城墙体，平面呈长方形，南北长 37 米，东西宽 32 米，南墙开门；梅力更沟北障址，位于九原区哈业胡同镇镇政府驻地西北约 8 公里梅力更沟口西侧，东南距梅力更召约 0.5 公里，平面呈长方形，东西长 55 米，南北宽 35 米，南墙开门；梅力更沟南障址，位于梅力更召北约 100 米梅力更沟西侧，北距长城 8 米，平面呈方形，边长 65 米，南墙开门。

包头市地段赵北长城沿线的 6 座烽燧址，自东向西依次为芦房沟烽燧、沙兵崖烽燧、庙湾烽燧、大坝沟烽燧、梅力更沟东烽燧和梅力更沟西烽燧，其中前 3 座在大青山山前，后 3 座在乌拉山山前。这些烽燧址的残存形制基本上分两种，一种是平面呈方形，纵截面呈梯形，另一种是呈圆锥状隆起。大青山山前 3 座烽燧相互之间的距离，为 10—15 公里不等。

乌拉特前旗地段的赵北长城遗迹，自包头市九原区进入境内以后，沿着乌拉山南麓西行，经小庙子村、达日盖村、哈日布拉格村、呼和布拉格村，至乌兰布拉格嘎查西侧的乌兰布拉格沟口终止。这段长城大部分用土夯筑，局部土石混筑，底部宽 4—6 米，残高 1—2.5 米。沿线见有 2 座障址：公庙沟口障址，位于呼和布拉格苏木公庙沟口，北墙紧倚长城，平面呈正方形，边长 140 米，门址不清；张连喜店障址，位于蓿亥乡张连喜店村东 500 米，北距长城约 300 米，平面呈长方形，东西长 280 米，南北宽 250 米，门址不清。

《史记》所记载的赵北长城的西端终点高阙，为乌兰布拉格沟西侧约 1 公里处的大沟，大沟两侧山峰耸立，西侧有一座较低矮的山峰，东侧有两座并立的高耸山峰。大沟口与乌兰布拉格沟口之间，地势平坦开阔，中间分布有东西相距不远的两座土筑台基，性质尚不明确。大沟南面约 500 米处的张连喜店古城即为赵北长城西端的高阙塞所在，西汉加筑沿用为西安阳县治所。

三、秦昭王长城

秦昭王三十五年（前 272 年），宣太后诱杀义渠戎王于甘泉宫，随后秦国乘机灭掉义渠戎，在陇西、北地、上郡一带修筑了"拒胡"的长城。这道长城西起自甘肃省临洮县县城北新添镇三十墩南坪村望儿嘴，向东行经渭源县、陇西县，折向东北经通渭县、静宁县，进入宁夏回族自治区西吉县境内，呈东西走向经固原县、彭阳县复入甘肃，又东北行经镇原县、环县、华池县，进入陕西境内，经吴旗县、靖边县、榆林市，于神木县北窟野河旁侧进入内蒙古自治区鄂尔多斯市境内，最后到达达拉特旗敖包梁一带。现在鄂尔多斯市境内残存遗迹的坡面距离总长约110公里。墙体一般用土夯筑，基宽约5米，残高1—1.5米，仅伊金霍洛旗东北部有石块砌筑者。沿线个别山梁上见有一些突出的土包，推测可能为障城和烽燧址[①]。

内蒙古境内的秦昭王长城遗迹，西端出现在伊金霍洛旗新庙镇镇政府南面古城壕村南的七盖沟，与神木县北境馒头塔村附近的长城相连。然后沿窟野河上游的牛川西梁向北延伸，再沿束会川西梁向西北方向延伸，出现在纳林陶亥镇镇政府西面的山梁上，遗迹断断续续。从纳林陶亥镇往北，长城折向东北，进入准格尔旗境内，穿越沟壑较多，遗迹已不太明显。长城再向北，经暖水镇西北的巴龙梁，在犆牛川上游西梁上蜿蜒北上，经榆树壕村东北沙坡登上鄂尔多斯高原中部的南北分水岭，在达拉特旗敖包梁村东南一带终止。分水岭以北，为当时林胡、楼烦所占据的"河南地"。

长城所经准格尔旗中部及西部的一些山梁上，可以见到很多土包，有的是蒙古人祭祀的敖包，有的应为当时的障城和烽燧遗址。

四、三国北方长城的特点

燕、赵、秦三国北部"拒胡"的长城，燕北长城的位置偏北，而越往西，赵、秦长城的位置越偏南。三国长城分布位置的规律性变化，与东周时期北方长城文化带内部的经济形态差异是密切相关的。北方长城文化带受中原文化影响的程度，呈由东向西、由南向北的减弱态势，而受欧亚大陆草原游牧文化影响的趋势则正好相反。这种双重影响反映在北方长城文化带内部

---

① 史念海：《鄂尔多斯高原东部战国时期秦长城遗迹探索记》，《考古与文物》（创刊号）1980年；李逸友：《内蒙古史迹丛考》，《内蒙古文物考古文集》第2辑，中国大百科全书出版社1997年版，第393—411页。

经济形态的变化上，主要呈现出一种畜牧业因素由东向西的递增变化。畜牧业发展的不平衡性，导致了东部地区较之西部地区更容易为中原文化所接受，燕北长城线远远超出了北方长城文化带之外，到赵北长城已只是沿着文化带的北缘延伸，秦昭王长城更是修在了文化带之中，属于文化带一部分的河南地到秦一统天下之后才最终纳入帝国的版图。

从《史记·匈奴列传》对燕、赵、秦三国修筑长城的记述中，可以发现，它们在修筑长城之前的进攻对象各不相同，分别为东胡、林胡和楼烦、义渠戎，而在修筑长城之后的防御对象却统一为胡。隐含于其中的变化是，长城的修筑，将此前活动于北方长城文化带之中的北方部族分化了，留在长城以南者被中原王朝所吞并，而分离在长城以外者，则逐渐与胡融合，成为匈奴的属民。

三国北部长城的一个共同特点是，与墙体相结合的其他防御设施并不完善，只见少量的障址和烽燧址。三国北部长城修筑的简略，反映了其军事防御功能的弱化，而更多地被赋予"括地"的功能，将东胡、戎狄的大片土地占据之后，以长城作为疆界固定下来。发生在战国时代的整个北中国的气候暖湿化，为这些土地的适宜耕作性提供了保障，中原农耕民族大规模北进，在长城以内开荒种植。三国长城由东向西逐渐向南偏移，也与在这一大范围内气候由东向西逐渐趋于干冷化，是相一致的。

第二节　秦汉长城

内蒙古自治区及河北省境内的秦汉长城遗迹，属于秦汉长城的中间地段，西起自额济纳河流域，向东横贯荒漠、阴山山脉、燕山山脉，至于库伦旗厚很河流域，东西横跨约2800公里。

一、秦始皇长城

秦始皇统一六国之后，派大将蒙恬率大军北逐戎狄，夺取河南地，将与匈奴对峙的防线推进到阴山一线。《史记·秦始皇本纪》记载："三十三年，……西北斥逐匈奴。自榆中并河以东，属之阴山，以为三十四县，城河上为塞。又使蒙恬渡河取高阙、陶山、北假中，筑亭障以逐戎人。徙谪，实之初县。"又《史记·蒙恬列传》载："秦已并天下，乃使蒙恬将三十万众北逐戎狄，收河南。筑长城，因地形，用制险塞，起临洮，至辽东，延袤万余里。于是渡河，据阳山，逶蛇而北。暴师于外十余年，居上郡。"又《史记·匈奴列传》载："后秦灭六国，而始皇帝使蒙恬将十万之众北击胡，悉收河南地。因河为塞，筑四十四县城临河，徙谪戍以充之。而通直道，自九原至云阳，因边山险堑溪谷可缮者治之，起临洮至辽东万余里。又渡河据阳山北假中。"

以上述《史记》关于秦始皇派遣蒙恬修筑长城的记载为基本史料，结合相关历史地理考证和实地考古调查，可以归纳出有关秦始皇长城的一些主要内容：其一，秦始皇长城始建于秦始皇三十三年（前214年），大约一直持续到三十七年其病死才告终止；其二，秦始皇长城西面起点临洮，在今甘肃临洮县境内，东部终点辽东，已达到当时辽东郡的东部，在今朝鲜半岛大同江入海口北岸的龙岗（碣石）地方；其三，秦始皇长城在今内蒙古西部地区有南北并列的两道，南部河上塞为万里长城的主线，北部高阙、陶山、北假中亭障为蒙恬后筑，可专称之为"蒙恬所筑长城"；其四，自九原抵云阳的秦直道遗迹亦是秦始皇长城的重要组成部分。

秦始皇长城在甘肃、宁夏境内的西段部分主要沿用了秦昭王长城。在内蒙古境内，最西部分发现于鄂托克旗阿尔巴斯苏木巴间温都尔山山脚，向西延伸至山顶，然后进入苏白音沟沟谷，沿沟谷一直向西延伸至乌海市境内。从乌海市溯黄河北上，墙体延伸至鄂托克旗蒙西镇巴音温都尔嘎查附近终止。此后主要利用了黄河天险，不再筑墙体，临河修建了44座县城加强防御，即所谓的河上塞。在北河南流转为东流的拐折处开始利用赵北长城，在卓资县西部又另筑墙体，自灰腾梁西南部向南则利用东西横亘的大山险阻防守。再东行经河北怀安、尚义、张北、崇礼、沽源、丰宁、围场，进入赤峰市松山区境内。从松山区向东，经敖汉、奈曼、库伦，进入辽宁阜新市，然后过彰武、法库东抵开原，开原以东以障塞形式一直伸延到今朝鲜半岛大同江入海口北岸的龙岗（古碣石）。在内蒙古境内（包括中间河北省部分），秦始皇长城东西横跨约1400公里。墙体或土夯，或石筑，沿线分布有大量障址、烽燧址等。

乌海市地段的秦始皇长城遗迹，大致呈西南—东北走向，西南端接苏白音沟沟谷内长城，出现在拉僧庙镇附近的黄河东岸台地上，东北行经凤凰岭、韭菜沟、毛盖图煤矿，攀上桌子山西坡，进入鄂托克旗蒙西镇管辖地界，一直延伸至桌子山北部光秃的山梁上消失。墙体或以石块垒砌，或以石块垒砌两侧墙体，中间填以碎石砂土，或以砂土夯筑，残宽约 3 米，残高0.3—1.5 米，全长约 30 公里，沿线未发现任何障燧遗迹。在海勃湾区五一农场有蓝城子古城，平面大致呈方形，边长 450 米左右，始建于秦代，为临河所筑 44 县城之一，汉代沿用。

秦始皇长城沿北流黄河东岸及乌加河南岸，修建城池，种植榆树，配合黄河天险作为防守手段，经今鄂托克旗、磴口县、杭锦后旗、巴彦淖尔市临河区、五原县，在乌拉特前旗与赵北长城相接，往东即利用了赵北长城的墙体。到卓资县往东开始另筑墙体，但具体分布走向，目前尚未完全调查清楚，大致经丰镇市北部、察右前旗南部、兴和县南部进入河北省怀安县桃沟村境内。在河北省横贯其北部，分布在东西横亘的大马群山的脊岭之上，自围场满族蒙古族自治县三义永乡东部伸入赤峰市松山区境内，沿英金河北岸的丘陵和高山顶上蜿蜒向东延伸。长城在英金河北面山地多为石块垒砌，底部宽 3—4 米，顶宽约 2 米，残高近 2 米。穿过老哈河后多分布在丘陵山区或河谷平川上，多因地制宜用土夯筑，一般保存不好，墙体底部宽 5—6 米，高出地表 0.5—1.5 米，有的仅可隐约辨识出一条土垄。沿线分布的城障遗址较多，还见有一些烽燧址[1]。

赤峰市松山区地段的秦始皇长城遗迹，其东端始见于曹家营子东山，经红石岗子、山嘴子后山、衣家营子、北道村后山、水泉、王家店、四家子、孙家营子、杨家营子、夏家店后山、水地乡八家、摩天岭，至石佛山撒水坡。这段长城保存较好，遗迹清楚。再往东由安庆沟到敖汉旗小河沿一段，处于老哈河的冲积平原，属风沙地带，长城遗迹不甚明显。沿线见有 4 座障址：五里岔障址，位于东方红乡五里岔村北 1.5 公里，平面呈长方形，南北长 50 米，东西宽 40 米，门址不清；西八家障址，位于水地乡西八家村北，平面呈长方形，南北长 160 米，东西宽 150 米，门址不清；香炉山障址，位于水地乡香炉山上，北距长城 500 米，平面呈长方形，东西长 80 米，南北

---

[1]　李庆发、张克举：《辽西地区燕秦长城调查报告》，《辽海文物学刊》1991 年第 2 期。

宽 50 米，南墙开门；撒水坡障址，位于水地乡东撒水坡村，北距长城 750
米，平面呈长方形，东西长 150 米，南北宽 130 米，南墙开门。

敖汉旗地段的秦始皇长城遗迹，由松山区安庆沟向东越过老哈河，到小
河沿乡白斯朗营子、乌兰召乡步登皋、七道窝铺。这一段为丘陵地，长城遗
迹较为清晰。再东经新惠镇北至倒格朗乡白塔子村、三家子村、敖吉乡刁家
营子，再进入下洼乡谭家窝铺、丰水山，然后进入通辽市奈曼旗境内。沿线
见有 5 座障址：白斯朗营子障址，位于小河沿乡白斯朗营子村南 500 米，平
面呈长方形，东西长 100 米，南北宽 80 米，门址不清；七道窝铺障址，位
于乌兰召乡七道窝铺村南 500 米，平面呈方形，边长 180 米，南墙开门；三
家子障址，位于丰收乡白塔村北 1.5 公里，北墙利用长城墙体，平面呈方
形，边长 70 米，南墙开门；刁家营子障址，位于敖吉乡刁家营子村西南，
平面呈方形，边长 90 米，南墙开门；谭家窝铺障址，位于下洼乡谭家窝铺
村东北 1 公里，平面呈方形，边长 80 米，门址不清。

奈曼旗和库伦旗地段的秦始皇长城遗迹，自西岗岗村东行，经高和村北
至伊马钦村牤牛河西岸台地，以牤牛河为河险溯河而上约 10 公里，在牤石
沟村南山冈出现墙体，自牤牛河东岸丘陵地带向东伸延，经薄等沟伸入库伦
旗境内，于平安乡一带消失不见。

此外，在库伦旗境内的厚很河和养畜牧河之间还分布有一条大致呈西
南—东北走向的秦始皇长城墙体。该段墙体从辽宁阜新市八家子村附近进入
库伦旗白音花镇乃曼格尔村东，然后经过东通什村东、色冷稿村东、东牌楼
村西、马营子村东，过铁牛河、库伦河，再经库伦镇东皂户沁村东、元宝山
西，抵达养畜牧河河边。

二、蒙恬所筑长城

蒙恬所筑长城位于北河以北的"高阙、陶山、北假中"。据考证，该高
阙和赵北长城的西端阴山高阙并非是同一个地方，而是指阳山高阙，阳山即
今狼山，狼山高阙即今狼山石兰计山口；"陶山、北假中"应点读为"陶山
北假中"，这里"陶山"应为"阴山"的形讹，"北假"应通假为"北各"，
是指山体的北部，所谓"阴山北假中"，是指阴山的北坡部分及其迤北直至
阳山南麓地区，也就是现在所说的河套（后套）地区。蒙恬出兵占据这一

区域，是为利用这里优越的农业生产条件，解决"河南地"边防驻军的粮食供给问题。为保障这里农业生产环境的安定，便又在河套北侧的阳山山脉上，修筑了一道新的长城，以阻遏匈奴的袭扰①。

蒙恬所筑长城西自乌拉特中旗南部起，往东沿狼山、查石太山至大青山北麓，经乌拉特前旗、固阳县，再自武川县南部穿越大青山至呼和浩特市北郊，与赵北长城相接，全长约410公里。在狼山、查石太山地区长城墙体大多用石块垒砌，属于干垒石墙，保存较好的地段，墙身两壁陡直，基宽4—5米，高达6米。平地则多用土夯，在陡峭的崖壁处，又常常利用崖壁当作墙身，稍加修筑即成。

乌拉特中旗地段的蒙恬所筑长城遗迹，自位于狼山石兰计山谷北口外的小黄山山顶始筑，向东伸延，蜿蜒在狼山北坡上，穿越呼勒斯太沟，在呼鲁斯太沟西北山顶上，有一烽燧址，燧旁有一石砌房屋基址。长城在乌不浪口穿越南北向的公路，出现在红旗店村南山脊上，向东延伸进入巴音哈太苏木南境，蜿蜒于起伏不大的查石太山山脊的北坡顶上，于石哈河镇南境与乌拉特前旗小佘太乡北境的交界地带通过。

乌拉特前旗地段的蒙恬所筑长城遗迹，自乌拉特中旗石哈河镇南境进入小佘太乡北境后，继续沿查石太山顶北侧向东伸延，经苏计沟、灰腾沟、板申图沟后，复入乌拉特中旗石哈河镇梁五沟林场境内，东行约2公里后，东南折入固阳县西斗铺镇境。这段长城墙体基本上用石块垒砌，在灰腾沟至板申图沟保存有长约3公里的完整墙体，底部宽约6米，顶部宽2.5—3米，高5—6米，墙顶平整如初，看不出经过破坏或倒塌迹象，显示了蒙恬所筑长城的原貌，这也是内蒙古地区历代长城中保存最为完好的一段。在小佘太乡天太昌村北山顶和苏计沟村北山谷内，各有烽燧址1座。

固阳县地段的蒙恬所筑长城遗迹，自乌拉特中旗石哈河镇梁五沟林场进入西斗铺镇境，经王如地村折向东南行，至陈碾房村又折向东行，经边墙壕村至西永兴村南又折向东偏南行，蜿蜒在山顶的北坡上，经脑包山至康图沟沟口中断。长城遗迹再现于横亘在固阳县中部的什尔腾山上，一般位于山脊

---

① 辛德勇：《阴山高阙与阳山高阙辨析——并论秦始皇万里长城西段走向以及长城之起源诸问题》，《文史》2005年第3辑。

顶部北坡，局部逶迤盘桓在山腰，东行经东胜永乡天盛成村北、银号乡银号村、三元成村、大庙乡大庙村北，折向东偏南行，进入春坤山山区，经陈家村南坡，向东伸入武川县哈拉门独乡境内。这段长城的修筑方式有石筑、土筑和土石混筑等，在王如地村段还发现了石筑城墙与土筑城墙并行的双城墙结构，石筑的靠南，土筑的偏北，间距 30—40 米。个别地段发现有修筑于墙体外侧的土筑或石筑马面，墙体底部往往有专供排水的边长约 0.4 米的方形孔道。沿线发现烽燧 157 座、障址 6 座、城址 2 座。烽燧多建于长城内侧的高地上，与长城墙体的距离一般在 20—50 米之间，远的可达到 100 米以上，烽燧址相互间的距离随着地形的变化，也会有一些变化，山地在 200—400 米之间，平地上在 800—1 000 米之间，最远者可达 1 500 米以上；烽燧的形状多呈圆形和不规则形，个别为方形、长方形，构筑方式有石筑、土筑和土石混筑等。一些烽燧址附属有房屋建筑基址，位于烽燧的阳面，应是史料所记载的"亭"的遗迹。位于长城内侧的障址和城址有长发城障址、坝根底障址、草地沟障址、三分子障址、帐房湾障址和碾坊城址，位于长城外侧的障址和城址有赵碾坊障址和大乌兰城址。障址和城址多为长方形，个别略呈方形，仅大乌兰城址为随山就势的不规则形。障址面积较小。在 100×150 平方米以下，一般距离长城较近，有的与长城相倚。城址面积较大，如碾坊城址略呈方形，边长 300 米，大乌兰城址呈不规则形，面积 1.6 平方公里，距离长城也较远，在 3—5 公里。三分子障址和长发城障址还设有内城。

武川县地段的蒙恬所筑长城遗迹，自固阳县陈家村进入哈拉门独乡胡岱窑村北，穿过山谷东行经花圪台村、五号村、良泉坝村，分布在小山脊顶上，于良泉坝穿越武川县至固阳县的公路，折向东偏南行，至哈拉合少乡烧林沟村附近的大山西麓中断；这一段长城墙体基本为砂土夯筑，残高 0.5—1.5 米，宽 3—4 米，仅可看出是一道土垅，沿线烽燧甚少。长城遗迹再现在烧林沟村东南的大山顶上，山顶上有一座石砌烽燧址，燧旁有一座石砌房屋基址，烽燧与长城石砌墙体相连，自北山顶起向东面的小山延伸，经后北沟村、前北沟村、酒馆村北，至大青山乡的什尔登村北折向东南行，翻越大青山山顶伸向大青山南麓，经大兴有村、白彦山村、魏家窑村、崞县窑子村，至冯家窑村南伸入呼和浩特市新城区毫沁营镇境内。自什尔登村南至大青山山顶之间，每间隔 0.5—1 公里有一座烽燧址。沿线见有 4 座障址，分别为胡岱窑障址、什尔登口子障址、庙沟乡土城子障址和纳令沟乡古城湾障址，其中除古城湾障址内散布陶片不多外，其余障址内地表散布遗物均甚丰富。

呼和浩特市新城区地段的蒙恬所筑长城遗迹，自武川县冯家窑村进入新城区毫沁营镇境内，沿大青山南坡的山脊向东南方向延伸，经马场、羊场至坡根底村附近终止。这段长城墙体用石块垒砌，底部宽3.5米，残高2—2.5米，其中在坡根底村北山上有一小段保存较好，高约5米，傲然屹立，颇为壮观。

三、秦直道

蒙恬在修筑北方长城之后，为了方便秦始皇巡视，自公元前212年开始又修筑了一条连接秦始皇长城与秦朝统治中心内史地区的直道，"自九原抵甘泉，堑山堙谷，千八百里"[1]，"道广五十步，三丈而树，厚筑其外，隐以金椎，树以青松"[2]。蒙恬修筑直道，应当是利用此前修筑长城的人力，自北向南而筑，起点九原郡郡治为今包头市九原区麻池古城北城，终点甘泉县县治在今陕西淳化县西北。

直道在今内蒙古境内所见遗迹，北起达拉特旗吴四圪堵村东北，南抵伊金霍洛旗掌岗图四队，在全长约100公里的距离内，基本上是沿着东经190°的方向延伸，整体上略有不超过5°的左右来回摆幅，但绝对没有弯道。向南进入毛乌素沙漠以后，道路遗迹目前尚难以确认，推测是经伊金霍洛旗台格苏木、乌审旗呼吉尔图苏木，进入陕西榆林市小壕兔乡地界。在直道修筑过程中，为了减少坡度起伏，对途径丘陵地带的脊部，都进行了不同程度的开凿，远远望去，形成南北直通的一线豁口，豁口的宽度在30—50米之间。在两个丘陵之间的低洼地带，路基都作了不同程度的填垫。路基垫土多就地取材，将开凿豁口所得红黏土及砂岩的混合物移至丘陵两侧的低凹处，不足者加添从附近河床运来的砂石，虽未发现夯筑痕迹，至今仍十分坚硬。路基

---

① 《史记》卷88《蒙恬列传》。
② 《汉书》卷51《贾邹枚路传》。

底部最宽处达 60 米，顶部宽 30—40 米，残存厚度不等，最厚者达 6 米左右①。

在直道的东侧，由北向南见有三座古城，依次为城梁古城、大顺壕古城和苗齐圪尖古城。城梁古城规模最大，位于鄂尔多斯市东胜区柴登乡城梁村南 500 米处的丘陵顶部，是附近地区的制高点。古城平面呈方形，边长约 480 米，地表散布遗物丰富，早年曾出土过大量成捆的箭杆等遗物，箭杆杆身已朽，只存铜镞。1998 年对城址内的一个高台建筑进行了发掘，并清理了局部直道路面。高台建筑为一座陶窑址，窑内残留大量的秦代回纹砖和板瓦、筒瓦等，筒瓦当面纹饰中心为菱形网纹、四周为羊角形云纹及其变体蘑菇形云纹。清理的直道遗迹仅残存宽度 16 米，路面垫土为红黏土掺砂石，厚 2 米左右②。这三座古城应该是与直道有密切关联的城障、行宫类遗址。

秦直道是秦朝连接关中平原与河套地区的交通要道，也是当时由秦朝统治中心内史地区到九原边郡一带最为捷近的道路，在兵源补给、物资运用和信息传达等方面，都对于加强北边防务发挥了重要的作用。此外，由蒙恬所筑长城的分布地段可见，其主要作用是防御北边的匈奴，而对于来自北上黄河以西的湟中羌、月氏等的威胁，显然不是草率的乌海市地段秦始皇长城所能够抵御的。从秦直道沿线发现的带有军事防御性质的城址来看，直道还担负着对月氏、众羌势力的阻遏作用。因此，直道不仅是秦国交通要道，还应该是秦西北边防体系的重要组成部分，是秦万里长城不可或缺的一部分③。

四、汉长城

匈奴冒顿单于利用中原秦末战乱之机，占取了河南地，与新建立的西汉王朝接壤为战国秦昭王长城。汉高祖称帝后的次年（前 201 年），曾下令"缮治河上塞"④，应该是修治以前的秦昭王长城，准备抗击匈奴。但紧接着

---

① 杨泽蒙：《世界古代高速公路之首——秦直道》，《内蒙古文物考古》2005 年第 2 期。
② 内蒙古自治区文物考古研究所、鄂尔多斯市东胜区文物管理所：《东胜城梁段秦直道遗址发掘简报》，《内蒙古文物考古文集》第 3 辑，第 144—152 页。
③ 贾以肯：《蒙恬所筑长城位置考》，《中国史研究》2006 年第 1 期。
④ 《史记》卷 8《高祖本纪》。

发生了"白登之围"的耻辱，使汉王朝认识到汉、匈双方之间实力对比的悬殊，此后武帝之前的历代皇帝都对匈奴采取和亲等政策，北部防线内移。汉武帝即位后，对匈奴的军事战略开始由守势转为攻势。元朔二年（前127年），大将卫青出兵一举夺回河南地，建置朔方郡，修缮加固蒙恬所筑长城及其以东的秦始皇长城为防线，同时主动放弃了上谷郡造阳地方，在造阳以东另修了一条新的长城。这道长城一般被称作汉长城，有人为了区别于其他的汉长城，也称之为汉武帝长城。

今内蒙古及河北境内的汉长城遗迹，以河北沽源县东南角的骆驼嵯（古造阳地方）为界，以西至狼山石兰计山口部分大致沿用了秦始皇长城及蒙恬所筑长城，于沿线增筑了一系列障塞。在南、北交通要隘的山梁上加筑列燧，间距在500米以内；在非交通要道的山梁上加筑有少量烽燧，间距1—5公里。狼山石兰计山口以西，在山谷口兴筑烽燧、城障和当路塞，以护卫朔方郡，并未再筑墙体。骆驼嵯以东部分，汉长城与秦始皇长城分道扬镳，折向南行，东南经丰宁、隆化、承德，进入赤峰市宁城县，东北行经喀喇沁旗，再伸入辽宁建平县境内。在宁城县西北部还分出一条支线，先向西北行，再折向东北与主线相合，长约15公里。赤峰市境内的汉长城遗迹，墙体大多用土夯筑，沿线分布有障址和大量的烽燧址。从建平县往东，汉长城主要以列燧的形式存在，在辽宁抚顺市境内沿浑河南岸及浑河支流苏子河沿岸发现了大量的烽燧址，东西绵延分布长达150多公里，一直延伸到新宾东部的旺清门镇[①]。据《史记·朝鲜列传》记载："汉兴，为其远难守，复修辽东故塞，至浿水（今大同江）为界，属燕。"这道列燧可能在部分地段沿用了以前的燕北长城遗迹，加强了防御体系。

宁城县地段的汉长城遗迹，西自河北省承德市三道沟门乡史家营子村附近进入黑里河镇大松树沟西山，沿黑里河北面山梁向东伸延，经大营子村北、打鹿沟门、松树梁、平顶山、金銮殿山、白石头村，至头道营子镇所在地小孤山折向东北行，经黑城村北后山王子坟，至甸子镇土圪塔山折向北行，沿八里罕河西侧的七老图山山麓地带北上，在八里罕镇北翻越山梁，进入坤都伦河流域的山地，经存金沟、三座店、大城子、小城子等乡镇境，沿

---

① 萧景全：《辽东地区燕秦汉长城障塞的考古学考察研究》，《北方文物》2000年第3期。

坤都伦河西岸向东北方向伸延，至小城子镇五家村马牛草沟伸入喀喇沁旗境内。长城行至三座店乡敖汉营子村北，有支线分出向西北行，再又折向东北行，至小城子村北与主线相合，长约 15 公里。墙体大都是夯筑土墙，局部见有土石混筑者，残墙底部宽约 3 米，残高 0.5—1.5 米，部分地段的墙外侧见有宽约 3 米、深约 1 米的壕沟。沿线见有 2 座障址：黑城障址，位于甸子乡黑城村北侧的高山顶上，平面呈不规则长方形，南北长 60 米，东西宽 40 米，门址不清；塔其营子障址，位于八里罕镇塔其营子村西北 500 米的山坡上，平面呈长方形，东西长 170 米，南北宽 160 米，门址不清。沿线见有列燧，分布于长城内侧，多距离墙体在 8—10 米之间，最远不超过 30 米，共有 61 座烽燧址，保存较好者 29 座，间距 1—5 公里，保存最好烽燧址高 5 米左右，燧旁多有遗物散布。

喀喇沁旗地段的汉长城遗迹，西南自宁城县小城子镇进入西桥乡二道营子村前，东北行经大石山、新丘村北、水泉村北、小柳官沟，再东北行经乃林镇大架子山、昌盛远乡新房身村西、福胜村、甸子村南，至他卜白音村跨越老哈河伸入建平县境内。墙体为土筑，底部宽 6—7 米，残高 0.5—1 米，外侧挖有壕沟，宽 6—10 米。沿线见有 3 座障址：七家障址，位于西桥乡七家村南、坤兑河北岸，平面呈方形，边长 170 米，南、北墙开门；北城子障址，位于西桥乡牤牛营子村东敖包山上，平面依山势呈圆形，直径 60 米，南侧开门；北山根障址，位于乃林镇北山根村西 1 公里处的高地上，分东、西两城，东城平面呈长方形，长约 130 米，宽 80 米，东、西、北三面为直墙，南墙呈半弧形，西城东西长 120 米，南北宽 80 米，西墙弧形，西北角有一门址。沿线分布有烽燧址 16 座，其中保存较好者 10 座。

赤峰市地段汉长城遗迹的走向，基本上是沿河流的两岸。在宁城县境内主要是沿着老哈河上游的支流黑里河，向东至黑城子则是沿坤兑河两岸延伸。过了老哈河以后，在建平县境内因无河流，就修筑在山谷和平川地上，很少利用高山，在必须通过高山地段时，则是利用山顶或半山腰的山包砌筑烽燧,烽燧址遥遥相望,连成一线,可以说是一条以烽燧为主体连接起来的防御工事①。

---

① 李庆发、张克举:《辽宁西部汉代长城调查报告》,《北方文物》1987 年第 2 期。

五、汉外长城北线

汉武帝太初三年（前102年），派光禄卿徐自为筑五原塞外列城，西北至于庐朐（今蒙古国翁金河流域）。这年秋天，匈奴大举南侵，对五原塞外列城大加破坏，汉朝不得不在这条长城的南面再筑一条新长城，它的西端不再是庐朐，而是与居延边塞相接。这两道长城，即通称之汉外长城的北线和南线，南、北之间相距2.5—50公里，大部分为土筑墙体。

汉外长城北线，因由光禄卿徐自为所筑，又被称作光禄塞。其东南端起点在今武川县哈拉哈少乡后石背图村后的大山顶上，属于汉五原郡的北境，向西北横贯阴山北面的草原地带，经达尔罕茂明安联合旗、乌拉特中旗，至乌拉特后旗西北部深入蒙古国境内，止于翁金河流域一带。内蒙古境内的遗迹全长约527公里，墙体大部分地段为夯筑土墙，个别地段有用石块垒砌的，普遍底部宽3—6米，残高0.5—3米。沿线见有4座障址，武川县境内有少量烽燧址。

武川县地段的汉外长城北线遗迹，在东南端起点哈拉合少乡后石背图村后大山顶的北坡下，为西乌兰不浪镇阿路康卜村，自阿路康卜村北起，长城向西北方向伸延，经乌日塔、庆和昌、三合民、火烧羊圈、二份子村东、三份子村西，伸入达尔罕茂明安联合旗境内。自阿路康卜村至二份子村东之间的长城，金代改筑为界壕，汉代长城墙体为夯土，而金界壕则只是在其上覆土未夯，现今许多地段可见高达3米的墙，一般均高1.5—2米，墙的外侧加筑有望台。界壕附近地势较高的山坡上，分布有一系列汉代烽燧址。

达尔罕茂明安联合旗地段的汉外长城北线遗迹，自武川县二份子村与三份村之间向北进入乌克忽洞乡境内，北行经上苏吉村、东滩村、种养场下房子、农牧队、百灵庙河东、后河进入巴音敖包苏木巴音花嘎查，再经红旗牧场的乌兰宝力格嘎查、圐圙苏木浩特乌素、巴音敖包嘎查进入乌拉特中旗境内。这段长城现在只是一条断断续续的土垄，个别地段遗迹很不明显，只能依靠草的长势来判断其走向，最明显处底部宽8米左右，残存高度为0.25—1米。沿线见有3座障址，位于长城内侧，与长城相距均在3公里左右。宝力罕嘎拉丹山障址，位于百灵庙镇西南约2公里西口子宝力罕嘎拉丹山的山顶上，墙体用石块错缝垒砌而成，平面呈不规则三角形，东墙长60

米，西北墙、西南墙均长 75 米，西南墙开门；苏木图障址，位于红旗牧场乌兰宝力格嘎查苏木图东北 2 公里的山顶上，平面呈不规则四边形，东墙长 35 米，南墙长 45 米，西墙长 40 米，北墙长 55 米，门址不清；圈圙苏木障址，位于红旗牧场巴音敖包嘎查圈圙苏木，平面呈方形，边长 200 米，四角有角楼，城墙外侧 40 米有护城河，门址不清。

乌拉特中旗地段的汉外长城北线遗迹，在乌拉特中旗北部东西横贯，东起自桑根达来苏木阿布尔日拉音哈雅，西行经巴音苏木中断；再现在乌兰苏木努呼日勒，向西伸延至巴音杭盖苏木温都尔胡硕东南中断；再现在巴音查干东北，西行至额和音查干西北方伸入乌拉特后旗境内。沿线在巴音苏木台郭勒嘎查西北方见有 1 座障址，平面呈长方形，东西长 160 米，南北宽 90 米，东墙开门，外加筑瓮城；障外筑有坞墙，距障约 20 米，东西长 390 米，南北宽 376 米。

乌拉特后旗地段的汉外长城北线遗迹，自巴音前达门苏木巴音查干东北进入，折向西南方向延伸约 10 公里中断；再在格日勒图苏木境内存有 15 公里的一段，向西南伸延经宝音图苏木道劳呼都格，再西南行至乌力吉苏木苏亥北面中断；再在苏亥西北方出现，折向西北行经乌日特、呼仁陶勒盖等地伸入蒙古国境内。

六、汉外长城南线

与汉外长城北线同年构筑的南线，东南端起点在武川县西乌兰不浪镇陶勒盖村北的马鞍山山顶上，向西北横贯阴山北面的草原地带，经达尔罕茂明安联合旗、乌拉特中旗，至乌拉特后旗西北部深入蒙古国境内，再西行与居延边塞相接。内蒙古境内全长约 498 公里。墙体兴筑方法因地制宜，在武川县起点一带多为砂土混筑，保存较好；在固阳县和达尔罕茂明安联合旗农业地区多为土筑，保存较差；在乌拉特中旗和乌拉特后旗草原地带多为土筑，个别地段用石块垒砌，到戈壁滩上则全部用石块垒砌。现存墙体普遍底部宽 3—4 米，残高 0.5—3 米。南线与北线相距最近点在乌拉特后旗宝音图苏木之西，间距仅约 2.5 公里。沿线见有部分障址及烽燧址。

武川县地段的汉外长城南线遗迹，自西乌兰不浪镇马鞍山顶的较平缓处向北延伸，经西二道边村西山梁，折向西北下大山进入丘陵山区，西北行经西红山子乡老银哈达村、土城子村，至杨树功村南伸入固阳县境内。

固阳县地段的汉外长城南线遗迹，自大庙乡石兰哈达村北向西北延伸，经圪臭脑包、卜塔亥乡瞭将台等地，在边墙壕村北伸入达尔罕茂明安联合旗境内。

达尔罕茂明安联合旗地段的汉外长城南线遗迹，自乌兰胡洞乡南部向西北延伸，行经西河乡营路村、新宝力格苏木艾不盖、乌兰呼都格、敖包努阿日，在巴音珠日和苏木和日木伸入乌拉特中旗境内。沿线见有 2 座大的障址：库仑村障址，位于新宝力格苏木莎如拉嘎查库仑村南约 500 米，平面呈长方形，长 140 米，宽 128 米，南墙、西墙开门；白生村障址，位于巴音珠日和苏木巴音杭盖嘎查白生村，北距长城 15 米，平面呈方形，边长 140 米，四角设角楼，门址不清。另有 17 座边长在 20 米以下的小障址。

乌拉特中旗地段的汉外长城南线遗迹，在乌拉特中旗中部东西横贯，东自新呼热苏木毛仁楚鲁向西北伸延，至哈日阿图西面中断；再在乌兰苏木呼和额日格北出现，向西经川井苏木所在地、巴音杭盖苏木乌兰岗嘎伸入乌拉特后旗境内。沿线见有 4 座障址：乌兰障址，位于乌兰苏木苏木政府驻地东南 4 公里，平面呈方形，边长 88 米，南墙开门，外加筑瓮城；乌兰西障址，位于乌兰苏木苏木政府驻地西 11 公里，平面呈方形，边长 135 米，四角有角楼，东墙开门，外加筑瓮城；沃博尔忽热障址，位于川井苏木苏木政府驻地西 22 公里，平面呈方形，边长 135 米，南墙开门，外加筑瓮城；阿日忽热障址，位于川井苏木苏木政府驻地西 50 公里，平面呈方形，边长 130 米，四角有角楼，南墙开门，外加筑瓮城。

乌拉特后旗地段的汉外长城南线遗迹，在乌拉特后旗北部东西横贯，东自巴音前达门苏木南部进入，西行经和热木音呼都格、查干德日新，在格日勒图苏木哈昂折向西南，经宝音图苏木所在地南，再西行经沙巴尔图、乌兰呼热、乌力吉苏木苏木，至苏根乌素之北折向西北行，经楚鲁呼热、海力素，在查干滚乃呼都格之北伸入蒙古国境内。沿线见有 7 座障址：红旗障址，位于宝音图苏木红旗水库西北 1 公里，平面略呈方形，东西长 110 米，南北宽 108 米，东墙开门；哈日乌苏障址，位于宝音图苏木哈日乌苏嘎查西南 3 公里，平面呈长方形，东西长约 150 米，南北宽约 100 米，东墙开门；乌力吉高勒障址，位于乌力吉苏木苏木政府驻地东北 5 公里，平面略呈方形，东西长130米，南北宽128米，四角有角楼，东墙开门；巴音库伦障址，位于乌力吉苏木巴音努如西，平面呈方形，边长150米，四角有角楼，南墙开门；乌兰库伦障址，位于乌力吉苏木青库伦东南约10公里，平面呈长方形，东西长134米，南北宽128.5米，四角有角楼，东墙开门，外加筑瓮城；朝鲁库伦障址，位于乌力吉苏木苏木政府驻地西北约50公里，平面略呈方形，南北长126.8米，东西宽124.6米，四角有角楼，东墙开门，外加筑瓮城；青库伦障址，位于乌力吉苏木朝鲁库伦东约10公里，平面呈方形，边长130米，四角有角楼，东墙开门。

以上障址大都分为夯土筑墙，唯有巴音库伦和朝鲁库伦两处障址的墙体系用石块垒砌，而以朝鲁库伦障址保存较好。朝鲁库伦障址的东门两侧、四隅、南墙及西墙中部都砌有阶梯形蹬道，宽1.1米；障内有房屋基址9处；1976年发掘出土大量的板瓦、筒瓦和"千秋万岁"文字瓦当，陶器残片、铜镞、铁制盾鼻、铁釜、铁钁镢残片和砺石等工具和武器，军事性非常显著①。长城沿线还分布有一些烽燧址，多位于长城南面的小山或高地上，间距5—10公里不等。

七、居延边塞

汉武帝太初三年，在修筑汉外长城北线的同时，派强弩都尉路博德还在居延泽附近兴筑了张掖郡北面的外长城，通称居延塞或居延边塞。居延边塞主要是沿着弱水（今额济纳河）延伸，东端与汉外长城南线西端相接，即自额济纳旗东北部向西行，再折向西南行至居延泽西南方时，与自居延泽东南向西南方延伸的支线汇合，再沿弱水向西南延伸，进入甘肃金塔县境内，全长约250公里。其中只在中间地段有墙体和烽燧，长约100公里，其余地段均为列燧。塞墙受风沙侵蚀，保存普遍较差，只有部分地段在地面上可见低矮的残存遗迹。居延区域内共有城、障、亭、塞址10余座，烽燧址130余处。

今额济纳旗境内所存的塞墙遗迹，主要有以下数段。从敦达河与敖包河

---

① 盖山林、陆思贤：《潮格旗朝鲁库伦汉代石城及其附近的长城》，《中国长城遗迹调查报告集》，文物出版社1981年版，第28—29页。

交汇处的 T3 烽燧到布敦博日格西南的 T21 烽燧，长约 40 公里，存有一段塞墙。界于纳林河东岸和伊肯河西岸之间的砾石滩上有一条较整齐而密集的列燧，共有 26 个烽燧、1 个障址，此列燧的西侧保存有塞墙的痕迹，现在可见的是两道很矮的砾石堆砌而成的塞墙基址，有的地段保存较好；T14 附近的一段塞墙宽约 3 米，高出砾石地面 10 厘米左右，墙体双重，内外都有宽 5—5.5 米的浅壕。殄北塞的 A10、A11 和 T28 三个烽燧之间存有塞墙的残迹。卅井塞塞墙遗迹，从古居延泽南端的博罗松治 P9 烽燧，沿着卅井塞向西南而上至布肯托尼的 A22 烽燧，长约 60 公里，这一线有几处尚可辨认的塞墙痕迹；T136 至 T141 之间的一段塞墙，遗迹明显，经过 9 个烽燧，消失于 T141 与 A21 之间近河岸处。

通过对一些居延边塞遗址的考古调查发掘以及对其出土汉简资料的研究，大体可以复原当时边塞防御系统的组织结构体系。边塞候望系统的职能是明烽火、谨候望、备盗贼，以确保沿边的安全和军情的传递。弱水沿线设有两个都尉府，北面为居延都尉府（K688），南面为肩水都尉府（大湾），都尉为边塞最高军事长官，其下属官有丞、千人、司马、卒史、掾、城尉等。都尉府的下属机构为候官，居延都尉府有殄北（宗间阿玛）、甲渠（破城子）和卅井（博罗松治）三个候官，肩水都尉府也有广地（查科尔帖）、橐他（小方城）和肩水（地湾）三个候官。候官是边塞防御系统的基本组织，级别相当于县，具体负责某一区域的防御。以甲渠候官为例，它具体负责居延都尉府的西部防卫，北接殄北候官，南连卅井候官，南北全长约 40 公里。候官之长称候，其属官有丞、塞尉、士吏、令史、尉史等。候官下辖部，部没有单独驻地，多设在燧中，如甲渠候官第四部即设在第四燧，部吏主要是候长和候史，二人多分别住在部之两端，个别也有同处一燧的情况。部下辖燧，一般由 6—9 个燧组成一部，燧是边塞防御系统最基层的组织机构，也是边塞最小的单位。燧设燧长 1 人，戍卒 2—3 人。燧与燧之间的距离，视地势而定，远近略有出入，如甲渠塞烽燧多在 1 000—1 300 米之间。燧长率领戍卒，负责日常候望、日迹、传送烽火、缮修器物和设施、运粮、伐茭与运茭等杂事。甲渠、肩水是比较重要的两个候官，甲渠候官约辖 11 部、74—80 燧，全额吏员有 180 多人。

"天田"是居延边塞中一项重要的附设工程，又称"塞天田"，主要用于侦迹，为之形成了一套完整的日迹制度①。具体方法是，多于长城外侧和关口，将地表土锄画松软，或者在较为平坦的地面上铺设细沙或细土，形成一个带状区域。人或动物在上面行走，必然会留下足迹，即汉简中所谓"日迹"。戍卒若发现痕迹，首先须判别是人还是其他动物，若属于有敌人偷越边塞，则要迅速上报，以便判断敌情并及时采取御敌措施。与天田相关的御敌设施还有"虎落"、"悬索"、"枪柱"和"水门"等。虎落是指修建在险关要塞、营寨周围、长城外侧的竹木尖桩、柳枝篱笆或竹木栅栏等。悬索简单说就是绳索，在挖壕不能、修塞不易的流沙地段，拉一道绳索作为边塞的标志，以备戍卒巡塞之用；枪柱即支撑绳索的柱子。水门是长城跨越河道的特殊建筑的一部分，为了防止敌人从河道中穿越边塞，往往在土筑长城为河道所隔断处用木料修建栅栏式长城，然后在栅栏上留一水门，以便戍卒往返长城内外时通过。这种在河道中有水门的栅栏长城，既不能被流量不大的河水所冲毁，又能起到很好的御敌作用，构成了汉代居延边塞中一种特殊的长城景观。

八、阿拉善盟境内的其他汉代长城

在阿拉善盟的东部、中部和南部的阿拉善左旗和阿拉善右旗境内，还发现有数道汉代长城和列燧遗迹。

阿拉善左旗亚玛雷克沙漠南缘的山地上，沿山势延伸有数列烽燧线，相互呼应，目前发现的有敖伦布拉格烽燧线、图克木烽燧线、布尔日罕乌拉烽燧线、洪格尔玉林烽燧线、吉兰太烽燧线和巴彦洪格日烽燧线等。这些烽燧线上的烽燧址沿山形布列，分布于不同的山间地带，平地上较少。烽燧址石块砌筑者占绝大多数，土质构造仅见个别例，底部呈方形或长方形，边长在8—20 米之间，现残存高度最高者 8 米，大多在 3—5 米之间。因山体走向在烽燧址的东侧多建有与之相连的小障，部分在障外还建有小的院落。敖伦布拉格烽燧线和巴彦洪格日烽燧线上各发现石砌障址 1 座，后者规模较大，位于巴彦洪格日苏木西 23 公里，平面呈长方形，东西长 120 米，南北宽 122

---

① 侯丕勋：《"天田"义源及具体制度——简牍研究的一点初步想法》，《西北师范大学学报》1996 年第 1 期。

米，东、西墙各开一门，城内布局清晰可见，城外四个不同的方位设有烽燧。亚玛雷克沙漠南缘列燧，东、西分别与汉长城狼山石兰计山口以西列燧、阿拉善右旗东半部笋布日苏木笋布尔山列燧相望，有可能是汉长城在石兰计山口以西列燧的一部分，也有人认为是汉外长城南线以南的一条东、西向通信设施。

阿拉善左旗东南部及南部地区嘉尔格勒赛汉镇、腾格里额里斯苏木、温都尔勒图镇等苏木乡镇一线，并列分布有两道大致呈东北—西南走向的汉长城，一道为夯土筑就，一道为石块垒砌，沿线还见有一些烽燧、城障等建筑。这两道长城的具体修筑年代、首尾走向及相互之间的关系等问题，尚有待探究。

阿拉善右旗东半部有一道列燧，南起自巴丹吉林沙漠东南边缘雅布赖山，在山南坡中段的塔兴敖包开始向东北方向排列，经孟根布拉格苏木西北部、阿拉腾敖包苏木西部，再折向西北至塔木素格布拉格镇乌兰超恩吉中断，长约350公里，共见有54座烽燧址。自乌兰超恩吉以北为巴丹吉林沙漠，约有50公里地段为流沙，未见烽燧址。下一段烽燧址于阿拉善右旗东北部的笋布日苏木笋布尔山始见，向西北经塔布素布拉格镇北部，再西北伸入额济纳旗温图高勒苏木北部，与居延边塞的库伦川井遥遥相接，长约100公里，共见有10座烽燧址。这些烽燧址兴筑在沿线山坡顶部，间距3—10公里不等，多为石块垒砌，少数用土夯筑。这一列燧的南端起自汉武威郡之北境，北端与居延边塞的东北端相接，应属于武威郡郡治姑臧（今甘肃武威市）至居延边塞之间的通信设施。

阿拉善右旗南部额日布盖苏木龙首山风水岭汉代长城，东由甘肃金昌市进入，由东向西延伸，贯穿于龙首山风水岭各个山顶，大致经乌兰塔塔拉嘎查、敖伦布拉格嘎查、沙布尔日台嘎查，在苏布尔日格嘎查阿拉腾嘎德斯山顶部进入甘肃山丹县境内，在阿拉善右旗境内长达百余公里。长城墙体系由当中开挖壕沟、两侧堆土而形成，总宽度约16米，内壕宽约4米、深约1米，两侧墙体残高0.4—0.8米不等。在地势平坦之处平行存在三条同样的壕沟。沿线山顶上修筑有烽燧址，如夏勒邦特尔、伊尔盖图、萨力克图和浑格乃等山峰顶部的石砌烽燧址，至今仍保存十分完好。

阿拉善右旗西部列燧，东南自甘肃永昌县进入额日布盖苏木西南查呼太，向西北行经龙首山、桃呼拉山、狼娃山、脑公布勒格，至努日盖苏木喇伯敦向北伸入额济纳旗古日乃苏木境内，全长约 200 公里。沿线共有 25 座烽燧址，间距 2.5—10 公里，筑在山顶或高地上，结构有石块垒砌和砂土夯筑两种。这道列燧从巴丹吉林沙漠的西面穿过，与从巴丹吉林沙漠东面穿过的阿拉善右旗东半部列燧东西并列，应是汉张掖郡通往居延边塞的通信设施，龙首山之南即为张掖郡郡治觻得（今甘肃张掖市）。

汉武帝元狩二年（前 121 年），骠骑将军霍去病率兵两出河西，击溃匈奴浑邪王和休屠王部众。同年秋，浑邪王率部降汉，河西一带遂全为汉朝所据。匈奴人"失我胭脂山，使我妇女无颜色；失我祁连山，使我六畜不蕃息"的哀叹既由此而来。为了巩固河西走廊的安全，汉武帝修筑了由令居（今甘肃省永登县）至酒泉的长城。关于这次修长城，《汉书·张骞传》记载："而汉始筑令居以西，初置酒泉郡，以通西北国。"这是汉武帝第二次较大规模地修筑长城。阿拉善右旗南部额日布盖苏木龙首山风水岭汉代长城应即是这次所修筑的令居至酒泉长城的中间地段部分。

此后，汉武帝元鼎六年（前 111 年）至元封元年（前 110 年）间修筑了由酒泉西至玉门段的长城，太初元年（前 104 年）至太初四年间修筑了由玉门至盐泽（今新疆罗布泊）段的长城，彻底打通了河西走廊，并沿路筑起烽燧亭障，以保障这条被称为"丝绸之路"的东西方交通大道的畅通无阻。阿拉善右旗巴丹吉林沙漠东、西两道列燧，应是在汉武帝太初三年始筑居延边塞之后，为了沟通居延边塞与河西走廊一带的联系而陆续修建的，阿拉善左旗亚玛雷克沙漠南缘列燧也大体当建于这一时期。

九、秦汉长城的特点

秦汉长城的修筑方法是因地制宜，巧妙地利用了穿越地带的不同地形条件，山上用石垒，平地以土夯，在陡峭的崖壁处，又常常利用崖壁山险，稍加修筑即成。正如西汉元帝时郎中侯应所言，长城"非皆以土垣也，或因山岩石，木柴僵落，溪谷水门，稍稍平之"[1]。

与战国长城相比，秦汉长城的最显著变化是建立起了墙体与亭燧、城

---

① 《汉书》卷 94《匈奴传》。

障、道路、后方补给系统等相结合的较为完备的防御系统。以内蒙古西北部的秦汉长城为例①，沿长城内外，凡重要的关口和适于瞭望的地方，都设置了烽燧和城障，作为警讯和驻军之用。烽燧一般由石块垒成，个别四周有围墙，多设在视野宽广的山巅，与长城的距离不等，有的很近，有的远隔数峰。障城位于长城以南，以夯筑土墙围就，是长城守军的驻扎营所。还有一种很小的石城，坐落在长城外面的山头上，往往是周围一带的制高点，是长城守军的前沿哨所，汉代称作"斥候"。另据汉简资料，汉代西北长城的后勤系统有仓、库、阁三种机构，仓是储备管理粮秣的机构，库是存放钱物和军械的机构，而阁是供戍卒暂存物什给养的所在。秦始皇所修建的自九原抵甘泉的直道，北接河套—阴山山脉地区长城，南与秦昭王长城相连，不仅是联系秦关中京畿地区与西北边疆防务的交通命脉，还是秦始皇长城西北段的重要组成部分，是防御匈奴、月氏和众羌等部落的一条防线。

总的来看，秦汉长城防御体系以长城为中心，由长城外成片的森林、深浅不一的壕沟、一排排的木栅、堠望亭障、列城、烽燧及长城内的亭障、烽燧及道路、屯垦区等组成，集农、军于一体，具有传递军事情报、抗击、固守、屯垦等多项功能②。

第三节　北魏长城

为了抵御柔然等周边民族的进犯，北魏王朝曾三次在北方边境修筑长城，分别为泰常八年（423 年）长城、太平真君七年（446 年）畿上塞围和太和（477—499 年）长堑。

一、泰常八年长城

《魏书·太宗纪》记载：明元帝拓跋嗣泰常八年（423 年）"二月戊辰，

---

① 唐晓峰：《内蒙古西北部秦汉长城调查记》，《文物》1977 年第 5 期。
② 张荣芳、王川：《西汉长城的修缮及其意义》，《长城国际学术研讨会论文集》，吉林人民出版社 1995 年版，第 105—115 页。

筑长城于长川之南，起自赤城，西至五原，延袤二千余里，备置戍卫"。另《魏书·天象志》亦载：泰常"八年春，筑长城，距五原二千余里，置守卒，以备蠕蠕"。

这是北魏王朝第一次修筑长城，主要是将赤城至五原间的秦汉长城加以修葺而成。东起自河北省赤城县独石口北的大山上，西行经崇礼与沽源之间的山岭，再经张北县南、尚义县南、怀安县西北角进入内蒙古；再经兴和县、丰镇市、察右前旗、卓资县、察右中旗、呼和浩特市新城区和回民区、武川县、固阳县等地，即从大马群山经蛮汉山东北，再经灰腾梁西南麓，西经大青山南麓而穿越大青山至其北麓，再向西进入查石太山地区。查石太山以南地带为汉代五原郡北部边境，泰常八年长城西端五原，并非指五原郡郡治所在地，而是指五原郡辖区。

二、太平真君七年畿上塞围

《魏书·世祖纪》记载：拓跋焘太平真君七年（446年）"六月丙戌，发司、幽、定、冀四州十万人筑畿上塞围，起上谷，西至于河，广袤皆千里"。九年二月，"罢塞围作"。共耗时一年零九个月。

"畿上塞围"是从东、北、西三面围绕北魏京师平城所筑的军事防御工程，起点上谷在当时上谷郡治的居庸县（今北京市延庆县）附近，终点"河"即指黄河。其从东向西的走向为，起上谷居庸关，向西经燕州广宁郡（今河北涿鹿），沿于延水支流（今河北宣化县南洋河），再向西北经大宁郡（今河北怀安县），北至参合陂（今凉城县岱海），绕京畿北部，向西北紧围盛乐旧京（今和林格尔县土城子古城），再折向黄河河套东侧，沿黄河向南，至离石镇（今山西离石县）。其长度从东到西、从南向北各约900华里，与《魏书》中所记载的"广袤皆千里"相符合①。目前内蒙古境内尚难以确定这段长城的遗迹。

畿上塞围这一庞大工程，除其东西走向是用来抵御柔然外，其南北走向主要针对当时关中发生的以卢水胡盖吴为首包括氐、羌、屠各、蜀、汉各族在内的数十万人民大起义，并隔断河西地区敕勒、稽胡等与关中的联系。

---

① 朱大渭：《北朝历代建置长城及其军事战略地位》，《中国史研究》2006年第2期。

三、太和长堑

《魏书·高闾传》记有孝文帝太和八年（484年）高闾上表奏请于六镇之北兴筑长城之事，称："今宜依故于六镇之北筑长城，以御北虏，……计六镇东西不过千里，若一夫一月之功，当三步之地，三百人三里，三千人三十里，三万人三百里，则千里之地，强弱相兼，计十万人一月必就，运粮一月不足为多。人怀永逸，劳而无怨。"孝文帝"览表，具卿安边之策"，但未明确当年是否即修筑了长城。另据《水经注》卷十四"鲍邱水"条云："大榆河又东南出峡，迳安州旧渔阳郡之滑盐县南，左合县之北溪水。水出县北广长堑南，太和中，掘此以防北狄。其水南流经滑盐县故城东，王莽更名匡德也。汉明帝改曰盐田。右承治，世谓之斛盐城，西北去御夷镇二百里，南注鲍邱水。"由此可知，北魏太和年间确曾第三次兴筑长城，称作"长堑"，反映了当初修筑时工程较为简易，因此今天在很多地方保存下来的只是突出地面不足1米的土垅。经调查，太和长堑由西至东可划分为西、中、东三段。

西端起始点在今武川县西乌兰不浪镇水泉村北的小山梁上，北行经花牛卜子村东，再北行伸入达尔罕茂明安联合旗石宝镇境内，长约10公里。再自石宝镇所在地东北行，经大苏吉乡、小文公乡，至东五福堂村东伸入四子王旗境内，长约55公里。再自四子王旗吉生太乡大沟里村向东偏北方向伸延，经席边河村南、巨巾号乡小南坡村、查干补力格苏木南境、乌兰牧场，折向偏南方向伸延，经巨巾号乡大清河村，至高腰海村东伸入察右中旗境内，长约100公里。再自察右中旗库伦苏木高腰海村西北方起，向东偏南方向伸延，经格少村、新建村，至乌素图镇大北村南伸入察右后旗境内，长约25公里。再自察右后旗当郎忽洞苏木东胜村北向东伸延，经察汗不浪村、当郎忽洞村、永胜村、乌兰哈达苏木平地脑包村、红格尔图乡韩元店村南，在红格尔图乡乡政府驻地东南伸入商都县境内，长约40公里。再自商都县大砏子乡土城子村西起向东伸延，至大砏子村东折向东偏北方向伸延，经大南坊子乡、屯垦队镇、玻璃忽镜乡，至二吉淖村西河床断崖处中断，长约52公里。以上自武川县至商都县间的西段长城遗迹，总长约282公里，全部用土夯筑，残高0.5—1米，基宽约3米。沿线只是在察右后旗乌兰哈达苏木平地脑包村南发现 1 座障址，位于长城南 20 米处的高阜之上，土筑墙体，平面略呈方形，东西长 47 米，南北宽 42 米，南墙开门①。

中段为金代加筑沿用，形成金界壕南线中承安年间所建成的 B 段，其形制已不同于西段，墙体残高 1—1.5 米，基宽 3 米左右，墙外侧有明显的壕，墙上加筑有稀疏的望台。该段西起二吉淖村东，大致呈西北至东南走向，至卯都乡折向西行，经化德县、河北康保县，终止于太仆寺旗。

东段起自太仆寺旗与正蓝旗交界处的骆驼山乡，向东穿越闪电河，至正蓝旗黑城子种畜场场部之南折向东南行，经小马场至多伦县十五号村之间地段为河北省沽源县与多伦县的分界线，再自十五号村向东偏南行，经十五号村南，至十六号村东伸入河北丰宁满族自治县境，再自丰宁满族自治县山嘴子乡平安堡村北，折向东行至万盛永乡乌孙吐鲁坝的西麓终止，计全长约 75 公里。现今所见长城遗迹，墙体基宽约 3 米，残高 1—1.5 米，沿线只在平安堡村附近见有一座戍堡址。

四、北魏长城特点与六镇之叛

内蒙古中南部土默川平原及北部屏障大青山自战国时起就成为中原王朝与北方游牧民族政权接触、冲突、交互控制的区域。北魏时期，这里不仅是都城盛乐、金陵、宗庙之所在，也是北境防守之襟要。北魏先后三次修筑的长城，从时代上来看，贯穿了整个 5 世纪。北魏长城的工程普遍较为简易，墙体单薄，沿线障址极少而又不见烽燧址，作为单一的防线，无法长久地阻挡柔然的骚扰和南侵。于是，北魏王朝又在长城之内设置了六镇等众多军镇，构成一条点面结合的有效的长城——军镇防御体系。"六镇"的含义，也从原来单纯地指沃野、怀朔、武川、抚冥、柔玄、怀荒等六个军镇，演变为北方城镇的总称。

北魏长城是我国历史上第一次由北方民族政权所修筑的长城，南附的高车人多被安置于长城、六镇沿线，成为戍边的一支重要力量。六镇的地位很高，镇将多为鲜卑贵族，往往升相位。后来北齐、北周统治集团人物多出于

---

① 内蒙古自治区文物考古研究所、察哈尔右翼后旗文化管理中心：《察哈尔右翼后旗边墙路及其周边遗址的调查》，《内蒙古文物考古文集》第 3 辑，科学出版社 2004 年版，第 352—358 页。

六镇，著名者如北齐建立者高氏出自怀朔镇，北周建立者宇文氏出自武川镇。孝文帝迁都洛阳以后，推行汉化，崇文鄙武，把武人排斥在清途之外，六镇地位逐渐下降，引起了六镇军人的不满。到孝明帝正光年间，又改镇为州，并且将六镇军卒中的强宗子弟等为府户，矛盾激化，引发了六镇叛乱。

六镇之叛，本质上是对孝文帝汉化政策的一大反动。北魏统治者联合柔然共同镇压了六镇之叛，北魏与柔然的关系趋于缓和，长城和六镇也失去了往日的作用，逐渐趋于荒废。

第四节　其他长城

秦汉之后、唐之前，见于记载的在北方修筑长城的王朝还有西晋、东魏、北齐、北周、隋和唐等。东魏、北齐和北周的长城位置偏南，不见于今内蒙古境内，西晋和隋的长城皆有部分通过今内蒙古地区，而唐朝则主要发展了边城及烽燧制度。

一、西晋长城

西晋起于三国之末，由于中原战乱，北方民族较之前代更加强盛，但西晋在东北地区、朝鲜半岛大同江流域和汉江流域一带仍然具有稳固的统治，设置郡县进行管理，并修缮了以前的秦始皇长城。

《晋书·唐彬传》记载：西晋武帝太康二年（281 年），鲜卑等北虏侵扰北平，唐彬出任使持节、监幽州诸军事、领护乌丸校尉、右将军，"遂开拓旧境，却地千里。复秦长城塞。自温城洎于碣石，绵亘山谷且三千里，分军屯守，烽堠相望。由是边境获安①"。西晋时北平郡治徐无，其地在今河北省玉田县东境。唐彬"却地千里"后，主要对秦始皇长城骆驼嵽以东地段进行了整修，加筑烽燧，形成了一条烽台、堡障连接三千里的防御工程。其东端碣石，即今朝鲜半岛的龙岗（古碣石）地方，与秦始皇长城的东端是一致的。

---

① 《晋书》卷 42《唐彬传》。

二、隋长城

隋朝虽然寿命短暂，但见于史料记载的修筑长城的次数繁多，文帝时有五次，炀帝时有两次。开皇三年（583 年），突厥内乱，互相攻杀，分裂为东、西两部。东突厥启民可汗受到隋王朝的支持，迁居漠南白道川（今呼和浩特市土默特平原）建立牙帐，与隋朝和平共处。在这种较为安定的边防环境下，隋朝修筑的长城规模都较小，或者仅对前朝长城加以修缮加筑而已，用时往往不超过一月。

隋长城大都修筑在今山西、陕西和甘肃、青海境内。隋炀帝大业三年（607 年）七月，"发丁男百余万筑长城，西距榆林，东至紫河，一旬而罢，死者十五六"①。这道长城西起今托克托县黄河东岸，东至今和林格尔县的浑河沿岸，横跨隋定襄郡，修筑的目的是防御突厥。担任长城修筑总监的阎毗，征发民夫百余万，用十来天时间筑就，可谓是兴师动众的急役，结果"死者十五六"，即一半还多。这道长城应主要分布在今呼和浩特市南的托克托县、和林格尔县境内，但至今尚没有发现地面遗迹，或许由于工程粗疏，早已湮没无形了。

三、唐三受降城防御体系

唐代也曾修筑长城，据《新唐书·地理志》记载："（妫川郡怀戎县）北九十里有长城，开元中张说筑。"这条长城位于今河北省怀来县和宣化县境内，防御的是突厥和奚人。唐朝的主要北边防务设施不在长城，而是大力修筑边城，包括建立完善的烽燧制度。

自唐高祖武德七年（624 年）开始，"遣边州修堡城，警烽候，以备胡"②，胡即指突厥。此后唐王朝为防御突厥和回鹘，在北边修筑边城的活动一直没有中断过。最重要的是张仁愿等人指挥修筑的三受降城（详见隋唐时期的草原城市一节）。

在修筑三受降城的同时，张仁愿又在牛头朝那山（约在今包头市固阳

---

① 《隋书》卷 3《炀帝纪上》。
② 《册府元龟·外臣部·备御三》。

县东）北设置烽堠 1800 所，派大将论弓仁为朔方军前锋游弋使巡视。这些烽燧位于三受降城北面数十公里之遥，构成了三受降城之外的又一道防线。朔方军前锋游弋使率领的军队，是一支灵活机动的骑兵部队，其巡逻范围，远远超出了烽燧线之外，甚至到达阴山山脉以北的乌兰察布高原诺真水（今达茂旗艾不盖河）一带。这种内外多重动态的防御体系，正是三受降城防御体系的显著特点①。

第五节　中国北方长城的形成及其历史意义

中国北方长城是中国境内现存古代长城中最主要的组成部分，它东西大体分布于北纬 40～44 度线范围之间，形成了所谓的"北方长城地带"或"北方长城文化带"。对于中国北方长城的研究，实际上即是对中国历史上中原政权与北方政权之间相互关系的研究。

一、什么是长城

什么是长城？侯仁之先生认为长城首先是中国古代巨大的军事防御设施，并从军事工程体系的角度给长城下了一个较为全面的定义，即"长城是针对相对固定的作战对象，按照统一的战略，以人工筑城方式加强与改造既定战场，而形成的一种绵亘万里，点阵结合，纵深梯次的巨型坚固设防体系。它包括以下子系统：（1）城墙，含跨越而立的敌楼战台，这是直接接敌的工程设施，它随山屈曲攀援腾翘，其走向与当时的军事斗争形势和生存空间有关，旨在借重'地利'并守护控驭'地利'。（2）障塞，即关城堡寨，是城墙的主要依托，又是军事指挥枢纽、行政管理治所、官府手工业及屯垦农业基地，一般选择在沿边要害及东西适中之处，配置机动兵力，扼危襟要，后发制人，是起支撑作用的要塞式筑城。（3）烽燧，这是将墙、塞与后方指挥中心，将末端与决策层相联结的情报信息传输工程。（4）道路，包括城上道路、傍城道路、出塞道路、交通内地道路及北边新经济区的微循

---

① 李鸿宾：《唐朝三受降城与北部防务问题》，《长城国际学术研讨会论文集》，吉林人民出版社1995 年版，第 143—153 页。

环道路，主要用于维持整个防御体系中边关要塞之间的联系，运动集结兵力，传输物资，增强防务，同时也是塞内塞外经济交流的渠道。（5）后方补给设施，据汉简资料，汉代西北长城的后勤系统有仓、库、阁三种机构，'仓'是储备管理粮秣的机构，'库'是存放钱物和军械的机构，而'阁'是供戍卒暂存物什给养的所在，长期维持世界上最漫长的军事防线，没有后方工程设施是不可想象的。有了这五个子系统，长城的功能就大大超越了一般的军事设防，实现了和与战、屯垦与戍守、行政管辖与军事控制、设卡堵口与有序交往的结合，交织成动态反馈的有机整体，构成一个系统工程"①。上述长城定义针对的对象无疑是中国北方长城，在归纳的五个子系统之中，需要特别说明的是，实际上部分时期的长城并不能够全部包含。如唐三受降城防御体系便没有城墙。再如金界壕，其主要修筑方法是开挖壕沟，将土或直接堆在壕沟内侧，或加以夯筑，从而形成墙壕结合的防御体系，且沿线不见烽燧址，于是有人仅从墙体以壕沟为主、无烽燧两个方面便说它不是长城②，从而造成了长城认识上的一个误区。

　　侯仁之先生的长城定义是站在静态的、单纯军事防御工程的角度提出的。而中国台湾学者姚大中先生则从动态的、不同时期长城所具有的不同性质方面对中国北方历代长城作了概括。姚先生指出，长城的最初性格为国境线，系战国列国出于相互间对抗需要而构筑的大规模防御工事；雄伟的秦始皇长城，是华夏族人定胜天的战斗精神结晶，是拓展新领土政策中的一个环节，华夏族从游牧胡人手中夺取土地，是因为这片土地适合于农耕，这片土地既加入中原农耕政权，便拒绝胡人再予游牧化，全面隔断草原、耕地的万里长城的完成，也便代表了农业华夏族最大利用空间的设定，其作用非只对外，同时也包含限定农业社会最大限度的活动范围，为华夏族定型后统一农业社会新秩序的建立，立定一个界限；汉长城所代表的精神是积极的、进取的，非只不是防御，相反还是执行前进政策的工具，是战略性的攻势长城，其性格也从国境线演变为国防线；北魏时期，长城始转变为防御性质的工

---

① 侯仁之：《在长城国际学术研讨会上的总结发言》，《长城国际学术研讨会论文集》，吉林人民出版社1995年版，第333—338页。

② 景爱：《再说金边壕不是长城》，《中国文物报》2004年4月2日。

事，至明则成为全出乎防胡要求的消极与被动性国防线长城，长城工事南移，站在防御立场是正确的，最基本的理由是缩短补给、运输路线，可以使戍守长城时的人力、物力供应都便利得多，这样的设计才能充分发挥防胡作用，也便是为什么长城性格转变为守势或防御时，长城线必须陪伴向南迁移的原因；最后，长城的命运，综合代表了长城内外间社会、经济、政治、军事等综合势力消长的弧形曲线①。

侯仁之先生和姚大中先生的长城定义都是以中国北方长城为基本出发点的，在北方长城之外的其他一些长城工事，也均是出于军事防御的目的而修建的。如清朝同治五年至十二年（1866—1873 年）之间，为了镇压捻军和西北回民起义，曾在部分省区修建堵截起义军的长城。位于今内蒙古地区的清长城，分布于南流黄河东岸一线，即位于清水河县、托克托县濒临黄河沿岸一带，往往就地取材挖壕或筑墙形成防御性工事，以抵御西北回民起义军的东渐。但内蒙古地区的清长城不能看做是中国北方长城的一部分。中国北方长城的立足点是中国历史上中原政权用以进攻或防御北方政权的军事工程，在长期的发展过程中，逐渐形成了完备的防御体系，并被冠以"北方长城地带"的人文地理名称。

二、中国北方长城的起源

目前所见最早的中国北方长城，是战国燕、赵、秦三国在其北部边境修筑的拒胡长城。那么在此之前，是否已经存在一些长城的影子呢？夏家店下层文化石城址群的发现，引起了许多考古学家的重视，最早将这些石城址与长城联系起来的是著名考古学家苏秉琦先生。20 世纪 80 年代，他在论述燕山南北长城地带考古学文化时，曾多次提到这些石城址群，称之为"原始长城"、"长城雏形"、"类似'长城'的小堡垒群"、"四千年长城原型"。1985 年 10 月，他在辽宁兴城作《辽西古文化古城古国——试论当前考古工作重点和大课题》的著名讲演时，曾深刻指出："夏家店下层文化一个突出特征是：村落密集分布在河谷地带，几乎都有防御设施、大小城堡遗址构成有机的组合群体，赤峰英金河两岸岗丘上发现东西排列的小城堡带，与战国

---

① 姚大中：《古代北西中国》，台北三民书局 1982 年版。

秦汉长城大致平行，发人深思。这种‘原始长城’与大小城堡组合群、村村设防相结合的体系，它意味着一种什么样的社会结构？处于哪一个社会发展阶段？又是一种什么样的南北关系？后来的长城的性质是否也可以从中得到启示。[①]”

夏家店下层文化的绝对年代在公元前1900—前1400年之间，这些石城址主要分布在赤峰以北的阴河、英金河两岸的山冈上，以河北岸为多。石城多建于山冈南坡，坡面地势较为平缓。城墙则建在周边地势较高处。石城址的分布相当密集，有些地方城址之间相距只有200—300米，而且是成群分布。因城墙皆随山势建造，所以城址的平面形状多不规整，有圆形的、椭圆形的，也有略似方形或三角形的。有的城址是2座甚至3座城址相连而成。这些城址往往不是四周都建城墙，在陡峭岩壁边或临沟壑的一面，一般都未发现城墙的痕迹，只是在缓坡和较为平坦的地方才建造城墙。为了增强防御能力，有的城址在墙外发现有壕沟；有的建筑平行的两道墙，两墙之间有壕沟。城墙的结构发现有两种，一种是全部用石块垒砌的，这种发现较多；另一种是中间筑土，内外两侧垒砌石块。在许多石城址的城墙外侧，还发现一些突出于城墙外的半圆形的石块垒砌的建筑，它们分布的间距不一，有的4—20米，有的25—50米，往往在城墙转弯处有这类石建筑，且形制较大，酷似后世城墙上的"马面"。城址内大都发现有石砌的房屋基址，有圆形的，也有方形圆角的。在许多城址中，这些房址排列有序，在坡面的同一高度自下而上分层排列。大型房址都是选择在城中地势开阔、位置较高的地方，反映了居住者的显要地位。这种石筑城址在夏家店下层文化分布范围内的其他地区，如敖汉旗、辽宁朝阳等地，也有发现。初步估计，这种石城址在内蒙古东南部和辽西北部分布数量达数千座。

尤为引人关注的是，这些石城址群，在许多地段的分布与战国秦汉长城相重合，而且二者具有许多相似之处。首先，它们都是一种人工建筑的带状防御设施，都作东西分布，防御的都是来自北方的敌人。其次，二者修筑的方法基本相同，都是因地制宜，就地取材，有的地段以石筑，有的地段土石

[①]　苏秉琦：《辽西古文化古城古国——试论当前考古工作重点和大课题》，《华人·龙的传人·中国人》，第76—79页。

杂筑，还有的地段不筑墙，以陡峭的山岩或沟壑作天险。此外，夏家店下层文化石城址墙外侧的半圆形建筑与汉代以后长城外侧的马面极为相似。第三，夏家店下层文化的石城址带是以成组的城址呈链条式分布于山脊之上，起到防御作用的，虽然与后世的大部分长城形制有别，但与汉代以烽燧组成的长城相似。综上可以看出，夏家店下层文化石城址带与长城有很多相同或相似之处，把它看作长城的雏形或原始长城，是有着一定道理的。也就是说，长城应当起源于公元前两千纪上半叶这种由一系列防御性小城址组成的防御设施[①]。

夏家店下层文化石城址群防御的主要是来自西拉木伦河以北的夏家店上层文化的人群，而夏家店上层文化是以发达的畜牧业为主要经济特点的。不同经济类型、不同文化之间的矛盾与冲突，正是中国北方长城产生以及长期存在的根本原因。

三、中国北方长城的历史意义

中国北方长城所具有的特殊历史意义，首先在于它所处的地带是东亚大陆上一条重要的地理分界线。历代北方长城的地域分布和走向都大体一致，位于高原、山地到平原地形的过渡地带以及半湿润和干旱气候的过渡地带。特殊的地理和气候条件决定了其南北经济形态的差异，在古代长期是农耕民族与游牧民族碰撞、对峙的融合带，到今天仍然是农业生产和牧业生产地域分布的重要界线。

其次，中国北方长城是重要的农区和牧区的分界线。线以南是以农耕业为主的农业区，线以北是草原区。这样，万里长城本来是一条人为的防御工事，客观上却成为农牧业生产的分界线，反映了当时农业文化景观和牧业文化景观的分异，并成为恢复这一地区农牧分界的重要考古证据。长城地带的自然地理环境既宜牧又可扩耕，是农、牧都可争、都想争的地区。这是长城地带成为半农半牧地带的自然基础。更为直接的原因，是随着民族力量的变化，农牧界线相应变化，在你进我退、或我进你退的长期对峙、拉锯过程中，使这里成为中原民族和北方民族杂居的融合带。在长城修建的历史过程中，秦、汉、隋、唐、明等时期，为边疆安宁，都曾大规模向长城地带移民

---

① 姜念思：《长城起源的考古学考察》，《中国文物报》2006 年 8 月 25 日。

屯垦，发展农耕业，农区向北推进，牧区北退；而魏晋南北朝、五代至元等历史时期，随着北方游牧民族入主中原，放牧业向南扩展，长城地带不少农田退农还牧①。

第三，北方长城地带作为一个农业社会和游牧社会之间的"过渡"社会，受二者之间的政治控制较为松散，而发展起了发达的商业贸易。长城上的关隘，则正好为这些贸易提供了一个绝好的场所。商业贸易的繁荣，促进了边地城镇的发展，北方长城地带居民对于城镇的依赖大于其他地区。长城地带的城乡发展模式是，城镇先于农村，城镇重于农村，而城镇更多地受到商业而不是农业的支撑。城镇显示自身的意义不在于规模，而在于功能。由于军士们或多或少都要从事生产自给，军镇向民镇的转化是普遍现象，许多军镇在转化开始以前便已多少具有了民镇功能。

最后，北方长城地带中原农耕文化与北方游牧文化碰撞交融的过程，正是中华民族形成的过程，也是中国文化形成与不断发展的过程。正如唐晓峰先生所言："经过历史的曲折发展，长城时代终于结束，咒骂长城恨不能将其哭倒的历史故事已不再动人。在新的时代心态下，长城得到了道德重建，'修我长城'成为恢复民族自信的号召。长城地带，曾为家乡，现在面临的是全面的社会更新。②"

四、内蒙古地区长城研究中存在的一些主要问题

内蒙古地区是中国北方长城的主要分布区，与其他省区相比，所经过的长城时代最多、长度最长，甚至产生了"内蒙古长城地带"的区域性人文地理术语。研究中国北方长城，内蒙古地区是重点区域。但从目前的研究现状来看，基础调查工作依然做得不够，许多时期长城的线路不明确或者中间有缺环，有明确遗迹的长城线路在时代上存有争论，多数工作局限于城墙，对其他子系统的了解不足，等等。如，燕北长城有人坚持有南线、北线之说，其中北线为后来的秦始皇长城所沿用，那么进一步调查了解赤峰地区的秦始皇长城是否的确加筑于燕国长城之上，西晋长城又加筑了秦始皇长城，

---

① 冯嘉苹、程连生、徐振甫：《万里长城的地理界限意义》，《人文地理》1995 年第 1 期。
② 唐晓峰：《长城内外是故乡》，《读书》1998 年第 4 期。

是一个问题；汉长城狼山石兰计山口以西部分为列燧，这道列燧能否与阿拉善左旗境内的汉代列燧相连接，如果能够连接，它们又是如何连接的，是一个问题；阿拉善盟境内分布有大量的汉代列燧，由于地处沙漠地带，难于开展调查工作，目前的发现可能只是冰山一角，即使如居延边塞，对它的了解仍只是基本停留在中瑞西北科学考察团的成果之上。还有许多，在前面对各时期长城的叙述中已多有提及，不再一一列出。

对长城的保护工作更是一个大问题。自然破坏是一个方面，主要是人为因素的破坏，基本建设中用长城城墙上的石块来铺路，农民用长城上的石块垒猪圈，平整农田时将土筑长城推倒，部队将长城墙体当作练习射击的靶场，破坏的手段形形色色，难于尽书。中瑞西北科学考察团记录的居延边塞烽燧遗址，在最近的调查中，发现有10处已经完全消失，另有数处濒于消失，大部分是人为破坏造成的，这些烽燧遗址里可能含有史料价值巨大的汉简，也只是像不起眼的草根树棍儿一样随风飘零了。

1984年，邓小平同志题词"爱我中华，修我长城"，经各大报纸转载，掀起了一股保护长城的热潮。1987年联合国教科文组织把长城列入中国第一个世界文化遗产名录。2001年，长城部分地段被国务院公布为第五批全国重点文物保护单位；2006年国务院公布第六批全国重点文物保护单位时，将战国至明代的分布于北京市、内蒙古自治区、辽宁省、河南省和甘肃省的长城都归入第五批全国重点文物保护单位长城下，实际上也就意味着中国境内的几乎所有长城都成为全国重点文物保护单位。2006年9月20日，由国务院总理温家宝主持召开的国务院第150次常务会议审议并原则通过《长城保护条例》，于12月1日起开始正式实施，使长城的保护工作自此有法可依，确立了一个良好的法制平台。

从2005年开始，国家文物局还启动了"长城保护工作"项目，计划到2014年完成。目的是通过对历代长城及其相关遗迹、有关历史文献、自然与人文环境和保护管理现状的调查，建立长城基础资料档案，从而对长城进行有效的管理与保护。这次调查，将通过航测等现代科技手段绘制精确的长城遗迹分布图，为长城研究者能够提供准确、科学的第一手实地调查资料。内蒙古地区长城研究中存在的诸多问题，有望通过这次长城保护工作得以廓清。

第 十 六 章

北方游牧民族的经济生活

自古以来，内蒙古地区就是北方游牧民族活跃的历史舞台。这里天高地阔，广漠无垠。浩瀚的草原，气候干燥，降雨量少，农业文明在这里无法得到广泛发展，牲畜繁殖和牧养的适宜却使游牧人将这里作为勃兴的摇篮。悠扬的牧歌，演绎着一代代游牧人虽艰苦却也逍遥的游牧生活。

第一节　畜牧业及狩猎业

不同历史时期的不同民族在内蒙古地区经营畜牧业，过着"逐水草迁徙"的游牧生活，无固定的城郭、居室，畜群是最重要的生活资料和生产资料，狩猎业是重要补充。北朝乐府"敕勒川，阴山下，天似穹庐，笼罩四野，天苍苍，野茫茫，风吹草低见牛羊"正是古代生活在内蒙古地区牧民生活的真实写照。

一、畜牧业与狩猎业的基本状况

根据甲骨文及其他文献记载，商周时期，就有鬼方、土方、犬戎、獯粥、猃狁等部族先后活动于今内蒙古的乌兰察布高原、呼和浩特平原、鄂尔多斯高原一带，他们过着随畜移徙的生活并用畜牧产品与中原进行交换，其中主要以马、牛、羊以及骆驼、驴、马骡、驴骡、野马为主。春秋战国时期（前770—前476年），活动在今内蒙古境内的游牧部族，主要有林胡、楼烦、东胡和匈奴。林胡、楼烦活动在今内蒙古呼和浩特平原和乌兰察布南部的丘陵地带，东胡分布在今内蒙古东部，匈奴生活在内蒙古地区中西部河套阴山及其以北地区，当时，今内蒙古地区被中原视为养马之域。史载：冀土之北，马之所生。《史记·货殖列传》称："然西有羌中之利，北有戎翟之畜，畜牧为天下饶。"①

到了战国后期，北方原来互不统属的分散的游牧部落逐步聚集成大的联盟，其最著者为匈奴，建立了游牧政权。匈奴人统治内蒙古草原时期，畜牧业生产得到进一步的保护和发展，牲畜以马、牛、羊最多，又有橐驼、驴赢、驮骡、駃騠、騨騱等奇畜。匈奴人自单于以下皆食畜肉、饮潼酪、衣皮革、披毡裘、住穹庐。史籍中也出现了划分牧场的记载：单于以下，置左右贤王等，凡24长；诸左方王将居东方，直上谷郡以东，右方王将居西方，直上郡以西，单于之庭则直代郡和云中郡。"各有分地，逐水草迁徙"，即将牧场划分界限，不同部落在相对固定的地方游牧②。说明匈奴人掌握了更合理的利用自然草场的规律，畜牧生产更加成熟。史载匈奴每年南下交换的牲畜"驴骡驮驼，衔尾入塞"，每次交换的数量常达"牛马万余头"③。匈奴之后，属于东胡族系的乌桓和鲜卑相继活跃于蒙古草原。史载乌桓"俗善骑射，弋猎禽兽为事，随水草放牧，居无常处。以穹庐为舍，东开向日。食肉饮酪，以毛毳为衣"。④ 在乌桓人的畜群中，既有供日常食用的牛羊，也有供骑乘的马和骆驼。鲜卑人也主要以"畜牧迁徙"的生活为主业，畜产有马、牛、羊，还有野马、原羊、角端牛等中原人所谓的奇畜。

魏晋之际，拓跋鲜卑建立北魏，成为内蒙古历史上第一个入主中原的游牧民族。其疆域囊括了今内蒙古大部分地区。拓跋鲜卑先祖以游牧为业，其部众能捕六畜，善驰走，逐水草，畜牧业繁盛。北魏初年，政府开始在牧区设置官营牧场，其中漠南牧场在内蒙古境内。公元399年，拓跋珪进攻北方劲敌高车，破高车30余部，前后获马35万多匹，牛羊160多万头。道武帝

---

① 《史记》卷129《货殖列传》。
② 《史记》卷110《匈奴列传》。
③ 《后汉书》卷89《南匈奴传》。
④ 《后汉书》卷90《乌桓传》。

自牛川南下，以高车为围，骑徒遮列，周围有700多里，聚杂兽于其中，并把这批胜利品驱赶至都城平城，然后利用所俘获的高车人的劳动，在平城筑起了一座牧场。429年，世祖北征蠕蠕，蠕蠕部落四散，蹄伏山谷，畜产布野无人收视。北魏把所虏获的人畜，"皆徙置漠南千里之地"，① 建立了漠南牧场，规模、范围、畜产之多超过了平城牧场。魏晋南北朝时期，内蒙古地区大型牧场的建立，标志着这一时期的畜牧业生产的经营和管理达到了一个新的阶段。

5世纪到10世纪，柔然、突厥、回纥、契丹等游牧民族相继出现于载籍。他们无论是匆匆过客还是建立过一方政权的霸主，都曾在水草丰美的内蒙古地区经营和传承着草原畜牧业。5世纪初，蒙古草原上的柔然强大起来。柔然人"随水草畜牧"，"所居为穹庐毡帐……马畜丁肥，种众殷盛"。② 史书记载，北魏多次进攻漠北，虏获柔然牛羊动辄几十万只。例如449年，魏军进攻阳王羯儿，战后就掠夺柔然畜产百余万，可见柔然牛羊众多，的确称得上"马畜丁肥"。柔然的主要牲畜还有骆驼，阿那瓌嫁女，聘礼中就有骆驼千头。柔然实行轮牧制度，"冬则徙度漠南，夏则还居漠北"，这在客观上起到了对牧场的保护和持续利用资源的目的。同期，敕勒人（高车）也游牧在阴山一带的广阔草原"其迁徙随水草，衣皮食肉，牛羊畜产尽与蠕蠕同"。③

6世纪到10世纪时，突厥和回纥相继成为漠北草原最强大的势力。突厥汗国时期畜牧业有了长足的发展。突厥人自言羊马"遍满山谷"，贫富贵贱唯以羊马的多少为标准，民众经常用畜产品与中原交换缯絮、粮食种子、农业器具等。畜牧业是突厥政权的经济基础，直接关系到突厥社会的兴衰。正如唐朝史臣郑元璹说"突厥兴亡，唯以羊马为准"④，其中马的饲养尤其被重视。战争时，每位士兵各备有两匹以上的马，以便轮流使用。沙钵略可汗时有控弦之士40万，仅供这些骑兵用的马匹就在100万匹左右。甚至有

① 《魏书》卷103《蠕蠕传》。
② 《魏书》卷103《蠕蠕传》。
③ 《魏书》卷103《高车传》。
④ 《旧唐书》卷62《郑元璹传》。

学者估测，突厥汗国拥有的马匹总数应该在 200 万匹左右。[1] 羊的数量更要远远大于马的数量。隋仁寿元年（601 年），依附于隋朝的启民可汗，一次就被南侵的突厥阿勿思力俟斤抢走牲畜 20 余万。突厥人的牲畜大部分属于可汗以及各氏族首领，马匹上烙有不同的印记表明它们的归属。到回纥汗国时期，草原上处于相对和平阶段，社会安定促进了畜牧业的发展。回纥盛产马，羊的数量也很大，其畜"多大足羊"，故与唐朝的互市中动辄用马数万匹，羊马之多竟至"不知其数"。

10 世纪初，契丹人建立辽朝。虽然契丹的农业已经有了很大发展，但是畜牧业仍然在契丹社会中占有最重要的地位。正是"吾有西楼羊马之富，其乐不可胜穷"。《辽史》卷五十九《食货志》亦载"契丹旧俗，其富以马，其强以兵，马逐水草，人食潼酪，挽弓射猎，以给日用，粮饷刍秣，尽赖于此矣"。[2]《食货志下》又载"自太祖至兴宗，垂二百年，畜牧之盛如一日"[3]。阿保机时期为了促进畜牧业的发展在各地最好的草场上建有牧场，由国家设官统一管理，即群牧组织。太宗时期，群牧组织逐渐完备，于北路官中设某路群牧使司，内置群牧太保、侍中、敞史、都林牙等职。群牧使司下设群牧司，内置群牧使、副使等。国家的统一有序管理，使契丹—辽朝畜牧业大为发展，使畜牧"数岁所增不胜算"。[4]

狩猎业在古代内蒙古地区游牧民族经济生活中占有重要地位。在游牧经济生活中发挥着三种作用。首先狩猎业是畜牧经济的重要补充，是游牧民族衣食来源之一。匈奴时代，已经进入了畜牧为主，狩猎为辅的时代。史载匈奴人自儿时就开始练习骑射，"儿能骑羊，引弓射鸟鼠，少长则射狐兔，用为食"[5]。柔然人也把狩猎作为游牧经济的一种补充。所谓"且西海北垂，即是大碛，野兽所聚，千百为群，正是蠕蠕射猎之处，殖田以自供，籍兽以自给，彼此相资，足以自固"。[6] 突厥人虽然以畜牧生产为主要生活来源，

---

① 卢勋、萧之兴、祝启源等：《中国历代民族史·隋唐民族史》，社会科学文献出版社 2007 年版，第 11 页。
② 《辽史》卷 59《食货志上》。
③ 《辽史》卷 60《食货志上》。
④ 《辽史》卷 60《食货志上》。
⑤ 《史记》卷 110《匈奴列传》。
⑥ 《魏书》卷 69《袁翻传》。

但在某种情况下，也依靠狩猎度日。突厥《暾欲谷碑》载"吾人住于总材谷（即阴山山谷）及黑沙城。吾等居于彼处，以大兽及野兔为食，民众之口亦无所缺……"[1]　其二，狩猎业产品，是游牧民族对外进行交换的重要物品，狩猎业是牧民获取财富的手段之一。牧人用在狩猎中获取的稀有禽兽、皮毛换取其生活所需物品；在与相邻政权的交聘中也是名贵的礼物。史书多次提到柔然向北魏"岁贡马畜，貂豾皮"，向齐梁等政权贡献"貂皮杂物"等野兽皮毛。唐太宗时，回纥各部首领也"岁纳貂皮为赋"。此外，狩猎活动在畜牧业日益发展的情况下，其经济意义已经不甚重要，而在军事和娱乐方面的作用更加突出，是古代游牧民族进行军事训练的一种方式，是士兵练习骑射的手段。有时，出征和出猎结合进行，随时可以将狩猎转变为对敌战斗。如匈奴时"单于遣兵千余人猎至涿邪山，卒与北虏温禺犊王遇，因战，获其首级而还"。[2] 回纥人"善骑射"，首领菩萨"嗜猎射"，"常以战阵射猎为务"。[3]

二、畜牧业生产的特点

草原地广人稀，牲畜众多，放牧畜群必须经常流动，因为畜群的饲料唯赖青草，而青草只能依靠自然生长。故当一个牧场的青草被吃尽后，就不得不转移到新的草场上去，一是为了保留草根，以待明年再长；二是为了缓和地力，使牧场易于复苏，这就是史书上常说的"逐水草迁徙"和"居无恒所"。随着牧人经验的积累，畜牧再不是简单的逐水草的过程，更包含了牧人对于资源保护的自觉意识。他们逐渐地开始按照季节的不同，划分营地，使草场得到合理的保护和利用。即畜牧业流动性和分散性特点。

草原地区气候变化无常，给畜牧业生产带来不稳定性和脆弱性，而且这种不稳定性要比农耕经济突出得多。游牧人以牲畜作为主要的财富，而畜群的饲养和繁殖，需要适宜的气候条件，还有繁盛的水草，受自然条件的限制和影响特别大。草原的冬季漫长难熬，随着季节变换、牧草的荣枯，牲畜也

---

①　汉译文见林幹：《突厥与回纥历史论文选集》上册，中华书局1987年版，第499页。
②　《后汉书》卷89《南匈奴传》。
③　《旧唐书》卷145《回纥传》。

出现夏饱、冬瘦的现象，而草原还经常出现旱、风、霜、雪等灾害，正是
"白灾年年有，黑灾不时来"。游牧经济的生产力不够强，大群的放牧一遇
到自然灾害的袭击便无力抗拒，数以万计的牲畜会被吞噬，生产遭到破坏，
社会经济即趋萎缩，牧民流散，困饿饥毙。汉宣帝时，匈奴壶衍鞮单于出兵
攻打乌孙，"会天大雨雪，一日深丈余，人民畜产冻死，还者不能什一"。①
这种经济上的不稳定性，反映在政治上，便是政权的兴衰无常。在游牧民族
政权中，人口和牲畜是最重要的基础，即使是连年不断的战争，也并不像农
业民族那样热衷于对土地的扩张，掠夺人口和牲畜是战争更直接的目的。人
口和牲畜的数量直接关系到政权的兴衰，遇天灾，就顷刻瓦解。部众或四
散，或西迁远走。突厥在 629 年经历大雪，牲畜大量死亡，人民饥困，经济
萎缩，最终导致了突厥于 630 年在唐朝的进攻下覆灭。正因为游牧民族自身
种植业基础的薄弱，所以要靠外部的农业经济作为它的必要补充，又由于游
牧经济特殊的脆弱性，更增加了其对农业民族经济上的依赖性。

　　草原畜牧业还有一个显著的特点即经济的非自足性和单一性，即不能满
足游牧民族的全部需求。无论是农耕经济还是畜牧业经济都在某种程度上存
在这种非自足的特点，但是因为草原畜牧业有很大的不稳定性和脆弱性，使
它在这方面的不足更显突出。单一性是指经济产品比较单一。虽然北方民族
除畜牧业、狩猎业外，也有手工业和不同程度的农业，但是因为生产技术和
生产水平的差异，使他们除畜牧业、狩猎业外，其他行业很难满足牧民日常
生活所需，如粮食、布匹、金属工具和各种贵族所需要的奢侈品等。因此渴
望与中原民族的贸易交换，使他们不断穿梭于漠北草原和漠南的长城沿线。
汉人桓宽撰《盐铁论》卷一《力耕》篇载大夫之言曰："夫中国一端之缦，
得匈奴累金之物，而损敌国之用，是以骡驴、橐驼衔尾入塞、驒騱、騵马尽
为我畜"。② 而匈奴通过每次交换用畜产品换回了大量的纺织品、粮食、金
属工具、刀剑、乐器和书籍等。汉匈友好和亲时期，汉与匈奴通关市，岁给
匈奴絮、缯、酒、米、食物各有数，出现了"自单于以下皆亲汉，往来长
城下"的局面。经济上的非自足和产品单一导致北方民族对于中原农副业

---

① 《汉书》卷 94《匈奴传上》。
② 马非百注释：《盐铁论简注》，《力耕第二》，中华书局 1984 年版，第 12 页。

产品有一定的依赖性，北方民族游牧文化受汉文化的影响也逐步增强。

第二节　手工业方式及其诸形态

手工业是草原经济重要的组成部分，是依靠手工劳动，进行小规模的工业生产。内蒙古地区手工业由来已久，匈奴、东胡时期，手工业在北方民族中就占有很重要地位，后来相继出现在历史舞台上的游牧民族，对原来的手工业技术，大体继承下来。但是因为不断迁徙，战争频繁，各个民族你方唱罢我登场的动荡局面，很大程度上妨碍了手工业的进步，使其难以得到持续的发展，这也是草原手工业的特点之一。手工业的发展给牧民在生产、生活方面带来了许多方便，同时也提高了游牧民族的战斗力，满足了游牧贵族奢侈生活的需要，而且带动了草原畜牧业和狩猎业的发展，给草原经济生活增添了丰富多彩的内容。因此历代游牧国家都重视发展手工业，战争中，总是将大批的能工巧匠迁入自己的统治区域内，注重手工业技术的吸收和改进，草原手工业也经历了从传统的家庭手工业到官营手工业的发展阶段。

一、冶炼业

冶炼业在古代社会经济中是"百工"之首。冶炼业的发展水平很大程度上决定着社会文明程度的高低。在北方游牧民族社会，冶炼业更直接关系到一个民族政权的兴衰强弱。草原战争频繁，局势瞬息变换，马和武器对于游牧民族至为重要，而提供源源不断的锐利武器和适宜的马具是各民族冶炼业最为突出的任务。北方游牧民族的冶炼业由来已久，主要包括冶铜、冶铁和冶炼金银等行业。

冶铜业是游牧社会的重要产业。1976 年，在赤峰林西县大井村发现了据称属于东胡文化的古铜矿遗址，其中不仅有开采、冶炼、铸造等痕迹，还有许多开矿工具以及鼓风管等冶铜设备。1958 年，考古学家在辽宁发现十二台营子青铜短剑墓，并认定为战国时期的东胡早期遗址，出土了大批的青铜器，不仅品种多样，而且工艺精巧。这说明东胡时期，草原牧民已经掌握了较为成熟的冶铜业技术，铸铜业在战国时期已经发展成为一个独立部门。① 匈奴人的冶铜业也发轫颇早，"当他们还在氏族部落或部落联盟时期就已经采用青铜器文化了"，② 并留下了称誉世界的鄂尔多斯青铜文化。从公元前7—前3世纪的匈奴方形石墓中，有不少随葬的金属器具，其中铜器很多，有与战争密切相关的铜刀、铜剑、铜镞、铜斧等武器和铜马嚼等马具，也有日常生活的铜炉、铜炊具以及大量铜器工艺品。其中最富有草原游牧文化特色的是青铜短剑和动物纹饰的铜饰牌，表现动物相互撕咬、虎食牛、狮虎斗等场面，设计奇巧，可见匈奴铸铜业是比较发达的。后来随着冶铁业在匈奴社会的发展，兵器逐渐运用了更为坚韧的铁，铜器制造也更多地转向日常生活用具和贵族奢侈的配饰。此后，随着铁器在北方草原的广泛使用，铜冶和铜器制造业逐渐减少。

草原牧民对于铁的冶炼和锻造，始于匈奴。大约在公元前3世纪，蒙古草原进入铁器时代，漠北发掘的匈奴墓葬内出土的大量铁工具、武器证明了这一点。对此，马长寿先生在其著作中论述道：当公元前3至前2世纪时，在外贝加尔湖的一座石墓里出现一个铁制的马衔；约与此同时，乌兰巴托的一个遗址里又出现一个铁的箭杆。这些铁制的马衔和箭杆虽然在漠南各地不曾发现，但对于匈奴的历史以及整个草原牧民的历史却具有划时代的意义。众所周知，自从乌兰巴托以北诺颜乌拉的匈奴贵族古墓发掘以后，因为墓里有铁箭杆和铁箸等铁器的存在，所以人们推断匈奴于公元前后开始进入铁器时代。但外贝加尔湖区的铁马衔和乌兰巴托的铁箭杆一经发现，跟着就把草原牧民（哪怕不是匈奴人的）进入铁器时代的历史提早了两百至三百年。匈奴人时的铸铁业很发达，在出土的匈奴墓葬中，发掘出匈奴用以铸造铁器的模型和融化铁矿的高温炉子，从出土的铁器的种类和数量来看有铁刀、铁剑、铁制马具、铁镰、铁铧等，已经广泛深入牲畜生活和军事活动的各个领域，表明匈奴铁器铸造技术已达到相当的水平。铁器的出现促进了草原社会生产力的发展，游牧民族的军事力量也随之增强，从此冶铁业成为游牧民族长盛不衰的重要产业。十六国时期，北羯人建立的后赵设置了专门的官营冶

---

① 朱贵：《辽宁朝阳十二台营子青铜短剑墓》，《考古学报》1960年第1期；锦州市博物馆：《辽宁锦西乌金塘东周墓调查记》，《考古》1960年第5期。

② 马长寿：《北狄与匈奴》，广西师范大学出版社2006年版，第58页。

铁作坊，以增加国用。匈奴后裔铁弗氏，更以尚铁著称，其宗族非正统者"皆以铁伐为氏"，意即钢锐如铁，并且他们掌握了百炼钢的生产技术。百炼钢是古代早期的一种制钢方法，是在块铁反复高温下，重复锻打的基础上发展起来的，在当时，以精良闻名。铁弗匈奴建立夏国后"造五兵之器，精锐尤甚"，"又造百炼钢刀"。[1] 突厥人的锻铁业也发展很早。据史书记载，突厥部落早期"工于铁作"，"为茹茹铁工"，[2] 突厥所在的阿尔泰山是柔然巨大的冶铁基地。突厥人建国后，锻铁业技术在已有的基础上有了很大的发展，锻造技术精湛，并有了专业的冶金工匠。其铁器不仅满足突厥人自身军事、生产和生活的需要，而且用于对外贸易，远销中亚。史书中就有西突厥室点密可汗时期，东罗马使节蔡马库斯出师西突厥，有突厥人携铁前来求售的记载。[3] 黠戛斯所在的米努申盆地，是突厥汗国铁器制作和兵器生产的基地，其地矿产丰富，以致每逢暴雨冲刷，矿脉显露，因此"天每雨铁"，黠戛斯人"收而用之，号曰迦沙，以为刀刃，甚铦利"。《辽史·食货志》记载室韦人"坑冶，则自太祖始并室韦，其地产铜铁金银，其人善作铜铁器"，因此，才有契丹禁止将铁卖给阻卜的记载。

冶炼业中，除冶铜冶铁外，草原上还存在金银制造业。金银产品主要是贵族的奢侈用品以及日常生活佩饰。史载乌桓"妇人至嫁时乃养发，分为髻，著句决，饰以金碧，犹中国有'簂步摇'"[4]。西岔沟出土的乌桓文物，金银器饰品造型复杂、精美，可见乌桓时期，金银制造业是较为发达的。契丹对于金银的冶炼也非常重视，"以阴山产金，置冶采矿，故以名司"。金银采冶，为金银器制造奠定了基础，从闻名于世的契丹陈国公主出土的精美葬具中，就可以想象契丹金银有着辉煌的历史。此外吐谷浑、黠戛斯、室韦等族生活区域内都出土金银等矿产，都存在金银冶炼等手工业。终游牧时代，冶金业已经达到了相当高的水平，尤其是铁器的广泛使用，大大提高了牧人的生产能力，是草原社会进步的重要标志。但是因为铜铁资源相对缺乏

---

[1] 《晋书》卷130《赫连勃勃载记》。

[2] 《周书》卷50《突厥传》。

[3] 张星烺：《中西交通史料汇编》第3册，中华书局1978年版，第1557页。

[4] 《后汉书》卷90《乌桓传》。

和生产力相对落后，很多时候，游牧民族的冶炼业尚不能自给，还要通过与中原和周边地区互市，用牲畜及其他畜产品换取铁器等生产生活用品。在战争频仍的时期，中原地区常常严格限制边境贸易，禁止铜铁流入少数民族地区。

二、毛皮加工业及制毡业

毛皮业与制毡业就是以畜牧经济为基础的。羊毛、驼毛等制成的毡以及动物皮制成的皮革，具有保暖、防潮、装饰、坚实耐用等优点，与草原地区的生活环境相适宜，是牧民家庭生活中必不可少的用品。毛皮业历史悠久，《淮南子·原道训》说"匈奴出秽裘"。在诺颜山匈奴墓葬出土物中，人们发现了毛织的裤子，还有缀有牛皮的靴子，这些都说明匈奴的毛皮业很发达。汉代乌桓妇女能织毛毯，《后汉书·乌桓传》载"妇人能刺韦，作文绣"。[1] 鲜卑人也有地毯名氍毹，工匠在上面织上鸟兽等图案，惟妙惟肖，工艺精巧。柔然人被北魏称为"皮服之人"，而且"畜牧繁息，是其所便，毛血之利，惠兼衣食"[2]。敕勒人用羊毛捻成线，织出毡毯等产品，并且会选择不同季节的羊毛来保证质量[3]。党项人以制"白毡"最出名，不仅大量远销内地，而且远销到域外。总的说来北方天气寒冷，牧人"故多衣皮"，居住的穹庐又以毡席为墙，毛皮业在草原普遍存在并受到重视，每家每户都能独立完成，一般由妇女和老人承担。因为毛皮加工业是利用草原原料发展起来的行业，所以其制作技术要高于同时代的中原地区，具有相当高的工艺水平。

三、制陶业

我国在石期时代就发明了陶器，是后来享誉世界的中国瓷器的早期发展阶段。制陶技术在草原地区出现很早，考古学家在先后发掘的兴隆洼文化、红山文化、富河文化、赵宝河文化以及小河沿等文化中，都发现了大量不同

---

① 《后汉书》卷90《乌桓传》。
② 《魏书》卷18《临淮王谭附孚传》。
③ 洪皓：《松漠纪闻》，《辽海丛书》，辽沈书社1985年版，第209页。

的陶器。从色泽上，主要分为灰陶、褐陶、红陶、黑陶，也有少量白陶；器形主要有大口深腹罐、双耳瓮和钵等，以彩线纹和三角纹居多，均为手制，有的有刮磨的痕迹。匈奴时，陶器的种类和产量都有所增加，有一种陶器叫服匿，小口、大腹、方底，是匈奴典型的陶制器皿。东胡的陶器制作已由手制进步到轮制，且火候较高，陶器在日常生活中，主要是生活用品。虽然制陶业在草原上历史悠久并达到了较高的水平，但是因为陶器脆而易碎，与草原经常游牧迁徙、战争频繁的生活非常不相称，因此随着金属的广泛使用，陶制器皿也多被铁器和铜器取代，所以北方民族在匈奴之后，陶器产品虽然有，但是并不多，质量和数量方面也不是很好。

四、车辆制造业

车辆制造业也是草原地区重要的手工业之一。车辆制造业是一种综合性手工业制作的产物，它必须以金属制造业、木器制造业甚至还有制毡业等手工业的大力发展为前提，同时也能促进相关手工业技术的改进。车辆在草原地区用途很广，驮运妇孺老弱，迁徙时运输物品，宿营时可以围栏畜群，甚至还用于围猎野兽和战争。① 匈奴人很早就懂得造车，这在文献中有明确记载。《盐铁论·散不足》篇说"胡车相随而鸣"，② 草木茂盛的大青山，就是冒顿单于，制作弓矢的"苑囿"，同时也是制作穹庐和车辆的场所。匈奴的车名叫"辌辒"，是草原上流传的勒勒车的前身。109 年汉兵在常山、中山击败南单于，获车辆千余。一次作战所获车辆动以千计，则匈奴造车业规模可想而知。敕勒人的造车业相当发达，"车轮高大，辐数至多"，高车之名正由此来。如天兴二年（399 年），北魏征漠北，一次获高车 20 余万乘。③ 奚族则有闻名于我国北方游牧民族的奚车。李商隐在《为荥阳公贺破幽州奚寇表》中提到幽州节度使张仲武攻破奚人部落，俘获物中有奚车五百乘。④ 沈括详尽地记载了奚车的功能和形制："契丹之车，皆资于奚。车工

---

① 《魏书》卷 103《高车传》。"太祖自牛川南引，大校猎，以高车为围……聚杂兽于其中"。
② 马非百注释：《盐铁论简注》，《散不足第二十九》，中华书局 1984 年版，第 218 页。
③ 《魏书》卷 2《太祖纪》。
④ 李昉：《文苑英华》卷 568，中华书局 1966 年版，第 2919 页。

所聚曰打造馆。辅车之制如中国，后广前杀而无般，材俭易败，不能任重而利于行山。长毂广轮，（轮）之牙其厚不能四寸，而軫之材不能五寸。"① 奚车为木制，轻便适合山地用。契丹人以车马为家，"行营到处即为家，一卓穹庐数乘车，千里山川无土著，四时畋猎是生涯"。② 契丹的造车技术最初是从黑车子室韦学来的，"契丹之先，常役回纥，后背之，走黑车子，始学作车帐"。③ 契丹制造的车分为供人乘坐的大车、运载货物的小车和可以睡卧的毡车。车辆的普及，为牧民的生产、生活提供了极大的方便，并成为"交通运输事业发展的一个重要标志，甚至可以代表当时手工业发展的水平"。④

五、其他手工业

游牧民族还有木器制造业。北方游牧民族政权又被称为"引弓之国"，所以弓矢，包括弓弦和箭杆等，消耗量大，不能短缺。游牧民族以穹庐为主要居住形式，穹庐的木架需要木材，制造车辆也是木器业的一部分。汉朝曾经向匈奴索要张掖郡内匈奴一块土地，单于回答说，匈奴西边诸王制造穹庐、车辆所需要的木材由该地取给，且是先父遗留之地，不敢丧失。在草原的手工业中，除以上五大行业外，还存在不同程度的酿造、造纸、铸钱等行业，这里不一一赘述。

第三节　农　业

从有文字记载以来，北方蒙古高原就是我国古代北方各民族从事畜牧、狩猎以及农业生产的场所。依据自然条件，游牧生产在经济生活中占主导地位。同时，农业生产也是重要的生产方式之一。

---

① 沈括：《使辽图抄》，《永乐大典》，中华书局影印本1986年版，第4480页。
② 苏颂：《魏公集》卷13《契丹帐诗》，四库全书本。
③ 叶隆礼：《契丹国志》，上海古籍出版社1986年版，第239页。
④ 伊克昭盟《蒙古民族通史》编委会：《蒙古民族通史》第1卷，内蒙古大学出版社2002年版，第81页。

一、北方游牧民族农业的基本状况

我国北方草原是古代游牧民族活跃的舞台，相继有东胡、匈奴、乌桓、鲜卑、柔然、突厥、回纥、契丹、室韦—达怛等民族在此驻足。它们虽然以游牧为主导，却也不乏农业种植。文献记载证明，很多古代游牧民族，都有关于农业种植的记录，甚至有些民族的种植技术还达到了一定的水平。

战国两汉时期，匈奴兴起于漠南黄河河套地区和阴山（今内蒙古大青山等）一带。随后逐渐扩张南下，势力曾达到燕、赵、秦的边界。由于长期与战国燕、赵、秦诸国及秦、汉王朝的接触、交往，受到中原农耕经济的影响。因此，匈奴人虽然属于典型的游牧民族，逐水草而居，以畜牧、狩猎业为主，但利用汉人从事农业生产，农业也有了一定的规模。

文献记载，汉武帝元狩四年（前119年）春，卫青出击匈奴至赵信城（约今蒙古国杭爱山南面支脉附近）时，曾获"得匈奴积粟食军，军留一日而还，悉烧其城余粟以归"。[①] 在匈奴腹地的赵信城，粟已是食物之一，并能用于军用储备，说明农业在匈奴已成为经济生活的一部分。遇到自然灾害农业歉收时，在匈奴就会引起恐慌。如武帝后元元年（前88年）秋，匈奴"会连雨雪数月，畜产死，人民疫病，谷稼不熟"，致使"单于恐"。[②]

匈奴的军粮来源应该是以推广屯田为主。因为匈奴曾不惜数次派重兵与汉争夺车师（今新疆维吾尔自治区吐鲁番一带），实行武装屯田。[③] "匈奴怨诸国共击车师，遣左右大将各万余骑屯田右地，欲以侵迫乌孙西域。"[④] 汉昭帝时，和亲的乌孙公主上书，称匈奴派骑兵至车师"屯田"。及汉宣帝刘询即位，遣将军督兵攻击车师，在车师屯田的匈奴骑兵4 000人闻讯，主动放弃车师撤退。[⑤] 这些史料表明，除了流入匈奴国内的一些汉人从事农业生产以外，匈奴军队也有屯田之举，其中当不乏匈奴人。

---

① 《史记》卷111《骠骑列传》。
② 《汉书》卷94《匈奴传上》。
③ 《汉书》卷96《西域传下》："车师地肥美，近匈奴，使汉得之，多田积谷，必害人国，不可不争也。"
④ 《汉书》卷94《匈奴传上》。
⑤ 《汉书》卷96《西域传下》。

考古资料也证实，匈奴有农业经济存在。在今蒙古国诺颜山（距今乌兰巴托北约 70 英里）匈奴墓葬中，有谷物和许多储藏农作物种子的陶器出土。为了保证种子的发芽率，陶罐底部还留有小孔。在已经发掘的匈奴城镇遗址中，还出土了犁铧、石磨和汉代的农用生产工具。考古学家证实：“虽然匈奴时代畜牧经济占统治地位，但是已经建立了具有城堡的小城镇，在这些城堡里，除了驻防军队以外，还有定居的农业劳动者。”这样的遗址在蒙古国境内发现过十几处。①

总之，依据文献及考古发现，可以肯定匈奴人从公元前 3 世纪兴起，至公元 1 世纪衰落，虽然没有定居，但在游牧过程中，“间有农作”。②

乌桓原居住于西拉木伦河流域。西汉武帝时，将乌桓人迁至上谷、渔阳、右北平、辽东、辽西五郡塞外，即今老哈河流域、滦河上游及大小凌河流域一带。以畜牧为主的乌桓人，也兼事农耕。乌桓人从鸟兽的孕乳识别一年四季，听到布谷鸟叫便开始播种。农作物品种有青稞和东穄。青稞，又叫糜子，似黍，但不黏。东穄，苗似蓬草，实如葵子。这两种谷物都是春天播种，十月成熟。③ 青稞和东穄属低产作物，收获量有限，不能满足部民需要，更多的粮食还需从中原农业地区通过贸易交换而得。

辽宁西丰县西岔沟乌桓墓出土有铁镢、铁斧、铁锛、铁锄等铁制农业生产工具，具有中原农具风格，有的农具上还铸有汉字，说明乌桓的农业经济也深受汉族农业文化的影响。

两汉时期，鲜卑以游牧为主业。在檀石槐统治时，农业生产已有所发展。及至魏晋南北朝时期，更多的鲜卑部落接受汉地农业文化，主动发展农耕经济。以畜牧业经济为主，控制辽东至内蒙古高原东部地区的鲜卑慕容部，在慕容廆时，利用汉族士人辅佐，招徕流民，在辽水流域设置侨郡，

---

① ［苏］吉谢列夫：《南西伯利亚和外贝加尔湖地区古代城市生活的新资料》，《考古》1960 年第 2 期。

② 林幹：《匈奴通史》，人民出版社 1986 年版，第 138 页。

③ 《三国志》卷 30《魏书·乌桓鲜卑传》记载：乌桓“俗识鸟兽孕乳，时以四节，耕种常用布谷鸣为候。地宜青稞、东穄，东穄似蓬草，实如葵子，至十月熟。能作白酒，而不知作麹蘖。米常仰中国”。

"教以农桑",农业开始发展起来。到"永宁中,燕垂大水,廆开仓振给,
幽方获济",① 农业生产已形成一定规模,粮食也有剩余,并储藏起来以备
不时之需。慕容廆建立前燕后,继续劝课农桑,重视发展农业。4 世纪初,
原来只有 1 万多户的辽东,外来人口增加了 10 倍之多,造成粮食紧缺。昌
黎人封裕向慕容廆建议:"宜省罢诸苑以业流人。人至而无资产者,赐之以
牧牛。人既殿下之人,牛岂失乎?"于是慕容廆下令:"苑囿悉可罢之,以
给百姓无田业者。贫者全无资产,不能自存,各赐牧牛一头。若私有余力,
乐取官牛垦官田者,其依魏、晋旧法。"所谓"魏晋旧法",即魏晋屯田课
租的"与官中分"制(四六分成)。此外,慕容廆还下令广开沟渠灌溉农
田,增加农业产量。② 4 世纪,辽东地区农业生产水平,大体接近汉晋时的
中原地区,应是慕容鲜卑与其他各族共同开发的结果。

吐谷浑是鲜卑慕容的一支,4 世纪初(西晋永嘉年间)西迁至甘肃南
部、青海等地。除经营畜牧、狩猎、手工诸业外,也从事农业生产。因地处
高寒地区,种植的农作物主要有蔓菁、大麦、粟、豆类等。

鲜卑拓跋部起源于大鲜卑山(今大兴安岭北段),后辗转南迁至漠南。
拓跋珪建国盛乐后,解散部落组织,使鲜卑部民分土定居。随后,北魏统治
者推行劝课农耕,大规模屯田,发展农业生产的政策,使农业比重逐年增
加。登国九年(394 年),北魏打败匈奴别部刘库仁和刘卫辰两部,占领河
北(河套之北)、五原至稒阳塞(今内蒙古包头北)外以后,在此实行大规
模屯田,并把收获按一定比例分给屯田民。③ 三万余家屯田户收获稌百万余
斛(十斗为一斛)。天兴元年(398 年),北魏强迁后燕境数十万汉人和其
他各族于平城附近,计口授田,分予耕牛农具。由此,农业区不断扩大,农
业经济在社会经济中的比重迅速增加。及至孝文帝改革,更加加速了北魏的
封建化进程,促进了农业发展。

柔然以游牧业为主,狩猎为辅。阿那瓌统治时期,北魏多次赠给阿那瓌
等"新干饭"、"麻子干饭"、"麦面"、"粟"等,给予适时的救助,使柔然

---

① 《晋书》卷 108《慕容廆载记》。
② 《晋书》卷 109《慕容皝载记》。
③ 《魏书》卷 2《太祖纪》。

上层渐知"粒食"。北魏还赐给阿那瓌种子，令"殖田以自供"。在北魏的影响下，柔然也渐有农业，主要作物是粟①。此外，柔然还利用掳掠来的汉人进行耕作。

与柔然相邻的高车部"俗无谷"，几乎没有农业生产。② 后来，北魏"徙柔然、高车降附之民于漠南，东至濡源，西暨五原阴山，三千里中，使之耕牧而收其贡赋"。③ 从漠北迁入漠南以后，高车也在北魏的辅助下，始有农业，"数年之后，渐知粒食"。④

6 世纪中叶到 8 世纪中叶近两个世纪，突厥汗国雄踞大漠南北和中亚草原，部分地占有了农耕地带。6 世纪，佗钵可汗在位时，"突厥国家已经有了犁耕农业"。⑤

唐初，突厥南侵，常以马邑（今山西朔州东）为中转地。高祖问朝臣备边之策，并州总管刘世让就上书建议："数出奇兵略其城下，芟践禾稼，败其生业。不出岁余，彼当无食，马邑不足图也。"⑥ 表明在所控制的区域内，突厥已经有一定规模的农业生产，以维持此地驻军的粮食需求。贞观年间，唐太宗在漠北设立瀚海都护府，以李素立为瀚海都护。突厥各部感其恩德，率马牛相赠素立。素立唯受其酒一杯，余悉还之，并"为建立廨舍，开置屯田"，⑦ 漠北突厥由此开始从事农业耕作。

东突厥前汗国时期，由于大量汉人进入突厥境内，农业逐渐得到发展。东突厥前汗国败亡，唐对降附的民众做了安置。突厥可汗李思摩建牙帐于定襄故城（今内蒙古和林格尔县），除以畜牧为主业外，也兼有一定农业成分。⑧ 唐凉州都督李大亮奏书称："突厥未平之前，尚不安业，匈奴微弱以

---

① 《魏书》卷 2《太祖纪》记载："三年二月，阿那瓌上表乞粟以为田种，诏给万石"。
② 《魏书》卷 103《高车传》。
③ 《资治通鉴》卷 121《宋纪三》，太祖文皇帝上元嘉七年条。
④ 《魏书》卷 103《高车传》。
⑤ 吉谢列夫前引文。
⑥ 《旧唐书》卷 69《刘世让传》。
⑦ 《旧唐书》卷 189《良吏上》。
⑧ 《太平御览》卷 904 载："思摩之初也，诏赐其土，南至大河，北有白道川（今呼和浩特平原），而白道受田，处龙荒之最"。

来，始就农亩"。①

到东突厥后汗国时期，由于长期与汉人杂处，受到汉人农业生产技术的影响和推动，突厥农业有了一定的发展。高宗咸亨年间（670—673 年），安置突厥诸部来降者，谓之"降户"。在丰、胜、灵、夏、朔、代等六州耕牧，从事农牧业生产。②

则天神功元年（697 年），默啜可汗向唐请求归还六州"降户"，还"兼请农器、种子"。春三月，唐归还六州突厥降户数千帐（户），并给予种子十万斛、农器三千件、铁数万斤。③

总之，最迟在唐初，突厥汗国地域内已开始有农业生产。随着与唐关系的不断加强，突厥的农业经济成分也不断扩大。④

汉文文献少见回纥农业生产情况的记载，古突厥文碑铭中有零散的记录。如：回纥汗国磨延啜可汗（747—759 年在位）纪功碑中，有"八（条河流）之间，那里有我的牲畜和耕地"的记录。《九姓回鹘可汗碑》的汉文碑文中，回鹘称将"熏血异俗，化为蔬饭之乡"；并称其百姓为"食土黎庶"。

漠北回鹘的农业生产，在西方人的著作中有零星记载。9 世纪 20 年代初，阿拉伯旅行家塔米姆·伊本·巴赫尔的《回鹘游记》里，描述回鹘汗国都城哈喇巴喇哈孙周围乡村环绕，耕地连成片。⑤ 西方学者的考古发现，也证实回纥在漠北地区有一定农业经济。苏联考古学家吉谢列夫对鄂尔浑河左岸的回鹘都城进行了发掘，认为 9 世纪时，"在城市里以及在环绕着它的农业地区里，几乎每一家都有台架或磨盘，以备碾磨粮食之用"。此外，"全部低地在古代有渠道相通，在它们之间到现在还保存着耕地的痕迹。"⑥与农业相关的水利设施的完备，说明漠北回鹘的农业经济已经达到一定水平。

---

① 吴兢：《贞观政要》卷 9，上海古籍出版社 1978 年版，第 275—276 页。

② 《通典》卷 198《突厥》载："默啜至此，索此降户。"

③ 《旧唐书》卷 194 上《突厥上》。

④ 胡铁球：《扩张与萎缩：我国古代北方游牧民族农业生产的特点》，《宁夏大学学报》2004 年第 4 期。

⑤ 王小甫：《塔米姆·伊本·巴赫尔回鹘游记》，《中亚研究资料》1983 年第 3 期。

⑥ 〔苏〕吉谢列夫：《蒙古的古代城市》，《苏维埃考古学》1957 年第 2 期。

　　唐代居住在叶尼塞河流域的黠戛斯人，以畜牧业为主，少有农业。黠戛斯地处北方，史载"气多寒"。因此，农作物一年只能种一次。品种也很少，只有耐寒的粟、大麦、小麦、青稞等作物。农业生产是粗放式经营，产量很低。因此，"惟阿热设饼饵"，只有有权势的酋长，才能吃粮食做的食物。① 此外，在黠戛斯卢尼文碑铭中，也有黠戛斯人从事农业的记载。如在乌鲁格—谦及库里—谦铭文中，就有"耕地"一词，印证了汉文史料记载。

　　契丹是鲜卑的分支，南北朝至隋唐以来，在今辽河上游一带游牧。9世纪中叶，契丹人的原始农业生产，在潢水（今西拉木伦河）、土河（今老哈河）流域出现。遥辇初期的涅里已"究心农业之事"，"教耕织"。阿保机的祖父匀德实"喜稼穑……相地利以教民耕"。② 阿保机的伯父述澜"教民种桑麻，习织绩。"③ 表明当时契丹人已经有了一定的农业生产，只不过占的比重不大，耕作的技术水平还很落后。

　　耶律阿保机及其继承者都很重视农业。天显元年（926年），耶律阿保机灭渤海国，以"投下军州"的形式，把俘获的汉人、渤海人、高句丽人集中起来建立居民点，使其专门从事农业生产，草原上出现了农业点，并进而发展成农业区。燕云十六州纳入版图后，契丹—辽的农业成分大幅增加。在漠北地区，辽还组织多次屯田。会同二年（939年），辽太宗两次向乌古部（今内蒙古海拉尔河流域）移民屯田。④

　　南北朝以来，奚游牧在弱洛水（今西拉木伦河）、吐护真水（今老哈河）流域，东北与契丹为邻。史载，奚"稼多穄，已获，窖山下"。⑤ 奚人"颇知耕种，岁借边民荒地种穄，秋熟则来获，窖之山下，人莫知其处"。⑥ 奚人"煮穄为粥"，加以食用。10世纪前后，受汉文化影响，奚人经营农业的规模不断扩大，"由古北口至中京北皆奚境"，奚人"草庵板居，亦务耕

---

① 《新唐书》卷217下《黠戛斯传》："稼有禾、粟、大小麦、青稞，步硙以为面糜。穄以三月种，九月获，以饭、以酿酒，而无果蔬。"
② 《辽史》卷59《食货志上》。
③ 《辽史》卷32《营卫志中》。
④ 《辽史》卷4《太宗本纪下》。
⑤ 《新唐书》卷235《奚传》。
⑥ 《新五代史》卷74《奚传》。

种"。① 宋朝出使文人，留下了关于奚人农业生产的作品。②

室韦诸部南北朝隋唐时活动在嫩江流域和呼伦贝尔地区，以牲畜饲养、渔猎和原始种植业为生。南部室韦部落农作物有黍、麦、穄等，到唐代已经知道削木为犁，用人牵拉耕种而不知用牛，收成还较低。③

二、北方游牧民族农业的特点

北方游牧民族的农业虽然有一定的发展，却始终是以游牧经济的辅助形式存在的。受很多自然的、人为的因素影响，呈现出与中原地区农业生产不同的特征。

首先，从农业生产本身的角度来看，古代北方游牧民族的农业，受地理、自然环境的影响，具有品种单一、产量低、经营方式粗放的特点。农产品根本无法满足人们的生活需要，农业经济一直处于畜牧经济的辅助地位。

其次，从历史上考察，古代北方各游牧民族的动态发展，决定了其农业经济发展的不稳定性。古代北方各游牧民族习惯于自由自在的游牧生活，自身游动性强，文化传承处在动态的状态，因而影响了农业发展的连续性和纵深发展的可能性。在某个区域，某一民族有了一定的农耕技术、农业有了一些发展；因为战争、自然灾害的影响，就不得不迁徙他处，或南下，或西迁。农业生产就会受到相当大的影响，或"重新"发展或就此中断。而随之而来的游牧民族，往往农耕水平很低，甚至几乎"不知稼穑"。因而呈现时断时续规模时大时小，水平时高时低的变化。这是与中原定居民族截然不同的一个发展历程。

再次，从古代北方各游牧民族本身的因素来考察，大多数民族的农业生产具有被动性。因其习于游牧、惯于狩猎，当狩猎和游牧等生产方式能满足其生存需要时，就以此为生。而当周围环境发生改变，或人口增长，以前的生产方式不能满足生存的食物需要了，就采取要么以掠夺的方式，夺得农业区的农产品；要么是占领耕地，强迫当地人耕种。久而久之，在其影响下，

---

① 王曾：《上契丹事》，贾敬颜疏证本。
② 如苏颂使辽时，作《牛山道中》："农夫耕凿遍奚疆，部落连山复枕冈。种粟一收饶地力，开门东向杂夷方。田畴高下如棋布，牛马纵横以谷量。赋役百端闲日少，可怜生事甚茫茫。"
③ 《新唐书》卷235《北狄传》记载："刻木为犁，人挽以耕，田获甚褊。"

才逐渐开始从事农业生产。

鉴于以上几个方面，古代北方各游牧民族，虽然有一定的农业生产，但并没有形成稳定的农业经济。

第四节　商品交换与交通运输

历史上，北方蒙古高原的游牧民族，为了满足生活需要，自古以来就与中原等地有经济往来。草原游牧民为了弥补畜牧经济的劣势与不足，在与外界的交换中，表现出很强的主动性、积极性。蒙古高原的地理环境，游牧民族的特有生产、生活方式，使其形成了特殊的交通运输方式。

一、北方游牧民族的商品交换

北方游牧民族以游牧经济为主，日常生活所需也都完全依赖畜产品，如住毡帐、坐毡车、食肉饮酪。大多数生活日用品都只能用畜产品与外界交换，比如粮食、手工业品（铜铁制品）、各种日常用品（盐、茶、布、针线等等），因而对商品交换有很强的依赖性。从最早的匈奴人开始，北方各游牧民族无不渴望并热衷于同中原的经济交往。他们通过朝贡、赏赐、联姻、通使、互市、榷场等形式，与周边民族和中原地区进行交流。几千年来，交换的需要，使他们不断往来穿梭于大漠南北。

由于匈奴的经济基础是畜牧业，农产品和手工业品大都不能自给。因此，为了满足生活需要，就用大量的牲畜及畜产品同外界进行交换。匈奴人与中原的贸易，主要是通过与中原王朝"合市"、"通关市"的形式实现的。同时，民间的商业往来也很活跃。

匈奴人的贸易活动，主要在匈奴社会内部以及匈奴与东胡、西域、中原之间进行。当双方能够通过和平的互市、和亲等方式交流物资时，"匈奴自单于以下皆亲汉，往来长城下"。"匈奴好汉缯絮、食物。"① 每年匈奴南下交换的牲畜"驴骡驼驼，衔尾入塞"，每次交换的数量常达"牛马万余

---

① 《史记》卷110《匈奴列传》。

头"。①

考古发掘也表明，匈奴与中原地区的贸易交换一直很频繁，内容也极丰富。漠北匈奴墓出土铁器、漆器、服饰、丝织品、铁制农具等，几乎无所不有，充分反映了彼此间经济生活难以分割的密切联系。此外，匈奴还通过西域与中亚、罗马帝国发生了间接的贸易关系。蒙古国诺颜山匈奴墓葬，出土了不少希腊人织造的丝织品。

与外界的商品交换，促进了匈奴社会经济发展，提高了生活质量。自公元前133年起，匈奴与汉朝虽绝和亲，又不时发生战争，但却仍然"乐关市"，往来不断。

继匈奴之后占据蒙古草原的鲜卑人与中原之间的交往同样频繁。后汉时，"自鲜卑、乌桓、夫余、秽貊之辈，皆随时朝贡"。② 东汉安帝时，鲜卑大人燕荔阳入朝，并许通胡市；魏黄初三年（222年）轲比能率部落大人代郡、乌丸、修武卢等三千余骑，驱牛马七万余口与曹魏交市。③ 和平的交易，各方都从中获利不少。

在与中原的经济往来中，鲜卑时常把握主动权。何时交换，他们会视自己的需要而定。当他们生活必需品缺少时，会迫使对方与之交换，因而也时常引发冲突。据《魏略》记载，汉建安年间，鲜卑部落大人领部落五千余骑去见冀州官员梁习，要求互市。梁习无奈只好于空城中交市。④ 当鲜卑势力强大，生活有保障时，会控制与中原的交易。如，曹魏文帝初，鲜卑数十部由轲比能、弥加、素利等分别统领，共同誓盟，不得擅自用马与中原交易。东部鲜卑大人素利违背盟约，驱马千匹与护乌丸校尉田豫交易，轲比能率众共击素利，对违约的部落加以制裁。⑤

拓跋鲜卑原居于大兴安岭，南迁后积极与中原的曹魏和西晋政权通商和亲，并接受册封，表示政治上的臣服。双方"聘问交市，往来不绝"。拓跋鲜卑将大量畜产品运进中原，曹魏和西晋给予鲜卑的"金帛缯絮，岁以万

---

① 《后汉书》卷89《南匈奴传》。
② 《后汉书》卷73《刘虞公孙瓒陶谦列传》。
③ 《三国志》卷15《魏书·乌桓鲜卑传》。
④ 《三国志》卷15《魏书·梁习传》。
⑤ 《三国志》卷26《魏书·田豫传》。

计"。

4 世纪末，柔然在大漠南北兴起。柔然通过朝贡、互市等途径，与相邻地区尤其中原发生经济联系。柔然阿那瓌可汗多次向北魏提出市易的要求，鉴于胡汉朝贡、赏赐、通关市的传统由来已久，北魏满足了柔然的请求。柔然用牲畜和畜产品，交换到粮食、丝绸、铁器和其他日用品。北魏还多次赐予谷物，使柔然缓解饥荒。正光元年（520 年）十二月，"新干饭一百石，麦八石，粟二十万石，至镇给之"。第二年九月，鉴于"阿那瓌草创，先无储积，请给朔州麻干饭二千斛，官驼运送"。通过与北魏的往来，柔然获得了最需要的粮食。由于隶属北魏，所以，柔然必须向北魏"岁贡马、畜、貂、貀皮"。①

此外，柔然还与北齐、南朝的宋、齐、梁等朝往来，以风土所产与之交易。

6 世纪初，突厥就与中原开始贸易。西魏大统十一年（545 年），阿史那土门至塞上市缯、絮。② 突厥与中原的北周、北齐和亲通好，每年，突厥都会获得大量丝绸、粮食、生产和生活工具。和平时期，双方官方与民间的贸易畅通无阻。一旦反目，突厥各部就近塞劫掠，弥补用度的不足。相关文献关于此类记载举不胜举。这也是北方游牧民族经济交换的特点。

隋朝统一中原之后，突厥可汗向隋称臣。突厥与隋每年以朝贡和赏赐的形式进行贸易，规模很大。如隋开皇十二年（592 年），突厥各部向隋朝进贡马万匹，羊两万只，驼、牛各五百头，获得了丰厚的回赠。突厥都蓝可汗"寻遣使请缘边置市，与中国贸易"，得到文帝许可。③ 大业三年（607 年），隋炀帝一次就赐给突厥可汗丝织品 1.2 万匹，各部酋长获赐丝织品 20 万段。④ 但朝贡获得的赏赐，仅仅能够满足少数贵族阶层的物质需要。

突厥与隋的互市，在突厥的经济活动中，也有非常重要的地位。在幽

---

① 《魏书》卷 103 《蠕蠕传》。

② 《周书》卷 50 《突厥传》。

③ 《隋书》卷 84 《突厥传》。

④ 据《隋书》记载："大业三年四月，炀帝幸榆林，启民及义成公主来朝行宫，前后献马三千匹。帝大悦，赐物万二千段"；"帝法驾御千人大帐，享启民及其部落酋长三千五百人，赐物二十万段，其下各有差。"

州、太原、榆林等地的榷场，民间"交相往来，吏不能禁"。① 因为这种比较自由的贸易，吸引着草原上的牧民不断南下进入长城沿线。仅仁寿元年（601 年），就有九万突厥人南下"内附"，使得长城沿线出现了"人民羊马，遍满山谷"的景象。② 这也是短暂和平时期的突出表现。

唐代，突厥部落继续与中原保持着大规模的贸易。突厥与唐的贸易，基本以茶马贸易、绢马贸易为主。如唐武德八年（625 年）正月，"吐谷浑、突厥各请互市，诏皆许之"。③ 这次交易，缓解了突厥的困难，也解决了唐的耕牛不足的问题。唐开元十五年（727 年），突厥在西受降城与唐互市，用大量的马匹换取唐的布帛、丝织品。④ 开元二十四年（736 年），突厥一年就南下送马近 1.4 万匹，获得唐朝丝织品 50 万匹⑤。和平贸易使双方都从中获利匪浅，唐朝人赞叹"突厥马技艺绝伦，筋骨适度，田猎之用无比。"⑥ 对中原的农耕、交通和军队的装备都必不可少。因此史称双方"甲兵休息，互市交通"，"彼此丰足，皆有便宜。"⑦ 这种在交换中双方共赢的局面，是非常难得的。

突厥不仅与中原贸易，还与西域各族有贸易往来。玄宗开元十五年（727 年），"七月，突厥骨吐禄遣使献马及波斯锦"。⑧ 骨吐禄所献的波斯锦，显然是突厥从西域或中亚贸易交换得来的。可以说突厥的贸易对象并不是唯一的。

回纥人善于经商，回纥汗国与唐有长期的互市。在指定的地点，回纥人主要是用马匹来交换茶叶、丝绸（绢）等。此外，贸易形式还有朝贡、回赐、官方公开贸易、地方民间贸易、私贩的交易。⑨ 回纥商人可以比较自由地进入中原，来往于长安、太原、洛阳甚至南方的一些城市。唐德宗时，回

---

① 《册府元龟》卷 980《外臣部·通好》。
② 《隋书》卷 84《突厥传》。
③ 《唐会要》卷 94《北突厥》。
④ 《旧唐书》卷 194《突厥传》。
⑤ 张九龄：《曲江集》卷 6。
⑥ 《唐会要》卷 72《诸蕃马印》。
⑦ 《册府元龟》卷 980《外臣部·通好》。
⑧ 《册府元龟》卷 971《外臣部·朝贡四》。
⑨ 《新唐书》卷 150《赵憬传》。

纥与唐的关系一度出现曲折，唐振武节度使（治所在今内蒙古和林格尔县土城子古城）的将领曾将返回的回纥商人连同骆驼、马匹数千匹，丝绸10万多匹扣留，可见回纥人在中原经商的规模是何等庞大。

回纥自恃助唐平息安史之乱有功，随着畜牧业的发展，要求唐朝每年收购马匹10万，其中不乏因病弱根本就不能使用的马。① 唐朝政府不堪其苦，以至"府藏空竭"，却也"税百官俸以给之"。仅大历八年（773年），回纥一次就从唐运回丝绸一千多车。② 回纥商人又把这些丝绸大部分贩运到了西方，当时在东罗马的市场上，一两丝绸一两金，比唐朝价格提高了几百倍。回纥通过转手贸易从中获得了巨额的利润，回纥汗国的经济也因此繁荣起来。

中原是回纥商人从事商业买卖的主要地区。回纥汗国强盛时，唐朝的首都居住了许多回纥商人和冒充回纥商人的"胡商"，其中许多是粟特商人。"胡商"借回纥势力在长安留居经商，获取巨利。他们开商铺，置房产，甚至成为唐人的债主。有些人还日渐贪横，像汉族官吏一样穿起丝绸衣服，招摇过市，引诱别人的妻妾，地方官吏却不敢过问。③ 由于财富积累迅速，有些回纥富商就兼营高利贷，从中牟取更多的利润。④

回纥汗国商业的繁荣，还得益于其占据了蒙古大草原东西方陆路交通要道，为商业发展提供了便利的条件。据《世界征服者史》记载，回纥汗国强盛时，势力可能达到天山（今新疆中部）以北的楚河流域。812年，回纥可汗亲率大军经北庭、龟兹，大破葛逻禄和吐蕃，占领中亚七河流域、锡尔河以及今费尔干纳等地。这些地方属于欧亚大陆的交通枢纽，大大加强了回纥汗国在东西方商业上的重要性。

辽朝时，回鹘的对外贸易达到鼎盛。辽上京的南城名为汉城，城中专门建有回鹘营，安置经商的回鹘商贩，便于回鹘与辽朝的贸易往来。除民间的贸易外，回鹘每三年遣使朝贡一次，主要以玉器、兵器为主。⑤ 此外，他们

---

① 《新唐书》卷50《兵志》。
② 《新唐书》卷232《回鹘传上》。
③ 《资治通鉴》卷225《唐纪四十一》。
④ 《册府元龟》卷999《外臣部·互市》。
⑤ 《契丹国志》卷21《南北朝馈献礼物》。

还把从西方交易获得的物品与辽进行转手贸易。

大批回纥（鹘）人在中原经商，大大促进了回纥（鹘）与中原的经济和文化交流。

辽朝从建国之初，就很重视经商。据《辽史》记载，辽太祖置羊城于炭山北，"起榷务以通诸道市易"；随着地域的扩张，辽设立了五京。五京城内皆有规划有制、管理严格的商品交换区域，并设专人征收商税，进行市场管理。五京逐渐发展成为辽朝的重要商业城市。"在这些壮丽的商业城市中，商旅辐辏，邸店骈列，交易相当活跃。"[1]

辽的贸易范围很广。辽初，同五代的梁、唐、晋、汉和十国中的吴越、南唐都有经济往来。不少契丹人到晋境经商，辽朝甚至借道后晋远至南唐进行交易。为了方便交易，在振武军、雄州、高昌、渤海、西京朔州开设榷场，与南宋、西北诸部、高丽等进行贸易。其中，女真与宋是主要贸易对象。女真以金、帛、布、蜜、蜡、诸药材；铁离、靺鞨、于厥等部以蛤珠、青鼠、貂鼠、胶鱼之皮、牛羊驼马、毳罽等物，进行互市贸易。史载，"来易于辽者，道路褵属"。[2] 辽宋互市是辽境外贸易的主要市场，它满足了辽对某些消费品的需求。宋在榷场贸易中每年也可有40余万缗的收入，以致每年交纳辽朝的岁币多可以从榷场交易中收回。

辽的商业繁荣，也促进了货币经济的发展。耶律阿保机的父亲撒剌的时，就开始铸造货币。从考古发掘所得和保留至今的辽钱考察，耶律阿保机于922年，铸造了金属货币"天赞通宝"，这是辽朝第一次出现的年号大铜钱。[3] 契丹建国后开始铸造年号钱，其后大凡新皇帝继位改元，皆铸新钱，这一制度贯穿整个辽朝。

综上所述，北方各游牧民族的商品经济呈现出独有的特性。和平时期，其与中原往往有固定的市场进行交易，一旦和平被打破，交换的需要就会演变成冲突和战争。因而游牧民族的商品交换，波动性很大，能否保持平等交换和持续和平贸易完全取决于双方对和平的维系。

---

① 张正明：《契丹史略》，中华书局1979年版，第76页。
② 《辽史》卷60《食货志下》。
③ 《辽史》卷60《食货志下》。

二、北方游牧民族的交通运输

北方游牧民族生活在北方草原地带，特殊的地理和自然环境，有利于发展畜牧业。主要的交通工具，马是首选。马是牧民畜牧狩猎、运输、贸易和日常生活中，不可或缺的必需品。随着手工业的发展，车也成为游牧民不可缺少的交通工具。其形制、用途也多种多样，有迁徙载物用的大车、毡车，妇女老幼所乘的小车。在道路交通方面，还有专人管理的、有专项功能的驿路。所以，由于交通运输工具的便利，北方游牧民族的交通运输非常发达，甚至可以达到一日千里，纵横驰骋。

匈奴人非常擅长并重视养马，日常交通工具主要是马。马可以乘骑、运输、骑射，是从事畜牧狩猎和战争的必备工具。匈奴人发明并制造胡车，并广泛用于日常交通和军事，有"胡车相随而鸣"之说。① 能根据用途，制造不同类型的车。从阴山发现的车辆岩画看，有战车、载物车和作为住所的车。《汉书·扬雄传》引《长杨赋》云："砰辒辌（音汾、温），破穹庐。""胡车"、"辒辌"，都是指匈奴车。109 年，汉兵在常山、中山（今冀北一带）击败南单于万氏尸逐鞮，获其穹庐及车千余辆。② 134 年，汉军在西域车师阗吾陆谷，狙击北匈奴，也缴获其车千余辆。③

柔然人会造辒车，能大批量生产。阿那瓌可汗之女嫁西魏文帝元宝炬时，随行的车竟达 700 乘。库莫奚人也会造车，史载，奚"环车为营"。李商隐记载幽州节度使张仲武攻破奚，俘获奚车五百辆。④

突厥人长于养马，也会造车。据《隋书》记载，突厥会造毡车。其属部南室韦人"乘牛车，篷篅为屋，如突厥毡车之状。"⑤

唐朝初年，唐太宗应突厥、回纥等部请求，在漠北回纥牙帐和漠南之间修建了一条一千多里长的"参天可汗道"。沿途设邮驿 68 所，备有房舍、酒肉、马匹和车辆。路上的商队、使臣往来不绝。人多的时候，每队达

---

① 桓宽：《盐铁论》卷 6《散不足》。
② 《后汉书》卷 19《耿弇列传》。
③ 《后汉书》卷 88《西域传》。
④ 《文苑英华》卷 568。
⑤ 《隋书》卷 84《北狄》。

"数千百人"。草原上的牧民也"老幼不惮遐远，悉手持方贡"南下交易。①

回纥汗国交通发达，交通网络的中心是鄂尔浑河畔的汗国首都。汗国的主要交通要道有五条，被称作"回纥路"：（1）从汗国首都出发，向南经公主城到漠南边缘的碛口，越过阴山到达唐朝的中受降城（今内蒙古包头市西南黄河北岸），再向南到长安（今西安市）。（2）从汗国首都出发向西南行，越过杭爱山到达北庭（今新疆吉木萨尔），再向西到碎叶（今吉尔吉斯斯坦托克玛克附近）。（3）从汗国首都南下至河西走廊，途中经杭爱山向南到达额济纳河下游的居延海（今内蒙古额济纳旗北境），再向南到达河西走廊的张掖。（4）在河西走廊以北汗国境内与河西走廊平行的一条大道，向西通伊州（今新疆哈密）、西州（今新疆吐鲁番）和北庭，向东则延伸到阴山南北缘，再向东到奚和契丹所居的潢水（今内蒙古西拉木伦河）流域一带。（5）从汗国首都出发，北行至叶尼塞河上游黠戛斯部居地。"回纥路"对汗国的军事、商业至关重要，因此汗国对境内的道路实行统一管理。在主要道路上均设有驿站，驿站备有驿马、水井，以供军队、使节、商队等使用。当时，阿拉伯著名的旅行家塔米姆曾到达回纥汗国首都，并在《塔米姆回鹘游记》中生动地描述了沿途驿站的情形。

回纥汗国在东西方交通的地位，在8世纪中叶后显得更为重要。因为当时与唐朝交恶的吐蕃十分强盛，相继占据陇右（今甘肃西部）、北庭（即北庭都护所在地，今新疆吉木萨尔一带），控制安西四镇（指碎叶、于阗、疏勒、龟兹四镇）以及天山以南地区。这样，中原便不能通过吐蕃的领土与西域各族联系，回纥汗国成为唐朝唯一通往中亚、西亚的陆路通道。由于北庭处于东西交通要冲，回纥为争夺此地与吐蕃多次激战。直到9世纪初，保义可汗率回纥军击败吐蕃，收复北庭和龟兹，东西交通才再次畅通无阻。

契丹人和辽代的主要交通工具是马、骆驼、车、船。马的用途最广，是游牧、射猎、战争、使节往还等必不可少的运输工具和装备，契丹男女老幼凡胜任者，都以之为主要运载工具。《辽史·仪卫志》载："契丹故俗，便于鞍马。随水草迁徙，则有毡车，任载有大车，妇女乘马，亦有小车，贵富

---

① 《册府元龟》卷19《帝王部·功业一》。

者加之华饰。"宋人沈括也有记载与之印证。① 宋熙宁间，沈括使辽时所见的契丹人行则乘马。骆驼耐饥渴，不但是沙漠中必备的运载工具，而且在长途跋涉无水的紧急情况下，行人可刺驼血做饮料解救危急。因此，辽朝使者出使远方，凡途经沙漠者，还需备有骆驼。

古代北方草原民族的造车技术，是在各族人民长期的交往和学习过程中发展和提高的。辽朝属部黑车子室韦人善造车。所谓"黑车子，国也。以善制车得名。契丹之先，尝遣人往学之②"。由此可见，契丹人的造车技术，是从邻族学到的。此外，契丹的贵妇人，还特别喜欢奚车，因为"奚车一车一牛驾"，③ 行走平稳，以毡制成，能够御寒。在对后晋的战争中，辽太宗也曾乘奚车督战，为晋军追击而失车后改乘骆驼。

契丹人不仅学会了造车，还具备了一定的规模，有高超的技术。辽上京设有车子院，并设监管理，可见当时造车的技术和规模。契丹人的车形制不一，用途各异。有的车既可陆行，又能用以渡河。宋朝派往辽国的使臣，因年老、疾病不任乘骑者，辽都备车往返。苏辙的《乘驼车》，以诗歌语言描述了契丹车形制，与沈括所记异曲同工。辽人的绘画作品和辽墓出的壁画，多有契丹车的形象。内蒙古库伦旗辽墓壁画中的车，有螭头，车楼、帷子饰青色帐幔，盖部或四角垂流苏，与沈括的记载完全相符。这种车当是《辽史·仪卫志·国舆》所说的青车。除造车以外，契丹人还能制造舟船。造船技术具有一定水平，有的可用于海上航行；有的既可于水中航行，又有轮可以陆行。辽朝的造船技术具有一定水平，曾以海船运输东京（今辽宁辽阳）粮食，舒解南京（今北京）饥荒。

总之，北方各游牧民族，利用得天独厚的自然条件，在交通运输方面，作出了应有的贡献。不仅表现在马、牛、车等交通工具的利用，还集中反映在道路交通的完备。古代北方各族，不仅开辟了通畅的陆路交通，还有顺畅的水陆交通。有些交通路线甚至延伸到西方国家，如闻名中外的草原丝绸之路。完善的驿路制度，是草原各民族创造的卓越成就。

---

① 沈括：《熙宁使虏图抄》，《永乐大典》卷 10877（虏）韵。
② 《辽史》卷 116《国语解》。
③ 《续资治通鉴长编》卷 79。

第 十 七 章

中国古代北方游牧民族的文化习俗

在长期的历史发展过程中，由于活动在特殊的地理环境之中，从事着独特的游牧狩猎业生产，中国古代北方各族形成了丰富多彩而又独具特色的文化习俗，与中原农耕文化及周边其他类型文化发生了疏密不同的交流，为中华文明的形成和发展作出了历史贡献。

第一节　饮　食

中国古代北方游牧民族所处的自然环境及其特定的生产方式，决定了其饮食习俗具有不同于其他民族的内涵和特色。

匈奴是一个典型的游牧狩猎民族，"居于北蛮，随畜牧而转移"，饲养马、牛、羊，追逐水草往来迁徙，并兼射猎飞禽野兽以为生业。所以他们主要的食物饮料是各种肉类和乳浆湩酪，射猎所得飞禽走兽则是其调剂和补充。正如《史记·匈奴列传》所说，匈奴人"自君王以下，咸食畜肉"，"壮者食肥美，老者食其余"[1]。

匈奴人给他们已经死去的亲人或尊敬者供奉的祭品食物，也主要是牛羊畜肉。例如，内蒙古准格尔旗玉隆太匈奴贵族墓出土了羊骨和马骨；杭锦旗桃红巴拉匈奴一号墓出土了 2 具羊头骨、4 具牛头骨、9 具马头骨，二号墓

---

[1]　《史记》卷110《匈奴列传》。

除出土了层层叠压的大量牲畜骨骼外，还有 3 具马头骨、42 具羊头骨；乌拉特中后旗呼鲁斯太匈奴墓出土了 27 具马头骨；准格尔旗西沟畔匈奴六、九、十一号墓也都有羊头、马骨骼以及狗的头骨出土①等等。

在秦汉时期的漠北地区，包括今天的外贝加尔地区、米努辛斯克地区、巴泽雷克地区，更是绝大多数的匈奴墓葬中都有羊、牛、马的骨骼出土②。

虽然匈奴主要经营畜牧狩猎业，以肉乳为主要食物，但他们也知道"粒食"，以谷物为粮。例如公元前 119 年西汉骠骑将军霍去病在漠北战役中率汉军骑兵出塞千余里追击伊稚斜单于，"至寘颜山赵信城，得匈奴积粟，食军，军留一日而还，悉烧其城余粟以归"③。再如公元前 83 年，壶衍鞮单于"年少，初立，国内乖离，常恐汉兵袭之。于是卫律为单于谋曰：'穿井筑城，治楼以藏谷，与秦人守之。汉兵至，无奈我何'"④。

文字记载、考古实物、研究成果都证明，匈奴人主要是以牲畜以及禽兽的肉乳为食，此外亦以谷物为粮。

乌桓也是一个游牧狩猎民族。《后汉书·乌桓传》说乌桓"俗善骑射，弋猎禽兽为事。随水草放牧，居无常处。以穹庐为舍，东开向日。食肉饮酪，以毛毳为衣"⑤。明确记载乌桓人是以牲畜禽兽的肉类以及奶酪为其主要食物。根据乌桓自其"大人以下，各自畜牧营产"⑥，经营各自的私有经济等现象来看，乌桓人以肉乳为其主要食物的情况应该非常普遍。

乌桓人除主要经营畜牧、狩猎业之外，也经营农业。在其驻牧区域内，有一些地区"宜穄及东墙。东墙似蓬草，实如穄子，至十月熟"⑦。

---

① 内蒙古博物馆，内蒙古文物工作队：《内蒙古准格尔旗玉隆太的匈奴墓》，《考古》1977 年第 2 期；田广金：《桃红巴拉的匈奴墓》，《考古学报》1976 年第 1 期；塔拉、梁京明：《呼鲁斯太匈奴墓》，《文物》1980 年第 7 期；伊克昭盟文物工作站、内蒙古文物工作队：《西沟畔匈奴墓》，《文物》1980 年第 7 期。

② ［蒙古国］策·道尔吉苏荣：《北匈奴》，载蒙古人民共和国《考古学研究》1961 年第 1 卷第 5 号；潘玲：《伊沃尔加城址和墓地》及相关匈奴考古问题研究，北京科学出版社 2007 年 12 月；［日］梅原末治：《蒙古ィソゥン発见の遗物》，东京都便利堂昭和三十五年三月。

③ 《史记》卷 111《卫将军骠骑列传》。

④ 《汉书》卷 94 上《匈奴传》。

⑤ 《后汉书》卷 90《乌桓鲜卑传》。

⑥ 《后汉书》卷 90《乌桓鲜卑传》。

⑦ 《后汉书》卷 90《乌桓鲜卑传》。

可以说，乌桓人的食物主要是畜肉奶酪，而以东穄、青稞等粮食为辅。

鲜卑与乌桓同源，皆出自东胡。所以《后汉书·鲜卑传》说："其言语习俗与乌桓同"。大体说，早期鲜卑人的食物来源主要依靠牲畜，主要以乳肉为食。

然而，虽有鲜卑语言风俗与乌桓相同之说，却不见鲜卑人经营青稞、东穄等粮食作物的记载。据此似可推知，鲜卑人饮食物品中粮食所占的比重，其程度应在乌桓人之下。

拓跋鲜卑南迁大泽以前，其祖先居住在大鲜卑山，"统幽都之北，广漠之野，畜牧迁徙，射猎为业"[①]。这个时期的拓跋鲜卑人，以狩猎所得为其主要经济来源。在今内蒙古呼伦贝尔市鄂伦春自治旗嘎仙洞遗址试掘时，出土了新石器时期的石镞、骨镞以及刮削器等，还有夹砂陶罐残片、石器、骨器、牙角器以及大量的兽骨[②]。根据嘎仙洞中发现的兽骨多为野鹿、野羊、野猪，可以说这个时期的拓跋鲜卑人，是以野生动物的肉类为其主要食物。

南迁大泽之后，因为自然环境的改变，经济类型也发生了很大的变化，由原先的森林狩猎民族变成了以游牧业为主狩猎业为辅的游牧民族。驱伴着牲畜追逐水草迁徙，已经成为此时拓跋鲜卑人主要的经济生业。一系列考古学资料也证明了生产方式的转变。例如在内蒙古呼伦贝尔的完工索木、扎赉诺尔的鲜卑墓葬中，都出土了羊、牛、犬、马的骨骼[③]，在海拉尔孟根楚鲁鲜卑墓葬里，也出土了用于供奉祭祀的羊、牛以及马的头骨、蹄骨[④]。作为游牧狩猎民族的拓跋鲜卑人，其饮食应以所牧放饲养的牲畜以及猎获的禽兽的肉乳为主。

拓跋鲜卑入居盛乐后，制订并且实施的"息众课农"、"计口授田"等政策措施，使得当时的长川、盛乐、河套、五原等地区的农业逐渐繁盛起

---

①　《魏书》卷1《序纪》。

②　米文平：《鲜卑石室的发现与初步研究》，《文物》1981年第2期；吉发习：《嘎仙洞调查补记》，《内蒙古师范大学学报》1985年第1期。

③　潘行荣：《内蒙古陈巴尔虎旗完工索木发现古墓葬》，《考古》1962年第11期；内蒙古文物工作队：《内蒙古陈巴尔虎旗完工古墓清理简报》，《考古》1965年第6期；郑隆：《内蒙古扎赉诺尔古墓调查记》，《文物》1961年第9期；郑隆：《扎赉诺尔古墓调查发掘简报》，《考古》1961年第12期。

④　程道宏：《伊敏河地区的鲜卑墓》，《内蒙古文物考古》1982年12月第2期。

来，从事耕垦的人口也大幅度增加①。到平城和洛阳时代，拓跋鲜卑人已经基本把粮食用做主要食物，只有在灾年歉收时才以畜牧业产品为其补充。

突厥是一个典型的游牧狩猎民族。"随水草迁徙，以畜牧射猎为务"，"食肉饮酪"②。突厥人的牲畜拥有量很大。启民可汗时，突厥羊马"遍满山谷"③。了解突厥情况的唐朝使者郑元璹曾说："突厥兴亡，唯以羊马为准"④。601 年启民可汗一次就被阿勿思力俟斤掠去二十多万头匹牲畜⑤。突厥人的羊只马匹拥有量如此巨大，可以推知当时主要应以牛羊的乳肉为其饮食。

除以牲畜的乳肉为其主要食品外，突厥人还用狩猎所获得的禽兽为其食物来源的补充。"沙钵略［可汗］一日手杀鹿十八头"⑥。后突厥暾欲谷说："突厥人户寡少，不敌唐家百分之一，所以常能抗拒者，正以随逐水草，居处无常，射猎为业，人皆习武。"⑦ 682 年，阿史那骨咄禄叛离唐朝创建后突厥政权的初期，也是主要以射猎禽兽为生。突厥文暾欲谷碑说："（那时）我们住在总材山及黑沙［地方］。我们吃野山羊和兔子度日，人民的肚子是饱的。"⑧

契丹亦为游牧狩猎民族，他们所饲养牧放的牲畜，羊马为多，牛驼也不少，并且以这些牲畜的乳肉为其主要饮食。《辽史》记载契丹人"马逐水草，人仰湩酪，挽强射生，以给日用，粮食刍茭，道在是矣。"⑨

除了以肉类为其食物外，乳液以及乳制品也是契丹人主要食物的一部分。"人仰湩酪"说的就是契丹人饮马、羊、牛乳，食乳粥、奶酪、乳饼等。

契丹人兼营农耕业。耶律阿保机的祖父匀德实"喜稼穑，善畜牧，相地利以教民耕"⑩。耶律阿保机在平息诸弟内乱之后，"弭兵轻赋，专意于

---

① 《魏书》卷 110《食货志》。
② 《周书》卷 50《突厥传》。
③ 《隋书》卷 84《突厥传》。
④ 《旧唐书》卷 62《郑元璹传》。
⑤ 《隋书》卷 84《突厥传》。
⑥ 《隋书》卷 84《突厥传》。
⑦ 《旧唐书》卷 194（上）《突厥传》。
⑧ 耿世民译：《暾欲谷碑》，林幹：《突厥史》，内蒙古人民出版社 1988 年版，第 246 页；林幹：《突厥与回纥史》，内蒙古人民出版社 2007 年版，第 254 页。
⑨ 《辽史》卷 59《食货志上》。
⑩ 《辽史》卷 59《食货志上》。

农"。攻下扶余之后，又把农耕人口迁徙到临潢周围分地耕种。太宗时期渤海遗民亦被迁移到东京辽阳府周围从事农耕。

由于农业的经营，早期契丹社会无疑存在着以粮食谷物为其食物的习惯。发展到世宗（耶律阮，947—950 年在位）、穆宗（耶律璟，951—969 年在位）时期，契丹辽统治区域内出现了编户数十万、耕垦千余里①的农业繁盛局面。随着这种社会环境特别是经济物质的变化，契丹人的食物种类也发生了变化，谷物粮食在食物结构中占据了更大的比重。

契丹人不仅把牲畜禽兽的肉乳以及各类粮谷用为食物，而且还种植和食用蔬菜。胡峤在《陷虏记》中曾说："自上京东去四十里，至真珠寨，始食菜。"②

当时，契丹辽境内除上京、中京等地设有园圃种植蔬菜外，在边境附近也有蔬菜种植。今蒙古国肯特省克鲁伦河与塔尔吉里赫木伦河汇流处山脚下的西赫雷姆古城遗址，发现了规模很大的引水灌渠、菜园以及蔬菜库。③

契丹人喜欢使用生葱生蒜生韭来调味配食。《东京梦华录》说：在契丹辽朝的使节以及宋朝大臣共同为宋朝皇帝祝寿时，"每分列环饼、油饼、枣塔为看盘，次列果子。唯大辽加之猪羊鸡鹅连骨熟肉为看盘，皆以小绳束之。又生葱韭蒜醋各一碟"④。契丹人还食用桃、李、柿、梨、枣、栗、松子、西瓜等水果。⑤

---

① 《宋史》卷 264《宋琪传》。

② 《新五代史》卷 73《四夷附录第二》。

③ ［蒙］佩尔列：《蒙古人民共和国境内的契丹古城古村遗址》，原载《蒙古考古论文集》，莫斯科，1962 年；汉译文见内蒙古文物工作队编印：《文物考古参考资料》1989 年第 1 期。"西赫雷姆城外掘有壕堑。壕堑现宽 10 米—20 米，深 1 米—1.2 米。此外，城市的西半部分还存在一条由北向南走向的壕堑或水渠遗迹（现宽 7 米，深 0.3—0.5 米）。该城自东向西被两道墙壁所隔。城市的东北部分也被分隔出来，并筑墙环绕。被分隔出来的地方可以看到小型院墙的遗迹，院墙内有建筑物遗址。同样的设防庄园遗址在该城的南半部分和东南部分也可看到。但是西半部分和西北部分以及东半部分的某些地方，却空无遗祉。在这些地方丝毫没有建筑物的遗迹，这些空地当年可能是菜园。城市东南部分有两座建筑物，为谷物和蔬菜库……城内的灌溉水渠和当年菜园所占的空地都可说明这座城市在生产上的作用"。

④ 孟元老：《东京梦华录》卷 9《宰执亲王宗室百官入内上寿》。

⑤ （宋）洪皓：《松漠纪闻》，1986 年台湾商务印书馆影印《文渊阁四库全书》本。"宁江州，去冷山百七十里，地苦寒，多草木。如桃、李之类，皆成园"。"西瓜形如匾蒲而圆，色极青翠，经岁则变黄。其茙类甜瓜，味甘脆，中有汁，尤冷……予携以归，今禁辅、乡圃皆有。"胡峤《陷虏记》则记载："遂入平川，多草木。始食西瓜，云契丹破回纥得此种，以牛粪覆棚而种，大如中国冬瓜而味甘。"

根据现有资料，可以说契丹人喝酒比饮茶还要普遍。契丹辽建立之初，其政治中心上京临潢府就设有"麹院"①，与"绫锦院"等为邻，是契丹辽前期管理制酒饮酒等与酒有关各项事宜的机构。在契丹辽宫廷内还有"酒人"，专门管理酒类。契丹辽设立任用的管理酒类的司署吏职，反映出当时契丹辽官府制酒的实情。此外，契丹辽社会民间私家制酒售酒饮酒的情况也很普遍。辽穆宗曾微服游市沽酒饮用，他不仅赐给酒家银绢，还命令其臣僚们市酒纵饮。②。契丹人饮用的酒类有千秋万岁酒、菊花酒、茱萸酒、葡萄酒以及御容酒等。③

第二节　发　式

对于北方游牧各族的发式，有关的文献资料既有矛盾之处，又嫌零星分散、笼统片面。许多相关的考古资料还不全面或尚未经见；一些研究者的见解或有偏颇和不当之处。所以，甄别史书记载的正误，结合考古资料，对北方游牧各族的发式这一在一定程度上表现民族特征的习俗作一专题叙述，也是必要的。

东胡是见诸史乘的公元前7世纪至前3世纪我国北方地区的一个部落联合体。史书中缺乏有关东胡人发式的记载，一系列有关东胡的考古发现也没有提供此类证据。但从东胡后裔既有髡发，又有披发的情形看，泛称东胡的人们应该至少兼有这两种发式。

匈奴与东胡是先秦时期蒙古高原上并峙的双雄。史载匈奴人"纵体拖发"④，拖发即披发。考古材料不乏佐证。在蒙古诺颜山发掘的匈奴贵族第25号墓葬，发现一幅匈奴人像刺绣画，画中人头发浓密，梳向后方，⑤ 当为

---

① 《辽史》卷37《地理志一·上京临潢府》。

② 《辽史》卷7《穆宗纪下》。966年正月，辽穆宗"微行市中，赐酒家银绢"；968年正月，辽穆宗又"观灯于市。以银百两市酒，命群臣亦市酒，纵饮三夕"。

③ 《辽史》卷11《圣宗纪》，卷6《穆宗纪》。

④ 《淮南子·齐俗训》。

⑤ 林幹：《匈奴墓葬简介》，林幹编：《匈奴史论文选集》，中华书局1983年版，第403页。

披发。辽宁西丰县乐善乡执中村古墓群出土的铜饰板上有披发人形象，① 苏联南部斯达索夫墓的一幅壁画中也有三个留着披发的游牧人，全发遮住两耳，后披至肩。②

东胡自被匈奴击破以后，一部分据乌桓山自保，因山为号，称乌桓。③ 乌桓"父子男女……以髡头为轻便"，乌桓妇女婚嫁之时，"乃养发分为髻"。④ 这种髻头的具体样式，考古图像资料表明是剃去除头顶以外的全部头发，所留发不长，多随其自然。有的将顶发挽成小髻，有的结做小辫。⑤ 有人认为和林格尔汉墓壁画中四周剃光顶留小髻的是匈奴人，剃去中间仅剩两侧的应是鲜卑人。乌桓的发式和契丹相同，髡发当有承袭。⑥ 这种说法是值得商榷的。一则匈奴发式是否为四周剃光顶留小髻没有凭据；二则剃去中间仅剩两侧头发者并不存在；三则宇文部贵族本是匈奴南单于后裔。匈奴发式为披发，史书记载的宇文氏发式当是鲜卑化后的式样，和乌桓发式相同。

鲜卑也是从东胡集团分化出来的，以分布地域的不同，这里我们把鲜卑分称为南支鲜卑和北支鲜卑两大部分。南支鲜卑指匈奴攻破东胡后，据保鲜卑山而得名这部分。北支鲜卑指大兴安岭北部地区的东胡后裔。大部分南支鲜卑人也有髡发习俗。史载鲜卑"唯婚姻先髡头"，"嫁女娶妇，髡头饮宴"⑦，"皆髡头衣赭"，州胡"皆髡头如鲜卑"。⑧ 和林格尔汉墓壁画印证了鲜卑人的形象是穿着赭色衣物，留着剃去除头顶以外全部头发的髡头，和乌桓人的发式一样。而二者在发俗上的差异是，鲜卑男女婚嫁时始髡头，乌桓男女婚嫁前既髡头，妇女则在婚嫁时留发做髻。鲜卑人婚嫁前后发式的变化，无疑是把剃发当做一个人即将进入不同生活阶段而举行的一种人生仪式或将婚和已婚的标志。实行了这种仪式或具有这种标志，就意味着社会对他

---

① 参见孙守道：《"匈奴·西岔沟文化"古墓群的发现》，《文物》1960 年第 8、9 合期。

② O. Maenchen-Helfen, Crenelated Mane and scabbard slide. Fig. 22.

③ 《后汉书》卷 90《乌桓鲜卑传》，《三国志》卷 30《魏书·乌桓鲜卑传》注引王沈《魏书》。

④ 《后汉书》卷 90《乌桓鲜卑传》，《三国志》卷 30《魏书·乌桓鲜卑传》注引王沈《魏书》。

⑤ 参见内蒙古自治区博物馆文物工作队编：《和林格尔汉墓壁画》之《宁城图》、《幕府大廊、卫士》、《西河长史出行》等，文物出版社 1978 年版。

⑥ 参见孙进己、干志耿：《我国古代北方各族发式之比较研究》，《博物馆研究》1984 年第 2 期。

⑦ 《后汉书》卷 90《乌桓鲜卑传》，《三国志》卷 30《魏书·乌桓鲜卑传》注引王沈《魏书》。

⑧ 《北堂书钞》卷 45 引《风俗通》，《三国志》卷 30《魏书·东夷传》。

（她）身份、地位、权利和义务有了不同以往意义上的要求和认可。应该注意，史书记载的鲜卑人的髡头是从婚嫁之时开始的，那么，鲜卑人婚前的发式不会是髡头。从北支鲜卑及部分南支鲜卑人披发的习俗推测，婚后髡头的南支鲜卑人婚前不无可能是披发。

慕容部是南支鲜卑的一支，曹魏初年迁居辽西。① 慕容氏曾有披发习俗。据《晋书·慕容廆载记》：慕容廆曾祖莫护跋始居辽西时，"燕代多冠步摇冠，莫护跋见而好之，乃敛发袭冠"。有的研究者说"敛发袭冠"是将原来髡头下披的头发收敛在一起，便于在头上加冠。② 实际恐非如此。虽然慕容部源于南支鲜卑，但族源相同，发式并不一定一致。史籍也没有慕容部留髡头的明确记载。慕容部先人既然能"敛发袭冠"，说明所蓄不会是仅留顶部数寸而剃去四周的髡头。史书记载表明，慕容氏确为披发。据《晋书》记载，前燕王慕容皝在上晋朝表中说，"臣被发殊俗"。一些史例也透漏出相关信息。如慕容翰为蒙蔽宇文归，"阳狂恣酒，被发歌呼"；慕容俊曾对臣下说："吾本幽漠射猎之乡，被发左衽之俗"；慕容熙为其皇后出殡，"被发徒跣"。③ 这些都证明慕容氏发式不同于髡头的其他南支鲜卑人。只是慕容氏徙居辽西以后，受燕、代中原人影响，开始将披发挽束头顶做髻而着步摇冠。考古工作者在慕容鲜卑墓葬中发现的许多步摇冠证明了这一点。④

披发是留全发后披，不同于髡发，对此，有的研究者持不同意见，认为"披发乃是指剃去头顶以外全部头发的髡头"。⑤ 相关文献记载和考古材料可以证明披发并不是髡头，也不是将髡发后所余发后披，而是留全发后披。慕容氏先披发后椎髻无疑是汉化的结果。

吐谷浑是从慕容鲜卑分出，迁居到今青海一带的南支鲜卑后裔。史书记载的是南北朝后期至隋朝初期吐谷浑人的发式。史称"夸吕椎髻毦珠，以皂为帽，坐金师子床。号其妻为'恪尊'，衣织成裙，披锦大袍，辫发于

---

① 《太平御览》卷121引北魏崔鸿《十六国春秋·前燕录》。
② 李逸友：《略论和林格尔东汉墓壁画中的乌桓与鲜卑》，《考古与文物》1980年第2期。
③ 参阅《晋书》之《慕容皝载记》、《慕容传载记》、《慕容熙载记》。
④ 参见孙国平：《试论鲜卑族的步摇冠饰》，《辽宁省考古、博物馆学会成立大会会刊》1981年版。
⑤ 参见李逸友：《略论和林格尔东汉墓壁画中的乌桓与鲜卑》。

后，首戴金花冠"。① 椎髻，亦作椎结。《汉书·李陵传》"两人皆胡服椎结"。颜师古注曰："结读曰髻，一撮之髻，其形如椎。"即将头发挽束头顶做髻如椎状。可见，吐谷浑可汗椎髻，其妻辫发。又据《魏书·吐谷浑传》，吐谷浑"丈夫衣服略同华夏，多以罗幂为冠，亦以缯为帽；妇人皆贯珠贝，束发，以多为贵"。一般部众有冠、帽，发式也应是椎髻。妇女则为辫发。吐谷浑男子椎髻的发俗，当承继于慕容鲜卑的"敛发袭冠"，也是汉化的结果。

宇文部贵族本是匈奴南单于后裔，部众多是南支鲜卑人。南北朝时期，宇文鲜卑"人皆剪发，而留其顶上以为首饰，长过数寸则截短之"。② 有证据证明，匈奴的发式是披发，那么，宇文氏的发式是鲜卑化的产物。有一种意见认为宇文氏的发式是椎髻，③ 显然与上述记载相悖。这种剪去四周发，只留头顶部分的发式，正是和林格尔汉墓壁画中乌桓鲜卑人的髡头样式。

拓跋部是东胡后裔北支鲜卑南迁的一支，原居地在大鲜卑山（今大兴安岭北段嘎仙洞附近）。拓跋人"披发左衽"，南朝人称其为"索头"。④ "索头"究为何种发式？《通鉴》晋成帝咸康二年条"索头郁鞠帅众三万降于赵"，句后胡注云："索头，鲜卑种，言索头，以别于黑匿郁鞠；以其辫发故谓之索头。"有研究者赞同这一说法，认为"索头也就是指带有小髻或长辫"，"也就是由于髻辫尤如绳索一样"。⑤ "索发、束发、被发、盘发、绳发应是大同小异，都是一个意思：辫发"。⑥ 一般认为族属鲜卑的扎赉诺尔古墓群第 29 号墓中"头骨右侧尚残存一节发辫"，⑦ 但此墓尸骨鉴定为女性，这只能证明拓跋部妇女是辫发的。

参证各种记载可知，索头与披发大致相同。《南齐书·魏虏传》说拓跋氏"披发左衽，故呼为索头"。北魏高祖元宏在谈到革除鲜卑旧俗必要性时

---

① 《魏书》卷 101《吐谷浑传》。
② 《魏书》卷 103《匈奴宇文莫槐传》。
③ 参见孙国平前引文。
④ 《南齐书》卷 57《魏虏传》，《宋书》卷 95《索虏传》。
⑤ 李逸友：《略论和林格尔东汉墓壁画中的乌桓与鲜卑》，《考古文物》1980 年第 2 期。
⑥ 郑英德：《试论室韦是蒙古族源》，《北方民族关系史论丛》第 1 辑，内蒙古人民出版社 1984 年版，第 61 页。
⑦ 内蒙古文物工作队：《内蒙古扎赉诺尔古墓发掘简报》，《考古》1961 年第 12 期。

曾说："若仍旧俗，恐数世之后，伊洛之下复成披发之人"。① 他虽然用的是《左传》所记周代"辛有适伊川，见披发而见于野者，曰'不及百年，此其戎乎'"的典故，但"伊洛之下复成披发之人"一句正点出拓跋氏是有披发习俗的。从一些旁证材料也可得出相同结论。"其先与后魏（指拓跋氏）同出"② 的秃发人鏺勿崘曾追忆说："昔我先君肇自幽朔，被发左衽，无冠冕之仪"；③ 与拓跋部具有共同祖先的室韦人，史书既说其为索发，又为披发。④ 这些都说明史书是把索发、索头和披发当作同种发式记载的。拓跋氏的索头既非髻、辫犹如绳索，或辫发，也不是髡头后绳索余发，而是蓄留全发后披，长到一定长度则以绳索在发端扎系。⑤

关于柔然人的发式，南北朝史家的记载迥然不同。南朝史书说柔然人"辫发"，"编发左衽"；⑥ 北朝史书说柔然人"不绊发"，"髡头"。⑦ 从地域的邻近，关系的疏密，语言、习俗的异同等方面考虑，北朝人的记载应属可靠。⑧

据《魏书·西域传》载，悦般王约见大檀可汗，入柔然界百余里，因见柔然人有不绊发等不洁之俗而返。⑨ 绊，制约、束缚之意。不绊发，即不辫发，即披发。柔然人披发乃悦般王亲眼所见，当然可信。又据《魏书·崔浩传》记载，崔浩称柔然是"髡头之众"。同书《天象志》三屡言柔然为"髡头之兵"、"髡头之国"、"髡头之域"。"旄头骑"是古代军队中一种担任先驱的骑兵，以其披发，而称髡头。北朝人以柔然人披发，故称其为"髡头之兵"。柔然贵族是与拓跋氏具有共同族源的北支鲜卑后裔，它也承继了祖先披发的习俗。

---

① 《魏书》卷21《献义六王传》。
② 《魏书》卷41《源贺传》，《晋书》卷126《秃发乌孤载记》。
③ 《晋书》卷126《秃发利鹿孤载记》。
④ 《魏书》卷100《失韦传》，《隋书》卷84《室韦传》。
⑤ 沣西客省庄第140号透雕铜饰上两个匈奴人的披发末端有绳索扎系即可证明。
⑥ 《南齐书》卷59《芮芮传》，《南史》卷79《蠕蠕传》。
⑦ 《魏书》卷102《西域传》、卷35《崔浩传》、卷105《天象志三》。
⑧ 孙进己、干志耿前引文以南朝史著为据，认为柔然编发，我们不同意这种观点。
⑨ 据《魏书·西域传》记载，悦般是北匈奴西迁康居后留居龟兹北部的部落。俗爱清洁，剪发齐眉，以醍醐涂抹，昱昱生光，一日三次洗漱。故对柔然人不绊发等习俗难以接受。

契丹是南支鲜卑后裔。史载其为髡发。① 有关契丹发式的考古图像资料非常丰富，为研究契丹人的髡发提供了直观材料。虽然契丹与鲜卑有族源关系，并且同是髡发，但具体样式却大相径庭。总的来看，契丹人的髡发有两种形式：（1）头顶、额上及脑后均无发，颅两侧有发，或自然下垂，或结绺或编辫分垂两耳前或后；（2）头顶无发，个别的有发。额上有发，或与颅两侧发结绺相连，或自然前披。颅两侧发或自然下垂，或结绺或编辫分垂两耳前或后。② 契丹女子也有髡发习俗。内蒙古察右前旗豪欠营第 6 号辽墓契丹女尸的发式使我们对契丹妇女的发式有了感性认识③。

室韦是与契丹大抵同时见于北魏史册记载的北支鲜卑后裔。《魏书》、《北史》的《室韦传》说南北朝时期室韦"丈夫索发"，《魏书·乌洛侯传》载乌洛侯（唐时归入南室韦）"绳发"。用字虽略有不同，但含义是一致的。汉字"绳"、"索"往往连称，索发、绳发是同一种发式。《隋书》、《旧唐书》的《室韦传》又说隋唐时期的室韦"丈夫皆被发"、"被发左衽"。可知索发、绳发与披发大致相同，都是留全发后披，不做髡，不编辫，长到一定长度用绳索在发端扎系。室韦人和拓跋鲜卑的发式相同，二者继承了祖先的发俗。室韦女子"束发（《隋书》作'盘发'），作叉手髻"④，大概是将头发在脑后或头顶盘成髻，做交叉状。五代后期，见于记载的一些室韦部落仍有披发习俗。如姬厥律（即乌古）"其人长大，髦头"，轊劫子（即蒙古斯）"其人髦首"。⑤ 髦头（首），前文已考为披发。可见，从北魏到五代后期的四百余年间，见于史书记载的室韦人均为披发。

古代蒙古人的发俗经历了一个历史变化过程。唐代蒙兀室韦是室韦诸部之一，室韦人有披发习俗，蒙兀部当不例外。上文已知轊劫子髦首，亦可证

---

①　据《宋史·安琪传》、《契丹国志·兵马制度》等载："又有渤海首领大舍利高模翰兵，步骑两万余人，并髡发左衽，窃为契丹之饰。"沈括：《熙宁使虏图抄》载："其人（指契丹人）剪发，妥（坠）其两髦。"

②　安志敏：《关于内蒙古扎赉诺尔古墓群的族属问题》，《文物》1964 年第 5 期；王泽庆：《库伦旗一号辽墓壁画初探》，《文物》1973 年第 3 期；哲里木盟博物馆、内蒙古文物考古工作队：《库伦旗第五、六号辽墓》，《内蒙古文物考古》1982 年 12 月第 2 期；吉林省博物馆、哲里木盟文化局：《吉林哲里木盟库伦旗一号辽墓发掘简报》，《文物》1973 年第 8 期。

③　李逸友：《契丹的髡发习俗——从豪欠营辽墓契丹女尸的发式谈起》，《文物》1983 年第 9 期。

④　《魏书》卷 100《失韦传》，《隋书》卷 84《室韦传》。

⑤　《新五代史》卷 74《四夷附录三》，《契丹国志》卷 3 引《胡峤陷北记》。

明五代末年，蒙古人仍留披发。文献记载表明，成吉思汗时代，蒙古人的发式已经发生变化。据《蒙鞑备录》记载，蒙古人"上自成吉思，下及国人皆剃婆焦，如中国小儿留三搭头。在囟门者稍长则剪之；在两下（耳）者总小角垂于肩上。"角，《礼记·内则》"男角女羁"句郑玄注曰："夹囟曰角"。孔颖达疏："两旁当角之处，留发不剪。"即颅两侧发不剪。又郑玄注《礼记·内则》"总角"乃"收发结之"。由此可见，蒙古人的髡发是留囟门及颅两侧发。囟门发稍长则剪短，颅两侧发或作小髻或编辫下垂到肩。郑所南《心史·大义略叙》、郑麟趾《高丽史》卷28有相近记载，《心史》所言更为详细："鞑主剃三搭，辫发。""云三搭者，环剃去顶上一弯头发，留当前发，剪短散垂；却析两旁发，垂绾给两髻，悬加左右肩衣袄上，曰不狼儿。言左右垂髻，碍于回视，不能狼顾。或合辫为一，直拖垂衣背。"颅两侧发除各做髻、编辫以外，尚有合编一条辫子垂于后背的，这可能是头发较长的人留的发式。贵由汗和蒙哥汗时期，蒙古人仍留这种发式。曾经出使蒙古汗国的罗马教廷教士约翰·普兰诺·加宾尼和法国教士威廉·鲁不鲁乞在他们的出使记中做过详尽的描述："在头顶上，他们像教士一样把头发剃光，剃出一块光秃的圆顶。作为通常的规则，他们全部从一个耳朵到另一个耳朵把头发剃去三指宽，而这样剃去的地方就同上述光秃圆顶连结起来。在前额上面，他们也都同样地把头发剃去二指宽，但是，在这剃去二指宽的地方和光秃圆顶之间的头发，他们就允许它生长，直至长到他们的眉毛那里；由于他们从前额两边剪去的头发较多，而在前额中央剪去的头发较少，他们就使得中央头发较长；其余的头发，他们允许它生长，像妇女那样，把它编成两条辫子，每个耳朵后面各一条"。[①] 中外文献记载证实，蒙古汗国时期，蒙古人的发式已由披发改为髡发。从具体形式看，应是受了契丹人髡发习俗的影响。

到明朝末期，蒙古人的发式又有变化。[②] 萧大亨《北虏风俗》记载："其人（指蒙古人）自幼至老，发皆削去，独存脑后寸许为一小辫。余发稍

---

① 道森编，吕浦译，周良霄注：《出使蒙古记》，中国社会科学出版社1983年版，第7页。

② 据叶子奇：《草木子·杂制篇》（中华书局1959年版）记载，元朝人"其发或辫，或打纱练椎，庶民则椎髻。"蒙古人可能髡发留辫，汉人则椎髻。

长即剪之。唯冬月不剪，贵其暖也。"这与女真人"辫发垂肩……留颅后发，系以色丝"① 的发式相近。

第三节　婚　俗

中国古代北方游牧民族的婚姻习俗既有相似性，又有独特性。这与北方各族所处社会发展阶段、历史传承、自然环境、经济生活等密切相关。

一、匈奴婚俗

匈奴社会存在许多尊贵种姓。单于所出的挛鞮氏是最大贵族，其尊贵姓氏还有呼衍氏、兰氏、须卜氏等。各个贵族间互通婚姻。宁胡阏氏王昭君北嫁呼韩邪，与匈奴单于所生的两位女儿长大成人以后，一位嫁了须卜氏（须卜当），一位嫁了当于氏（当于居次）。证明匈奴人当时实行族外婚制，《汉书》也记载匈奴"单于姓虚连题。异姓有呼衍氏、须卜氏、丘林氏、兰氏四姓，为国中名族，常与单于婚姻"②。

《史记》、《汉书》的《匈奴（列）传》都说：匈奴人"父死，妻其后母；兄弟死，皆取其妻妻之"。阅读史书会发现，这种妻后母，报寡嫂的社会现象除匈奴以外，在东胡、乌桓、鲜卑、突厥、柔然、契丹、蒙古民族中都存在，但这并不妨碍匈奴实行族外婚制的主张，因为它恰好是当时匈奴实行氏族外婚制的最好证明。

收继婚婚姻制度被长期广泛实行，证明了它曾确实被游牧社会所需要，有其存续的社会基础，因而是合理的。除上述财产私有，氏族外婚制以外，还有一个"必立宗种"、"恶种姓之失"的问题，正如日本学者沢田勋所说："匈奴社会实行那种《史记·匈奴列传》所记载的'父子兄弟死，则妻其寡妻'的婚姻制度。这种现象在后世的成吉思汗时期的蒙古社会里仍然能够看到，他们以继承其父兄妻妾的形式继承其祖先的血统，从而避免其种姓和血统之失。这是因为他的父兄的妻妾全都是在支付了一定的资财以后才得之

---

① 《大金国志》卷39《男女冠服》。
② 《后汉书》卷89《南匈奴列传》。

于她的出身氏族，而他则是以继娶其父兄的妻妾，来保持其血族的团结，并防止财产的流失，维系其氏族组织的基础”①。这种把已经婚嫁到自己氏族集团里的妇女限制在本氏族集团内的婚姻习俗，客观上还有稳定氏族集团，从而稳定社会的作用。

匈奴社会除氏族外婚、收继婚以外，其婚姻习俗中还有一夫多妻现象。据目前掌握的资料来看，这种现象主要存在于单于、贵族之中。例如呼韩邪单于在迎娶王昭君之前，就已经有数位阏氏了。据《汉书》记载："始，呼韩邪嬖左伊秩訾兄、呼衍王女二人。长女为颛渠阏氏，生二子，长子曰且莫车，次子曰襄知牙斯。[呼衍王]少女为大阏氏，生四子，长子曰雕陶莫皋，次子曰且麋胥，皆长于且莫车，少子咸、乐二人，皆小于襄知牙斯。又他阏氏子十余人。"②可见，在娶王昭君之前，呼韩邪单于已经有颛渠阏氏和大阏氏以及生了十余个儿子的"他阏氏"数人。乌株留单于也至少娶有五位阏氏。史载"乌株留单于立，以第二阏氏子乐为右贤王，以第五阏氏子舆为右贤王"，并遣其他阏氏所生之子右股奴王乌鞮牙斯入侍汉朝。③

二、乌桓鲜卑婚俗

乌桓鲜卑社会存在多种婚俗。

服役婚是指男子在结婚之前到女方氏族集团（家庭）中去服役一个时期的婚俗。其实质是男子为换取未来妻子的身份，使她成为己方氏族集团人口财产的一部分，而到女方氏族集团（家庭）去服一个时期的劳役，实际上这是一种变相的彩礼。

史载乌桓人，"其嫁娶则先略女通情，或半岁百日，然后送马牛羊畜，以为娉币。婿随妻还家。妻家无尊卑，旦旦拜之，而不拜其父母。为妻家仆役，一二年间，妻家乃厚遣送女，居处财物，一皆为办"④。乌桓社会的服

---

① ［日］沢田勲：《匈奴·古代游牧国家的兴亡》，东京都东方书店1996年版，第102页。
② 《汉书》卷94《匈奴传》。
③ 《汉书》卷94《匈奴传》。
④ 《后汉书》卷90《乌桓鲜卑列传》。

役婚制是，男子到女方家为妻家仆役，期限是一至两年，但妻方要为他们置办以后日常生活所需的一切"居处财物"。

在乌桓社会里还有一种婚姻现象："其俗妻后母，报寡嫂，死则归其故夫。"[①] 这里所说的妻后母，就是指父亲死后，他的儿子要以除生身母亲以外的、其父在世时所有的妻妾为妻妾；报寡嫂则是指他的兄或弟死后，他也要将其兄或弟的所有妻妾都继收为妻妾。乌桓民族的这些婚俗，与匈奴、突厥、契丹、女真等民族的婚俗大致相同，没有什么明显的区别。但是乌桓社会里的这类改嫁其第一任丈夫的儿子或第一任丈夫的兄、弟为自己的第二、三任丈夫的妇女们在死亡以后，其尸体以及灵魂都必须"归其故夫"，这种与婚姻制度紧密联系的习俗，却不存在于匈奴等民族中。

如前已述，乌桓人具有很典型的抢婚习俗："其嫁娶则先略女通情。"对于其中的"略"，西晋杜预在注释《左传》时注称："不以道娶则为略"[②]，就是抢掠的意思。据此可知乌桓人的抢婚习俗，是先把新娘（妇女）抢略出来"通情"，经半岁或百日，托媒人送马牛羊畜以为聘币彩礼，随后丈夫跟着妻子"还家，为妻家仆役"。

《三国志》注引王沈《魏书》对于乌桓婚姻习惯的记载则为："其嫁娶皆先私通，略将女去，或半岁百日，然后遣媒人送马牛羊为聘娶之礼"[③]，与上述《后汉书》的记载略有不同。即在抢掠媳妇或新娘之前，男女（夫妻）双方都已经事先"私通"。既然双方都已允准了婚约，则抢婚这种婚姻形式不过就是走个过场而已。无论男女（夫妇）双方是否有事先的预谋，乌桓在历史上曾经实行过抢婚则是毫无疑问的。

鲜卑与乌桓一样，原先同属东胡部落联盟，这两个民族在语言表达以及风俗习惯上都有很多相同之处，所以《后汉书·鲜卑传》说："其言语习俗与乌桓同"[④]。故而鲜卑的婚姻习俗与乌桓的大致相同。

---

① 《后汉书》卷90《乌桓鲜卑列传》。
② 《后汉书》卷90《乌桓鲜卑列传》。
③ 《三国志·魏书》卷30《乌丸鲜卑东夷传》。
④ 《后汉书》卷90《乌桓鲜卑列传》。

三、拓跋鲜卑婚姻习俗

拓跋鲜卑的氏族外婚制，要求得非常严格。"凡与帝室为十姓，百世不通婚"①，规定在帝室十姓中，最为尊贵的拓跋氏与其他九姓，"百世互不通婚"，拓跋皇帝只能与其他的氏族集团婚姻。在目前掌握的有关拓跋鲜卑的历史资料中，确实看不到拓跋氏与帝室十姓中的其他九姓通婚的记载。拓跋鲜卑的帝室十姓，除皇族拓跋氏以外，还有因献帝邻"七分国人"而形成的纥骨氏、普氏、拔拔氏、达奚氏、伊娄氏、丘敦氏、侯亥氏，以及拓跋邻叔父之胤统领的乙旃氏、邻之远亲统领的车焜氏。这十个姓氏一直是拓跋政权中的核心集团，虽然互相之间百世不能通婚，但是"国之丧葬祠礼，非十族不得与也"。如众周知，拓跋邻"七分国人"形成的七个姓氏，实际上是他自己的七个兄弟分别统领的七个集团，这七个集团互相之间都有血统亲缘关系。这种情况进一步证明了拓跋鲜卑人当时实行的族外婚制非常严格地禁止血缘亲族之间的通婚联姻。

献帝拓跋邻以降，北魏皇帝多与独孤氏、贺赖氏、穆氏、于氏、陆氏、乙氏、侯氏等氏族为婚，而这些氏族大都属于内入诸姓或属四方诸姓，内入诸姓以及四方诸姓与帝室十姓之间都没有血缘亲族关系。既然是与没有血缘亲族关系的匈奴等氏族通婚，则这些也都是拓跋鲜卑当时实行氏族外婚制的证明。其中，拓跋皇帝与属于匈奴的独孤氏、贺赖氏互通婚姻的事实还能说明我们需要讨论的与此相关的另外一个问题。由于拓跋鲜卑皇帝世与匈奴氏族联姻，所以他们的后代子孙才被称为"拓跋"，而"拓跋"是当时北朝人认为的鲜卑父胡母婚姻形成的后裔，他们同时还认胡父鲜卑母婚姻为混血形成的后裔是"铁弗"，故而后世有拓跋鲜卑、铁弗匈奴的说法。又由于拓跋皇帝世与匈奴氏族联姻通婚，从而致使当时的南朝人绝大多数都认为"索头虏"（即指拓跋鲜卑）乃是匈奴的一支。例如南朝梁人沈约在他的《宋书》里设立了《索虏传》，专门记述拓跋鲜卑事迹。沈约在《宋书·索虏传》中说："匈奴有数百千种，各立名号，索头亦其一也。"亦为南朝梁人的萧子显在他的《南齐书·魏虏传》里也说："魏虏，匈奴种也…… [什翼

① 《魏书》卷113《官氏志》。

犍］后还阴山，为单于，领匈奴诸部"。总之，拓跋鲜卑实行氏族外婚制，是毫无疑问的。

直到北魏孝文帝太和年间，北魏朝廷仍在颁布诏令重申严禁拓跋鲜卑同姓为婚的法律："淳风行于上古，礼化用乎近叶。是以夏殷不嫌一族之婚，周世始绝同姓之娶。斯皆教随时设，治因事改者也。皇运初基，中原未混，拨乱经纶，日不暇给，古风遗朴，未遑釐改，后遂因循，迄兹莫变。朕属百年之期，当后仁之政，思易质旧，式昭惟新。自今悉禁绝之，有犯，以不道论。"① 上述记载也说明，虽然拓跋政权屡次严格要求实行族外婚制，但其社会中"同姓之娶"的现象，也时有发生。

史书中不见拓跋鲜卑人实行收继婚的迹象。

北魏社会中存在着丈夫死后，寡妇再婚的现象。比如陈留公主更嫁张彝就是其中的一例："时陈留公主寡居，［张］彝意愿尚主，主亦许之。"② 再如寡居的平原公主与封隆之再婚也是其中一例："时魏京兆王愉女平原公主寡居，［孙］腾欲尚之，公主不许。侍中封隆之无妇，公主欲之。"③ 据此可知，北魏社会里失去丈夫的寡妇有择吉另嫁的自由。

北魏社会里也存在着明显的一夫多妻现象。例如奚斤，就是"有数十妇，子男二十余人"④。

魏晋南北朝时期，盛行等级门第婚姻。当时的世家大族为了更好地维持甚至垄断早已获得的政治、经济特权，也为了保持贵族血统的纯净，在联姻结亲问题上十分讲究门当户对。当时，不但南朝对于"士庶之别"的要求非常严格，北朝社会的婚姻也逐渐开始重视家世门第，而且这种倾向随着时间的推移越来越严重。北魏高宗文成皇帝拓跋濬在南朝门阀制度的影响下，日益感觉到划清门第家世界限的重要性。和平四年（463 年）十二月辛丑，拓跋濬在诏书中说："名位不同，礼亦异数，所以殊等级，示轨仪。今丧葬嫁娶，大礼未备，贵势豪富，越度奢靡，非所谓式昭典宪者也。有司可为之

---

① 《魏书》卷 7 上《高祖纪上》。
② 《魏书》卷 64《张彝传》。
③ 《北齐书》卷 18《孙腾传》。
④ 《魏书》卷 29《奚斤传》。

条格，使贵贱有章，上下咸序，著之于令"，要求贵贱有等，上下有序。同年十二月壬寅日，拓跋濬要求将这种家世门第、上下等级的观念实施于北魏社会婚姻嫁娶的决心就更加明显昭著："夫婚姻者，人道之始。是以夫妇之义，三纲之首，礼之重者，莫过于斯。尊卑高下，宜令区别。然中代以来，贵族之门多不率法，或贪利财贿，或因缘私好，在于苟合，无所选择，令贵贱不分，巨细同贯，尘秽清化，亏损人伦，将何以宣示典谟，垂之来裔？今制皇族、师傅、王公侯伯及士民之家，不得与百工、伎巧、卑姓为婚，犯者加罪。"① 北魏社会的婚姻随之必然更加讲究等级门第。

比如孝文帝元宏，就把当时中原汉族豪门四大姓氏中的清河崔宗伯、洛阳卢敏、荥阳郑羲、太原王琼的女儿接入后宫纳为嫔妃。不仅如此，元宏还诏令诸兄弟，把原先已有但其家世门第较低的妻妾（如元宏之弟咸阳王曾以隶户的女儿为妻）降为侧室，并且分别另娶门第相当的人家的女儿为妻。北魏延兴以降，得以入选后宫的全部都是高官贵戚的女儿、姊妹，没有一位平民的女儿被封为皇后，足见当时北魏社会等级门第婚姻的习俗已经非常流行。

粗略统计当时与拓跋鲜卑皇室贵戚或官高爵显者通婚的姻亲，如范阳卢氏、清河崔氏、荥阳郑氏、太原王氏、陇西李氏、代郡穆氏等等，都是当地的汉族豪门强宗。从这个意义上讲，当时北魏地区上层社会中的等级门第婚姻，实际上是拓跋鲜卑贵族高官与当地汉族豪门地主之间的一种以巩固其统治为目的的政治联姻，而被元宏等人斥责为"非类"的婚姻则应是指拓跋鲜卑普通人户之间的婚姻，这类婚姻在当时的北魏社会无疑也是存在的。

四、柔然婚俗

柔然社会中存在着明显的收继婚现象。例如492年，柔然豆伦可汗及其母亲被杀身死之后，豆伦可汗之妻侯吕陵氏亦被继立的那盖可汗之子伏图收纳为妻，"生丑奴、阿那瓌等六人"②。而新即位的那盖可汗是豆伦的叔父，伏图与豆伦则是堂兄弟关系，这是柔然社会中堂兄弟之间可以互相继承妻妾

---

① 《魏书》卷5《高宗纪》。
② 《魏书》卷103《蠕蠕传》，《北史》卷98《蠕蠕传》。

的例证。另据《魏书·蠕蠕传》，后来丑奴做了柔然可汗而其子祖惠失去行踪，"求募不能得。有屋引副升牟妻是豆浑地万，年二十许，为医巫，假托神鬼，先常为丑奴所信，出入去来，乃言：'此儿今在天上，我能呼得。'丑奴母子（闻之）欣悦。后岁仲秋，在大泽中施帐屋，斋洁七日，祈请天上。经一宿，祖惠忽在帐中，云恒在天上。丑奴母子抱之悲喜，大会国人。号地万为圣女，纳为可贺敦，授（其）夫副升牟爵位，赐牛马羊三千头。地万既挟左道，亦有姿色，丑奴甚加重爱，信用其言"。丑奴可汗既有生育祖惠之妻，又纳地万为可贺敦，则这位柔然可汗至少有两位妻子。此外在《北史·后妃列传》中，更有一段当时"蠕蠕国法"的内容：北魏分裂为东、西魏后，"蠕蠕强盛，与西魏通和，欲连兵东伐。神武（东魏高欢）病之"，因遣人出使柔然，为其世子请婚，求娶阿那瓌的女儿为其世子妇。阿那瓌对高欢的使者说："高王自娶则可"，遂遣其女儿蠕蠕公主往嫁东魏高欢。当时柔然国主阿那瓌还派其兄弟秃突佳"来送女，且报娉。仍戒曰：'待见外孙，然后返国'"。但因高欢有病，不能与蠕蠕公主结合，故而引起"秃突佳怨恚"，高欢不得已而自射堂舆，"疾就公主"，随后高欢死去，其子高澄（文襄）"从蠕蠕国法，蒸公主，产一女焉"[1]。这里的所谓"蠕蠕国法"，应该就是指当时柔然社会中盛行的妻后母、报寡嫂的收继婚俗。从中还可以看出，那时柔然妇女在丈夫死后，并不返回娘家所在的氏族或集团，而是仍然留居已故丈夫所在的氏族或集团，甚至有一些强迫已故丈夫的子孙或兄弟继娶为妻的意思。柔然社会中收继婚的盛行程度，于此可见一斑。

　　如前所述，柔然社会妻后母、报寡嫂的收继婚俗，必然造成一夫多妻现象的存在。例如丑奴可汗本已有生育了其子祖惠的妻子，后又纳地万为可贺敦，则丑奴可汗至少有两位妻子。前文中的"从蠕蠕国法，蒸公主"，也必然使柔然社会当中更多的人拥有两位或者两位以上的妻妾。

五、突厥婚姻习俗

　　早期的突厥社会存在着氏族外婚姻的现象。《北史·突厥传》说："纳都六有十妻，所生子皆以母族为姓，阿史那是其小妻之子也。都六死，十母

---

①　《北史》卷14（下）《后妃列传下》。

之子内欲择立一人，乃相率于大树下共为约曰：'向树跳跃，能最高者，即推立之'。阿史那子年幼而跳最高，诸子遂奉以为主，号阿贤设。"《周书·突厥传》也说："突厥者……姓阿史那氏……〔其祖〕与狼合，遂有孕焉……生十男，十男长大，外托妻孕，其后各为一姓，阿史那即其一也。"纳都六所娶十妻皆有各自的"母族"之姓，他的小妻即姓阿史那氏。这些妻妾及其所生育的子女们都与她（他）们的丈夫（父亲）生活在一起，丈夫（或父亲）死后，还要从诸子中再择立一人，以便于率领这个氏族集团继续游牧射猎，继续生存下去。男孩子们长大成人以后，都要托选外氏族的女子以为妻妾，所谓"外托妻孕"，遂又逐渐形成不同的牧猎集团，阿史那氏也是这样形成的。这些情况都说明，当时突厥社会实行氏族外婚姻，从其他氏族嫁入的女子们也都有其不同的"母族"姓氏，阿史那即与其丈夫纳都六的姓氏不同，表明他（她）们是两个不同的姓氏互为婚姻。《北史·突厥传》又载：突厥人死后会葬之日，"男女咸盛服饰会于葬所，男有悦爱于女者，归即遣人聘问，其父母多不违也"，这也是当时突厥男子都要从外氏族选择女子，然后托请媒人聘问成婚的证明。

突厥文《毗伽可汗碑》碑铭中，也有一段关于他们婚姻习俗的内容："我以十分隆重的婚礼把我的女儿嫁给突骑施可汗，我〔又〕以十分隆重的婚礼把他的女儿娶给我的儿子"[1]。这是一段关于突厥可汗氏族与突骑施可汗氏族互通婚姻的记述。把本氏族的女儿嫁给外氏族，又从这个外氏族娶聘回姑娘做儿媳，这当然也是氏族外婚姻的实例之一。此外，当时的高昌政权亦与突厥可汗氏族保持着氏族外婚姻的关系。例如《北史·高昌传》说："其大母，本突厥可汗女"；而《西突厥史料》里则有西突厥统叶护可汗的长子达度设聘娶高昌王文泰的妹妹为妻，因而达度设"又是高昌王妹婿"的记载[2]。644年，"焉耆贰于西突厥，西突厥大臣屈利啜为其弟娶焉耆王女，由是朝贡多阙"[3]。我们还可以举出阿史那土门向柔然可汗求婚，后不

---

①　耿世民：《突厥文碑铭译文》第27页，林幹：《突厥史》，内蒙古人民出版社1988年版，第271页。

②　冯承钧译：《西突厥史料》，中华书局1958年版，第175页。

③　《资治通鉴》卷197《唐纪十三》，贞观十八年。

久乃娶西魏长乐公主为妻等事例。虽然这些婚例都与突厥政权的政治联姻或政治目的有关，但提出或者实施这些婚嫁都必须有一个社会基础，这个基础就是当时突厥人娶外氏族之女以为妻妾，所以才能够在此基础上初欲联姻柔然，不成而联姻西魏，后来终于成功地与突骑施、高昌政权联姻，甚至与唐朝争夺西域焉耆。

突厥社会存在收继婚俗。根据《北史·突厥传》记载，突厥人在父、兄、伯、叔死后，其子、弟以及侄儿皆需以其后母、嫂嫂、伯母或叔母为妻，继续承担起丈夫的责任，以维持其财产人口不致外流、氏族组织不致离散、社会不至于动荡，从而求得社会以及政权的稳定。一些嫁入突厥的非突厥人女性也要遵守这一婚俗。据《隋书》，泥利可汗卒，"子达漫立，号泥橛处罗可汗。其母向氏，本中国人，生达漫而泥利卒，向氏又嫁其弟婆实特勤"①。此外，《北史·西域传》记述说：高昌王麹坚死后，"子伯雅立，其大母本突厥可汗女。其父死，突厥令依其俗，伯雅不从者久之。突厥逼之，不得已而从"。向氏为中原人，麹坚祖籍金城榆中，其婚姻习俗颇与突厥不同，但从此中亦可看出，突厥人在其父兄死后妻后母报寡嫂收继的婚姻理念，很是根深蒂固，甚至强迫对方接受。

如众周知，突厥社会财产归个人私有。例如突厥社会中犯盗窃罪者，罚赔所盗财物数量的十倍以上；斗而伤人目者，罚赔相应财物；折伤他人肢体者，罚赔马匹等等，他们祭祠天神、祖先以及丧葬仪式，都各杀羊马陈列。由于马匹私有，分属不同主人，所以突厥人有很多种类不同的马印。正是由于突厥人财产私有，所以他们的婚聘嫁娶也有彩礼。又因为突厥人私有财产的占有数量不能相同，存在着贫富差距，所以彩礼多寡亦不能相同，正如《新唐书》在谈到突厥都播［都波］部人时所说，"其婚姻，富者纳马，贫者效鹿皮草根"②。富人多出，贫者少效，似乎是婚聘彩礼的实行原则。

突厥社会既然保持着浓重的收继婚俗，则必然存在着一夫多妻现象。北周千金公主初嫁突厥佗钵可汗，佗钵死后即被其子庵罗继娶为妻，庵罗死后又曾先后被庵罗的两个儿子收纳为妻妾。这三代四位突厥的大可汗或高级官

---

① 《隋书》卷84《西突厥传》。
② 《新唐书》卷217（下）《回鹘传》。

吏，在迎娶或继收千金公主的同时，都分别娶有数量多少不等的可贺敦或夫人妻妾，他们都是一夫而多妻。再如隋朝义成公主，先后与突厥启民可汗、启民之子始毕可汗、始毕之弟处罗可汗以及处罗之弟颉利可汗互为夫妻。非常明显，佗钵系祖、父、孙们以及启民系父子们，无疑都是一夫而娶有多妻。其实突厥社会中的一夫多妻现象，并不是出现于逐渐强盛起来或者形成政权以后，突厥始祖纳都六娶有十妻尽管可以理解为一种朦胧模糊的历史传说，但其中所包含着的一夫多妻理念却也非常可信。前文所述泥橛处罗可汗的生身母亲向氏，在其丈夫死后再嫁泥橛处罗之弟婆实特勤的突厥婚姻实例说明，丈夫死后虽然是自己的亲生儿子继立为可汗，也只能选择自己的丈夫与其他妻妾所生之子（特勤）再嫁，而不嫁自己的亲生儿子（继立的可汗），还说明婆实特勤此时至少拥有两位妻子。可以说，前文中有关"收继婚"的史实，同时又都是突厥社会广泛存在着一夫多妻现象的具体实例。

六、吐谷浑婚俗

史书明确记载吐谷浑社会普遍存在着收继婚现象，"父兄死，妻后母及嫂等"①，"父卒，妻其庶母；兄亡，妻其诸嫂"②。据《魏书》记载，北魏道武帝天兴三年（400年），吐谷浑可汗视罴死去，因为当时视罴之子树洛干年纪尚幼，更因为视罴之妻乃是树洛干的母亲，所以在视罴之弟乌纥提继立为可汗之后，由新可汗乌纥提继续"妻树洛干（之）母"③。这是吐谷浑人兄弟死妻其兄嫂或弟媳的实例。再如《隋书》记载，开皇十六年（596年），隋文帝为了羁縻吐谷浑，遂遣宗室女光化公主往嫁吐谷浑可汗世伏，进一步密切了隋朝与吐谷浑的关系。但至开皇十七年十二月，世伏可汗在吐谷浑内部斗争中被杀身死，继立为新可汗的伏允（世伏之弟）随即上书"陈废立之事，并谢专命之罪，且请依俗尚主"，而被隋文帝诏准，于是出现了吐谷浑"自是朝贡岁至"的局面，隋朝与吐谷浑的关系更加亲密④。其

---

① 《魏书》卷101《吐谷浑传》。
② 《旧唐书》卷198《吐谷浑传》。
③ 《魏书》卷101《吐谷浑传》。
④ 《隋书》卷83《吐谷浑传》。

中的"依俗"，无疑是说，希望依照吐谷浑的婚俗，继娶其亡兄的寡妻以为自己的夫人①，与前文中吐谷浑人"父卒，妻其庶母；兄亡，妻其诸嫂"的婚俗，也前后吻合。

吐谷浑社会财产私有，其法律规定："其刑罚，杀人及盗马者死，余则征物以赎罪，亦量事决杖"②，除杀人及盗窃马匹者要处以死刑之外，其他罪过都可以用个人私有财产赎买抵偿。在这种财产私有的社会基础上，吐谷浑人在婚姻嫁娶时也必然地要付出彩礼。但因吐谷浑社会中个人财产占有寡多不均、穷富差异很大，所以彩礼支付也呈现出很大的不同，所谓"富家厚出财，贫人［则］窃女而去"③。这种富有者多出彩礼以厚币重聘，贫穷者辄盗女窃妻而去的彩礼形式，不仅很有特色，而且在北方诸民族的婚俗中也不多见。

吐谷浑社会中"父卒，妻其庶母；兄亡，妻其诸嫂"的婚姻习俗，必然造成其社会中一夫多妻现象的存在。如前述乌纥提可汗，在继娶其亡兄的寡妻（树洛干之母）以后，至少已有两位可贺敦了。伏允可汗继娶吐谷浑前任可汗世伏之妻、隋朝光化公主为其可贺敦，则伏允可汗也至少拥有两位可贺敦。

七、契丹婚俗

契丹社会氏族外婚姻实行得非常早，而且比较彻底，很典型。其青牛、白马的神话故事实际上是两个拥有不同图腾崇拜的血缘氏族集团，互相以对方氏族集团为自己的婚配对象，逐渐混血繁衍了契丹的古八部。发展到大贺氏时期，契丹社会当中又出现了李姓契丹与孙姓契丹两大集团间互相娉纳嫁娶的婚配现象。武则天执政时期，"营州城傍契丹首领、松漠都督李尽忠，与其妻兄、妫诚州刺史孙万荣，杀都督赵文翙，举兵反"④。既然孙万荣是李尽忠的妻兄，则当时孙、李两大异姓氏族集团之间是互通婚

---

① 吐谷浑可寒之妻称"恪尊"。参见《魏书·吐谷浑传》。

② 《魏书》卷101《吐谷浑传》。

③ 《旧唐书》卷198《吐谷浑传》。《魏书》卷101《吐谷浑传》亦载，"贫不能备财者，辄盗女去"。

④ 《旧唐书》卷6《则天皇后纪》。

姻的。从大贺氏部落联盟瓦解到契丹辽政权建立，这个时期契丹社会耶律氏与萧氏两大集团之间互通婚姻，并且自此一直延续到契丹辽政权灭亡（1125 年）。

根据现已掌握的资料，从阿保机建国至天祚帝亡国，凡契丹贵族在其本民族内联姻通婚者，完全被限制在耶律与萧氏这两大集团之间，未见耶律氏或萧氏在各自姓氏内寻姻婚配的事例，契丹人对其祖先"同姓不婚"的传统，继承保持得很严格。也正是因这种传统的严格继承，还引起了辽朝都林牙的一次上书建言：辽道宗咸雍十年（1074 年），都林牙耶律庶箴上言："我朝自创业以来，法制修明；唯姓氏，止分为二，耶律与萧而已。始太祖制契丹大字，取诸部乡里之名，续作一篇，著于卷末。臣请推广之，使诸部各立姓氏，庶男女婚媾有合典礼"，而道宗则以"旧制不可遽厘"为由，不予采用①。

偌大个契丹国婚媾能完全限制在这两个姓氏集团之间，无论耶律氏还是萧氏，不见一例于姓氏集团内部自择婚配的实例，这些情况在中国古代北方游牧民族中并不多见，也很有典型意义。

为了维系本氏族血亲成员互不离散，为了保证本氏族或血缘集团拥有足够的劳动人手以及更多的牲畜、财产等等，契丹社会也存在着收继婚现象。例如辽圣宗时期，辽朝秦晋国王耶律隆庆既已死去，其夫人秦晋国妃萧氏又由辽圣宗主持继嫁耶律隆庆之子耶律宗政。根据《耶律庶几墓志铭》："惯宁相公故大儿求哥，与其继母骨欲夫人宿卧，生得女一个，名阿僧娘子。长得儿一个，名迭剌特军"②。这是契丹社会子妻后母的实例。

开元十年（722 年），契丹首领"郁于入朝请婚，上（唐玄宗）又封从妹率更令慕容嘉宾女为燕郡公主，以妻之。仍封郁于为松漠郡王，授左金吾卫员外大将军……明年，郁于病死，弟吐于代统其众，袭兄官爵，复以燕郡公主为妻"③。这是契丹社会兄死弟妻其嫂的实例。

姊亡妹续婚在契丹早期流行于社会之中，并且得到契丹人的广泛认可。

① 《辽史》卷 89《耶律庶箴传》。
② 向南、杨若微：《论契丹族的婚姻制度》，《历史研究》1980 年第 5 期。
③ 《旧唐书》卷 199（下）《契丹传》。

会同三年（940 年）十一月，辽太宗曾经诏令："除姊亡妹续之法。"① 但此后这种婚俗并未因此绝迹，偶然还能看到。据《萧裕鲁墓志》："……夫人耶律氏，横帐故前节度使曷鲁不之女，早亡。次妻耶律氏，北大王帐故静江军节度使陈家奴女，以为继室。亦早亡。继娶次夫人妹"②。耶律筠初娶马直温长女为妻，不久马家长女死去，耶律筠又娶马直温第五女为妻。③ 此外还有一例，契丹人有萧仅者，其夫人逝而"再婚其舍"，被认为是姊亡之后继娶其妹④。契丹社会中的这种姊亡妹续婚俗，在中国古代北方游牧民族中，也是很少见的。

契丹社会也存在异辈婚。所谓异辈婚就是指一对并非同辈人的男女互相结合而为夫妻的婚姻，或姑侄为婚，或甥舅联姻，并不强求婚姻双方的辈分是否相同。例如耶律阿保机与其淳钦皇后所生的女儿质古，"下嫁淳钦皇后弟萧室鲁"，⑤ 是一桩甥舅婚。辽世宗是淳钦皇后的孙子，据《辽史·后妃列传》记载："世宗怀节皇后萧氏，小字撒葛只，淳钦皇后弟阿古只之女"。据此可知，世宗皇后乃是淳钦皇后弟弟阿只古的女儿，辽世宗比其皇后小一个辈分，是一桩姑侄婚。辽景宗与其睿智皇后所生长女观音女（封燕国大长公主），"下嫁北府宰相萧继先"⑥。《辽史·后妃列传》载："景宗睿智皇后萧氏，讳绰，小字燕燕，北府宰相思温女"，则睿智皇后萧绰是北府宰相萧思温的女儿。另据《辽史·外戚表》：由于"思温无嗣"，睿智皇后因将萧继先"命为后"。而《辽史·萧继先传》也记载："萧继先，字杨隐，从字留只哥。幼颖悟，叔思温命为子"⑦。由此看来，萧继先与萧思温原本是侄儿叔父关系，后来过继成为父子关系。萧继先尚景宗与睿智皇后长女，是

---

① 《辽史》卷 4《太宗纪下》；赵振生：《释萧仅墓志铭》，《辽金契丹女真史研究》1987 年第 2 期。

② 冯永谦：《辽宁法库前山辽萧裕鲁墓》，《考古》1983 年第 7 期；《萧裕鲁墓志铭》，《全辽文》卷 9，中华书局 1982 年版，第 237—239 页。

③ 《辽史》卷 4《太宗纪下》；参见《马直温妻张馆墓志铭》，陈述辑校：《全辽文》卷 9，第 264—266 页。

④ 赵振生：《释萧仅墓志铭》，《辽金契丹女真史研究》；参见《马直温妻张馆墓志铭》，《全辽文》卷 9。

⑤ 《辽史》卷 65《公主表》。

⑥ 《辽史》卷 65《公主表》，《辽史》卷 78《萧继先传》。

⑦ 《辽史》卷 78《萧继先传》。

舅舅娶外甥女。

辽兴宗与其仁懿皇后所生长女跋芹（累封晋国长公主），"下嫁萧撒八"①。据《辽史·萧孝穆传》，萧撒八是萧孝穆次子②。另据《辽史·后妃列传》："兴宗仁懿皇后萧氏，小字挞里，钦哀皇后弟［萧］孝穆之长女"。据此可知，萧撒八与仁懿皇后当是姐弟关系（或为兄妹关系）。仁懿皇后的弟弟（或哥哥）娶仁懿皇后的女儿为妻，这又是一个外甥女"下嫁"舅舅的实例。

需要特别指出的是，这种异辈婚姻并非仅仅存在于契丹社会之中，中原地区也是屡见其踪迹。例如西汉惠帝刘盈就曾纳娶其姊（鲁元公主）的女儿为皇后③；三国时期孙权的儿子孙休，也是迎聘其姊的女儿为夫人④等等。即便是与契丹辽政权在时间上前后相连接的唐朝，也有高宗娶其庶母武则天的异辈婚现象，而唐玄宗李隆基原本是杨玉环的公公，唐玄宗娶其儿媳杨贵妃也可以算是一桩异辈婚。

契丹上层社会颇有一夫多妻现象存在，尤其是皇族、贵戚、高官、富人，他们凭借着种种特权以及高高在上的社会地位，既婚再娶，甚至三娶四娶。例如辽朝皇族、景宗次子、圣宗皇弟、南京留守、契丹秦晋国王耶律隆庆，就至少聘纳拥有三位夫人妃。结合父兄死妻后母报寡嫂的收继婚俗，契丹社会尤其是上层社会存在着一夫多妻现象是不争的事实。

第四节　葬　俗

历史文献资料对北方游牧民族丧葬习俗的记载普遍较为简略，往往择其大要，因而通过考古发掘出土的墓葬资料来了解它们的葬俗，意义显得尤为

----

① 《辽史》卷65《公主表》。

② 《辽史》卷87《萧孝穆传》。

③ 《史记》卷49《外戚世家》："吕后长女为宣平侯张敖妻，敖女为孝惠皇后"；《汉书》卷97《外戚传》："孝惠张皇后。宣平侯［张］敖尚帝姊鲁元公主，有女。惠帝即位，吕后欲为重亲，以公主女配帝为皇后。"

④ 《三国志》卷48《吴书·三嗣主传》："孙休字子烈，［孙］权第六子"；《三国志》卷50《吴书·妃嫔传》："孙休朱夫人，……休姊公主所生也"。裴注说："臣松之以为，休妻其甥，事同汉惠。荀悦讥之已当，故不贞广言"。

重大。墓葬是考古学文化成分结构的重要组成门类之一，是其中最为保守的部分，一般情况下，人们不会轻易接受外来的葬俗。因此，葬俗可以说是体现一支考古学文化，乃至一个民族的文化传统的最有效载体，只要葬俗没有发生改变，人类群体的主体就没有发生变换。古代北方游牧民族的游牧经济特点决定了其居址遗迹的贫乏，墓葬资料则相对较为丰富。

一、匈奴的丧葬遗存及习俗

秦汉时期的匈奴墓葬主要分布在今俄罗斯外贝加尔、蒙古国和中国北方草原地区，据不完全统计，上述三个地区发现的墓葬总数达 3 000 余座，已发掘近 1 000 座。由于受年代、分布地域、墓主人身份和与周边地区不同文化的交流等诸多因素的影响，匈奴墓葬结构的复杂程度和随葬品的多寡有明显差别。有的学者根据葬具使用的不同，划分为九种类型，分别为两椁一棺墓、一椁一棺墓、一椁多棺墓、多木棺墓、单木棺墓、木框架墓、石棺（椁）墓、瓮棺葬和无葬具墓[1]。

两椁一棺墓的埋葬级别最高，仅发现于蒙古国境内。后杭爱省呼努伊河畔的高勒毛都（一）墓地发掘两座，哈努伊河畔的高勒毛都（二）墓地发现一座，中央省诺音乌拉墓地发掘十余座。它们是匈奴单于和高级贵族的墓葬，均位于森林覆盖的山谷之中，在地表上有呈覆斗形或圆形的庞大土石坟丘，数量不等的小型墓葬环绕其周边。如高勒毛都（一）墓地中由蒙古国和法国考古队联合发掘的一座大墓，墓室建于黄沙土之中，顶部约45 平方米，向下呈层层收缩状，底部长约 5 米，宽约 4 米，距地表深约 20 米，填土中有大量为防止盗掘而专门填筑的石块。出土一具人骨，推测为西汉时期的一位大单于，丰富的随葬品中包括一辆完整的木制马车。一椁一棺墓和单木棺墓是蒙古国和外贝加尔地区最为常见的两类墓葬，前者的豪华程度仅次于两椁一棺墓，是匈奴贵族的墓葬，后者则是低等贵族和一般平民的墓葬。这些墓地的选址非常讲究，或在阔大的山谷之中，或在平坦的河岸高地之上，环境优美。墓葬在地表上的可见形态，往往为一个圆形的石头圈。通过考古发掘可知，石头圈的当中起初也堆砌有石块，后来由于墓室底部的木制

---

①　单月英：《匈奴墓葬研究》，《考古学报》2009 年第 1 期。

棺椁塌陷下沉，当中的石头随之下陷，年深日久淤为平地。墓室以长方形土坑竖穴墓为主，下壁四周用石块垒砌，多呈南北向，流行单人仰身直肢葬式，头向北，随葬品放置在木棺与木椁或石椁之间（图一）。

　　无葬具墓是内蒙古中南部地区匈奴墓葬的主要特色，是一种传统葬俗的体现，与墓主人的地位等级无关。准格尔旗西沟畔和鄂尔多斯市东胜区补洞沟两处确认包含有匈奴墓的墓地[①]，前者年代多在西汉早期，后者为东汉中晚期，二者的墓葬形制基本相似。地表无任何标志，多为长方形土坑竖穴墓，南北向，不见棺椁等葬具，多为单人仰身直肢葬式，人骨头向北，殉牲多放置在死者头端。此外，在蒙古国和外贝加尔地区的早期匈奴墓葬中，也发现了部分无葬具墓，随葬品贫乏，是一种级别很低的埋葬形式。

　　一椁多棺墓仅在宁夏同心县李家套子墓地发现一座合葬墓；多木棺墓主要分布于黄河中上游地区，基本为合葬墓；木框架墓发现于新疆地区，如察吾乎沟口三号墓地，用两根纵木杆和五根横木杆交错制成木框葬具；石椁墓虽然分布范围较广，但数量不多；瓮棺葬是个别墓地中用于埋葬小孩的一种敛尸形式。这五种葬具都不代表匈奴墓葬形制中的主流形态。

　　墓葬形制的多样性在一定程度上与匈奴帝国本身族团构成的复杂性有关，但它们共同具有的一些主要特征，是将其统统归属于匈奴民族共同体之下的依据。这些特征可概括为：

　　——墓葬形制以长方形土坑竖穴墓为主，多为南北向，流行单人葬，头向多朝北，殉牲普遍。

　　——随葬品一般为实用器，包括陶器、金属制品、玉石装饰品、骨制品、漆木制品和丝绸等。陶器以灰陶为主，常见小口细颈高领直腹罐、大口矮领鼓腹罐两类器形，前者有的近底处有小孔，器表多饰横向或纵向的暗纹，个别器底有方形戳记，颈部或肩部饰波浪纹是匈奴陶器的典型纹饰特征（图二）；铁制品是随葬品中最普遍的器类，有马具、生产工具和兵器等；铜器除多见装饰品外，还有富于草原特色的铜鍑、来自中原的铜镜等，后者

---

　　① 伊克昭盟文物站、内蒙古文物工作队：《西沟畔汉代匈奴墓地调查记》，《内蒙古文物考古》1981年创刊号；伊盟文物工作站：《伊克昭盟补洞沟匈奴墓清理简报》，《内蒙古文物考古》1981年创刊号。

以残片为主，是一种毁器习俗的体现；金银玉石装饰品多出于等级较高的贵族墓葬，其他漆器和丝绸等主要来自中原。

——匈奴墓葬出土人骨的体质类型特征以古西伯利亚蒙古人种为主，代表了匈奴的主体人种类型，但也间或出现欧罗巴人种，如位于蒙古国后杭爱省巴特钦格勒苏木的呼都格陶勒盖墓地，发掘的 4 座墓葬中，其中 1 座出土人骨为欧罗巴人种特征[①]。

内蒙古中南部地区发现了许多东汉时期的以汉式葬俗为主、兼杂匈奴文化因素的墓葬，如鄂托克前旗三段地 M8 和 M23、包头沼潭 M3、张龙圪旦 M1 和 M2 等[②]。这些墓葬的形制以砖室墓为主，随葬品组合、种类基本上与中原汉墓无异，但零星的胡俗遗痕时有发现，比如殉牲、随葬动物纹带饰、波浪纹陶罐、铜（铁）鍑以及大量使用骨器等。它们大多数应是各时期入居汉地、汉化程度很高的匈奴人及其后裔的墓葬，但也不排除一部分可能是习染胡俗的汉人墓葬。

《史记·匈奴列传》记载匈奴贵族的葬俗，"有棺椁金银衣裘，而无封树丧服；近幸臣妾从死者，多至数千百人"。从《史记》的成书年代来看，反映的当是战国晚期至西汉早期这一段时期内的匈奴贵族葬俗，而与蒙古国境内发现的西汉中晚期至东汉初期的高勒毛都（一）、（二）和诺音乌拉等墓地中的大型墓葬相比较，也基本一致。这些墓葬有棺椁葬具，随葬金银器和丝绸等；大墓在地面上有覆斗形或圆形的土石混筑封丘，小墓上堆砌圆形的石堆，在这样的封丘上面是不宜植树的；大墓周围的一些小墓，有的属于从葬的性质，如高勒毛都（二）墓地的大墓周围排列有圆形的殉葬坑，出土有人骨和动物骨骸等。但这些从葬墓的数量远远少于《史记》所记载的"数千百人"，产生这种误差的原因，一种可能是匈奴贵族逐渐改变了早期大量殉人的陋俗，另一种可能是《史记》的笔误，在《汉书·匈奴传》中，抄录自《史记》的这段内容改为"数十百人"，与考古发现的实际情形相吻

①　韩国国家博物馆、蒙古国国家历史博物馆、蒙古国科学院考古研究所编：《蒙古国呼都格陶勒盖匈奴墓》（新蒙文、韩文），汉城 2003 年版。

②　魏坚：《内蒙古中南部汉代墓葬》，中国大百科全书出版社 1998 年版，第 138—160、266—284 页；内蒙古自治区文物考古研究所、包头市文物管理处：《包头市张龙圪旦汉墓第二次发掘简报》，《内蒙古文物考古文集》第 3 辑，第 303—312 页。

合。此外，匈奴送葬，有劗面之俗，以刀割面出血，表示对死者的深哀，而没有中原的丧服之礼。

二、鲜卑的丧葬遗存及习俗

从西汉末年离开嘎仙洞一带向南迁徙、到 6 世纪上半叶北魏王朝的分裂，在如此漫长的年代里，拓跋鲜卑在它的发祥兴盛之地留下了大量的墓葬遗存。目前在内蒙古地区经初步认定的鲜卑墓地，有 40 余处，包含了 700 多座墓葬，其中 300 多座经过考古发掘。这些墓葬中，被认定属于拓跋鲜卑的占据了大部分，其他为慕容鲜卑、宇文鲜卑等鲜卑部族的遗存。其实，在当时部族丛杂、文化交流频繁的历史背景下，这些所谓鲜卑墓葬的族属可能要更为复杂，只是在现有的考古资料下尚无法具体辨识。如 3 世纪中叶，拓跋力微迁于定襄之盛乐，诸部前来归附，在以拓跋鲜卑宗室十姓为首的统治集团内，还包括了异姓或非拓跋鲜卑的部落 75 个，有匈奴、丁零（包括高车）、柔然、乌桓、卢水胡和其他鲜卑部落等[1]。因此当前鲜卑墓的叫法只是一个笼统的概念，对他们族属的研究也只是停留在大而化之的阶段。

（一）**拓跋鲜卑的丧葬遗存**　拓跋鲜卑的墓葬，主要是以分布在阴山以南的北魏时期墓葬遗存为基点分辨出来的。其早期墓葬主要分布在呼伦贝尔市地区，以额尔古纳市拉布达林[2]、七卡[3]和满洲里市扎赉诺尔[4]等墓葬为代表，年代在公元前 1 世纪末至公元 1 世纪之间，是拓跋鲜卑在大泽（今呼伦湖）周围居住时以及在"南迁大泽"途中留下的遗存。这些墓葬的形制以前宽后窄的土坑竖穴式为主，多以桦木为棺，棺式亦为前宽后窄，大多数无底，以单人葬为主，头北仰身；随葬陶器以侈口罐、粗颈壶为主，装饰以戳印和按压纹饰独具特色；骨器有弓弭、镞、带孔板等，桦皮器有直领罐、筒形罐和圆形器底（盖），金银器有耳饰、头饰和项饰，存在石镞等细石

---

①　《魏书》卷 113《官氏志》。

②　内蒙古文物考古研究所、呼伦贝尔盟文物管理站、额尔古纳右旗文物管理所：《额尔古纳右旗拉布达林鲜卑墓群发掘简报》，《内蒙古文物考古文集》第 1 辑，第 384—396 页。

③　呼伦贝尔盟文物管理站、额尔古纳右旗文物管理所：《额尔古纳右旗七卡鲜卑墓清理简报》，《内蒙古文物考古文集》第 2 辑，第 457—460 页。

④　内蒙古文物工作队：《内蒙古扎赉诺尔古墓群发掘简报》，《考古》1961 年第 12 期。

器；多随葬马、牛、羊的头蹄骨。

中期墓葬的南北地域跨度范围较大，包括了林西县苏泗汰①和商都县东大井②等墓地，中期墓葬与早期墓葬的差别主要表现在木棺、桦皮器、骨器和殉牲数量的减少上，它们的年代约在2世纪左右，是拓跋鲜卑离开大泽、穿越大兴安岭、到达匈奴故地的迁徙期间留下的遗存。中期较早期的一些变化，与拓跋鲜卑逐渐走出森林、进入草原后而出现的狩猎经济因素下降、畜牧经济因素上升有关。

晚期墓葬主要分布在内蒙古中部一带，发现的墓葬数量最多，延续时间也最长，从拓跋鲜卑始居匈奴故地一直到北魏分裂，长达近三个半世纪。以察右后旗三道湾③、察右中旗七郎山④、呼和浩特市大学路⑤、美岱村⑥和土默特右旗姚齐姬墓等墓葬为代表⑦，晚期墓葬的特点较早、中期有了很大的变化，墓室形制除土坑竖穴墓外，又出现了洞室墓、土坑侧穴墓、石椁墓和砖券长方形单室墓等几种墓形（图三）；多有木棺；随葬陶器中泥质陶的比例增大，轮制、火候高的陶器有显著增加，纹饰种类也较多，罐和壶所占比例大体相当，以细颈壶和盘口罐最为常见；骨器和殉牲都已少见；铁器数量剧增，有剑、矛、刀、斧、铲、镞、带铐、带扣和棺钉等；金银器数量很多，以装饰品为多；铜器也很多，有铜环、铜杯等，最具特色的是铜（铁）镞；陶俑、仓、灶、井、磨成为随葬品。这些特点，与拓跋鲜卑在这一时期逐步发展成为中国北方地区统治民族的历史进程是相符合的，农业经济的发展、贫富分化的加剧、汉文化影响的加深，促使拓跋鲜卑的生活方式和社会组织都发生了重大的转变。《宋书·索虏传》记载拓跋鲜卑的葬俗，"死则

---

①　林西县文物管理所：《林西县苏泗汰鲜卑墓葬》，《内蒙古文物考古文集》第2辑，第461—462页。

②　李兴盛、魏坚：《商都县东大井墓地》，《内蒙古地区鲜卑墓葬的发现与研究》，第55—102页。

③　杜承武、李兴盛：《察右后旗三道湾墓地》，《内蒙古地区鲜卑墓葬的发现与研究》，第16—54页。

④　王新宇、魏坚：《察右中旗七郎山墓地》，《内蒙古地区鲜卑墓葬的发现与研究》，第123—183页。

⑤　郭素新：《内蒙古呼和浩特北魏墓》，《文物》1977年第5期。

⑥　内蒙古文物工作队：《内蒙古呼和浩特美岱村北魏墓》，《考古》1962年第2期。

⑦　郑隆：《内蒙古包头市北魏姚齐姬墓》，《考古》1988年第9期。

潜埋，无坟垄处所，至于葬送，皆虚设棺椁，立冢樟，生时车马器用皆烧之以送亡者"。在南朝人的眼光中，拓跋鲜卑墓穴较深、不立封丘的埋葬特点，与考古发现是相一致的；而"虚设棺椁"则稍有不符，早期拓跋鲜卑的墓葬中普遍使用桦木棺，到代魏时期虽然用棺的数量减少，但还是可以少量见到的。《魏书·王洛儿传》记载，北魏永兴五年（413 年），太宗明元帝拓跋嗣心腹宠臣王洛儿死，"乃鸩其妻周氏，与洛儿合葬"，可见逐步汉化的拓跋鲜卑还有殉人恶俗。

　　（二）**慕容鲜卑的丧葬遗存**　　慕容鲜卑墓葬是以分布在辽西一带的三燕（前燕、后燕、北燕）墓葬遗存为基点分辨出来的。其早期墓葬在内蒙古东部和中部地区均有发现，年代均在东汉中晚期，属于檀石槐迄柯比能鲜卑部落大联盟时期的遗存。东部以科右中旗北玛尼吐墓葬为代表①，北玛尼吐共发现了 100 多座墓葬，清理 26 座，其主要文化特征为：均为长方形土坑竖穴墓，少数带有二层台或使用桦树皮为葬具，墓向多呈南北向，有一例火葬现象；均为单人葬，葬式有仰身直肢、侧身直肢和侧身屈肢等三种，头向北或西北；随葬陶器置于头骨上方或两侧，器物以轮制侈口舌状唇壶和手制侈口罐为主，其中以前者最具特色，纹饰多为戳印，少量饰有重菱纹和草纹，大多数器表有烟炱，说明是实用器；铜器以装饰品为主，有镯、耳环、戒指和铃、镞等；铁器多为兵器和马具，有剑、镞和带具等；骨器有镞和纺轮；殉牲遗存为羊距骨和狗头骨。还发现了在陶器中盛小石子的习俗，石子的数量是七或七的倍数。侈口舌状唇壶是慕容鲜卑遗存的典型器物，而侈口罐及其颈部饰戳印或按压纹饰的做法则是拓跋鲜卑的风格。北玛尼吐墓葬更多地表现为一种慕容鲜卑和拓跋鲜卑的混合型文化，这种情形的出现与檀石槐迄柯比能鲜卑部落大联盟时期慕容鲜卑与拓跋鲜卑之间的文化交流有关。从不同的文化因素所占比例来看，慕容鲜卑明显占据了主导地位，这也与当时慕容鲜卑的势力强盛于拓跋鲜卑相符合。西部以卓资县石家沟墓葬为代表②，主要文化特征为：均为长方形土坑竖穴墓，部分墓葬以石块垒砌墓圹，墓顶

---

　　①　钱玉成、孟建仁：《科右中旗北玛尼吐鲜卑墓群》，《内蒙古文物考古文集》第 1 辑，第 397—406 页。

　　②　内蒙古博物馆：《卓资县石家沟墓群出土资料》，《内蒙古文物考古》1998 年第 2 期。

盖有石板，有的有头宽脚窄的木棺；个别土坑墓有头龛，放置白色料珠和蚌壳等；单人葬、双人合葬现象均存在，多为仰身直肢葬式，个别为仰身屈肢，还见有无头骨葬或无下肢葬；随葬陶器有夹砂侈口罐、泥质小口罐、小口双耳壶等，侈口罐的口沿下部饰戳印纹和水波纹，泥质陶器饰压印的条状折线、竖线和网纹等；铜器较多，有鍑、罐、樽形器、杯、灯、各种饰件和汉式铜镜、五铢铜钱等；铁器有鍑、行灯和锤、棒、钳等工具；其他还有骨器、蚌饰、料饰、料珠、绿松石串珠和石斧、黑石子等；殉牲有马、牛、羊骨，以羊骨数量最多。石家沟墓葬的石椁墓、泥质小口罐、小口双耳壶及压印条带纹饰等特征，属典型的慕容鲜卑文化因素。

慕容鲜卑中期墓葬主要分布在通辽市及其周围，包括科左中旗六家子[①]、科左后旗舍根[②]、新胜屯[③]和毛力吐等墓葬[④]，年代大体在曹魏至西晋阶段。分为土坑竖穴和石椁墓两类，土坑墓中有使用木质葬具的现象，埋葬以单人葬为主，墓穴一般呈东西向，死者头向东；随葬陶器有器身饰暗纹的侈口罐、侈口舌状唇壶、侈口鼓腹壶、小口双耳壶和截颈小口壶等，纹饰除暗纹外，滚轮压印的各种花纹十分发达（图四）；其他随葬品以马纹等动物题材的金牌饰最具特色，也有金、银的镯、钗和戒指，还有中原传入的铜镜和带钩等。三燕时期的慕容鲜卑墓葬，主要有以下特征：使用石块、石板拼砌成的椁室下葬死者，木棺、木椁或墓穴的平面是头宽脚窄状，有些墓穴的宽端设龛，龛内陈放随葬的器物和殉葬的家畜；使用牛、马、羊、狗等家畜殉葬，往往使用家畜的头和蹄等肢解部位作象征性的殉葬；随葬侈口罐、侈口舌状唇壶、小口罐和小口双耳壶等富有特征的陶器，陶器的表面常常饰有横状、竖状和网状暗纹等；随葬铜鍑、提梁罐、提梁壶及考究的鎏金马具等具有草原色彩的器物，随葬可能与慕容"步摇冠"有联系的鎏金铜饰和可能与鲜卑"郭洛带"有联系的金银带饰。慕容鲜卑中期墓葬的特点与三燕时期相比，已无太大差别，主要是慕容鲜卑自曹魏初年由莫护跋率部从锡林

① 张柏忠：《内蒙古科左中旗六家子鲜卑墓群》，《考古》1989 年第 5 期。
② 张柏忠：《哲里木盟发现的鲜卑遗存》，《文物》1981 年第 2 期。
③ 田立坤：《科左后旗新胜屯鲜卑墓地调查》，《文物》1997 年第 11 期。
④ 赵雅新：《科左后旗毛力吐发现鲜卑金凤鸟冠饰》，《文物》1999 年第 7 期。

郭勒草原迁徙到辽西、到289年慕容廆率部从辽东北迁回辽西徒河之青山的这两次迁徙的时间段之间所留下的遗存。

（三）宇文鲜卑的丧葬遗存　宇文鲜卑墓葬仅见巴林左旗南杨家营子墓地[①]，共清理20座墓葬，年代在1世纪至4世纪之间。均为略呈长方形的土坑竖穴墓，个别墓带有二层台，另有部分使用了木棺；埋葬分单人、二人和多人葬；多数墓中有殉牲，种类以羊为主，其次是马，牛和狗各仅见一例；随葬陶器多为手制夹砂陶，器形有壶、罐、碗，纹饰多为刻压纹，以各种束颈壶和侈口罐最为常见；其他随葬品有铜器、铁器和骨器等，铜器多为装饰品，铁器则以工具和武器为主，骨器有镞、弓弭和纺轮等。

该墓地的文化因素较为复杂，有属于拓跋鲜卑的粗颈陶壶和在加厚口沿下饰戳印和按压纹饰的作风，有类似于慕容鲜卑的饰印纹的侈口舌状唇陶壶和小口陶壶，盛行最早可追溯至匈奴的侈口陶罐，出现了早期契丹文化中常见的盘口壶的雏形，葬俗中的多人合葬与松嫩平原文化区的汉书二期文化相似。檀石槐迄轲比能鲜卑部落大联盟解体后，宇文鲜卑主要占据了西拉木伦河和老哈河流域，西以濡源（今河北丰宁满族自治县西）与拓跋鲜卑为邻。宇文鲜卑属于鲜卑化的匈奴人，文化因素构成的复杂性在所难免，南杨家营子魏晋时期的墓葬遗存应当是宇文鲜卑的遗留。史书中关于库莫奚4世纪的历史活动进一步印证了这一推断，《魏书·库莫奚传》记载，北魏登国三年（388年），北魏太祖拓跋珪出兵弱洛水（今西拉木伦河）讨伐库莫奚，大破之。南杨家营子墓葬4世纪时的遗存，包含有早期契丹文化的因素，当与库莫奚有关，而库莫奚本身即为宇文鲜卑的一支。从宇文鲜卑到库莫奚，南杨家营子墓葬遗存可谓一脉相承。

（四）与鲜卑同时期的其他一些大部族的丧葬遗存　这些部族主要有乌桓、高车、柔然等，目前还缺乏足够的证据将它们的墓葬遗存从鲜卑墓中甄别出来，只能依据史料记载中大致了解一些它们的丧葬习俗。《后汉书·乌桓鲜卑列传》记载，乌桓"俗贵兵死，敛尸以棺，有哭泣之哀，至葬则歌舞相送。肥养一犬，以彩绳缨牵，并取死者所乘马衣物，皆烧而送之。"从

---

①　中国科学院考古研究所内蒙古工作队：《内蒙古巴林左旗南杨家营子的遗址和墓葬》，《考古》1964年第1期。

这段记载里，可知乌桓实行土葬，有棺，殉牲有马和狗等。乌桓与慕容鲜卑同为东胡的支系后裔，二者的葬俗应有较多的相通之处，如都有殉狗的习俗。《魏书·高车传》记载，高车送葬，"多杀杂畜，烧骨以燎，走马绕旋，多者数百匝，男女无大小皆集会，平吉之人则歌舞作乐，死丧之家则悲吟哭泣。"高车人墓葬中殉牲的种类和数量是很多的。柔然自称源出于拓跋鲜卑，其葬俗史料不载，当类于拓跋鲜卑。

三、突厥与回纥的丧葬遗存

突厥与回纥的葬礼均流行初见于匈奴的劓面哀悼之风。这种礼俗主要见于突厥语族民族，如到蒙元时期的白鞑靼汪古人仍存此俗，而汪古部的民族主体主要是由沙陀突厥和回纥组成的。但也有非突厥语族民族有此丧礼的，属于通古斯语族的女真"送血泪"习俗，即同于劓面。

从《周书·突厥传》和《隋书·北狄传》的记载里可以看到，突厥人有火葬之俗，立木椁，椁壁绘死者相貌及作战图；墓前立石，石桩的数量即是死者生平杀人的数量，用来供祭的羊头、马头就挂在这些石桩上。《旧唐书·回纥传》记载了回纥可汗的丧葬殉人习俗。唐肃宗时，回纥毗伽阙可汗去世，大臣们想让宁国公主殉葬，公主以中原不同俗为由拒绝，但公主还是依照回纥礼法，劓面大哭。

在从巴彦淖尔市、乌兰察布市到锡林郭勒盟的内蒙古北部草原一带，发现了大量石圈墓和石堆墓，部分被认为属于突厥遗存[①]。这些墓葬的地表形制分为石圈墓和石堆墓两类。石圈墓的外围石圈分圆形、长方形和正方形等三种形制，有的长方形石圈内还隔以一至两道石墙，形成双石圈或三石圈墓；部分石圈墓或在石圈当中、或在石圈框上树立一块较高的石板或石柱，作为醒目的地面标志，个别石板或石柱上刻画特殊符号。石堆墓亦分两类，一类是长方形石圈墓中部堆砌石块，一类是石堆下叠压椭圆形石圈，后一类

---

① 郑隆：《略述内蒙古北部边疆部分地区的"石头墓"和"石板墓"》，《包头文物资料》第2辑，包头市文物管理处内部资料1991年；丁学芸：《阿巴嘎旗巴彦图嘎石人、石堆墓》，《内蒙古文物考古文集》第1辑，第446—453页；魏坚、刘红梅、赵占奎：《乌拉特后旗欧布乞石板墓》，《中国考古学年鉴》（1996年），文物出版社1998年版，第111—112页；魏坚：《正镶白旗三面井与英图、镶黄旗乌兰沟与乌力乌素元代墓地》，《中国考古学年鉴》（2001），文物出版社2002年版，第134—135页。

石堆墓在石堆旁侧往往树立一个面向东南的石人。石圈内熟土堆积一般不超过 0.5 米，墓底建在生土上，熟土内包含遗物一般多为散乱的人骨、骨灰和马骨、羊骨等，不见其他随葬品。

由于这些石圈墓、石堆墓普遍不见随葬品，对于它们的族属很难推定。该类遗存在欧亚大陆草原上多有发现，有人根据石堆墓旁侧树立的一些石人的相貌类于突厥人，而推断其为突厥遗存。那么这些石人即是代表墓主人的形象。内蒙古北部草原地区发现的这些石圈墓、石堆墓，即应当与突厥和回纥有关，骨灰葬的特点显然与突厥的火葬习俗相符合。

敖汉旗康家营子乡李家营子墓地的两座墓葬，因其绝大部分出土物具有突厥风格，而被认定为突厥遗存①。墓地处于老哈河右岸的第一台地上，南面为缓坡，坡上为一椅圈形山环。出土的金银器系征集而来，出土地点遭到破坏，发现有人骨，推测为相距不远的两座土坑墓。M1 出土银器 5 件，包括银执壶、镏金银盘、椭圆银杯、小银壶和银勺各 1 件（图五）。M2 出土金带饰 99 件、玛瑙珠 2 件、其他银镯、小银环和镏金铜盒等各 1 件。M1 出土的折肩小银壶，装有带垫扳指的环状把手，肩部的折棱很明显；M2 出土的拱形金铐、金、叶形与匕形饰件等金带具，都充满了突厥色彩。此外，M1 出土的银执壶、镏金银盘、椭圆银杯等 3 件器物，为粟特制品②；因为粟特地区长期受突厥统治，突厥墓葬中出土粟特文物是很正常的现象。李家营子墓葬应是年代不超过 8 世纪的突厥墓。

蒙古国后杭爱省浩腾特苏木乌兰朝鲁巴戈一带的山谷中分布有 28 座所谓“四方城遗址”，因其在地表上呈方形小城状的形制特征而得名③。这类遗址目前仅发现于这一地区，东北部即为回鹘汗国首都哈喇巴剌嘎斯古城，其与最近的四方城遗址之间的距离仅有 7 公里。乌布尔哈布其勒山谷中的 3 号四方城遗址经正式考古发掘，位于簸箕形山谷的深处，同其他四方城遗址相比，在规模上属较小的一座，由围墙、祭台和墓葬组成。围墙平面呈长方

①　敖汉旗文化馆：《敖汉旗李家营子出土的金银器》，《考古》1978 年第 2 期；孙机：《论近年内蒙古出土的突厥与突厥式金银器》，《文物》1993 年第 8 期。
②　齐东方：《李家营子出土的粟特银器与草原丝绸之路》，《北京大学学报》1992 年第 2 期。
③　塔拉、陈永志：《中蒙联合考古队在蒙古国发掘取得重大收获——首次发现回鹘贵族大墓或回鹘可汗陵寝》，《中国文物报》2006 年 10 月 25 日。

形,高 0.6 米,宽 5 米,西墙和东墙长 28 米,南墙和北墙长 30 米。围墙外设有围沟,宽 1.5 米,深 0.5 米。东墙正中开一小门,宽 2 米,门边侧残存有铺地砖。祭台由台体、护墙组成,平面呈方形,剖面呈梯形,叠涩收顶。墓葬位于祭台的南侧,与祭台并列分布,墓圹的北部与祭台的南部交合。墓葬分为墓道、甬道、墓圹和墓室等四部分。墓圹由平地下挖而成,边长 4 米,深 4.2 米;墓室为砖砌圆形穹庐顶式,墓顶由 2 层砖叠涩垒砌而成,墓室内地面残存有方形铺地砖,墓室内径 3 米,外径 4 米,墓壁高 1.1 米,墓顶高 1.2 米;甬道由条砖分砌而成;墓道为斜坡阶梯式。由于早期被盗,墓室内只残存有少量人肢骨,还出土有随葬的马、牛、羊、狗骨等。此外,在遗址中还出土有一些陶器残片、板瓦、筒瓦、瓦当及蝙蝠形吊沿等建筑构件。陶片质地主要有夹砂灰陶、褐陶和泥质灰陶等,以菱形方格纹的装饰最具特点;瓦当分为当心饰莲蕾纹和当心饰莲子纹、外环饰连珠纹两类;蝙蝠形吊沿是一种非常特殊的建筑构件,出土于祭台四角的倒塌堆积里,整体捏塑成较为夸张的蝙蝠状,圆耳猴面,耳部有连缀孔,并涂以朱彩。倒塌堆积中还发现一些带有彩绘的白灰墙面,应为当时建筑上的墙面壁画。这些四方城遗址的特征大体相似,如集中分布于背山面水的山谷之中,有着统一的墓茔地,并成片分布;墓茔结构基本相似,都由围墙、祭台和墓葬组成;墓葬本体为砖砌穹庐顶式,由墓道、甬道、墓圹和墓室等四部分组成。初步推断,为回鹘汗国时期的回鹘贵族或可汗的陵墓群。

四、契丹、奚与室韦的丧葬遗存

契丹、奚和室韦的早期史料记载中皆有树葬的习俗,另《隋书·室韦传》记载室韦"部落共为大棚,人死则置尸其上。居丧三年,年唯四哭"。考古发现表明,主要在隋唐时期,以上三个部族还不同程度地存在着土葬的习俗。

通辽市境内发现的早期契丹墓最多,有扎鲁特旗荷叶哈达、乌日根塔拉、科尔沁区乌斯吐、科左后旗呼斯淖和库伦旗秦家沟等[①]。墓葬形制均为土坑竖穴式,墓向多见南北向,有的砌以石椁;分尸骨葬和火葬两种葬式,

---

① 哲里木盟博物馆:《内蒙古哲里木盟发现的几座契丹墓》,《考古》1984 年第 2 期;张柏忠:《契丹早期文化探索》,《考古》1984 年第 2 期。

尸骨葬为仰身直肢，头向北；随葬陶器以夹砂大口罐、泥质盘口壶和长颈瓶为固定组合，纹饰以凸弦纹、篦纹最为常见，器底往往印有各种标志；其他随葬品以铁器最多，有釜、刀、剑、矛、匕、镞、甾、铲、斧和鞍马具等，铜器有桃形带饰、铜镜等，还有一些骨器、玛瑙饰件和砺石等；有殉牲羊的现象。该类墓葬罐、壶、瓶的基本陶器组合，上承拓跋鲜卑和慕容鲜卑两大文化，下接辽文化，构成了独具特色的早期契丹文化。

赤峰市巴林右旗塔布敖包发现的两座石椁墓①，与通辽市早期契丹墓葬遗存大同而小异。如均为单人仰身直肢葬，人骨头向北；M1 除出土了罐、壶、瓶的陶器组合外，另有一件小碗，殉牲也仅见羊骨；M2 出土的高领鼓肩小陶罐见于乌斯吐火葬墓，只是其下腹所饰菱形网格纹较为特别（图六）。塔布敖包墓与通辽市的早期契丹文化墓葬无疑属于同一文化系统，只是其位置偏西，从史料对契丹和奚早期分布地域的记载来看，塔布敖包墓极有可能为奚族遗存，二者之间在考古学文化上已难以完全分辨开来。

陈巴尔虎旗西乌珠尔墓葬和呼伦贝尔市海拉尔区谢尔塔拉墓葬，被推测为年代前后相继的约当 7 至 10 世纪的室韦遗存②。在墓葬形制方面，均为长方形土坑竖穴墓，有木质葬具，木棺的形制可分为两大类，一类为独木棺，另一类为木板棺，后者可进一步分为有盖有底、有盖无底、无盖无底三种类型，其中有盖无底的木棺占绝大多数。在埋葬习俗方面，以单人葬为主，也有少数男女合葬墓，均为成年人。屈肢葬广泛流行，可细分为仰身屈肢、侧身屈肢、俯身屈肢三类，以前两类为主，第三类少见。随葬品相对集中在墓主人头部周围或身体一侧。随葬品按使用功能主要分为生活用器、生产工具或武器、马具、装饰品四类。生活用器以陶器和桦树皮器为主，还有一定数量的木器和铁器，如木杯、木盘、木箸、铁盘等。从陶器特征看，仅见夹砂大口罐和泥质瓶（壶）两种器类，装饰滚压、戳压、压划线形、窝点和细泥条附加堆纹等，西乌珠尔一件长颈瓶上有独特的钱纹装饰。弓箭和

①　齐晓光：《巴林右旗塔布敖包石砌墓及相关问题》，《内蒙古文物考古文集》第 1 辑，第 454—461 页。

②　中国社会科学院考古研究所、呼伦贝尔民族博物馆、海拉尔区文物管理所编：《海拉尔谢尔塔拉墓地》，科学出版社 2006 年版，第 63—67 页。

马具主要出在男性墓内，箭均为木杆铁镞，有的套有骨鸣镝，成束放置在桦树皮做成的长筒状箭囊内。装饰品种类丰富，数量较多，质地主要有金、银、铜、玻璃、玛瑙、绿松石等，其功能可细分为耳饰、项饰、手腕饰、足腕饰等，以外凸圆尖状小纽的圆形或椭圆形耳坠最富特色。谢尔塔拉出土人骨经鉴定，具有蒙古人种的一般特征，更接近蒙古人种北亚类型。西乌珠尔和谢尔塔拉两座墓地所处的海拉尔河流域及海拉尔河转流为额尔古纳河的拐弯之内，是隋唐以来室韦的主要活动地域所在。西乌珠尔独特的以独木棺为葬具的葬俗，为其后裔蒙古族所沿用。

五、十世纪以前北方游牧民族葬俗的共同特征

通过结合史料记载与考古发现对唐代以前北方游牧民族葬俗的考察，可以发现它们具有一些共同的特征，可概括为以下六个方面：1. 普遍实行土葬；2. 多随葬兵器，富有者随葬金银器；3. 殉牲普遍，贵族有殉人的习俗；4. 送葬时，多有焚烧死者遗物和牲畜骨头的习俗；5. 死者亲眷多以哭泣表达对死者的哀思，突厥语族民族还流行剺面之俗；6. 送葬之日，也是部落欢聚之日，歌舞作乐，男女相合。许多北方民族在与周边民族，尤其是与汉民族的交往过程中，接受了其他民族的一些葬俗。但许多本民族的传统仍然长久地保留在丧葬习俗中，从而使墓葬资料成为考古学文化中追寻一个民族文化传统的可靠依据。

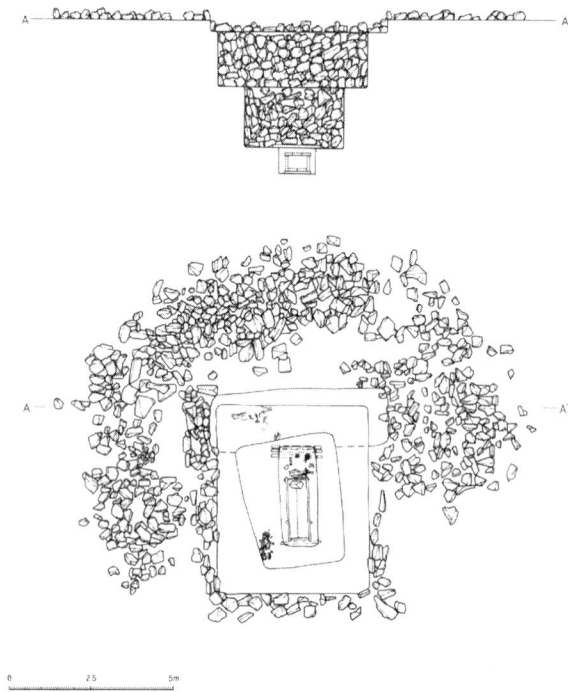

图一 蒙古国中央省莫林陶勒盖匈奴墓葬

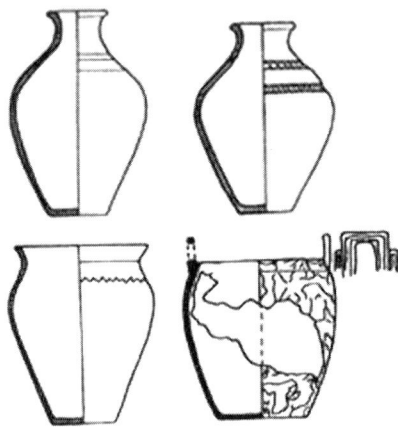

图二 补洞沟墓地出土匈奴陶器和铁镆

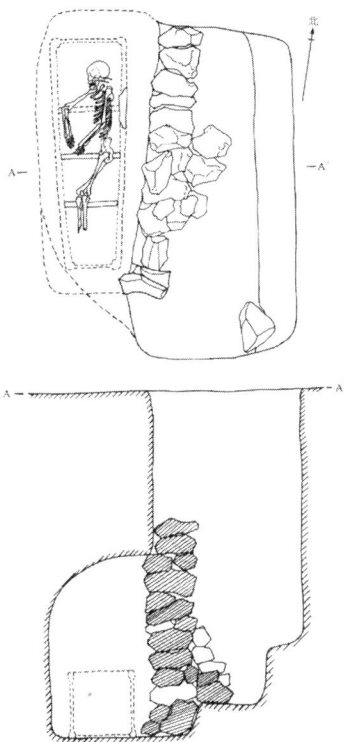

图三　七郎山 M8 平、剖面图

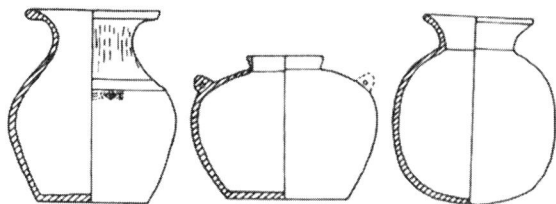

图四　六家子墓地出土慕容鲜卑陶器

图五 李家营子墓地出土突厥金银器

1. 银执壶 2. 小银壶 3. 椭圆银杯 4. 镏金银盘
（采自《北京大学学报》1992 年第 2 期，第 36 页图一、二、三、四）

图六 塔布敖包墓地出土奚族陶器

第五节　语言文字

除突厥、回纥、契丹、党项和蒙古等以外，中国古代北方民族的语言文字资料多数靠汉文史料记载而使我们能够得到一些信息。依据各种史料记载，可以大体知道北方各族语言的系属和一些具体词汇的含义。

一、匈奴语言文字

匈奴语是一种已经消亡了的历史语言。匈奴语究竟属于阿尔泰语系当中的蒙古语族还是突厥语族，至今学界尚无定说。

学界存在着匈奴语是突厥语，与蒙古语相似，与通古斯语相似，或与蒙古语、通古斯语皆相似的意见。俾丘林（Hyacith）、贝格曼（Bergmann）等学者主张匈奴人讲的是蒙古语。白鸟库吉原先认为匈奴语是突厥语，至20世纪二三十年代转而认为匈奴人讲的是蒙古语。

认为当时匈奴所使用语言是突厥语的学者主要有雷米札、克拉普罗特、佛朗克、冯家升、岑仲勉、伯恩施坦以及夏德、帕斯卡尔科夫、巴托尔德等人。此外苏联的一些突厥学家也认为，匈奴语是突厥语的祖型。甚至有人认为，主要分布在今伏尔加河中游地区，由古代突厥部落与当地芬—乌戈尔人混血而形成的后裔——楚瓦什（chuvash）人，是匈奴的后裔。

亦邻真先生对于匈奴语言问题的研究论述，十分精辟、透彻，高屋建瓴："在对等匈奴的语言资料的时候，必须分清匈奴人和匈奴国"；"研究语言资料必须有历史的科学的方法，臆断杜撰和穿凿附会只能创造失败的记录"；"断言各民族的地域亘古以来没有变迁的土著论，对游牧民族来说尤其显得荒谬"；"人们习惯于从现代各语言中寻找匈奴语的后裔，而常常忘记另一种可能性：匈奴语已经全然死灭，它同现存各种语言都不相同"[1]。现在，主张匈奴人所使用的语言，是突厥语的专家学者在学界已占大多数。

---

[1]　亦邻真：《中国北方民族与蒙古族族源》，《亦邻真蒙古学文集》，内蒙古人民出版社2001年版，第544—582页。

　　文献资料对匈奴语言有零星记载。《淮南子》称匈奴人"箕倨反言"①。《北史·铁勒传》说"铁勒之先，匈奴之苗裔也"。②《北史·高车传》谓"高车，盖古赤狄之余种也。初号为狄历，北方以为高车、丁零。其语略与匈奴同而时有小异。或云：其先匈奴甥也"。③《北史·突厥传》亦谓"突厥者，其先居西海之右，独为部落，盖匈奴之别种也"④。不同史书的不同资料，分别从不同的角度有力地支撑着匈奴人所使用的语言，应该就是突厥语的观点。

　　狄历、丁零、高车、铁勒，皆属突厥族系，被泛指为匈奴之甥，或其苗裔，或其别种，证明匈奴与突厥之间存在着一定程度的血缘或者亲族关系。"苗裔"或者其"甥"，为血缘承继，而"别种"亦可理解为族类相同。

　　根据上述史料，不认为匈奴人所使用的语言属于阿尔泰语系蒙古语族语言，而应该是阿尔泰语系突厥语族中的某一支。

　　一些人根据匈奴墓葬出土器物上的个别符号、若干岩画符号，认为当时匈奴人已经具有了自己的文字⑤。然而这充其量是人们记录某种事情显露某种思想表达某种意愿的记事符号，还算不上正式的文字。

　　还有一些人根据匈奴与汉朝之间的书信往还，认为匈奴人当时使用汉字。但这种说法也只是一种猜测，缺乏足够的证据。

二、鲜卑语言文字

　　虽然十六国以前的鲜卑民族语言资料保存至今的已经非常稀少，但是根据现有记载，应认为鲜卑的语言属于阿尔泰语系蒙古语族。

　　关于鲜卑是否拥有自己民族的文字问题，目前学界尚无定论。中国台湾学者刘学铫先生主张鲜卑具有民族文字。刘学铫先生在《鲜卑史论》中论述道："从'故录其本言以相教习，谓之国语'句看，可知其时已有用以记载鲜卑语之文字"；"既有以上诸书，可知北魏、北周时必有可以书写之鲜

---

①　《淮南子》卷11《齐世训》。

②　《北史》卷99《铁勒传》。

③　《北史》卷98《高车传》。

④　《北史》卷99《突厥传》。

⑤　盖山林、盖志浩：《内蒙古岩画的文化解读》，北京图书馆出版社2002年版，第463—492页。

卑文字。当时以鲜卑文译汉文书，在史籍中可征者尚有以下两项记载，其一为《隋书·经籍志》著录《国语孝经》一卷……于此可见在北魏孝文帝（471—499 年）［时］必然已有鲜卑文字，否则如何能以'夷语译孝经之旨'？""可见当时必已有鲜卑文字"①。显然，刘学铫先生这里所说的"鲜卑文字"，是指拓跋鲜卑民族具有自己民族的文字。

著名北方民族史专家林幹先生也主张鲜卑民族具有自己的文字，他认为："《隋书·经籍志》载有《国语》十五卷，《国语》十卷，《鲜卑语》五卷，《国语物名》四卷（原注：后魏侯伏侯可悉陵撰），《国语真歌》十卷，《国语杂物名》三卷（原注：侯伏侯可悉陵撰），《国语十八传》一卷，《国语御歌》十一卷，《鲜卑语》十卷，《国语号令》四卷，《国语杂文》十五卷，《鲜卑号令》一卷（原注：周武帝撰），鲜卑《杂号令》一卷。以上各种'国语'之书，均为指用鲜卑语言文字写成者而言。用鲜卑语文书写的书籍既如此之多，而且侯伏侯可悉陵还能把汉字《孝经》译成鲜卑文《国语孝经》，又能用鲜卑文写成《国语物名》和《国语杂物名》，可见北魏时鲜卑人是有自己本族的文字的。但鲜卑文字创制于何时？是何形式？因史料无证，目前学者尚不能解答。根据史书的记载，鲜卑拓跋部在远祖宣皇帝推寅（第一推寅）时，还是'以言语为约束，刻契记事'。至北魏道武帝拓跋珪天兴四年（401 年）十二月，曾'集博士儒生，比（即聚集）众经文学，义类相从，凡四万余字，号曰《众文经》'。后世有人以为这就是北魏创制文字之始，实则大误。因为当时所编的《众文经》，内容全为汉字，而聚集各种经文文字的目的，仅在于便利鲜卑人学习汉字，并非创制鲜卑新字。直至太武帝拓跋焘始光二年（425 年）三月，才'初造新字千余'，并下诏曰：'今制定文字，世所用者，颁下远近，永为楷式'。但这次制定的新字，是鲜卑文字、抑为增添《众文经》中所无而为时俗流行的新汉字？因诏书辞意含混不清，且又无其他史料足资证明这次所造新字是否确为鲜卑文字，故学者间对于鲜卑文字创制于何时的问题，尚有争议"②。

关于早期鲜卑（檀石槐、轲比能时期）是否具有自己民族的文字？拓

---

① 刘学铫：《鲜卑史论》，台北南天书局 1994 年版，第 83—92 页。
② 林幹：《东胡史》，内蒙古人民出版社 2007 年版，第 103、104 页。

跋鲜卑如果真的具有自己民族的文字、早期鲜卑也有自己民族的文字，则这两种假设的文字又是什么关系？它们各是什么时候创制的？这些都应该是今后学术界关注的问题。

三、突厥语言文字

突厥语属于阿尔泰语系突厥语族。

突厥是目前已知的、我国古代北方游牧民族中第一个创造并使用了民族文字、并较早使用动物名称计年的民族。

汉文史料对突厥文字的记载是矛盾的。《北史·突厥传》说突厥人"无文字。其征发兵马及诸税杂畜，刻木为数，并一金镞箭，蜡封印之，以为信契"；又说："其书字类胡，而不知年历，唯以青草为记"。《周书·突厥传》则说："其书字类胡"；据《北齐书·斛律羡举传》记载，代人刘世清"能通四夷语"。北齐统治者命世清"作突厥语翻《涅槃经》（用突厥语翻译《涅槃经》），以遗突厥可汗"。

另据《旧唐书·突厥上》，唐玄宗开元二十年（732 年），"阙特勤死，［玄宗］诏金吾将军张去逸，都官郎中吕向，赍玺书入蕃吊祭，并为立碑。上自为碑文，仍立祠庙，刻石为像，四壁画其战阵之状。开元二十年（732年），小杀［毗伽可汗］为其大臣梅禄啜所毒，药发未死，先讨斩梅禄啜，尽灭其党。既卒，国人立其子为伊然可汗。［玄宗］诏宗正卿李佺往申吊祭，并册立伊然，为立碑庙，仍令史官起居舍人李融为其碑文"。

根据文献记载和考古发现，突厥人最迟在 8 世纪初已经使用了本民族文字。

清光绪十五年（1889 年），俄国学者雅德林采夫在今蒙古国鄂尔浑河畔的和硕柴达木湖旁，发现了古突厥文《阙特勤碑》和《毗伽可汗碑》，但当时还没有任何人能够解读这种文字。

最初能读通《阙特勤碑》等碑铭的是丹麦学者 V. 汤姆森。汤姆森在1893—1894 年间，把释读古突厥文的经过公布于世，刊行了《鄂尔浑和叶尼塞碑文的解读》，接着又刊行了碑文。从此，人们才知道古突厥文字母、简单的语法以及突厥文碑铭的内容。

《阙特勤碑》是 732 年后突厥毗伽可汗为纪念其亡弟阙特勤的功勋而建

立的。《毗伽可汗碑》立于735年。二碑皆在今鄂尔浑河右岸，彼此相距仅一公里。碑文包括突厥文和汉文两部分，汉文部分分别由唐玄宗和史官起居舍人李融撰写；突厥文部分由阙特勤和毗伽可汗的外甥也里特勤撰写。《阙特勤碑》正文60行，刻在大、小两块石碑上；《毗伽可汗碑》80行。此二碑有很多地方文字、内容雷同。此二碑主要为纪念后突厥汗国的创建者阿史那骨咄禄（颉跌利施可汗）长子毗伽可汗、次子阙特勤的生平事迹及其武功，是目前保存较好，字数最多的突厥文碑铭。石碑由大理石制成。二碑树立经过，新旧《唐书·突厥传》都有记载。

突厥文大约是在5世纪创制和开始使用的。突厥文来源于阿拉伯文草体字母，但突厥人在引用时曾对其进行过改造，故有所发展。

由于用突厥文字写成的碑铭大多在今鄂尔浑河流域发现，又由于这种文字的外形与古代日耳曼人使用的卢尼文相近似，故亦被称为鄂尔浑卢尼文。此外，突厥文碑铭在叶尼塞河流域也曾发现，所以亦被称为鄂尔浑—叶尼塞文。

继发现阙、毗二碑之后，1897年克莱门茨夫妇在距今蒙古国首都乌兰巴托60公里的巴颜楚克图地区，又发现了《暾欲谷碑》，亦称巴颜楚克图碑。碑文刻在两块石头上，共62行，约建于712—716年之间。由毗伽可汗重臣暾欲谷生前自己所撰（约作于开元四年，716年），死后立其墓前（约立于720年，开元八年），立碑地点在阙、毗二碑之东。

古突厥文碑铭除前述三碑外，还有：1.《翁金碑》，1891年雅德林采夫在蒙古国鄂尔浑河河畔和硕柴达木湖南180公里翁金河支流附近发现。此碑约建立于739年（唐开元二十七年），碑文内容简略，主要是后突厥的毗伽·始波罗·达干记述其父伊利伊跌迷失叶护在登利可汗（735—741年在位）时期的事迹。2.《阙利啜碑》，1912年被波兰学者科特维奇在乌兰巴托南不远处的伊赫·和硕特地方发现，故亦称《伊赫·和硕特碑》。阙利啜与暾欲谷是同时代人，此碑建立于8世纪初，主要记述了阙利啜一生的武功，共29行。3.《雀林碑》，1971年在乌兰巴托东南约180公里处的雀林驿站东北发现。一些人认为此碑是暾欲谷辅佐阿史那骨咄禄（颉跌利施可汗）建立后突厥政权于于都斤山以后不久树立的（约在686—687年之间）。此说如果属实，则此碑应为目前已发现的突厥文碑铭中最古老的一个。

此外还有在中亚发现的十几块突厥文碑铭，内容多为字数不多的墓志铭。一些学者认为其中的一部分应属于西突厥汗国。

四、契丹语言文字

契丹语属于阿尔泰语系蒙古语族。

契丹建立政权后，为适应政治、经济以及文化等方面的需要，先后创造了两种文字（即契丹大字和契丹小字），用以记录自己民族的语言。在此之前，契丹本无文字。《五代会要》卷 29 说："契丹本无文记，惟刻木为信。"《辽史》卷 34《兵卫志》也说：契丹人"刻木为契，政令大行"。

关于契丹大字，汉文献有一些记载。据《新五代史》记载："汉人教之以隶书之半增损之，作文字数千，以代刻木之约"①。《辽史》卷 1《太祖纪上》记载：神册五年（920 年）春正月，"始制契丹大字"，秋九月"壬寅，大字成，诏颁行之"。《辽史》卷 75《耶律铎臻传附突吕不传》记载："突吕不，字铎衮，幼聪敏嗜学。事太祖，见器重。及制契丹大字，突吕不赞成为多。"此外，在《辽史》卷 76《耶律鲁不古传》中，也有关于契丹大字创制的记载："耶律鲁不古，字信宁，太祖从侄也。初，太祖制契丹国字，鲁不古以赞成功，授林牙、监修国史"。根据这些记载可以说，契丹大字是 920 年创制完成并且颁行使用的，突吕不、耶律鲁不古对于创制契丹大字也作出了重要贡献。

数年之后，契丹小字问世。契丹小字是由辽太祖耶律阿保机之弟耶律迭剌创制的。《辽史》卷 64《皇子表》载：回鹘使者至，但无人懂得回鹘语言。太祖乃命耶律迭剌接待回鹘使者。耶律迭剌与回鹘使者相处二旬，学习了回鹘的语言和文字，因制成契丹小字。契丹小字具有"数少而该贯"的特点②。

虽然文献记载说耶律迭剌创制契丹小字时参考仿照了回鹘文字，但从其笔画及字体等来看，契丹小字显然也深受汉字的影响。

---

① 《新五代史》卷 72《四夷附录》，另见《契丹国志》。
② 《辽史》卷 64《皇子表》："回鹘使至，无能通其语者。太后谓太祖曰：'迭剌聪敏可使'。遣迓之。相从二旬，能习其言与书，因制契丹小字，数少而该贯"。

总之，无论契丹大字小字，都脱胎于汉字，其间架结构、偏旁部首、运笔规律、艺术规范等与汉字皆一脉相承。

契丹小字已经发展到拼音文字的初步阶段，所以契丹小字是一种近于拼读的文字，一个字中有若干个声韵母小单元"原字"，拼读成一个字。根据这个特点，在契丹小字篆书中，有"拆写"的书写方法，即把一个字的若干个声韵母小单元，按照先上后下，先左后右的汉字偏旁部首书写规则，分别拆开书写，各占一字，释义时再拼读，从而使书写更加整齐、统一、美观、大方，这是辽代民族文字书法艺术的创举。

因为契丹语言属于阿尔泰语系，故其语法结构与汉语不同。宋人洪迈曾举例说明有关契丹语言的语法特点，例如贾岛诗："鸟宿池边树，僧敲月下门"，用契丹语翻译为："月明里和尚门子打，池塘中树上老鸦坐"。另据记载："契丹小儿初读书，先以俗语颠倒其文句而习之"[①]。证明契丹语的语法与汉语不同，而与今蒙古语相同。

当时契丹文字不仅是辽朝官方通用的文字，在民间也是一种交际工具。契丹文字与汉字同时通用，但契丹文字的使用面不宽。辽朝灭亡以后，女真人仍然使用契丹文，一直到金代中期。契丹文之被废止，主要是因为这种文字不易通读，因而未能真正深入民间。

1191 年，金章宗完颜璟明令废除契丹文字后，契丹文字在金朝境内遂渐绝用，但在中亚河中地区的西辽则继续行用。1211 年，西辽政权（直鲁古）被乃蛮王子屈出律篡夺，仍用西辽国号。1218 年，西辽被蒙古攻灭，契丹文字也失去了最后一个借以流传、被其使用的政权。契丹文字逐渐消失，至明代已经无人认识。但它却对后世女真文字、西夏文字的创造，产生了启示和影响作用。

考古发现也证实，契丹人创制了大、小字。民国初年，今内蒙古赤峰地区的庆陵（辽圣宗、兴宗、道宗三陵统称庆陵）遭到了盗掘，从中发现了汉字和契丹文字的《兴宗哀册》及《仁懿皇后哀册》。这是契丹文字失传几百年以后的首次重大发现。有学者认为，哀册上的契丹文字是契丹大字。

辽庆陵中发现的契丹文字哀册，不久原石即不知下落。1925 年，日人

---

① 洪迈：《夷坚志·丙志》卷 18。

羽田亨根据抄本《哀册》的照片，提出不同于以前的看法，推定《辽陵哀册》和《郎君行纪》皆为契丹小字。但学界意见不能统一。

传世的契丹文字资料大都是 20 世纪陆续出土或发现的，包括碑刻、铜镜、印章、钱币或墨书题字等。国内外学者多数认为，辽太祖耶律亿陵纪功碑残石和西孤山出土的《萧孝忠墓志》所镌为契丹小字。

契丹文字资料出土以后，国内外学者竞相研究，研究的重点是解读。因为契丹小字的资料出土较早，而且属于一种接近拼读的文字，所以契丹小字的研究成果比较显著。1934 年前后，中国学者王静如、厉鼎煃、罗福成等，运用比较研究的方法，释出了包括年号、年月日、天干、地支以及数目字等的契丹小字的字意，但字音的构拟方面却明显薄弱。20 世纪 50 年代初，日本学者山路广明、村田七郎、长田夏树等人，分别采用不同的方法向拟音的方向探索，取得了一定的成绩。20 世纪 70 年代中叶，由中国社会科学院民族研究所和内蒙古大学蒙古语言文字研究室联合组成了契丹文字研究小组，从解读契丹小字中的汉语借词入手，把释义与拟音结合起来，取得了突破性的研究成果。释出 300 多条语词（连同前人研究成果，共有 400 多条），并构拟出 100 多个原字的音值（连同国外学者构拟正确或构拟接近正确的，共有 146 个），还分析了 20 多种语法成分，以《关于契丹小字的研究》和《契丹小字解读新探》为题发表，被一些国外学者誉为"划时代的新研究"和"契丹文字解读的新阶段"。1985 年，中国社会科学出版社出版了《契丹小字研究》专著。

契丹大字的研究工作尚处于草创阶段，只有阎万章、刘凤翥和日本的丰田五郎以及长田夏树发表过专门研究契丹大字的零星论文。

目前，无论契丹大字还是契丹小字，距离完全彻底地解读都还很遥远，甚至对于一些出土的契丹文字究属大字或小字，学界见解仍不能统一①。

五、西夏语言文字

西夏语属于汉藏语系藏缅语族。

---

① 清格尔泰、刘凤翥、陈乃雄、于宝林、邢复礼合著：《契丹小字研究》，中国社会科学出版社 1985 年版；参考金毓黻：《辽陵石刻集录》，奉天图书馆 1934 年版。

党项人原无文字。《隋书·党项传》记载："无文字，但候草木以记岁时"①。后来随着西夏社会的发展和经济、文化的需要，党项人创造了自己民族的文字。《宋史》记述西夏文字的创制情况说："元昊自制蕃书，命野利仁荣演绎之，成十二卷。字形体方整，类八分，而书颇重复。教国人纪事用蕃书，而译《孝经》、《尔雅》、《四言杂字》为蕃语"②。

西夏文字被用以记录西夏党项族的语言，并译汉文经典。

创制者野利仁荣学识渊博，熟悉历史。西夏建国前后创制典章制度，多参与谋划。西夏大庆元年（1036 年），野利仁荣秉承景宗李元昊旨意创造"蕃书"。群臣上表称颂，景宗遂下令改元，确定为国字，颁行境内。又设蕃字院和汉字院，分别掌管与吐蕃、回鹘以及宋朝等政权或王朝的文字往来。

野利仁荣所创蕃文，结构摹仿汉字，又有其特点。西夏文字用点、横、竖、撇、捺、拐、拐钩等组字，斜笔较多，没有竖钩。单纯字较少，合成字占绝大多数。两字合成一字者居多，三字或四字合成一字者为少。合成时一般只用一个字的一部分，比如上部、下部、左部、右部、中部或者大部，有时也用一个字的全部。会意合成字类似汉字的会意字，音意合成字则类似汉字的形声字。会意合成字和音意合成字约占西夏字总数的80%。部分译音字由其反切上下字的各一部分合成，类似拼音字。有的字以另一字的左右或上下两部分互换构成。两字多为同义字。象形字和指示字极少。

西夏字书体有楷、行、草、篆。楷书多用于刻印，篆书多见于金石，行、草多用于手写。

西夏文字创制后，被尊为西夏国字，下令推行，用于书写各种文书诰牒，应用范围很广。

前述汉字、蕃字二院，其中的汉字院掌管与宋朝的表奏往还，中书汉字，旁列西夏文；蕃字院掌管与吐蕃，回鹘等其他政权的文字往来，用西夏文字书写，并附以各该政权所使用的文字。

迄今发现的西夏文字文献十分丰富。其中包括法律著作《天盛旧改新

① 《隋书》卷83《党项》。
② 《宋史》卷485《外国列传·夏国》。

定律令》、《亥年新法》、《贞观玉镜统》和卷子式的《官阶封号谥号表》。历史著作有《太祖继迁文》。官、私应用文书如天赐礼盛国庆元年至二年（1069—1070年）的《瓜州审案记录》，天盛二十一年（1169年）卖地契，天庆元年（1194年）会款单、光定元年（1211年）谷物借贷文书、乾定二年（1224年）黑水城守将告近禀帖等等。

西夏文辞典字书有《文海》、《音同》、《番汉合时掌中珠》、《五音切韵》以及《杂字》数种。其中的《番汉合时掌中珠》，是西夏乾祐二十一年（1190年），骨勒茂才编纂的一部西夏文——汉文对照语集，它不仅是当年沟通西夏中原语言文字的桥梁——常用辞书，还是后世研究西夏语言文字的钥匙。这部《掌中珠》于1914年被中国学者罗福成、罗福苌获得，1918年和1924年，罗氏兄弟曾两次刊印。1989年，黄振华、聂鸿者、史金波又对其进行整理，重新出版了《番汉合时掌中珠》①。此外还有大批西夏文金石碑刻、汉文典籍以及大量的佛经译本。

西夏灭亡（1227年）后，西夏文仍在继续使用。元代，西夏文被称为"河西字"。元朝用"河西字"刻印了大批佛经，并有活字印本。元至正五年（1345年），居庸关过街塔门洞内的六体文字石刻中，西夏文是其中一种。明初曾刻印西夏文经卷，保定出土的两座刻有西夏文的石幢，建于明弘治十五年（1502年）。说明西夏文字至少使用了四五百年（西夏文字1036年创制，1039年制成）。

随着党项逐渐融合于其他民族，西夏文也成为无人可识的文字。直到19世纪末，才有人开始研究西夏文，西夏文字逐渐成为一门专学。随着西夏文字解读的进展，西夏语的秘密也逐渐被揭开。目前国内外对西夏（党项族）语言的语音、词汇和语法的研究都在逐步深入。西夏文以及西夏字文献的研究成果，为党项文字学、语言学以及历史学的研究提供了重要资料。

国内保存西夏文文献最多的是国家图书馆，此外，故宫博物院、中国历史博物馆以及宁夏、甘肃、陕西、内蒙古、天津、上海等地的文博单位也有

---

① ［西夏］骨勒茂才著，黄振华、聂鸿音、史金波整理：《番汉合时掌中珠》，宁夏人民出版社1989年版。

一些藏品。不少珍品流失于俄罗斯、英国、法国、日本、瑞典等国家。其中，苏联科学院东方学研究所列宁格勒分所收藏最多，主要是 20 世纪初沙俄的科兹洛夫从中国的黑水城遗址（今内蒙古额济纳旗）偷掠去的。

六、女真语言文字

女真语属于阿尔泰语系满通古斯语族。

女真人原来没有自己民族的文字。《旧五代史》载："黑水鞨鞨……俗无文字，兵器有角弓楛矢"[1]。至大金太祖天辅三年（1119 年）"八月己丑，颁女直字"[2]，即 1119 年女真族创制、颁行了民族文字。

女真文字有大字和小字两种。创制女真大字的是完颜希尹。"完颜希尹，本名谷神，欢都之子也。自太祖举兵，常在行阵，或从太祖，或从撒改，或与诸将征伐，比有功。金人初无文字，国势日强，与邻国交好，乃用契丹字。太祖命〔完颜〕希尹撰本国字，备制度。希尹乃依汉人楷字，因契丹字制度，合本国语，制女直字。天辅三年八月，字书成，太祖大悦，命颁行之。"[3] 又载："其后，熙宗亦制女直字，与希尹所制字俱行用。希尹所撰谓之女直大字，熙宗所撰谓之小字"。

完颜希尹创制的女真大字，主要是依据契丹字、汉字而制造"新字"，用以拼写女真语，被定为金国官方通用文字。

《金史·完颜希尹传》女真小字是金熙宗完颜亶天眷元年（1138 年）颁布、皇统五年（1145 年）开始使用的。

女真文字资料，传世的主要有文献、金石、墨迹三种类型。

金朝时期用女真文书写的书籍或译作，皆已失传。现存文献资料只有明朝永乐五年（1407 年），明"四夷馆"中"女真馆"编辑的《女真译语》。

《女真译语》内容包括"杂字"和"来文"两部分。"杂字"专辑语汇，包括女真字、汉意及汉字注音；"来文"是由移录当时东北各卫、所的女真官吏向明朝进贡的表文，以女真语汇依汉文文法堆砌而成，明显是明朝

---

① 《旧五代史》卷 138《黑水鞨鞨》。

② 《金史》卷 2《太祖本纪》。

③ 《金史》卷 73《完颜希尹传》。

四夷馆人代拟。明朝后期，"会同馆"又编辑了一种"女真译语"，专为口译使用，但仅有汉字写音，没有女真文字。

金石资料主要是迄今发现的碑碣、摩崖等。它们是：《大金得胜陀颂碑》（吉林省扶余县）、《女真进士题名碑》（河南省开封市博物馆）、《奥屯良弼钱饮碑》（现藏中国国家博物馆）、《奥屯良弼诗碑》（山东蓬莱县）、《海龙摩崖石刻》（共两处，在吉林省海龙县）、《昭勇大将军同知雄州节度使墓碑》（吉林省舒兰县）、《永宁寺碑》（现存俄罗斯海参崴博物馆）。此外，在今朝鲜境内则有：《庆源郡女真国书碑》（在咸镜北道庆源郡）、《北青女真国书摩崖》（咸镜南道北青郡）。上列石刻中，以《大金得胜陀颂碑》字数最多，且有汉文对照。《女真进士题名碑》字最工整，不但是研究女真文的主要参考资料，且可校正《女真译语》字形的讹误。

近年陆续发现的、铸有女真文字的金代牌符、官印、铜镜等也是重要的金石资料。

墨迹资料主要有：呼和浩特市东郊白塔女真字题壁、科右中旗都尔基乡墨书题字、科右前旗乌兰茂都乡女真墨画墨书题壁以及陕西省西安碑林石台孝经内部发现的《女真字文书》残页等等。尤其是《女真人文书》，是迄今发现的唯一的女真文字抄本，对于女真文字研究，具有重要的学术价值。

自清太宗（皇太极）天聪九年（1635年）把女真族名改为满洲以后，对女真的研究被列为禁区。直到清朝中叶，文网渐弛，女真文字才被学术界注意。清道光九年（1829年），刘师陆和麟庆，首先发现了《宴台女真进士题名碑》，遂先后发表了《女真字碑考》、《女真字碑续考》以及《宴台访碑》等文章。光绪十一年（1885年），曹廷杰又发现了《大金得胜陀颂碑》和《永宁寺碑》，著有《得胜陀碑说》和《特林碑说》等文。清末杨同桂还发现了《海龙摩崖》一处，也写了一篇文章《女真小字碑》。这些文章是中国研究女真文字的先声。

进入20世纪，钱稻孙、毛汶、罗福成、王静如、罗福颐等学者开始搜集资料，释读碑文。在释读碑文方面，罗福成、王静如二位的成绩较大，编辑资料专著则以罗福成的《女真译语正续编》和罗福颐校录的《满洲金石志》最为有名。1964年，金光平、金启孮发表的《女真语言文字研究》，内容包括制字、资料、读音、语法以及部分碑释，是中国第一部女真文字专著。

近年来，有关女真文字的文章时有发表，除对墨迹、金石、印鉴、符牌等考释外，已经深入到讨论摩崖的真伪、女真大、小字的区别以及女真文字构制法等领域。关于女真字的工具书，则有金启孮《女真文辞典》出版。

国外女真文字研究，应首推德国格鲁伯的《女真语言文字考》（1896年），对《女真译语》进行了整理标音工作。日本学者渡边熏太郎的《女真馆来文通解》（1933年），专门研究注释了"来文"。安马弥一郎的《女真文金石志稿》（1943年），则注重碑文释读，并附有"女真语文法概说"。此外还有山路广明的《女真文字制字研究》，主要探讨女真文字的"字源"。匈牙利李盖提的《试论女真小字的解读》（1953年）和韩国李基文的《中文女真语音论研究》（1953年）则主要研究女真文的读音。澳大利亚康德良和美国清赖义三郎（美籍日人）又分别于1975年和1977年发表了研究《女真译语》的专著。1982年，日本学者西田龙雄的专著《亚细亚未解读的文字》，也列有研究女真文字的专章，其中还介绍了中国女真文字的研究近况。

百余年来各国学者先后取得了丰硕的成果，已经一步步地把女真文字的研究工作推进到了大体能够解读的阶段。然而，女真文字的研究释读工作还有待进一步研究解决。

第六节　原始宗教与信仰

萨满教是在北方民族中普遍盛行的较原始的宗教形态。匈奴、乌桓、鲜卑、敕勒、突厥、回鹘、契丹、女真和蒙古等民族，在历史上都曾信奉过萨满教，并创造了各自的萨满文化。在这些民族走出草原、不断与其他民族交往的过程中，又不同程度地接受了其他民族的一些宗教信仰，如佛教、祆教和摩尼教等。

一、萨满教

萨满教是一种自然的、原始的多神教，形成于原始社会后期，具有明显的氏族部落宗教特点，为世界上绝大多数原始民族所普遍信仰。萨满教以万物有灵和灵魂不灭论为思想基础，崇拜的神灵体系包括自然神、社会神和生物神三大系统，以萨满巫师作为沟通人与神的使者，有加入、治病、祭祀和祈愿等巫仪①。

在萨满教的自然神系统中，天地神占首要地位，尤其以天为至高无上的尊神。《汉书·匈奴传》云："匈奴谓天为'撑犁'"，唐代译突厥语"天"为"登里"或"腾里"，蒙古语称天作"腾格里"，三者无疑都是对"天"这一阿尔泰语系突厥语族名词的同音异译。据考证，该词具有"献牲"、"崇奉"、"尊敬"等含义，这里的"天"已不仅指上天，而且被赋予了神灵的意义②。古代北方民族的最高统治者都有汗权天授的观念。据《史记·匈奴列传》和《汉书·匈奴传》记载，匈奴单于往往自称"天所立匈奴大单于"或"天地所生日月所置匈奴大单于"，还有"胡者，天之骄子也"之类的自命之语。对天神的崇拜，除常年性的拜天外，还有季节性的祭天，后者有明确的时间、地点和供品，《后汉书·南匈奴列传》记载："匈奴俗，岁有三龙祠，常以正月、五月、九月戊日祭天神。"《后汉书·乌桓鲜卑列传》记载：乌桓"敬鬼神，祠天地日月星辰山川及先大人有健名者"。拓跋鲜卑迁都平城之后，在城西建祠天坛，有一套祭天礼仪，常以此炫耀于南朝使者。《周书·突厥传》记载突厥"又以五月中旬，集他人水，拜祭天神"。《隋书·突厥传》同载突厥"五月中，多杀羊马以祭天"。唐张仁愿所筑三受降城之中受降城地方，原为突厥祭天的拂云堆神祠，突厥出兵唐朝之前必先诣祠祭酹，求得天神庇护战事胜利。由敬而畏，畏天成为古代北方民族拜天观念中与敬天相反相成的另一个方面，如突厥木杆可汗俟斤时代，有一次"会大雷风起，飘坏其穹庐等，旬日不止。俟斤大惧，以为天遣"③。

土地神在北方游牧民族的萨满教信仰中亦占有举足轻重的地位，逐水草放牧畜群时，在土地神的护佑下找到水草丰美的牧地，是一件很重要的事。《史记·匈奴列传》记载匈奴"五月，大会龙城，祭其先、天地、鬼神"。古代突厥文碑铭中常常提及"水土神"。据元代来华的意大利旅行家马可·

---

①　色音：《东北亚的萨满教》，中国社会科学出版社1998年版，第170页。

②　蔡鸿生：《唐代九姓胡与突厥文化》，中华书局1998年版，第136—138页。

③　《周书》卷9《武帝阿史那皇后传》。

波罗云，古代蒙古族的萨满教神灵中有个叫"纳赤该"的土地神颇受崇敬，"彼等有神，名称纳赤该（Nacigay），谓是地神，而保佑其子女、牲畜、田麦者，大受礼敬。各置一神于家，用毡同布制作神像，并制神妻神子之像，位神妻于神左，神子之像全与神同。食时取肥肉涂神及神妻神子之口，已而取肉羹散之家门外，谓神及神之家属由是得食。①"

　　除天地之外，日月星辰也是萨满教自然崇拜的主要内容。对日月星辰的崇拜首先来自于它们的光和热。在广阔无垠的蓝天里，太阳是温暖与光明的使者，对太阳的崇拜最早可以从原始民族的图画里找到阐释。在早期北方民族的岩画里，太阳是最常见的素材，一个圆圈配以周围的辐射线，仿佛一轮金光夺目的炎炎红日。到后来，对太阳的崇拜不但定型为北方民族统治者的例行祭事，也衍生为北方民族最普遍的生活习俗。《史记·匈奴列传》记载："而单于朝出营，拜日之始生，夕拜月。"《周书·突厥传》记载：突厥可汗的牙帐门向东开，"盖敬日之所出也"。月圆时出征、月亏时退兵的军事迷信，在对匈奴和突厥的史料记载中都可见到。《史记·匈奴列传》记载匈奴"举事而候星月，月盛壮则攻战，月亏则退兵"。《隋书·北狄传》记载突厥"候月将满，辄为寇抄"。古代北方民族这种候月攻占的军事迷信，无疑与他们信仰萨满教的习俗有关，对日月星辰的崇拜影响到了关系本民族生死存亡的军事活动之中。

　　萨满教的自然事物之神中还包括山石神系统。古代北方民族对山石神的崇拜往往与祖窟崇拜、祖先崇拜联系在一起。拓跋鲜卑的大鲜卑山、突厥的于都斤山、契丹的木叶山以及古代蒙古族的肯特山，都被看做是各自民族的发祥之地，被视为"圣山"，定时拜祭。发祥地必定与祖先联系在一起，祭山即祭祖。呼伦贝尔市鄂伦春自治旗嘎仙洞至今保存有拓跋鲜卑祭祖铭文；《周书·突厥传》记载突厥可汗"每岁率诸贵人，祭其先窟"；辽朝有多种官方祭祀仪式，其中祭木叶山最为隆重；大蒙古国及元朝的历代大汗和皇帝死后都归葬于肯特山下，元朝皇帝每年到上都避暑期间都要举行北向遥祭祖先的仪式。

　　在萨满教的观念中除了自然界的事物之外，一些自然现象，如风、雨、

---

① 冯承钧译：《马可波罗行记》，上海书店出版社 2006 年版，第 145 页。

雷、电、火等自然界的现象也被神化了，每种现象都有各自的神灵。首先，对火这一自然现象的神化是各民族萨满教所共有的普遍信仰。唐太宗贞观初年，玄奘赴印求法，途经中亚素叶（碎叶）城，受到突厥可汗隆重接待。据《大慈恩寺三藏法师传》云：西突厥"事火不施床，以木含火故敬而不居，但地敷重茵而已"。拜占庭史家狄奥菲拉特的《历史》，记录突厥达头可汗598年致东罗马皇帝摩里斯的一封信，内称："突厥崇拜火，尊敬空气和水，颂扬大地，但仅奉天地唯一造物主为神，用马牛羊祭祀他，并有祭司预言未来之事。"[1] 火神是炉灶崇拜的产物，据考证"突厥"一名中即包含有炉灶崇拜的内容，《周书·突厥传》记载："山上仍有阿谤步种类，并多寒露，大儿为出火温养之，咸得全济，遂共奉大儿为主，号为突厥，即讷都六设也。""出火温养"与"号为突厥"之间存在着某种因果关系。蒙古族认为火神是幸福和财富的赐予者，具有使一切东西纯洁的能力，火以清洁者的资格充当各家各户的守护者，火炉也被看做是神圣的地方。在蒙古族的禁忌里，有关火的禁忌很多，例如禁止"将一把刀插入火中，或者是以一种或另外某种方式用刀触及火，或者是用刀从锅中取出肉和在火旁舞动斧子。实际上，他们认为可以用这种方式砍掉火的头"。[2]

与火紧密相关的是雷电，畏惧雷电是北方游牧民族的共同特点之一。敕勒与蒙古都有敬畏雷电的记载。《魏书·高车传》记载：高车"俗不清洁。喜致震霆，每震则叫呼射天而弃之移去。至来岁秋，马肥，复相率侯于震所，埋杀羊，燃火，拔刀，女巫祝说，似如中国被除，而群队驰马旋绕，百匝乃止。人持一束柳棳，回竖之，以乳酪灌焉"。西方传教士鲁布鲁克的游记里描述蒙古畏惧雷电的习俗时说："他们从不洗衣，因为他们说天神会因此发怒，并说如果他们挂起衣服来晒干，那会打雷的。他们甚至要打那些他们发现洗衣裳的人。他们特别害怕打雷。每当打雷时，他们把一切外人从他们的住所赶出去，用黑毯把自己包起来，这样一直躲到雷声过去。"[3]

---

① ［俄］狄奥菲拉特·西摩卡特：《历史》（俄文版）第5卷8节第14、15段，莫斯科1957年版，第161页；转引自蔡鸿生：《唐代九姓胡与突厥文化》，第131页。

② 《柏朗嘉宾蒙古行纪》，耿升译注本，中华书局1985年版，第35页。

③ 《鲁布鲁克东行纪》，何高济译注本，中华书局1985年版，第217—218页。

　　萨满教的社会神系统主要以被称为"万物之灵"的人为对象。祖先神尤其特殊，是萨满教社会神系统的中心。对社神的祭祀在古代北方各族中普遍存在，考察祭社的渊源，最早是对男根的崇拜，后演绎为生殖崇拜，再后来才被粉饰为祖先崇拜。匈奴祭社的记载见于《汉书·匈奴传》，卫律欲加害投降匈奴后得宠的原汉贰师将军李广利，利用单于母亲阏氏生病之机，卫律串通巫师装神弄鬼地造谣说："先单于怒曰：'胡故时祠兵，常言得贰师以社，今何故不用？'"结果单于信以为真，竟杀了贰师将军来祭祀社神，后有所醒悟，也是悔之晚矣。匈奴秋天大会蹛林，就是祭祀社神。《后汉书·乌桓鲜卑列传》记载：鲜卑"唯婚姻先髡头，以季春月大会于饶乐水上，饮宴毕，然后配合"。《三国志·乌丸鲜卑东夷传》注引《魏书》：鲜卑"常以季春大会，作乐水上，嫁女娶妇，髡头饮宴"。匈奴会蹛林，鲜卑会饶乐水，在祭祀社神的活动中，男女自由媾配，求得子嗣繁衍，这正是祭社的原初目的所在。

　　萨满教的生物神系统包括有生命的动物神和植物神。动物在萨满教中主要扮演着两个基本角色，一种是作为萨满之补助灵或救助灵的动物，另一种是作为图腾的动物。图腾动物往往以某一氏族或部落的祖先而存在。狼图腾传说在古代北方民族中流传较广，高车、突厥都有先人与狼交合繁衍成族的史料记载，突厥可汗大帐前高竖"狼头蠹"。后来的满洲人以乌鸦、喜鹊和狗三种动物为本民族的图腾，鄂伦春族中流传着关于熊图腾的传说。人与图腾动物之间的血缘关系和利害关系，是图腾崇拜的两个基本内容。

　　在天神与人事之间，存在着一个沟通者，它就是萨满巫师。巫师有一般的巫师，也有专门为皇族服务的大巫师。如通辽市吐尔基山辽墓的墓主人，经考证可能即是一位直接服务于契丹皇室的女性"太巫"①。大巫师通过行使各种巫仪，往往博取到很高的地位，有时借机营利，甚至觊觎最高的权力。如前所述，匈奴巫师受卫律的指使，捏造谎言诬陷贰师将军，使单于误杀了贰师。柔然有女医巫地万，劫去柔然可汗丑奴弟祖惠，又假托鬼神，蛊惑丑奴，丑奴称她为圣女，后祖惠揭露地万的骗人把戏，丑奴母侯邻吕氏杀地万。蒙古在成吉思汗建国初期，曾发生过萨满阔阔出恃权图谋不轨的事

───────────

　　①　冯恩学：《吐尔基山辽墓墓主身份解读》，《民族研究》2006 年第 3 期。

件，结果被成吉思汗指使幼弟斡惕赤斤以角力为幌子，在预先安排好的三个力士的帮助下，将阔阔出折腰处死。突厥与回鹘也都可以在史料记载中看到对萨满巫师的记载。突厥称巫师为"甘"（qam），《隋书·北狄传》记载突厥"敬鬼神，信巫觋"。回鹘在唐代宗时与唐朝合兵战吐蕃，"回纥使巫师便致风雪"①，结果大获全胜。

二、其他宗教信仰

在北方民族历史上，柔然第一个将佛教信仰引入了蒙古草原。《魏书·蠕蠕传》记载：北魏永平四年（551年）九月，柔然可汗"丑奴遣沙门洪宣奉献珠象"。从《大藏经·高僧传》第八《释法瑗传》的记载里，可知释法瑗的二兄法爱"亦为沙门，解经论兼数术，为芮芮国师，俸以三千户"。以佛教僧人担任国师，可见佛教在柔然统治阶层中占有很高的地位。信仰佛教的柔然，甚至吸引了一批外地的僧人。如南朝僧人法献，曾于宋元徽三年（475年），从金陵，西游巴、蜀，路出河南（吐谷浑），道经芮芮，后到于阗。6世纪中，又有北印度僧人那连提黎耶舍等6人，从西域北上，到柔然，后因突厥灭柔然，故改道到达北齐邺都。南北朝时期，我国内地及西域各地佛教均很流行。柔然曾统治西域东北的高昌、伊吾之地，与北朝、南朝各政权有频繁的交往。因此，佛教从这几个方面传入柔然境内是完全可能的②。

见于记载最早的突厥与佛法之间的联系，为《艺文类聚》卷76北周王褒撰《京师突厥寺碑》，记述了北周在京师建立突厥寺之事。但京师突厥寺建立的目的，最有可能的解释是北周皇室宇文氏为了笼络突厥木杆可汗而采取的一种宗教手段，并不说明突厥汗庭的信仰已由萨满教转向佛法。到木杆之弟佗钵可汗时，北齐沙门惠琳被掠入突厥，他对佗钵可汗说，齐国的强大是因为信仰佛法，并向他宣讲了佛教因果报应的教义。佗钵可汗自此皈依佛教，在国内建立寺院，同时派人向北齐求《净名经》、《涅槃经》、《华严经》等佛经和《十诵律》等，礼遇僧团。佗钵可汗亲自行斋戒，绕塔行走，

---

① 《旧唐书》卷206《回纥传》。
② 周伟洲：《敕勒与柔然》，广西师范大学出版社2006年版，第132页。

恨未生于内地。此间，由于北周武帝在 574 年开始废佛，犍陀罗国高僧阇那崛多打算经过突厥汗国回国，由于佗钵可汗的请求，曾在突厥地区停留十余年之久，在那里传播佛教。这时候北齐僧人宝暹等 11 人也于 575 年从印度取经回来，携带 260 部佛经到达突厥，由于听说北周灭北齐，并毁坏佛法，所以决定暂留突厥，并和阇那崛多一起，对带回的佛经进行了编目工作。佗钵死后，沙钵略可汗即位，驱逐僧人，将本来在漠北根基不稳的佛教信仰又全部推倒了。西安市东郊曾发现东突厥汗国颉利可汗之子阿史那婆罗门的墓志①，婆罗门为古印度四大种姓之一，古印度有婆罗门国之称，可汗子取名婆罗门，说明当时佛教在东突厥汗庭中仍有一定的影响。后突厥汗国毗伽可汗在位时，又一度将奉佛问题提上汗庭的议事日程，结果遭到元老暾欲谷的反对，没有做成。西突厥在中亚渐受佛教濡染，玄奘赴印度取经路过西突厥时，受到统叶护可汗的礼遇。

西突厥自 6 世纪 60 年代侵入中亚，到 7 世纪中期西突厥汗国瓦解之后，受当地盛行的火祆教信仰的影响，已经有某种程度的祆教化。段成式《酉阳杂俎》卷 4 介绍突厥式的祆神崇拜："突厥事祆神，无祠庙，刻毡为形，盛于皮袋，行动之处，以脂苏涂之；或系之竿上，四时祀之。"考古发现表明，中亚祆教在葬俗上流行盛骨瓮葬，这种瓮系陶质，内装死者骨殖，外饰图画或浮雕。盛骨瓮的形制，在突厥时代发生了引人注目的变化，出现了一种帐幕式的盛骨瓮，瓮面装饰仿牧人毡帐上的花纹，瓮壁上方镂空，象征帐幕的木架。其次，从苏库鲁克出土的陶灯盏上，也可以看到新的结构。过去，陶灯盏上常塑狗和（鸟）鸡，这两种动物按火祆教经典是守护"不灭之火"的圣物，到突厥时代，绵羊或山羊也进入护火的行列了。可见，"突厥事祆神"仍不失其"控弦之士"的特色②。

回鹘汗国在牟羽可汗统治时期，从唐朝引入摩尼教，并尊奉为国教。摩尼教为 3 世纪波斯人摩尼所创立的二元论宗教，主张光明（善）与黑暗（恶）两种势力的斗争；摩尼教师多习天文、幻术，声称能祈雨驱魔，中原地区称之为阴阳人或阴阳先生。牟羽可汗在唐宝应二年（763 年）接受其岳

---

① 张安兴：《西安新发现突厥颉利可汗之子墓志》，《中国文物报》2006 年 8 月 11 日。
② 蔡鸿生：《唐代九姓胡与突厥文化》，第 136 页。

父仆固怀恩的建议，出兵帮助唐朝讨伐史朝义叛乱，终于平定了前后延续9年的安史之乱。次年，牟羽可汗从河阳（今洛阳东北）经太原返回草原，带回了4个在洛阳传教的摩尼教僧人，自是开始了摩尼教在回鹘汗国的传播。摩尼教师以粟特文拼写古突厥语，开始了回鹘文字的创制时期，回鹘碑文中的粟特文多出自摩尼教师之手，为回鹘汗国的文化发展作出了重大贡献。

柔然、突厥和回鹘信奉外来宗教，主要在上层统治阶层中流行。与此同时，萨满教草原气味十分浓烈的天、地、火诸神，仍然活跃于漠北的游牧群中。

第四编

人　　物

第 十 八 章

匈奴历史人物

头曼单于

头曼单于（？—前 209 年）　见于史料记载的匈奴第一代单于，挛鞮氏。其辖地东与东胡、南与秦、西与月氏为邻。秦始皇三十二年（前 215年），秦派蒙恬进取河南地，头曼率部属北徙。初立长子冒顿为太子，后其所爱阏氏生少子，欲废掉冒顿改立少子，于是使冒顿到月氏做人质，然后急攻月氏，想借月氏之手杀死冒顿。冒顿从月氏逃回匈奴，头曼以其勇猛，令做万骑长。冒顿下工夫训练了一支听从于自己的军队，于秦二世元年（前209 年）随头曼出猎时将其杀死，自立为单于。

（胡辉芳　撰稿）

冒顿单于

冒顿单于（？—前 174 年）　匈奴第二代单于，挛鞮氏，头曼单于长子。头曼在位时，欲废掉冒顿改立其所爱阏氏之子为太子，遂将冒顿送往月氏为人质，并急攻月氏，想借刀杀人。冒顿盗良马逃归，头曼认为冒顿壮勇，让他做了万骑长。冒顿得到兵权后训练亲兵，制成鸣镝，命令部下跟着鸣镝所射的方向而射，不射者杀之。冒顿用鸣镝射自己的良马，左右有不敢跟着射者，冒顿立刻将他们杀掉。冒顿又以鸣镝射自己宠爱的阏氏，左右都感到恐慌，不敢跟着射的人，又被杀死。不久，冒顿出猎，用鸣镝射向头曼单于的良马，左右跟着射。此时，冒顿知道他的左右都听从他的命令，可被他利用了。一次冒顿随其父头曼单于狩猎，用鸣镝射向头曼，他的左右也都随着鸣镝射向头曼单于。头曼死，冒顿诛杀他后母、弟弟和不听从他的众臣，自己做了单于。冒顿登位后，正是东胡强盛时期，东胡听说冒顿杀父登位，先后派遣使者向冒顿索要千里马和单于的阏氏，大臣们都以为不可，但是冒顿都满足了东胡王的要求。东胡认为冒顿惧怕他们，又向冒顿索要匈奴与东胡之间的"瓯脱"弃地，冒顿又问群臣，大臣们以为给也可，不给也可，冒顿闻听勃然大怒，说土地为国家之本，不可轻易予人，便把主张给东胡土地的大臣都杀了。于是冒顿发兵向东袭击东胡。东胡早先轻视匈奴，并无防备，冒顿引兵来犯，大败东胡军，消灭了东胡王，掳掠了他的人民和牲畜。后冒顿又向西打败了月氏，向南并吞楼烦和白羊河南王，收回了秦将蒙恬所夺取的全部匈奴土地。以汉原河南塞为界，到达朝那、肤施，进而侵入燕、代两地，势力得到了壮大，手下有能弯弓射箭的士卒达 30 多万，称雄于大漠南北。此后冒顿又率兵向北征服了浑庾、屈射、丁零、鬲昆、薪犁等国，尽使北方各族服从他的统治。因韩王信投降匈奴，刘邦于公元前 200 年亲率兵攻击匈奴。冒顿佯装败北，暴露自己的老弱病残之兵，掩藏起精锐之师，诱汉兵追赶，高祖果然将以步兵为主的 32 万汉兵用以北逐匈奴。冒顿派精骑 40 万围困高祖于白登山（平城东）7 天 7 夜，被包围的汉军得不到军粮接济，情势危急。高祖用陈平计，暗中派使者厚赠礼物给冒顿的阏氏。冒顿原与韩王信的大将王黄、赵利相约共灭汉王，可王黄、赵利的军队未到，冒顿怀疑可能和汉军有密谋，就听取了阏氏的话，放开包围圈的一角。高祖刘邦从匈奴放开的一角直冲而出，终于和大军会合，冒顿这时也引兵离去。其后冒顿常结连汉朝叛将，引兵侵扰汉朝边地，使得汉朝深感忧虑。当时汉初定，国力弱，于是高祖便派刘敬前去缔结联姻和约，以宗室女为单于的阏氏，每年奉送匈奴一定数量的丝绵、绸绢、酒米食物等，匈汉结约为兄弟之国，冒顿才稍稍停止侵扰。高祖死后，孝惠帝、吕后时，匈奴骄横无礼，冒顿竟然在给吕后的信里有侮辱性言语，吕后想攻打匈奴，被诸将所劝未行，依旧实行和亲政策。文帝初年，冒顿又派右贤王攻占了黄河河套以南地区，后又消灭月氏，平定楼兰、乌孙、呼揭等国。次年冒顿致信汉文帝表示愿意恢复过去的和约，文帝许之，双方恢复友好关系。汉文帝六年（前174年），冒顿去世。

（胡辉芳　撰稿）

老上单于

老上单于（？—前161年）　匈奴第三代单于，冒顿单于之子，名稽粥。汉文帝六年（前174年），冒顿去世，子稽粥立，号曰老上单于，汉文帝以宗室女为其阏氏。在位期间曾攻打月氏，杀死月氏王，占据全部河西地区，并以月氏王的头为饮器与汉结盟。十一年（前169年），复扰汉边。十四年（前166年）冬，老上单于挥兵14万直抵彭阳，其先锋人马火焚大汉回中宫，远哨铁骑逼近长安。后元二年（前162年）复遣使与汉和好。在位13年，于汉文帝后元三年（前161年）卒，子军臣立。

（胡辉芳　撰稿）

军臣单于

军臣单于（？—前126年）　匈奴第四代单于，挛鞮氏，老上单于之子。汉文帝后元三年（前161年）继立，与中原通好。六年（前158年），匈奴拒绝和亲，派兵三万入上郡（今陕西榆林东南）、云中郡（今内蒙古托克托县古城镇古城）大肆抢掠，杀掠甚重。西汉景帝时，匈奴修复故约，互通关市。汉景帝中元年间（前149—前144年）曾数次率兵扰边。武帝初年，因和亲与待遇优厚，维持亲汉关系。军臣单于在位35年，汉武帝元朔三年（前126年）冬死，弟左谷蠡王伊稚斜攻破太子于单，自立为单于。

（胡辉芳　撰稿）

伊稚斜单于

伊稚斜单于（？—前114年）　西汉时匈奴单于，老上单于子，军臣单于弟。汉武帝元朔二年（前127年），军臣单于死，自立为单于。在位12年

（前126—前114年）。屡用兵侵扰汉代郡、上郡、雁门等地。曾多次为汉将卫青、霍去病、李广所败，于是远徙，退居漠北，尽失其地。汉武帝元鼎三年（前114年）卒，传位子乌维。

（班珏　撰稿）

乌维单于

乌维单于（？—前105年） 匈奴单于，伊稚斜单于长子。汉武帝元鼎三年（前114年），乌维继位。乌维初立，与汉保持相对和平状态。元鼎五年（前112年），与西羌合攻汉。乌维单于立三年，汉朝灭南越，并派兵出击九原。元封元年（前110年），汉武帝开始巡边，遣使劝匈奴臣服，被拒绝。之后，乌维数次遣使至汉求和亲。汉武帝元封六年（前105年）乌维单于死，子乌师庐立。

（胡辉芳　撰稿）

且鞮侯单于

且鞮侯单于（？—前96年） 呴黎湖单于之弟。原为匈奴左大都尉，兄死继立为单于。时汉诛大宛，且鞮侯恐汉袭之，尽归所留匈奴汉使路充国等，自称儿辈。汉欲乘机厚结单于，命苏武出使匈奴，遂日骄。扣留汉使者苏武，先多方威胁诱降，后迁之于北海（今贝加尔湖）牧羊。前99年，武帝命李广利出击匈奴，与右贤王大战于天山；又命李陵出居延北，与单于战。李陵败，降匈奴。后二年即前97年，汉命李广利、路博德、韩说、公孙敖率步骑20余万，分四路击匈奴。且鞮侯单于率兵退至余吾水南与李广利军战，汉军不胜而归。前96年死，长子狐鹿姑单于即位，此后匈奴日益衰弱。

（班珏　撰稿）

狐鹿姑单于

狐鹿姑单于（? —前 85 年） 匈奴单于且鞮侯单于长子，原为左贤王。汉武帝太始元年（前 96 年）立为狐鹿姑单于。汉武帝以前，匈奴与汉朝处于相对和平状态，保持和亲关系，而匈奴则"时小入盗边，无大寇"。武帝时，改变对匈奴的消极防守为主动进攻，先后发动十多次征讨。其中元狩二年（前 121 年）和元狩四年（前 119 年）两次进攻，使匈奴受到严重打击。于是匈奴仍想保留原先的和亲，"数遣使于汉，请求和亲"。狐鹿姑单于在遭到武帝拒绝后，又摆出其先辈的态势，威胁汉朝如不复故约，匈奴将攻汉边境。狐鹿姑单于的威胁，对于已经强盛起来的汉朝来说并无大碍。武帝继续用兵"深入穷追二十余年"，匈奴损失惨重。狐鹿姑单于在位 11 年，汉昭帝始元二年（前 85 年）死，子壶衍鞮单于立。

（胡辉芳　撰稿）

壶衍鞮单于

壶衍鞮单于（? —前 68 年） 狐鹿姑单于之子，原为谷蠡王。公元前 85 年狐鹿姑单于死后，被立为单于，称为壶衍鞮单于。在位期间，"母阏氏不正，国内乖离"，常恐汉兵乘机往袭。于是采用卫律建议，"穿井筑城，治楼以藏谷"，以防汉军突然袭击。旋因听说"胡人不能守城"又中止，改与汉通好，并释苏武、马宏等归。不久，又发左、右部二万骑掠汉塞，兵败。前 68 年卒，其弟立为单于。

（赵海波　撰稿）

虚闾权渠单于

虚闾权渠单于（? —前 60 年） 壶衍鞮单于之弟，原为左贤王。汉宣帝地节二年（前 68 年）兄死，嗣立。以右大将女为大阏氏，而废黜前单于所幸颛渠阏氏。击败西嗕部落，迫之南下降汉。因灾饥，人畜死者十之六七，匈奴势衰。三年，闻车师王附汉，以兵攻车师，遭汉侍郎郑吉等迎击，始罢。元康元年（前65年），遣军攻车师之汉军，亦未果。因车师地肥美，且邻近匈奴，恐为汉得，危及匈奴，屡遣军攻车师，并围困郑吉援军，迫汉徙车师民于渠犁，弃车师故地于匈奴。神爵元年（前61年），以连年遭丁零侵扰，遣万骑击丁零，无所得。翌年，单于将十余万骑傍塞猎，欲入边为寇。寻病，呕血而死。

（孙永刚　撰稿）

握衍朐鞮单于

握衍朐鞮单于（？—前58年） 乌维单于曾孙，原为右贤王。汉宣帝神爵二年（前60年），虚闾权渠单于死，被虚闾权渠单于在位时期废黜的颛渠阏氏及其弟左大且渠都隆奇立为单于。初立，尽杀虚闾权渠单于用事贵人刑未央等，而任用都隆奇；又尽免前单于子弟近亲，而以己子弟代之，引起族人不满。虚闾权渠子稽侯珊（呼韩邪单于）以己不得立，亡归妻父乌禅幕；日逐王先贤掸亦因不得立，率众数万归汉，单于擅杀先贤掸两弟。因"暴虐杀伐，国中不附"，匈奴势衰。为摆脱困境，遣名王奉献于汉，贺正月，以和亲。四年（前58年），又遣弟呼留若王朝汉，以示好。不久，为左地贵人所立呼韩邪单于击败，求援于其弟右贤王，右贤王曰："若不爱人，杀昆弟、诸贵人。各自死若处，无来污我"！不成，自杀。左大且渠都隆奇逃亡到右贤王属地，其民众尽降呼韩邪单于。

（孙永刚　撰稿）

乌藉单于

乌藉单于（？—前56年） 匈奴单于，为当时匈奴"五单于争立"时期五单于之一。当时，匈奴各部为争权夺利混战不已。匈奴故地一时间出现了四位单于，乌藉都尉本来奉命率兵两万在东方防御呼韩邪单于，但看到这种情况之后，自称乌藉单于，拥兵自立。瞬间匈奴出现了五个单于，史称"五单于并立"。车犁单于和乌藉单于兵少，于是屠耆单于和都隆奇分别率兵前往攻击。屠耆单于亲自率兵东击车犁单于，都隆奇则击乌藉。乌藉、车犁大败，逃往西北，与呼揭单于汇合，考虑到日逐王一系在匈奴民众中威信最高，乌藉、呼揭主动放弃单于称号，共同辅助车犁单于，结果还是无力抵抗，只好再逃。之后，呼韩邪趁着屠耆用兵西北的机会，发起进攻。屠耆亲自领兵六万迎击，不料身陷重围，绝望中挥刀自戕。车犁单于见呼韩邪实力强大，遂主动放弃了单于称号。乌藉都尉虽然又再次自称单于，但很快被呼韩邪剿灭。

（胡辉芳　撰稿）

屠耆单于

屠耆单于（？—前**56**年）　握衍朐鞮单于从兄，名薄胥堂。宣帝神爵二年（前60年），任日逐王。四年（前58年），握衍朐鞮被呼韩邪单于击败自杀后，被左大且渠都隆奇与右贤王等立为单于。寻发兵数万击败呼韩邪单于，并以其长子都涂吾西为左谷蠡王，少子姑瞀楼头为右谷蠡王，据有单于庭。五凤元年（前57年），西方呼揭王来与唯犁当户谋，共谗右贤王，言欲自立为乌藉单于，屠耆单于杀右贤王父子，后知其冤，复杀唯犁当户。于是引起内讧，呼揭王自立为呼揭单于，右奥鞮王自立为车犁单于，乌藉部尉自立为乌藉单于，与呼韩邪单于一起，形成五单于分立局面。旋自将兵东击败车犁，派都隆奇击败乌藉单于，引兵西南留阗敦地，渐盛。二年，呼韩邪单于遣其弟右谷蠡王等西袭屠耆单于屯兵，杀掠万余人。单于自将六万骑击呼韩邪，兵败自杀。子右谷蠡王姑瞀楼头亡归汉。

（孙永刚　撰稿）

呼韩邪单于

呼韩邪单于（？—前**31**年）　虚闾权渠单于之子，名稽侯珊。汉宣帝神爵二年（前60年）父死，未能立，逃至妻父乌禅幕处。四年（前58年），因握衍朐鞮单于暴虐，喜好杀伐，乌禅幕数次进谏，不听，于是乌禅幕及左地贵人等拥立稽侯珊，是为呼韩邪单于，发兵击败握衍朐鞮单于。五凤二年（前56年）秋，击败右地屠耆单于。四年夏，被其兄郅支单于击败，引众南近塞。甘露元年（前53年）遣子右贤王铢娄渠堂入侍，对汉称臣，欲借汉朝之力保全自己。甘露三年（前51年）正月，朝见宣帝于甘泉宫（今陕西淳化西北），受特殊礼遇。数年后，鉴于郅支单于西迁，内患已消，力量渐强，乃率部重归漠北。汉元帝竟宁元年（前33年）正月，第三次朝汉，自请为婿，娶汉宫女王嫱（昭君）为妻，号为宁胡阏氏。此后，汉与匈奴40余年无战事。汉成帝建始二年（前31年）去世，子复株累若鞮单于继位。

（胡辉芳　撰稿）

车犁单于

车犁单于（生卒年不详）　为当时匈奴"五单于争立"时期五单于之一，日逐王先贤掸之兄，原为右奥鞬王。宣帝元凤元年（前57年），奉屠耆单于之命率兵防备呼韩邪单于，因屠耆单于杀右贤王父子，发生内讧，他乘机自立，号车犁单于。屠耆单于率兵前往镇压，乌藉、呼揭二单于皆去单于号，共同辅佐车犁单于。屠耆单于听闻，使左大将、都尉将四万兵马屯驻东方，用以防备呼韩邪单于，他本人亲率四万兵马西击车犁单于，大败之。车犁单于见呼韩邪实力强大，遂主动放弃了单于称号。元凤二年（前56年），归降呼韩邪单于。

（胡辉芳　撰稿）

呼揭单于

呼揭单于（生卒年不详）　为当时匈奴"五单于争立"时期五单于之一，原为呼揭王，屯驻西方。当时的匈奴各部为争权夺利混战不已，统辖匈奴西北部地区的呼揭王因诬陷右贤王，恐被处置，于前57年自立为呼揭单于，形成五单于并立之势。后由于屠耆单于的打击，乌藉、呼揭取消单于称号，共同辅佐车犁单于。不久，再次为屠耆所败，退走西北。

（胡辉芳　撰稿）

郅支单于

郅支单于（？—前**36**年） 汉代匈奴分裂为南北两部之后北匈奴的第一代单于，呼韩邪单于兄，原为左贤王，名呼屠吾斯。西汉五凤二年（前56年），趁匈奴内讧，自立为郅支骨都侯单于，居东边。四年，攻杀西边闰振单于，并其众。甘露元年（前53年），击败呼韩邪单于，占据单于庭。遣子右大将驹于利受入侍汉朝，并遣使朝献。黄龙元年（前49年），率部西行，先击杀屠耆单于小弟伊利目单于，合并其众五万余人，闻汉出兵帮助呼韩邪单于，遂留居匈奴右地。继而破乌孙，北击乌揭、丁零、坚昆，遂留都于坚昆，势力强盛。自以距汉道远，又怨汉朝庇护和厚赐呼韩邪单于，于初元五年（前44年）先困辱汉使，索还侍子，继而杀死送还侍子的汉使谷吉，自知背负汉朝，又闻呼韩邪单于益强，恐被袭击，西走。适逢康居为乌孙所困，康居欲联合匈奴兵取乌孙。郅支单于遂与康居王联姻结盟，娶康居王女，亦以女予康居王，并甚受康居尊敬。郅支单于数借康居兵屡败乌孙，势力益盛，不以康居王为礼，杀康居王女及贵人、民众数百，或肢解投都赖水（今怛罗斯河）中。发康居民筑城，日作五百人，二岁乃已。继向阖苏、大宛强索贡献。建昭三年（前36年），为汉西域骑都尉甘延寿、副校尉陈汤击杀于康居。

（孙永刚 撰稿）

复株累若鞮单于

复株累若鞮单于（？—前**20**年） 南匈奴单于，呼韩邪单于长子，名雕陶莫皋，母为大阏氏。呼韩邪单于死后，被立为单于，号复株累若鞮单于。按匈奴习俗，复妻王昭君。在位期间，继续执行对汉友好政策。即位之初，遣子入汉朝为质，并任命王昭君所生二子为左谷蠡王、右贤王。公元前25年，复株累若鞮单于亲自入汉觐见汉帝。公元前20年卒。

（赵海波 撰稿）

乌珠留若鞮单于

乌珠留若鞮单于（? —13 年）　呼韩邪单于子，车牙单于之弟，原为左贤王，名囊知牙斯。公元前 8 年兄死，继位为匈奴单于。亦遣子入侍汉朝。时王根为大司马，遣中郎将夏侯藩求匈奴边地，单于不许。哀帝元寿二年（前 1 年），亲自入朝，汉赏赐甚厚。王莽代汉，遣使更"匈奴单于玺"为"新匈奴单于章"，又分匈奴为 15 单于。由是怨愤，遂大举率兵入扰汉边郡。新朝王莽始建国三年（11 年），十道并出，进攻匈奴，数年之间汉缘边虚耗。至此，汉宣帝以来与匈奴之间的友好关系遭到破坏。公元 13 年死，传位子比。

（班珏　撰稿）

乌累若鞮单于

乌累若鞮单于（? —15 年）　呼韩邪单于之子，乌珠留若鞮单于之弟，原为右犁汗王，名咸。王莽代汉，分匈奴为 15 单于。始建国三年（11 年），诱惑他出塞强制立之为孝单于。后走归匈奴，乌珠留若鞮单于怒，将他贬为于粟置支侯。乌珠留若鞮单于死，王昭君女婿为匈奴用事大臣，与昭君女云均欲与汉和亲，又素与他相善，遂立他为匈奴单于。天凤元年（14 年），遣使欲见和亲侯王歙。次年，王莽遣使赐印绶号匈奴曰"恭奴"，单于曰"善于"，多赐金币。他表面臣服，实则扰掠如故。立五年死。

（班珏　撰稿）

呼都而尸道皋若鞮单于

呼都而尸道皋若鞮单于（? —46 年）　呼韩邪单于之子，初为左谷蠡王，后为左贤王。王莽天凤五年（18 年），乌累若鞮单于死，其弟舆立，是为呼都而尸道皋若鞮单于。在位初期，与汉通好。后因王莽欲立须卜单于以代之，始扰汉边。更始元年（23 年），王莽被诛，复与汉和好。呼都而尸道皐若鞮单于在位期间，始终与汉分分合合。东汉建武二十二年（46 年）卒。

（胡辉芳　撰稿）

蒲奴单于

蒲奴单于（生卒年不详）　呼都而尸道皐若鞮单于之弟。东汉光武帝建武二十二年（46 年）继乌达鞮侯单于立为单于。当时因匈奴连年饥荒，又遭乌桓袭击，率众北迁，漠南地空。东汉建武二十四年（48 年），右奥鞮王比率四万多人南下附汉，被立为单于。匈奴分裂为南、北二部。蒲奴单于留居漠北，是为北匈奴。后蒲奴曾多次遣使赴汉请和，但因汉对南匈奴厚待有加，所以始终未停止扰边。永平十六年（73 年），汉朝发兵出击北匈奴，北匈奴大败，部众离散。建初八年（83 年），稽留斯等匈奴大人率众内附。元和二年（85 年），因四面受敌，远引而去。

（胡辉芳　撰稿）

呼韩邪单于

呼韩邪单于（？—56 年）　南匈奴第一任单于，原为右奥鞮王，名比，又作落尸逐鞮单于。蒲奴单于即位以后，右奥鞮王比因不得立，遂生怨恨，于是遣使向汉请求内附。左右二骨都侯知晓后劝蒲奴单于斩之。比集合南边八部人众四五万人，杀死二骨都侯。蒲奴发兵击之，比未敢迎战。东汉建武二十四年（48 年），南边八部大人拥戴比为单于，袭其祖呼韩邪单于的称号，亦曰呼韩邪单于。从此匈奴分为南、北二部。呼韩邪即位之后，内附东汉，表示"愿永为藩蔽"。建武二十六年（50 年），又遣子入侍，东汉朝廷以厚礼相赠，并在五原塞（今内蒙古包头市西）西 80 里处为其建单于庭，后又迁至云中。同年冬，呼韩邪单于因内部叛乱，被蒲奴单于击败，又徙居西河美稷（约在今内蒙古准格尔旗西北），东汉政府派中郎将为之卫护。东汉建武中元元年（56 年），呼韩邪单于死，其弟丘浮尤鞮单于莫继位。

（胡辉芳　撰稿）

胡邪尸逐侯鞮单于

胡邪尸逐侯鞮单于（？—85 年）　南匈奴单于，醢（读"海"）童尸逐侯鞮单于适之子，东汉永平八年（63 年）立。在位时北匈奴仍很强盛，时纵兵入塞杀掠汉边，胡邪尸逐侯鞮单于会同汉军多次出塞攻击北匈奴。元和元年（84 年），北匈奴遣使与汉互市，为防止北匈奴与汉往来威胁自身利益，胡邪尸逐侯鞮单于派轻骑抢掠牲口，驱还入塞。次年，胡邪尸逐侯鞮单于死，其子宣立为单于。

（赵海波　撰稿）

休兰尸逐侯鞮单于

休兰尸逐侯鞮单于（？—93 年）　南匈奴单于，胡邪尸逐侯鞮单于长弟，名屯屠何，东汉章和二年（88 年）立。在位期间，部众强盛，达 20 余万，南匈奴达到极盛。曾出兵 3 万配合汉将耿秉、窦宪等大破北匈奴。死于东汉永元五年（93 年）。

（班珏　撰稿）

於除鞬单于

於除鞬单于（？—93 年）　北匈奴单于，原为右谷蠡王。东汉永元三年（91 年），北单于逃遁之后，於除鞬自立为单于，率领余部驻牧于蒲类海（今新疆巴里坤湖），派遣使臣访问东汉请求内附。汉朝接受其请求，于次年派遣耿夔持节前往颁发玺绶，并且留中郎将任尚率兵屯驻在伊吾卢城以为护卫。永元五年（93 年），於除鞬单于叛乱，回归北庭。东汉遣将追击，於除鞬被诱还而斩之，部众离散，其地被鲜卑占据，余众皆被鲜卑所并。

（胡辉芳　撰稿）

安国单于

安国单于（？—94年）　南匈奴单于，原为左贤王。匈奴单于屯屠何去世，其弟安国继位。安国为左贤王时，声誉不佳。前单于适的儿子右谷蠡王师子一向勇猛狡黠而且足智多谋，屡次领兵出塞，袭击北匈奴，数立战功。安国被立为单于之后，匈奴国内都尊敬师子而不依附安国，安国欲杀师子。当时新投附于汉的北匈奴人，屡遭师子的袭击掳掠，多对他十分痛恨，安国便和他们一同策划。师子觉察到阴谋，分居五原郡界。每逢匈奴王庭集会，总是称病而不肯前往。度辽将军皇甫棱知悉这一内情，也支持保护师子而不派他前往王庭。安国单于愈发怀恨。汉朝遣兵攻打单于庭，安国弃帐而逃。后又想杀师子，并拒绝汉使的调节。永元六年（94年），被其舅所杀，一说其逝于永元五年（93年）。

（胡辉芳　撰稿）

亭独尸逐侯鞮单于

亭独尸逐侯鞮单于（？—98年）　南匈奴单于僮尸逐侯单于之子，名为师子。师子未成为单于之前，初为左谷蠡王，狡黠勇悍而多智谋，单于宣及单于屯屠何均欣赏其勇气和决断力，多次派师子领军协同汉军出击北匈奴，并多有斩获。汉朝天子也对他刮目相看，大加赏赐，所以师子在匈奴享有盛名。永元五年（93年），单于屯屠何卒，单于安国立，师子升任左贤王，安国在匈奴名望不高，国中部民都归附师子。安国嫉妒师子，恐其威胁自己地位，欲杀之。因为新归附汉朝的北匈奴人常遭受师子的驱逐与劫掠，都心存怨恨，单于安国欲联合塞外新附匈奴人密谋共同对付师子。师子察觉，移牧五原，称病不参加单于的贵族议事会议。师子得到度辽将军皇甫棱的支持，单于安国更加对师子怀恨在心。永元六年（94年），安国单于为其舅骨都侯喜等所杀，师子被立为单于，号亭独尸逐侯鞮单于。师子即位后继续协助汉军攻击北匈奴，并大破之。永元十年（98年）死，传位于长子檀。

（赵海波　撰稿）

逢侯单于

逢侯单于（生卒年不详）　南匈奴单于，屯屠何单于之子，原为薁鞬日逐王。永元六年（94 年），南匈奴左谷蠡王师子在汉军的帮助下夺得单于位。当初，师子曾多次率军随汉军出击北匈奴，归降的北匈奴部众对其皆有怨恨，有一部对师子进行偷袭。新降的 15 部匈奴 20 余万人恐遭迫害，便推举薁鞬日逐王逢侯做单于，逃亡漠北。此时漠北大部为鲜卑人所占据，逢侯一行方出塞，即遭受鲜卑人、汉军、南匈奴的合击。逢侯损失两万余人，被迫远走。逢侯抵塞外后，部众一分为二，自率右部，屯涿邪山下；左部屯朔方西北，相去数百里。永元八年（96 年），逢侯左部老少一万四千余口全部降汉，被分遣北边诸郡。其后，逢侯所部多次被南单于遣兵追击，损失惨重。永元十六年（104 年）和延平元年（106 年），逢侯曾两度遣使向汉求和好，未获准。元初四年（117 年），逢侯单于被鲜卑大败，部众分散，大多被掳。逢侯走投无路被迫至朔方边塞请降。汉廷为防其再叛，将其远徙河南颍川郡居住，直至去世。卒年不可考。

（赵海波　撰稿）

万氏尸逐鞮单于

万氏尸逐鞮单于（？—124 年）　南匈奴单于，亭独尸逐侯鞮单于长子，名檀。东汉和帝永元十年（98 年）继位，对北匈奴多所掳掠。永初三年（109 年），叛汉，被汉军打败，遂又遣使通好。后随汉军多次出征，破先零羌、马城塞等地。延光二年（123 年），被鲜卑大人其至鞬败于曼柏（今内蒙古准格尔旗西北），次年卒。

（胡辉芳　撰稿）

乌稽侯尸逐鞮单于

乌稽侯尸逐鞮单于（？—128 年）　南匈奴单于，万氏尸逐鞮单于之弟，名拔，延光三年（124 年）立。永建元年（126 年），朔方（今内蒙古杭锦旗北）以西障塞多坏，鲜卑因此数侵南匈奴，单于拔忧恐，乃上书汉，乞修复障塞。永建三年（128 年）卒。

（班珸　撰稿）

去特若尸逐就单于

去特若尸逐就单于（？—140 年）　南匈奴单于，乌稽侯尸逐鞮单于之弟，名休利。永建三年（128 年）乌稽侯尸逐鞮单于死，得立。永和五年（140 年），左部句龙王吾斯、车纽等反汉，受汉帝指责，因其本不预谋，乃诣汉认罪。后被中郎将陈龟逼迫自杀。

（班珸　撰稿）

伊陵尸逐就单于

伊陵尸逐就单于（？—172 年）　南匈奴单于，名居车儿。建和元年（147 年），呼兰若尸逐就单于死后，被立为单于。永寿元年（155 年），属下叛汉，为安定属国都尉张奂所平。延熹元年（158 年），南匈奴诸部与乌桓、鲜卑联兵侵扰九郡，复为已升为北中郎将的张奂所平。张奂以不能统理国事为由，拟废之，桓帝不准。九年（166 年），以张奂内迁大司农，又叛，闻张奂启用为护匈奴中郎将来，十二月率众归附。熹平元年（172 年）死，传位于子。

（班珸　撰稿）

持至尸逐侯单于

持至尸逐侯单于（？—195 年）　持至尸逐侯单于於扶罗，南匈奴单于羌渠之子。汉灵帝中平年间（184—189 年），中原爆发黄巾起义，应汉之邀，羌渠单于命其子於扶罗率军入中原助汉扑灭起义军。於扶罗在中原期间，其父羌渠为部众所杀，由于惧怕於扶罗回军塞上报仇，另立须卜骨都侯为单于。於扶罗不服，本想亲至洛阳求助于汉皇帝，因中原爆发起义，遂求助无望。于是於扶罗自立为单于，史称持至尸逐侯单于，率数千骑参与白波起义军，四处抢掠。但民众多结寨自保，抢掠未见成效，后又叛离起义军，参与中原混战，曾作为袁术一方与曹操战于匡亭，大败。兴平二年（195年），持至尸逐侯单于於扶罗死，其弟呼厨泉立。曹操将其分为五部，驻牧于晋阳汾水一带。

（赵海波　撰稿）

呼厨泉单于

呼厨泉单于（？—216年）　南匈奴最后一任单于，於扶罗之弟。於扶罗死后，继任单于位。呼厨泉曾派右贤王去卑帮助汉献帝东归，其后还于本国。汉献帝建安七年（202年），从袁尚军攻取平阳，为曹军所败，归降曹魏。二十一年（216年），曹操借呼厨泉入朝朝见之际，将其留于邺城，派遣去卑到平阳，管理其五部国，并授予呼厨泉魏国玺绶，并赐青盖车、乘舆、宝剑、玉玦，单于名存而实亡，不久死。

（胡辉芳　撰稿）

休屠王

休屠王（生卒年不详）　西汉元狩二年（前121年），与昆（浑）邪王同为骠骑将军霍去病所败，损失惨重，死伤数万，且匈奴的祭天金人亦被俘获。害怕单于治罪与昆（浑）邪王谋图投汉，后休屠王后悔，昆（浑）邪王杀之，并将其众降汉。部众被置于云中、朔方、北地、陇西、上郡五郡塞外。妻子俱没入宫，为黄门养马。休屠王太子即金日磾。

（班珏　撰稿）

金日磾

金日磾（前134—前86年）　驻牧武威的匈奴休屠王太子，字翁叔，汉武帝因获休屠王祭天金人故赐其姓为金。从汉武帝元狩二年（前121年）开始，骠骑将军霍去病两次出兵攻击匈奴，大获全胜。河西匈奴休屠、浑邪二王及部属四万余人降汉，后休屠王因拒降汉被浑邪王杀，金日磾及其家人沦为官奴，被送到黄门署养马，当时他年仅14岁。后汉武帝得知金日磾为休屠王之子，就拜他为马监。之后升迁为侍中、驸马都尉、光禄大夫等。由于金日磾孝敬母亲，做事小心谨慎，从不越轨行事，深受武帝信任，成为亲近侍臣，并对他敬重有加。武帝征和二年（前91年），由于"巫蛊之祸"，武帝诛灭了江充。江充好友马何罗阴谋反叛，被金日磾察觉，在马何罗入宫行刺武帝时被金日磾杀掉。从此，金日磾的忠诚笃敬和聪明才智闻名于朝野。后元二年（前87年），武帝病重，托霍光与金日磾辅佐太子刘弗陵，并遗诏封秺侯，金日磾坚辞不受。一年后，金日磾卧病不起，在病床上接受了侯封号及印绶，次日逝世。汉昭帝为他举行了隆重的葬礼，将其陪葬茂陵，谥号秺敬侯。

（胡辉芳　撰稿）

乌禅幕

乌禅幕（**生卒年不详**）　古代匈奴右地部落首领，呼韩邪单于稽侯珊之岳父。原居康居、乌孙间，因屡遭侵扰，率众归服匈奴。匈奴握衍朐鞮单于暴虐，喜好杀伐，国人大都不愿为其效力。乌禅幕数次进谏，单于不听，心生怨恨。太子、左贤王屡屡诬陷左地贵族，贵族纷纷抱怨。适逢当时乌桓攻打匈奴东边的姑夕王，颇有损失，单于大怒，欲加责罚。姑夕王心生恐惧，随即与乌禅幕及左地贵族于汉神爵四年（前58年）共立稽侯珊为呼韩邪单于，发动左地兵四五万人，向西攻打握衍朐鞮单于。未战，握衍朐鞮单于就已败走，遣人求助其弟右贤王，结果被右贤王拒绝。握衍朐鞮单于恐惧而自杀。乌禅幕辅佐呼韩邪单于立业，颇有贡献。

（胡辉芳　撰稿）

须卜当

须卜当（生卒年不详） 须卜当，西汉末匈奴人，王昭君长女须卜居次之夫，匈奴右骨都侯（当时匈奴以左右骨都侯辅政），先后辅佐乌珠留、乌累、呼都而尸三单于（8—18 年）。任职期间致力于汉匈友好，王莽掌权时期对匈奴政策朝令夕改，致使汉匈之间几乎兵戈相见，须卜当及其妻须卜居次大力斡旋，致使汉匈关系转危为安。公元 13 年，须卜当与其妻立乌累单于咸，并力劝乌累单于与汉和亲，继续执行对汉友好政策，王莽封须卜当为后安公。王莽执行对匈奴分化政策，须卜当被王莽胁迫至长安，并立其为须卜单于，拟派大军 30 万入匈奴境拥立须卜当，但汉军不听莽之军令，未果，恰此时须卜当在长安愁病而死。

（赵海波　撰稿）

须卜居次

须卜居次（生卒年不详） 王昭君与复株累单于所生之女。须卜居次又称须卜居次云、伊墨居次云或单名云等。"居次"相当于汉朝的公主，"须卜"为匈奴贵姓之一，因其丈夫名叫须卜当，因随其夫姓须卜。王莽执政时，曾入侍元帝后，力主与汉和亲。乌珠留单于死，她与其夫立咸为乌累若鞮单于，并遣人至边塞传书欲见王莽和亲侯王歙（王昭君兄子）。后王莽派王歙出使匈奴，汉匈之间矛盾一度有所缓和。王昭君女儿女婿都为汉匈和平作出重大贡献。

（赵海波　撰稿）

刘 豹

刘 豹（生卒年不详） 於扶罗之子。於扶罗去世后，其弟呼厨泉继任单于位，刘豹被立为左贤王。东汉献帝建安二十一年（216 年），呼厨泉觐见，被曹操强留于邺（今河北临漳县邺镇）。后曹操将南匈奴分成五部，以刘豹为左部帅，居太原兹氏。刘豹居于外，势力最强。嘉平三年（251年），曹芳分其部众为二，削弱刘豹的力量。刘豹之子刘渊，后来灭亡了西晋，建立了十六国中的汉政权。

（班珏　撰稿）

刘　渊

刘　渊（？—310年）　十六国时汉国建立者，字符海，匈奴族，新兴（今山西忻县）人。刘渊为贵族后，父刘豹，世袭为匈奴左部帅。晋武帝咸宁五年（279年），任左部帅；太康十年（289年），任北部都尉；惠帝永熙元年（290年），任建威将军、匈奴五部大都督，封汉光乡侯。史称刘渊"明刑法，禁奸邪，轻财好施，推诚接物，五部俊杰无不至者，幽、冀名儒，后门秀士，不远千里，亦皆游焉"。西晋后期发生八王之乱，刘渊趁机于永安元年（304年）起兵反晋，建立汉国。初称大单于，不久即改称汉王，都于离石（在今山西境内）。年号"元熙"，追尊三国蜀后刘禅为孝怀皇帝，并祭祀汉代皇室祖先。旋即派侄刘曜攻占太原，命将军刘钦迎拒来犯之晋军，四战皆捷。永嘉二年（308年）在蒲子（今山西隰县）称皇帝，次年迁都平阳（今山西临汾西南），分封刘姓子弟。曾派子刘聪率军先后两次进攻西晋都城洛阳，均失败而归。晋永嘉四年（310年），刘渊病死，在位仅六年，庙号高祖，被谥为光文皇帝。子刘和立，当年为弟刘聪所杀。刘聪即帝位，派刘曜攻破洛阳，俘晋怀帝，又攻占长安，俘晋愍帝，西晋遂亡。

（赵海波　撰稿）

刘　聪

刘　聪（？—318年）　字玄明，一名刘载，新兴（今山西忻州市）人。刘聪是匈奴汉国开创者刘渊之第四子，自幼聪慧好学，文武俱佳。所以太原名士王浑曾对刘渊说："此儿寻不能测。"曾任骁骑别部司马、匈奴右部都尉。八王之乱爆发后，先为河涧王司马颙赤沙中郎将，后又归依成都王司马颖，被拜为右积弩将军。永嘉四年（310 年），匈奴汉国君主刘渊死后由太子刘和继位，刘聪杀刘和自立，改元光兴。永嘉五年（311 年），刘聪命前军大将军呼延晏将兵 2.7 万人进攻西晋都城洛阳，前后 12 战，晋兵皆败，死 3 万余人。接着刘曜、王弥、石勒合兵攻破洛阳，杀西晋诸王公及百官以下三万人，俘晋怀帝司马炽，押送汉国都城平阳（今山西临汾市）。愍帝建兴元年（313 年），刘聪在平阳杀害晋怀帝司马炽。消息传到长安，司马邺即帝位，即晋愍帝。愍帝即位后决定对匈奴汉国发动总攻势，收复中原，结果大败。建兴四年（316 年），刘聪派刘曜最后攻陷长安，西晋愍帝投降，被迁往平阳，西晋灭亡。刘聪执政时期，重新制定了匈奴汉国的百官制度，除中央机构沿袭刘渊建国初的旧制外，创立了一套胡、汉分治的地方行政体制。东晋建武元年（317 年），刘粲同靳准、王沈称太弟刘义谋反，刘聪召来氐、羌酋长十余人严刑逼供取证，不久废杀刘义及其官属十余人，坑士卒 1.5 万人，平阳街巷为之一空。东晋大兴元年（318 年），刘聪病卒，在位 8 年。刘聪死后不久便发生了靳准之变。

（赵海波　撰稿）

刘　曜

刘　曜（？—329 年）　字永明，刘渊侄。刘渊、刘聪时，历任要职，曾率师破洛阳、长安。光兴二年（311 年），俘晋怀帝司马炽；麟嘉元年（316 年），又俘愍帝司马邺。晋元帝太兴元年（318 年），刘聪死，子粲立，为靳准所杀。刘曜时镇长安，遂率军攻平阳，杀靳准自立，迁都长安，改国号曰"赵"，史称"前赵"。晋成帝咸和四年（329 年），刘曜围洛阳，为后赵石勒所败，被俘杀。

（班珏　撰稿）

刘　虎

刘　虎（？—341 年）　也叫刘武、乌路孤。西晋时铁弗匈奴的首领，南匈奴单于后代。时北人把父匈奴母鲜卑的人称之为"铁弗"，因以号为姓，后形成部族。初臣附晋，后叛晋附汉。所据地为朔方（今内蒙古河套一带）。晋咸康七年（341 年），攻鲜卑拓跋什翼犍失利，全军覆没，仅以身免，不日死。

（班珧　撰稿）

刘务桓

刘务桓（？—356 年）　一作刘豹子，十六国时期匈奴支系铁弗部首领，为前任首领刘虎之子，大夏建立者赫连勃勃之祖父。东晋成帝咸康七年（341 年），刘虎去世，务桓继立。务桓继位后遣使与代国求和，拓跋什翼犍将女儿嫁给他，又向后赵朝贡，后赵则任命务桓为平北将军、左贤王。穆帝永和十二年（356 年），务桓去世，其弟刘阏陋头继立。后来赫连勃勃称帝后，将务桓追谥为宣皇帝。

（班珧　撰稿）

刘阏陋头

刘阏陋头（**生卒年不详**）　也作刘阏头，刘虎之子，前任首领刘务桓之弟。东晋永和十二年（356 年），务桓去世，阏陋头继立。后务桓子悉勿祈逐阏陋头而立。

（班珧　撰稿）

刘卫辰

刘卫辰（？—391 年）　刘务桓第三子。兄死，杀兄子自立。前秦甘露二年（360 年），率部降苻坚，被封西单于。旋娶代王什翼犍之女为妻。次年叛前秦附代，建元元年（365 年）叛代。复为前秦所擒，苻坚仍令其统部落，封夏阳公。三年（367 年），被什翼犍攻破，失部落大半。及代为前秦所灭，他受苻坚命统代民一部，淝水之战后，附后秦，被姚苌封为河西王大单于。晋太元十五年（391 年），率兵攻北魏，战败，为部下所杀。子赫连勃勃建夏，追尊为太祖。

（班珏　撰稿）

刘库仁

　　刘库仁（？—**384年**）　字没根，刘虎之宗也，一名洛垂，勇而有智略，初附代国拓跋什翼犍，为南部大人。晋孝武帝太元元年（376年），独孤部为前秦苻坚兵所败，走云中。复受代王什翼犍命，统军十万御秦兵，逆战于石子岭兵败。代国亡，被苻坚封为陵江将军、关内侯，统领黄河以东地区，与刘卫辰分统代民。以功进广武将军，位处刘卫辰之上，为卫辰所忌，遭袭击。刘库仁以兵破之，追至阴山西北千余里，尽收卫辰部众。九年（384年），因后燕王慕容垂围苻丕（苻坚之子）于邺，自以受苻坚爵命，以兵助击后燕军，并发雁门、上谷、代郡兵以救丕，至繁峙，被原归附之慕容文攻杀。先是，慕容文等徙长安，依附刘库仁，但常思东归。此时，慕容文等率三郡人，攻杀库仁，投奔慕容垂。

（孙永刚　撰稿）

刘　眷

　　刘　眷（**生卒年不详**）　也叫刘头眷，刘库仁之弟。东晋太元九年（384年），刘库仁死，继统部众。后徙牧牛川（今内蒙古呼和浩特西南）。被刘库仁子刘显所杀。

（班珏　撰稿）

沮渠蒙逊

　　沮渠蒙逊（**368—433年**）　十六国时期北凉国的建立者，匈奴族，临松卢水（今甘肃张掖）人。沮渠氏的祖先曾任匈奴的左沮渠，因而以官为氏，在张掖一带世为酋豪。东晋隆安元年（397年），两位伯父被后凉统治者吕光杀害，蒙逊率众脱离后凉独立，推段业为大都督、龙骧大将军、凉州牧、建康公，建元神玺，以蒙逊为镇西将军。隆安四年（400 年），段业即凉王位，改元"天玺"，以沮渠蒙逊为尚书左丞。蒙逊精通书史，颇有谋略，怕段业不能容己，便采取大智若愚的方法以避之。但是段业为人猜忌多疑，信谗爱佞，无鉴别能力。于是蒙逊于隆安五年杀段业，被推举为大都督、大将军、凉州牧、张掖公，建国北凉，改元"永安"，居张掖（今甘肃张掖西北）。之后，征服后凉和南凉。因被西凉打败，于义熙八年（412 年）迁都姑臧（今甘肃武威），称河西王，改元"玄始"。北魏泰常六年（421 年），攻下敦煌，灭西凉李氏，后主要与西秦作战。在位期间，笃信佛教，厚待僧人，并令人翻译佛经。北魏延和二年（433 年）三月，沮渠蒙逊去世，时年66 岁，子沮渠茂虔（亦作沮渠牧犍）继位。

（胡辉芳　撰稿）

沮渠茂虔

沮渠茂虔（? —447 年）　沮渠蒙逊之子。北魏延和二年（433 年）蒙逊去世，茂虔继立，即河西王位，改元"永和"。由于北凉处于丝绸之路通道，具有重要的地理位置，所以很受北魏的重视。但是沮渠茂虔不甘心被北魏摆布，同时还与刘宋交好。北魏太延三年（437 年），太武帝拓跋焘将武威公主嫁于沮渠茂虔。后由于武威公主被毒害，北魏于太延五年（439 年）出兵北凉，攻陷姑臧，茂虔出降，北凉亡，北魏统一北方，茂虔也成为十六国时代最后一位君主。北魏太武帝太平真君八年（447 年），茂虔谋反，被太武帝赐死，谥哀王。

（胡辉芳　撰稿）

赫连勃勃

赫连勃勃（? —425 年）　赫连勃勃字屈孑，匈奴铁弗部人，夏国建立者。原名刘勃勃，与刘渊同族。其父刘卫辰曾被前秦皇帝苻坚任为西单于，统摄河西诸族。前秦败乱后，晋太元十五年（391 年），铁弗匈奴受到北魏的攻击，刘卫辰被杀，刘勃勃逃奔叱干部，叱干酋长将勃勃送给姚兴高平公没弈干。没弈干把女儿嫁给刘勃勃，此后一直从属后秦姚兴，任安北将军、五原公，镇朔方（今陕西延安）。义熙三年（407年），刘勃勃杀没弈干，并吞其部众，自立为天王，大单于，国号夏，改年号龙升。声称统一天下，君临万邦，因定城名为统万（今陕西靖边北白城子）。据有河套之地，南境抵三城（今陕西延安）和高平（今宁夏固原）。为政残暴嗜杀，狂妄自慢，关中人民受害极深。义熙九年（413年），改姓赫连。义熙十四年（418年），乘东晋退兵，攻取长安，作为南都，在灞上（今陕西蓝田）称帝，关中郡县皆降。不久回师，因统万宫殿完工而刻石于城南，歌功颂德。真兴七年（425年）死于帝位，谥武烈皇帝，庙号世祖。赫连昌继位。

（赵海波　撰稿）

赫连昌

赫连昌（？—434年）　一名折，字还国，赫连勃勃三子，其父在位时被封太原公。夏真兴六年（424年），赫连勃勃欲废太子赫连璝，改立酒泉公赫连伦，赫连璝发兵攻杀赫连伦。后赫连昌再袭杀赫连璝，赫连勃勃遂以赫连昌为太子。真兴七年（425年），赫连勃勃卒，赫连昌继位，改元承光。承光二年（426年），北魏大举攻夏，克长安。次年（427年），占领夏都统万城，赫连昌逃往上邽（今甘肃天水）。承光四年（428年），北魏攻上邽，会战中赫连昌被生擒。被俘后，受北魏太武帝拓跋焘礼遇，不仅使其住在西宫，更把皇妹嫁给他，并封会稽公。赫连昌素有勇名，深得拓跋焘信任，常随侍在侧，打猎时二人有时亦单独并骑。北魏神䴥三年（430年），又被封为秦王。延和三年（434年），赫连昌叛魏西逃，途中被杀。

（赵海波　撰稿）

赫连定

赫连定（？—432年）　小字直獖，赫连勃勃五子，赫连昌之弟。赫连勃勃在位时被封平原公，镇守长安。赫连昌承光二年（426年），北魏大举攻夏，赫连定与北魏军对峙于长安一带。次年（427年），夏都城统万陷落，赫连定逃往上邽与赫连昌会合，加封为平原王。承光四年（428 年），北魏攻上邽，赫连昌被擒，赫连定逃奔平凉（今甘肃平凉），称帝，改元胜光。赫连定继位时夏已经穷途末路，难复当年之盛。因此欲与正在北伐的刘宋结盟，北魏得到消息后决定一举灭夏。胜光四年（431 年），一路败退的赫连定无路可退，遂向西攻灭西秦。数月后欲再攻北凉，于半渡黄河时，被吐谷浑首领慕容慕璝派军袭击，赫连定被俘。次年（432 年），赫连定被吐谷浑送往北魏，被北魏处死。

（赵海波　撰稿）

赫连铎

赫连铎（生卒年不详）　唐末匈奴铁弗部人。黄巢大起义之时，趁沙陀族李国昌出兵镇压黄巢起义之机，赫连铎率军攻击沙陀族，后为李国昌、李克用父子击败。唐见赫连铎实力强大，封其为大同军防御使，与唐军共同对付沙陀族李国昌父子。后为李克用击败，逃奔吐浑部。

（赵海波　撰稿）

破六韩拔陵

破六韩拔陵（？—525 年？）　姓破六韩，名拔陵，匈奴族人，本北魏沃野镇边民。早年匈奴右谷蠡王潘六奚投奔北魏，并死于该国，于是其子孙以"潘六奚"为姓氏，后人因讹传误写，变成了"破六韩"。北魏初，为防御北方柔然，在平城（今山西大同东）以北自西而东设置六个军事重镇，并派鲜卑贵族任镇将。六镇因系京畿防御重地，因此当地无论军民都享有很高的待遇和地位。但自孝文帝迁都洛阳后，政治重心南移，六镇军事政治地位大大降低，后来朝廷又多将罪人、死囚发往当地充当戍边士兵，称为"府户"。府户与被强迫迁此的各族人民，备受镇将奴役和压迫，加之连年灾荒，民不聊生。因此，镇将与居民的矛盾日益加剧。北魏正光四年（523 年），北魏北部柔然发生大饥荒，求救于北魏，但被拒绝，柔然遂于四月入魏境剽掠。怀荒镇（今河北张北境内）因粮食物资大部分都被劫掠，生活艰难，遂向镇将于景请求放赈，遭拒后，居民怒杀于景，北魏朝廷决定武力弹压。同年三月，破六韩拔陵在沃野镇号召边民和府户反魏，结果一呼百应，他们攻占府库官衙、军事设施，杀镇将，建政权，改元真王。其他各镇各族兵民也纷纷起兵。破六韩拔陵一面引兵向南进攻北魏政权，同时另遣鲜卑人卫可孤率军东攻武川、怀朔二镇。北魏急忙调兵遣将，镇压义军。正光五年（524年）四月，卫可孤攻陷武川、怀朔二镇。五月，破六韩拔陵与魏将临淮王元或战于五原（今内蒙古包头西北），大胜。起义军乘胜击败魏将李叔仁部，占领白道（今内蒙古呼和浩特西北坝口子村北）。魏孝明帝改令以尚书令李崇为北讨大都督，率军进攻起义军。七月，破六韩拔陵与魏将崔暹部战于白道，大败之。又猛攻李崇部，迫使李崇退还云中。两军相持，互有胜负。此时破六韩拔陵声威远播，北魏的夏州、东夏州、豳州、凉州、秦州等地（今内蒙古中西部、陕西西北部、甘肃中东部一带）蜂拥而起，破六韩拔陵控制的军队达数十万。其中，居住在怀朔镇的鲜卑化汉人高欢趁机加入义军，其后来便以六镇起义军为班底开始了军事霸主生涯，并且建立北齐政权。八月，东西部敕勒都宣布反魏，依附破六韩拔陵。北魏朝廷开始军事进剿与怀柔政策配合，以期分化瓦解起义军。孝明帝下诏六镇改镇为州，赦免府户为民，并派遣黄门侍郎郦道元前往抚慰，但此时六镇已被义军全部控制，郦道元未能成行。于是，北魏政权又开始采取暗杀活动，袭杀了破六韩拔陵的得力将领卫可孤，并趁乱纠集一些人马从背后袭击义军，但未成功。北魏朝廷出于无奈，只得一方面下诏地方少数民族酋长和地方豪强组织军队勤王，另一方许以丰厚馈赠，求助于宿敌柔然可汗。正光六年（525年）三月，柔然可汗郁久闾阿那瑰率众10万自武川以西向沃野镇发起攻击，帮助北魏镇压六镇起义。六月，围困据守五原北魏军队的破六韩拔陵的军队受到北魏骑兵的突袭，受挫稍退。与此同时，北魏说服西部敕勒（铁勒）部3万余户背叛破六韩拔陵而降魏，破六韩拔陵领兵截击，遭遇伏击，向北败走。不久又遭遇柔然骑兵突击，破六韩拔陵部队伤亡惨重，军心动摇，人马溃散；一些原本已经依附的地主武装或投降官军也乘机作乱，义军瓦解。破六韩拔陵南渡北河（今内蒙古乌加河）逃走，从此不知所踪，破六韩拔陵起义失败。北魏政权在此打击下风雨飘摇，不久，六镇起义军余部又开始在新领袖的指挥下重新战斗，直至北魏政权灭亡。

（赵海波　撰稿）

第 十 九 章

鲜卑历史人物

檀石槐

檀石槐（约 **137—181** 年）　东汉时期鲜卑部落联盟的大首领。自幼勇健而有谋略，长大后被推举为部落首领。东汉桓帝时（147—167 年）在高柳（今山西阳高县西北一带）以北的弹汗山（今河北张家口市尚义县南）建立了王庭，东西大人皆归附，兵强马壮，南掠边郡，北拒丁零，东击夫余，西攻乌孙，完全占据匈奴故地，建立起一个强大的鲜卑部落大联盟。曾在东汉永寿（155—157 年）、延熹（158—166 年）年间多次侵扰云中、长城一线的缘边九郡以及辽东属国。汉桓帝忧患，欲封檀石槐为王，并与之和亲。檀石槐不受，还加紧对长城缘边要塞的抄略，并把自己占领的地区分为三部，各置一名大人统领。汉灵帝即位后，鲜卑继续在长城内外骚扰，尤其是幽、并、凉三州常遭攻掠。灵帝遣兵攻击鲜卑，结果被打败。此后，檀石槐又率军征辽西，讨酒泉，使汉王朝缘边地区一直不得安宁。汉灵帝光和四年（181 年）去世，其联盟也随之瓦解。

（胡辉芳　撰稿）

步度根

步度根（? —约233 年）　鲜卑部落联盟首领，魁头之弟。灵帝末年，鲜卑首领檀石槐子和连在抄掠北地郡时被人射死。其子骞曼年小，兄子魁头代立。魁头死，弟步度根立。当时代郡以西的鲜卑都已叛离，代郡以东的中东部鲜卑也分裂为三个势力集团，步度根为其中之一，其部众分布在并州的太原、雁门等地。三个势力中，步度根是比较亲魏的。步度根兄扶罗韩亦别拥众数万为大人。建安中，曹操定幽州，步度根与轲比能等通过乌桓校尉阎柔上贡献。代郡乌桓能臣氏等叛汉，求属扶罗韩。扶罗韩将万余骑迎之。到桑乾，氏等以为扶罗韩部威禁宽缓，不如属轲比能，又遣人招轲比能。轲比能即将万余骑到，于盟誓会上杀扶罗韩，扶罗韩子泄归泥及部众悉归属比能。步度根从此怨轲比能。魏文帝代汉，田豫为乌桓校尉，并持节护鲜卑，屯昌平。步度根数与轲比能相攻击。步度根部众稍弱，将其众万余落保太原、雁门郡。步度根一心为魏守边，不为边害。至魏明帝青龙元年（233 年），轲比能诱使步度根与己和亲，然后寇钞并州，杀掠吏民。时任并州刺史的毕轨主动出击，大败于楼烦，部将苏尚、董弼战死。魏明帝遣骁骑将军秦朗征之，轲比能败走漠北，泄归泥将其部众降，拜归义王，居并州如故。步度根于魏青龙元年（233 年），为轲比能所杀。

（胡辉芳　撰稿）

轲比能

轲比能（? —235 年）　三国时期的"小种鲜卑"首领。檀石槐死后部落联盟瓦解，轲比能率一部居于高柳（今山西阳高西北）以东的代郡、上谷边塞内外各地。当时轲比能志在统一鲜卑各部，因此向曹魏示好。建安二十三年（218 年），助曹军大败依附于鲜卑大人扶罗韩的乌桓大人能臣氏。后轲比能又杀死扶罗韩，占领代郡，兼并了这一带的鲜卑人。曹魏黄初元年（220 年），曹丕即位，轲比能遣使献马，被封为附义王。太和二年（228 年）。以东部鲜卑大人素利违背了双方议定的不以马匹与魏官方互市的约定，出兵攻击素利。同年，素利死，轲比能兼并其众。后于青龙元年（233年）施计兼并了步度根的属众，双方联合寇魏边，后又将步度根杀死。青龙二年（234年）与曹魏战，大败曹军。轲比能势力渐盛，曹魏恐其为边患，遂于青龙三年（235年）由幽州刺史王雄遣韩龙出塞刺杀轲比能，改立其弟。

（胡辉芳　撰稿）

吐谷浑

吐谷浑（246—317年）　吐谷浑族始祖。辽东鲜卑慕容部首领，慕容廆庶兄。父涉归分部落一千七百户与之，与弟慕容廆分地而治。父死，与廆部失和，率部迁至阴山（今内蒙古阴山），后又率部西南渡陇山（今甘肃陇山），向西向南扩展，至今甘、青一带，征服当地羌、氐等族。至其孙叶延时，始以吐谷浑为姓氏、族名，亦为国号。

（芦书香　撰稿）

慕容廆

慕容廆（269—333年）　辽东鲜卑首领，字弈洛瑰（又作奕落瑰、弈洛环），昌黎棘城（今辽宁义县）人。慕容部首领慕容涉归之子，前燕建立者慕容皝之父，吐谷浑第一代首领吐谷浑庶弟。慕容廆为人豁达大度，有谋略。晋安北将军张华雅有知人之明，在慕容廆年少之时曾评价："君至长必为命世之器，匡难济时者也。"西晋武帝太康四年（283年），慕容涉归死，其弟慕容耐篡夺政权，慕容廆于是逃亡。太康六年（285年），部众杀慕容耐，迎慕容廆继位。即位之初，因其父涉归与宇文鲜卑有仇，慕容廆欲为其父报仇，于是请旨晋朝讨伐鲜卑宇文部，晋武帝不许，慕容廆大怒，率部众抄掠辽西。晋武帝遣幽州驻军合击，大败慕容廆于肥如，后慕容廆每年都率军攻掠昌黎（今辽宁义县）。又亲率大军攻灭扶余国，夷平其国都，驱万余人而还。扶余国由晋东夷校尉立故国王之子为王而复国。后慕容廆遣使投降晋朝。太康十年（289年），受西晋封为鲜卑都督。西晋败乱，慕容廆遂于西晋怀帝永嘉元年（307 年）自称鲜卑大单于，与诸大臣遣使劝进司马睿为帝。慕容廆政事修明，爱护人才，故士大夫和民众多归附之。曾说："狱者，人命之所悬也，不可以不慎。贤人君子，国家之基也，不可以不敬。稼穑者，国之本也，不可以不急。酒色便佞，乱德之甚也，不可以不戒。"东晋元帝太兴三年（321 年），受晋命为都督，总督幽、平二州、东夷诸军事、车骑将军、平州牧，封辽东公。东晋成帝咸和八年（333 年），慕容廆去世，谥襄公。后其孙慕容俊称帝，追尊慕容廆为武宣皇帝。

（赵海波　撰稿）

慕容翰

慕容翰（？—344 年）　慕容翰，字符邕，慕容廆之庶长子。性雄豪，多权略，擅骑射，膂力过人。廆甚喜此子，委以军国要政。在征伐中屡立战功，威名大振，为远近鲜卑各部所忌惮。坐镇辽东，高句丽不敢侵扰。善于抚慰部众，部下多敬重他；爱儒学，自士大夫至贩夫走卒，都喜欢跟随他。因其威名远播，为慕容皝所妒。慕容皝即位后，慕容翰逃奔段辽。至辽地后，虽然身处敌国，但慕容翰立身正、忠，为段氏鲜卑人所爱戴。段辽为慕容皝攻灭，翰逃往宇文部，后又归降慕容皝。开始时，慕容皝对翰十分恩宠。从军攻宇文部时受伤，伤渐愈，在自家习练骑射，有密探告之于慕容皝，慕容皝怀疑翰有异心，赐死。卒于公元 344 年。

（赵海波　撰稿）

慕容皝

慕容皝（297—348 年）　十六国时期前燕政权的开国君主，字符真，小字万年，昌黎棘城（今辽宁义县西北）人。东晋建武年间（317—318 年），被拜为冠军将军、左贤王，封望平侯。太兴三年（321 年）十二月，被立为世子。咸和八年（333 年），其父慕容廆去世，慕容皝嗣辽东郡公，以平北将军行平州刺史，督摄部众，统治辽东。当时，慕容皝族兄弟慕容翰等谋反，慕容皝领兵讨伐，却大败。次年（334 年）四月，自称车骑将军、平州刺史、辽东公。咸康三年（337年）十月，慕容皝称燕王，史称前燕，建宫殿，置百官。随后在咸康四年（338年）与后赵石虎联合击败辽东段氏鲜卑首领段辽，而后又大败赵军，拓展了疆域。七年（341年），迁都龙城（今辽宁省朝阳市）。同年，出兵伐高句丽，占领其都城。建元二年（344年），大败宇文乞得归，实力大增。由于慕容皝汉化较深，因此其在位期间，崇尚儒学，设东庠（学校），以大臣子弟为官学生；著《典诫》，亲临讲授，亲莅考试。永和四年（348年）九月，慕容皝去世，享年52岁，庙号太祖，谥号文明皇帝。

（赵海波　撰稿）

慕容儁

慕容儁（319—360年）　前燕景昭帝，字宣英，小字贺赖拔，慕容皝第二子。自小姿貌伟岸，其祖慕容廆素奇之，"此儿骨相不恒，吾家得之矣"。348年，继燕王位。石季龙赵大乱，儁亲率三军南伐，攻克蓟，并以蓟为新都。冉闵建魏后，儁多次派军攻击之。慕容儁四出攻伐武功颇盛，丁零翟鼠及冉闵将刘准等率部降于儁，封鼠归义王，拜准左司马。鲜卑段勤部初降复叛，儁派军攻灭；阵擒冉闵并斩之于龙城；晋宁朔将军荣胡以彭城、鲁郡叛降于儁；姚襄以梁国降于儁；招降李犊；匈奴单于贺赖头率部落3.5万人降于儁，拜宁西将军、云中郡公，处之于代郡平舒城；遣慕容垂、慕容虔与平熙等率步骑8万北入塞北讨丁零敕勒，大破之，俘斩10余万级，获马13万匹，牛羊甚多；塞北七国贺兰、涉勒等皆降。慕容儁虽尚武善战，但也雅好文籍，在位11年中，常与臣下讨论、讲述经典。性格稳重肃穆，注重仪表。360年，卒。临终委托慕容恪、慕容评辅政。

（赵海波　撰稿）

慕容恪

慕容恪（？—367年）　慕容恪，字玄恭，慕容皝四子，十六国时期前燕重臣，因其母高氏不得宠，所以少年时期的慕容恪并未得到重视。年及

15，慕容恪初露峥嵘，长得高大伟岸，为人做事大度持重。每与人谈论，皆引经据典。开始得到慕容皝重视，参与军政事务。多次随父出征，临敌时往往有出人意料的谋略。出镇辽东，对各部恩威并施，威望极高，高句丽对其甚为忌惮。与慕容儁合兵攻击扶余，儁只是居中指挥，而恪身先士卒，督诸军而进，当者披靡。慕容皝临终嘱托世子慕容儁"今中原未一，方建大事，恪智勇俱济，汝其委之"。儁继位后，继续重用慕容恪。恪骁勇善战，累有大功，封太原王，拜侍中、假节、大都督、录尚书。儁临终，委托恪与评辅政。慕容儁死后，国人欲立恪为君，以"国有储君，非吾节也"为由拒绝。慕容暐继位后，慕容恪总摄朝政，为政刚正有节，知人善任，罢朝回家后仍手不释卷。为政期间，朝政清明，百业俱兴。领军不以威御人，而以恩惠、信任待部下，征战之事以大略为主，不以小令疲惫士卒，所以在军中具有很高的威望，无论南下中原，还是北伐扶余，慕容恪所领之军具有很强的战斗力。慕容恪辅政期间前燕国政稳定，开疆拓土。公元 367 年，卒。

（赵海波　撰稿）

慕容暐

慕容暐（350—384 年）　十六国时期前燕最后一个君主，慕容儁第三子，初被立为中山王，很快又被立为太子。慕容儁死后，群臣欲立慕容恪为帝，恪坚辞不受，慕容暐于 360 年登上帝位。暐为人庸弱，国政委于慕容恪、慕容评。公元 370 年，前秦苻坚率军攻灭前燕，迁王公以下鲜卑 4 万余户至长安，封慕容暐为新兴侯，署为尚书。肥水之战苻秦大败后，慕容暐随苻坚退回长安。慕容垂、慕容冲起兵反秦，慕容暐准备在长安内应，事发被杀。慕容垂建立南燕后，慕容暐被谥为幽皇帝。

（赵海波　撰稿）

慕容宝

慕容宝（355—398 年）　十六国时期后燕政权君主，字道佑，慕容垂第四子，昌黎棘城（今辽宁义县西北）人。其父慕容垂死后，慕容宝于东晋太元二十一年（396年）即位，改元"永康"。慕容宝即位以后，遵循慕容垂遗命，"校阅户口，罢诸军营，分属郡县，定士族旧籍，明其官仪"，但由于法政严苛，上下离德，百姓思乱者十室而九。同年，北魏拓跋珪进攻后燕都城中山（今河北定州市），慕容宝大败。隆安元年（397年），慕容宝因率兵出征而被慕容详篡位。其舅父兰汗为后燕尚书，心怀野心，于隆安二年（398年）迎慕容宝入龙城（今辽宁省朝阳市）。慕容宝不疑，入城后即被兰汗所杀，庙号烈宗，谥号惠愍帝。

（胡辉芳　撰稿）

慕容盛

慕容盛（373—401年）　字道运，慕容宝子。年少时沉稳有谋略。隆安二年（398年）慕容宝被杀后，即位。在位击杀兰汗及其党，又连年战争，骄暴猜忌，使君臣离散。隆安五年（401年），被部下段玑等射伤而死。谥昭武皇帝，庙号中宗。

（班珏　撰稿）

慕容熙

慕容熙（385—407年）　字道文，后燕主慕容垂幼子，初封为河间王。兰汗、段速骨之乱，慕容系诸王大被杀戮，而熙一直与高阳王慕容崇关系甚笃（兰汗等人系慕容崇之父慕容隆部将，后拥立慕容崇为帝），所以得免。兰汗篡位，封熙为封河间王。慕容盛登位后，降慕容盛爵位为公，拜都督，总督中外诸军事、骠骑大将军、尚书左仆射，居中领军。慕容熙随慕容盛征高句丽、契丹，熙勇猛作战，勇冠三军，慕容盛称之"叔父雄果英壮，有世祖之风，但弘略不如耳。"熙与慕容盛太后丁氏有私情，盛死后，群臣多主张立平原公慕容元，但丁太后力主慕容熙为君。401年，慕容熙继位为后燕天王，改元光始。继位后慕容熙开始宠幸符贵人，引起丁氏不满，丁太后与其兄子丁信密谋废掉慕容熙，慕容熙知道后，大怒，逼丁太后自杀，以太后礼仪下葬，诛杀丁信。慕容熙在位期间，宠信符氏，大兴土木，民不聊生。北征契丹、高句丽，皆无所得。407 年，冯跋、张兴等以慕容熙暴虐，与跋从兄万泥等 22 人结盟，推慕容云为主，共守龙城，慕容熙率兵来攻，被击败擒杀，谥昭文皇帝。至此后燕亡。

（赵海波　撰稿）

慕容德

　　慕容德（？—405 年）　慕容皝幼子，后燕主慕容垂幼弟。十六国时期南燕开国之主，谥号献武皇帝，史称南燕献武帝。慕容德容貌雄伟，多才多艺，谨慎，有远略。慕容垂建立后燕，德受封为范阳王。垂临终之时，诏命其继承者慕容宝以慕容德镇守邺城。慕容宝继位，以慕容德都督冀、兖、青、徐、荆、豫六州诸军事。后燕为北魏所灭之时，慕容德镇守邺城。398 年，魏军来攻，慕容德以智谋武略数败魏军。后北魏军占据中山，兵锋直指邺城，慕容德为避其锋芒，率军民 4 万、车 2.7 万乘逃往滑台，自称燕王。399 年，后又迁往广固（今山东青州），改称燕皇帝。当时南燕，"青州沃野二千里，精兵十余万，左有负海之饶，右有山河之固"。慕容德在境内实行胡汉不分的统治政策，采用尚书韩𨾨建议，严厉核查豪强荫户。405 年，慕容德病死，因其无子，兄子超继位。

（赵海波　撰稿）

诺曷钵

　　诺曷钵（？—688 年）　又作诺贺钵、诺遏钵、诺遏拔等。唐初吐谷浑第 22 代主甘豆可汗慕容顺之子。贞观九年（635 年），顺为国人所杀，太宗立顺子燕王诺曷钵为主，因年幼，大臣争权，国中大乱。十二月，太宗遣侯君集平息吐谷浑内乱。次年三月，受唐封河源郡王，号乌地也拔勒（一作勤）豆可汗。颁唐历，奉唐年号，并遣子弟入侍，请婚，献马牛羊万，为唐属国。十四年（640 年），娶太宗宗室女弘化公主。十五年（641 年），察丞相宣王专权谋变，欲挟己投吐蕃，与弘化公主奔唐鄯城（今青海西宁），所部咸信王与唐鄯州刺史合军击杀宣王兄弟三人，乱平。太宗崩，刻石图诺曷钵之形，列于昭陵之下。高宗嗣位，永徽二年（651年），因其尚主，拜驸马都尉。龙朔三年（663年）吐蕃灭吐谷浑，与公主率残部数千帐投唐凉州（今甘肃武威）。请内徙，乾封元年（666年），唐更封为青海国王。咸亨元年（670年），唐以右卫卫大将军薛仁贵击吐蕃，并护送其还国，因兵败，未遂。咸亨三年（672年），徙鄯州（今青海西宁）浩亹水（今大通河）南，因吐蕃强盛，势不抗，并且鄯州地狭，又徙灵州，唐遣其薄于灵州，置安乐州（今宁夏同心县东北），封其为刺史。吐谷浑故地皆入于吐蕃。垂拱四年（688年），诺曷钵死，子忠嗣立。

（孙永刚　撰稿）

乞伏国仁

乞伏国仁（？—388年）　十六国时期西秦建立者，陇西鲜卑人。其父乞伏司繁受前秦苻坚封为南单于，东晋孝武帝太元元年（376年）司繁死，国仁继位。八年（383年）淝水之战时，国仁被封为前将军，领先锋骑，适逢其叔父乞伏步颓叛于陇西，苻坚派国仁回师讨伐，步颓听闻大喜，迎接国仁，国仁便与步颓商议叛秦。淝水之战中前秦失利，国仁趁机吞并其他部族，众至十余万。苻坚被杀后，乞伏国仁便于东晋太元十年（385年）自立为大都督、大将军、大单于，领秦、河二州牧，改元"建义"，"置武威、武阳、安固、武始、汉阳、天水、略阳、漒川、甘松、匡朋、白马、苑川十二郡，筑勇士城以居之"，勇士城（今甘肃榆中）即为西秦的都城。之后几年，国仁征服了其周边很多部族，势力渐盛。乞伏国仁在位四年，于东晋孝武帝太元十三年（388年）六月病逝，谥号宣烈王，庙号烈祖，葬于夏官营附近。其弟乞伏乾归继位。

（胡辉芳　撰稿）

乞伏乾归

乞伏乾归（？—412年）　乞伏国仁之弟。国仁死后，由于其子幼小，推举乾归为大都督、大将军、大单于、河南王，改元"太初"，迁都于金城

（今甘肃兰州）。东晋孝武帝太元十四年（389 年），前秦国主苻坚封乾归为大将军、大单于、金城王。乾归以其"雄武英杰"，降服其周边各族，实力大增。苻登以其子为人质，请乾归帮助讨伐鲜卑大兜国，大胜。后乾归遭到后凉国君吕光弟吕宝袭击，吕宝接连失败，死者万余人。苻登封乾归为都督陇右河西诸军事、左丞相、大将军、河南王，管辖秦、梁、益、凉、沙五州。太元十九年（394 年），苻登又遣使请乾归击后秦，并晋封乾归为梁王。同年，氐族仇池部陇西王杨定攻打乾归，被乾归打败，杨定也被斩首。乾归从此尽有陇西之地。之后，自称大单于、大将军。安帝隆安四年（400 年），乾归率部迁于苑川（今甘肃榆中县东北）。同年，后秦姚兴派兵攻打乾归，乾归大败，率众投奔南凉，被安置在晋兴地。西秦第一次灭国。后，乾归恐被南凉王所害，又投奔后秦。乾归降后秦后，受封为持节、都督河南诸军事、镇远将军、河州刺史、归义侯，还被派还西秦故都苑川镇守，归还其部众。安帝元兴元年（402 年），乾归子乞伏炽磐自南凉奔后秦与乾归会合。在此期间，乾归曾被派往接受后凉天王吕隆投降、攻仇池部族氐王杨盛、破吐谷浑等。乾归实力增强，姚兴恐其难以控制，将其留在长安当主客尚书。晋义熙五年（409 年）二月，炽磐在嵚崀山（今甘肃兰州榆中境内马寒山支脉）筑城，攻克枹罕后，遣使告乾归请其回故地。七月，乾归伺机奔回苑川，父子合兵，重振人马。炽磐镇守苑川，乾归迁居枹罕（今甘肃临夏）。乾归在枹罕复称秦王，改元更始，置百官，公卿以下全恢复原来职位，大赦境内。乾归复国后，复都苑川，安帝义熙八年（412 年），乾归为国仁子乞伏公府所弑，死后葬于枹罕，谥武元王，庙号高祖。其子乞伏炽磐继位。

（胡辉芳　撰稿）

乞伏炽磐

　　乞伏炽磐（？—428 年）　又作乞伏炽磐，乞伏乾归长子。晋太元十八年（393 年）被立为太子，初领尚书令。隆安四年（400 年）乾归为姚兴所败，投降南凉，乞伏炽磐作为人质被送往南凉。安帝元兴元年（402 年），炽磐自南凉奔后秦，后秦主姚兴封其为振忠将军、兴晋太守，后又拜为建武将军、行西夷校尉，镇守苑川（原西秦都城，今甘肃榆中县东北大营川），扩展势力，取枹罕，攻南凉。义熙五年（409 年），西秦复国，炽磐又被立为太子，领冠军大将军、都督中外诸军、录尚书事。八年（412 年），乾归为侄乞伏公府所弑，炽磐擒杀公府，继位，改元"永康"。炽磐继位以后，破吐谷浑、灭南凉，征战无数。灭南凉以后，多次攻北凉、西羌、吐谷浑，掠夺人口和牲畜。东晋恭帝元熙元年（419 年），立其子暮末为太子。炽磐于刘宋元嘉五年（428 年）病死，谥文昭王，庙号太祖。其子乞伏暮末继位。

（胡辉芳　撰稿）

拓跋力微

拓跋力微（174—277 年）　三国时期至西晋初年的拓跋鲜卑首领，是南北朝时期北魏皇帝的先祖，拓跋诘汾之子。《魏书·序纪》记载力微乃诘汾与天女所生。曹魏黄初元年（220 年），力微继诘汾之位，带领族人游牧于上谷（今河北怀来东南）以西、云中（今内蒙古托克托县东北）一带。后由于西部鲜卑蒲头的袭击，部众离散，力微投靠了居于五原郡（今内蒙古包头西北）的没鹿回部大人窦宾。窦宾赏识力微，欲将其统帅的一半属众分于力微，力微拒绝，于是窦宾将女儿嫁给力微，并准其率部北居长川（今内蒙古兴和一带）。经过十数年的经营，部众渐盛。曹魏正始九年（248 年），窦宾死，其子作乱，力微杀之，吞并其部众，实力大增，控弦之士达20 余万。甘露三年（258 年），力微从河套北部迁至盛乐（今内蒙古和林格尔北），并举行祭天大典，远近相继归附，莫不宾服。力微强大之后，注意发展与中原地区的关系。景元二年（261 年），力微遣其子沙漠汗入魏做质子。咸宁三年（277 年），幽州刺史卫瓘贿赂拓跋各部酋长诬蔑沙漠汗，力微听信谗言，杀死沙漠汗。之后拓跋各部受计离散，力微忧愁而死。北魏道武帝拓跋珪称帝时，被追谥为神元皇帝，庙号为始祖。

（胡辉芳　撰稿）

拓跋沙漠汗

拓跋沙漠汗（？—**277年**）　拓跋力微之子，名拓跋绰，力微时被立为太子。力微统帅拓跋鲜卑诸部之后，其势力日盛，对中原地区的曹魏采取通好的政策，因此也受到曹魏的礼待。魏景元二年（261年），沙漠汗作为质子被送到魏国。西晋代魏以后，沙漠汗继续留在西晋做人质，每次北归，西晋都会携礼护送。当时，西晋征北大将军卫瓘根据鲜卑与乌桓合为幽、并二州边害的局势，并以沙漠汗"为人雄异，恐为后患"为由，将沙漠汗扣留在并州。同时，卫瓘贿赂拓跋诸部大人，进行离间。一直到西晋咸宁三年（277年），沙漠汗才北归。拓跋诸部大人因为受到卫瓘的贿赂，向力微进谗言，将沙漠汗害死于漠南。后追尊为文皇帝。

（胡辉芳　撰稿）

拓跋猗卢

拓跋猗卢（？—**316年**）　拓跋力微之孙。力微少子禄官统部时，分国人为中、东、西三部，拓跋猗卢居于定襄盛乐城（今内蒙古和林格尔县土城子古城），统西部。晋永嘉元年（307年），禄官病卒，猗卢继位，统一各部，实力增强。四年（310年），猗卢因助晋并州刺史刘琨大败白部鲜卑和铁弗匈奴，受封为大单于、代公，并占据陉岭（今山西代县西北句注山）以北地区，疆域扩大。六年（312年），又助晋败前赵刘聪。建兴元年（313年），猗卢以盛乐为北都，修平城（今山西大同东北）为南都。建兴三年（315年）被晋愍帝进封为代王。四年（316年），因内部争权夺利，为其子六修所杀，北魏道武帝天兴初年，追尊为穆皇帝。

（胡辉芳　撰稿）

拓跋猗㐌

拓跋猗㐌（？—**305年**）　拓跋沙漠汗之子。晋元康五年（295年），力微少子禄官统部时，分国人为中、东、西三部，拓跋猗㐌率一部居于代郡参合陂（今内蒙古凉城东北）北，统中部。七年（297 年），到漠北抄掠西方诸部，降服二十余部。建武元年（304 年），助晋大败匈奴刘渊，并在参合陂垒石为亭，以记载他的功绩。次年，因再次败刘渊受封为大单于，北魏道武帝天兴初年，追尊为桓皇帝。

（胡辉芳 撰稿）

拓跋什翼犍

拓跋什翼犍（**320—376 年**） 拓跋郁律之子，号上洛公。东晋太兴四年（321 年），拓跋郁律死，拓跋什翼犍继位。什翼犍曾在后赵为质十年，汉化较深。东晋咸康四年（338 年），在繁峙（今山西浑源西南）北继代王位，年号"建国"，并分其一半国土给拓跋孤。次年，仿晋制"治置百官，分掌众职"。自此，代政权初具国家规模。咸康六年（340 年），什翼犍建都云中盛乐宫（今内蒙古和林格尔西北）。翌年，又修筑盛乐新城。周边各部多归附，前燕、后赵、前凉等也遣使通好。晋太元元年（376 年，建国三十九年），苻坚应刘卫辰之请出兵进攻什翼犍。什翼犍先派白部鲜卑、独孤部抵御，接连失败。后又派南部大人刘库仁率兵十万抵御，又败。当时什翼犍因病不能领兵作战，遂率众逃至阴山以北，却遭高车部落的抄掠，又返回漠南。不久，什翼犍庶长子拓跋寔君听信谗言，杀死什翼犍，时年 57 岁。其孙拓跋珪建魏国后，尊其为高祖，谥昭成皇帝。

（胡辉芳 撰稿）

拓跋嗣

拓跋嗣（**392—423 年**） 尊号明元皇帝，父拓跋珪，母刘氏。拓跋珪晚年立为太子，后杀掉弑父的兄弟拓跋绍登基为帝。409 年至 423 年在位 15 年，年号永兴、神瑞、泰常。礼爱儒生，好学史传，采集经史，隆基固本，内和外辑，可称得上是北魏开国以来的仁厚守成之主。对内巩固王朝统治，对外趁刘裕病死时进攻宋国，取得了河南一些地方，在付出相当的代价后，取得了南北朝战争的第一次胜利。由于长途攻战劳顿，拓跋嗣回到平城病死。终年 32 岁。

（芦书香 撰稿）

拓跋晃

拓跋晃（428—451 年） 北魏太武帝长子，延和元年被立为皇太子。太平真君四年（443 年），从帝北击柔然。五年，总统百揆。从司徒崔浩等议，课畿内凡无牛家以人牛力相贸，遂使垦田日辟。及司徒崔浩之狱，竭力维护中书侍郎高允。正平元年（451 年），为中常侍宗爱所馋，东宫属官多遭杀害，乃日夕惊恐，寻病死。谥景穆太子，其子高宗文成皇帝尊其为景穆皇帝，庙号恭宗。

（芦书香 撰稿）

北魏宣武皇帝

北魏宣武皇帝（483—515 年） 孝文帝第二子，元恪。初，孝文帝为考察诸子志向，大陈宝物，任其所取。恪诸兄弟取宝玩，唯恪取骨如意（供指划或赏玩之用，乃帝王服用之物），孝文帝大奇。497 年，被立为太子。恪美容貌，善风仪，喜怒不形于色，端颜若神。信奉佛教，在位期间佛教大行，建寺无数。499 年—515 年在位 17 年，年号景明、正始、永平、延昌。

（芦书香 撰稿）

北魏肃宗

北魏肃宗（510—528 年） 孝明皇帝元诩，父元恪，母胡氏。宣武帝频频丧子，及生诩，遂择良家宜于生育之妇女为乳保，养于别宫，皇后也不得近。三岁立为皇太子，六岁即位。胡后临朝称职。太后聪明，好读书作文，政事皆手书自决，但生活奢侈淫乱，尤迷信佛教。此时之北魏无官不贪，极端腐败，百姓穷困，人心思乱，终于爆发六镇起义。六镇起义引起北魏国内大乱，南梁趁机进攻，北魏处于风雨飘摇之中。诩渐长，太后恐自己的淫乱行为为其所知，乃将诩之亲信或去之，或杀掉，不使其知外事。由是，母子间隙日深。528 年，太后与亲信合谋将其毒死。515 年至 528 年在位 14 年，年号熙平、神龟、正光、孝昌。

（芦书香　撰稿）

北魏敬宗

北魏敬宗（507—530 年） 孝庄皇帝元子攸，彭城王元勰第三子。幼侍孝明帝读书于禁中。及长，风神秀慧，姿貌甚伟。528 年，胡太后毒死孝明帝，废立两帝，元子攸在尔朱荣的势力扶持下，登基为帝。因尔朱荣遥制朝政，数置亲党，于永安三年（530 年）趁荣入谒时杀之。十二月，荣从子尔朱兆起兵复仇，将他迁至晋阳（今山西太原西南），旋被缢杀于三级佛寺。528 年至 530 年在位三年，年号建义、永安。

（芦书香　撰稿）

北魏后废帝

北魏后废帝（513—532 年） 安定王元朗，字仲哲。章武王元融（拓跋晃曾孙）第三子，母程氏。郎少聪明。永安二年（529 年），为肆州鲁郡王后军府录事参军，仪同开府司马。531 年为冀州渤海太守。六月，尔朱兆之部将高欢起兵讨尔朱氏集团。十月，欢以"今朝廷隔绝，号令无所禀，不权有所立，则众将沮丧"，立元朗为帝，居于信都。欢为侍中、丞相、大将军、录尚书事、大行台，都督中外诸军事，总揽朝政。太昌元年三月（532 年）郎从信都至邺。四月，至河阳（今河南孟县西），被欢以疏远之由废之。五月封安定王，十一月被杀，死时 20 岁。531 年 10 月至 532 年 4 月在位。

（芦书香　撰稿）

北魏出帝

北魏出帝（510—534年） 孝武皇帝元修，字自则。广平武穆王元怀第三子，母李氏。修沉厚少言，好武事，年仅18被封为汝阳县公。永安三年（530年），封平阳王。由于内乱，诸王多逃乱，修匿于田舍。532年，侍中、丞相高欢，以安定王疏远，废之，使人求修于田舍。修即皇帝位，时年23岁，都洛阳。欢为大丞相，天柱大将军、太师。即位后，与欢矛盾激化。永熙三年五月（534年），修假称南伐，实欲伐晋阳，时欢在此。欢觉有变，遂率军南下。修一面以十万之众御之，一面又准备西逃长安。西奔之时，高欢曾派人追之，请还洛阳，不及而还。十月，欢奉表与修，请还洛阳，修不答。欢遂立清河王元亶世子元善为帝。从此北魏分为东、西魏两国。南北对立变成三足鼎立。532年至534年在位三年，年号太昌、永兴、永熙。

（芦书香 撰稿）

西魏文皇帝

西魏文皇帝（507—551年） 元宝炬，西魏皇帝。北魏孝文帝孙，京兆王元愉子。初拜直阁将军，封邵县侯，晋封南阳王。魏孝武帝时，历任太尉、太保、尚书令。534年，从孝武帝投奔关中。同年，宇文泰鸩杀孝武帝，立其为帝，改元大统，定都长安（今陕西西安）。有原北魏洛阳以西领土及益州、襄阳等地。史称西魏。即位后，以宇文泰为都督中外诸军事、丞相，执掌西魏军政大权。大统元年（535年），宇文泰采用苏绰的建议，建立计账和户籍制度，以保证国家收入；又颁行敦教化、尽地利、擢贤良之法。十七年（551年），病卒，谥文皇帝。534年至551年在位。

（班珏 撰稿）

西魏废帝

西魏废帝（？—554年） 元钦，西魏皇帝。西魏文帝元宝炬长子，母乙弗氏。大统元年（535 年），被立为太子。十七年，父卒，即位。554 年，谋诛权臣宇文泰未果，被宇文泰所废，后被鸩杀。史称废帝。551 年至 554 年在位。

（班珏 撰稿）

西魏恭帝

西魏恭帝（? —556 年） 元廓（拓跋廓），西魏皇帝，文帝元宝炬第四子。继元钦为西魏皇帝。大统十四年（548 年），封齐王。废帝三年（554 年）正月，宇文泰废元钦，立其为帝。即位后，去年号，称元年，复姓拓跋氏。恭帝三年（556 年）正月，封宇文泰为太师大冢宰。十月，宇文泰病死，其侄宇文护专权。十二月，迫使恭帝禅位于宇文泰之子宇文觉。第二年正月，封西魏恭帝为宋公，西魏亡。二月被杀。谥恭帝。554 年至 556 年在位。

（班珏 撰稿）

东魏孝静帝

东魏孝静帝（524—551 年） 元善见，东魏皇帝。北魏孝文帝孙，文宣王元亶晋世子。初拜开府仪同三司。534 年，北魏孝武帝投奔宇文泰，高欢遂立元善见为帝，时年 11 岁，改元天平，迁都邺（今河北临漳西南）。即位后，高欢居晋阳，总揽东魏大权。武定五年（547 年），高欢死，子高澄继续专权。武定七年（549 年），高澄在邺城被膳奴兰京刺死。其弟高洋继续执掌大权。次年五月，高洋代魏称帝，废元善见为中山王，东魏亡。北齐天保二年（552 年）十二月，被高洋鸩杀，谥孝静帝。534 年至 550 年在位。

（班珏 撰稿）

西魏文后

西魏文后（生卒年不详） 西魏文帝元宝炬皇后乙弗氏，河南洛阳人也。其先世为吐谷浑渠帅，居青海，号青海王。凉州平，乙弗后的高祖莫瑰拥部落入附，拜定州刺史，封西平公。自莫瑰后，三世尚公主，女乃多为王妃，甚见贵重。父瑗，仪同三司、兖州刺史。母淮阳长公主，孝文之第四女也。后美容仪，少言笑，年数岁，父母异之，指示诸亲曰："生女何妨也。若此者，实胜男。"年16，文帝纳为妃。及帝即位，以大统元年册为皇后。后性好节俭，又仁恕不嫉妒，帝益重之。生男女12人，多早夭，唯太子及武都王存。时柔然叩边，未遑北伐，故帝结婚以抚之。于是更纳悼后，命后逊居别宫，出家为尼。悼后犹怀猜忌，复徙后居秦州，依子秦州刺史武都王。帝虽限大计，恩好不忘，后密令养发，有追还之意。柔然举国度河，颇有言为悼后之故兴此役。帝曰："岂有百万之众为一女子举也？虽然，致此物论，朕亦何颜以见将帅邪。"乃遣中常侍曹宠赍手敕令后自尽。后奉敕，挥泪谓宠曰："愿至尊享千万岁，天下康宁，死无恨也。"因命武都王上前，与之诀别。遗语皇太子，恸哭久之。事毕，乃入室，引被自覆而崩，年31。凿麦积崖为龛而葬。万岁后欲令后配飨。公卿乃议追谥曰文皇后，祔于太庙。废帝时，合葬于永陵。

（班珏　撰稿）

秃发乌孤

秃发乌孤（生卒年不详）　河西鲜卑人，秃发鲜卑与拓跋鲜卑同源，秃发为拓跋的异译，世代游牧于河西一带。秃发家族世代为河西鲜卑首领。乌孤嗣位后，外交好邻邦，内务畜牧农桑，部众稍胜，筑廉川堡为政治中心，受后凉主吕光封号为冠军大将军、河西大都统、广武县侯。397年，乌孤自称大将军、大单于、西平王，后改称武威王，迁都乐都（今青海乐都）。史称南凉，秃发乌孤庙号为南凉烈祖。

（赵海波　撰稿）

宇文乞得归

宇文乞得归（？—333年？）　又作宇文乞得龟（或作乞得归），宇文鲜卑部大人。出生于辽东塞外，先世为南单于远属，世为东部大人。《资治通鉴》称之为鲜卑宇文氏，宇文莫槐后裔。父逊昵延死，嗣立。依附后赵石勒。晋太宁三年（325 年），奉勒遣，出兵攻慕容廆。慕容廆遣世子慕容皝，与拓跋部、段部三方共同迎战。遂遭慕容廆子慕容皝等袭击，据守浇水，固垒不战。寻兵败，弃军单骑夜遁，慕容皝遣兵追击乞得龟，"过其国三百余里而还，尽获其国重器，畜产以百万计，民之降附者数万"。咸和八年（333 年），为别部大人宇文逸豆归所逐，"走死于外"。

（孙永刚　撰稿）

宇文逸豆归

宇文逸豆归（？—344 年?）　又作宇文归、逸豆归，宇文部大人。咸和八年（333 年），逐宇文乞得归，自立，迫乞得归走死。继遭鲜卑慕容皝袭击，惧而请和。咸康二年（336 年），会同辽西鲜卑段辽、段兰攻皝，击安晋以为声援，兵败。建元元年（343 年），遣国相莫浅浑（又作莫浑）攻皝，因荒酒纵猎，不复设备，大败。同年，执段兰，送后赵石虎，归降，献马万匹。次年，为皝所败，走死漠北，部众散亡。

（孙永刚　撰稿）

宇文泰

宇文泰（505 或 507—556 年）　又名黑獭，北魏、西魏大臣，北周奠基者，代郡武川（今内蒙古武川西南）人。先祖为匈奴单于远属，与鲜卑杂居，被推为主。北魏安定侯宇文陵玄孙，肱之子。少有大度，轻财好施，喜结贤士。北魏孝昌二年（526 年），随父参加鲜于修礼起义。后转入葛荣部下。及荣败死，迁晋阳，为尔朱荣赏识，升为统军。永安三年（530 年），以兵部校尉职随贺拔岳入关镇压万俟丑奴起义，迁征西将军，行原州事。太昌元年（532 年），为左丞，领岳府兵马，掌管军政事宜。出为夏州御史。永熙三年（534 年），岳死，继统岳军，消灭侯莫陈悦，定秦陇，据关中，受封侍中、骠骑大将军、关西大都督、略阳县公。进兼尚书仆射、关西大行台。七月，魏孝武帝元修为高欢所逼奔入关中，遂拥奉魏帝于长安，以雍州公廨为宫，以拒高欢。授大将军、雍州刺史，兼尚书令，晋封略阳县公。尚冯翊长公主，拜都尉驸马，寻进丞相，掌军国大权。十二月，鸩杀元修，此事在当时传为谣言"狐非狐，貉非貉，焦梨狗子啮断索"，立元宝炬为帝，次年改元大统，史称西魏。任都督中外诸军事、录尚书事、大行台，改封安定郡公，夏五月，进位柱国。依靠关陇士族地主和武川军镇军官，任用苏绰等人，制定计账、户籍制度；改革官制，整顿吏治，裁减冗员；兴办屯田，颁行均田制；收编关陇豪强武装为十二军，创立府兵制。三年（537 年）冬十月，大破东魏高欢军于沙苑，晋封柱国大将军。十四年（548 年），授太师。废帝二年（553 年）去丞相大行台。三年（554 年），废黜废帝，改立齐王元廓。恭帝三年（556 年）春，为太师、大冢宰。出巡至黄河染疾，还云阳宫，病卒。谥文公。及子觉代魏称周，追尊为文王，庙号太祖。周明帝武成元年（559 年），追尊为文皇帝。

（孙永刚　撰稿）

北周世宗

北周世宗（534—560 年） 宇文毓，尊号明皇帝。宇文泰之长子，母姚夫人。北魏永熙三年（534 年），生于统万城，因而小名统万突。西魏大统十四年（548 年），封宁都郡公。十六年，行华州事，后为开府仪同三司、宜州刺史。恭帝三年（556 年），授大将军。次年正月，闵帝即位，为柱国、岐州刺史。由于在岐州治理有方，百姓怀之。九月，晋公宇文护废闵帝，并遣使迎毓于岐州。即位于长安。宇文毓聪明有胆识，待人宽厚，有人君之量。幼好学，博览群书，善做文，辞采秀丽。又采集群书，编辑从羲、农至魏末为《世谱》。560 年，被宇文护下毒杀害，死时 27 岁。557 年 8 月至560 年 4 月在位。

（芦书香　撰稿）

宇文觉

宇文觉（**542—557 年**）　又名陁罗尼，北周孝闵帝，代郡武川（今内蒙古武川西南）人，西魏大丞相宇文泰第三子。9 岁，封略阳郡公。恭帝三年（556 年）三月，命为安定公泰世子。四月，拜大将军。十月，宇文泰卒，嗣位太师、大冢宰。十二月，诏以岐阳之地封为周公。旋受恭帝禅位，代魏。次年正月，在堂兄宇文护辅佐下，继天王位，建国号为周。史称北周。性刚果，虑晋公护专权难制，谋除之。同年九月，事发，为护所逼逊位，贬为略阳公，居旧邸，月余被毒害。武帝建德元年（572 年），追尊为孝闵皇帝，称其陵墓为静陵。

（孙永刚　撰稿）

北周高祖

北周高祖（**543—578 年**）　宇文邕，字祢罗突，宇文泰之四子，尊号武皇帝。幼孝敬，聪明有气质。泰异之。性深沉，有远识，非因顾问，终不发言。明帝每叹："夫人不言，言必有中。"甚为明帝所喜爱。560 年，明帝死，遗诏传位于邕，时年 18。即位后，宇文护辅政，护专权，士民患之。572 年杀护，尽诛其子弟亲党，亲政。宇文邕是有所作为的皇帝，在位时的主要政绩有：一、灭北齐：取陈之长江以北，统一北方，将版图扩张到长江以北。二、整治内政：措施之一，释放奴婢和杂户；措施之二，严惩贪污腐败，颁布《刑书要制》；措施之三，禁佛道二教，罢沙门、道士，并令还俗；另外，还颁发统一的权衡度量，通行全国。三、提倡简朴。560 年 4 月至 578 年 6 月在位，36 岁去世。

（芦书香　撰稿）

北周宣帝

北周宣帝（**559—580 年**）　宇文赟，字干伯，武帝长子。赟自幼表现不佳，嗜酒，喜亲近小人。武帝管教甚严，每朝见，进止与群臣无异，虽严寒酷暑，亦不得休息；禁酒到东宫；有过，常加捶挞；并令东宫官员记录其言行，每月闻奏。赟极畏帝威严，常掩饰真情，由是武帝不闻其过。宣政元年（578 年）即位，先诛有功之臣，继而采择天下女子，以充后宫。大成元年（579 年）二月，传位与太子宇文阐，自称天元皇帝。此后，更胡作非为，无所忌惮。一是妄自尊大，自称为天。二是骄奢淫逸，游戏无常。三是不听规劝，专横残暴。六月病死于长安，时年 22 岁。578 年 6 月至 579 年 2 月在位。

（芦书香 撰稿）

北周静帝

北周静帝（573—581 年） 宇文阐，原名衍，宣帝长子。大象元年（579 年）正月，封鲁王，立为皇太子。二月，宣帝传位于阐，年七岁。次年六月，宣帝死。因宣帝病不能言，未能嘱咐后事，小御正刘昉，内史郑译乃矫诏以扬州总管杨坚总知中外兵马事。杨坚在朝廷的根底并不深，群臣多不服。坚采取军事和政治手段，迅速掌握大局，又革宣帝苛政和奢侈之风，深得人心，恢复佛、道二教，安定教徒之心。大定元年（581 年）二月，阐下诏，禅于隋。阐封为介公，周氏诸王皆降爵为公。五月，阐被害，死时 9 岁。579 年至公元 581 年在位。

（芦书香 撰稿）

宇文恺

宇文恺（555—612 年） 字安乐，北周、隋朝大臣。许国公宇文贵之子，杞国公宇文忻之弟。西魏恭帝二年（555 年）生于长安。《隋书》本传说"恺少有器局。家世武将，诸兄并以弓马自达，恺独好学，博览书记，解属文，多伎艺，号为名公子"。北周末，宇文恺累迁右侍上士、御正中大夫、仪同三司。大象二年（580 年），被任命为上开府、匠师中大夫。隋文帝"修宗庙"，宇文恺被起用，任营宗庙副监、太子左庶子，负责宗庙的兴修事务。宗庙建成后，被加封为甄山县公，邑千户，随后投入了隋代都城大兴城的营建工程。新都具体的规划、设计均由宇文恺完成。开皇二年（582年）六月开始兴建，十二月基本竣工，命名大兴城，次年三月即正式迁入使用，前后虽仅九个月，但整个工程的规划、设计、人力、物力的组织和管理相当精细和严谨。开皇四年（584年）六月，受命负责开凿广通渠工程。其后，出任莱州（今山东莱州市）刺史，"甚有能名"。开皇六年闰八月，宇文恺之二兄上柱国、杞国公宇文忻因谋反被诛，宇文恺也受株连而解职，"除名于家，久不得调"。开皇十三年（593年）二月，隋文帝令杨素在岐州（今陕西凤翔）北营造仁寿宫。杨素以宇文恺有巧思，奏请任检校将作大匠，负责仁寿宫工程的筹划和设计。开皇十五年三月，仁寿宫建成，被任命为仁寿宫监，授仪同三司，旋被任命为将作少监。仁寿二年（602年）八月，隋文帝皇后独孤氏卒。闰十月，杨素和宇文恺受命营造皇陵太陵。独孤皇后葬后，复爵安平郡公，邑千户。大业元年（605年）三月丁未，隋炀帝"诏尚书令杨素、纳言杨达、将作大匠宇文恺营建东京，徙豫州郭下居人以实之"。在营建东京时，宇文恺"揣帝心在宏侈，于是东京制度穷极壮丽"。故被进位开府仪同三司。其间，宇文恺还受命在河南郡寿安县（今河南宜阳）营造显仁宫，"南接皂涧，北跨洛滨"。大业三年（607年）六至八月，宇文恺跟随隋炀帝北巡。奉命修筑长城（榆林至紫河一段）并营建大帐、观风行殿、行城等三项活动性建筑。大业八年三月，隋炀帝征伐辽东（今辽宁辽阳）时，宇文恺亦随行。为了渡过辽水（今辽宁大凌河），"帝命工部尚书宇文恺造浮桥三道于辽水西岸，既成"，"以渡辽之功，进位金紫光禄大夫"。大业八年（612年）十月，57岁的宇文恺卒于工部尚书之位，谥曰康。宇文恺在建筑学方面的著述有《东都图记》20卷，《明堂图议》2卷，《释疑》1卷，均见行于世。

（孙永刚　撰稿）

宇文化及

宇文化及（？—619年）　隋朝大臣，代郡武川（今内蒙古武川县西南）人，隋大将左翊卫大将军许国公宇文述之子。性凶险，不循法度，好乘肥挟弹，驰骛道中，因此长安人称之为轻薄公子。初与太子杨广交往甚密，累迁太子仆，以受贿，再三免官，得广庇护复职，又以弟士及尚南阳公主，益骄横。广即位，拜太仆少卿。大业三年（607 年），从帝至榆林，以违禁私与突厥交市，被囚禁数月，因公主的缘故，才免死为奴。十二年（616 年），宇文述临终前乞求炀帝看顾其子，炀帝于是授化及为右屯卫将军。大业年间，义军、叛军蜂起，炀帝在江都（今江苏扬州）不敢回京城，而称为"骁果"的随从禁卫多关中人，不愿从炀帝久驻扬州，打算自行回本土。大业十四年（618 年）三月，宇文化及与弟智及等在江都发动叛乱，缢杀炀帝，立秦孝王之子杨浩为帝。自称大丞相，引兵十余万西归。时东都群臣奉越王侗继帝位于洛阳，招瓦岗军领袖李密为太尉，使讨伐化及。双方战于黎阳，化及屡败，北走魏县（今河北大名西南），将士屡叛归李密。化及自知必败，同年九月，鸩杀浩，即帝位于魏县，国号许，建元天寿，署置百官。次年，攻元宝藏于魏州，兵败，走聊城（今山东聊城东北），继为唐淮安王李神通击破。同年闰二月，被起义军窦建德擒拿，槛送襄国（今河北邢台），与其两子同时处斩于大陆县。

（孙永刚　撰稿）

日陆眷

日陆眷（生卒年不详）　约当西晋时期段部鲜卑的首位首领，出于东部鲜卑，世居辽西。日陆眷早年曾被卖与渔阳（今天津市蓟县）乌丸的大库辱官为家奴。史载有一次诸部酋长集会，各部酋长皆有唾壶，唯有库辱官没有，就把痰吐在日陆眷口中，日陆眷反而吞了下去，向西拜天说："愿使主君之智慧禄相尽移入我腹中"。后来渔阳发生大饥荒，库辱官认为日陆眷身强体壮，就命他到辽西（今河北省秦皇岛市）一带讨生活，日陆眷在那里招诱流亡者，后来逐渐强盛。日陆眷去世后，由其弟段乞珍继承其位。

（胡辉芳　撰稿）

段勿尘

段勿尘（? —310 年?）　辽西鲜卑大人，因助渤海王越征讨有功，幽州刺史王浚上表西晋朝廷推举务勿尘为亲晋王、辽西公，封其子匹磾为右贤王、假抚军大将军。王浚为引务勿尘为强邻，嫁女于段勿尘。段勿尘死，其子段就六眷承袭其封号。

（赵海波　撰稿）

段就六眷

段就六眷（? —318 年）　十六国时期辽西段部鲜卑大人，段勿尘之子。310 年或 311 年段勿尘去世，就六眷继其位。与其父相同，仍率军随东晋幽州刺史王浚作战，曾帮助王浚打败并州刺史刘琨。312 年，就六眷受王浚之命，率其弟段匹磾、段文鸯、堂弟段末波攻汉赵，与汉赵将领石勒战于襄国（今中国河北省邢台县），大败，末波被俘，众将皆劝石勒杀死段末波，但石勒说"辽西鲜卑，健国也，与我素无怨，为王浚所使耳。今杀一人，结怨一国，非计也。放之必悦，不复为王浚用矣"。石勒以末波为人质，双方和解，就六眷与石勒之侄石虎结拜为兄弟，从此段部鲜卑改而归附石勒。晋元帝太兴元年（318 年）正月，就六眷死去，儿子年龄太小，叔父涉复辰代立。

（赵海波　撰稿）

段匹磾

段匹磾（**生卒年不详**）　西晋时期辽西段氏鲜卑人，其家族世代为鲜卑大人。其父务勿尘因协助渤海王越四处征讨有功，被封为亲晋王、辽西公。怀帝即位后，又立其父为大单于，匹磾为左贤王，假抚军大将军，率军助西晋王朝东征西讨。西晋大乱后，与刘琨等第一次结盟攻击石勒，但为石勒用离间计破坏，征讨石勒的行动无果而终。王浚死，匹磾自领为幽州刺史。刘琨自并州依附匹磾，段氏鲜卑内乱，段末柸杀鲜卑单于截附真，立忽跋邻为单于。匹磾自幽州起兵征讨段末柸，末柸率兵迎击并击败段匹磾，段匹磾逃回幽州，后害死刘琨，但刘琨部将多投降石勒，匹磾势力更加削弱。段末柸命其弟领军攻击幽州匹磾，匹磾率军数千投奔邵续，但在盐山为石勒部将石越击败，匹磾退保幽州。后投降石虎，仍着晋朝服以示不忘晋恩，曾与石勒石季龙结为兄弟，所以并未遭难，因其威望大，在一次谋反行动中被推为谋主，事败被害。

（赵海波　撰稿）

第 二 十 章

柔然历史人物

木骨闾

　　木骨闾（生卒年不详）　柔然始祖。幼年时被鲜卑拓跋力微掳获，充当奴隶。因其忘记本来的姓名，被主人取名为"木骨闾"。成年后，免奴为骑卒。至拓跋猗卢时，因死罪逃入沙漠和山谷间，招集逃亡者百余人，投靠纥突邻部。3 世纪末木骨闾死，其子车鹿会开始拥有部众，自称柔然。因为"木骨闾"与"郁久闾"读音相近，故以"郁久闾"为姓氏，并成为柔然的王族。

（胡辉芳　撰稿）

车鹿会

　　车鹿会（生卒年不详）　3 世纪末，木骨闾卒，其子车鹿会雄健，拥有部众，自称柔然，役属于拓跋鲜卑，每年都向拓跋魏进献马畜、貂豽皮等贡品，"冬则徙度漠南，夏则还居漠北"。之后，车鹿会死，子吐奴傀立。

（胡辉芳　撰稿）

跋 提

跋　提（生卒年不详）　柔然第四代首领，吐奴傀之子。吐奴傀死后继位，依附于拓跋鲜卑，每岁入贡，游牧于漠南漠北。跋提死，其子地粟袁继位。

（胡辉芳　撰稿）

匹候跋

匹候跋（？—394 年）　柔然始祖木骨间四传至地粟袁。地粟袁死，其部分为二，地粟袁长子匹候跋继父居东边（今内蒙古河套东北、阴山以北一带），次子缊纥提别居西边（今河套向西扩展到今内蒙古额济纳旗一带）。后缊纥提对北魏产生二心，登国年间（386—395 年），北魏派兵攻打柔然。匹候跋及部帅屋击各收余落逃走，北魏遣长孙嵩及长孙肥追之。长孙肥追至涿邪山，擒获匹候跋，匹候跋举落请降。登国九年（394 年），缊纥提之子曷多汗与社仑带领部众西走，长孙肥率轻骑追击，斩曷多汗。社仑与数百人投奔匹候跋，匹候跋地处南鄙，距离北魏朝廷五百里，命令其子四人监视社仑。社仑率其部下携匹候跋四子反叛，袭击匹候跋。社仑凶狠狡猾而且善于运用权谋，一个月后，释放匹候跋，归还其子，欲暗中举兵袭击匹候跋，杀匹候跋。匹候跋之子启拔、吴颉等 15 人归降太祖。社仑杀匹候跋后，惧怕北魏出兵讨伐，于是掠五原以西诸部，北度大漠。太祖封启拔、吴颉为安远将军、平棘侯。

（胡辉芳　撰稿）

缊纥提

缊纥提（？—394 年？）　地粟袁次子，匹候跋之弟。父死，柔然分为东西两部，率一部居住在从河套向西扩展到今内蒙古额济纳旗一带。最初依附于拓跋鲜卑建立的代政权。代被苻坚灭后，又依附于铁弗匈奴部的刘卫辰。北魏建国以后，于登国六年（391 年）发兵进攻柔然，缊纥提率部降魏。道武帝拓跋珪仍让其留居漠北草原。登国九年（394年），被北魏俘获的侄子社仑率部众反魏来投，使居南部并命四子监视社仑。因叔侄二人关系不和，被社仑用计杀死。

（胡辉芳　撰稿）

丘豆伐可汗

丘豆伐可汗（？—410年）　一作豆代可汗，即社仑。晋太元十六年（391年），父缊纥提为拓跋珪击破，迫徙云中（今内蒙古托克托县一带）。十九年弃父西逃，投奔伯父匹候跋。后杀匹候跋，北渡大漠。北魏天兴五年（402年），并高车、匈奴余部，统一漠北。立军法，以千人为军，军置将一人，百人为幢，幢置帅一人；定赏罚制度，自号丘豆伐可汗（意为"驾驭开张"），建王庭于鄂尔浑河东侧。与后秦和亲，对抗北魏。永兴二年（410年），为魏军追击，率众西遁，死于道中。

（芦书香　撰稿）

牟汗纥升盖可汗

牟汗纥升盖可汗（？—429年）　社仑季父仆浑之子，名郁久闾大檀。先统领别部镇守西界，后自立为可汗。北魏明元帝神瑞元年（414年），郁久闾步鹿真被杀后，被推举为可汗，称牟汗纥升盖可汗，意为制胜之王。牟汗纥升盖可汗在位期间，北魏为了统一南北，连年进攻柔然，双方频繁进行战争。北魏太武始光元年（424年），牟汗纥升盖可汗带兵攻入云中（今内蒙古托克托县一带），太武帝拓跋焘亲自出征，分东西两路进攻柔然，被围困五十余重。拓跋焘顽强死战，亲手射杀柔然大将于陟斤，使柔然兵大惊而溃败。神䴥元年（428年），牟汗纥升盖可汗遣其子将兵再次入侵北魏边塞。次年，拓跋焘率兵攻打柔然，牟汗纥升盖可汗大败，率部西走。原被柔然征服的各族人民也乘机起义，使柔然政权陷于内外夹攻的困境，实力大为削弱，牟汗纥升盖可汗忧恨成疾，于七月病死，子吴提立。

（胡辉芳　撰稿）

处可汗

处可汗（？—464年） 一作处罗可汗，即吴提子，名吐贺真。北魏太平真君五年（444年）继立，号处可汗（意为"唯一"）。太延十年（444年）、太安四年（458年）先后为魏军击败，远遁，部众数千落降北魏。

（芦书香 撰稿）

受罗部真可汗

受罗部真可汗（？—485年） 郁久间予成，处罗可汗之子。处罗可汗于北魏文成帝和平五年（464年）七月病死，郁久间予成于同月继位，仿制中原王朝，建年号为"永康"，称受罗部真可汗（意为仁惠）。受罗部真可汗在位期间，不断与其他势力联合攻击北魏，战争不断。但与此同时，又向北魏遣使通贡不绝，曾几次向北魏太武帝拓跋焘和文成帝求婚，后因故未成。在位21年，于孝文帝太和九年（485年）病死。

（胡辉芳 撰稿）

伏古敦可汗

伏古敦可汗（？—492年） 郁久间豆仑，受罗部真可汗之子。北魏孝文帝太和九年（485年），予成死，子豆仑立，改元"太平"，称伏古敦可汗（意为永恒）。豆仑生性残暴嗜杀，屡与北魏交战失利，大臣医埿、石洛侯进谏，劝其与中原通和，保持安定。豆仑怒，并诬陷石洛侯谋反，将其杀害，灭其三族。十一年（487年），部下阿伏罗率部众10万人西走，自立为王。豆仑与其叔父那盖分两路追击。豆仑频频被阿伏至罗打败，而其叔父则接连胜利。于是众部将杀死豆仑母子，并将其尸首示以那盖，那盖继可汗位。

（胡辉芳 撰稿）

侯其伏代库者可汗

侯其伏代库者可汗（？—506 年）　郁久闾那盖，受罗部真可汗之弟，伏古敦可汗叔父。485 年，受罗部真可汗病死，伏古敦可汗继位。伏古敦可汗性残暴嗜杀，多名臣下屡次忠谏，反遭大肆灭族残杀，部众见其如此不仁，皆有反意。487 年 8 月，魏孝文帝派骑兵攻击柔然。492 年八月，柔然属部高车首领伏罗至罗趁机率部 10 万人脱离柔然，自立为王，向西进发。伏古敦可汗统兵从西北方向追击，屡战屡败，部下不满。而奉侄儿之命的郁久闾那盖从西南方向追击，屡战屡捷，柔然诸部对那盖敬佩非常，共推为可汗取伏古敦可汗而代之，那盖不从，说："我为臣不可，焉能为主？"于是众人齐心协力杀伏古敦可汗及母，并将二人尸体以示那盖，那盖只好继承汗位，改年号为"太安"，是为侯其伏代库者可汗（意为快乐）。506 年，侯其伏代库者可汗病死，在位 15 年，其子伏图袭位。

（赵海波　撰稿）

他汗可汗

他汗可汗（？—508 年）　郁久闾伏图，侯其伏代库者可汗之子。太安十五年（506 年）继立，号他汗可汗，（一作佗汗可汗，意为"绪"），改元"始平"。曾两次遣使北魏通和，遭拒绝。始平三年（508 年），西征高车国，战死。

（芦书香　撰稿）

豆罗伏跋豆伐可汗

豆罗伏跋豆伐可汗（？—520 年）　郁久闾丑奴，他汗可汗之子。北魏宣武帝永平元年（508 年），伏图可汗西征高车，被高车王弥俄突所杀，子丑奴立，改年号为"建昌"，号豆罗伏跋豆伐可汗（意为威名远扬）。豆罗伏跋豆伐可汗善于用兵，时北魏已于太和十七年（493 年）迁都洛阳，柔然与北魏之间战事减少。为替父报仇，率军西征，大败高车，俘杀高车王弥俄突。在位时，国力有所恢复。北魏孝明帝正光元年（520年），阿至米部落进攻柔然，丑奴带兵抵御时，因用兵不当而战败，逃回。其母侯吕陵氏乘机与大臣合谋将他杀死。

（胡辉芳　撰稿）

弥偶可社句可汗

弥偶可社句可汗（？—525年）　婆罗门，阿那瓌从父兄。520年，阿那瓌被立为可汗，其族兄示发率兵数万攻击阿那瓌，阿那瓌败走北魏，其从父兄婆罗门又率兵数万讨伐示发，示发兵败死。柔然各部族推婆罗门为主，号为弥偶可社句可汗（意为安静）。二月，北魏明帝遣使谕婆罗门，命其迎回阿那瓌，婆罗门毫无让汗位之心，派两千兵马随北魏使迎阿那瓌，阿那瓌不敢回归漠北，请旨还京。521年，婆罗门为高车所逐，被迫退至漠南，归降北魏，北魏将其安置在额济纳流域故西海郡。次年，婆罗门欲率部众投奔嚈哒，北魏派兵追击，婆罗门被擒归洛阳。525年，死于洛南之馆。

（赵海波　撰稿）

敕连头兵豆伐可汗

敕连头兵豆伐可汗（？—552年）　一作敕连头兵豆代可汗，即阿那瓌，伏图子，丑奴弟。520年，柔然内讧，母侯吕陵氏及大臣杀可汗丑奴，立其为可汗。立经十日，为族兄示发所败，与弟乙居伐率轻骑南投北魏。被封为"朔方郡公、蠕蠕王"。翌年，拟还漠北复仇亲政。未几从兄婆罗门破示发且被立为可汗，又遣人来迎，恐为所害，未敢北还。不久，婆罗门为高车所逐，率部至凉州（今甘肃武威）归降北魏，遂被柔然诸部数万人迎还。正光四年（523年），率兵犯北魏边塞，魏遣尚书左丞北道行台元孚持节喻之，阿那瓌执元孚北逃漠北。同年，北魏爆发六镇各族大起义，应北魏之召，于孝昌元年（525年）率十万大军南下镇压起义，击溃破六韩拔陵所率起义军，杀起义将领孔雀等。同年，柔然内部安定，士马复壮，击败高车，自号敕连头兵豆伐可汗（意为把揽），与北魏通贡不绝。北魏分裂后，成为东西魏争取的力量，阿那瓌分别与之和亲。其兄弟塔寒娶西魏化政公主，又将长女郁久闾嫁西魏文帝为皇后（魏悼后）；子庵罗辰娶东魏兰陵郡长公主（原称乐安公主），孙女邻和公主嫁东魏高欢第五子高湛，另一女亦嫁高欢为正室，称蠕蠕公主。同时，与南朝加强联系，不断派使臣朝梁。吸收中原文化，仿照中原官制，设侍中、黄门等官，以齐人淳于覃任秘书监黄门郎，掌文墨。6世纪中叶，西部原隶属于柔然为其做铁工的突厥崛起，反抗柔然统治。北齐天保三年（552年），为突厥首领土门攻破，自杀。其子庵罗辰奔齐，余众复立阿那瓌叔父邓叔子为主。

（孙永刚　撰稿）

侯吕陵氏

侯吕陵氏（**生卒年不详**）　柔然可汗豆罗伏跋豆伐可汗郁久闾丑奴之母，原为伏古敦可汗之妻，伏古敦可汗被杀后嫁与他汗可汗，生有祖惠、丑奴、阿那瓌等六子。丑奴因听信巫婆地万的谗言暗杀祖惠，其母侯吕陵氏遂与丑奴不合。北魏孝明帝正光元年（520年），阿至米部落进攻柔然，丑奴带兵抵御时，因用兵不当战败，逃回。侯吕陵氏乘机与大臣合谋将他杀死。

（胡辉芳　撰稿）

西魏悼后

西魏悼后（**525—540年**）　郁久闾皇后，西魏文帝元宝炬皇后，柔然可汗郁久闾阿那瓌长女。史称"容貌端严，夙有成智"。大统初年，柔然进犯西魏边境。元宝炬于大统四年（538年），废原来的皇后乙弗后，令其剃发出家。四年正月，元宝炬迎娶公主至京师，立为皇后，时年14。郁久闾皇后善妒，怀疑文帝与乙弗后旧情未断，故文帝远徙乙弗后。皇帝虽令乙弗后出家，但旧情仍存，故令乙弗后秘密蓄发，以图他日。六年，柔然举国来犯，当时传言是因为郁久闾皇后的缘故。文帝不愿因一女子而劳动百万将士，故令乙弗后自杀。同年郁久闾后怀孕将产，居于瑶华殿，闻上有狗吠声，心甚恶之。又见妇人盛装来至居所，后谓左右："此为何人？"医巫侍者，悉无见者，时以为乙弗后的鬼魂。产后崩，年16，葬于少陵原。17年，合葬永陵。谥为悼后。一说大统六年（540年），郁久闾后产后去世，柔然认为是为乙弗后所谋害，故出兵夏州（内蒙古乌审旗南），兴师问罪。文帝被迫赐死乙弗后，以平息柔然不满。

（班珏　撰稿）

第二十一章

突厥历史人物

室点密可汗

室点密可汗（？—576 年） 亦作瑟帝米，土门可汗之弟。早年号莫贺咄叶护，在阿尔泰山一带游牧。552 年，其兄土门率突厥主力东征，灭柔然。约在 556 年，室点密受命率领突厥以及铁勒等族 10 万部众西征。首先同波斯萨珊王朝的库思老一世结盟，共同攻打西域霸主嚈哒。到 558 年左右，突厥和波斯两国军队在阿姆河会师，并以此河为界瓜分了嚈哒的领地。不久，室点密又击败阿瓦尔人，将其逐往伏尔加河一带，并派军追击。因其功绩，室点密被封为西部可汗，名义上受东部总可汗的管辖。567 年，室点密派遣粟特使者摩尼亚赫前往波斯和东罗马帝国，要求控制丝绸贸易，波斯国王库斯老一世拒绝，而东罗马皇帝查士丁尼一世虽然表示并不需要丝绸，但是却愿意同突厥联盟对抗波斯。之后，在室点密的进击下，西突厥势力越过阿姆河，占据了今阿富汗一带。公元 576 年，由于东罗马收留阿瓦尔人，突厥同东罗马的同盟关系方才破裂。由于室点密的努力，突厥的势力范围向西一直拓展到里海，因此，室点密与土门被一同奉为突厥民族的两大祖先。

（赵海波　撰稿）

乙息记可汗

乙息记可汗（？—553年）　阿史那科罗，又作逸可汗、阿逸可汗，突厥汗国第二代可汗。西魏废帝二年（553年）二月，伊利可汗即阿史那土门去世，其子科罗袭位，号称乙息记可汗。继位后不久，便率大军大破柔然，再一次扩大了突厥的势力。在位一月，于三月死去，立弟俟斤为木杆可汗。

（胡辉芳　撰稿）

佗钵可汗

佗钵可汗（？—581年）　又作他钵可汗，木杆可汗之弟。北周建德元年（572年），木杆可汗死，舍其子而立其弟，是为佗钵可汗。佗钵可汗继位以后，以阿史那土门之子摄图为尔伏可汗，统东面；以侄子为步离可汗，统西面。当时佗钵可汗"控弦数十万"，中原俱恐之。北周、北齐两国为争得突厥支持以便增强实力来攻击对方，都争着与之结婚姻之好，倾其所有来效忠于他。佗钵最初还平等对待双方，后改为厚周薄齐的政策，并于建德六年（577年）助周灭齐，同时还不时抄掠北周。在位期间，采纳北齐沙门惠琳的建议，修建寺庙，虔诚拜佛。隋文帝开皇元年（581年），佗钵可汗死，死前告诫儿子庵罗让木杆可汗之子大逻便为可汗，因其母贱，众不服，遂改立庵罗。

（胡辉芳　撰稿）

阿波可汗

阿波可汗（？—587年）　大逻便，木杆可汗之子。北周建德元年（572年），木杆可汗死，舍其子大逻便将汗位传给其弟佗钵可汗。佗钵可汗在位10年，病将逝时，劝其子庵罗不要与大逻便争位。佗钵死，欲立大逻便为可汗，但因其母身份低贱，众皆不服。乙息记可汗之子摄图表示若立庵罗为可汗，他当效力，若立大逻便为可汗，必将攻之。因此大逻便不得立，心中很是不快，多次派人去辱骂庵罗。后庵罗让位于摄图，是为沙钵略可汗。大逻便被封为阿波可汗，率七部驻牧于金山（今阿尔泰山），与沙钵略可汗摄图、达头可汗玷厥、突利可汗处罗侯成为突厥汗国四强。隋开皇三年（583年），随沙钵略进攻隋朝，兵败，投隋。于是沙钵略可汗遣军攻打大逻便，杀其母，他本人西逃至达头可汗处（今伊犁河上游）。七年（587年），为叶护可汗所擒。

（胡辉芳　撰稿）

伊利俱卢设莫何始波罗可汗

伊利俱卢设莫何始波罗可汗（？—587年）　摄图，乙息记可汗之子，即沙钵略可汗。在其妻千金公主的挑拨下，欲趁隋朝新建，立足未稳，意图南侵。隋文帝采取长孙晟的"远交而近攻，离强而和弱"建议，开皇三年（583年）四月兵败白道损失千余人。四年九月，遣使请降。五年七月，遣子库合真特勤使隋，受封为柱国、安国公。七年四月，突厥沙钵略可汗卒，其子雍虞闾嗣立，是为都蓝可汗。

（班珏　撰稿）

莫何可汗

莫何可汗（？—588年）　处罗侯，号突利设，乙息记可汗之子，沙钵略可汗之弟。隋初，突厥分裂为东西两部，东突厥可汗沙钵略与隋作战失利后，求和称藩，率部寄居白道川（今呼和浩特平原）。沙钵略堂弟阿波可汗十分骁悍，且因继位之事与沙钵略有旧隙，素怀二心，沙钵略趁其不备抄掠了阿波可汗所据之北牙，尽获其众并杀其母。阿波可汗遂西奔投靠西突厥达头可汗，达头可汗借兵10余万与阿波可汗，东击沙钵略，复得故地，收聚散众数万，与沙钵略对垒，阿波可汗频频获胜，势力不断壮大。沙钵略弟弟处罗侯勇而有谋，国人爱戴之，沙钵略平素对其也颇多猜忌。处罗侯因势力弱小，一面韬光养晦，展示诚心讨好沙钵略，另一面暗中结交隋朝重臣以为援助，故而地位得以稳固。587年，沙钵略病亡，因其担心自己的儿子雍虞间性懦难以服众，且无法与阿波可汗争雄及对抗西突厥，便遗命立自己的弟弟处罗侯为可汗。处罗侯不肯，与其侄雍虞闾相互推让五六次，最终处罗侯嗣位，为叶护可汗，遣使节上表隋朝，隋文帝遣长孙晟拜处罗侯为莫何可汗，并赐之鼓吹、藩旗。莫何可汗得隋旗鼓，西击阿波可汗。阿波部下以为莫何已得隋兵助阵，丧失斗志，望风归降。莫何可汗遂生擒阿波可汗。588年11月，莫何可汗继续西击邻国，中流矢而死，都蓝可汗（雍虞闾）继位。

（赵海波　撰稿）

都蓝可汗

都蓝可汗（？—599年） 雍虞闾，沙钵略可汗之子。隋文帝开皇七年（587年），沙钵略可汗死，其弟处罗侯继位，以雍虞闾为叶护。隋文帝遣长孙晟赐莫何可汗旗鼓。次年莫何可汗死，雍虞闾被拥立，号颉伽施多那都蓝可汗，每年遣使至隋朝贡。九年（589年），都蓝可汗妻大义公主与西突厥泥利可汗合谋反隋。适逢驻牧于北方的莫何可汗之子突利可汗染干向隋求婚，于是文帝便要求突利杀死大义公主才准婚。后都蓝可汗在突利的挑拨下杀死大义公主。十七年（597年），隋文帝将安义公主许予突利可汗为妻，并给他优厚的待遇。都蓝可汗以自己为大可汗而没有受到隋朝的重视为由，断绝了给隋的朝贡，并派兵侵扰边境。但突利可汗事先通知了隋朝，隋边境早有准备，都蓝没有得逞。后都蓝可汗与达头可汗结盟，十九年（599年）合兵袭击突利可汗，突利可汗大败。同年冬，文帝派兵分四路出击都蓝可汗，未出塞，都蓝可汗已被部下杀死。

（胡辉芳　撰稿）

达头可汗

达头可汗（生卒年不详） 玷厥，室点密可汗之子。北周武帝建德五年（576年）室点密死，玷厥未经当时突厥的最高可汗（沙钵略可汗摄图）允许，自立为达头可汗，率部驻牧于乌孙故地（今伊犁河上游）。隋开皇三年

（583 年），达头同沙钵略可汗合兵进犯隋朝，中途擅自退兵，致使沙钵略为隋军所败。达头乘机联合阿波可汗等反对沙钵略可汗，由此突厥汗国分裂为东、西二部。后达头又与都蓝可汗联盟，反对与隋朝结盟的染干可汗。十九年（599 年），与都蓝联合击败染干，但又为隋朝援兵所败。都蓝被杀，染干被隋立为启民可汗，达头乘机占领漠北地区，自立为步迦可汗，并不断进攻东突厥启民可汗。仁寿元年（601 年），隋文帝派杨素等人在启民的协助下进攻达头部属。三年（603 年），达头部下各族大溃，部众纷纷投奔启民，达头无法控制局势，逃入吐谷浑，此后不知所终。

（胡辉芳　撰稿）

泥橛处罗可汗

泥橛处罗可汗（？—619 年）　西突厥可汗，名阿史那达漫，泥利可汗之子。泥橛处罗可汗初立，建牙金山（阿尔泰山），总摄全境。曾统兵西征，攻石国（今乌兹别克斯坦共和国首都塔什干市）。生性多猜忌，政治上苛察繁多，且好大喜功，以致"其国多叛"，又"大为铁勒所败"。后受隋使劝抚，遣使朝贡。隋大业六年（610 年），因拒隋炀帝之约，受到隋支持的射匮可汗的打击。后受母向氏（汉族）劝导，向隋称臣。次年隋炀帝征高丽，受封为曷萨那可汗。十年（614 年），娶隋信义公主。唐武德二年（619 年），被唐高祖纵容东突厥始毕可汗所杀。太宗继位后，以礼改葬。

（胡辉芳　撰稿）

射匮可汗

射匮可汗（？—618 年）　西突厥达头可汗之孙，曷娑那可汗之叔父。原为小可汗，最初只获得了塔什干附近一小块地盘，主管碎叶川一带的几个突厥部落。曷娑那可汗入隋，被留在了长安，部众便拥立他的叔父继位，是为射匮可汗。射匮可汗继位之初，正值西突厥大可汗处罗可汗势力急剧衰落之际，处罗残杀铁勒首领，引起铁勒诸部暴动，铁勒诸部在准格尔盆地建立铁勒汗国，西突厥四分五裂。隋炀帝诏谕处罗可汗入朝见，处罗不肯。射匮可汗恰在此时遣使向隋朝求婚，隋炀帝即命射匮东攻处罗，迫使其东逃析罗漫山（今新疆哈密以北的天山），后又投归隋朝。自此射匮可汗即自立为西突厥可汗，建牙帐于龟兹国（今新疆库车县）北的三弥山中。东征铁勒各部，迫使其重为属部。611 年，阿尔泰地区的薛延陀部归降。611 年至 618年间，射匮可汗统治着东起金山（阿尔泰山），西至西海（里海），和兴都库什山之间的地区，几乎恢复了西突厥全境。618 年，射匮可汗病逝，其弟统叶护可汗立。

（赵海波　撰稿）

曷萨那可汗

曷萨那可汗（**生卒年不详**）　达漫，西突厥可汗。隋炀帝大业年间，达漫与弟阙达设及特勤大奈率部众投降隋朝，并随隋炀帝征服高丽，受隋朝封号为曷萨那可汗并得到丰厚赏赐。江都之乱后，随宇文化及到河北，宇文化及被灭后入长安投降李渊，受到李渊极高礼遇，受封为归义郡王。东突厥始毕请求杀死曷萨那，李渊犹豫不决，秦王李世民以"人穷来归我，杀之不义"急谏李渊不杀曷萨那，但未获同意，将曷萨那灌醉后引至中书省由北突厥使者杀之。太宗即位后，下令礼葬曷萨那。

（赵海波　撰稿）

启民可汗

启民可汗（**？—609 年**）　染干，又称突利可汗，东突厥莫何可汗处罗侯之子。隋文帝开皇八年（588 年），莫何可汗死，雍虞闾被拥立为都蓝可汗，莫何可汗子染干为突利可汗，居北方。九年（589 年），突利可汗向隋求婚，当时都蓝可汗妻大义公主与西突厥泥利可汗合谋反隋，文帝便要求突利杀死大义公主才准婚。突利劝告都蓝，都蓝便杀了公主。十七年（597年），隋文帝将安义公主许予突利可汗为妻，并给他优厚的待遇。都蓝可汗怒，与隋绝交，并联盟西突厥达头可汗合攻突利。十九年（599 年），突利兵败于塞下，其兄弟子侄等也被都蓝杀死，只剩下部众数百人。隋文帝对突利多加抚慰，并派援军大败都蓝军。十月，隋王朝册封突利可汗为"意利珍豆启民可汗"（意为"意智健"），简称"启民可汗"。随后，约有万余众归附启民可汗，文帝在朔州修筑大利城（故址在今内蒙古清水河县境）以安其众。当时安义公主已死，隋又以义成公主妻启民。后因都蓝的不断侵逼，突利迁居于黄河以南，夏、胜二州之间（今内蒙古河套南）。599 年年底，都蓝可汗被部下刺杀，达头自立为步迦可汗。仁寿元年（601 年），隋派杨素协助启民北征，当时漠北大乱，许多部落归附启民，启民便成为东突厥大可汗。三年（603 年），铁勒十余部背达头归启民，达头逃吐谷浑不知所终，启民收其余众，并统领东方之奚、霫、室韦等，臣服于隋。大业三年（607 年），启民可汗南下榆林（今内蒙古准格尔旗十二连城古城）朝见隋炀帝。大业五年（609 年），启民再往东都洛阳朝见炀帝，同年去世，其子咄吉继位，是为始毕可汗。

（胡辉芳　撰稿）

颉利可汗

颉利可汗（579—634 年）　阿史那咄苾，原名初为莫贺咄设，处罗可汗之弟、启民可汗第三子、莫何可汗之孙。东突厥最后一任可汗。620 年，处罗去世，咄苾得到处罗可汗妻子隋义成公主支持而继位，号颉利可汗。颉利后以义成公主为妻。颉利初承父兄基业，兵马强盛，阻挠李唐统一中原。后又连年侵唐边地，多次侵扰长城以南地区，杀掠吏民，劫夺财物，给幽州（北京）至金城（兰州）一线百姓造成深重灾难。唐初定中原，无力征讨。626 年，再度入侵，迫使唐太宗亲临渭水，隔水而语，结渭水便桥之盟，颉利始退兵。颉利可汗重用汉人赵德言，但赵德言作威作福，专权滥用，擅自变更旧有制度，且政令繁琐苛刻，加之颉利可汗委信西域诸胡商人，疏远突厥贵族，引起突厥人不满。唐朝贞观元年（627 年），东突厥遭受重大雪灾，牲畜死伤过半，百姓饥馑，多有冻饿而亡者，颉利可汗反而加重诸部的负担，课敛繁重，所以导致内外离怨，诸部多叛。其东部的奚、霫部落归附于唐，漠北的薛延陀、回纥等铁勒 10 余部也相继叛去，颉利遣兵追击，反为薛延陀、回纥战败。又与其侄始毕可汗之子突利可汗互相交战，部下离心，兵力遂弱。唐太宗于贞观三年（629 年）派李靖、李绩、柴绍、薛万彻领兵10 万，分路进击。李靖带三千骑兵从马邑出奇制胜。李绩在云中出兵，先夺取恶阳岭，颉利只得撤军碛口，在途经白道（呼和浩特西北）时，中李绩埋伏。李靖三千骑兵，突袭颉利大帐。颉利逃亡阴山，李靖穷追不舍，在逃往吐谷浑的途中被阿史那忠擒获，东突厥亡。唐军把颉利带到长安，太宗列举其罪，但免其一死。颉利在长安"郁郁不得志，与其家人或相对悲歌而泣"。唐太宗封颉利为虢州刺史，颉利不愿赴任，改授右卫大将军。634年，颉利去世，赠归义王，谥曰荒，以突厥习俗火葬。

（赵海波　撰稿）

突利可汗

突利可汗（603—631 年）　什钵苾，始毕可汗子、颉利可汗侄。隋大业中，始毕可汗遣其领东部牙帐诸部落，号泥步设，隋以淮南公主妻之。始毕可汗卒，颉利嗣位，命什钵苾为突利可汗，牙帐设于幽州之北，辖奚、霫等数十部。入唐，与太宗结为兄弟。贞观三年（629 年），与颉利相攻，向唐求援，唐朝乘机离间其与颉利可汗的关系。同年年底，率部归唐。次年，授右卫大将军，封北平郡王。631 年，征入朝，至并州道卒。

（赵海波　撰稿）

颉跌利施可汗

颉跌利施可汗（？—691 年）　骨咄禄，后突厥汗国创建者，颉利可汗之疏属。云中都督舍利元英之部酋，世袭吐屯。调露元年（679 年），阿史那泥敦匐起兵反唐，起而响应。次年，突厥兵败，骨咄禄率 17 人出走，匿总材山，又治黑沙城，盗九姓畜马，稍强大，收集亡散渐至五千余人。永淳元年（682 年），自立为可汗，号颉跌利施可汗，以弟默啜为设（杀），咄悉匐为叶护，阿史德元珍为谋主，乃北破九姓，东败契丹，复雄漠北。先建牙于黑沙（今内蒙古呼和浩特西北），后徙郁督军山。《毗伽可汗碑》称其出征 47 次，身历 20 战。曾南下中原，连年西征，扩地甚广。天授二年

（691 年），骨咄禄死，其子幼，不得立。默啜自立为可汗。

（孙永刚　撰稿）

泥涅可汗

泥涅可汗（？—716 年）　阿史那匐俱，又作移涅可汗，默啜可汗之子。唐圣历二年（699 年），默啜立其匐俱为小可汗，位在两察之上，仍主处木昆等十姓兵马四万余人。又号为拓西可汗，自此连岁侵扰边塞。唐开元二年（714 年），遣其子移涅可汗及同俄特勤、妹婿火拔颉利发石阿失毕率精骑围逼北庭，兵败而还。四年（716 年），默啜又北讨九姓拔曳固，战于独乐河，拔曳固大败。默啜回归途中因未防备，遇拔曳固进卒颉质略隐于柳林中，突然出击默啜，斩之。便与入蕃使郝灵荃传默啜首至京师。骨咄禄之子阙特勤鸠合旧部，杀默啜子小可汗及诸弟并亲信略尽，立其兄左贤王默棘连，是为毗伽可汗。

（胡辉芳　撰稿）

毗伽可汗

毗伽可汗（？—734 年）　默棘连，又号为小杀，骨咄禄之子。东突厥可汗默啜为九姓拔曳固偷袭死后，默棘连弟阙特勤整合旧部，杀默啜子弟及亲信，立其兄默棘连为可汗，史称毗伽可汗。默棘连性仁义友善，以其弟阙特勤为左贤王掌军，以暾欲谷掌日常事务。向唐朝献马互市，遣大臣扈从玄宗巡游。毗伽可汗死后，唐王朝为其立碑纪念。

（赵海波　撰稿）

登利可汗

登利可汗（？—741 年）　毗伽可汗之子，伊然可汗之弟。开元二十二年（734 年）即位，自号苾伽骨咄禄可汗，遣使告丧于唐。次年，遣使向唐朝献方物，曰"礼天可汗如礼天，今新岁献月，愿以万寿献天子"。可汗幼，其母婆匐与小臣饫斯达干乱，遂预政，诸部不协。以从叔父判阙特勤等二人为东、西设（杀），分掌兵马，部族精锐皆归属于东、西设。二十三年，东击契丹，败归。二十四年，应唐约攻突骑施，战不利。二十八年，唐遣右金吾卫将军李质持册其为登利可汗。次年，母婆匐诱戮西设，东设判阙特勤怒而勒兵攻灭之，秋七月，可汗被杀。东设判阙特勤立其子为可汗，为骨咄叶护所杀；更立其弟，寻又杀之，骨咄叶护自立为可汗。

（孙永刚　撰稿）

乌苏米施可汗

　　乌苏米施可汗（？—**744 年**）　唐玄宗天宝初年，回纥、葛逻禄、拔悉蜜一起攻击叶护，将其杀死，随后尊拔悉蜜首领为颉跌伊施可汗，回纥、葛逻禄为左右叶护，并遣使相告。突厥部众又尊判阙特勤之子乌苏米施为可汗。唐玄宗派使者谕令乌苏米施内附唐朝，但遭拒绝，其部下不愿与之共进退，于是拔悉蜜等三部共起攻击乌苏米施，迫其逃亡。天宝三年（744 年），拔悉蜜等杀乌苏米施可汗，并将其首级送到长安。其弟立为白眉可汗。

（胡辉芳　撰稿）

白眉可汗

　　白眉可汗（？—**745 年**）　鹘陇匐，判阙特勤子，乌苏米施可汗弟。天宝三年（744 年），拔悉蜜杀乌苏米施可汗，鹘陇匐即位为白眉可汗。与拔悉蜜、回纥等相攻于漠北。745 年，为回纥击败，斩首传长安。

（芦书香　撰稿）

阿史那弥射

　　阿史那弥射（？—**662 年**）　西突厥贵族，五咄陆部将领。唐贞观十三年（639 年），阿史那弥射降唐，被任命为右监门大将军。十九年（645年），随唐太宗征高丽，受封为平襄县伯。显庆二年（657 年），以右卫大将军任流沙安抚大使，随苏定方参加了平定阿史那贺鲁的战争，因功被封为左卫大将军、昆陵都护、兴昔亡可汗，管辖西突厥五咄陆诸部。在唐朝统治西突厥的过程中，起了积极作用。唐龙朔二年（662年）冬，唐朝苏海政奉诏讨伐龟兹，敕令兴昔亡、继往绝（阿史那步真）二可汗发兵与苏海政共同出征。后兴昔亡由于继往绝的谗言被海政杀死。

（胡辉芳　撰稿）

暾欲谷

暾欲谷（**生卒年不详**）　东突厥裴罗英贺达干，历事骨咄禄、默啜及毗伽可汗三朝。毗伽可汗初继位，默啜所任命的官员多为阙特勤所杀，暾欲谷以女为毗伽可汗可敦，免死，但废归旧部。到重新启用时，暾欲谷已是古稀老人，但其深沉有谋略，深得可汗赞赏，助其重建东突厥汗庭及东征西讨，为谋主。晚岁尝劝阻毗伽可汗对唐用兵。玄宗时卒，年80余。

（赵海波　撰稿）

墨特勤

墨特勤（**生卒年不详**）　逾输，后突厥汗国贵族，墨啜可汗之子。唐开元四年（716年），被移涅可汗封为右贤王。同年，率兵攻打阙特勤，兵败降唐。六年（718年），唐欲征后突厥，受诏从征，师未出而止。后死于长安。

（胡辉芳　撰稿）

阙特勤

阙特勤（**684—731年**）　突厥贵族，颉跌利施可汗骨咄禄之子，毗伽可汗之弟。默啜在位时，曾出征黠戛斯、突骑施及西突厥诸部，皆大胜而归。开元四年（716年），默啜死，拥立兄默棘连为可汗，自为突利设（左贤王），专掌兵马。与谋臣暾欲谷同心协力，力主与唐和好。曾遣使入唐朝献、扈从东巡及互市。开元十九年（731 年）死后，唐遣使吊祭，为立祠制碑，即《阙特勤碑》。

（胡辉芳　撰稿）

第二十二章

回纥历史人物

怀仁可汗

怀仁可汗（？—747年）　骨力裴罗，药罗葛氏，漠北回纥汗国创建者。回纥自婆闰之后，其子比粟毒嗣位，背离其祖吐迷度以来与唐王朝的友好传统，与铁勒其他各部联合反唐，被唐朝打败。后因后突厥兴起，回纥依附后突厥，历经独解支、伏帝匐、承宗、伏帝难、护输几代，至护输之子骨力裴罗袭职后，创建回纥汗国，称雄漠北。唐开元后期，后突厥衰落，汗位数易。骨力裴罗同拔悉密、葛逻禄等部组成联盟，共推拔悉密首领为颉跌伊施可汗，回纥与葛逻禄首领分别担任左、右叶护。天宝元年（742年），骨力裴罗遣使入贡于唐，唐封其为奉义王。同年，打败了后突厥汗国，迫使后突厥退出漠北，突厥残部拥立判阙特勤之子乌苏米施为可汗。此后，骨力裴罗又集中力量攻击乌苏米施可汗。天宝三年（744年），骨力裴罗联合葛逻禄部杀颉跌伊施可汗，自立，称骨咄禄毗伽阙可汗，建牙帐于乌德鞬山（又译于都斤山、郁督斤山，指今杭爱山支系）、嗢昆河（今蒙古国鄂尔浑河）之间，南居突厥故地，东邻室韦，西抵阿尔泰山，南控大漠，尽有匈奴故地。骨力裴罗自称可汗后，向唐朝遣使上状，呈述战况和自称可汗事宜，唐朝册封其为骨咄禄毗伽阙怀仁可汗。是年，骨力裴罗击败乌苏米施可汗。突厥残部又立乌苏米施可汗之弟鹕陇匐为白眉可汗。至745年（天宝四年），骨力裴罗杀死白眉可汗，后突厥灭亡。

（孙永刚　撰稿）

牟羽可汗

　　牟羽可汗（？—779年）　移地健，又称登里可汗，回纥第二代可汗磨延啜之次子，娶唐将仆固怀恩之女为妻。唐肃宗乾元二年（759年），回纥毗伽可汗去世，由于始叶护太子因罪而死，故次子移地健继父位为可汗。唐代宗宝应元年（762年），牟羽可汗曾为叛军史朝义所诱，与唐为敌。后经仆固怀恩劝谏表示效忠唐朝，并应唐朝之请，率回纥军与仆固怀恩合兵击破叛将史朝义军，收复洛阳。次年，继续追击叛军，平定河北。唐代宗册封为"英义建功毗伽可汗"。同年，牟羽可汗带四位摩尼教僧侣返回汗国，广传摩尼教，并把摩尼教定为汗国国教。唐代宗大历三年（768年），可敦死，牟羽可汗又娶仆固怀恩幼女，唐封为崇徽公主，册封为可敦。唐代宗大历十四年（779年），唐代宗死，唐德宗继位。牟羽可汗看到中原纷乱，几次率兵进入中原。粟特人劝其趁唐代宗死，攻掠唐朝，牟羽可汗默许之。宰相顿莫贺达干极力劝说，牟羽可汗不听，被顿莫贺达干杀死。不久，顿莫贺达干成为可汗。

　　　　　　　　　　　　　　　　　　　　　　　（胡辉芳　撰稿）

长寿天亲可汗

　　长寿天亲可汗（？—789年）　顿莫贺达干，又作合骨咄禄毗伽可汗。唐大历十四年（779年），因谏阻牟羽可汗犯唐之举，不听，遂遣兵以击之，乃自立为可汗。唐德宗贞元三年（787年），派使者到唐朝"贡方物，且请和亲"，获得应允。贞元四年（788年），以嗣滕王湛然为婚礼使，由右仆射关播护送，咸安公主与其成亲，并且册封为汩咄禄长寿天亲毗伽可汗，公主为智惠端正长寿孝顺可敦。同年，遣使入唐请改回纥为回鹘。咸安公主嫁到回纥国不到一年，长寿天亲可汗便于次年十二月辞世，德宗闻后，"废朝三日"，并令文武三品以上官员到鸿胪寺慰问回纥来使。

　　　　　　　　　　　　　　　　　　　　　　　（胡辉芳　撰稿）

忠贞可汗

忠贞可汗（？—790 年）　多逻斯，回纥汗国第五代可汗，合骨咄禄毗伽可汗子，国人号泮官特勤。贞元五年（789 年），长寿天亲可汗卒，继汗位，唐朝遣鸿胪卿兼御史大夫郭锋持节册拜其为爱登里逻汩没密施俱录毗伽忠贞可汗。依俗娶长寿孝顺可敦咸安公主。次年为其妻仆固怀恩之孙少可敦叶护公主与弟毒死。其次相率国人立其子阿啜为可汗。

（孙永刚　撰稿）

奉诚可汗

奉诚可汗（775？—795 年）　阿啜，忠贞可汗幼子。唐贞元六年（790 年），其父中毒死后，为次相跌跌骨咄禄等大臣拥立为汗，称汩咄禄毗伽可汗。依俗复娶咸安公主。回纥汗国大相颉干伽斯出征吐蕃归后，亦加以认可和辅佐，可汗谓大相"今幸得继绝，仰食于父也"，其国遂安。旋遣使赴唐。贞元七年（791 年）二月，唐遣鸿胪少卿庾鋋册封其为奉诚可汗。同年秋，大相颉干伽斯以兵五万攻吐蕃，谋复北庭，兵败，浮图川亦被葛逻禄所取，被迫迁西北各部于牙帐南以避之。次年相继攻吐蕃、葛逻禄，并遣药罗葛炅向唐献捷。十一年（795 年）四月卒，无子。部人拥其相骨咄禄为可汗，即怀信可汗。

（孙永刚　撰稿）

怀信可汗

怀信可汗（？—805 年）　骨咄禄，跌跌氏（又作阿跌氏）。历仕天亲、忠贞、奉诚可汗，居次相位，有战功。贞元六年（790 年），忠贞可汗被毒死后，起兵杀篡位者，拥忠贞可汗子阿啜为奉诚可汗。与大相颉干伽斯共辅佐之。贞元十一年（795 年），阿啜卒，被国人立为可汗，唐诏秘书监张荐持节册拜其为爱滕里逻羽禄没蜜施合胡禄毗伽怀信可汗。回纥自时健以来

（隋大业元年后），均以药罗葛氏为首领。骨力裴罗建立回纥汗国后，至阿
啜以前的六代可汗，也都出自药罗葛氏。阿跌氏的骨咄禄继为回纥汗国可
汗，标志着回纥可汗世系转入阿跌氏。"阿跌"本铁勒诸部之一。贞观二十
年（646 年），同回纥部一道归附于唐，唐以其地为鸡田州（地在今宁夏回
族自治区北），隶属燕然都护府。回纥汗国建立后，至骨咄禄时，《唐会要》
说他"少孤，为回鹘大首领（属药罗葛氏）所养。及长，有武艺辩慧，自
天亲可汗（顿莫贺）时已掌兵马衔官，诸大首领多敬服之"。继位后，一是
借其曾为药罗葛氏首领收养的历史，冒姓药罗葛氏，"不敢自名其族"；二
是"自天亲可汗以上子孙幼稚者，皆内之阙廷"，即送往唐朝，既是保护，
又是防范，更要取信于唐朝，使之平稳地完成了回纥可汗世系由药罗葛氏向
阿跌氏的转变。其统治稳定之后，出兵天山，协助唐朝攻击吐蕃，取凉州、
龟兹，夺得北庭，向西扩境至拔贺那国（费尔干纳），重开东西交通。永贞
元年（805 年）卒，子继位为腾里可汗。

（孙永刚　撰稿）

腾里可汗

腾里可汗（？—808 年）　怀信可汗骨咄禄之子，一作俱禄毗伽可汗。
永贞元年（805 年），父死嗣位，唐遣鸿胪少卿孙杲册封其为腾里野合俱禄
毗伽可汗。统治时期，大力扶持摩尼教，使摩尼僧参与国政。元和元年
（806 年），以摩尼僧人充国使至长安，岁往东西市，常与商贾勾结逐利。元
和三年（808 年）三月，卒。

（孙永刚　撰稿）

保义可汗

保义可汗（？—824 年）　多罗斯，又称天可汗。808 年，自称爱登里
啰汨蜜施合毗伽可汗，国人称之为"泮官特勤"，唐册封其为保义可汗。上
书再请唐朝改回纥为回鹘，唐朝回诏同意，自此，自保义可汗开始，回纥被
称为回鹘。保义可汗协助唐王朝对吐蕃发动多次攻击，助唐收复凉州、北

庭、龟兹等地。自己挥师西进，攻击中亚拔贺那，扩张领土。唐长庆初年（821年），请求唐朝下嫁公主至回鹘，唐允诺永安公主嫁保义可汗，因保义身死而未成行。

（赵海波　撰稿）

崇德可汗

崇德可汗（？—824年）　回鹘汗国第十代可汗，跌跌氏。长庆元年（821年）继汗位，唐朝册其为登罗羽禄没密施句主毗伽崇德可汗，又作登罗羽禄没密施合毗伽可汗。遣使伊难珠、句录都督思结等率部渠二千人，纳马二万、橐驼上千赴唐求和亲。穆宗以十七妹太和公主妻之，册为仁孝端丽明智上寿可敦。当时，唐将裴度北伐幽、镇二州，可汗不久遣渠将李义节率军三千助唐平河北乱事，并发万骑出北庭、万骑出安西，伐吐蕃。次年，为吐蕃败，回鹘汗国势趋衰微。长庆四年（824年）卒，其弟曷萨特勤立。

（孙永刚　撰稿）

昭礼可汗

昭礼可汗（？—832年）　又称曷萨特勤，崇德可汗之弟。唐长庆四年（824年），崇德可汗卒，曷萨特勤立。宝历元年（825年），唐册拜为爱登里啰汩没密施合毗伽昭礼可汗，赐币12车，文宗初年又赐马价绢50万匹。太和六年（832年）三月，昭礼可汗为其部下所杀，从子胡特勤立。

（胡辉芳　撰稿）

彰信可汗

彰信可汗（？—839年）　胡特勤，跌跌氏，昭礼可汗从子。太和六年（832年），昭礼可汗遇害后，继汗位。次年夏四月，唐朝册其为爱登里罗汩没密施合句禄毗伽彰信可汗。开成四年（839年），回鹘汗国内乱，大相安允合联合特勤柴格欲篡位，事泄，受诛。彰信可汗旋为其相掘罗勿引沙陀兵所攻，兵败自杀。国人立厴馺特勤为可汗，即署飒可汗。

（孙永刚　撰稿）

署飒可汗

署飒可汗（？—840年）　厴馺特勤，讹称署飒可汗，又名勿笃公，彰信可汗族属。开成四年（839年），回鹘汗国内乱，大相掘罗勿逼杀彰信可汗，署飒可汗得立。当时回鹘汗国岁饥，又大雪，羊、马多死，将军句录莫贺与黠戛斯合骑十万攻回鹘城。五年，牙帐被破，可汗与掘罗勿同被杀，诸部溃奔葛逻禄，残众入吐蕃、安西，又有近可汗牙13部，以特勤乌介为可汗，南来附汉。漠北回鹘汗国遂解体。

（孙永刚　撰稿）

乌介可汗

乌介可汗（？—846年）　唐武宗会昌元年（841年）二月，回鹘内乱，可汗牙帐附近的13部奉乌介特勤为乌介可汗，南保错子山（今内蒙古杭锦后旗乌加河北三百里鹈鹕泉北），并依附于唐朝。唐朝下令给乌介谷米2万斛，帮助其度过灾荒。后，乌介可汗带兵劫杀了送唐朝太和公主南归的黠戛斯达干等人，并把公主作为人质，屯天德军（今内蒙古乌拉特前旗乌梁素海东岸）境上。会昌二年（842年）二月，回鹘奏请赈济粮食，并请借振武城以居公主，结果未被应允。回鹘内部，赤心、仆固与那颉啜拥兵自重，不听从乌介可汗指令。赤心欲犯唐塞，被乌介可汗擒获杀之。此时，乌介可汗有众十余万，牙帐设在河东大同军（今山西朔县东北马邑）以北的阊门山。八月，乌介可汗率兵南下，掠夺河东各族，后又转战至云州（治云中，今山西大同）城下，云州刺史闭城自守。会昌三年（843年），回鹘尚书仆固绎到达幽州，约定将太和公主送到幽州。乌介可汗在距幽州80里处驻军。当天夜里，河东刘沔率兵暗至乌介军营。唐军进至其帐下，回鹘兵才发觉，乌介惊慌失措，弃辎重逃走。石雄率兵追击，十一日，在杀胡山（即今内蒙古巴林右旗罕山）大败乌介。乌介受伤后带数百骑投附黑车子室韦一达怛，其溃散部众多向幽州投降。至会昌六年，乌介为其相所杀，弟遏捻立为可汗。

（胡辉芳　撰稿）

遏捻可汗

遏捻可汗（生卒年不详）　遏捻特勤，漠北回鹘汗国末代可汗，乌介可汗之弟。会昌六年（846 年）为回鹘余众立于金山，先仰食于奚大酋硕舍朗。大中二年（848 年），奚为唐将卢龙节度使张仲武所破，回鹘无所得食，日益耗散。这时，所存贵臣以下不满五百人，转依于室韦。张仲武谕令室韦羁致可汗等，遏捻惧，与妻葛禄、子特勤毒斯等九骑西走，不知所终。余部为室韦所分，七姓室韦各占一分。后南下的黠戛斯大破室韦，将这部分回鹘人带回漠北。

（孙永刚　撰稿）

叶户太子

叶户太子（生卒年不详）　唐时漠北回纥英武威远可汗磨延啜长子。至德二年（757 年），率骑四千援唐，肃宗宴接，命天下兵马大元帅广平王李俶与之结为兄弟，与唐将仆固怀恩为先行，克西京长安。复与郭子仪联兵，大破史思明叛军于新店，进复东京洛阳。军还，百官迎于长乐驿。拜司空，封忠义王。后罹罪被杀。

（芦书香　撰稿）

颉干迦斯

颉干迦斯（生卒年不详）　唐朝时期回鹘大将，又作颉于迦斯，历事长寿天亲、忠贞、奉诚三代可汗。唐建中二年（781 年），代天亲可汗接见唐朝册封使。贞元六年（790 年）四月，忠贞可汗为其弟所杀，自立为可汗。时颉干迦斯远征吐蕃未回。后回鹘次相国率众杀忠贞可汗之弟，改立其子阿啜为可汗，唐朝册封为奉诚可汗。同年六月，颉干迦斯带兵回师，可汗亲自迎之，颉干迦斯以臣礼尽心辅佐奉诚可汗。

（胡辉芳　撰稿）

第二十三章

沙陀和契丹早期历史人物

朱邪赤心

朱邪赤心（？—**883 或 887 年**）　沙陀部首领，姓朱邪，又名李国昌。其祖先为西突厥别部，因驻帐于沙陀碛（今新疆古尔班通古特沙漠），自号为沙陀部，以朱邪为姓。赤心袭父执宜之职，为阴山都督、代北（今山西省代县北）行营招抚使。宣宗大中初，以战功迁蔚州（今河北省蔚县）刺史、云州（今山西省大同市）守提使。懿宗咸通十年（869 年），任太原（今山西省太原市）行营招讨、沙陀三部部落军使。随康承训镇压庞勋起义，进大同（今山西省大同市）军节度使，赐姓李、名国昌。876 年，其子李克用杀云州防御使段文楚，请为大同防御使留后。朝廷未允，并发诸道之兵追捕无功。赤心寻被任为大同军防御使，称病未受命。旋为唐军所败，与其子克用逃入阴山鞑靼，后以李克用参与镇压黄巢起义军，攻破长安有功，赤心被拜为代北节度使，未几病卒。

（孙永刚　撰稿）

李克用

李克用（**856—908 年**）　五代后唐王朝奠基者。别号李璟儿，一目失明，又号独眼龙，祖籍陇右金城，代北行营节度使李国昌（朱邪赤心）第

三子。生于神武川之新城，骁勇善骑射。初随父镇压庞勋起义军，被视为
"飞虎子"，授云中牙将。继任沙陀副兵马使，戍蔚州。乾符三年（876年，
一说五年），起兵杀大同防御使段文楚，据云州。五年为大同军节度使、检
校工部尚书。后军势渐振，拒受调命。广明元年（880年），为唐军所败，
与父北逃阴山鞑靼。中和元年（881年），黄巢攻占长安，唐僖宗召李克用
入援。次年李克用等击败尚让于良田陂（今陕西华县西南），黄巢被迫退出
关中。李克用升任检校司空、同中书门下平章事、河东节度使。从此，太原
（今山西太原西南）一带便成为用兵的根据地。中和四年，李克用率军在河
南地区大败黄巢军，一直追到曹州冤朐（今山东定陶西）。返回途中经汴州
（今河南开封）发生上源驿事件，险些为朱温所杀，于是双方结怨，形同水
火。"僖宗和解之，用破巢功，封克用陇西郡王"，割据代、忻，进掠并汾
等州。此后李克用利用各地军阀矛盾不断征战，进一步壮大了在河东地区的
势力。光启元年（885年）年底，曾出兵帮助河中节度使王重荣在沙苑（今
陕西大荔南）打败唐将朱玫后一度攻入京城。唐僖宗辗转凤翔（今属陕
西）、宝鸡（今属陕西）、兴元（今汉中），两年后才回到长安。昭宗即位
后，对李克用采取姑息态度，但迫于朱温的压力，让宰相张浚带兵征讨，结
果张浚战败，昭宗只得继续让步，于乾宁二年（895年）赐忠贞平难功臣，
并晋封为晋王，成为唐末割据势力中被封王的第一人。天复四年（904年），
朱温强迫昭宗迁都洛阳，改年号为天佑。李克用认为这是朱温的把戏，拒用
"天佑"而继续使用"天复"年号。三年后，朱温灭唐建梁，改元开平，李
克用不承认朱梁政权，才开始用天佑年号而称此年为天佑四年，表示继续奉
唐朝正朔，与朱温势不两立。天佑二年（905年），与契丹耶律阿保机会于
云州东，结盟通好。五年（908年）卒于晋阳。同光元年（923年），其子
存勖即帝位后，追尊为太祖武帝。

（孙永刚 撰稿）

后唐庄宗

后唐庄宗（885—926年） 李存勖，李克用长子。开平二年（908年）
正月，李克用病死，李存勖于同月袭晋王位。办完丧事，设计捕杀了试图夺

位的叔父李克宁，并率军解潞州（山西上党）之围。李克用临死时，交给
李存勖三支箭，嘱咐他要完成三件大事：一是讨伐刘仁恭（刘守光），攻克
幽州（今北京一带）；二是征讨契丹，解除北方边境的威胁；三是要消灭世
敌朱全忠（温）。经过十多年的交战，李存勖基本上完成了父亲遗命，于
923 年攻灭后梁，统一北方。四月，在魏州（河北大名县西）称帝，国号为
唐。不久迁都洛阳，年号"同光"，史称后唐。称帝后，急征重敛，民不聊
生。又宠信宦官伶人。骄傲自矜，疑忌功臣，且贪财拒谏，致使众叛亲离。
同光三年（926 年），命李继岌率兵灭前燕。四年成德军节度使李嗣源发动
兵变，攻下开封。混战中被流矢射死。庙号庄宗。

（班珏　撰稿）

后唐明宗

后唐明宗（867—933 年） 小名邈佶烈，后名亶，李克用养子，赐名李
嗣源。为人质厚寡言，不识字，而有心计，执事恭谨。同光元年（923 年），
以战功，任蕃汉内外马步军总管。后庄宗政绩败坏，民不聊生，遂反于贝州
（今河北南宫东南）。庄宗死后，即帝位于洛阳，年号天成。信任谋略之士，
重用安重诲、任圜等大臣，革除庄宗弊政，废除其所立苛敛法令，又杀诸镇
监军宦官，注重节俭，宫廷机构小于任何王朝。又令诸道均平民间田税，关
心农事，在位期间战事较少，农业屡有丰收。边境亦安。长兴四年（933
年）卒，谥号圣德和武钦孝皇帝，庙号明宗。

（班珏　撰稿）

后晋高祖

后晋高祖（892—942 年） 石敬瑭，五代后晋建立者，沙陀族。为人沉
厚寡言，勇猛善骑射，随后唐庄宗、明宗征战，屡建大功。深受明宗赏识，
以永宁公主妻之。因助明宗即帝位有功，拜为陕州保义军节度使兼六军诸卫
副使。后又拜河东节度使。清泰三年（936 年），勾结契丹反于河东（今山
西太原）。以割让幽、云十六州，岁贡绢 30 万匹，拜契丹主耶律德光为父皇

等条件，得契丹助，败唐军，围洛阳，灭唐，建晋，改元天福，迁都开封，史称后晋。在位期间大肆搜刮诸州民财，年年重贡契丹，又因其部将与之争夺帝位而征战。谥号圣文章武明德孝皇帝，庙号高祖。942 年，病死。

（班珏　撰稿）

后汉高祖

后汉高祖（895—948 年）　刘暠，本名知远。五代后汉开国皇帝，即后汉高祖，沙陀族。后唐时，石敬瑭为太原留守，以知远为押衙。后晋建立后，知远官至河东节度使、太原留守，加侍中。及敬瑭死，晋出帝封知远为北平王。时吐谷浑部归附河东，后又有反复，知远遂杀其首领，收其精兵，得其财畜，并以河北富强冠于诸镇。开运年间，契丹军南下中原，知远不作支援。开运三年（946 年），契丹攻灭后晋。知远上表契丹以奉贺，而契丹主耶律德光亦赐诏，称其为"知远儿"。次年正月，耶律德光称帝，旋改国号辽。二月，知远见辽帝贪残，其势不能统治中原，遂于太原即位。其时仍称天福十二年，意在争取后晋旧臣的归附。三月，辽帝被迫北返。辽所署的汴州节度使萧翰矫称辽帝命，拥立后唐明宗子李从益知南朝军国事。知远乘虚入洛阳，从益被逼死于开封。知远入开封，改国号为汉，史称后汉。次年正月改元乾祐，更名暠，当月去世，谥号睿文圣武昭肃皇帝，庙号高祖。

（班珏　撰稿）

窟　哥

窟　哥（生卒年不详）　契丹大贺氏部落联盟首领。隋唐之际，契丹依附于突厥。唐贞观二年（628 年），其首领摩会内附，唐太宗赐予旗鼓。窟哥继位以后，曾于贞观十八年（644 年）随唐攻打高丽，被封为左武卫将军。二十二年（648 年），举族内属，唐朝在其地设置松漠都督府，封窟哥为松漠都督，使持节十州诸军事。此外，还册封窟哥为"无极男"，赐姓李氏。显庆（656—660 年）年间，又拜为左监门大将军，与中原关系密切。

（胡辉芳　撰稿）

李尽忠

李尽忠（？—696年）　契丹大贺氏部落联盟首领，又称无上可汗，唐朝大周则天皇帝赐姓李，名尽忠。唐高宗时封李尽忠为武卫大将军、松漠都督，统契丹八部。武则天统治期间，企图以单纯武力平定周边少数民族的叛乱与攻扰，致使国家政局动荡。万岁通天元年（696年），契丹发生饥荒，营州（治龙城，今辽宁朝阳）都督赵文翙不但不予赈给，反而视契丹首领如奴仆，并多次羞辱契丹人。李尽忠不满赵文翙的做法，杀赵文翙，自称"无上可汗"，率众侵扰唐边。武则天闻悉后大怒，诏命28位将领率兵征讨，并在胜州（治今内蒙古准格尔旗十二连城古城）屯兵，作为第二道防线，企图一举消灭李尽忠。李尽忠听闻后，率兵沉着应战，初获胜。后在攻打平州（今河北卢龙）时，被重兵所阻，别部夜袭檀州（今北京密云）也被击败，遂率兵退入山中，寻机再战。同年，李尽忠病死。此后，契丹再次依附于突厥。

（胡辉芳　撰稿）

李失活

李失活（？—718年）　契丹大贺氏部落联盟首领。武则天万岁通天元年（696年），李尽忠病死后，李失活嗣位，依附于突厥。即位之后，于开元三年（715年）脱离突厥的统治，率众附唐，唐赐丹书铁券。四年（716年），入朝。唐复在其地设松漠都督府，李失活被封为松漠郡王、行左金吾卫大将军，兼松漠都督。后唐玄宗将东平王外孙杨延嗣之女封为永乐公主，嫁与失活。六年（718年）五月，失活死。

（胡辉芳　撰稿）

李邵固

李邵固（？—730年）　契丹大贺氏部落联盟首领，李尽忠弟（一说为咄于弟）。联盟前首领咄于因与可突于有隙，于开元十三年（725年）归唐，可突于专擅其政。契丹各部因对可突于不满，拥立李邵固为大首领。适逢唐玄宗封禅泰山，李邵固南下参加封禅大典，玄宗下诏册封其为广化郡王，并以宗室外甥女陈氏为东华公主，嫁于邵固。后邵固分别于十四年（726年）、十五年（727年）遣使入唐，密切了与唐的关系。开元十八年（730年），邵固为可突于所杀，大贺氏部落联盟至此宣告破裂。

（胡辉芳　撰稿）

屈　列

屈　列（? —735年）　契丹遥辇氏部落联盟首领，又称洼可汗，遥辇氏。唐开元十八年（730年），可突于杀死李邵固，不久立屈列为契丹部落联盟首领，率部众投附突厥。这一举动触犯了唐朝"携两蕃（契丹和奚）以制突厥"的政策，受到了唐的讨伐。二十二年（734年），被唐幽州节度使张守珪与李过折联合击败。次年（735年）年年初，因内部争权被杀，部众溃散。

（胡辉芳　撰稿）

涅　里

涅　里（生卒年不详）　遥辇氏部落联盟军事首领，又作泥里、雅里，迭剌氏，耶律阿保机七代祖。屈列与可突于被唐军杀后，可突于余党涅里杀李过折及其全家，立迪辇俎里为阻午可汗，自任军事首领。后被唐朝册封为松漠都督，左金吾卫大将军。开元二十五年（737年），背唐自立，结果被唐将张守珪击败，率部北走。

（胡辉芳　撰稿）

阻午可汗

阻午可汗（生卒年不详）　遥辇氏部落联盟首任盟长，名迪辇俎里，汉名李怀秀。遥辇氏部落联盟是在辽皇室始祖涅里的积极参与下建立起来的，阻午可汗被立为盟长之后，在原来大贺氏八部的基础上经过改建和重组，将整个部落联盟亦分为八部。在位初期与唐关系较好，曾多次遣使入唐。唐天宝四年（745 年），受唐赐名，并被封为松漠都督，尚静乐公主。同年九月叛唐，投附于突厥，后回鹘灭突厥，契丹又依附于回鹘。开成五年（840年）回鹘为黠戛斯所败，契丹乘机脱离回鹘的统治。阻午可汗在位期间还制定"柴册仪"（选举盟长的一种仪式），使首领的选举进一步制度化。

（胡辉芳　撰稿）

耶澜可汗

耶澜可汗（**生卒年不详**）　契丹遥辇氏部落联盟首领，名屈戍。唐开成五年（840 年），耶澜脱离回鹘的统治，率众归附唐朝。会昌二年（842年），被授为"云麾将军"。后又请印于唐，唐武宗赐"奉国契丹印"。在唐朝支持下，契丹社会经济在耶澜可汗在位期间得到了极大发展。

（胡辉芳　撰稿）

鲜质可汗

鲜质可汗（**生卒年不详**）　习尔，又作习尔之。契丹遥辇氏部落联盟第五代首领，号鲜质可汗。懿宗咸通年间（860—873 年），遣使者入朝，时契丹益强，发动对奚战争，俘七百户，使役之。与中原唐王朝保持和好关系，间有使节往来。辽朝设遥辇九帐，鲜质可汗为其中之一。习尔之死，族人钦德嗣，为痕德堇可汗。

（孙永刚　撰稿）

痕德堇可汗

痕德堇可汗（**？—907 年**）　又作钦德，契丹遥辇氏部落联盟末代首领，称痕德堇可汗。约于僖宗光启元年（885 年）后，契丹王习尔之死，钦德执政。凭借契丹逐渐强大的军事力量，趁中原藩镇之乱，逐渐蚕食周邻鞑靼、奚、室韦等小部落，并南下攻掠幽、蓟等唐代北部边地。天复三年（903年）十一月，牧地被唐幽州节度使刘仁恭焚烧，契丹失去放牧地，被迫向唐献马请盟。旋背盟南下为寇，刘仁恭子守光戍平州时，痕德堇可汗派遣阿钵（耶律阿保机妻兄）将万骑攻渝关（今河北抚宁西），守光伪与和，设幄犒飨于城外，酒酣，伏兵执之以入。契丹以重赂请于仁恭，然后归之。天祐三年十二月痕德堇可汗（907年）卒，耶律阿保机继位为可汗。契丹建国后，痕德堇可汗宫帐仍存，为遥辇九帐之一。

（孙永刚　撰稿）

第二十四章

汉族和其他族（乌桓、羯、氐、敕勒等）历史人物

王昭君

王昭君（**前52—前19年**）　汉元帝时宫女，姓王名嫱，字昭君，于西汉甘露二年（前52年）出生于南郡秭归县宝坪村（今湖北省兴山县昭君村）。王昭君天生丽质，聪慧异常。建昭三年（前36年）被选入宫。入宫后被冷遇三年，无缘面君。竟宁元年（前33年），匈奴呼韩邪单于主动来汉，对汉称臣，并请求和亲。王昭君遂挺身而出，表示愿为匈奴单于妻，被封为"宁胡阏氏"，促进了汉匈之间友好关系的发展。建始二年（前31年），呼韩邪单于死，留有一子，名伊屠智牙师，后为匈奴右日逐王。王昭君以大局为重，按照匈奴"父死，妻其后母"的风俗，又嫁给呼韩邪的长子复株累单于雕陶莫皋，生二女，长女名须卜居次，次女名当于居次（"居次"意为公主）。鸿嘉元年（前20年），复株累单于死，昭君自此寡居。二年（前19年），王昭君去世。今呼和浩特市南郊昭君墓，史称"青冢"，唐杜佑《通典》、《辽史》等文献均有记载。

（胡辉芳　撰稿）

蔡文姬

　　蔡文姬（**生卒年不详**）　东汉末年女诗人，名琰，字明姬，为避司马昭讳，改为文姬。东汉著名大文学家、大书法家蔡邕之女，陈留圉（今河南杞县南）人。蔡文姬自幼博学能文，善诗赋，懂音律。最初嫁于河东氏族卫家，因其夫卫仲道咯血而死，归母家。黄巾大起义使社会动荡不安，最终形成了军阀混战的局面。北方游牧民族乘机抄掠中原一带，蔡文姬被掳到南匈奴。后嫁南匈奴左贤王，居 12 年，生有二子。蔡文姬居于匈奴期间，曹操平定了北方群雄，于建安十三年（208 年）以重金将蔡文姬赎回。后在曹操安排下，蔡文姬嫁屯田都尉董祀为妻。同年，赤壁之战爆发。董祀犯罪当死，蔡文姬不顾嫌隙，蓬首跣足到曹操丞相府求情，得赦。著有《胡笳十八拍》、《悲愤诗》等诗歌，至今广为流传。

　　　　　　　　　　　　　　　　　　　　（胡辉芳　撰稿）

北燕太祖

　　北燕太祖（**？—431 年**）　尊号北燕文成帝，名冯跋，字文起，鲜卑化汉人。祖父冯和在西晋永嘉之乱时，为避战乱迁居上党（今陕西长子县）。父冯安曾任西燕国将军，西燕败亡后，冯安全家迁居和龙（今辽宁朝阳市）。冯跋少年时有志向，性情豪放。后燕慕容宝时任中卫将军，慕容熙即位后，冯跋任卫中郎将。慕容熙昏庸暴虐，赋税很重，人民痛苦不堪，怨恨四起。冯跋寻机杀慕容熙，立慕容宝义子高云为主，冯跋被封为侍中、征北大将军、武邑公。409 年，燕王高云被部下所杀，冯跋平定事变，被众将推举为王，年号"太平"，国号仍称燕，史称北燕。冯跋在位时留意农桑，勤心政事，为巩固统治和发展生产而采取了一系列措施。"除苛政，惩贪赋"，要求各级官吏施仁政、惠民众，并严惩贪官，使"上下肃然，请赂路绝"。"省徭赋，课农桑"，农业发展很快。"重孝悌，建太学"，十分重视伦理道德，奖励孝贤，并营建太学，教育子民。冯跋 409 年至 430 年在位 22 年，社会比较稳定，生产得到发展。431 年，冯跋得重病，诸子和其弟争王，互相残杀，冯跋惊吓致死。

（芦书香　撰稿）

北燕昭成帝

北燕昭成帝（？—439年）　冯弘，字文通，冯跋之弟。冯跋在位时，冯弘被封为中山公。冯跋死后，冯弘杀死冯跋的儿子冯翼，自立为北燕国君，年号"大兴"。437年，魏攻打北燕兵临城下，冯弘被迫逃往高丽，两年后被高丽王所杀。

（芦书香　撰稿）

高　欢

高　欢（496—547年）　南北朝时期东魏权臣，北齐的实际创建者，北齐开国皇帝高洋的父亲，鲜卑名为贺六浑。祖籍渤海调蓚（今河北景县南），因其祖犯法举家徙于怀朔镇（今内蒙古固阳县西南），此后遂世居于此，生活习俗鲜卑化。北魏六镇起义爆发后，曾先后投靠杜洛周和葛荣，后又脱离义军跟随尔朱荣，受到宠信，任晋州刺史。后葛荣失败，欢收编其余众，以山东的冀、定、相诸州（今河北及河南北部）为据点，发展势力。北魏普泰元年（531年），高欢起兵讨伐尔朱氏，拥立元朗为魏帝。永熙元年（532年），夺取邺城（今河北磁县东南三台村），大败尔朱氏联军，进入洛阳，废尔朱氏和他自己所立的皇帝，另立孝武帝元修。三年（534年），孝武帝在高欢的逼迫下西奔长安，高欢另立孝静帝，自己掌握朝政，并迁都邺城，史称东魏。在高欢掌政期间，多次与西魏作战，双方各有胜负。东魏武定四年（546年），高欢再次攻西魏，结果失败，死伤惨重，被迫退军。次年（547年）正月卒于晋阳，谥献武王。子高洋称帝后，追尊其为高祖。

（胡辉芳　撰稿）

蹋 顿

蹋　顿（？—207 年）　东汉时期辽西乌桓的军事首领。东汉献帝初平（190—193 年）中，丘力居死，蹋顿代立为辽西乌桓大人。曾出兵助袁绍攻打公孙瓒，被袁绍拜为单于，并与其和亲与曹操对峙。后兵败的袁尚、袁熙胁迫冀、幽二州之民投奔蹋顿。蹋顿实力增强，屡次入边为害。曹操为巩固其统治及消灭袁氏势力，远征乌桓。曹操采纳田畴之计迷惑蹋顿，待曹军进至距柳城（今辽宁朝阳南）不足 200 里时，乌桓才发现。蹋顿与袁尚等领兵迎战，由于其军阵势不整，被曹军将领张辽猛攻而乱，蹋顿也在阵前被杀。袁尚等又投奔公孙康，曹操收降胡、汉人口 20 余万，大获全胜。

（胡辉芳　撰稿）

后赵高祖

后赵高祖（274—333 年）　十六国时期后赵建立者，名石勒，字世龙，原名匐勒，羯族，上党武乡（今山西榆社县北）人。少年时随邑人行贩洛阳，曾为人力耕。20 余岁时被西晋贵族司马腾掠卖到山东为奴，后与当地牧民首领汲桑等聚 18 骑起义，队伍迅速扩大，攻打郡县，招集逃亡。永嘉元年（307 年），汲桑自称大将军，石勒为扫虏将军，忠明亭侯。随即攻占邺城（今河北临漳西南），杀司马腾，又与西晋贵族东海王司马越部将苟晞作战。汲桑战死，石勒投奔刘渊，任辅汉将军。刘渊死后由次子刘聪夺得帝位，石勒被授为征东大将军、并州刺史。石勒用汉族谋士张宾之计，先取邯郸、襄国（今河北邢台西南），依山凭险，分命诸将攻冀州郡县壁垒，又以轻骑袭幽州，势力大张。刘聪死后，石勒于 319 年称赵王，建立政权，史称后赵。石勒虽为胡人，但崇尚儒学，设学校于襄国四门，并亲临学校主考学生之经义，奖励成绩出众者。在军旅中亦常命儒生朗读史书而听之。329 年，石勒又大败并斩杀刘曜于成皋（今河南荥阳汜水镇），亡前赵。330 年，石勒正式称帝，年号建平，都城在襄国。333 年病死，谥号明帝，庙号高祖。子石弘嗣位，不久为石勒之侄石虎所废。石虎死后，后赵为汉族冉氏建立之魏国所灭。

（班珏　撰稿）

后赵明帝

后赵明帝（295—349 年）　十六国时后赵第三代皇帝，名石虎，字季龙，羯族，上党武乡县（山西榆社县北）人。咸康三年（337 年），石虎改称大赵天王。永和五年（349 年），改称赵皇帝，最终取代了石勒赵国。十六国时期，各国战争不断。石虎即位后，首先出兵北线进攻辽西鲜卑段辽。在南线，派夔安为征讨大都督，领兵七万进攻东晋的荆扬。经过南征北战，石虎的势力不断加强，后赵国的疆界也不断扩大，鼎盛时有"十州之地"。激烈的阶级矛盾、残酷的宫庭斗争，使石虎只能在惊恐不安中度日，终于在晋穆帝永和五年（349 年）因愁恐而死，终年 54 岁，庙号太祖，谥号武皇帝。死后诸子争权，互相残杀，不久后赵灭亡。

（班珏　撰稿）

后凉太祖

后凉太祖（338—399 年）　十六国时期后凉建立者，名吕光，字世明，氐族略阳（今甘肃天水秦安县）人。吕光本为前秦将领。前秦建元十八年（382 年），淝水之战前夕，受天王苻坚之命征讨西域，降焉耆、破龟兹，威震西域，因此远方诸国皆来归附。吕光本来想要留在龟兹，但是受到名僧鸠摩罗什劝阻，而且部众也想回到中原，遂回师。然而前秦于淝水败后，境内各族纷纷反叛，吕光被阻于西域，不能东归。前秦太安元年（385 年），终于攻入凉州。386 年，吕光收到苻坚死讯，于是改元太安，并自称使持节、侍中、中外大都督、督陇右、河西诸军事、大将军、凉州牧、酒泉公。389年，称三河王，改元麟嘉。396 年，复改称天王，国号大凉，改元龙飞。在位末期内政不修，各族叛离，埋下亡国种子。龙飞四年（399 年），吕光病重，立太子吕绍为天王，自号太上皇帝，不久逝世。谥懿武皇帝，庙号太祖。

（班珏　撰稿）

斛律金

斛律金（**488—567 年**） 南北朝时期著名将领，字阿六敦，敕勒族，是《敕勒歌》的歌唱者。斛律金生于北魏时期，高祖为敕勒有名的部落首领倍侯利，依附于北魏。斛律金的祖父、父亲都曾在北魏政府中任职，并屡立战功。斛律金曾被北魏任命为"第二领民酋长"，由于秋天到京城朝见，春天又回到部落，因此号称"雁臣"。斛律金善于骑射，长于用兵，具有丰富的军事经验。北魏统治时期曾多次受到加封晋爵。东魏孝静帝天平二年（535年），北魏分裂为东魏和西魏，高欢掌东魏大权，斛律金多次随高欢出征，战功卓著。四年（537年），斛律金又随高欢征西魏，结果大败，但是斛律金的当机立断使东魏挽回了一些损失。北齐天保元年（550年），高欢子高洋建立北齐政权，斛律金被封为咸阳郡王，后又加封为太师，在其领兵战胜柔然之后又被授予丞相之职。历仕北齐数帝，备受重用。北齐天统三年（567年），斛律金辞世，享年80岁。卒后赠都督朔州等十二州诸军事、相国、太尉公、录尚书，谥武。

（胡辉芳 撰稿）

真珠毗伽可汗

真珠毗伽可汗（**？—645 年**） 薛延陀汗国建立者，姓一利咥氏，名夷男，乙失钵俟斤之孙。贞观元年（627年），率回纥等九姓反，东突厥颉利可汗遣兵讨之，尽为所败。二年，叶护可汗死，汗国内部大乱。夷男率其部落七万余家附于突厥。遇颉利之政衰，夷男率其徒属反攻颉利，大破之。于是颉利部诸姓多叛颉利，归于夷男，共推为主。时唐太宗方图颉利，遣游击将军乔师望从间道赍册书拜其为真珠毗伽可汗，约以南北合击颉利，遂建牙于大漠之北郁督军山。东至海，西邻西突厥，南接大碛，回纥、同罗、车鼻施、奚、契丹等部悉归之，国势强盛。三年，遣其弟统特勤入唐。四年，共灭东突厥，尽有漠北，建庭郁督军山北，独逻河之南，创立薛延陀汗国。以嫡子拔灼（大度设，又称肆叶护可汗）、庶子曳莽（突利失）分统西东部。

十二年，太宗令左领军大将军梁方师持节册其二子皆为小可汗。十三年，命其子大度设勒兵 20 万，屯白道川，据善阳岭攻击阿史那思摩，遭到唐军攻击。夷男与阿史那思摩约以大碛为界，以北属薛延陀，以南属思摩，并向唐遣使谢罪。十六年，遣其叔父沙钵罗泥敦策斤请婚于唐，并献马 3 千匹，太宗遂许以新兴公主妻之，后因故绝其婚。贞观十九年（645 年）病卒，唐太宗李世民为之举哀设祭，少子肆叶护拔灼袭杀其兄突利失可汗而自立，是为颉利俱利薛沙多弥可汗。

（孙永刚　撰稿）

颉利俱利薛沙多弥可汗

颉利俱利薛沙多弥可汗（？—646 年）　薛延陀汗国可汗，名拔灼，又作拔酌，真珠毗伽可汗夷男之子。贞观四年（630 年），封肆叶护可汗，也作沙耽弥叶护、沙多弥叶护，辖汗国西方异姓诸部。十二年（638 年）九月，被唐太宗册为四叶护可汗。十九年（645 年），父死，杀庶兄突利失可汗曳莽，自立为汗，称颉利俱利薛沙多弥可汗。同年发兵 10 万扰唐境，深入夏州，为唐将执失思击败，轻骑遁窜。次年，唐朝派遣江下王李道宗、左卫大将军阿史那社尔为瀚海安抚大使等各将所部兵，分道并进，击杀薛延陀。同时，又派遣萧嗣芝等分赴回纥等部发动政治攻势，进行策反，致使薛延陀汗国一时大乱，多弥可汗仅以十余骑遁去，依阿史那时健，俄为回纥所杀，尽屠其宗。余众五六万奔西域，立真珠毗伽可汗兄子吐摩支，号伊特勿失可汗，遣使向唐求和，自去汗号，薛延陀汗国灭亡。

（孙永刚　撰稿）

伊特勿失可汗

伊特勿失可汗（生卒年不详）　薛延陀末代可汗，真珠毗伽可汗昆弟子，名咄摩支。唐贞观二十年（646 年），拔灼败亡，被推为可汗。遣使者上言："愿保郁督军山"，唐恐其为患，进军讨之，惧而投降，至长安授右武卫将军。在职不足一年。

（班珏　撰稿）

尔朱荣

尔朱荣（**493—530 年**）　北魏末年权奸，北秀容（今山西忻县）人。早年曾袭父位为契胡部第一领民酋长。后趁北魏后期的农民起义之时发展势力，北魏统治者惧怕，对尔朱荣加官晋爵以示笼络，先后封其为游击将军、冠军将军、平北将军、北道都督，后来加升大都督，统领并、肆、汾、广、恒、云六州诸军事。尔朱荣入洛阳之后，发动“河阴之变”，两千多人死于非命。原朝廷官员大多死于此次事变之中。之后，尔朱荣将亲信安插朝中，北魏政权实际上落入尔朱氏之手。孝庄帝建义元年（528 年）八月，尔朱荣镇压了葛荣领导的河北人民起义，以“功”受封为大丞相、太师，第二年又受封天柱大将军，权倾朝野。孝庄帝欲除之。永安三年（530 年），入朝时为帝所杀。

（胡辉芳　撰稿）

可度者

可度者（**生卒年不详**）　唐代奚族首领。奚人牙帐约在今老哈河中游西岸地区，东与契丹、西与突厥、北与霫毗邻，南拒白狼河（今大凌河上游）。唐贞观三年（629 年），奚遣使入唐，与唐建立了贡赐关系。贞观十九年（645 年），奚首领大酋随唐太宗征辽东立战功。后大酋子可度者内附唐朝，唐在其地设饶乐都督府（今赤峰市林西县双井店乡樱桃沟古城），拜可度者使持节六州诸军事、饶乐都督，并封为楼烦县公，赐姓李。高宗显庆元年（656 年），又授予右监门大将军之职，不久去世。

（胡辉芳　撰稿）

主要参考文献

1. 《史记》，中华书局点校本。

2. 《汉书》，中华书局点校本。

3. 《后汉书》，中华书局点校本。

4. 《三国志》，中华书局点校本。

5. 《晋书》，中华书局点校本。

6. 《魏书》，中华书局点校本。

7. 《北齐书》，中华书局点校本。

8. 《周书》，中华书局点校本。

9. 《隋书》，中华书局点校本。

10. 《旧唐书》，中华书局点校本。

11. 《新唐书》，中华书局点校本。

12. 《旧五代史》，中华书局点校本。

13. 《新五代史》，中华书局点校本。

14. 崔鸿：《十六国春秋》，清文渊阁四库全书本。

15. 郦道元：《水经注》，上海古籍出版社点校本。

16. 洪亮吉：《十六国疆域志》，《史学丛书本》。

17. 杜佑：《通典》，中华书局点校本。

18. 王溥：《唐会要》，商务印书馆1935年版。

19. 李吉甫：《元和郡县图志》，丛书集成本。

20. 乐史：《太平寰宇记》，光绪八年金陵书局刻本。

21. 司马光：《资治通鉴》，中华书局点校本。

22. 脱脱等：《辽史》，中华书局点校本。

23. 叶隆礼：《契丹国志》，贾敬颜、林荣贵点校本，上海古籍出版社1985年版。

24. 周清澍主编：《内蒙古历史地理》，内蒙古大学出版社1994年版。

25. 中国社会科学院考古研究所：《新中国的考古发现和研究》，文物出版社1984年版。

26. 文物编辑委员会：《文物考古工作三十年》，文物出版社1979年版。

27. 《中国长城遗迹调查报告集》，文物出版社1981年版。

28. 内蒙古文物工作队：《内蒙古文物资料选辑》，内蒙古人民出版社1964年版。

29. 内蒙古文物工作队：《内蒙古文物资料续辑》，内蒙古人民出版社1984年版。

30. 《内蒙古文物考古》编辑部：《内蒙古文物考古》总第1—30期，1981—2004年版。

31. 李逸友主编：《内蒙古文物考古文集》第1辑，中国大百科全书出版社1994年版。

32. 魏坚主编：《内蒙古文物考古文集》第2辑，中国大百科全书出版社1997年版。